U0709837

中國國家圖書館編

國家圖書館藏敦煌遺書

第三十六册　北敦〇二六〇一號——北敦〇二七〇〇號

北京圖書館出版社

圖書在版編目(CIP)數據

國家圖書館藏敦煌遺書·第三十六册/中國國家圖書館編;任繼愈主編.—北京:北京圖書館出版社,2006.10

ISBN 7-5013-2978-8

Ⅰ.國…　Ⅱ.①中…②任…　Ⅲ.敦煌學—文獻　Ⅳ.K870.6

中國版本圖書館 CIP 數據核字(2006)第 027547 號

書　　名　國家圖書館藏敦煌遺書·第三十六册
著　　者　中國國家圖書館編　任繼愈主編
責任編輯　徐　蜀　孫　彦
封面設計　李　璀

出　　版　北京圖書館出版社　(100034　北京西城區文津街 7 號)
發　　行　010-66139745　66151313　66175620　66126153
66174391(傳真)　66126156(門市部)
E-mail　cbs@nlc.gov.cn(投稿)　btsfxb@nlc.gov.cn(郵購)
Website　www.nlcpress.com
經　　銷　新華書店
印　　刷　北京文津閣印務有限責任公司

開　　本　八開
印　　張　61.25
版　　次　2006 年 10 月第 1 版第 1 次印刷
印　　數　1-250 册(套)

書　　號　ISBN 7-5013-2978-8/K·1261
定　　價　990.00 圓

目錄

提菩薩無住相布施福德亦復如是不可思
量須菩提菩薩但應如所教住須菩提於意
云何可以身相見如来不不也世尊不可以
身相得見如来何以故如来所說身相即非身
相佛告須菩提凡所有相皆是虛妄若見
諸相非相則見如来須菩提白佛言世尊頗
有衆生得聞如是言說章句生實信不佛
告須菩提莫作是說如来滅後後五百歲有持
戒脩福者於此章句能生信心以此為實當
知是人不於一佛二佛三四五佛而種善根
已於無量千万佛所種諸善根聞是章句乃
至一念生淨信者須菩提如来悉知悉見是
諸衆生得如是無量福德何以故是諸衆生
無復我相人相衆生相壽者相無法相亦無
非法相何以故是諸衆生若心取相則為著
我人衆生壽者若取法相即著我人衆生
壽者何以故若取非法相即着我人衆生壽

BD02601 號　金剛般若波羅蜜經　（14–1）

至一念生淨信者須菩提如来悉知悉見是
諸衆生得如是無量福德何以故是諸衆生
無復我相人相衆生相壽者相無法相亦無
非法相何以故是諸衆生若心取相則為著
我人衆生壽者若取法相即著我人衆生
壽者何以故若取非法相即着我人衆生壽
者是故不應取法不應取非法以是義故如
来常說汝等比丘知我說法如筏喻者法尚
應捨何況非法須菩提於意云何如来得阿
耨多羅三藐三菩提耶如来有所說法耶須
菩提言如我解佛所說義無有定法名阿耨
多羅三藐三菩提亦無有定法如来可說何
以故如来所說法皆不可取不可說非法非非
法所以者何一切賢聖皆以無為法而有差
別須菩提於意云何若人滿三千大千世界
七寶以用布施是人所得福德寧為多不須
菩提言甚多世尊何以故是福德即非福德
性是故如来說福德多若復有人於此經中
受持乃至四句偈等為他人說其福勝彼
何以故須菩提一切諸佛及諸佛阿耨多羅三
藐三菩提法皆從此經出須菩提所謂佛
法者即非佛法須菩提於意云何須陁洹能
作是念我得須陁洹果不須菩提言不也世尊
何以故須陁洹名為入流而無所入不入色
聲香味觸法是名須陁洹須菩提於意云

BD02601 號　金剛般若波羅蜜經　（14–2）

藐三菩提法皆從此經出須菩提所謂佛
法者即非佛法須菩提於意云何須陁洹能
作是念我得須陁洹果不須菩提言不也世尊
何以故須陁洹名為入流而無所入不入色
聲香味觸法是名須陁洹須菩提於意云
何斯陁含能作是念我得斯陁含果不須菩
言言不也世尊何以故斯陁含名一往来而實
無往来是名斯陁含須菩提於意云何阿那
含能作是念我得阿那含果不須菩提言不
也世尊何以故阿那含名為不来而實無来
是故名阿那含須菩提於意云何阿羅漢能
作是念我得阿羅漢道不須菩提言不也世
尊何以故實無有法名阿羅漢世尊若阿羅
漢作是念我得阿羅漢道即為著我人衆生
壽者世尊佛說我得無諍三昧人中㝡為第
一是第一離欲阿羅漢我不作是念我是離欲
阿羅漢世尊我若作是念我得阿羅漢道
世尊則不說須菩提是樂阿蘭那行者以
須菩提實無所行而名須菩提是樂阿蘭
那行佛告須菩提於意云何如来昔在然燈
佛所於法有所得不世尊如来在然燈佛所於
法實無所得須菩提於意云何菩薩莊嚴
佛土不不也世尊何以故莊嚴佛土者則非莊嚴
是名莊嚴是故須菩提諸菩薩摩訶薩應
如是生清淨心不應住色生心不應住聲香

BD02601號　金剛般若波羅蜜經　（14–3）

法實無所得須菩提於意云何菩薩莊嚴
佛土不不也世尊何以故莊嚴佛土者則非莊嚴
是名莊嚴是故須菩提諸菩薩摩訶薩應
如是生清淨心不應住色生心不應住聲香
味觸法生心應無所住而生其心須菩提譬
如有人身如須弥山王於意云何是身為大
不須菩提言甚大世尊何以故佛說非身是
名大身須菩提如恒河中所有沙數如是沙
等恒河於意云何是諸恒河沙寧為多不須菩
提言甚多世尊但諸恒河尚多無數何況其沙
須菩提我今實言告汝若有善男子善女
人以七寶滿尒所恒河沙數三千大千世界以
用布施得福多不須菩提言甚多世尊佛
告須菩提若善男子善女人於此經中乃
至受持四句偈等為他人說而此福德勝前
福德復次須菩提隨說是經乃至四句偈等
當知此處一切世間天人阿脩羅皆應供養如
佛塔廟何況有人盡能受持讀誦須菩提當
知是人成就㝡上第一希有之法若是經典
所在之處則為有佛若尊重弟子
尒時須菩提白佛言世尊當何名此經我等
云何奉持佛告須菩提是經名為金剛般若
波羅蜜以是名字汝當奉持所以者何須菩
提佛說般若波羅蜜則非般若波羅蜜須菩
提於意云何如來有所說法不須菩提白佛

BD02601號　金剛般若波羅蜜經　（14–4）

云何奉持佛告須菩提是經名為金剛般若
波羅蜜以是名字汝當奉持所以者何須菩
提佛說般若波羅蜜則非般若波羅蜜須菩
提於意云何如來有所說法不須菩提白佛
言世尊如來無所說須菩提於意云何三千
大千世界所有微塵是為多不須菩提言甚
多世尊須菩提諸微塵如來說非微塵是名
微塵如來說世界非世界是名世界須菩提
於意云何可以三十二相見如來不不也世尊
何以故如來說三十二相即是非相是名三
十二相須菩提若有善男子善女人以恒河
沙等身命布施若復有人於此經中乃至
受持四句偈等為他人說其福甚多尒時
須菩提聞說是經深解義趣涕淚悲泣而白
佛言希有世尊佛說如是甚深經典我從昔
來所得慧眼未曾得聞如是之經世尊若復
有人得聞是經信心清淨則生實相當知是
人成就第一希有功德世尊是實相者則是
非相是故如來說名實相世尊我今得聞如是
經典信解受持不足為難若當來世後五百
歲其有眾生得聞是經信解受持是人則
為第一希有何以故此人無我相人相眾生
壽者相所以者何我相即是非相人相眾生相
相壽者相即是非相何以故離一切諸相則
名諸佛佛告須菩提如是如是若復有人

BD02601號　金剛般若波羅蜜經　（14–5）

為第一希有何以故此人無我相人相眾生相
壽者相所以者何我相即是非相人相眾生
相壽者相即是非相何以故離一切諸相則
名諸佛佛告須菩提如是如是若復有人
得聞是經不驚不怖不畏當知是人甚為希
有何以故須菩提如來說第一波羅蜜非第
一波羅蜜是名第一波羅蜜須菩提忍辱波
羅蜜如來說非忍辱波羅蜜何以故須菩提
如我昔為歌利王割截身體我於尒時無
我相無人相無眾生相無壽者相何以故我
於往昔節節支解時若有我相人相眾生
相壽者相應生瞋恨須菩提又念過去於五百
世作忍辱仙人於尒所世無我相無人相無眾
生相無壽者相是故須菩提菩薩應離一切
相發阿耨多羅三藐三菩提心不應住色生心
不應住聲香味觸法生心應生無住心若心
有住則為非住是故佛說菩薩心不應住色
布施須菩提菩薩為利益一切眾生應如是
布施如來說一切諸相即是非相又說一切
眾生則非眾生須菩提如來是真語者實
語者如語者不誑語者不異語者須菩提
如來所得法此法無實無虛須菩提若菩
薩心住於法而行布施如人入闇則無所見若
菩薩心不住法而行布施如人有目日光明
照見種種色須菩提當來之世若有善男

BD02601號　金剛般若波羅蜜經　（14–6）

語者如語者不誑語者不異語者須菩提
如来所得法此法無實無虛須菩提若菩
薩心住於法而行布施如人入闇則無所見若
菩薩心不住法而行布施如人有目日光明
照見種種色須菩提當来之世若有善男
子善女人能於此經受持讀誦則為如来以
佛智慧悉知是人悉見是人皆得成就無量
無邊功德須菩提若有善男子善女人初日
分以恒河沙等身布施中日分復以恒河沙等
身布施後日分亦以恒河沙等身布施如是
無量百千万億劫以身布施若復有人聞此
經典信心不逆其福勝彼何況書寫受持讀
誦為人解說須菩提以要言之是經有不可
思議不可稱量無邊功德如来為發大乘者
說為發最上乘者說若有人能持讀誦廣
為人說如来悉知是人悉見是人皆成就不
可量不可稱無有邊不可思議功德如是人
等則為荷擔如来阿耨多羅三藐三菩提何
以故須菩提若樂小法者著我見人見眾生見
壽者見則於此經不能聽受讀誦為人解說
須菩提在在處處若有此經一切世間天人
阿脩羅所應供養當知此處則為是塔皆應
恭敬作礼圍遶以諸華香而散其處復次須
菩提善男子善女人受持讀誦此經若為
人輕賤是人先世罪業應墮惡道以今世人輕

BD02601號　金剛般若波羅蜜經　（14–7）

阿脩羅所應供養當知此處則為是塔皆應
恭敬作礼圍遶以諸華香而散其處復次須
菩提善男子善女人受持讀誦此經若為
人輕賤是人先世罪業應墮惡道以今世人輕
賤故先世罪業則為消滅當得阿耨多羅三
藐三菩提須菩提我念過去無量阿僧祇劫
於然燈佛前得值八百四千万億那由他諸佛
悉皆供養承事無空過者若復有人於後
末世能受持讀誦此經所得功德於我所供
養諸佛功德百分不及一千万億分乃至算
數譬喻所不能及須菩提若善男子善女人
於後末世有受持讀誦此經所得功德我若
具說者或有人聞心則狂亂狐疑不信須菩提
當知是經義不可思議果報亦不可思議尒
時須菩提白佛言世尊善男子善女人發阿
耨多羅三藐三菩提心云何應住云何降伏其
心佛告須菩提善男子善女人發阿耨多
羅三藐三菩提者當生如是心我應滅度
一切眾生滅度一切眾生已而無有一眾生實
滅度者何以故若菩薩有我相人相眾生相
壽者相則非菩薩所以者何須菩提實无有
法發阿耨多羅三藐三菩提者須菩提於意
云何如来於然燈佛所有法得阿耨多羅三
藐三菩提不不也世尊如我解佛所說義佛

BD02601號　金剛般若波羅蜜經　（14–8）

度者何以故若菩薩有我相人相衆生相
壽者相則非菩薩所以者何須菩提實无有
法發阿耨多羅三藐三菩提者須菩提於意
云何如来於然燈佛所有法得阿耨多羅三
藐三菩提不不也世尊如我解佛所說義佛
於然燈佛所無有法得阿耨多羅三藐三
菩提佛言如是如是須菩提實無有法如
来得阿耨多羅三藐三菩提須菩提若有法
如来得阿耨多羅三藐三菩提然燈佛則不
與我受記汝於来世當得作佛号釋迦牟尼
以實無有法得阿耨多羅三藐三菩提是故
然燈佛與我受記作是言汝於来世當得作
佛号釋迦牟尼何以故如来者即諸法如義
若有人言如来得阿耨多羅三藐三菩提須
菩提實無有法佛得阿耨多羅三藐三菩提
須菩提如来所得阿耨多羅三藐三菩提於
是中無實無虚是故如来說一切法皆是佛
法須菩提所言一切法者即非一切法是故名
一切法須菩提譬如人身長大須菩提言世
尊如来說人身長大則為非大身是名大身
須菩提菩薩亦如是若作是言我當滅度无
量衆生則不名菩薩何以故須菩提實無有
法名為菩薩是故佛說一切法無我無人無
衆生無壽者須菩提若菩薩作是言我當
莊嚴佛土是不名菩薩何以故如来說莊嚴
佛土者即非莊嚴是名莊嚴須菩提若菩薩

BD02601 號　金剛般若波羅蜜經　（14–9）

量衆生則不名菩薩何以故須菩提實無有
法名為菩薩是故佛說一切法無我無人無
衆生無壽者須菩提若菩薩作是言我當
莊嚴佛土是不名菩薩何以故如来說莊嚴
佛土者即非莊嚴是名莊嚴須菩提若菩薩
通達無我法者如来說名真是菩薩須菩提
於意云何如来有肉眼不如是世尊如来有肉
眼須菩提於意云何如来有天眼不如是世
尊如来有天眼須菩提於意云何如来有慧
眼不如是世尊如来有慧眼須菩提於意云
何如来有法眼不如是世尊如来有法眼須
菩提於意云何如来有佛眼不如是世尊如
来有佛眼須菩提於意云何恒河中所有沙
佛說是沙不如是世尊如来說是沙須菩提
於意云何如一恒河中所有沙有如是等恒
河是諸恒河所有沙數佛世界如是寧為多
不甚多世尊佛告須菩提尒所國土中所有
衆生若干種心如来悉知何以故如来說諸
心皆為非心是名為心所以者何須菩提過
去心不可得現在心不可得未来心不可得
須菩提於意云何若有人滿三千大千世界
七寶以用布施是人以是因緣得福多不如
是世尊此人以是因緣得福甚多須菩提若
福德有實如来不說得福德多以福德无故
如来說得福德多須菩提於意云何佛可以

BD02601 號　金剛般若波羅蜜經　（14–10）

須菩提於意云何若有人滿三千大千世界
七寶以用布施是人以是因緣得福多不如
是世尊此人以是因緣得福甚多須菩提若
福德有實如來不說得福德多以福德无故
如來說得福德多須菩提於意云何佛可以
具足色身見不不也世尊如來不應以色身
見何以故如來說具足色身即非具足色身
是名具足色身須菩提於意云何如來可
以具足諸相見不不也世尊如來不應以具足
諸相見何以故如來說諸相具足即非具足
是名諸相具足須菩提汝勿謂如來作是念
我當有所說法莫作是念何以故若人言如
來有所說法即為謗佛不能解我所說故須
菩提說法者無法可說是名說法須菩提
白佛言世尊佛得阿耨多羅三藐三菩提為
無所得耶如是如是須菩提我於阿耨多羅
三藐三菩提乃至無有少法可得是名阿耨
多羅三藐三菩提復次須菩提是法平等无
有高下是名阿耨多羅三藐三菩提以無我
無人無衆生無壽者脩一切善法則得阿耨
多羅三藐三菩提須菩提所言善法者如來
說非善法是名善法須菩提若三千大千世
界中所有諸須弥山王如是等七寶聚有人
持用布施若人以此般若波羅蜜經乃至四
句偈等受持讀誦為他人說於前福德百分

說非善法是名善法須菩提若三千大千世
界中所有諸須弥山王如是等七寶聚有人
持用布施若人以此般若波羅蜜經乃至四
句偈等受持讀誦為他人說於前福德百分
不及一百千万億分乃至筭數譬喻所不能及
須菩提於意云何汝等勿謂如來作是念我
當度衆生須菩提莫作是念何以故實無有
衆生如來度者若有衆生如來度者如來
則有我人衆生壽者須菩提如來說有我者
則非有我而凡夫之人以為有我須菩提凡
夫者如來說則非凡夫須菩提於意云何可
以三十二相觀如來不須菩提言如是如是以
三十二相觀如來佛言須菩提若以三十二相
觀如來者轉輪聖王則是如來須菩提白佛
言世尊如我解佛所說義不應以三十二相
觀如來尒時世尊而說偈言
若以色見我　以音聲求我　是人行邪道　不能見如來
須菩提汝若作是念如來不以具足相故得
阿耨多羅三藐三菩提須菩提莫作是念如
來不以具足相故得阿耨多羅三藐三菩提
須菩提汝若作是念發阿耨多羅三藐三菩
提者說諸法斷滅相莫作是念何以故發阿
耨多羅三藐三菩提者於法不說斷滅相須
菩提若菩薩以滿恒河沙等世界七寶布施

提者說諸法斷滅相莫作是念何以故發阿
耨多羅三藐三菩提者於法不說斷滅相須
菩提若菩薩以滿恒河沙等世界七寶布施
若復有人知一切法无我得成於忍此菩薩
勝前菩薩所得功德須菩提以諸菩薩不受
福德故須菩提白佛言世尊云何菩薩不受
福德須菩提菩薩所作福德不應貪着是故
說不受福德須菩提若有人言如来若来
若去若坐若卧是人不解我所說義何以故
如来者无所從来亦無所去故名如来須菩提
若善男子善女人以三千大千世界碎為微
塵於意云何是微塵衆寧為多不甚多世
尊何以故若是微塵衆實有者佛則不說
是微塵衆所以者何佛說微塵衆則非微塵
衆是名微塵衆世尊如来所說三千大千世
界則非世界是名世界何以故若世界有實
則是一合相如来說一合相則非一合相是名
一合相須菩提一合相者則是不可說但凡夫
之人貪着其事須菩提若人言佛說我見
人見衆生見壽者見須菩提於意云何是
人解我所說義不世尊是人不解如来所說
義何以故世尊說我見人見衆生見壽者見
即非我見人見衆生見壽者見是名我見人
見衆生見壽者見須菩提發阿耨多羅三
藐三菩提心者於一切法應如是知如是見如

BD02601 號　金剛般若波羅蜜經　（14–13）

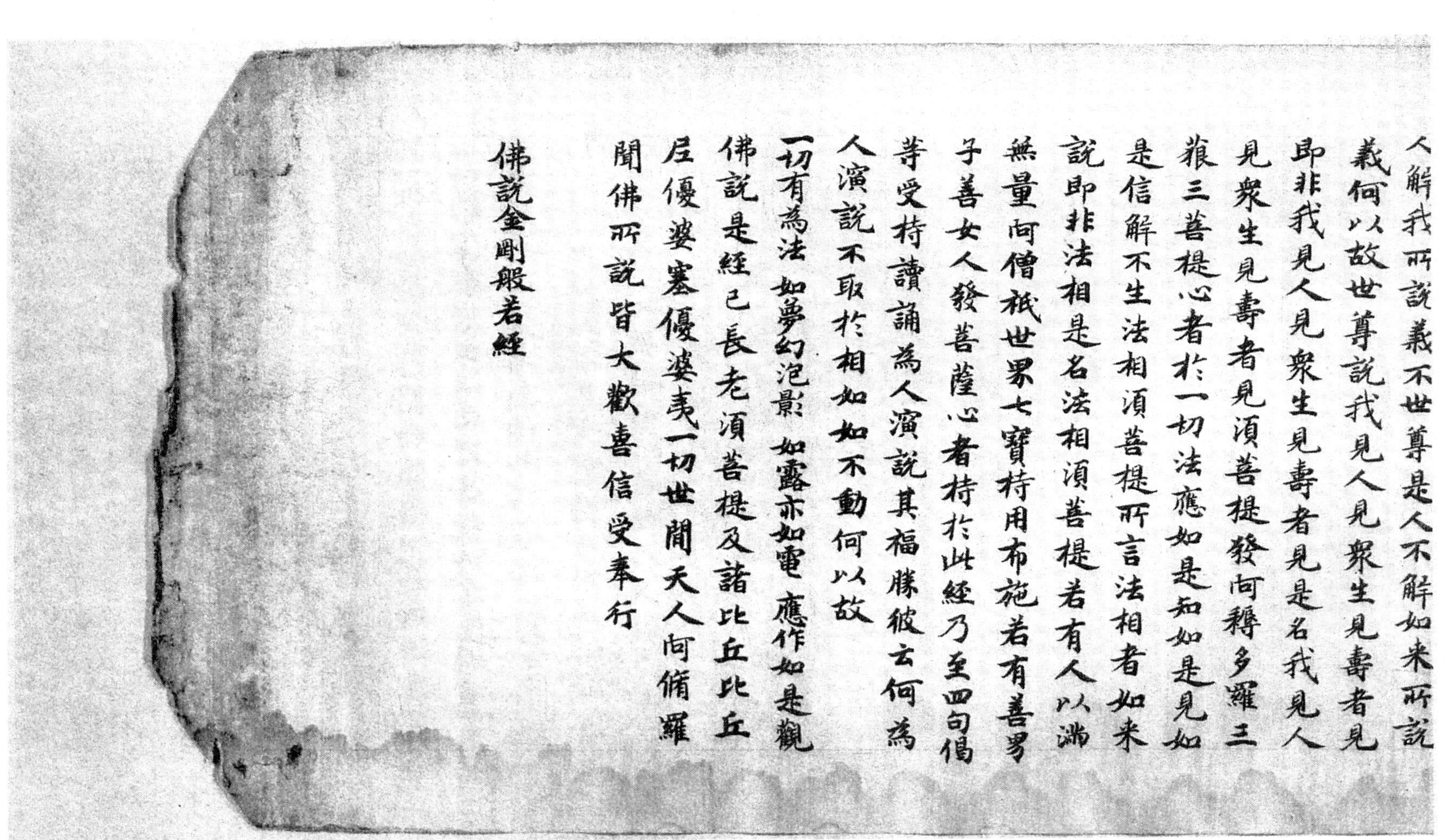
人解我所說義不世尊是人不解如来所說
義何以故世尊說我見人見衆生見壽者見
即非我見人見衆生見壽者見是名我見人
見衆生見壽者見須菩提發阿耨多羅三
藐三菩提心者於一切法應如是知如是見如
是信解不生法相須菩提所言法相者如来
說即非法相是名法相須菩提若有人以滿
無量阿僧祇世界七寶持用布施若有善男
子善女人發菩薩心者持於此經乃至四句偈
等受持讀誦為人演說其福勝彼云何為
人演說不取於相如如不動何以故
一切有為法　如夢幻泡影　如露亦如電　應作如是觀
佛說是經已長老須菩提及諸比丘比丘
尼優婆塞優婆夷一切世間天人阿脩羅
聞佛所說皆大歡喜信受奉行

佛說金剛般若經

BD02601 號　金剛般若波羅蜜經　（14–14）

耨多羅三藐三菩提者於法不說断滅相須
菩提若菩薩以滿恒河沙等世界七寶布施若
復有人知一切法无我得成於忍此菩薩勝
前菩薩所得功德須菩提以諸菩薩不受福
德故須菩提白佛言世尊云何菩薩不受福
德須菩提菩薩所作福德不應貪著是故說
不受福德
須菩提若有人言如來若來若去若坐若卧
是人不解我所說義何以故如來者无所從
來亦无所去故名如來
須菩提若善男子善女人以三千大千世界
碎為微塵於意云何是微塵衆寧為多不甚
多世尊何以故若是微塵衆實有者佛則不
說是微塵衆所以者何佛說微塵衆則非微
塵衆是名微塵衆世尊如來所說三千大千
世界則非世界是名世界何以故若世界實有
者則是一合相如來說一合相則非一合相
是名一合相須菩提一合相者則是不可說
但凡夫之人貪著其事須菩提若人言佛說
我見人見衆生見壽者見須菩提於意云何
是人解我所說義不世尊是人不解如來所

BD02602號　金剛般若波羅蜜經　（2–1）

是名一合相須菩提一合相者則是不可說
但凡夫之人貪著其事須菩提若人言佛說
我見人見衆生見壽者見須菩提於意云何
是人解我所說義不世尊是人不解如來所
說義何以故世尊說我見人見衆生見壽
者見即非我見人見衆生見壽者見是名我
見人見衆生見壽者見須菩提發阿耨多羅
三藐三菩提心者於一切法應如是知如是見
如是信解不生法相須菩提所言法相者如來
說即非法相是名法相須菩提若有人以滿
无量阿僧祇世界七寶持用布施若有善
男子善女人發菩薩心者持於此經乃至四
句偈等受持讀誦為人演說其福勝彼云何
為人演說不取於相如如不動何以故
一切有為法　如夢幻泡影　如露亦如電　應作如是觀
佛說是經已長老須菩提及諸比丘比丘尼
優婆塞優婆夷一切世間天人阿脩羅聞
佛所說皆大歡喜信受奉持
金剛般若波羅蜜經
景龍二年九月廿日昭武校尉前
行蘭州金城鎮副隂嗣瓌受持
讀誦

BD02602號　金剛般若波羅蜜經　（2–2）

逮
離亣身心脩善[…]而歸趣善法觀於
无生而以生法荷負一切[…]於无漏而不斷
諸漏觀无所行而以行法教化衆生觀於空
无而不捨大悲觀正法位而不隨小乘觀諸法
虛妄无牢无人无主无相本願未滿而不虛
福德禪定智慧脩如此法是名菩薩不住
无爲又具福德故不住[…]爲具智慧故不盡
有爲大慈悲故不住无爲滿本願故不盡有
爲集法藥故不住无爲隨授藥故不盡有爲知
衆生病故不住无爲滅衆生病故不盡有
爲諸正士菩薩已脩此法不盡有爲不住无
爲是名盡无盡解脫法門汝等當學尒時彼
諸菩薩聞說是法皆大歡喜以衆妙華若干
種色若干種香散遍三千[…]界供養於
佛及此經法并諸菩薩已稽首佛足歎未
曾有言釋迦牟尼佛乃能於此善行方便言
已忽然不現還到彼國
見阿閦佛品第十二
尒時世尊問維摩詰汝欲見如來爲以何等
觀如來乎維摩詰言如自觀身實相觀佛亦
然我觀如來前際不來後際不去今則不住
不觀色不觀色如不觀色性不觀受想行識
不觀識如不觀識性非四大起同於虛空六
入无積眼耳鼻舌身心已過不在三界三垢

已忽然不現還到彼國
見阿閦佛品第十二
尒時世尊問維摩詰汝欲見如來爲以何等
觀如來乎維摩詰言如自觀身實相觀佛亦
然我觀如來前際不來後際不去今則不住
不觀色不觀色如不觀色性不觀受想行識
不觀識如不觀識性非四大起同於虛空六
入无積眼耳鼻舌身心已過不在三界三垢
已離順三脫門三明與无明等不一相不異
相不自相不他相非无相非取相不此岸不
彼岸不中流而化衆生觀於寂滅亦不永滅
不此不彼不以此不以彼不可以智不可以
識无晦无明无名无相无強无弱非淨非
穢不在方不離方非有爲非无爲无示无
說不施不慳不戒不犯不忍不恚不進不怠
不定不亂不智不愚不誠不欺不來不去不出
不入一切言語道斷非福田非不福田非應供
養非不應供養非取非捨非有相非無相
同真際等法性不可稱不可量過諸稱量
非大非小非見非聞非覺非知離衆結縛等
諸智同衆生於諸法無分別一切無失無濁
無惱無作無起無生無滅無畏無憂無喜
無厭無著無已有無當有無今有不可以一切
言說分別顯示世尊如來身爲若此作如是觀
以斯觀者名爲正觀若他觀者名爲邪觀尒
時舍利弗問維摩詰汝於何沒而來生此維
摩詰言汝所得法有沒生乎舍利弗言無沒

無猒無著無已有無當有無令有不可以一切
言說分別顯示世尊如来身為若此作如是觀
以斯觀者名為正觀若他觀者名為邪觀尒
時舍利弗問維摩詰汝於何沒而来生此維
摩詰言汝所得法有沒生乎舍利弗言無沒
生也若諸法無沒生相去何問言汝於何沒
而来生此於意去何譬如幻師幻作男女寧
說諸法如幻相乎荅曰如是若一切法如幻
相者去何問言汝於何沒而来生此舍利弗
沒者為虛誑法壞敗之相生者為虛誑法相
續之相菩薩雖沒不盡善本雖生不長諸惡
是時佛告舍利弗有國名妙喜佛号无動是
維摩詰於彼國沒而来生此舍利弗言未曾
有也世尊是人乃能捨清淨土而来樂此多
怒害處維摩詰語舍利弗於意去何日光出
時與冥合乎荅曰不也日光出時則无衆冥
維摩詰言夫日何故行閻浮提荅曰欲以明
照為之除冥維摩詰言菩薩如是雖生不淨
佛土為化衆生不與愚闇而共合也但滅衆
生煩惱闇耳
是時大衆渴仰欲見妙喜世界无動如来及其
菩薩聲聞之衆佛知一切衆會所念告維摩
詰言善男子為此衆會現妙喜國无動如来
及諸菩薩聲聞之衆衆皆欲見於是維摩詰
心念吾當不起于坐接妙喜國鐵圍山川溪
谷江河大海泉源須弥諸山及日月星宿天
龍鬼神梵天等宮并諸菩薩聲聞之衆城邑

BD02603號　維摩詰所說經卷下　（4–3）

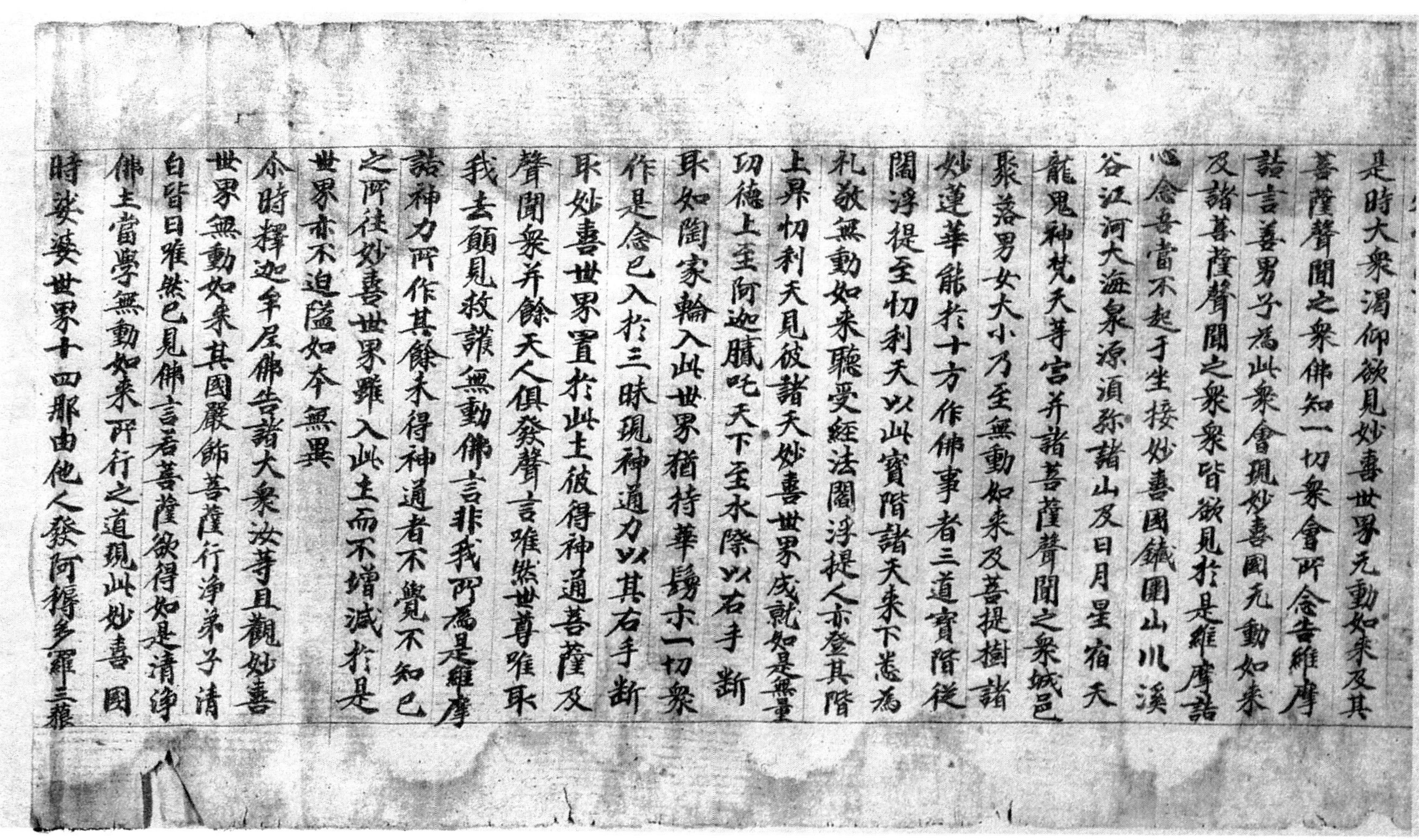

是時大衆渴仰欲見妙喜世界无動如来及其
菩薩聲聞之衆佛知一切衆會所念告維摩
詰言善男子為此衆會現妙喜國无動如来
及諸菩薩聲聞之衆衆皆欲見於是維摩詰
心念吾當不起于坐接妙喜國鐵圍山川溪
谷江河大海泉源須弥諸山及日月星宿天
龍鬼神梵天等宮并諸菩薩聲聞之衆城邑
聚落男女大小乃至無動如来及菩提樹諸
妙蓮華能於十方作佛事者三道寶階從
閻浮提至忉利天以此寶階諸天来下悉為
礼敬無動如来聽受經法閻浮提人亦登其階
上昇忉利天見彼諸天妙喜世界成就如是無量
功德上至阿迦膩吒天下至水際以右手斷
取如陶家輪入此世界猶持華鬘示一切衆
作是念已入於三昧現神通力以其右手斷
取妙喜世界置於此土彼得神通菩薩及
聲聞衆并餘天人俱發聲言唯然世尊誰取
我去願見救護無動佛言非我所為是維摩
詰神力所作其餘未得神通者不覺不知己
之所往妙喜世界雖入此土而不增減於是
世界亦不迫隘如本無異
尒時釋迦牟尼佛告諸大衆汝等且觀妙喜
世界無動如来其國嚴飾菩薩行淨弟子清
白皆曰唯然已見佛言若菩薩欲得如是清淨
佛土當學無動如来所行之道現此妙喜國
時娑婆世界十四那由他人發阿耨多羅三藐

BD02603號　維摩詰所說經卷下　（4–4）

大乘无量壽經
如是我聞一時薄伽梵在舍衛國祇樹給孤獨園與大苾芻僧千二百五十人大菩薩
摩訶薩眾俱同會坐尒時世尊告曼殊室利童子曼殊上方有世界名无量功德
聚彼土有佛号无量智决定王如來阿耨多羅三藐三菩提現為眾生開示說法
曼殊諦聽南閻浮提人皆短壽大限百年於中夭枉橫死者眾曼殊如是无量壽
如來功德名稱法要若有眾生得聞名号若自書或使人書能為經卷受持讀誦若
於舍宅所住之處以種種花鬘瓔珞塗香末香而為供養如其命盡復得延年滿之
百歲如是曼殊若有眾生得聞是无量壽智决定王如來一百八名号者益其長壽若
有眾生大命將盡憶念是如來名号更得增壽如是曼殊若有善男子善女人欲求長
壽者於是无量壽如來一百八名号有得聞者或自書或使人書受持讀誦得如是等
果報福德具足陁羅尼曰
南謨薄伽勃底一 阿波唎蜜多二 阿喻紇硯那三 須毗你失指陁四 囉佐耶五 怛他羯他耶六
怛姪他唵七 薩婆桑塞迦羅八 鉢唎輸底九 達磨底十 伽迦那十一 莎訶某持迦底十二
薩婆婆毗輸底十三 摩訶那耶十四 波唎婆囉莎訶十五
世尊復告曼殊室利如是如來一百八名号若有自書或使人書為經卷受持讀
誦如其命盡復滿百年壽終此身後得往生无量福智世界无量壽淨土陁羅
尼曰 南謨薄伽勃底一 阿波唎蜜多二 阿喻紇硯那三 須毗你失指陁四 囉佐耶五
怛他羯他耶六 怛姪他唵七 薩婆桑塞迦羅八 鉢唎輸底九 達磨底十 伽迦那十一
莎訶某持迦底十二 薩婆婆毗輸底十三 摩訶那耶十四 波唎婆囉莎訶十五
尒時有九十九殑佛等一時同聲說是无量壽宗要經陁羅尼曰
南謨薄伽勃底一 阿波唎蜜多二 阿喻紇硯那三 須毗你失指陁四 囉佐耶五 怛他羯他耶六
怛姪他唵七 薩婆桑塞迦羅八 波唎輸底九 達磨底十 伽迦那十一 莎訶某持迦底十二
薩婆婆毗輸底十三 摩訶那耶十四 波唎婆囉莎訶十五
尒時復有一百四殑佛一時同聲說是无量壽宗要經陁羅尼曰
南謨薄伽勃底一 阿波唎蜜多二 阿喻紇硯那三 須毗你失指陁四 囉佐耶五 怛他羯他耶六

BD02604號　無量壽宗要經　（6–1）

莎訶某持迦底十二 薩婆婆毗輸底十三 摩訶那耶十四 波唎婆囉莎訶十五
尒時有九十九殑佛等一時同聲說是无量壽宗要經陁羅尼曰
南謨薄伽勃底一 阿波唎蜜多二 阿喻紇硯那三 須毗你失指陁四 囉佐耶五 怛他羯他耶六
怛姪他唵七 薩婆桑塞迦羅八 波唎輸底九 達磨底十 伽迦那十一 莎訶某持迦底十二
薩婆婆毗輸底十三 摩訶那耶十四 波唎婆囉莎訶十五
尒時復有一百四殑佛一時同聲說是无量壽宗要經陁羅尼曰
南謨薄伽勃底一 阿波唎蜜多二 阿喻紇硯那三 須毗你失指陁四 囉佐耶五 怛他羯他耶五
怛姪他唵七 薩婆桑塞迦羅八 波唎輸底九 達磨底十 伽迦那十一 莎訶某持迦底十二
薩婆婆毗輸底十三 摩訶那耶十四 波唎婆囉莎訶十五
尒時復有七殑佛一時同聲說是无量壽宗要經陁羅尼曰
南謨薄伽勃底一 阿波唎蜜多二 阿喻紇硯那三 須毗你失指陁四 囉佐耶五 怛他羯他耶六
怛姪他唵七 薩婆桑塞迦羅八 波唎輸底九 達磨底十 伽迦那十一 莎訶某持迦底十二
薩婆婆毗輸底十三 摩訶那耶十四 波唎婆囉莎訶十五
尒時復有六十五殑佛一時同聲說是无量壽宗要經陁羅尼曰
南謨薄伽勃底一 阿波唎蜜多二 阿喻紇硯那三 須毗你失指陁四 囉佐耶五 怛他羯他耶六
怛姪他唵七 薩婆桑塞迦羅八 波唎輸底九 達磨底十 伽迦那十一 莎訶某持迦底十二
薩婆婆毗輸底十三 摩訶那耶十四 波唎婆囉莎訶十五
尒時復有五十五殑佛一時同聲說是无量壽宗要經陁羅尼曰
南謨薄伽勃底一 阿波唎蜜多二 阿喻紇硯那三 須毗你失指陁四 囉佐耶五 怛他羯他耶六
怛姪他唵七 薩婆桑塞迦羅八 波唎輸底九 達磨底十 伽迦那十一 莎訶某持迦底十二
薩婆婆毗輸底十三 摩訶那耶十四 波唎婆囉莎訶十五
尒時復有四十五殑佛一時同聲說是无量壽宗要經陁羅尼曰
南謨薄伽勃底一 阿波唎蜜多二 阿喻紇硯那三 須毗你失指陁四 囉佐耶五 怛他羯他耶六
怛姪他唵七 薩婆桑塞迦羅八 波唎輸底九 達磨底十 伽迦那十一 莎訶某持迦底十二
薩婆婆毗輸底十三 摩訶那耶十四 波唎婆囉莎訶十五
尒時復有三十六殑佛一時同聲說是无量壽宗要經陁羅尼曰
南謨薄伽勃底一 阿波唎蜜多二 阿喻紇硯那三 須毗你失指陁四 囉佐耶五 怛他羯他耶六
怛姪他唵七 薩婆桑塞迦羅八 波唎輸底九 達磨底十 伽迦那十一 莎訶某持迦底十二
薩婆婆毗輸底十三 摩訶那耶十四 波唎婆囉莎訶十五
尒時復有二十五殑佛一時同聲說是无量壽宗要經陁羅尼曰

BD02604號　無量壽宗要經　（6–2）

薩婆娑婆毗輸底十三 摩訶娜耶十四 波唎婆嚟莎訶十五
尒時復有三十六姟佛一時同聲說是无量壽宗要經陀羅尼曰
南謨薄伽勃底一 阿波唎蜜多二 阿喻紇硯娜三 須毗你悉指陀四 囉佐耶五 怛他羯他耶六
怛姪他唵七 薩婆桑悉迦囉八 波唎輸底九 達磨底十 伽迦娜十一 莎訶某持迦底十二
薩婆娑婆毗輸底十三 摩訶娜耶十四 波唎婆嚟莎訶十五
尒時復有二十五姟佛一時同聲說是无量壽宗要經陀羅尼曰
南謨薄伽勃底一 阿波唎蜜多二 阿喻紇硯娜三 須毗你悉指陀四 囉佐耶五 怛他羯他耶六
怛姪他唵七 薩婆桑悉迦囉八 波唎輸底九 達磨底十 伽迦娜十一 莎訶某持迦底十二
薩婆娑婆毗輸底十三 摩訶娜耶十四 波唎婆嚟莎訶十五
尒時復有恒河沙姟佛一時同聲說是无量壽宗要經陀羅尼曰
南謨薄伽勃底一 阿波唎蜜多二 阿喻紇硯娜三 須毗你悉指陀四 囉佐耶五 怛他羯他耶六
怛姪他唵七 薩婆桑悉迦囉八 波唎輸底九 達磨底十 伽迦娜十一 莎訶某持迦底十二
薩婆娑婆毗輸底十三 摩訶娜耶十四 波唎婆嚟莎訶十五
善男子若有自書寫教人書寫是无量壽宗要經如其人命盡復得長壽而滿年
陀羅尼曰 南謨薄伽勃底一 阿波唎蜜多二 阿喻紇硯娜三 須毗你悉指陀四 囉佐耶五
怛他羯他耶六 怛姪他唵七 薩婆桑悉迦囉八 波唎輸底九 達磨底十 伽迦娜十一
莎訶某持迦底十二 薩婆娑婆毗輸底十三 摩訶娜耶十四 波唎婆嚟莎訶十五
若有自書寫教人書寫是无量壽宗要經讀誦受持畢竟不墮地獄在在所生得宿
命智陀羅尼曰 南謨薄伽勃底一 阿波唎蜜多二 阿喻紇硯娜三 須毗你悉指陀四 囉佐耶五
怛他羯他耶六 怛姪他唵七 薩婆桑悉迦囉八 波唎輸底九 達磨底十 伽迦娜十一
莎訶某持迦底十二 薩婆娑婆毗輸底十三 摩訶娜耶十四 波唎婆嚟莎訶十五
若有自書寫教人書寫是无量壽宗要經受持讀誦如同書寫八万四千一切經典
陀羅尼曰 南謨薄伽勃底一 阿波唎蜜多二 阿喻紇硯娜三 須毗你悉指陀四 囉佐耶五
怛他羯他耶六 怛姪他唵七 薩婆桑悉迦囉八 波唎輸底九 達磨底十 伽迦娜十一
莎訶某持迦底十二 薩婆娑婆毗輸底十三 摩訶娜耶十四 波唎婆嚟莎訶十五
若有自書寫教人書寫是无量壽宗要經即是書寫八万四千部建立塔廟陀羅尼曰
南謨薄伽勃底一 阿波唎蜜多二 阿喻紇硯娜三 須毗你悉指陀四 囉佐耶五 怛他羯他耶六
怛姪他唵七 薩婆桑悉迦囉八 波唎輸底九 達磨底十 伽迦娜十一 莎訶某持迦底十二
薩婆娑婆毗輸底十三 摩訶娜耶十四 波唎婆嚟莎訶十五
若有自書寫教人書是无量壽宗要經能消五无間等一切重罪陀羅尼曰

BD02604號　無量壽宗要經　（6–3）

南謨薄伽勃底一 阿波唎蜜多二 阿喻紇硯娜三 須毗你悉指陀四 囉佐耶五 怛他羯他耶六
怛姪他唵七 薩婆桑悉迦囉八 波唎輸底九 達磨底十 伽迦娜十一 莎訶某持迦底十二
薩婆娑婆毗輸底十三 摩訶娜耶十四 波唎婆嚟莎訶十五
若有自書寫教人書是无量壽宗要經能消五无間等一切重罪陀羅尼曰
南謨薄伽勃底一 阿波唎蜜多二 阿喻紇硯娜三 須毗你悉指陀四 囉佐耶五 怛他羯他耶六
怛姪他唵七 薩婆桑悉迦囉八 波唎輸底九 達磨底十 伽迦娜十一 莎訶某持迦底十二
薩婆娑婆毗輸底十三 摩訶娜耶十四 波唎婆嚟莎訶十五
若有自書寫教人書寫是无量壽宗要經受持讀誦設有重罪猶如須弥盡能除滅
陀羅尼曰 南謨薄伽勃底一 阿波唎蜜多二 阿喻紇硯娜三 須毗你悉指陀四 囉佐耶五
怛他羯他耶六 怛姪他唵七 薩婆桑悉迦囉八 波唎輸底九 達磨底十 伽迦娜十一
莎訶某持迦底十二 薩婆娑婆毗輸底十三 摩訶娜耶十四 波唎婆嚟莎訶十五
若有自書寫教人書寫是无量壽宗要經受持讀誦若魔子之眷屬及夜叉羅剎不得其
便終无枉死陀羅尼曰 南謨薄伽勃底一 阿波唎蜜多二 阿喻紇硯娜三 須毗你悉指陀四
囉佐耶五 怛他羯他耶六 怛姪他唵七 薩婆桑悉迦囉八 波唎輸底九 達磨底十 伽迦娜十一
莎訶某持迦底十二 薩婆娑婆毗輸底十三 摩訶娜耶十四 波唎婆嚟莎訶十五
若有自書教人書寫是无量壽宗要經受持讀誦當命終時有九十九姟佛現其人
前衆千佛授手能遊一切佛剎莫於此經生於疑惑陀羅尼曰
南謨薄伽勃底一 阿波唎蜜多二 阿喻紇硯娜三 須毗你悉指陀四 囉佐耶五 怛他羯他耶六
怛姪他唵七 薩婆桑悉迦囉八 波唎輸底九 達磨底十 伽迦娜十一 莎訶某持迦底十二
薩婆娑婆毗輸底十三 摩訶娜耶十四 波唎婆嚟莎訶十五
若有自書寫教人書寫是无量壽宗要經受持讀誦常得四天王隨其衛護陀羅尼曰
南謨薄伽勃底一 阿波唎蜜多二 阿喻紇硯娜三 須毗你悉指陀四 囉佐耶五 怛他羯他耶六
怛姪他唵七 薩婆桑悉迦囉八 波唎輸底九 達磨底十 伽迦娜十一 莎訶某持迦底十二
薩婆娑婆毗輸底十三 摩訶娜耶十四 波唎婆嚟莎訶十五
若有自書寫教人書寫是无量壽宗要經受持讀誦當得往生西方極樂世界阿弥陀
淨土陀羅尼曰 南謨薄伽勃底一 阿波唎蜜多二 阿喻紇硯娜三 須毗你悉指陀四 囉佐耶五
怛他羯他耶六 怛姪他唵七 薩婆桑悉迦囉八 波唎輸底九 達磨底十 伽迦娜十一
莎訶某持迦底十二 薩婆娑婆毗輸底十三 摩訶娜耶十四 波唎婆嚟莎訶十五
若有方所自書寫使人書寫是无量壽經典之處則為是塔皆應恭敬作礼若是畜
生或為鳥獸得聞是經如是等類皆當不久得成一切種智陀羅尼曰

BD02604號　無量壽宗要經　（6–4）

淨王陀羅尼曰　南謨薄伽勃底一阿波唎蜜多二阿喻紇硯那三須毗你悉指陁四囉佐耶五
怛他羯他耶六　怛姪他唵七　薩婆桑塞迦囉八波唎輸底九　達磨底十　伽迦娜十一
莎訶其持迦底十二　薩婆婆毗輸底十三　摩訶娜耶十四　波唎婆囉莎訶十五
若有方所自書寫使人書寫是无量壽經典之處則為是塔皆應恭敬作礼若是畜
生飛鳥獸得聞是經如是等類皆當不久得成一切種智陀羅尼曰
南謨薄伽勃底一阿波唎蜜多二阿喻紇硯那三須毗你悉指陁四囉佐耶五　怛他羯他耶六
怛姪他唵七　薩婆桑塞迦囉八波唎輸底九　達磨底十　伽迦娜十一　莎訶其持迦底十二
薩婆婆毗輸底十三摩訶娜耶十四　波唎婆囉莎訶十五
若有於是无量壽經自書寫若使人書畢竟不受女人之身陀羅尼曰
南謨薄伽勃底一阿波唎蜜多二阿喻紇硯那三須毗你悉指陁四囉佐耶五　怛他羯他耶六
怛姪他唵七　薩婆桑塞迦囉八波唎輸底九　達磨底十　伽迦娜十一　莎訶其持迦底十二
薩婆婆毗輸底十三摩訶娜耶十四　波唎婆囉莎訶十五
若有能於是經少分能惠施者善於三千大千世界滿中七寶布施陀羅尼曰
南謨薄伽勃底一阿波唎蜜多二阿喻紇硯那三須毗你悉指陁四囉佐耶五　怛他羯他耶六
怛姪他唵七　薩婆桑塞迦囉八　波唎輸底九　達磨底十　伽迦娜十一　莎訶其持迦底十二
薩婆婆毗輸底十三　摩訶娜耶十四　波唎婆囉莎訶十五　若有能供養是經者則是供養
一切諸經等无有異陀羅尼曰　南謨薄伽勃底一阿波唎蜜多二阿喻紇硯那三須毗你悉指陁四
囉佐耶五　怛他羯他耶六　怛姪他唵七　薩婆桑塞迦囉八　波唎輸底九　達磨底十　伽迦娜十一
莎訶其持迦底十二　薩婆婆毗輸底十三　摩訶娜耶十四　波唎婆囉莎訶十五
如是毗婆尸佛尸弃佛毗舍浮佛俱留孫佛俱那含牟尼佛迦葉佛釋迦牟尼佛
若有人以七寶供養如是七佛其福有限書寫受持是无量壽經典所有功德不
可限量陀羅尼曰　南謨薄伽勃底一阿波唎蜜多二阿喻紇硯那三須毗你悉指陁四
囉佐耶五　怛他羯他耶六　怛姪他唵七　薩婆桑塞迦囉八　波唎輸底九　達磨底十　伽迦娜十一
莎訶其持迦底十二　薩婆婆毗輸底十三　摩訶娜耶十四　波唎婆囉莎訶十五
若有七寶善於須弥以用布施其福上能知其限量是无量壽經典其福不可知數
陀羅尼曰　南謨薄伽勃底一阿波唎蜜多二阿喻紇硯那三須毗你悉指陁四囉佐耶五
怛他羯他耶六　怛姪他唵七　薩婆桑塞迦囉八　波唎輸底九　達磨底十　伽迦娜十一
莎訶其持迦底十二　薩婆婆毗輸底十三　摩訶娜耶十四　波唎婆囉莎訶十五
如是四大海水可知滴數是无量壽經典所生果報不可數量陀羅尼曰

BD02604號　無量壽宗要經　（6–5）

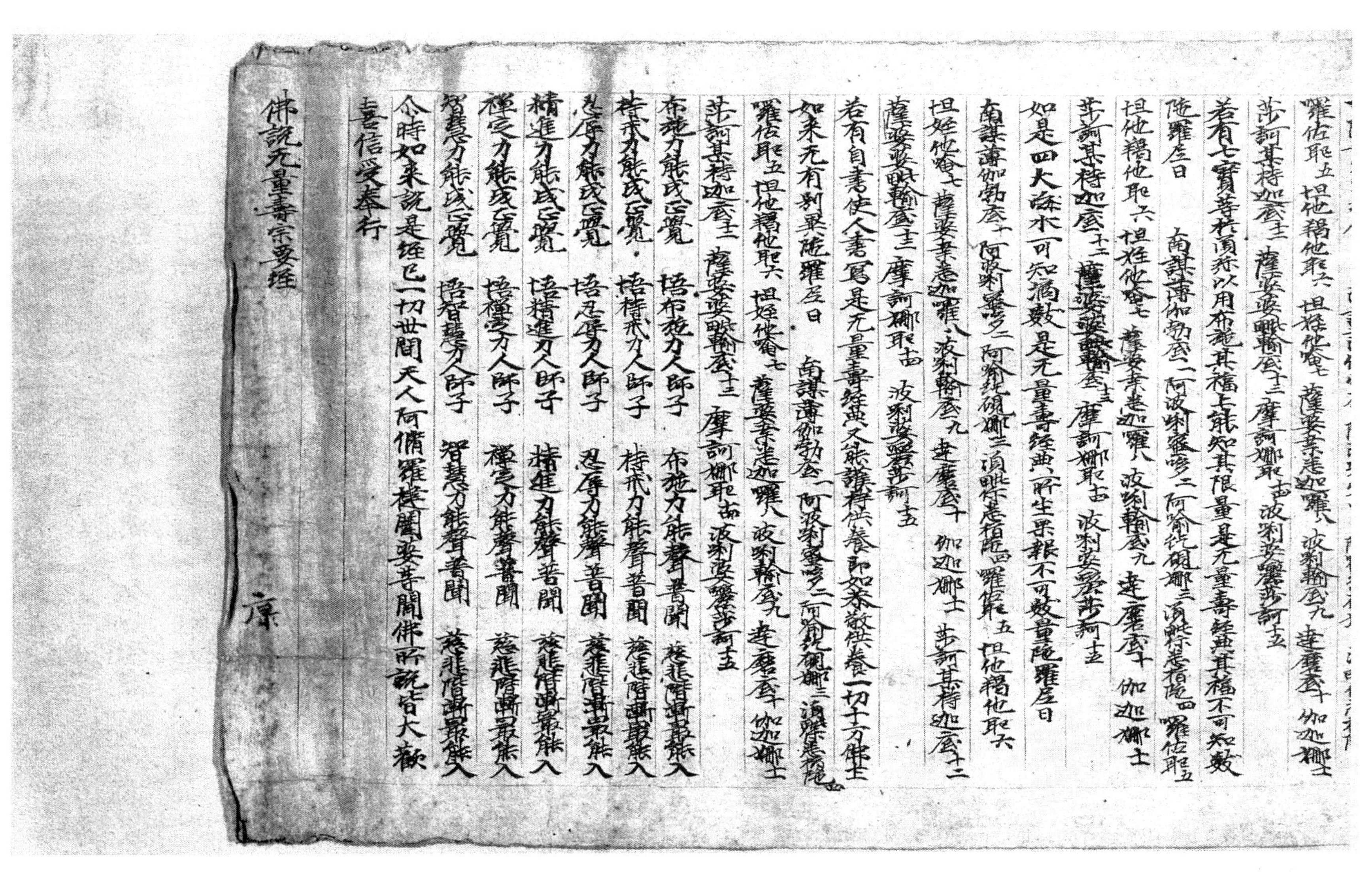

囉佐耶五　怛他羯他耶六　怛姪他唵七　薩婆桑塞迦囉八　波唎輸底九　達磨底十　伽迦娜十一
莎訶其持迦底十二　薩婆婆毗輸底十三　摩訶娜耶十四　波唎婆囉莎訶十五
若有七寶善於須弥以用布施其福上能知其限量是无量壽經典其福不可知數
陀羅尼曰　南謨薄伽勃底一阿波唎蜜多二阿喻紇硯那三須毗你悉指陁四囉佐耶五
怛他羯他耶六　怛姪他唵七　薩婆桑塞迦囉八　波唎輸底九　達磨底十　伽迦娜十一
莎訶其持迦底十二　薩婆婆毗輸底十三　摩訶娜耶十四　波唎婆囉莎訶十五
如是四大海水可知滴數是无量壽經典所生果報不可數量陀羅尼曰
南謨薄伽勃底一阿波唎蜜多二阿喻紇硯那三須毗你悉指陁四囉佐耶五　怛他羯他耶六
怛姪他唵七　薩婆桑塞迦囉八　波唎輸底九　達磨底十　伽迦娜十一　莎訶其持迦底十二
薩婆婆毗輸底十三　摩訶娜耶十四　波唎婆囉莎訶十五
若有自書使人書寫是无量壽經典又能護持供養即如恭敬供養一切十方佛土
如來无有別異陀羅尼曰　南謨薄伽勃底一阿波唎蜜多二阿喻紇硯那三須毗你悉指陁
囉佐耶五怛他羯他耶六　怛姪他唵七　薩婆桑塞迦囉八　波唎輸底九　達磨底十　伽迦娜十一
莎訶其持迦底十二　薩婆婆毗輸底十三　摩訶娜耶十四　波唎婆囉莎訶十五
布施力能成正覺　悟布施力人師子　布施力能聲普聞　慈悲階漸最能入
持戒力能成正覺　悟持戒力人師子　持戒力能聲普聞　慈悲階漸最能入
忍辱力能成正覺　悟忍辱力人師子　忍辱力能聲普聞　慈悲階漸最能入
精進力能成正覺　悟精進力人師子　精進力能聲普聞　慈悲階漸最能入
禪定力能成正覺　悟禪定力人師子　禪定力能聲普聞　慈悲階漸最能入
智慧力能成正覺　悟智慧力人師子　智慧力能聲普聞　慈悲階漸最能入
尒時如來說是經已一切世間天人阿脩羅揵闥婆等聞佛所說皆大歡
喜信受奉行

佛說无量壽宗要經

康

BD02604號　無量壽宗要經　（6–6）

家門下立時維摩詰来
為晨朝持鉢住此我言居士世
用牛乳故来至此維摩詰言止止阿難莫作
語如来身者金剛之體諸惡已斷衆善
會當有何疾當有何惱嘿往阿難勿謗
来莫使異人聞此麁言无令大威德諸天及
他方淨土諸来菩薩得聞斯語阿難轉輪
聖王以少福故尚得无疾豈況如来无量福會
普勝者哉行矣阿難勿使我等受斯耻也
外道梵志若聞此語當作是念何名為師自
疾不能救而能救諸疾人可密速去勿使
聞當知阿難諸如来身即是法
佛為世尊過於三界佛身无漏
身无為不隨諸數如此之身當
世尊實懷慙愧得无近佛而謬
空中聲曰阿難如居士言但為佛出五濁惡
世現行斯法度脫衆生行矣阿難取乳勿
慙世尊維摩詰智慧辯才為若此也是故不
任詣彼問疾如是五百大弟子各各向佛說其
本緣稱述維摩詰所言皆曰不任詣彼問疾
菩薩品第四
於是佛告弥勒菩薩汝行詣維摩詰問疾
弥勒白佛言世尊我不堪任詣彼問疾所以者

BD02605 號　維摩詰所說經卷上　（5–1）

世現行斯法度脫衆生行矣阿難取乳勿
慙世尊維摩詰智慧辯才為若此也是故不
任詣彼問疾如是五百大弟子各各向佛說其
本緣稱述維摩詰所言皆曰不任詣彼問疾
菩薩品第四
於是佛告弥勒菩薩汝行詣維摩詰問疾
弥勒白佛言世尊我不堪任詣彼問疾所以者
何憶念我昔為兜率天王及其眷屬說不退
轉地之行時維摩詰来謂我言弥勒世尊授
仁者記一生當得阿耨多羅三藐三菩提為用
何生得受記乎過去耶未来耶現在耶若過
去生過去生已滅若未来生未来生未至若現
在生現在生无住如佛所說比丘汝今即時亦
生亦老亦滅若以无生得受記者无生即是
正位於正位中亦无受記亦无得阿耨多羅
三藐三菩提云何弥勒受一生記乎為從如生
得受記耶為從如滅得受記耶若以如生得
受記者如无有生若以如滅得受記者如无
有滅一切衆生皆如也一切法亦如也衆聖賢
亦如也至於弥勒亦如也若弥
一切衆生亦應受記所以者
不異若弥勒得阿耨多羅三
切衆生皆亦應得所以者何一切衆生即菩
提相若弥勒滅度者一切衆生亦當滅度
所以者何諸佛知一切衆生畢竟寂滅即
涅槃相不復更滅是故弥勒无以此法誘
諸天子實无發阿耨多

BD02605 號　維摩詰所說經卷上　（5–2）

不異若弥勒得阿耨多羅三
切衆生皆亦應得所以者何一切衆生即菩
提相若弥勒滅度者一切衆生亦當滅度
所以者何諸佛知一切衆生畢竟寂滅即
涅槃相不復更滅是故弥勒无以此法誘
諸天子實无發阿耨多羅三藐三菩提心
者亦无退者弥勒當令此諸天子捨於分别
菩提之見所以者何菩提者不可以身得
不可以心得寂滅是菩提滅諸相故不觀是
菩提離諸緣故不行是菩提无憶念故斷是
菩提捨諸見故離是菩提離諸妄想故鄣是
菩提鄣諸願故不入是菩提无貪着故順是
菩提順於如故住是菩提住法性故至是菩提
至實際故不二是菩提離意法故等是菩提
等虛空故无為是菩提无生住滅故知是菩提
了衆生心行故不會是菩提諸入不會故不
合是菩提離煩惱習故无處是菩提无形
色故假名是菩提名字空故如化是菩提无
取捨故无亂是菩提常自靜故善寂是菩提
性清淨故无取是菩提離攀緣故无異是菩
提諸法等故无比是菩提无可喻故微妙是
菩提諸法難知故世尊維摩詰說是法時二
百天子得无生法忍故我不任詣彼問疾
佛告光嚴童子汝行詣維摩詰問疾光嚴白
佛言世尊我不堪任詣彼問疾所以者何憶
念我昔出毗耶離大城時維摩詰方入城我

BD02605號　維摩詰所說經卷上　（5–3）

提諸法等故无比是菩提无可喻故微妙是
菩提諸法難知故世尊維摩詰說是法時二
百天子得无生法忍故我不任詣彼問疾
佛告光嚴童子汝行詣維摩詰問疾光嚴白
佛言世尊我不堪任詣彼問疾所以者何憶
念我昔出毗耶離大城時維摩詰方入城我
即為作礼而問言居士從何所來荅我言吾
從道場来我問道場者何所是荅曰直心是
道場无虛假故發行是道場能辦事故深心
是道場增益功德故菩提心是道場无錯
謬故布施是道場不望報故持戒是道場得
願具故忍辱是道場於諸衆生心无㝵故精進
是道場不懈退故禪定是道場心調柔故智
慧是道場現見諸法故慈是道場等衆生故
悲是道場忍疲苦故喜是道場悅樂法故捨
是道場憎愛斷故神通是道場成就六通故
解脫是道場能背捨故方便是道場教化衆
生故四攝是道場攝衆生故多聞是道場如
聞行故伏心是道場正觀諸法故卅七品是道
場捨有為法故諦是道場不誑世間故緣起
是道場无明乃至老死皆无盡故諸煩惱是
道場知如實故衆生是道場知无我故一切
法是道場知諸法空故降魔是道場不傾動
故三界是道場无所趣故師子吼是道場
无所畏故力无畏不共法是道場无諸過故
三明是道場无餘㝵故一念知一切法是道場

BD02605號　維摩詰所說經卷上　（5–4）

是道場不懈退故禪定是道場心調柔故智
慧是道場現見諸法故慈是道場等衆生故
悲是道場忍疲苦故喜是道場悅樂法故捨
是道場增愛斷故神通是道場成就六通故
解脫是道場能背捨故方便是道場教化衆
生故四攝是道場攝衆生故多聞是道場如
聞行故伏心是道場正觀諸法故卅七品是道
場捨有為法故諦是道場不誑世間故緣起
是道場无明乃至老死皆无盡故諸煩惱是
道場知如實故衆生是道場知无我故一切
法是道場知諸法空故降魔是道場不傾動
故三界是道場无所趣故師子吼是道場
无所畏故力无畏不共法是道場无諸過故
三明是道場无餘㝵故一念知一切法是道場
成就一切智故如是善男子菩薩若應諸
波羅蜜教化衆生諸有所作舉足下足
當知皆從道場來住於佛法矣說是法時五
百天人皆發阿耨多羅三藐三菩提心故我
不任詣彼問疾
佛告持世菩薩汝行詣維摩詰問疾持世白
佛言世尊我不堪任詣彼問疾所以者何憶
念我昔住於靜室時魔波旬從万二千天女

BD02605 號　維摩詰所說經卷上　（5–5）

與其眷屬三万天子俱
界主梵天王尸棄大梵光明大梵等與其眷
屬万二千天子俱有八龍王難陀龍王跋難
陀龍王娑伽羅龍王和脩吉龍王德叉迦龍
王阿那婆達多龍王摩那斯龍王優鉢羅龍
王等各與若干百千眷屬俱有四緊那羅王
法緊那羅王妙法緊那羅王大法緊那羅王
持法緊那羅王各與若干百千眷屬俱有四
乾闥婆王樂乾闥婆王樂音乾闥婆王美乾
闥婆王美音乾闥婆王各與若干百千眷屬
俱有四阿脩羅王婆稚阿脩羅王佉羅騫大
阿脩羅王毗摩質多羅阿脩羅王羅睺阿脩
羅王各與若干百千眷屬俱有四迦樓羅王
大威德迦樓羅王大身迦樓羅王大滿迦樓
羅王如意迦樓羅王各與若干百千眷屬俱
韋提希子阿闍世王與若干百千眷屬俱各
礼佛足退坐一面
尒時世尊四衆圍繞供養恭敬尊重讚歎為
諸菩薩說大乘經名无量義教菩薩法佛所
護念佛說此經已結加趺坐入於无量義處
三昧身心不動是時天雨曼陀羅華摩訶曼

BD02606 號　妙法蓮華經卷一　（25–1）

礼佛足退坐一面
尒時世尊四衆圍繞供養恭敬尊重讚歎為
諸菩薩說大乘經名无量義教菩薩法佛所
護念佛說此經已結加趺坐入於无量義處
三昧身心不動是時天雨曼陁羅華摩訶曼
陁羅華曼殊沙華摩訶曼殊沙華而散佛上
及諸大衆普佛世界六種震動尒時會中比
丘比丘尼優婆塞優婆夷天龍夜叉乾闥婆
阿脩羅迦樓羅緊那羅摩睺羅伽人非人及
諸小王轉輪聖王是諸大衆得未曾有歡喜
合掌一心觀佛尒時佛放眉間白毫相光照
東方万八千世界靡不周遍下至阿鼻地獄
上至阿迦尼吒天於此世界盡見彼土六趣
衆生又見彼土現在諸佛及聞諸佛所說經
法并見彼諸比丘比丘尼優婆塞優婆夷諸
脩行得道者復見諸菩薩摩訶薩種種因緣
種種信解種種相貌行菩薩道復見諸佛般
涅槃者復見諸佛般涅槃後以佛舍利起七
寶塔尒時弥勒菩薩作是念今者世尊現神
變相以何因緣而有此瑞今佛世尊入于三
昧是不可思議現希有事當以問誰誰能荅
者復作此念是文殊師利法王之子已曾親
近供養過去无量諸佛必應見此希有之相
我今當問尒時比丘比丘尼優婆塞優婆夷
及諸天龍鬼神等咸作此念是佛光明神通
之相今當問誰尒時弥勒菩薩欲自決疑又

者復作此念是文殊師利法王之子已曾親
近供養過去无量諸佛必應見此希有之相
我今當問尒時比丘比丘尼優婆塞優婆夷
及諸天龍鬼神等咸作此念是佛光明神通
之相今當問誰尒時弥勒菩薩欲自決疑又
觀四衆比丘比丘尼優婆塞優婆夷及諸天
龍鬼神等衆會之心而問文殊師利言以何
因緣而有此瑞神通之相放大光明照于東
方万八千土悉見彼佛國界莊嚴於是弥勒
菩薩欲重宣此義以偈問曰
文殊師利　導師何故　眉間白毫　大光普照
雨曼陁羅　曼殊沙華　栴檀香風　悅可衆心
以是因緣　地皆嚴淨　而此世界　六種震動
時四部衆　咸皆歡喜　身意快然　得未曾有
眉間光明　照于東方　万八千土　皆如金色
從阿鼻獄　上至有頂　諸世界中　六道衆生
生死所趣　善惡業緣　受報好醜　於此悉見
又覩諸佛　聖主師子　演說經典　微妙第一
其聲清淨　出柔軟音　教諸菩薩　无數億万
梵音深妙　令人樂聞　各於世界　講說正法
種種因緣　以无量喻　照明佛法　開悟衆生
若人遭苦　猒老病死　為說涅槃　盡諸苦際
若人有福　曾供養佛　志求勝法　為說緣覺
若有佛子　脩種種行　求无上慧　為說淨道
文殊師利　我住於此　見聞若斯　及千億事
如是衆多　今當略說

種種因緣　以无量喻　照明佛法　開悟衆生
若人遭苦　猒老病死　為說涅槃　盡諸苦際
若人有福　曾供養佛　志求勝法　為說緣覺
若有佛子　脩種種行　求无上慧　為說淨道
文殊師利　我住於此　見聞若斯　及千億事
如是衆多　今當略說
我見彼土　恒沙菩薩　種種因緣　而求佛道
或有行施　金銀珊瑚　真珠摩尼　車𤦲馬瑙
金剛諸珎　奴婢車乘　寶飾輦輿　歡喜布施
迴向佛道　願得是乘　三界第一　諸佛所歎
或有菩薩　駟馬寶車　欄楯華蓋　軒飾布施
復見菩薩　身肉手足　及妻子施　求无上道
又見菩薩　頭目身體　欣樂施與　求佛智慧
文殊師利　我見諸王　往詣佛所　問无上道
便捨樂土　宮殿臣妾　剃除鬚髮　而被法服
或見菩薩　而作比丘　獨處閑靜　樂誦經典
又見菩薩　勇猛精進　入於深山　思惟佛道
又見離欲　常處空閑　深脩禪定　得五神通
又見菩薩　安禪合掌　以千万偈　讚諸法王
復見菩薩　智深志固　能問諸佛　聞悉受持
又見佛子　定慧具足　以无量喻　為衆講法
欣樂說法　化諸菩薩　破魔兵衆　而擊法鼓
又見菩薩　寂然宴默　天龍恭敬　不以為喜
又見菩薩　處林放光　濟地獄苦　令入佛道
又見佛子　未嘗睡眠　經行林中　懃求佛道
又見具戒　威儀无缺　淨如寶珠　以求佛道

BD02606 號　妙法蓮華經卷一　（25-4）

欣樂說法　化諸菩薩　破魔兵衆　而擊法鼓
又見菩薩　寂然宴默　天龍恭敬　不以為喜
又見菩薩　處林放光　濟地獄苦　令入佛道
又見佛子　未嘗睡眠　經行林中　懃求佛道
又見具戒　威儀无缺　淨如寶珠　以求佛道
又見佛子　住忍辱力　增上慢人　惡罵捶打
皆悉能忍　以求佛道
又見菩薩　離諸戲笑　及癡眷屬　親近智者
一心除亂　攝念山林　億千万歲　以求佛道
或見菩薩　餚饍飲食　百種湯藥　施佛及僧
名衣上服　價直千万　或无價衣　施佛及僧
千万億種　旃檀寶舍　衆妙卧具　施佛及僧
清淨園林　華菓茂盛　流泉浴池　施佛及僧
如是等施　種種微妙　歡喜无猒　求无上道
或有菩薩　說寂滅法　種種教詔　无數衆生
或有菩薩　觀諸法性　无有二相　猶如虛空
又見佛子　心无所著　以此妙慧　求无上道
文殊師利　又有菩薩　佛滅度後　供養舍利
又見佛子　造諸塔廟　无數恒沙　嚴飾國界
寶塔高妙　五千由旬　縱廣正等　二千由旬
一一塔廟　各千幢幡　珠交露幔　寶鈴和鳴
諸天龍神　人及非人　香華伎樂　常以供養
文殊師利　諸佛子等　為供舍利　嚴飾塔廟
國界自然　殊特妙好　如天樹王　其華開敷
佛放一光　我及衆會　見此國界　種種殊妙
諸佛神力　智慧希有　放一淨光　照无量國

BD02606 號　妙法蓮華經卷一　（25-5）

諸天龍神　人及非人　香華伎樂　常以供養
文殊師利　諸佛子等　為供舍利　嚴飾塔廟
國界自然　殊特妙好　如天樹王　其華開敷
佛放一光　我及衆會　見此國界　種種殊妙
諸佛神力　智慧希有　放一淨光　照无量國
我等見此　得未曾有　佛子文殊　願決衆疑
四衆欣仰　瞻仁及我　世尊何故　放斯光明
佛子時答　決疑令喜　何所饒益　演斯光明
佛坐道場　所得妙法　為欲說此　為當授記
示諸佛土　衆寶嚴淨　及見諸佛　此非小緣
文殊當知　四衆龍神　瞻察仁者　為說何等
尒時文殊師利語彌勒菩薩摩訶薩及諸大
士善男子等如我惟忖今佛世尊欲說大法
雨大法雨吹大法蠡擊大法鼓演大法義諸
善男子我於過去諸佛曾見此瑞放斯光已
即說大法是故當知今佛現光亦復如是欲
令衆生咸得聞知一切世間難信之法故現
斯瑞諸善男子如過去无量无邊不可思議
阿僧祇劫尒時有佛号日月燈明如來應供
正遍知明行足善逝世間解无上士調御丈
夫天人師佛世尊演說正法初善中善後善
其義深遠其語巧妙純一无雜具足清白梵
行之相為求聲聞者說應四諦法度生老病
死究竟涅槃為求辟支佛者說應十二因緣
法為諸菩薩說應六波羅蜜令得阿耨多羅
三藐三菩提成一切種智次復有佛亦名日

BD02606號　妙法蓮華經卷一　（25-6）

行之相為求聲聞者說應四諦法度生老病
死究竟涅槃為求辟支佛者說應十二因緣
法為諸菩薩說應六波羅蜜令得阿耨多羅
三藐三菩提成一切種智次復有佛亦名日
月燈明次復有佛亦名日月燈明如是二万
佛皆同一字号日月燈明又同一姓姓頗羅
墮弥勒當知初佛後佛皆同一字名日月燈
明十号具足所可說法初中後善其最後佛
未出家時有八王子一名有意二名善意三名
无量意四名寶意五名增意六名除疑意七
名響意八名法意是八王子威德自在各領
四天下是諸王子聞父出家得阿耨多羅三
藐三菩提悉捨王位亦隨出家發大乘意常
脩梵行皆為法師已於千万佛所殖諸善本
是時日月燈明佛說大乘經名无量義教菩
薩法佛所護念說是經已即於大衆中結加
趺坐入无量義處三昧身心不動是時天雨
曼陁羅華摩訶曼陁羅華曼殊沙華摩訶曼
殊沙華而散佛上及諸大衆普佛世界六種
震動尒時會中比丘比丘尼優婆塞優婆夷
天龍夜叉乾闥婆阿脩羅迦樓羅緊那羅摩
睺羅伽人非人及諸小王轉輪聖王等是諸
大衆得未曾有歡喜合掌一心觀佛尒時如
來放眉間白毫相光照東方万八千佛土靡
不周遍如今所見是諸佛土弥勒當知尒時
會中有二十億菩薩樂欲聽法是諸菩薩見

BD02606號　妙法蓮華經卷一　（25-7）

大衆得未曾有歡喜合掌一心觀佛尒時如
來放眉間白豪相光照東方万八千佛土靡
不周遍如今所見是諸佛土弥勒當知尒時
會中有二十億菩薩樂欲聽法是諸菩薩見
此光明普照佛土得未曾有欲知此光所為因
緣時有菩薩名日妙光有八百弟子是時日
月燈明佛從三昧起因妙光菩薩說大乘經
名妙法蓮華教菩薩法佛所護念六十小劫
不起于座時會聽者亦坐一處六十小劫身
心不動聽佛所說謂如食頃是時衆中无有
一人若身若心而生懈惓日月燈明佛於六
十小劫說是經已即於梵魔沙門婆羅門及
天人阿脩羅衆中而宣此言如來於今日中
夜當入无餘涅槃時有菩薩名日德藏日月
燈明佛即授其記告諸比丘是德藏菩薩次
當作佛号日淨身多陁阿伽度阿羅訶三藐
三佛陁佛授記已便於中夜入无餘涅槃佛
滅度後妙光菩薩持妙法蓮華經滿八十小
劫為人演說日月燈明佛八子皆師妙光妙
光教化令其堅固阿耨多羅三藐三菩提是
諸王子供養无量百千万億佛已皆成佛道
其最後成佛者名日燃燈八百弟子中有一
人号日求名貪着利養雖復讀誦衆經而不
通利多所忘失故号求名是人亦以種諸善
根因緣故得值无量百千万億諸佛供養恭

人号日求名貪着利養雖復讀誦衆經而不
通利多所忘失故号求名是人亦以種諸善
根因緣故得值无量百千万億諸佛供養恭
敬尊重讚嘆弥勒當知尒時妙光菩薩豈異
人乎我身是也求名菩薩汝身是也今見此
瑞與本无異是故惟忖今日如來當說大乘
經名妙法蓮華教菩薩法佛所護念尒時文
殊師利於大衆中欲重宣此義而說偈言
我念過去世　无量无數劫　有佛人中尊　号日月燈明
世尊演說法　度无量衆生　无數億菩薩　令入佛智慧
佛未出家時　所生八王子　見大聖出家　亦隨脩梵行
時佛說大乘　經名无量義　於諸大衆中　而為廣分別
佛說此經已　即於法座上　跏趺坐三昧　名无量義處
天雨曼陁華　天鼓自然鳴　諸天龍鬼神　供養人中尊
一切諸佛土　即時大震動　佛放眉間光　現諸希有事
此光照東方　万八千佛土　示一切衆生　生死業報處
有見諸佛土　以衆寶莊嚴　瑠璃頗梨色　斯由佛光照
及見諸天人　龍神夜叉衆　乾闥緊那羅　各供養其佛
又見諸如來　自然成佛道　身色如金山　端嚴甚微妙
如淨瑠璃中　內現真金像　世尊在大衆　敷演深法義
一一諸佛土　聲聞衆无數　因佛光所照　悉見彼大衆
或有諸比丘　在於山林中　精進持淨戒　猶如護明珠
又見諸菩薩　行施忍辱等　其數如恒沙　斯由佛光照
又見諸菩薩　深入諸禪定　身心寂不動　以求无上道
又見諸菩薩　知法寂滅相　各於其國土　說法求佛道
尒時四部衆　見日月燈明　現大神通力　其心皆歡喜

又見諸菩薩　深入諸禪定　身心寂不動　以求无上道
又見諸菩薩　知法寂滅相　各於其國土　說法求佛道
爾時四部眾　見日月燈明　現大神通力　其心皆歡喜
各各自相問　是事何因緣
天人所奉尊　適從三昧起　讚妙光菩薩　汝為世間眼
一切所歸信　能奉持法藏　如我所說法　唯汝能證知
世尊既讚歎　令妙光歡喜　說是法華經　滿六十小劫
不起於此座　所說上妙法　是妙光法師　悉皆能受持
佛說是法華　令眾歡喜已　尋即於是日　告於天人眾
諸法實相義　已為汝等說　我今於中夜　當入於涅槃
汝一心精進　當離於放逸　諸佛甚難值　億劫時一遇
世尊諸子等　聞佛入涅槃　各各懷悲惱　佛滅一何速
聖主法之王　安慰无量眾　我若滅度時　汝等勿憂怖
是德藏菩薩　於无漏實相　心已得通達　其次當作佛
號曰為淨身　亦度无量眾
佛此夜滅度　如薪盡火滅　分布諸舍利　而起无量塔
比丘比丘尼　其數如恒沙　倍復加精進　以求无上道
是妙光法師　奉持佛法藏　八十小劫中　廣宣法華經
是諸八王子　妙光所開化　堅固无上道　當見无數佛
供養諸佛已　隨順行大道　相繼得成佛　轉次而授記
最後天中天　號曰燃燈佛　諸仙之導師　度脫无量眾
是妙光法師　時有一弟子　心常懷懈怠　貪著於名利
求名利无厭　多遊族姓家　棄捨所習誦　廢忘不通利
以是因緣故　號之為求名　亦行眾善業　得見无數佛
供養於諸佛　隨順行大道　具六波羅蜜　今見釋師子

是妙光法師　時有一弟子　心常懷懈怠　貪著於名利
求名利无厭　多遊族姓家　棄捨所習誦　廢忘不通利
以是因緣故　號之為求名　亦行眾善業　得見无數佛
供養於諸佛　隨順行大道　具六波羅蜜　今見釋師子
其後當作佛　號名曰彌勒　廣度諸眾生　其數无有量
彼佛滅度後　懈怠者汝是　妙光法師者　今則我身是
我見燈明佛　本光瑞如此　以是知今佛　欲說法華經
今相如本瑞　是諸佛方便　今佛放光明　助發實相義
諸人今當知　合掌一心待　佛當雨法雨　充足求道者
諸求三乘人　若有疑悔者　佛當為除斷　令盡无有餘

妙法蓮華經方便品第二

爾時世尊從三昧安詳而起告舍利弗諸佛
智慧甚深无量其智慧門難解難入一切聲
聞辟支佛所不能知所以者何佛曾親近百
千万億无數諸佛盡行諸佛无量道法勇猛
精進名稱普聞成就甚深未曾有法隨宜所
說意趣難解舍利弗吾從成佛已來種種因
緣種種譬喻廣演言教无數方便引導眾生
令離諸著所以者何如來方便知見波羅蜜
皆已具足舍利弗如來知見廣大深遠无量
无礙力无所畏禪定解脫三昧深入无際成
就一切未曾有法舍利弗如來能種種分別
巧說諸法言辭柔軟悅可眾心舍利弗取要
言之无量无邊未曾有法佛悉成就止舍利
弗不須復說所以者何佛所成就第一希有

无礙力无所畏禪定解脫三昧深入无際成
就一切未曾有法舍利弗如來能種種分別
巧說諸法言辭柔軟悅可衆心舍利弗取要
言之无量无邊未曾有法佛悉成就止舍利
弗不須復說所以者何佛所成就第一希有
難解之法唯佛與佛乃能究盡諸法實相所
謂諸法如是相如是性如是體如是力如是
作如是因如是緣如是果如是報如是本末
究竟等尒時世尊欲重宣此義而說偈言
世雄不可量　諸天及世人　一切衆生類　无能知佛者
佛力无所畏　解脫諸三昧　及佛諸餘法　无能測量者
本從无數佛　具足行諸道　甚深微妙法　難見難可了
於无量億劫　行此諸道已　道場得成果　我已悉知見
如是大果報　種種性相義　我及十方佛　乃能知是事
是法不可示　言辭相寂滅　諸餘衆生類　无有能得解
除諸菩薩衆　信力堅固者
諸佛弟子衆　曾供養諸佛　一切漏已盡　住是最後身
如是諸人等　其力所不堪
假使滿世間　皆如舍利弗　盡思共度量　不能測佛智
正使滿十方　皆如舍利弗　及餘諸弟子　亦滿十方剎
盡思共度量　亦復不能知
辟支佛利智　无漏最後身　亦滿十方界　其數如竹林
斯等共一心　於億无量劫　欲思佛實智　莫能知少分
新發意菩薩　供養无數佛　了達諸義趣　又能善說法
如稻麻竹葦　充滿十方剎　一心以妙智　於恒河沙劫
咸皆共思量　不能知佛智

BD02606號　妙法蓮華經卷一　（25-12）

辟支佛利智　无漏最後身　亦滿十方界　其數如竹林
斯等共一心　於億无量劫　欲思佛實智　莫能知少分
新發意菩薩　供養无數佛　了達諸義趣　又能善說法
如稻麻竹葦　充滿十方剎　一心以妙智　於恒河沙劫
咸皆共思量　不能知佛智
不退諸菩薩　其數如恒沙　一心共思求　亦復不能知
又告舍利弗　无漏不思議　甚深微妙法　我今已具得
唯我知是相　十方佛亦然
舍利弗當知　諸佛語无異　於佛所說法　當生大信力
世尊法久後　要當說真實
告諸聲聞衆　及求緣覺乘　我令脫苦縛　逮得涅槃者
佛以方便力　示以三乘教　衆生處處著　引之令得出
尒時大衆中有諸聲聞漏盡阿羅漢阿若憍
陳如等千二百人及發聲聞辟支佛心比丘
比丘尼優婆塞優婆夷各作是念今者世尊
何故慇懃稱歎方便而作是言佛所得法甚
深難解有所言說意趣難知一切聲聞辟支
佛所不能及佛說一解脫義我等亦得此法
到於涅槃而今不知是義所趣尒時舍利弗
知四衆心疑自亦未了而白佛言世尊何因
何緣慇懃稱歎諸佛第一方便甚深微妙難
解之法我自昔來未曾從佛聞如是說今者
四衆咸皆有疑唯願世尊敷演斯事世尊何
故慇懃稱歎甚深微妙難解之法尒時舍利
弗欲重宣此義而說偈言
慧日大聖尊　久乃說是法　自說得如是　力无畏三昧

BD02606號　妙法蓮華經卷一　（25-13）

四衆咸皆有疑惟願世尊敷演斯事世尊何
故慇懃稱嘆甚深微妙難解之法尒時舍利
弗欲重宣此義而說偈言
慧日大聖尊 久乃說是法 自說得如是 力无畏三昧
禪定解脫等 不可思議法
道場所得法 无能發問者 我意難可測 亦无能問者
无問而自說 稱歎所行道 智慧甚微妙 諸佛之所得
无漏諸羅漢 及求涅槃者 今皆墮疑網 佛何故說是
其求緣覺者 比丘比丘尼 諸天龍鬼神 及乾闥婆等
相視懷猶豫 瞻仰兩足尊 是事為云何 願佛為解說
於諸聲聞衆 佛說我第一 我今自於智 疑惑不能了
為是究竟法 為是所行道
佛口所生子 合掌瞻仰待 願出微妙音 時為如實說
諸天龍神等 其數如恒沙 求佛諸菩薩 大數有八万
又諸万億國 轉輪聖王至 合掌以敬心 欲聞具足道
尒時佛告舍利弗止止不須復說若說是事
一切世間諸天及人皆當驚疑舍利弗重白
佛言世尊唯願說之唯願說之所以者何是
會无數百千万億阿僧祇衆生曾見諸佛諸
根猛利智慧明了聞佛所說則能敬信尒時
舍利弗欲重宣此義而說偈言
法王无上尊 唯說願勿慮 是會无量衆 有能敬信者
佛復止舍利弗若說是事一切世間天人阿
脩羅皆當驚疑增上慢比丘將墜於大坑尒
時世尊重說偈言
止止不須說 我法妙難思 諸增上慢者 聞必不敬信

BD02606號 妙法蓮華經卷一 (25–14)

佛復止舍利弗若說是事一切世間天人阿
脩羅皆當驚疑增上慢比丘將墜於大坑尒
時世尊重說偈言
止止不須說 我法妙難思 諸增上慢者 聞必不敬信
尒時舍利弗重白佛言世尊唯願說之唯願
說之今此會中如我等比百千万億世世已
曾從佛受化如是人等必能敬信長夜安隱
多所饒益尒時舍利弗欲重宣此義而說偈
言
无上兩足尊 願說第一法 我為佛長子 唯垂分別說
是會无量衆 能敬信此法 佛已曾世世 教化如是等
皆一心合掌 欲聽受佛語 我等千二百 及餘求佛者
願為此衆故 唯垂分別說 是等聞此法 則生大歡喜
尒時世尊告舍利弗汝已慇懃三請豈得不
說汝今諦聽善思念之吾當為汝分別解說
說此語時會中有比丘比丘尼優婆塞優婆
夷五千人等即從座起禮佛而退所以者何
此輩罪根深重及增上慢未得謂得未證謂
證有如此失是以不住世尊默然而不制止
尒時佛告舍利弗我今此衆无復枝葉純有
貞實舍利弗如是增上慢人退亦佳矣汝今
善聽當為汝說舍利弗言唯然世尊願樂欲
聞佛告舍利弗如是妙法諸佛如來時乃說
之如優曇鉢華時一現耳舍利弗汝等當信
佛之所說言不虛妄舍利弗諸佛隨宜說法
意趣難解所以者何我以无數方便種種因

BD02606號 妙法蓮華經卷一 (25–15)

爾時佛告舍利弗如是妙法諸佛如來時乃說
之如優曇鉢華時一現耳舍利弗汝等當信
佛之所說言不虛妄舍利弗諸佛隨宜說法
意趣難解所以者何我以无數方便種種因
緣譬喻言辞演說諸法是法非思量分別之
所能解唯有諸佛乃能知之所以者何諸佛
世尊唯以一大事因緣故出現於世舍利弗
云何名諸佛世尊唯以一大事因緣故出現
於世諸佛世尊欲令衆生開佛知見使得清
淨故出現於世欲示衆生佛知見故出現於
世欲令衆生悟佛知見故出現於世欲令衆
生入佛知見道故出現於世舍利弗是為諸
佛以一大事因緣故出現於世佛告舍利弗
諸佛如來但教化菩薩諸有所作常為一事
唯以佛之知見示悟衆生舍利弗如來但以
一佛乘故為衆生說法无有餘乘若二若三
舍利弗一切十方諸佛法亦如是舍利弗過
去諸佛以无量无數方便種種因緣譬喻言
辞而為衆生演說諸法是法皆為一佛乘故
是諸衆生從諸佛聞法究竟皆得一切種智
舍利弗未來諸佛當出於世亦以无量无數
方便種種因緣譬喻言辞而為衆生演說諸
法是法皆為一佛乘故是諸衆生從佛聞法
究竟皆得一切種智舍利弗現在十方无量
百千万億佛土中諸佛世尊多所饒益安樂

BD02606號　妙法蓮華經卷一　（25–16）

方便種種因緣譬喻言辞而為衆生演說諸
法是法皆為一佛乘故是諸衆生從佛聞法
究竟皆得一切種智舍利弗現在十方无量
百千万億佛土中諸佛世尊多所饒益安樂
衆生是諸佛亦以无量无數方便種種因緣
譬喻言辞而為衆生演說諸法是法皆為一
佛乘故是諸衆生從佛聞法究竟皆得一切
種智舍利弗是諸佛但教化菩薩欲以佛之
知見示衆生故欲以佛之知見悟衆生故欲
令衆生入佛知見道故舍利弗我今亦復如
是知諸衆生有種種欲深心所著隨其本性以
種種因緣譬喻言辞方便力故而為說法舍
利弗如此皆為得一佛乘一切種智故舍利
弗十方世界中尚无二乘何況有三舍利弗
諸佛出於五濁惡世所謂劫濁煩惱濁衆生
濁見濁命濁如是舍利弗劫濁亂時衆生垢
重慳貪嫉妬成就諸不善根故諸佛以方便
力於一佛乘分別說三舍利弗若我弟子自
謂阿羅漢辟支佛者不聞不知諸佛如來但
教化菩薩事此非佛弟子非阿羅漢非辟支
佛又舍利弗是諸比丘比丘尼自謂已得阿
羅漢是最後身究竟涅槃便不復志求阿
耨多羅三藐三菩提當知此輩皆是增上慢人
所以者何若有比丘實得阿羅漢若不信此
法无有是處除佛滅度後現前无佛所以者
何佛滅度後如是等經受持讀誦解其義者

BD02606號　妙法蓮華經卷一　（25–17）

羅漢是最後身究竟涅槃便不復志求阿
耨多羅三藐三菩提當知此輩皆是增上慢人
所以者何若有比丘實得阿羅漢若不信此
法无有是處除佛滅度後現前无佛所以者
何佛滅度後如是等經受持讀誦解其義者
是人難得若遇餘佛於此法中便得決了舍利
弗汝等當一心信解受持佛語諸佛如來言
无虛妄无有餘乘唯一佛乘尒時世尊欲重
宣此義而說偈言
比丘比丘尼　有懷增上慢　優婆塞我慢　優婆夷不信
如是四衆等　其數有五千
不自見其過　於戒有缺漏　護惜其瑕疵　是小智已出
衆中之糟糠　佛威德故去　斯人尠福德　不堪受是法
此衆无枝葉　唯有諸真實
舍利弗善聽　諸佛所得法　无量方便力　而為衆生說
衆生心所念　種種所行道　若干諸欲性　先世善惡業
佛悉知是已　以諸緣譬喻　言辭方便力　令一切歡喜
或說脩多羅　伽陀及本事　本生未曾有　亦說於因緣
譬喻并祇夜　優波提舍經
鈍根樂小法　貪著於生死　於諸无量佛　不行深妙道
衆苦所惱亂　為是說涅槃
我設是方便　令得入佛慧　未曾說汝等　當得成佛道
所以未曾說　說時未至故　今正是其時　決定說大乘
我此九部法　隨順衆生說　入大乘為本　以故說是經
有佛子心淨　柔軟亦利根　无量諸佛所　而行深妙道

我設是方便　令得入佛慧　未曾說汝等　當得成佛道
所以未曾說　說時未至故　今正是其時　決定說大乘
我此九部法　隨順衆生說　入大乘為本　以故說是經
有佛子心淨　柔軟亦利根　无量諸佛所　而行深妙道
為此諸佛子　說是大乘經
我記如是人　來世成佛道　以深心念佛　脩持淨戒故
此等聞得佛　大喜充遍身　佛知彼心行　故為說大乘
聲聞若菩薩　聞我所說法　乃至於一偈　皆成佛无疑
十方佛土中　唯有一乘法　无二亦无三　除佛方便說
但以假名字　引導於衆生
說佛智慧故　諸佛出於世　唯此一事實　餘二則非真
終不以小乘　濟度於衆生
佛自住大乘　如其所得法　定慧力莊嚴　以此度衆生
自證无上道　大乘平等法　若以小乘化　乃至於一人
我則墮慳貪　此事為不可
若人信歸佛　如來不欺誑　亦无貪嫉意　斷諸法中惡
故佛於十方　而獨无所畏
我以相嚴身　光明照世間　无量衆所尊　為說實相印
舍利弗當知　我本立誓願　欲令一切衆　如我等无異
如我昔所願　今者已滿足　化一切衆生　皆令入佛道
若我遇衆生　盡教以佛道　无智者錯亂　迷惑不受教
我知此衆生　未曾脩善本　堅著於五欲　癡愛故生惱
以諸欲因緣　墜墮三惡道　輪迴六趣中　備受諸苦毒
受胎之微形　世世常增長　薄德少福人　衆苦所逼迫

如我昔所願　今者已滿足　化一切衆生　皆令入佛道
若我遇衆生　盡教以佛道　无智者錯亂　迷惑不受教
我知此衆生　未曾脩善本　堅著於五欲　癡愛故生惱
以諸欲因緣　墜墮三惡道　輪迴六趣中　備受諸苦毒
受胎之微形　世世常增長　薄德少福人　衆苦所逼迫
入邪見稠林　若有若无等　依止此諸見　具足六十二
深著虛妄法　堅受不可捨　我慢自矜高　諂曲心不實
於千万億劫　不聞佛名字　亦不聞正法　如是人難度
是故舍利弗　我為設方便　說諸盡苦道　示之以涅槃
我雖說涅槃　是亦非真滅　諸法從本來　常自寂滅相
佛子行道已　來世得作佛
我有方便力　開示三乘法　一切諸世尊　皆說一乘道
今此諸大衆　皆應除疑惑　諸佛語无異　唯一无二乘
過去无數劫　无量滅度佛　百千万億種　其數不可量
如是諸世尊　種種緣譬喻　无數方便力　演說諸法相
是諸世尊等　皆說一乘法　化无量衆生　令入於佛道
又諸大聖主　知一切世間　天人群生類　深心之所欲
更以異方便　助顯第一義
若有衆生類　值諸過去佛　若聞法布施　或持戒忍辱
精進禪智等　種種脩福德　如是諸人等　皆已成佛道
諸佛滅度已　若人善軟心　如是諸衆生　皆已成佛道
諸佛滅度已　供養舍利者　起万億種塔　金銀及頗梨
車𤦲與馬瑙　玫瑰琉璃珠　清淨廣嚴飾　莊校於諸塔
或有起石廟　栴檀及沈水　木櫁并餘材　塼瓦泥土等
若於曠野中　積土成佛廟　乃至童子戲　聚沙為佛塔

BD02606號　妙法蓮華經卷一　（25–20）

諸佛滅度已　供養舍利者　起万億種塔　金銀及頗梨
車𤦲與馬瑙　玫瑰琉璃珠　清淨廣嚴飾　莊校於諸塔
或有起石廟　栴檀及沈水　木櫁并餘材　塼瓦泥土等
若於曠野中　積土成佛廟　乃至童子戲　聚沙為佛塔
如是諸人等　皆已成佛道
若人為佛故　建立諸形像　刻彫成衆相　皆已成佛道
或以七寶成　鍮石赤白銅　白鑞及鉛錫　鐵木及與泥
或以膠漆布　嚴飾作佛像　如是諸人等　皆已成佛道
彩畫作佛像　百福莊嚴相　自作若使人　皆已成佛道
乃至童子戲　若草木及筆　或以指爪甲　而畫作佛像
如是諸人等　漸漸積功德　具足大悲心　皆已成佛道
但化諸菩薩　度脫无量衆
若人於塔廟　寶像及畫像　以華香幡蓋　敬心而供養
若使人作樂　擊鼓吹角貝　簫笛琴箜篌　琵琶鐃銅鈸
如是衆妙音　盡持以供養　或以歡喜心　歌唄頌佛德
乃至一小音　皆已成佛道
若人散亂心　乃至以一華　供養於畫像　漸見无數佛
或有人禮拜　或復但合掌　乃至舉一手　或復小低頭
以此供養像　漸見无量佛　自成无上道　廣度无數衆
入无餘涅槃　如薪盡火滅
若人散亂心　入於塔廟中　一稱南无佛　皆已成佛道
於諸過去佛　在世或滅後　若有聞是法　皆已成佛道
未來諸世尊　其數无有量　是諸如來等　亦方便說法
一切諸如來　以无量方便　度脫諸衆生　入佛无漏智

BD02606號　妙法蓮華經卷一　（25–21）

若人散亂心　入於塔廟中　一稱南无佛　皆已成佛道
於諸過去佛　在世或滅後　若有聞是法　皆已成佛道
未來諸世尊　其數无有量　是諸如來等　亦方便說法
一切諸如來　以无量方便　度脫諸眾生　入佛无漏智
若有聞法者　无一不成佛
諸佛本誓願　我所行佛道　普欲令眾生　亦同得此道
未來世諸佛　雖說百千億　无數諸法門　其實為一乘
諸佛兩足尊　知法常无性　佛種從緣起　是故說一乘
是法住法位　世間相常住　於道場知已　導師方便說
天人所供養　現在十方佛　其數如恒沙　出現於世間
安隱眾生故　亦說如是法
知第一寂滅　以方便力故　雖示種種道　其實為佛乘
知眾生諸行　深心之所念　過去所習業　欲性精進力
及諸根利鈍　以種種因緣　譬喻亦言辭　隨應方便說
今我亦如是　安隱眾生故　以種種法門　宣示於佛道
我以智慧力　知眾生性欲　方便說諸法　皆令得歡喜
舍利弗當知　我以佛眼觀　見六道眾生　貧窮无福慧
入生死險道　相續苦不斷　深著於五欲　如犛牛愛尾
以貪愛自蔽　盲瞑无所見　不求大勢佛　及與斷苦法
深入諸邪見　以苦欲捨苦　為是眾生故　而起大悲心
我始坐道場　觀樹亦經行　於三七日中　思惟如是事
我所得智慧　微妙最第一　眾生諸根鈍　著樂癡所盲
如斯之等類　云何而可度
尒時諸梵王　及諸天帝釋　護世四天王　及大自在天

BD02606號　妙法蓮華經卷一　（25–22）

我始坐道場　觀樹亦經行　於三七日中　思惟如是事
我所得智慧　微妙最第一　眾生諸根鈍　著樂癡所盲
如斯之等類　云何而可度
尒時諸梵王　及諸天帝釋　護世四天王　及大自在天
并餘諸天眾　眷屬百千万　恭敬合掌礼　請我轉法輪
我即自思惟　若但讚佛乘　眾生沒在苦　不能信是法
破法不信故　墜於三惡道　我寧不說法　疾入於涅槃
尋念過去佛　所行方便力　我今所得道　亦應說三乘
作是思惟時　十方佛皆現　梵音慰喻我　善哉釋迦文
第一之導師　得是无上法　隨諸一切佛　而用方便力
我等亦皆得　最妙第一法　為諸眾生類　分別說三乘
少智樂小法　不自信作佛　是故以方便　分別說諸果
雖復說三乘　但為教菩薩
舍利弗當知　我聞聖師子　深淨微妙音　喜稱南无佛
復作如是念　我出濁惡世　如諸佛所說　我亦隨順行
思惟是事已　即趣波羅柰　諸法寂滅相　不可以言宣
以方便力故　為五比丘說　是名轉法輪　便有涅槃音
及以阿羅漢　法僧差別名　從久遠劫來　讚示涅槃法
生死苦永盡　我常如是說　舍利弗當知　我見佛子等
志求佛道者　无量千万億　咸以恭敬心　皆來至佛所
曾從諸佛聞　方便所說法　我即作是念　所以出於世
為說佛慧故　今正是其時　舍利弗當知　鈍根小智人
著相憍慢者　不能信是法　今我喜无畏　於諸菩薩中
正直捨方便　但說无上道　菩薩聞是法　疑網皆已除
千二百羅漢　悉亦當作佛　如三世諸佛　說法之儀式

BD02606號　妙法蓮華經卷一　（25–23）

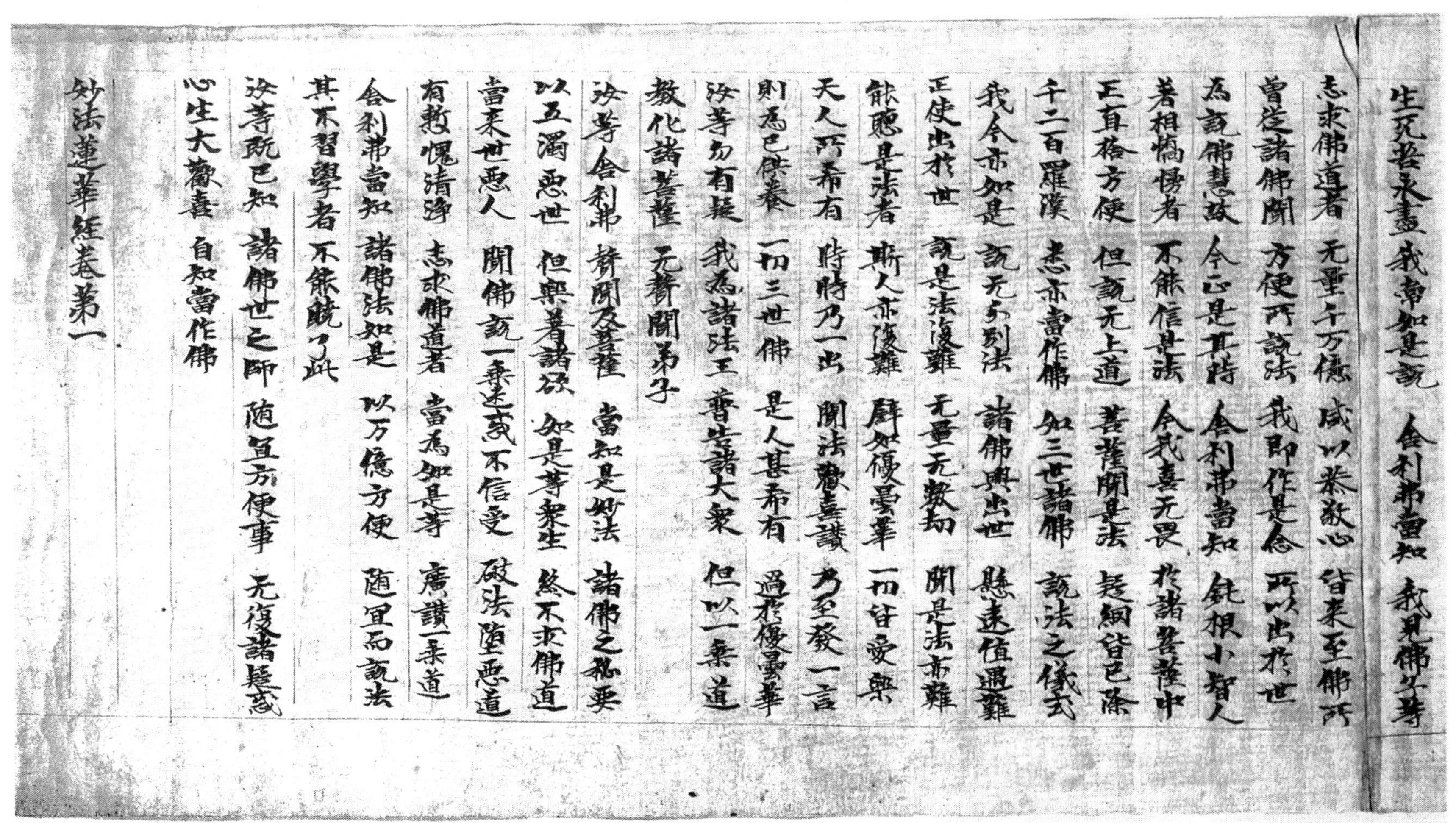

生死苦永盡　我常如是說　舍利弗當知　我見佛子等
志求佛道者　无量千万億　咸以恭敬心　皆來至佛所
曾從諸佛聞　方便所說法　我即作是念　所以出於世
為說佛慧故　今正是其時　舍利弗當知　鈍根小智人
著相憍慢者　不能信是法　今我喜无畏　於諸菩薩中
正直捨方便　但說无上道　菩薩聞是法　疑網皆已除
千二百羅漢　悉亦當作佛　如三世諸佛　說法之儀式
我今亦如是　說无分別法　諸佛興出世　懸遠值遇難
正使出於世　說是法復難　无量无數劫　聞是法亦難
能聽是法者　斯人亦復難　譬如優曇華　一切皆愛樂
天人所希有　時時乃一出　聞法歡喜讚　乃至發一言
則為已供養　一切三世佛　是人甚希有　過於優曇華
汝等勿有疑　我為諸法王　普告諸大眾　但以一乘道
教化諸菩薩　无聲聞弟子
汝等舍利弗　聲聞及菩薩　當知是妙法　諸佛之祕要
以五濁惡世　但樂著諸欲　如是等眾生　終不求佛道
當來世惡人　聞佛說一乘　迷惑不信受　破法墮惡道
有慚愧清淨　志求佛道者　當為如是等　廣讚一乘道
舍利弗當知　諸佛法如是　以万億方便　隨宜而說法
其不習學者　不能曉了此
汝等既已知　諸佛世之師　隨宜方便事　无復諸疑惑
心生大歡喜　自知當作佛
妙法蓮華經卷第一

BD02606 號　妙法蓮華經卷一　（25–24）

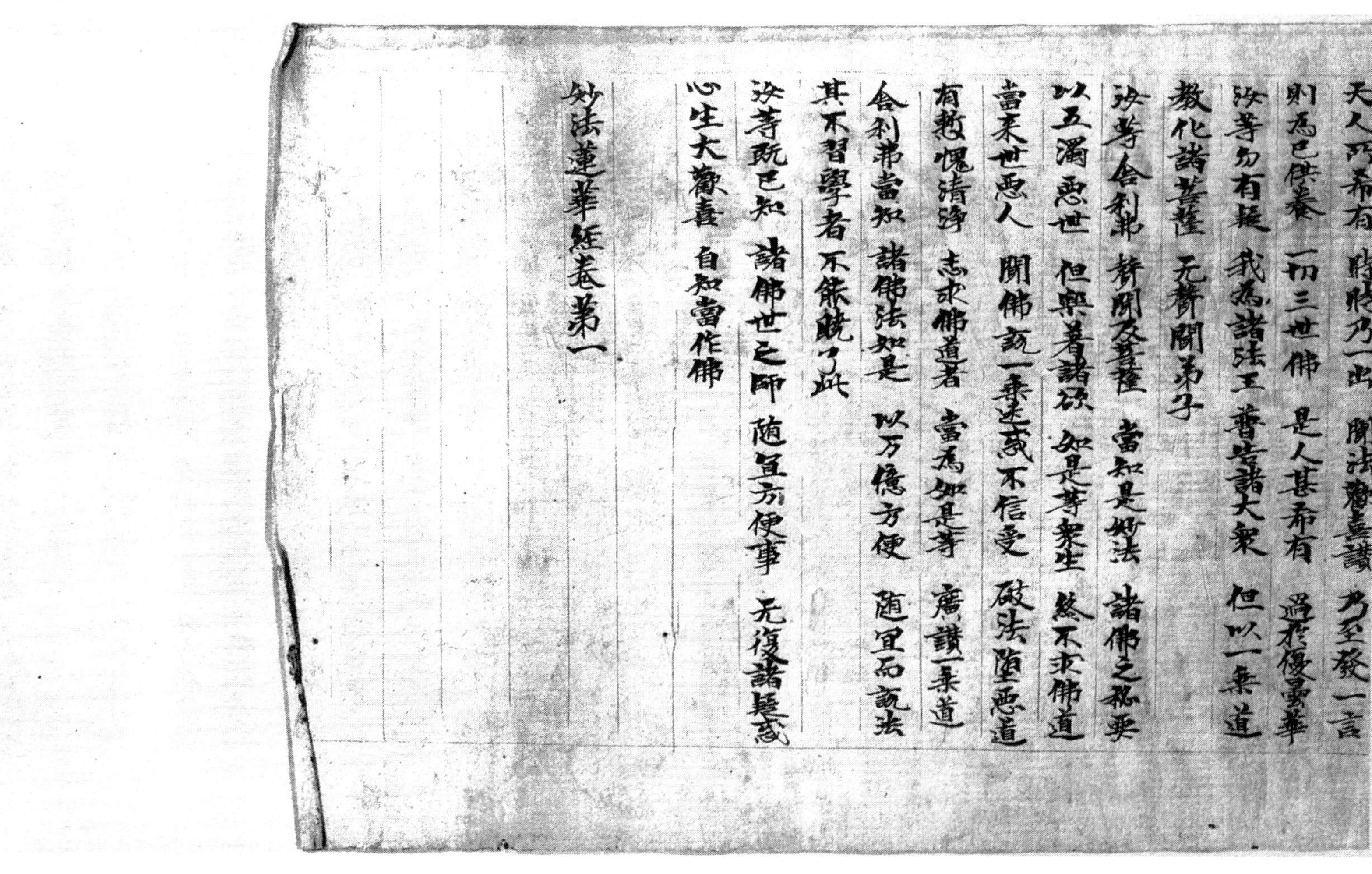

天人所希有　時時乃一出　聞法歡喜讚　乃至發一言
則為已供養　一切三世佛　是人甚希有　過於優曇華
汝等勿有疑　我為諸法王　普告諸大眾　但以一乘道
教化諸菩薩　无聲聞弟子
汝等舍利弗　聲聞及菩薩　當知是妙法　諸佛之祕要
以五濁惡世　但樂著諸欲　如是等眾生　終不求佛道
當來世惡人　聞佛說一乘　迷惑不信受　破法墮惡道
有慚愧清淨　志求佛道者　當為如是等　廣讚一乘道
舍利弗當知　諸佛法如是　以万億方便　隨宜而說法
其不習學者　不能曉了此
汝等既已知　諸佛世之師　隨宜方便事　无復諸疑惑
心生大歡喜　自知當作佛
妙法蓮華經卷第一

BD02606 號　妙法蓮華經卷一　（25–25）

掌一心觀佛尒
放眉間白毫相光照東方万八千世界靡不
周遍下至阿鼻地獄上至阿迦尼吒天於此世
界盡見彼土六趣衆生又見彼土現在諸佛
及聞諸佛所說經法并見彼諸比丘比丘尼
優婆塞優婆夷諸脩行得道者復見諸菩
薩摩訶薩種種因緣種種信解種種相貌行
菩薩道復見諸佛般涅槃者復見諸佛般涅
槃後以佛舍利起七寶塔尒時弥勒菩薩作
是念今者世尊現神變相以何因緣而有此
瑞今佛世尊入于三昧是不可思議現希有事
當以問誰誰能荅者復作此念是文殊師利
法王之子已曾親近供養過去无量諸佛必
應見此希有之相我今當問尒時比丘比丘
尼優婆塞優婆夷及諸天龍鬼神等咸作
此念是佛光明神通之相今當問誰尒時弥
勒菩薩欲自決疑又觀四衆比丘比丘尼優
婆塞優婆夷及諸天龍鬼神等衆會之心而
問文殊師利言以何因緣而有此瑞神通之相
放大光明照于東方万八千土悉見彼佛國
界莊嚴於是弥勒菩薩欲重宣此義以偈問
曰

BD02607號　妙法蓮華經卷一　（21–1）

勒菩薩欲自決疑又觀四衆比丘比丘尼優
婆塞優婆夷及諸天龍鬼神等衆會之心而
問文殊師利言以何因緣而有此瑞神通之相
放大光明照于東方万八千土悉見彼佛國
界莊嚴於是弥勒菩薩欲重宣此義以偈問
曰
文殊師利　導師何故　眉間白毫　大光普照
雨曼陁羅　曼殊沙華　栴檀香風　悅可衆心
以是因緣　地皆嚴淨　而此世界　六種震動
時四部衆　咸皆歡喜　身意快然　得未曾有
眉間光明　照于東方　万八千土　皆如金色
從阿鼻獄　上至有頂　諸世界中　六道衆生
生死所趣　善惡業緣　受報好醜　於此悉見
又覩諸佛　聖主師子　演說經典　微妙第一
其聲清淨　出柔軟音　教諸菩薩　无數億万
梵音深妙　令人樂聞　各於世界　講說正法
種種因緣　以无量喻　照明佛法　開悟衆生
若人遭苦　猒老病死　為說涅槃　盡諸苦際
若人有福　曾供養佛　志求勝法　為說緣覺
若有佛子　脩種種行　求无上慧　為說淨道
文殊師利　我住於此　見聞若斯　及千億事
如是衆多　今當略說　我見彼土　恒沙菩薩
種種因緣　而求佛道　或有行施　金銀珊瑚
真珠摩尼　車𤥭馬瑙　金剛諸珎　奴婢車乘
寶飾輦轝　歡喜布施　迴向佛道　願得是乘
三界第一　諸佛所歎　或有菩薩　駟馬寶車
欄楯華蓋　軒飾布施　復見菩薩　身肉手足
及妻子施　求无上道　又見菩薩　頭目身體

BD02607號　妙法蓮華經卷一　（21–2）

真珠摩尼　車𤦲馬瑙　金剛諸珎　奴婢車乘
寶飾輦轝　歡喜布施　迴向佛道　願得是乘
三界第一　諸佛所歎　或有菩薩　駟馬寶車
欄楯華蓋　軒飾布施　復見菩薩　身肉手足
及妻子施　求无上道　又見菩薩　頭目身體
欣樂施與　求佛智慧　文殊師利　我見諸王
往詣佛所　問无上道　便捨樂土　宮殿臣妾
剃除鬚髮　而被法服　或見菩薩　而作比丘
獨處閑靜　樂誦經典　又見菩薩　勇猛精進
入於深山　思惟佛道　又見離欲　常處空閑
深脩禪定　得五神通　又見菩薩　安禪合掌
以千万偈　讚諸法王　復見菩薩　智深志固
能問諸佛　聞悉受持　又見佛子　定慧具足
以无量喻　為衆講法　欣樂說法　化諸菩薩
破魔兵衆　而擊法鼓　又見菩薩　寂然宴嘿
天龍恭敬　不以為喜　又見菩薩　處林放光
濟地獄苦　令入佛道　又見佛子　未嘗睡眠
經行林中　勤求佛道　又見具戒　威儀无缺
淨如寶珠　以求佛道　又見佛子　住忍辱力
增上慢人　惡罵捶打　皆悉能忍　以求佛道
又見菩薩　離諸戲咲　及癡眷屬　親近智者
一心除亂　攝念山林　億千万歲　以求佛道
或見菩薩　餚饍飲食　百種湯藥　施佛及僧
名衣上服　價直千万　或无價衣　施佛及僧
千万億種　栴檀寶舍　衆妙卧具　施佛及僧
清淨園林　華菓茂盛　流泉浴池　施佛及僧
如是等施　種種微妙　歡喜无猒　求无上道
或有菩薩　說寂滅法　種種教詔　无數衆生
或見菩薩　觀諸法性　无有二相　猶如虛空

名衣上服　價直千万　或无價衣　施佛及僧
千万億種　栴檀寶舍　衆妙卧具　施佛及僧
清淨園林　華菓茂盛　流泉浴池　施佛及僧
如是等施　種種微妙　歡喜无猒　求无上道
或有菩薩　說寂滅法　種種教詔　无數衆生
或見菩薩　觀諸法性　无有二相　猶如虛空
又見佛子　心无所著　以此妙慧　求无上道
文殊師利　又有菩薩　佛滅度後　供養舍利
又見佛子　造諸塔廟　无數恒沙　嚴飾國界
寶塔高妙　五千由旬　縱廣正等　二千由旬
一一塔廟　各千幢幡　珠交露幔　寶鈴和鳴
諸天龍神　人及非人　香華伎樂　常以供養
文殊師利　諸佛子等　為供舍利　嚴飾塔廟
國界自然　殊特妙好　如天樹王　其華開敷
佛放一光　我及衆會　見此國界　種種殊妙
諸佛神力　智慧希有　放一淨光　照无量國
我等見此　得未曾有　佛子文殊　願決衆疑
四衆欣仰　瞻仁及我　世尊何故　放斯光明
佛子時荅　決疑令喜　何所饒益　演斯光明
佛坐道場　所得妙法　為欲說此　為當授記
示諸佛土　衆寶嚴淨　及見諸佛　此非小緣
文殊當知　四衆龍神　瞻察仁者　為說何等
尒時文殊師利語弥勒菩薩摩訶薩及諸大
士善男子等如我惟忖今佛世尊欲說
雨大法雨吹大法螺擊大法鼓演大法
善男子我於過去諸佛曾見此瑞放斯光已
即說大法是故當知今佛現光亦復如是欲
令衆生咸得聞知一切世間難信之法故現

士善男子等如我惟忖今佛世尊欲說
雨大法雨吹大法螺擊大法鼓演大法
善男子我於過去諸佛曾見此瑞放斯光已
即說大法是故當知今佛現光亦復如是欲
令衆生咸得聞知一切世間難信之法故現
斯瑞諸善男子如過去无量无邊不可思議
阿僧祇劫尒時有佛号日月燈明如來應供
正遍知明行足善逝世間解无上士調御丈
夫天人師佛世尊演說正法初善中善後善
其義深遠其語巧妙純一无雜具足清白梵
行之相為求聲聞者說應四諦法度生老病
死究竟涅槃為求辟支佛者說應十二因緣
法為諸菩薩說應六波羅蜜令得阿耨多羅
三藐三菩提成一切種智次復有佛亦名日
月燈明次復有佛亦名日月燈明如是二万
佛皆同一字号日月燈明又同一姓姓頗羅
墮弥勒當知初佛後佛皆同一姓字名日月
燈明十号具足所可說法初中後善其最後佛
未出家時有八王子一名有意二名善意三
名无量意四名寶意五名增意六名除疑意七
名響意八名法意是八王子威德自在各領
四天下是諸王子聞父出家得阿耨多羅三
藐三菩提悉捨王位亦隨出家發大乘意常
脩梵行皆為法師已於千万佛所植諸善本
是時日月燈明佛說大乘經名无量義教菩
薩法佛所護念說是經已即於大衆中結跏
趺坐入於无量義處三昧身心不動是時天
雨曼陀羅華摩訶曼陀羅華曼殊沙華摩訶
曼殊沙[illegible]

BD02607 號　妙法蓮華經卷一　（21–5）

脩梵行皆為法師已於千万佛所植諸善本
是時日月燈明佛說大乘經名无量義教菩
薩法佛所護念說是經已即於大衆中結跏
趺坐入於无量義處三昧身心不動是時天
雨曼陀羅華摩訶曼陀羅華曼殊沙華摩訶
曼殊沙華而散佛上及諸大衆普佛世界六
種震動尒時會中比丘比丘尼優婆塞優婆
夷天龍夜叉乾闥婆阿脩羅迦樓羅緊那羅
摩睺羅伽人非人及諸小王轉輪聖王等是
諸大衆得未曾有歡喜合掌一心觀佛尒時
如來放眉間白豪相光照東方万八千佛土
靡不周遍如今所見是諸佛土弥勒當知尒
時會中有二十億菩薩樂欲聽法是諸菩薩
見此光明普照佛土得未曾有欲知此光所
為因緣時有菩薩名日妙光有八百弟子是
時日月燈明佛從三昧起因妙光菩薩說大
乘經名妙法蓮華教菩薩法佛所護念六十
小劫不起于座時會聽者亦坐一處六十小
劫身心不動聽佛所說謂如食頃是時衆中
无有一人若身若心而生懈惓日月燈明佛於
六十小劫說是經已即於梵魔沙門婆羅門
及天人阿脩羅衆中而宣此言如來於今
日中夜當入无餘涅槃時有菩薩名日德藏
日月燈明佛即授其記告諸比丘是德藏菩
薩次當作佛号日淨身多陁阿伽度阿羅訶
三藐三佛陁佛授記已便於中夜入无餘涅
槃佛滅度後妙光菩薩持妙法蓮華經滿八
十小劫為人演說日月燈明佛八子皆師妙
光妙光教化令其堅固阿耨多羅三藐三菩

BD02607 號　妙法蓮華經卷一　（21–6）

日月燈明佛即授其記告諸比丘是德藏菩
薩次當作佛号曰淨身多陁阿伽度阿羅訶
三藐三佛陁佛授記已便於中夜入无餘涅
槃佛滅度後妙光菩薩持妙法蓮華經滿八
十小劫為人演說日月燈明佛八子皆師妙
光妙光教化令其堅固阿耨多羅三藐三菩
提是諸王子供養无量百千万億佛已皆成
佛道其㝡後成佛者名曰然燈八百弟子中
有一人号曰求名貪著利養雖復讀誦衆經
而不通利多所忘失故号求名是人亦以種
諸善根因緣故得值无量百千万億諸佛供
養恭敬尊重讚歎弥勒當知尒時妙光菩薩
豈異人乎我身是也求名菩薩汝身是也今
見此瑞與本无異是故惟忖今日如來當說大
乘經名妙法蓮華教菩薩法佛所護念尒時文
殊師利於大衆中欲重宣此義而說偈言
我念過去世　无量无數劫　有佛人中尊　号日月燈明
世尊演說法　度无量衆生　无數億菩薩　令入佛智慧
佛未出家時　所生八王子　見大聖出家　亦隨脩梵行
時佛說大乘　經名无量義　於諸大衆中　而為廣分別
佛說此經已　即於法座上　跏趺坐三昧　名无量義處
天雨曼陁華　天鼓自然鳴　諸天龍鬼神　供養人中尊
一切諸佛土　即時大震動　佛放眉間光　現諸希有事
此光照東方　万八千佛土　示一切衆生　生死業報處
有見諸佛土　以衆寶莊嚴　瑠璃頗梨色　斯由佛光照
及見諸天人　龍神夜叉衆　乾闥緊那羅　各供養其佛
又見諸如來　自然成佛道　身色如金山　端嚴甚微妙
如淨瑠璃中　內現真金像　世尊在大衆　敷演深法義
一一諸佛土　聲聞衆无數　因佛光所照　悉見彼大衆

有見諸佛土　以衆寶莊嚴　瑠璃頗梨色　斯由佛光照
及見諸天人　龍神夜叉衆　乾闥緊那羅　各供養其佛
又見諸如來　自然成佛道　身色如金山　端嚴甚微妙
如淨瑠璃中　內現真金像　世尊在大衆　敷演深法義
一一諸佛土　聲聞衆无數　因佛光所照　悉見彼大衆
或有諸比丘　在於山林中　精進持淨戒　猶如護明珠
又見諸菩薩　行施忍辱等　其數如恒沙　斯由佛光照
又見諸菩薩　深入諸禪定　身心寂不動　以求无上道
又見諸菩薩　知法寂滅相　各於其國土　說法求佛道
尒時四部衆　見日月燈佛　現大神通力　其心皆歡喜
各各自相問　是事何因緣　天人所奉尊　適從三昧起
讚妙光菩薩　汝為世間眼　一切所歸信　能奉持法藏
如我所說法　唯汝能證知　世尊既讚歎　令妙光歡喜
說是法華經　滿六十小劫　不起於此座　所說上妙法
是妙光法師　悉皆能受持　佛說是法華　令衆歡喜已
尋即於是日　告於天人衆　諸法實相義　已為汝等說
我今於中夜　當入於涅槃　汝一心精進　當離於放逸
諸佛甚難值　億劫時一遇　世尊諸子等　聞佛入涅槃
各各懷悲惱　佛滅一何速　聖主法之王　安慰无量衆
我若滅度時　汝等勿憂怖　是德藏菩薩　於无漏實相
心已得通達　其次當作佛　号曰為淨身　亦度无量衆
佛此夜滅度　如薪盡火滅　分布諸舍利　而起无量塔
比丘比丘尼　其數如恒河　倍復加精進　以求无上道
是妙光法師　奉持佛法藏　八十小劫中　廣宣法華經
是諸八王子　妙光所開化　堅固无上道　當見无數佛
供養諸佛已　隨順行大道　相繼得成佛　轉次而授記
㝡後天中天　号曰然燈佛　諸仙之導師　度脫无量衆
是妙光法師　時有一弟子　心常懷懈怠　貪著於名利

是妙光法師　奉持佛法藏　八十小劫中　廣宣法華經
是諸八王子　妙光所開化　堅固无上道　當見无數佛
供養諸佛已　隨順行大道　相繼得成佛　轉次而授記
最後天中天　号曰燃燈佛　諸仙之導師　度脫无量衆
是妙光法師　時有一弟子　心常懷懈怠　貪著於名利
求名利无猒　多遊族姓家　棄捨所習誦　廢忘不通利
以是因緣故　号之為求名　亦行衆善業　得見无數佛
供養於諸佛　隨順行大道　具六波羅蜜　今見釋師子
其後當作佛　号名曰弥勒　廣度諸衆生　其數无有量
彼佛滅度後　懈怠者汝是　妙光法師者　今則我身是
我見燈明佛　本光瑞如此　以是知今佛　欲說法華經
今相如本瑞　是諸佛方便　今佛放光明　助發實相義
諸人今當知　合掌一心待　佛當雨法雨　充足求道者
諸求三乘人　若有疑悔者　佛當為除斷　令盡无有餘

妙法蓮華經方便品第二

尒時世尊從三昧安詳而起告舍利弗諸佛
智慧甚深无量其智慧門難解難入一切聲
聞辟支佛所不能知所以者何佛曾親近百
千万億无數諸佛盡行諸佛无量道法勇猛
精進名稱普聞成就甚深未曾有法隨宜所
說意趣難解舍利弗吾從成佛已來種種因
緣種種譬喻廣演言教无數方便引導衆生
令離諸著所以者何如來方便知見波羅蜜
皆已具足舍利弗如來知見廣大深遠无量
无礙力无所畏禪定解脫三昧深入无際成
就一切未曾有法舍利弗如來能種種分別
巧說諸法言辭柔軟悅可衆心舍利弗取要
言之无量无邊未曾有法佛悉成就止舍利
弗不須復說所以者何佛所成就第一希有

皆已具足舍利弗如來知見廣大深遠无量
无礙力无所畏禪定解脫三昧深入无際成
就一切未曾有法舍利弗如來能種種分別
巧說諸法言辭柔軟悅可衆心舍利弗取要
言之无量无邊未曾有法佛悉成就止舍利
弗不須復說所以者何佛所成就第一希有
難解之法唯佛與佛乃能究盡諸法實相所
謂諸法如是相如是性如是體如是力如是
作如是因如是緣如是果如是報如是本末
究竟等尒時世尊欲重宣此義而說偈言
世雄不可量　諸天及世人　一切衆生類　无能知佛者
佛力无所畏　解脫諸三昧　及佛諸餘法　无能測量者
本從无數佛　具足行諸道　甚深微妙法　難見難可了
於无量億劫　行此諸道已　道場得成果　我已悉知見
如是大果報　種種性相義　我及十方佛　乃能知是事
是法不可示　言辭相寂滅　諸餘衆生類　无有能得解
除諸菩薩衆　信力堅固者　諸佛弟子衆　曾供養諸佛
一切漏已盡　住是最後身　如是諸人等　其力所不堪
假使滿世間　皆如舍利弗　盡思共度量　不能測佛智
正使滿十方　皆如舍利弗　及餘諸弟子　亦滿十方剎
盡思共度量　亦復不能知　辟支佛利智　无漏最後身
亦滿十方界　其數如竹林　斯等共一心　於億无量劫
欲思佛實智　莫能知少分　新發意菩薩　供養无數佛
了達諸義趣　又能善說法　如稻麻竹葦　充滿十方剎
一心以妙智　於恒河沙劫　咸皆共思量　不能知佛智
不退諸菩薩　其數如恒沙　一心共思求　亦復不能知
又告舍利弗　无漏不思議　甚深微妙法　我今已具得
唯我知是相　十方佛亦然　舍利弗當知　諸佛語无異
於佛所說法　當生大信力　世尊法久後　要當說真實

了達諸義趣　又能善說法　如稻麻竹葦　无滿十方剎
一心以妙智　於恒河沙劫　咸皆共思量　不能知佛智
不退諸菩薩　其數如恒沙　一心共思求　亦復不能知
又告舍利弗　无漏不思議　甚深微妙法　我今已具得
唯我知是相　十方佛亦然　舍利弗當知　諸佛語无異
於佛所說法　當生大信力　世尊法久後　要當說真實
告諸聲聞眾　及求緣覺乘　我令脫苦縛　逮得涅槃者
佛以方便力　示以三乘教　眾生處處著　引之令得出
尒時大眾中有諸聲聞漏盡阿羅漢阿若憍
陳如等千二百人及發聲聞辟支佛心比丘
比丘尼優婆塞優婆夷各作是念今者世尊
何故慇懃稱歎方便而作是言佛所得法甚
深難解有所言說意趣難知一切聲聞辟支
佛所不能及佛說一解脫義我等亦得此法
到於涅槃而今不知是義所趣尒時舍利弗
知四眾心疑自亦未了而白佛言世尊何因
何緣慇懃稱歎諸佛第一方便甚深微妙難
解之法我自昔來未曾從佛聞如是說今者
四眾咸皆有疑唯願世尊敷演斯事世尊何
故慇懃稱歎甚深微妙難解之法尒時舍利
弗欲重宣此義而說偈言
慧日大聖尊　久乃說是法　自說得如是　力无畏三昧
禪定解脫等　不可思議法　道場所得法　无能發問者
我意難可測　亦无能問者　无問而自說　稱歎所行道
智慧甚微妙　諸佛之所得　无漏諸羅漢　及求涅槃者
今皆墮疑網　佛何故說是　其求緣覺者　比丘比丘尼
諸天龍鬼神　及乾闥婆等　相視懷猶豫　瞻仰兩足尊
是事為云何　願佛為解說　於諸聲聞眾　佛說我第一

BD02607 號　妙法蓮華經卷一　（21–11）

智慧甚微妙　諸佛之所得　无漏諸羅漢　及求涅槃者
今皆墮疑網　佛何故說是　其求緣覺者　比丘比丘尼
諸天龍鬼神　及乾闥婆等　相視懷猶豫　瞻仰兩足尊
是事為云何　願佛為解說　於諸聲聞眾　佛說我第一
我今自於智　疑惑不能了　為是究竟法　為是所行道
佛口所生子　合掌瞻仰待　願出微妙音　時為如實說
諸天龍神等　其數如恒沙　求佛諸菩薩　大數有八万
又諸万億國　轉輪聖王至　合掌以敬心　欲聞具足道
尒時佛告舍利弗止止不須復說若說是事
一切世間諸天及人皆當驚疑舍利弗重白
佛言世尊唯願說之唯願說之所以者何是
會无數百千万億阿僧祇眾生曾見諸佛諸
根猛利智慧明了聞佛所說則能敬信尒時
舍利弗欲重宣此義而說偈言
法王无上尊　唯說願勿慮　是會无量眾　有能敬信者
佛復止舍利弗若說是事一切世間天人阿
脩羅皆當驚疑增上慢比丘將墜於大坑尒
時世尊重說偈言
止止不須說　我法妙難思　諸增上慢者　聞必不敬信
尒時舍利弗重白佛言世尊唯願說之唯願
說之今此會中如我等比百千万億世世已來
曾從佛受化如此人等必能敬信長夜安隱
多所饒益尒時舍利弗欲重宣此義而說偈
言
无上兩足尊　願說第一法　我為佛長子　唯垂分別說
是會无量眾　能敬信此法　佛已曾世世　教化如是等
皆一心合掌　欲聽受佛語　我等千二百　及餘求佛者
願為此眾故　唯垂分別說　是等聞此法　則生大歡喜

BD02607 號　妙法蓮華經卷一　（21–12）

言
无上兩足尊　願說第一法　我為佛長子　唯垂分別說
是會无量衆　能敬信此法　佛已曾世世　教化如是等
皆一心合掌　欲聽受佛語　我等千二百　及餘求佛者
願為此衆故　唯垂分別說　是等聞此法　則生大歡喜
尒時世尊告舍利弗汝已慇懃三請豈得不
說汝今諦聽善思念之吾當為汝分別解說
說此語時會中有比丘比丘尼優婆塞優婆
夷五千人等即從座起礼佛而退所以者何
此輩罪根深重及增上慢未得謂得未證謂
證有如此失是以不住世尊嘿然而不制止
尒時佛告舍利弗我今此衆无復枝葉純有
貞實舍利弗如是增上慢人退亦佳矣汝今
善聽當為汝說舍利弗言唯然世尊願樂欲
聞佛告舍利弗如是妙法諸佛如來時乃說
之如優曇鉢華時一現耳舍利弗汝等當信
佛之所說言不虛妄舍利弗諸佛隨宜說法
意趣難解所以者何我以无數方便種種因
緣譬喻言辭演說諸法是法非思量分別之
所能解唯有諸佛乃能知之所以者何諸佛
世尊唯以一大事因緣故出現於世舍利弗
云何名諸佛世尊唯以一大事因緣故出現
於世諸佛世尊欲令衆生開佛知見使得清
淨故出現於世欲示衆生佛之知見故出現於
世欲令衆生悟佛知見故出現於世欲令衆
生入佛知見道故出現於世舍利弗是為諸
佛以一大事因緣故出現於世佛告舍利弗
諸佛如來但教化菩薩諸有所作常為一事
唯以佛之知見示悟衆生舍利弗如來但以

世欲令衆生悟佛知見故出現於世欲令衆
生入佛知見道故出現於世舍利弗是為諸
佛以一大事因緣故出現於世佛告舍利弗
諸佛如來但教化菩薩諸有所作常為一事
唯以佛之知見示悟衆生舍利弗如來但以
一佛乘故為衆生說法无有餘乘若二若三
舍利弗一切十方諸佛法亦如是舍利弗過
去諸佛以无量无數方便種種因緣譬喻言
辭而為衆生演說諸法是法皆為一佛乘故
是諸衆生從諸佛聞法究竟皆得一切種智
舍利弗未來諸佛當出於世亦以无量无數
方便種種因緣譬喻言辭而為衆生演說諸
法是法皆為一佛乘故是諸衆生從佛聞法
究竟皆得一切種智舍利弗現在十方无量
百千万億佛土中諸佛世尊多所饒益安樂
衆生是諸佛亦以无量无數方便種種因緣
譬喻言辭而為衆生演說諸法是法皆為一
佛乘故是諸衆生從佛聞法究竟皆得一切
種智舍利弗是諸佛但教化菩薩欲以佛之
知見示衆生故欲以佛之知見悟衆生故欲
令衆生入佛之知見故舍利弗我今亦復如
是知諸衆生有種種欲深心所著隨其本性
以種種因緣譬喻言辭方便力故而為說法
舍利弗如此皆為得一佛乘一切種智故舍利
弗十方世界中尚无二乘何況有三舍利弗
諸佛出於五濁惡世所謂劫濁煩惱濁衆
生濁見濁命濁如是舍利弗劫濁亂時衆生
垢重慳貪嫉妬成就諸不善根故諸佛以方
便力於一佛乘分別說三舍利弗若我弟子

舍利弗如此皆為得一佛乘一切種智故舍利
弗十方世界中尚无二乘何况有三舍利弗
諸佛出於五濁惡世所謂劫濁煩惱濁衆
生濁見濁命濁如是舍利弗劫濁亂時衆生
垢重慳貪嫉妬成就諸不善根故諸佛以方
便力於一佛乘分別說三舍利弗若我弟子
自謂阿羅漢辟支佛者不聞不知諸佛如來
但教化菩薩事此非佛弟子非阿羅漢非辟
支佛又舍利弗是諸比丘比丘尼自謂已得
阿羅漢是最後身究竟涅槃便不復志求阿
耨多羅三藐三菩提當知此輩皆是增上慢
人所以者何若有比丘實得阿羅漢若不信
此法无有是處除佛滅度後現前无佛所以
者何佛滅度後如是等經受持讀誦解其義者
是人難得若遇餘佛於此法中便得決了舍
利弗汝等當一心信解受持佛語諸佛如來
言无虛妄无有餘乘唯一佛乘尒時世尊欲
重宣此義而說偈言

比丘比丘尼　有懷增上慢　優婆塞我慢　優婆夷不信
如是四衆等　其數有五千　不自見其過　於戒有缺漏
護惜其瑕疵　是小智已出　衆中之糟糠　佛威德故去
斯人尠福德　不堪受是法　此衆无枝葉　唯有諸貞實
舍利弗善聽　諸佛所得法　无量方便力　而為衆生說
衆生心所念　種種所行道　若干諸欲性　先世善惡業
佛悉知是已　以諸緣譬喻　言辭方便力　令一切歡喜
或說修多羅　伽陀及本事　本生未曾有　亦說於因緣
譬喻并祇夜　優波提舍經　鈍根樂小法　貪著於生死
於諸无量佛　不行深妙道　衆苦所惱亂　為是說涅槃
我設是方便　令得入佛慧　未曾說汝等　當得成佛道

BD02607 號　妙法蓮華經卷一　（21–15）

衆生心所念　種種所行道　若干諸欲性　先世善惡業
佛悉知是已　以諸緣譬喻　言辭方便力　令一切歡喜
或說修多羅　伽陀及本事　本生未曾有　亦說於因緣
譬喻并祇夜　優波提舍經　鈍根樂小法　貪著於生死
於諸无量佛　不行深妙道　衆苦所惱亂　為是說涅槃
我設是方便　令得入佛慧　未曾說汝等　當得成佛道
所以未曾說　說時未至故　今正是其時　決定說大乘
我此九部法　隨順衆生說　入大乘為本　以故說是經
有佛子心淨　柔軟亦利根　无量諸佛所　而行深妙道
為此諸佛子　說是大乘經　我記如是人　來世成佛道
以深心念佛　修持淨戒故　此等聞得佛　大喜充遍身
佛知彼心行　故為說大乘　聲聞若菩薩　聞我所說法
乃至於一偈　皆成佛无疑　十方佛土中　唯有一乘法
无二亦无三　除佛方便說　但以假名字　引導於衆生
說佛智慧故　諸佛出於世　唯此一事實　餘二則非真
終不以小乘　濟度於衆生　佛自住大乘　如其所得法
定慧力莊嚴　以此度衆生　自證无上道　大乘平等法
若以小乘化　乃至於一人　我則墮慳貪　此事為不可
若人信歸佛　如來不欺誑　亦无貪嫉意　斷諸法中惡
故佛於十方　而獨无所畏　我以相嚴身　光明照世間
无量衆所尊　為說實相印　舍利弗當知　我本立誓願
欲令一切衆　如我等无異　如我昔所願　今者已滿足
化一切衆生　皆令入佛道　若我遇衆生　盡教以佛道
无智者錯亂　迷惑不受教　我知此衆生　未曾修善本
堅著於五欲　癡愛故生惱　以諸欲因緣　墜墮三惡道
輪迴六趣中　備受諸苦毒　受胎之微形　世世常增長
薄德少福人　衆苦所逼迫　入邪見稠林　若有若无等
依止此諸見　具足六十二　深著虛妄法　堅受不可捨
我慢自矜高　諂曲心不實　於千萬億劫　不聞佛名字

BD02607 號　妙法蓮華經卷一　（21–16）

无智者錯亂 迷惑不受教 我知此衆生 未曾脩善本
堅著於五欲 癡愛故生惱 以諸欲因緣 墜墮三惡道
輪迴六趣中 備受諸苦毒 受胎之微形 世世常增長
薄德少福人 衆苦所逼迫 入邪見稠林 若有若无等
依止此諸見 具足六十二 深著虛妄法 堅受不可捨
我慢自矜高 諂曲心不實 於千万億劫 不聞佛名字
亦不聞正法 如是人難度 是故舍利弗 我為設方便
說諸盡苦道 示之以涅槃 我雖說涅槃 是亦非真滅
諸法從本來 常自寂滅相 佛子行道已 來世得作佛
我有方便力 開示三乘法 一切諸世尊 皆說一乘道
今此諸大衆 皆應除疑惑 諸佛語无異 唯一无二乘
過去无數劫 无量滅度佛 百千万億種 其數不可量
如是諸世尊 種種緣譬喻 无數方便力 演說諸法相
是諸世尊等 皆說一乘法 化无量衆生 令入於佛道
又諸大聖主 知一切世間 天人羣生類 深心之所欲
更以異方便 助顯第一義 若有衆生類 值諸過去佛
若聞法布施 或持戒忍辱 精進禪智等 種種脩福德
如是諸人等 皆已成佛道 諸佛滅度已 若人善軟心
如是諸衆生 皆已成佛道 諸佛滅度已 供養舍利者
起万億種塔 金銀及頗梨 車𤦲與馬瑙 玫瑰瑠璃珠
清淨廣嚴飾 莊校於諸塔 或有起石廟 栴檀及沉水
木櫁并餘材 塼瓦泥土等 若於曠野中 積土成佛廟
乃至童子戲 聚沙為佛塔 如是諸人等 皆已成佛道
若人為佛故 建立諸形像 刻彫成衆相 皆已成佛道
或以七寶成 鍮石赤白銅 白鑞及鈆錫 鐵木及與泥
或以膠漆布 嚴飾作佛像 如是諸人等 皆已成佛道
彩畫作佛像 百福莊嚴相 自作若使人 皆已成佛道

BD02607 號　妙法蓮華經卷一　（21–17）

若人為佛故 建立諸形像 刻彫成衆相 皆已成佛道
或以七寶成 鍮石赤白銅 白鑞及鈆錫 鐵木及與泥
或以膠漆布 嚴飾作佛像 如是諸人等 皆已成佛道
彩畫作佛像 百福莊嚴相 自作若使人 皆已成佛道
乃至童子戲 若草木及筆 或以指爪甲 而畫作佛像
如是諸人等 漸漸積功德 具足大悲心 皆已成佛道
但化諸菩薩 度脫无量衆 若人於塔廟 寶像及畫像
以華香幡蓋 敬心而供養 若使人作樂 擊鼓吹角貝
簫笛琴箜篌 琵琶鐃銅鈸 如是衆妙音 盡持以供養
或以歡喜心 歌唄頌佛德 乃至一小音 皆已成佛道
若人散亂心 乃至以一華 供養於畫像 漸見无數佛
或有人禮拜 或復但合掌 乃至舉一手 或復小低頭
以此供養像 漸見无量佛 自成无上道 廣度无數衆
入无餘涅槃 如薪盡火滅 若人散亂心 入於塔廟中
一稱南无佛 皆已成佛道 於諸過去佛 在世或滅後
若有聞是法 皆已成佛道 未來諸世尊 其數无有量
是諸如來等 亦方便說法 一切諸如來 以无量方便
度脫諸衆生 入佛无漏智 若有聞法者 无一不成佛
諸佛本誓願 我所行佛道 普欲令衆生 亦同得此道
未來世諸佛 雖說百千億 无數諸法門 其實為一乘
諸佛兩足尊 知法常无性 佛種從緣起 是故說一乘
是法住法位 世間相常住 於道場知已 導師方便說
天人所供養 現在十方佛 其數如恒沙 出現於世間
安隱衆生故 亦說如是法 知第一寂滅 以方便力故
雖示種種道 其實為佛乘 知衆生諸行 深心之所念
過去所習業 欲性精進力 及諸根利鈍 以種種因緣
譬喻亦言辭 隨應方便說 今我亦如是 安隱衆生故
以種種法門 宣示於佛道 我以智慧力 知衆生性欲

BD02607 號　妙法蓮華經卷一　（21–18）

安隱衆生故　亦說如是法　知第一寂滅　以方便力故
雖示種種道　其實爲佛乘　知衆生諸行　深心之所念
過去所習業　欲性精進力　及諸根利鈍　以種種因緣
譬喻亦言辭　隨應方便說　今我亦如是　安隱衆生故
以種種法門　宣示於佛道　我以智慧力　知衆生性欲
方便說諸法　皆令得歡喜　舍利弗當知　我以佛眼觀
見六道衆生　貧窮无福慧　入生死險道　相續苦不斷
深著於五欲　如犛牛愛尾　以貪愛自蔽　盲瞑无所見
不求大勢佛　及與斷苦法　深入諸邪見　以苦欲捨苦
爲是衆生故　而起大悲心　我始坐道場　觀樹亦經行
於三七日中　思惟如是事　我所得智慧　微妙最第一
衆生諸根鈍　著樂癡所盲　如斯之等類　云何而可度
爾時諸梵王　及諸天帝釋　護世四天王　及大自在天
并餘諸天衆　眷屬百千万　恭敬合掌禮　請我轉法輪
我即自思惟　若但讚佛乘　衆生沒在苦　不能信是法
破法不信故　墜於三惡道　我寧不說法　疾入於涅槃
尋念過去佛　所行方便力　我今所得道　亦應說三乘
作是思惟時　十方佛皆現　梵音慰喻我　善哉釋迦文
第一之導師　得是无上法　隨諸一切佛　而用方便力
我等亦皆得　最妙第一法　爲諸衆生類　分別說三乘
少智樂小法　不自信作佛　是故以方便　分別說諸果
雖復說三乘　但爲教菩薩　舍利弗當知　我聞聖師子
深淨微妙音　一稱南无佛　復作如是念　我出濁惡世
如諸佛所說　我亦隨順行　思惟是事已　即趣波羅柰
諸法寂滅相　不可以言宣　以方便力故　爲五比丘說
是名轉法輪　便有涅槃音　及以阿羅漢　法僧差別名
從久遠劫來　讚示涅槃法　生死苦永盡　我常如是說
舍利弗當知　我見佛子等　志求佛道者　无量千万億
咸以恭敬心　皆來至佛所　曾從諸佛聞　方便所說法

BD02607號　妙法蓮華經卷一　（21–19）

諸法寂滅相　不可以言宣　以方便力故　爲五比丘說
是名轉法輪　便有涅槃音　及以阿羅漢　法僧差別名
從久遠劫來　讚示涅槃法　生死苦永盡　我常如是說
舍利弗當知　我見佛子等　志求佛道者　无量千万億
咸以恭敬心　皆來至佛所　曾從諸佛聞　方便所說法
我即作是念　如來所以出　爲說佛慧故　今正是其時
舍利弗當知　鈍根小智人　著相憍慢者　不能信是法
今我喜无畏　於諸菩薩中　正直捨方便　但說无上道
菩薩聞是法　疑網皆已除　千二百羅漢　悉亦當作佛
如三世諸佛　說法之儀式　我今亦如是　說无分別法
諸佛興出世　懸遠值遇難　正使出于世　說是法復難
无量无數劫　聞是法亦難　能聽是法者　斯人亦復難
譬如優曇華　一切皆愛樂　天人所希有　時時乃一出
聞法歡喜讚　乃至發一言　則爲已供養　一切三世佛
是人甚希有　過於優曇華　汝等勿有疑　我爲諸法王
普告諸大衆　但以一乘道　教化諸菩薩　无聲聞弟子
汝等舍利弗　聲聞及菩薩　當知是妙法　諸佛之秘要
以五濁惡世　但樂著諸欲　如是等衆生　終不求佛道
當來世惡人　聞佛說一乘　迷惑不信受　破法墮惡道
有慚愧清淨　志求佛道者　當爲如是等　廣讚一乘道
舍利弗當知　諸佛法如是　以万億方便　隨宜而說法
其不習學者　不能曉了此　汝等既已知　諸佛世之師
隨宜方便事　无復諸疑惑　心生大歡喜　自知當作佛

妙法蓮華經卷第一

BD02607號　妙法蓮華經卷一　（21–20）

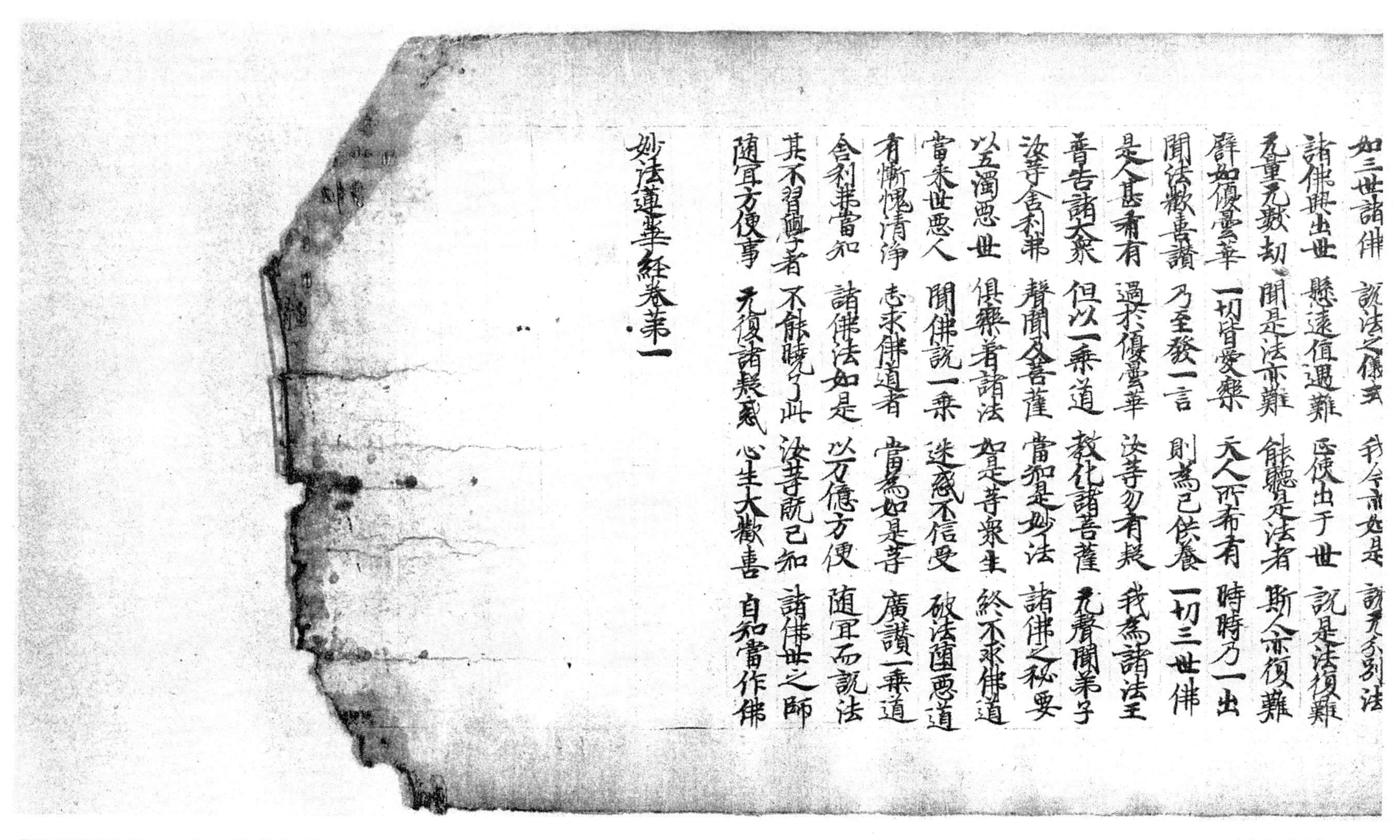

BD02607號　妙法蓮華經卷一　（21–21）

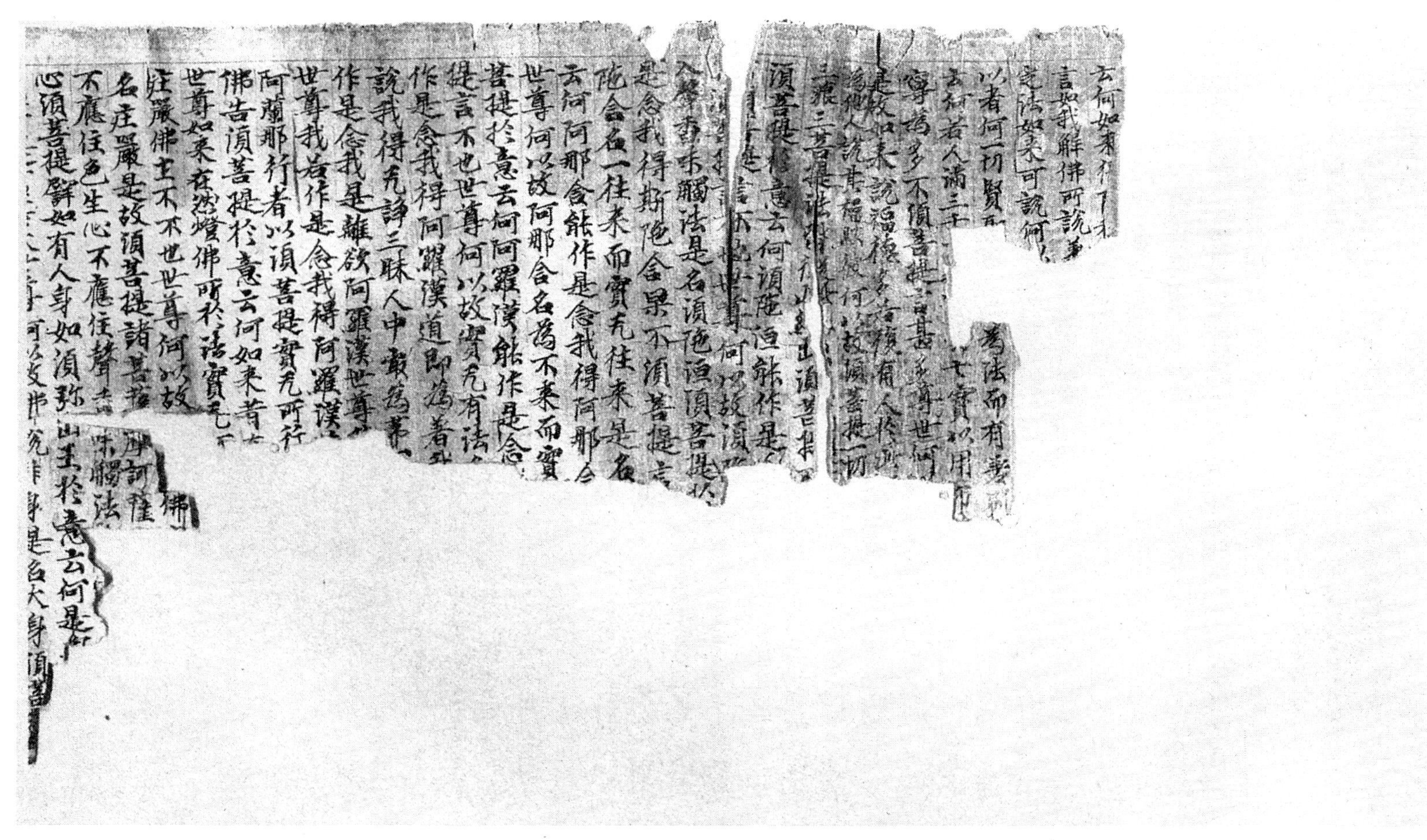

BD02608號　金剛般若波羅蜜經　（7–1）

提言不也世尊何以故實无有法名阿羅漢
作是念我得阿羅漢道即為著我
說我得无諍三昧人中最為第一
作是念我是離欲阿羅漢世尊
世尊我若作是念我得阿羅漢道世尊
阿蘭那行者以須菩提實无所行
佛告須菩提於意云何如來昔在
世尊如來在然燈佛所於法實无所
莊嚴佛土不不也世尊何以故
名莊嚴是故須菩提諸菩薩摩訶薩
不應住色生心不應住聲香味觸法
心須菩提譬如有人身如須彌山王於意云何是身
須菩提言甚大世尊何以故佛說非身是名大身須菩
恒河中所有沙數如是沙等恒河於意云何是諸恒河沙寧為
多不須菩提言甚多世尊但諸恒河尚多无數何況其沙須
菩提我今實言告汝若有善男子善女人以七寶滿尒所恒
河沙數三千大千世界以用布施得福多不須菩提言甚多
世尊佛告須菩提若善男子善女人於此經中乃至受持四
句偈等為他人說而此福德勝前福德復次須菩提隨說是經乃
至四句偈等當知此處一切世間天人阿脩羅皆應供養如佛
塔廟何況有人盡能受持讀誦須菩提當知是人成就最上
第一希有之法若是經典所在之處則為有佛若尊重弟子
尒時須菩提白佛言世尊當何名此經我等云何奉持佛告
須菩提是經名為金剛般若波羅蜜以是名字汝當奉持
所以者何須菩提佛說般若波羅蜜則非般若波羅蜜須菩
提於意云何如來有所說法不須菩提白佛言世尊如來无
所說須菩提於意云何三千大千世界所有微塵是為多不
須菩提言甚多世尊須菩提諸微塵如來說非微塵是
名微塵如來說世界非世界是名世界須菩提於意云何
可以三十二相見如來不不也世尊何以故如來說三十二相即
是非相是名三十二相須菩提若有善男子善女人以恒河
沙等身命布施若復有人於此經中乃至受持四句偈等為
他人說其福甚多　尒時須菩提聞說是經深解義趣涕淚
悲泣而白佛言希有世尊佛說如是甚深經典我從昔來
所得慧眼未曾得聞如是之經世尊若復有人得聞是經
信心清淨則生實相當知是人成就第一希有功德世尊
是實相者則是非相是故如來說名實相世尊我今得聞
如是經典信解受持不足為難若當來世後五百歲其有
眾生得聞是經信解受持是人則為第一希有何以故此人无我
相人相眾生相壽者相所以者何我相即是非相人相眾生相壽

BD02608號　金剛般若波羅蜜經　（7–2）

沙等身命布施若復有人於此經中乃至受持四句偈等為
他人說其福甚多　尒時須菩提聞說是經深解義趣涕淚
悲泣而白佛言希有世尊佛說如是甚深經典我從昔來
所得慧眼未曾得聞如是之經世尊若復有人得聞是經
信心清淨則生實相當知是人成就第一希有功德世尊
是實相者則是非相是故如來說名實相世尊我今得聞
如是經典信解受持不足為難若當來世後五百歲其有
眾生得聞是經信解受持是人則為第一希有何以故此人无我
相人相眾生相壽者相所以者何我相即是非相人相眾生相壽
者相即是非相何以故離一切諸相則名諸佛　佛告須菩
提如是如是若復有人得聞是經不驚不怖不畏當知是人甚為
希有何以故須菩提如來說第一波羅蜜非第一波羅蜜是名
第一波羅蜜　須菩提忍辱波羅蜜如來說非忍辱波羅蜜
何以故須菩提如我昔為歌利王割截身體我於尒時无
我相无人相无眾生相无壽者相何以故我於往昔節節
支解時若有我相人相眾生相壽者相應生瞋恨須菩
提又念過去於五百世作忍辱仙人於尒所世无我相无
人相无眾生相无壽者相是故須菩提菩薩應離一切
相發阿耨多羅三藐三菩提心不應住色生心不應住聲
香味觸法生心應生无所住心若心有住則為非住是故佛
說菩薩心不應住色布施須菩提菩薩為利益一切眾生應如
是布施如來說一切諸相即是非相又說一切眾生非則眾生須
菩提如來是真語者實語者如語者不誑語者不異語者
須菩提如來所得法此法无實无虛須菩提若菩薩心住於法
而行布施如人入闇則无所見若菩薩心不住法而行布施如人
有目日光明照見種種色須菩提當來之世若有善男子善女
人能於此經受持讀誦則為如來以佛智慧悉知是人悉見
是人皆得成就无量无邊功德
須菩提若有善男子善女人初日分以恒河沙等身
布施中日分復以恒河沙等身布施後日分亦以恒
河沙等身布施如是无量百千萬億劫以身布施若
復有人聞此經典信心不逆其福勝彼何況書寫受持
讀誦為人解說須菩提以要言之是經有不可思議不可
稱量无邊功德如來為發大乘者說為發最上乘者說
若有人能受持讀誦廣為人說如來悉知是人悉見是
人皆得成就不可量不可稱无有邊不可思議功德如是人等則
為荷擔如來阿耨多羅三藐三菩提何以故須菩提若
樂小法者著我見人見眾生見壽者見則於此經不
能聽受讀誦為人解說須菩提在在處處若有此
經一切世間天人阿脩羅所應供養當知此處則為是塔皆應

BD02608號　金剛般若波羅蜜經　（7–3）

稱量无邊功德如来為發大乘者說為發最上乘者說
若有人能受持讀誦廣為人說如来悉知是人悉見是
皆得成就不可量不可稱无有邊不可思議功德如是人等則
為荷擔如来阿耨多羅三藐三菩提何以故須菩提若
樂小法者著我見人見衆生見壽者見則於此經不
能聽受讀誦為人解說須菩提在在處處若有此
經一切世間天人阿脩羅所應供養當知此處則為是塔皆應
恭敬作礼圍繞以諸華香而散其處
復次須菩提善男子善女人受持讀誦此經若為人輕賤是人先世罪
業應墮惡道以今世人輕賤故先世罪業則為消滅當得阿耨多
羅三藐三菩提須菩提我念過去无量阿僧祇劫於然燈佛前
得值八百四千萬億那由他諸佛悉皆供養承事无空過者若復
有人於後末世能受持讀誦此經所得功德於我所供養諸
佛功德百分不及一千萬億分乃至筭數譬喻所不能及須菩
提若善男子善女人於後末世有受持讀誦此經所得功德我若具
說者或有人聞心則狂亂狐疑不信須菩提當知是經義不可思議
果報亦不可思議　尒時須菩提白佛言世尊善男子善女人發
阿耨多羅三藐三菩提心云何應住云何降伏其心佛告須菩提
善男子善女人發阿耨多羅三藐三菩提者當生如是心我應滅度一
切衆生滅度一切衆生已而无有一衆生實滅度者何以故若菩薩
有我相人相衆生相壽者相則非菩薩所以者何須菩提實无有
法發阿耨多羅三藐三菩提者須菩提於意云何如来於然燈佛所有
法得阿耨多羅三藐三菩提不不也世尊如我解佛所說義佛於然
燈佛所无有法得阿耨多羅三藐三菩提佛言如是如是須菩提實无
有法如来得阿耨多羅三藐三菩提須菩提若有法如来得阿耨
多羅三藐三菩提者然燈佛則不與我受記汝於来世當得作
佛号釋迦牟尼以實无有法得阿耨多羅三藐三菩提是故
然燈佛與我受記作是言汝於来世當得作佛号釋迦牟尼何
以故如来者即諸法如義若有人言如来得阿耨多羅三藐三菩提須
菩提實无有法佛得阿耨多羅三藐三菩提須菩提如来所得阿
耨多羅三藐三菩提於是中无實无虛是故如来說一切法皆是佛
法須菩提所言一切法者即非一切法是故名一切法須菩提譬如
人身長大須菩提言世尊如来說人身長大則為非大身是名大身
須菩提菩薩亦如是若作是言我當滅度无量衆生則不名菩
薩何以故須菩提實无有法名為菩薩是故佛說一切法无我无人
无衆生无壽者須菩提若菩薩作是言我當莊嚴佛土是不名
菩薩何以故如来說莊嚴佛土者即非莊嚴是名莊嚴須菩提若
菩薩通達无我法者如来說名真是菩薩
須菩提於意云何如来有肉眼不如是世尊如来有肉眼須菩
提於意云何如来有天眼不如是世尊如来有天眼須菩提於意

BD02608號　金剛般若波羅蜜經　（7–4）

須菩提菩薩亦如是若作是言我當滅度无量衆生則不名菩
薩何以故須菩提實无有法名為菩薩是故佛說一切法无我无人
无衆生无壽者須菩提若菩薩作是言我當莊嚴佛土是不名
菩薩何以故如来說莊嚴佛土者即非莊嚴是名莊嚴須菩提若
菩薩通達无我法者如来說名真是菩薩
須菩提於意云何如来有肉眼不如是世尊如来有肉眼須菩
提於意云何如来有天眼不如是世尊如来有天眼須菩提於意
云何如来有慧眼不如是世尊如来有慧眼須菩提於意
云何如来有法眼不如是世尊如来有法眼須菩提於意云
何如来有佛眼不如是世尊如来有佛眼須菩提於意云何
恒河中所有沙佛說是沙不如是世尊如来說是沙須菩提於
意云何如一恒河中所有沙有如是等恒河是所有沙數佛世
界如是寧為多不甚多世尊佛告須菩提尒所國土中
所有衆生若干種心如来悉知何以故如来說諸心皆為
非心是名為心所以者何須菩提過去心不可得現在心不可得
未来心不可得須菩提於意云何若有人滿三千大千世界七寶
以用布施是人以是因緣得福多不如是世尊此人以是因緣
得福甚多須菩提若福德有實如来不說得福德多以福
德无故如来說得福德多　須菩提於意云何佛可以具
足色身見不不也世尊如来不應以色身見何以故如来說
具足色身即非具足色身是名具足色身須菩提於意
云何如来可以具足諸相見不不也世尊如来不應以具足
諸相見何以故如来說諸相具足即非具足是名諸相具足
須菩提汝勿謂如来作是念我當有所說法莫作是念
何以故若人言如来有所說法即為謗佛不能解我所
說故須菩提說法者无法可說是名說法須菩提白佛言
世尊佛得阿耨多羅三藐三菩提為无所得耶如是如是
須菩提我於阿耨多羅三藐三菩提乃至无有少法可得
是名阿耨多羅三藐三菩提復次須菩提是法平等无有高
下是名阿耨多羅三藐三菩提以无我无人无衆生无壽者
脩一切善法則得阿耨多羅三藐三菩提須菩提所言善法
如来說非善法是名善法須菩提若三千大千世界中所有
諸須彌山王如是等七寶聚有人持用布施若人以此
般若波羅蜜經乃至四句偈等受持為他人說於前福百
分不及一百千萬億分乃至筭數譬喻所不能及
須菩提於意云何汝等勿謂如来作是念我當度衆生須
菩提莫作是念何以故實无有衆生如来度者若有衆生
如来度者如来則有我人衆生壽者須菩提如来說有我者
則非有我而凡夫之人以為有我須菩提凡夫者如来說則
非凡夫須菩提於意云何可以三十二相觀如来不須菩提言如是如
是以三十二相觀如来佛言須菩提若以三十二相觀如来

BD02608號　金剛般若波羅蜜經　（7–5）

般若波羅蜜經乃至四句偈等受持為他人說於前福德百
分不及一百千萬億分乃至筭數譬喻所不能及
須菩提於意云何汝等勿謂如來作是念我當度眾生須
菩提莫作是念何以故實无有眾生如來度者若有眾生
如來度者如來則有我人眾生壽者須菩提如來說有我者
則非有我而凡夫之人以為有我須菩提凡夫者如來說則
非凡夫須菩提於意云何可以三十二相觀如來不須菩提言如是如
是以三十二相觀如來佛言須菩提若以三十二相觀如來
者轉輪聖王則是如來須菩提白佛言世尊如我解佛所說
義不應以三十二相觀如來爾時世尊而說偈言
若以色見我 以音聲求我 是人行邪道 不能見如來
須菩提汝若作是念如來不以具足相故得阿耨多羅三藐
三菩提須菩提莫作是念如來不以具足相故得阿耨多羅
三藐三菩提須菩提汝若作是念發阿耨多羅三藐三菩提
者說諸法斷滅相莫作是念何以故發阿耨多羅三藐
三菩提者於法不說斷滅相須菩提若菩薩以滿恒河
沙等世界七寶布施若復有人知一切法无我得成於忍此
菩薩勝前菩薩所得功德須菩提以諸菩薩不受福德故
須菩提白佛言世尊云何菩薩不受福德須菩提菩薩所
作福德不應貪著是故說不受福德須菩提若有人言
如來若來若去若坐若臥是人不解我所說義何以故如
來者无所從來亦无所去故名如來 須菩提若善男子
善女人以三千大千世界碎為微塵於意云何是微塵眾寧
為多不甚多世尊何以故若是微塵眾實有者佛則不
說是微塵眾所以者何佛說微塵眾則非微塵眾
是名微塵眾世尊如來所說三千大千世界則非
世界是名世界何以故若世界實有者則是一合相如來
說一合相則非一合相是名一合相須菩提一合相者則是不
可說但凡夫之人貪著其事須菩提若人言佛說
我見人見眾生見壽者見須菩提於意云何是人解
我所說義不世尊是人不解如來所說義何以故世尊
說我見人見眾生見壽者見即非我見人見眾生見
壽者見是名我見人見眾生見壽者見須菩提發阿
耨多羅三藐三菩提心者於一切法應如是知如是見
如是信解不生法相須菩提所言法相者如來說即
法相是名法相須菩提若有人以滿无量阿僧祇世
界七寶持用布施若有善男子善女人發菩薩心
者持於此經乃至四句偈等受持讀誦為人演說其
福勝彼云何為人演說不取於相如如不動何以故

BD02608號　金剛般若波羅蜜經　（7–6）

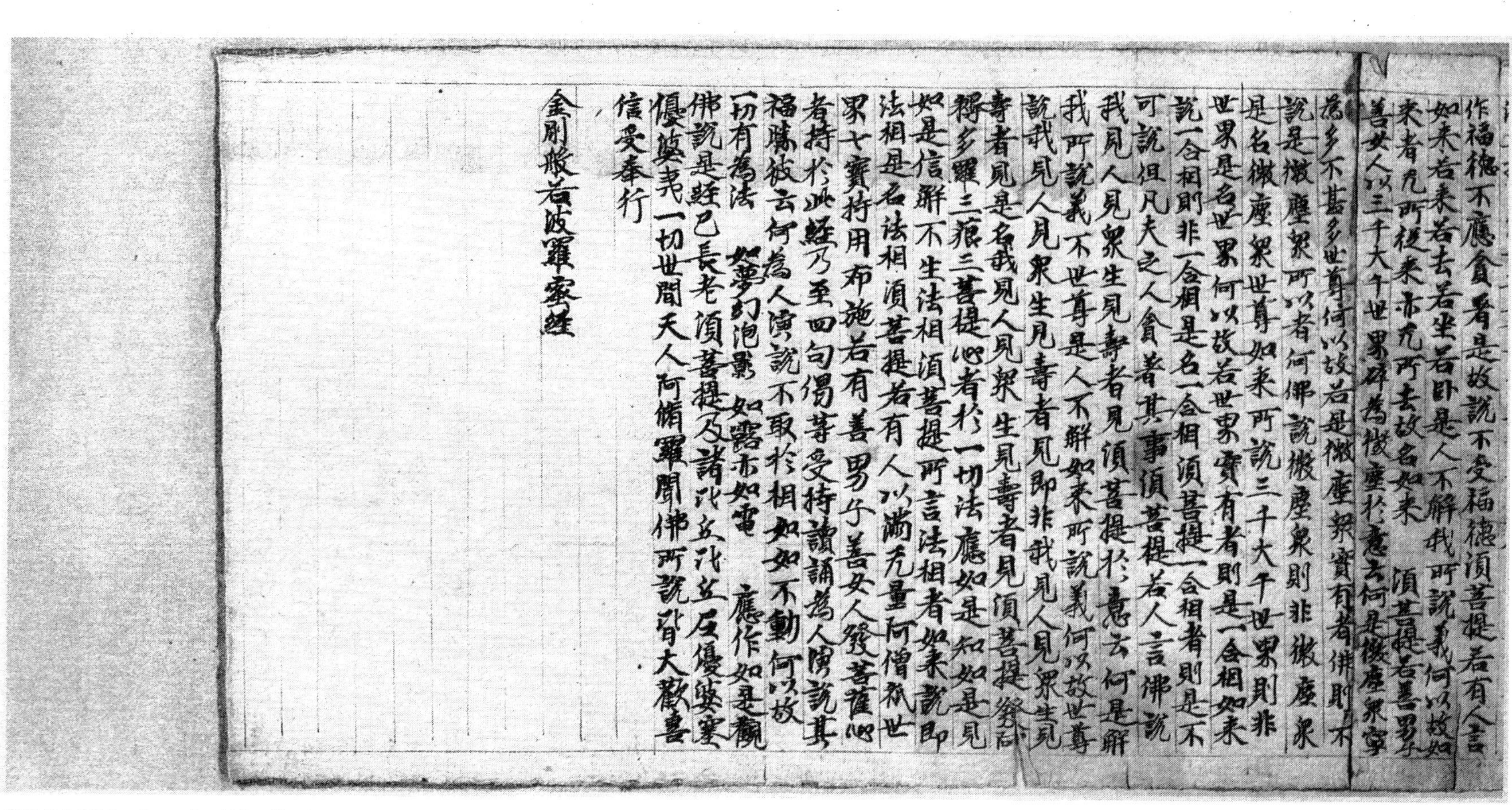
作福德不應貪著是故說不受福德須菩提若有人言
如來若來若去若坐若臥是人不解我所說義何以故如
來者无所從來亦无所去故名如來 須菩提若善男子
善女人以三千大千世界碎為微塵於意云何是微塵眾寧
為多不甚多世尊何以故若是微塵眾實有者佛則不
說是微塵眾所以者何佛說微塵眾則非微塵眾
是名微塵眾世尊如來所說三千大千世界則非
世界是名世界何以故若世界實有者則是一合相如來
說一合相則非一合相是名一合相須菩提一合相者則是不
可說但凡夫之人貪著其事須菩提若人言佛說
我見人見眾生見壽者見須菩提於意云何是人解
我所說義不世尊是人不解如來所說義何以故世尊
說我見人見眾生見壽者見即非我見人見眾生見
壽者見是名我見人見眾生見壽者見須菩提發阿
耨多羅三藐三菩提心者於一切法應如是知如是見
如是信解不生法相須菩提所言法相者如來說即
法相是名法相須菩提若有人以滿无量阿僧祇世
界七寶持用布施若有善男子善女人發菩薩心
者持於此經乃至四句偈等受持讀誦為人演說其
福勝彼云何為人演說不取於相如如不動何以故
一切有為法 如夢幻泡影 如露亦如電 應作如是觀
佛說是經已長老須菩提及諸比丘比丘尼優婆塞
優婆夷一切世間天人阿修羅聞佛所說皆大歡喜
信受奉行
金剛般若波羅蜜經

BD02608號　金剛般若波羅蜜經　（7–7）

言慰喻作如是語我是醫人我是醫人善
知方藥今為汝等療治眾病悉令除愈善女
天尒時眾人聞長者子善言慰喻許為治病
時有無量百千眾生遇極重病聞是語已身
心踊躍得未曾有以此因緣所有病苦悉得
蠲除氣力充實平復如本善女天尒時復有
無量百千眾生病苦深重難療治者即共往
詣長者子所重請醫療時長者子即以妙藥
令服皆蒙除差善女天是長者子於此國內
百千万億眾生病苦悉得除差

金光明最勝王經長者子流水品第廿五

尒時佛告菩提樹神善女天尒時長者子流水
於往昔時在天自在光王國內療諸眾生所
有病苦令得平復受安隱樂時諸眾生以
病除故多修福業廣行惠施以自歡娛即共
往詣長者子所咸生尊敬作如是言善哉善
哉大長者子善能滋長福德之事增益我等
安隱壽命仁今實是大力醫王慈悲菩薩妙
閑醫藥善療眾生無量病苦如是稱歎周遍

BD02609號　金光明最勝王經卷九　（9–1）

病除故多修福業廣行惠施以自歡娛即共
往詣長者子所咸生尊敬作如是言善哉善
哉大長者子善能滋長福德之事增益我等
安隱壽命仁今實是大力醫王慈悲菩薩妙
閑醫藥善療眾生無量病苦如是稱歎周遍
城邑善女天時長者子妻名水肩藏有其二
子一名水滿二名水藏是時流水將其二子
漸次遊行城邑聚落過空澤中深險之處見
諸禽獸豺狼狐玃鵰鷲之屬食血肉者皆悉
奔飛一向而去時長者子作如是念此諸禽
獸何因緣故一向飛走我當隨後暫往觀之
即便隨去見有大池名曰野生其水將盡於
此池中多有眾魚流水見已生大悲心時有
樹神示現半身作如是語善哉善哉善男子
汝有實義名流水者可愍此魚應與其水有
二因緣名為流水一能流水二能與水汝今
應當隨名而作是時流水問樹神言此魚頭
數為有幾何樹神答曰數滿十千善女天時
長者子聞是數已倍益悲心時此大池為日所
曝餘水無幾是十千魚將入死門旋身婉轉
見是長者心有所希隨逐瞻視目未曾捨
時長者子見是事已馳趣四方欲覓於水竟
不能得復望一邊見有大樹即便昇上折取
枝葉為作蔭涼復更推求是池中水從何處
來尋覓不已見一大河名曰水生時此河邊有
諸漁人為取魚故於河上流懸險之處決棄

BD02609號　金光明最勝王經卷九　（9–2）

時長者子見是事已馳趣四方欲覓於水竟
不能得復望一邊見有大樹即便昇上折取
枝葉為作蔭涼復更推求是池中水從何處
來尋覓不已見一大河名曰水生時此河邊有
諸漁人為取魚故於河上流懸險之處決棄
其水不令下過於所決處卒難脩補便作
是念此崖深峻設百千人時經三月亦未能
斷況我一身而堪濟辦時長者子速還本城
至大王所頭面禮足却住一面合掌恭敬作
如是言我為大王國土人民治種種病悉令
安隱漸次遊行至某空澤見有一池名曰野
生其水欲涸有十千魚為日所暴將死不久
唯願大王慈悲愍念與二十大象蹔往負水
濟彼魚命如我與諸病人壽命尒時大王即
勑大臣速疾與此醫王大象時彼大臣奉王
勑已白長者子善我大士仁今自可至象廐
中隨意選取二十大象利益衆生令得安樂
是時流水及其二子將二十大象又從酒家
多借皮囊往決水處以囊盛水象負至池瀉
置池中水即彌滿還復如故善女天時長者
子於池四邊周旋而視時彼衆魚亦復隨逐
循岸而行時長者子復作是念衆魚何故隨
我而行必為飢火之所惱逼復欲從我求索
於食我今當與尒時長者子流水告其子言
汝取一象最大力者速至家中啓父長者家
中所有可食之物乃至父母食噉之分及以

BD02609 號　金光明最勝王經卷九　（9–3）

循岸而行時長者子復作是念衆魚何故隨
我而行必為飢火之所惱逼復欲從我求索
於食我今當與尒時長者子流水告其子言
汝取一象最大力者速至家中啓父長者家
中所有可食之物乃至父母食噉之分及以
妻子奴婢之分悉皆收取即可持來尒時二
子受父教已乘最大象速往家中至祖父所
說如上事收取家中可食之物置於象上疾
還父所至彼池邊是時流水見其子來身心
喜躍遂取餅食遍散池中魚得食已悉皆飽
足便作是念我今施食令魚得命願於來
世當施法食充濟無邊復更思惟我先曾於
空閑林處見一苾芻讀大乘經說十二緣生
甚深法要又經中說若有衆生臨命終時得
聞寶髻如來名者即生天上我今當為是十
千魚演說甚深十二緣起亦當稱說寶髻佛
名然贍部洲有二種人一者深信大乘二者
不信毀呰亦當為彼增長信心時長者子作
如是念我入池中可為衆魚說深妙法作是
念已即便入水唱言南謨過去寶髻如來應
正遍知明行足善逝世間解無上士調御丈
夫天人師佛世尊此佛往昔脩菩薩行時作
是誓願於十方界所有衆生臨命終時聞我
名者命終之後得生三十三天尒時流水復
為池魚演說如是甚深妙法此有故彼有此生
故彼生所謂無明緣行行緣識識緣名色名

BD02609 號　金光明最勝王經卷九　（9–4）

是擔願於十方界所有衆生臨命終時聞我
名者命終之後得生三十三天尒時流水復
為池魚演說如是甚深妙法此有故彼有此生
故彼生所謂無明緣行行緣識識緣名色名
色緣六處六處緣觸觸緣受受緣愛愛緣
取取緣有有緣生生緣老死憂悲苦惱此滅
故彼滅所謂无明滅則行滅行滅則識滅識
滅則名色滅名色滅則六處滅六處滅則觸
滅觸滅則受滅受滅則愛滅愛滅則取滅取
滅則有滅有滅則生滅生滅則老死滅老死滅
則憂悲苦惱滅如是純極苦蘊悉皆除滅說
是法已復為宣說十二緣起相應陁羅尼曰
怛姪他 毗折你毗折你 毗折你
僧塞枳你 僧塞枳你 僧塞枳你
毗尒你 毗尒你 毗尒你莎訶
怛姪他 那弭你那弭你 那弭你
敎雞你 敎雞你 敎雞你
颯鉢嘌設你 颯鉢嘌設你 颯鉢嘌設你莎訶
怛姪他 薜達你薜達你 薜達你
室里瑟你你 室里瑟你你 室里瑟你你
鄔波地你 鄔波地你 鄔波地你莎訶
怛姪他 婆毗你婆毗你 婆毗你
闍底你 闍底你 闍底你
闍摩你你 闍摩你你 闍摩你你莎訶
尒時世尊為諸大衆說長者子昔緣之時諸

怛姪他 婆毗你婆毗你 婆毗你
闍底你 闍底你 闍底你
闍摩你你 闍摩你你 闍摩你你莎訶
尒時世尊為諸大衆說長者子昔緣之時諸
人天衆歎未曾有時四大天王各於其處異
口同音作如是說
善我釋迦尊 說妙法明呪 生福除衆惡 十二支相應
我等亦說呪 擁護如是法 若有生違逆 不善隨順者
頭破作七分 猶如蘭香梢 我等於佛前 共說其呪曰
怛姪他呬里謎 揭睇健 陁哩
旃荼里地瓈 駱伐瓈 石呬伐瓈
補囉布瓈矩矩末底 崎囉末底達地目邦
窶嚕婆毋嚕婆 具荼毋嚕健提
杜嚕杜嚕毗瓈 醫泥悉泥沓（徒洽下同）娓
達沓娓鄔悉怛哩 烏率吒囉伐底
頞剌婆伐底 鉢杜摩伐底
俱蘇摩伐底 莎訶
佛告善女天尒時長者子流水及其二子為
彼池魚施水施食并說法已俱共還家是長
者子流水復於後時因有衆會設衆伎樂醉
酒而卧時十千魚同時命過生三十三天起
如是念我等以何善業因緣生此天中便相
謂曰我等先於瞻部洲內墮傍生中共受魚
身長者子流水施我等水及以餅食復為我
等說甚深法十二緣起及陁羅尼復稱寶髻
如來名號以是因緣能令我等得生此天是

者子流水於後時因有聚會設伎樂[illegible]
酒而卧時十千魚同時命過生三十三天起
如是念我等以何善業因緣生此天中便相
謂曰我等先於瞻部洲內墮傍生中共受魚
身長者子流水施我等水及以餅食復為我
等說甚深法十二緣起及陁羅尼復稱寶髻
如來名号以是因緣能令我等得生此天是
故我今咸應詣彼長者子所報恩供養尒時
十千天子即於天沒至瞻部洲大醫王所時
長者子在高樓上安隱而睡時十千天子共
以十千真珠瓔珞置其頭邊復以十千置其足
處復以十千置於右脅復以十千置左脅邊雨
曼陁羅花摩訶曼陁羅花積至于膝光明普
照種種天樂出妙音聲令瞻部洲有睡眠者
皆悉覺悟長者子流水亦從睡寤是時十千
天子為供養已即於空中飛騰而去於天自
在光王國內處處皆雨天妙蓮花是諸天子
復至本處空澤池中雨眾天花便於此沒還
天宮殿隨意自在受五欲樂天自在光王至
天曉已問諸大臣昨夜何緣忽現如是希有
瑞相放大光明大臣答言大王當知有諸天
眾於長者子流水家中雨四十千真珠瓔珞
及天曼陁羅花積至于膝王告臣曰詣長者
家喚取其子大臣受勅即至其家奉宣王
命喚長者子時長者子即至王所王曰何緣昨
夜示現如是希有瑞相長者子言如我思忖

BD02609 號　金光明最勝王經卷九　（9–7）

眾於長者子流水家中雨四十千真珠瓔珞
及天曼陁羅花積至于膝王告臣曰詣長者
家喚取其子大臣受勅即至其家奉宣王
命喚長者子時長者子即至王所王曰何緣昨
夜示現如是希有瑞相長者子言如我思忖
定應是彼池內眾魚如經所說命終之後得
生三十三天彼來報恩故現如是希奇之相
王曰何以得知流水答曰王可遣使并我二子
往彼池所驗其虛實彼十千魚為死為活
王聞是語即便遣使及子向彼池邊見其池
中多有曼陁羅花積成大聚諸魚並死見已
馳還為王廣說王聞是已心生歡喜歎未曾有
尒時佛告菩提樹神善女天汝今當知昔時
長者子流水者即我身是持水長者即妙幢
是彼之二子長子水滿即銀幢是次子水藏
即銀光是彼天自在光王者即汝菩提樹神
是十千魚者即十千天子是因我往昔以
水濟魚與食令飽為說甚深十二緣起并此
相應陁羅尼呪又為稱彼寶髻佛名因此善
根得生天上今來我所歡喜聽法我皆當為
授於阿耨多羅三藐三菩提記說其名号善
女天如我往昔於生死中輪迴諸有廣為利
益令无量眾生悉令次第成无上覺與其授
記汝等皆應勤求出離勿為放逸
尒時大眾聞說是已悉皆悟解由大慈悲救
護一切[illegible]

BD02609 號　金光明最勝王經卷九　（9–8）

是十千魚者即十千天子是曰我往昔以
水濟魚與食令飽為說甚深十二緣起并此
相應陁羅尼呪又為稱彼寶髻佛名因此善
根得生天上今來我所歡喜聽法我皆當為
授於阿耨多羅三藐三菩提記說其名号善
女天如我往昔於生死中輪迴諸有廣為利
益令无量衆生悉令次第成无上覺汝與其授
記汝等皆應勤求出離勿為放逸
尒時大衆聞說是已悉皆悟解由大慈悲救
護一切勤脩苦行方能證獲无上菩提咸發
深心信受歡喜

金光明經卷第九

毫毛郭 瘦徒日 癃於禁 䊀俱肆 枳居尔 弭弥武 娓普諂 睇啼計 稍所交

BD02609 號 金光明最勝王經卷九 （9–9）

若波羅蜜无有住處佛告文殊師利若般若
波羅蜜无住處者汝云何脩汝云何學文殊
師利白佛言世尊若般若波羅蜜有住處
者我无所脩我无所學
般若真實智 離妄非識心 有住即非脩 真脩即无住

不增不減分第十三

佛告文殊師利汝脩學若般時有善根增減不
文殊師利白佛言世尊无有善根可增減若有
增減則非脩般若波羅蜜世尊不為法增
不為法減是脩般若波羅蜜不斷凡夫法不
取如來法是脩般若波羅蜜何以故世尊般
若波羅蜜不為得法故脩不為脩法故脩不
為不脩法故脩世尊无得无捨是脩般若波
羅蜜何以故不為生死過患不為涅槃功德
故若如是脩般若波羅蜜不取不受不捨不
放不增不減不起不滅故世尊若善男子善
女人作是思惟此上此法中此法下非脩般
若波羅蜜何以故世尊无上中下法故世尊
我如是脩般若波羅蜜
於彼實相中 善根无增減 不斷凡所有 非取聖殊別
无得无所脩 本來常寂滅 生死與涅槃 於中无取捨

BD02610 號 文殊師利所說般若波羅蜜經（異本） （4–1）

放不增不減不起不滅故世尊若善男子善
女人作是思惟此上此法中此法下非脩般
若波羅蜜何以故世尊无上中下法故世尊
我如是脩般若波羅蜜
於彼實相中　善根无增賊　不斷凡所有　非取雖殊別
无得无所脩　本来常寂滅　生死與涅槃　於中无取捨
乃至微細法　離覺不思維　三乘及佛乘　无有上中下
一切法空分第十四
佛告文殊師利一切佛法非增上耶文殊師利
白佛言世尊佛法菩薩法聲聞法緣覺法
乃至凡夫法皆不可得何以故畢竟空故畢（畢竟空中无佛法凡夫法佛法凡夫法中无畢竟空）
竟空何以故空不可得故佛告文殊師利佛
文殊師利汝不住佛法耶文殊師利白佛言
世尊佛无法可住我當云何住於佛法佛告
文殊師利若有无佛法可住誰有佛法文殊
師利白佛言世尊无有有佛法者
幻人體无實　心數亦如是　文殊與世尊　師弟无有異
以佛无所住　文殊亦无住　以无所住故　无有有法人
法无名字分第十九
佛告文殊師利汝今已到无所著乎文殊師利
白佛言世尊无著則无到云何世尊問我汝
今已到无著乎佛告文殊師利汝住菩提不
文殊師利白佛言世尊佛尚不住菩提何況
我當住菩提乎佛告文殊師利汝何所依作
如是說（是說）佛告（文殊師利白佛言世尊我无依住如）文殊師利汝若无依為何所說文
殊師利白佛言如是世尊我无所說何以故
諸法无名字故

BD02610號　文殊師利所說般若波羅蜜經（異本）　（4–2）

文殊師利白佛言世尊佛尚不住菩提何況
我當住菩提乎佛告文殊師利汝何所依作
如是說（是說）佛告（文殊師利白佛言世尊我无依住如）文殊師利汝若无依為何所說文
殊師利白佛言如是世尊我无所說何以故
諸法无名字故
文殊種種說　屬在无所著　至到及菩提　斯皆不可住
若人隨語轉　即失理真實　心空无所依　知法離名字
衆問信成分第二十
尒時長老舍利弗白佛言世尊若菩薩摩訶
薩聞此深般若波羅蜜不驚疑怖畏必當得
近阿耨多羅三藐三菩提不尒時彌勒菩薩
摩訶薩白佛言世尊若諸菩薩摩訶薩聞
此深般若波羅蜜不驚疑怖畏得近阿耨多
羅三藐三菩提不尒時有天女名无緣白佛
言世尊若有善男子善女人聞此深般若
波羅蜜不驚疑怖畏當得聲聞法緣覺法
男故名般若波羅蜜文殊師利此般若波羅
羅蜜是菩薩摩訶薩行處菩薩於此處行故
名行處何以故以无處故即是一切諸佛之
母一切諸佛所從生故何以故以无生故是故
文殊師利若善男子善女人欲行菩薩行具
足諸波羅蜜當脩此般若波羅蜜若欲得坐
道場成阿耨多羅三藐三菩提當脩此般若
波羅蜜若欲以大慈大悲遍覆一切衆當脩
此般若波羅蜜若欲起一切定方便當脩此
（般若波羅蜜若欲得一切三摩跋提當脩此）
般若波羅蜜何以故諸三摩跋提无所為故

BD02610號　文殊師利所說般若波羅蜜經（異本）　（4–3）

文殊師利若善男子善女人欲行菩薩行具
足諸波羅蜜當脩此般若波羅蜜若欲得坐
道場成阿耨多羅三藐三菩提當脩此般若
波羅蜜若欲以大慈大悲遍覆一切衆當脩
此般若波羅蜜若欲起一切定方便當脩此
般若波羅蜜若欲得一切三摩䟦提當脩此
般若波羅蜜何以故諸三摩䟦提无所為故
一切諸法无出離无出離處若人欲隨逐此
語當脩此般若波羅蜜一切諸法如實不可
得若欲樂如是知當脩此般若波羅蜜一
切衆生為无上菩提故脩菩提道而實无
衆生亦无菩提欲信樂此法當學此般若
波羅蜜何以故一切法如實與菩提等如
非衆生行不捨自性衆生无所有故彼衆
生行是非行彼非是菩提彼菩提法界若
欲不著此法當脩此般若波羅蜜文殊師
利若比丘比丘尼優婆塞優婆夷若受持
般若波羅蜜一四句偈為他人說我說此人
得不墮法何況如實脩行當知彼善男子善
女人住佛境界若善男子善女人聞此深般
若波羅蜜不生怖畏當知是人受佛法印此
法印者是佛所造是佛所貴何以故以法印
无著法故若善男子善女人為此印隨菩薩
乘决定不退不墮聲聞辟支佛

BD02610 號　文殊師利所說般若波羅蜜經（異本）　　（4–4）

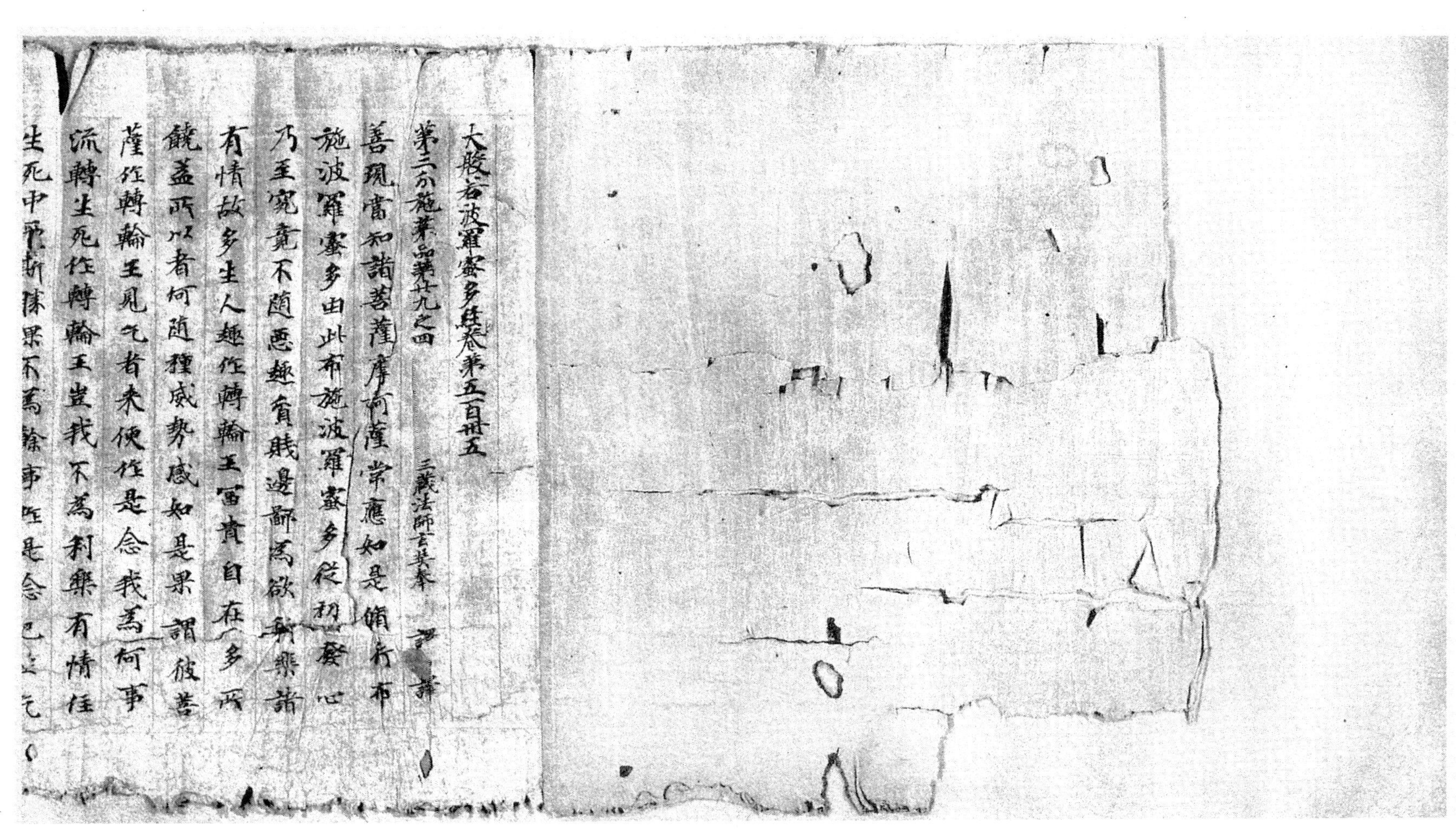

大般若波羅蜜多經卷第五百卅五
第三分施等品第廿九之四　　三藏法師玄奘奉　詔譯
善現當知諸菩薩摩訶薩常應如是脩行布
施波羅蜜多由此布施波羅蜜多從初發心
乃至究竟不墮惡趣貧賤邊鄙為欲饒益諸
有情故多生人趣作轉輪王富貴自在多所
饒益所以者何隨種威勢感如是果謂彼菩
薩作轉輪王見乞者來便作是念我為何事
流轉生死作轉輪王豈我不為利樂有情住
生死中所求殊勝果不為餘事作是念已告乞

BD02611 號　大般若波羅蜜多經卷五三五　　（2–1）

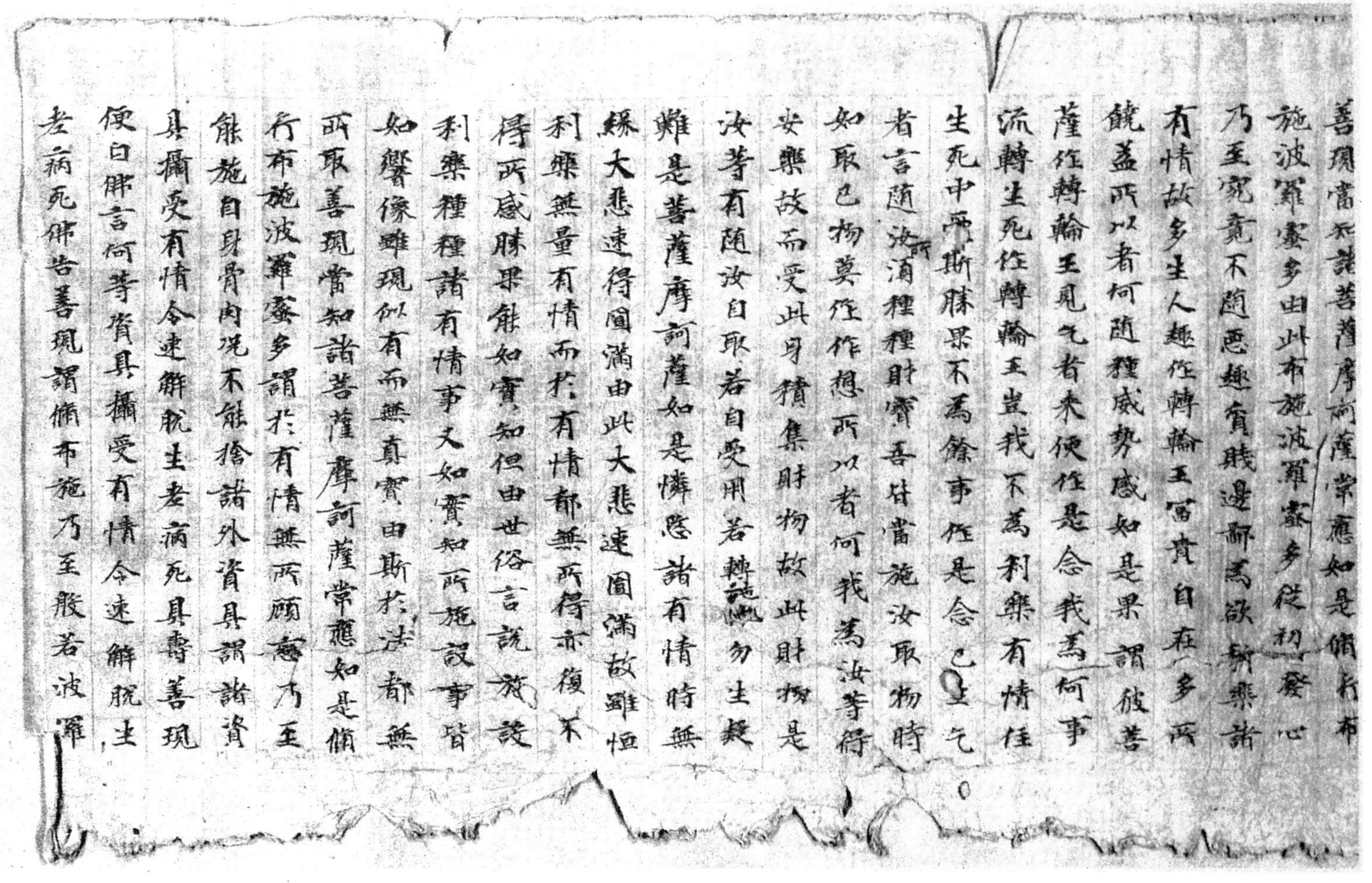

善現當知諸菩薩摩訶薩常應如是備行布
施波羅蜜多由此布施波羅蜜多從初發心
乃至究竟不墮惡趣貧賤邊鄙為欲饒樂諸
有情故多生人趣作轉輪王富貴自在多所
饒益所以者何隨種威勢感如是果謂彼菩
薩作轉輪王見乞者來便作是念我為何事
流轉生死作轉輪王豈我不為利樂有情住
生死中求斯勝果不為餘事作是念已告乞
者言隨汝須種種財寶吾皆當施汝取物時
如取己物莫作他想所以者何我為汝等得
安樂故而受此身積集財物故此財物是
汝等有隨汝自取若自受用若轉施他勿生疑
難是菩薩摩訶薩如是憐愍諸有情時無
緣大悲速得圓滿由此大悲速圓滿故雖恒
利樂無量有情而於有情都無所得亦復不
得所感勝果能如實知但由世俗言說施設
利樂種種諸有情事又如實知所施設事皆
如響像雖現似有而無真實由斯於法都無
所取善現當知諸菩薩摩訶薩常應如是備
行布施波羅蜜多謂於有情無所顧戀乃至
能施自身骨肉況不能捨諸外資具謂諸資
具攝受有情令速解脫生老病死具壽善現
便白佛言何等資具攝受有情令速解脫生
老病死佛告善現謂備布施乃至般若波羅

BD02611 號　大般若波羅蜜多經卷五三五　（2–2）

五百卅五

BD02611 號背　勘記　（1–1）

術藝當可造業明解度世分別說於真諦之
義知其所習宣其本末一切衆生諸根所趣柔
劣明達中容之人去來之慧无所罣礙其聖
巍巍超喻世智悉見衆生志性所行形色變
異難解難逮深奧之義消化諸見離於衆
邪諸所住處罣礙之事入于聖慧普周衆生
入於法慧明解聖藏義之所歸了真所入其
明所照无所錯亂亦无所礙觀察時節所樂
无量所見諸事咸皆了了无所違失覺識
誠諦實不減盡彼所觀察一切无非以用一行
而无所行皆見衆生之所奉行威儀礼節世
間人民心志所趣菩薩悉見不離於世而習超
度諸世境界尚未成熟佛之土地皆越一切
所作因緣開化衆生過於諸行而普究竟衆
德之行廣度一切因緣心行皆見衆生心之
所念讓世間法莫不周遍不捨世俗所行信
入衆生之念計其智慧无有卒暴不犯嶮險
諸根寂定未曾疲懈不以爲亂永觀聖慧常
與德合詣於佛樹而坐道場降伏衆魔捨於
外道行有所受聖曜普徹亦无所取大聖所
逮得諸佛任可悅衆生志見定慧普入衆義
一切諸法皆爲同味執權方便智度无極趣
於彼岸不可限量此乃名曰智度无極皆能
[illegible]

BD02612號　大寶積經卷一一七　（2–1）

[illegible]誠諦實不減盡彼所觀察一切无非以用一行
而无所行皆見衆生之所奉行威儀礼節世
間人民心志所趣菩薩悉見不離於世而習超
度諸世境界尚未成熟佛之土地皆越一切
所作因緣開化衆生過於諸行而普究竟衆
德之行廣度一切因緣心行皆見衆生心之
所念讓世間法莫不周遍不捨世俗所行信
入衆生之念計其智慧无有卒暴不犯嶮險
諸根寂定未曾疲懈不以爲亂永觀聖慧常
與德合詣於佛樹而坐道場降伏衆魔捨於
外道行有所受聖曜普徹亦无所取大聖所
逮得諸佛任可悅衆生志見定慧普入衆義
一切諸法皆爲同味執權方便智度无極趣
於彼岸不可限量此乃名曰智度无極皆能
曉了一切因緣所興衆想瑞應法變心行所
念令得過度是則名曰度於彼岸又計此
慧有二清淨一曰无礙慧想清淨之行二曰
嚴淨莫能有人當其慧相復有二淨一曰淨
除顛倒二曰淨去諸見又彼菩薩所行智慧
靡不普入聖明備悉曉了衆生達識經典其

BD02612號　大寶積經卷一一七　（2–2）

……佛　南无……
……善勝佛　南无……
无善意佛　南无……
无金意佛　南无善……
南无天清淨佛　南无輪頭種佛
南无善見佛　南无毗留羅佛
南无毗樓博叉佛　南无梵聲佛
南无成就勝佛　南无勝光明佛
南无无垢佛　南无摩居跋陁佛
南无摩梨指佛　南无大摩梨指佛
南无能聖佛　南无聲自在佛
南无讃歎成就佛　南无勝成就華佛
南无拘賴摩佛　南无不動佛
南无日藏佛　南无樂聲佛
南无能作无佛　南无龍德佛
從此以上五千五百佛十二部經一切賢聖
南无金剛光　南无稱王佛
南无帝王佛　南无高光佛
南无發行佛　南无智成就佛
南无香自在佛　南无那羅延藏佛
南无大藏佛　南无破垢勝王佛

BD02613號　佛名經（十六卷本）卷七　（32–1）

南无金剛光佛　南无稱王佛
南无帝王佛　南无高光佛
南无發行佛　南无智成就佛
南无香自在佛　南无那羅延藏佛
南无大藏佛　南无破垢勝王佛
南无寶蓋勝光佛　南无山自在王佛
南无寶月佛　南无師子奮迅幢自在王佛
南无寶根廣眼佛　南无世自在王佛
南无遠離諸怖畏隨煩惱聲佛
南无歎華盧舍那佛　南无香波頭摩佛
南无无垢功德威德王佛
南无不動佛　南无日藏佛
南无樂自在聲大佛　南无智日佛
南无月藏佛　南无金剛齒佛
南无龍吼佛　南无勝自在佛
南无不可思議王佛　南无大勝藏佛
南无喜幢佛　南无无畏自在佛
南无見彌留佛　南无智像佛
南无无垢眼佛　南无无憂勝佛
南无法自在吼佛　南无去自在莎羅王佛
南无師子奮迅佛　南无那羅延佛
南无善擇藏佛　南无寶集佛
南无功德奮迅佛　南无大藏佛
南无星宿稱佛　南无功德力堅固王佛
南无妙吼聲奮迅佛　南无妙羅[illegible]王佛

BD02613號　佛名經（十六卷本）卷七　（32–2）

南无師子奮迅佛　南无那羅延佛
南无善擇藏佛　南无寶集佛
南无功德奮迅佛　南无大藏佛
南无星宿稱佛　南无功德力堅固王佛
南无妙吼聲奮迅佛　南无莎羅勝熟王佛
南无威德自在光明佛　南无妙聲吼佛
南无寶掌龍自在王佛　南无法雲吼自在平等佛
南无寶山佛　南无妙光藏佛
南无師子脩多羅佛　南无普藏佛
南无淨華佛　南无歌羅毗羅奮迅佛
南无法疾然燈佛　南无无苦上弥留佛
南无稱聲王佛　南无覺諦擇聲佛
南无遠離通惱佛　南无毗沙門堅固王佛
南无破魔王宮佛　南无莎羅王佛
南无大奮迅光佛　南无華勝佛
南无稱檀佛　南无弥留王佛
南无拘羅伽堅固樹提佛
南无智奮迅佛　南无二万同名月然燈佛
南无无始身佛　南无波頭摩光佛
南无華勝步佛　南无華光佛
南无稱幢佛　南无閻浮檀金光佛
南无摩羅跋葉稱檀香佛
南无大道智勝佛　南无不動佛
南无弥留山佛　南无師子吼佛

南无摩羅跋葉稱檀香佛
南无大道智勝佛　南无不動佛
南无弥留山佛　南无師子吼佛
南无師子幢佛　南无住虛空佛
南无常入涅槃佛　南无帝釋幢佛
南无梵幢佛　南无无量壽佛
南无善度佛　南无雲燈佛
南无弥留劫佛　南无多羅摩跋葉稱檀香佛
南无雲自在王佛　南无一切世間高佛
南无能破諸畏佛　南无釋迦牟尼佛
南无法光明佛　南无五百普光明佛
從此以上五千六百佛十二部經一切賢聖
南无大海住持智奮迅通佛　南无七寶波頭摩步佛
南无二千寶幢佛　南无多寶佛
南无一切衆生愛見佛　南无百千光明满足幢佛
南无二千億千獲佛吼佛奮迅　南无二千億百日月然燈佛
南无二十億百妙聲王佛　南无二十億百雲聲王佛
南无寶威德高王佛　南无月光无始日光明勝佛
南无蓮華葉星宿王華通佛　南无雲妙鼓聲王佛
南无住持承吼聲妙聲星宿王栴檀摩通佛
南无莎羅樹王佛　南无无始光明佛
南无寶炎佛　南无華頭林王華通佛
南无日月寶作光明佛　南无功德寶光明佛
南无寶秋佛　南无雲王佛

南无娑羅樹王佛　南无无垢光明佛
南无寶炎佛　南无華嚴林王華通佛
南无日月寶作光明佛　南无功德寶光明佛
南无寶秋佛　南无雲王佛
南无寶蓋勝光明佛　南无普見佛
南无功德自在佛　南无師子聲作佛
南无寶積示現佛　南无樂堅佛
南无菩提意佛　南无量命佛
南无阿閦佛　南无香王佛
南无寶作佛　南无脩行法王佛
南无蓋王佛　南无摩尼王佛
南无月藏佛　南无日藏佛
南无聲身王佛　南无善覺佛
南无須弥劫佛　南无般聖佛
南无寶波頭摩月淨勝王佛
南无不動佛　南无普滿佛
南无盡慧佛　南无寶幢佛
南无奮迅恭敬稱佛　南无无垢光明藏佛
南无雲讃佛　南无師子奮迅佛
南无勝高山王佛　南无波頭摩上佛
南无身上佛　南无多寶妙佛
南无勝藏山積上王佛　南无意勇猛仙行勝佛
南无日露藏佛　南无妙鼓聲王佛
南无日月佛　南无惟寶蓋佛
南无普光明奮迅光明佛　南无能行成就聖

BD02613號　佛名經（十六卷本）卷七　（32–5）

南无勝藏山積上王佛　南无意勇猛仙行勝佛
南无日露藏佛　南无妙鼓聲王佛
南无日月佛　南无惟寶蓋佛
南无普光明奮迅光明佛　南无能行成就聖佛
南无不動佛　南无无垢光明稱王佛
南无九十法莊嚴佛　南无摩尼金蓋佛
南无星宿佛　南无高山積善佛
南无菩提分華身佛　南无如寶佛
南无寶作佛　南无能脩行佛
南无高聚佛　南无寶光明佛
南无寶乘佛　南无寶高佛
南无阿閦佛　南无寶光明佛
南无大光明佛　南无不可量聲佛
南无不可思議聲佛　南无大稱佛
南无寶照佛　南无得大无畏佛
南无寶聲佛　南无无邊清淨佛
南无月聲佛　南无无邊稱佛
南无月光清淨佛　南无清淨光佛
南无无垢光佛　南无无邊寶佛
南无波頭摩勝佛　南无身勝佛
南无金色佛　南无梵聲王佛
南无金光明佛
從此以上五千七百佛十二部經一切賢聖
南无金色作佛　南无龍自在王佛

BD02613號　佛名經（十六卷本）卷七　（32–6）

南无金色佛 南无梵聲王佛
南无金光明佛
從此以上五千七百佛十二部經一切賢聖
南无金色作佛 南无龍自在王佛
南无金色華香自在王佛
南无堅固王佛 南无堅固勇仙行勝佛
南无勝藏摩尼光佛 南无无量香光佛
南无師子吼聲佛 南无大勢至精進脩行畢竟佛
南无堅固智佛 南无妙鼓聲王佛
南无月妙佛 南无華勝佛
南无世間燈佛 南无大佛
南无寶輪佛 南无无垢智佛
南无常寂滅佛 南无无邊寶化光明佛
南无須弥山奮迅佛 南无寶華佛
南无集寶聚佛 南无不退輪寶住勝佛
南无德普盧舍那清淨佛
南无日月燈佛 南无迷留佛
南无大弥留佛 南无須弥劫佛
南无香面佛 南无成就香佛
南无弥留香佛 南无清淨光佛
南无法上佛 南无香自在王佛
南无大摩尼佛 南无香光佛
南无大光佛 南无甘露光佛
南无月光佛 南无月燈佛

南无法上佛 南无香自在王佛
南无大摩尼佛 南无香光佛
南无大光佛 南无甘露光佛
南无月光佛 南无月燈佛
南无月照佛 南无月聲佛
南无勝作佛 南无多寶佛
南无師子吼佛 南无師子聲佛
南无勇猛仙佛 南无金剛喜佛
南无勝一切佛 南无離諸疑佛
南无寶奕眷屬佛 南无无憂佛
南无住持速力佛 南无妙喜佛
南无自在作佛 南无无邊聲佛
南无然燈作佛 南无寶光明佛
南无阿弥陁佛 南无釋說佛
南无釋聲佛 南无勝藏積吼王佛
南无降伏金剛堅佛 南无寶月光佛
南无寶大佛 南无寶上佛
南无寶波頭摩步佛 南无寶勝佛
南无金寶光佛 南无佛喜快勝佛
南无不可量勝佛 南无善逝王佛
南无聖自在手佛 南无不可說分別佛
南无不空勝佛 南无月妙勝佛
南无樹提勝佛 南无虛空光明佛
南无善清淨无垢闇幢佛 南无善住善住藏王佛
南无成就一切勝佛 南无智功德清淨[illegible]

南无不空勝佛　南无月妙勝佛
南无樹提勝佛　南无虛空光明佛
南无善清淨无垢聞聲幢佛　南无善住善住藏王佛
南无成就一切勝佛　南无智功德清淨勝佛
南无善説清淨幢佛　南无琉璃藏上勝佛
南无普功德奮迅佛　南无善清淨功德寶王佛
南无寶光明清淨心勝佛　南无金上勝佛
南无勝月佛　南无波頭摩上奮迅勝佛
南无波頭摩上佛　南无寶成就勝佛
南无電光幢佛　南无電光明高王佛
南无多羅王佛　南无妙勝佛
南无虛空然燈佛　南无成就一切功德佛
南无賢高幢王佛　南
從此以上五千八百佛十二部經一切賢聖
南无住持一切寶聞鋪蓋幢　南无俱須摩大奮迅通佛
南无寶光月莊嚴智威德聲自在王佛
南无數華莎羅王佛　南无月輪清淨佛
南无善解智月聲自在佛　南无阿僧祇精進住勝佛
南无被心炎佛　南无山功德幢王佛
南无法幢上佛　南无須弥山佛
南无功德師子自在佛
南无解王佛　南无淨王佛
南无稱王佛　南无功德須弥勝佛
南无日佛　南无月面佛
南无離虛空畏佛　南无普光佛

南无法幢上佛　南无須弥山佛
南无功德師子自在佛
南无解王佛　南无淨王佛
南无稱王佛　南无功德須弥勝佛
南无日佛　南无月面佛
南无離虛空畏佛　南无普光佛
南无方成佛　南无住海面佛
南无寶光佛　南无雲勝佛
南无法炎佛　南无山功德佛
南无華生佛　南无悲佛
南无法界華佛　南无華幢佛
南无王意佛　南无王惠佛
南无智慧佛　南无心義佛
南无自在佛　南无勝天意佛
南无速為佛　南无光明幢勝佛
南无高威德去佛　南无華佛
南无寶炎佛　南无功德山佛
南无寶寶佛　南无功德海勝佛
南无法光明佛　南无華藏勝佛
南无世間月佛　南无眼目佛
南无香光佛　南无摩尼須弥勝佛
南无乾闥婆王佛　南无光明命佛
南无摩尼藏王佛　南无山威德惠佛
南无解色去佛　南无面報佛

南无乾闥婆王佛　南无光明命佛
南无摩尼藏王佛　南无山威德惠佛
南无彌色去佛　南无面報佛
南无廣智佛　南无寶光明佛
南无盡空重勝佛　南无妙相光明佛
南无行佛　南无身自在佛
南无鄉羅延佛　南无須弥勝佛
南无功德轉輪佛　南无山王佛
南无不可勝佛　南无杖威德佛
南无樹山佛　南无娑羅王山藏佛
南无世自在佛　南无鏡光佛
南无賢起佛　南无自在勝佛
南无功德光佛　南无地威德勝佛
南无身法光明佛　南无勝王佛
南无堅吼意佛　南无高幢勝佛
南无信意佛　南无寶光明佛
南无淨勝佛　南无盧空静佛
南无法界鏡像勝佛　南无照輪光明佛
次礼十二部尊經大藏法輪
南无鄉頼經　南无解曰隆神呪經
南无耶葉自活經　南无八關齋經
南无八陽神呪經　南无八部佛名經
南无和利長者所問經　南无佛心總持經

BD02613號　佛名經（十六卷本）卷七　（32–11）

南无鄉頼經　南无解曰隆神呪經
南无耶葉自活經　南无八關齋經
南无八陽神呪經　南无八部佛名經
南无和利長者所問經　南无佛心總持經
南无降棄魔菩薩經　南无難曰經
南无釋摩男經　南无度讖法經
南无分別經　南无相國阿羅訶經
長興以上五千九百佛十二部經一切賢聖
南无呪時氣病經　南无迦栴延无常經
南无施色力經　南无呪水經
南无呪小兒病經　南无馬有八態經
南无悔過經　南无三千七品經
南无長者子本意經　南无現五万守經
南无九十六種外道神呪經　南无稱揚諸佛功德經
南无普明王經　南无木文經
南无大方便經　南无三法度經
南无菩薩藏經　南无无垢施經
南无難陁女經　南无毗婆沙經
南无法王經　南无自覆經
次礼十方諸大菩薩
南无不辯菩薩　南无无言菩薩
南无寶勝菩薩　南无寶心菩薩
南无善思議菩薩　南无摩尼鋒菩薩
南无莊嚴王菩薩　南无國土莊嚴菩薩
南无因施羅菩薩　南无天山菩薩

BD02613號　佛名經（十六卷本）卷七　（32–12）

南无寶勝菩薩　南无寶心菩薩
南无善思議菩薩　南无摩尼髻菩薩
南无莊嚴王菩薩　南无國土莊嚴菩薩
南无因陁羅菩薩　南无天山菩薩
南无善眼菩薩　南无住持世間手菩薩
南无大將菩薩　南无歡意菩薩
南无速行菩薩　南无善辟菩薩
南无山峯菩薩　南无曇无竭菩薩
南无勝顏菩薩　南无衣嚴相星宿出菩薩
南无樂説无滞菩薩　南无无始智菩薩
南无娑伽羅菩薩　南无斷一切憂菩薩
南无地藏菩薩　南无普現菩薩
南无發行成就菩薩　南无涂汙菩薩
南无清淨三輪菩薩　南无寂靜心菩薩
南无无邊功德菩薩　南无虛空平等智菩薩
南无波頭摩眼菩薩　南无金剛幢菩薩
次礼聲聞緣覺一切賢聖
南无真福德辟支佛　南无識辟支佛
南无香辟支佛　南无青香辟支佛
南无見人飛騰辟支佛　南无阿波羅辟支佛
南无泰摩利辟支佛　南无月淨辟支佛
南无善智辟支佛　南无備陁羅辟支佛
礼三寶已次復懺悔
已懺三塗等報今當復次稱禮懺悔人天餘報相
與稟此閻浮壽命雖曰百年滿者无幾於其中

南无泰摩利辟支佛　南无月淨辟支佛
南无善智辟支佛　南无備陁羅辟支佛
礼三寶已次復懺悔
已懺三塗等報今當復次稱禮懺悔人天餘報相
與稟此閻浮壽命雖曰百年滿者无幾於其中
間盛年夭枉其數无量但有衆苦煎迫形心愁憂
怨結未曾暫離如此皆是善根微弱惡業滋多
致使現在心有所爲皆不稱意當是過去已來
惡業餘報是故弟子今日至誠歸依佛
南无東方蓮華上佛　南无南方調伏佛
南无西方无量明佛　南无北方勝諸根佛
南无東南方蓮華喜佛　南无西南方无量花佛
南无西北方自在智佛　南无東北方蓮花德佛
南无下方別佛　南无上方伏怨智佛
如是十方盡虛空界一切三寶
弟子等无始以來至於今日所有現在及以未來
人天之中无量餘報流秩宿對隆殘百疾六根
不具罪報懺悔人間邊地耶見三惡八難罪報懺
悔人間多病消瘦短命夭枉罪報懺悔人間六親
眷屬不得常相保守罪報懺悔人間親友朋
衆愛別離罪報懺悔人間怨家衆會愁憂
怖畏罪報懺悔人間水火盜賊刀兵危險驚恐
怯弱罪報懺悔人間孤獨困苦流離破逝亡失國
土罪報懺悔人間牢獄繫閉幽執側立鞭撻拷

眷屬不得常相保守罪報懺悔人間親友周
衰愛別離苦罪報懺悔人間怨家聚會愁憂
怖畏罪報懺悔人間水火盜賊刀兵危險驚恐
怯弱罪報懺悔人間孤獨困苦流離波迸亡失國
土罪報懺悔人間牢獄繫閉幽執倒立鞭撻拷
棰罪報懺悔人間公私口舌便相羅染更相讒謗
罪報懺悔人間惡病連年累月不差枕臥床
席不能起居罪報懺悔人間冬溫夏疫毒厲
傷寒罪報懺悔人間賊風腫滿否塞罪報懺悔
人間為諸惡神伺求其便欲作禍祟罪報懺悔
人間有鳥鳴百怪飛屍邪鬼為作妖異罪報懺悔
人間為虎豹豺狼水陸一切諸惡禽獸所傷罪報
懺悔人間自縊自刎自殺罪報懺悔人間投巖赴火
自沈自墜罪報懺悔人間无有威德名聞罪報懺悔
人間衣服資生不稱心罪報懺悔人間行來出入常
所去為值惡知識為作留難罪報如是現在未來天
人之中无量禍橫災疫厄難衰惱罪報弟子今日向
十方佛尊法聖僧求哀懺悔
南无方差別佛　南无无明佛
南无憧意佛　南无虛空然燈佛
南无无病勝佛　南无照佛
南无明佛　南无福德光明勝佛
南无解勝佛　南无大悲雲勝佛
南无刀光明意佛　南无現一切衆生色佛

南无明佛　南无福德光明勝佛
南无解勝佛　南无大悲雲勝佛
南无刀光明意佛　南无現一切衆生色佛
南无過勝佛　南无脩光明佛
南无曇无竭佛　南无風疾行勝佛
南无清淨憧佛　南无妙蓋勝佛
南无三世鏡像勝佛　南无鏡像堅佛
南无鏡像勝佛　南无金剛勝佛
南无身堅弦嚴須弥勝佛
從此以上六千佛十二部經一切賢聖
南无念德王佛　南无身法惠佛
南无智惠然燈光明勝佛
南无廣智勝佛　南无法行世智意佛
南无法印意智勝佛　南无法海意智勝佛
南无法財佛　南无寶財佛
南无福德功德佛　南无轉法輪勝佛
南无雲佛　南无忍辱燈佛
南无勝威德意佛　南无光明速疾聲佛
南无大願速勝佛　南无不可降伏憧佛
南无智炎佛　南无成就勝佛
南无法自在佛　南无不成就意佛
南无世間言語堅聲佛　南无一切聲出聲勝佛
南无自在功德佛　南无成就自在意佛
南无方天佛　南无不面捨佛
南无衆生心佛　南无平等身佛

南无世間言語聲聲佛　南无一切聲出聲勝佛
南无自在功德佛　南无成就自在意佛
南无方天佛　南无不面捨佛
南无衆生心佛　南无平等身佛
南无自性佛　南无行勝佛
南无智光佛　南无千億寶莊嚴佛
南无寶勝佛　南无香自在佛
南无降伏惡佛　南无安隱佛
南无能与像心佛　南无无邊盛德
南无金色光佛　南无師子奮迅佛
南无甘露光佛　南无能聖成佛
南无普光佛　南无功德勝積王佛
南无善住摩尼積王佛　南无遠離諸畏獨安隱佛
南无飲甘露佛　南无无邊光佛
南无寶高佛　南无无邊莊嚴王佛
南无離怨佛　南无金色光佛
南无寶作佛　南无无塵勝佛
南无師子聲王佛　南无寶幢佛
南无善心佛　南无高住佛
南无華王佛　南无智作佛
南无海智佛　南无歡喜佛
南无樂莊嚴佛　南无離闇佛
南无堅成佛　南无見細佛
南无无畏德佛　南无空上佛
南无寶語佛　南无稱上佛

南无樂莊嚴佛　南无離闇佛
南无堅成佛　南无見細佛
南无无畏德佛　南无空上佛
南无寶語佛　南无稱上佛
南无擇智佛　南无不行威德佛
南无人華佛　南无遠離諸畏佛
南无能與无畏佛　南无金華佛
南无无畏作佛　南无不空見佛
南无寶華佛　南无六十寶作佛
南无降伏王佛　南无金光佛
南无見義佛　南无大擇佛
南无妙无畏佛　南无大慈佛
南无不可降伏王佛　南无難勝佛
南无上首佛　南无法上佛
南无勝一切佛　南无高行佛
南无高稱佛　南无勝聖佛
從此以上六千一百佛十二部經一切賢聖
南无星宿佛　南无識佛
南无高佛　南无聞名佛
南无大悲佛　南无无量壽佛
南无无邊蓋光明勝佛　南无山積光明勝佛
南无无諍力三昧奮迅勝佛　南无一切德王光明佛
南无大衆佛　南无須弥劫佛
南无堅自在王佛　南无梵吼聲佛

南无无邊盡光明勝佛　南无山積光明勝佛
南无无垢力三昧奮迅勝佛　南无一切德王光明佛
南无大衆佛　南无須弥劫佛
南无堅自在王佛　南无梵吼聲佛
南无弥種聚佛　南无善眼佛
南无成就聚佛　南无離恩奮迅佛
南无无导眼佛　南无寶幢佛
南无釋迦牟尼佛　南无功德勝藏佛
南无難勝佛　南无樂說莊嚴佛
南无无邊功德寶莊嚴威德王劫佛
南无勝藏積吼王佛　南无功德寶勝威德王劫佛
南无樂說一切法莊嚴勝佛　南无无邊樂說相佛
南无千雲吼聲王佛　南无金上光明勝佛
南无種種威德王光明勝佛　南无覺佛
南无清淨金虛空吼嚴光明佛
南无一切法行威德奮迅光明佛
南无東方无邊功德寶稱德莊嚴廣世界无垢清淨
光明菩提分具積厚不斷絕光明莊嚴光佛
南无南方樂說佛世界无邊功德寶樂說佛
南无西方光明世界普光佛
南无北方一切寶種種莊嚴世界无邊寶功德自在佛
南无東南方无憂世界離一切憂闇佛
南无西南方善可見世界大悲觀一切衆生佛
南无東北方住清淨无垢世界虛空无垢佛

南无北方一切寶種種莊嚴世界无邊寶功德自在佛
南无東南方无憂世界離一切憂闇佛
南无西南方善可見世界大悲觀一切衆生佛
南无東北方住清淨无垢世界虛空无垢佛
南无西北方遠離闇世界光明莊嚴王佛
南无下方盧舍那光明世界寶憂波羅勝佛
南无上方莊嚴世界稱名聲佛
南无无垢光无垢世界无垢光如來初成佛
彼世界塵沙諸佛出世佛
南无无垢廣世界名成就善乾劫勝讓如來初成
佛彼世界塵沙諸佛出世佛
南无東方阿閦佛　南无大不迷佛
南无香王佛　南无香上佛
南无南方寶佛　南无寶作佛
南无寶成佛　南无寶藏佛
南无寶月佛　南无金剛堅佛
南无金剛仙佛　南无金剛幢佛
南无東南方大弥羅佛　南无弥留山佛
南无弥留王佛　南无弥留幢佛
南无弥留積佛　南无善弥留王佛
南无日藏佛　南无前後上佛
南无淨王佛　南无雞中幢王佛
南无大雞中佛　南无西方阿弥陁佛
南无阿弥陁幢佛　南无阿弥陁聲佛

南无淨王佛　南无難中幢王佛
南无大難中佛　南无西方阿弥陁佛
南无阿弥陁幢佛　南无阿弥陁聲佛
南无阿弥陁稱佛　南无阿弥陁吼佛
南无阿弥陁和佛　南无阿弥陁勝上佛
南无阿弥陁師子佛　南无阿弥陁住持佛
南无阿弥陁勝佛　南无西南方日藏佛
南无日光明佛　南无无憂佛
南无離一切畏佛　南无佛智清淨業佛
南无盡作佛　南无華佛
南无大華佛　南无華王佛
南无華聲佛　南无盧舍那佛
南无北方妙鼓聲佛　南无妙鼓王佛
南无妙吼聲佛　南无離諸畏佛
南无无畏佛　南无无畏憂佛
南无日舌光明佛　南无募陁香佛
南无幢蓋佛　南无西北方上前積佛
從此以上六千二百佛十二部經一切賢聖
南无山勝積佛　南无勝積佛
南无日上佛　南无清淨王佛
南无淨勝佛　南无日面佛
南无智幢王佛　南无光明佛
南无光明王佛　南无光明光佛
南无上方師子佛　南无師子佛
南[illegible]佛　南[illegible]佛

BD02613 號　佛名經(十六卷本)卷七　(32–21)

南无智幢王佛　南无光明佛
南无光明王佛　南无光明光佛
南无上方師子佛　南无師子佛
南无師子上王佛　南无師子積佛
南无師子仙佛　南无仙王佛
南无仙佛　南无仙光佛
南无仙捨敬佛　南无仙覺仙佛
南无大燈佛　南无然燈王佛
南无藥説山佛　南无燈辟脩佛
南无對治仙佛　南无覺靜佛
南无對治佛　南无對根佛
南无對治山佛　南无愛然燈佛
南无依山佛　南无東方阿閦佛
南无弥留幢佛　南无大弥留佛
南无弥留光佛　南无真聲佛
南无南方日月燈佛　南无大火聚佛
南无稱光佛　南无弥留燈佛
南无无邊精進佛　南无西方阿弥陁佛
南无阿弥陁幢佛　南无阿弥陁高佛
南无大大光明佛　南无大照佛
南无寶幢佛　南无香象佛
南无上方大光炎聚佛　南无大聲佛
南无難勝佛　南无日成就佛
南无羅網光佛　南无下方師子佛
南[illegible]佛　南[illegible]佛

BD02613 號　佛名經(十六卷本)卷七　(32–22)

南无上方大光炎聚佛　南无火讚佛
南无難勝佛　南无日成就佛
南无羅網光佛　南无下方師子佛
南无彌佛　南无威德佛
南无法佛　南无法幢佛
南无法住持佛　南无東方梵讚佛
南无星宿王佛　南无香香佛
南无香光佛　南无大炎聚佛
南无寶種種華敷身佛　南无堅王佛
南无寶蓮華勝佛　南无見一切義佛
南无須弥劫佛　南无讚吼佛
南无智自在佛　南无威德自在佛
南无薩羅自在王佛　南无智猛佛
南无光自在佛　南无堅自在王佛
南无讚德佛　南无師子奮迅讚佛
南无須弥山然燈王佛　南无香山佛
南无不可動佛　南无藥王佛
南无壽光佛　南无大炎香佛
南无勝藏佛　南无无心光明佛
南无毗留難佛　南无蓮華佛
南无喜聚佛　南无栴種佛
南无月光佛　南无鷲怖幢佛
南无大脩行佛　南无波頭摩生佛
南无月勝佛　南无薩羅集佛

南无喜聚佛　南无栴種佛
南无月光佛　南无鷲怖幢佛
南无大脩行佛　南无波頭摩生佛
南无月勝佛　南无薩羅集佛
南无大薩羅集佛　南无幢佛
南无淨命佛　南无金臺佛
從此以上六千三百佛十二部經一切賢聖
南无愛見佛　南无金色色佛
南无須摩那光佛　南无妙蓮華劫億那由
他百千万佛同名一切菩提華佛
南无七百同名光莊嚴佛　南无三百同名大幢佛
南无十千同名莊嚴王佛　南无善發勝佛
南无日輪光明佛　南无普蓋佛
南无三昧奮迅佛　南无寶華勝佛
南无无邊足步佛　南无善香香王佛
南无善擇敵佛　南无須弥劫佛
南无功德王光明佛　南无普至光佛
南无金剛佛　南无丘弥佛
南无不可盡世界一色佛　南无袈裟幢世界山自在王佛
南无堅幢世界智勝山王佛　南无一切香聚世界勝華藏佛
南无金剛摩尼世界金剛藏光明勝佛
南无智成就世界智幢佛　南无意味世界普照佛
南无波頭摩首世界勝佛　南无鏡輪世界金剛幢佛
南无光明清淨力世界日藏佛　南无安樂世界衆力佛

南无金剛庫庄世界金剛藏光明勝佛
南无智成就世界智幢佛 南无意味世界普照佛
南无波頭摩首世界勝佛 南无鏡輪世界金剛幢佛
南无光明清淨力世界百藏佛 南无安樂世界勇力佛
南无阿閦佛 南无寶幢佛
南无无量光佛 南无妙聲佛
南无寶俱蘊摩功德海瑠璃歌那伽山真金光明
勝佛 南无釋迦牟尼佛
南无寶炎佛
次礼十二部尊經大藏法輪
南无明月童子三昧經 南无鞞狗經
南无本行經 南无迦葉戒經
南无阿含口解經 南无迦旃偈經
南无迦葉本經 南无般若道行經
南无興顯經 南无多三昧經
南无人所從來如幻經 南无阿須輪子婆羅門經
南无猶樂德本經 南无阿惟越致遮經
南无進學經 南无菩薩法齋經
南无悲心色經 南无菩薩道地經
南无阿毗曇七經 南无凡人三事愚癡經
南无惟羅菩薩經 南无五十校計經
南无為身无渡經 南无惟留經
南无五陰事經 南无雜阿含丹章經
南无恵經 南无五母子經

BD02613號 佛名經（十六卷本）卷七 （32–25）

南无阿毗曇七經 南无凡人三事愚癡經
南无惟羅菩薩經 南无五十校計經
南无為身无渡經 南无惟留經
南无五陰事經 南无雜阿含丹章經
南无恵經 南无五母子經
南无發意大疑經 南无恵上菩薩經
次礼十方諸大菩薩
南无波頭摩華嚴菩薩 南无寶莊嚴菩薩
南无寶路菩薩 南无切德王恵菩薩
南无莊嚴王菩薩 南无斷諸嚴王菩薩
南无妙鼓聲菩薩 南无尼民陀羅菩薩
南无大自在菩薩 南无諸切德身菩薩
南无光明意菩薩 南无善見菩薩
南无不取諸法菩薩 南无轉女根菩薩
南无思惟大悲菩薩 南无寶蓋山菩薩
南无雲山孔聲菩薩 南无羅網莊嚴菩薩
南无寶藏菩薩 南无法雞兜菩薩
次礼聲聞緣覺一切賢聖
南无善法辟支佛 南无應求辟支佛
南无駈求辟支佛 南无大勢辟支佛
南无脩行不著辟支佛 南无難捨辟支佛
南无歡喜辟支佛 南无喜辟支佛
南无隨喜辟支佛 南无十二婆羅陌辟支佛
從此以上六千四百佛十二部經一切賢聖

BD02613號 佛名經（十六卷本）卷七 （32–26）

南无脩行不著辟支佛　南无難捨辟支佛
南无歡喜辟支佛　南无喜辟支佛
南无隨喜辟支佛　南无十二婆羅墮辟支佛
從此以上六千四百佛十二部經一切賢聖
礼三寶已次復懺悔
夫欲礼懺必須先敬三寶所以然者三寶
即是一切衆生良友福田若能歸向者則
滅无量罪長无量福能令行者離生死
苦得解脫樂是故弟子某甲等歸依十方
盡虛空界一切諸佛歸依十方盡虛空界
一切尊法歸依十方盡虛空界一切聖僧弟
子今日所以懺悔者正言无始以來在凡夫地
不問貴賤罪自无量或因三業而生罪或從
六根而起過或以心自耶思惟或藉外境恐
起染著如是乃至十惡增長八万四千諸塵
勞門然其罪相雖復无量大而爲諸不出有
三何等爲三一者煩惱二者是業三者是果
報此三種法能障聖道及以人天勝妙好事
是故經中目爲三障所以諸佛菩薩教作方
便懺悔除滅此三滅者則六根十惡乃至八
万四千諸塵勞門皆悉清淨是故弟子今日
運此增上勝心懺悔三障欲滅此三罪者當
用何等心可令此罪滅先當興七種心以爲方
便然後此罪乃可得滅何等爲七一者慙愧

万四千諸塵勞門皆悉清淨是故弟子今日
運此增上勝心懺悔三障欲滅此三罪者當
用何等心可令此罪滅先當興七種心以爲方
便然後此罪乃可得滅何等爲七一者慙愧
二者恐怖三者厭離四者發菩提心五者怨親
平等六者念報佛恩七者觀罪性空
第一慙愧者自惟我与釋迦如來同爲凡夫而
今世尊成道以來尒所塵沙劫數而我等相与
躭染六塵流浪生死永无出期此實天下可慙
可愧可羞可耻
第二恐怖者既是凡夫身口意業常与罪相
應以是因緣命終之後應墮地獄畜生餓鬼受无
量苦如此實爲可驚可恐可怖可懼
第三厭離者相与常觀生死之中唯有无常
苦空无我不淨虛假如水上泡速起速滅往
來流轉猶若車輪生老病死八苦交煎无時暫
息衆等相与但觀自身從頭至足其中但有
卅六物髮毛爪齒膿血涕唾生熟二藏大腸小腸
脾腎心肺肝膽胃肪膏腦膜筋脉骨髓
大小便利九孔常流是故經言此身衆苦所集一切
皆不淨何有智慧者而當樂此身生死既有如
此種種惡法甚可患厭
第四發菩提心者經言當樂佛身佛身者即
法身也從无量功德智慧生從六波羅蜜生
從慈悲喜捨生從三十七助道法生從如是等

第四發菩提心者經言當樂佛身佛身者即
法身也從无量功德智慧生從六波羅蜜生
從慈悲喜捨生從三十七助道法生從如是等
種種功德智慧生如來身欲得此身者當發菩
提心求一切種智常樂我淨薩婆若果淨佛國
土成就衆生於身命財无所悋惜
第五怨親平等者於一切衆生起慈悲心无彼
我想何以故尒若見怨異親即是分別以分別
故起諸相著相著因緣生諸煩惱煩惱因緣
造諸惡業惡業因緣故得苦果
第六念報佛恩者如來往昔无量劫中捨頭
目髓腦支節手足國城妻子象馬七珍爲我
等故修諸苦行此恩此德實難酬報是故經
言若以頂戴兩肩荷負於恒沙劫亦不能報
我等欲報如來恩者當於此世勇猛精進
捍勞忍苦不惜身命建立三寶弘通大乘廣
化衆生同入正道
第七觀罪性空者罪无有實相從因緣生顛倒而
有既從因緣而生則可從因緣而滅從因緣而生者
狎近惡友造作无端從因緣而滅者即是今日洗
心懺悔是故經言此罪相不在內不在外不在中間
故知此罪從本是空生如是等七種心已緣想十
方諸佛賢聖擎拳合掌披陳至到慚愧改革舒歷
心肝洗蕩腸胃如此懺悔亦何罪而不滅亦何障而
不消若復心念悠悠緩縱情慮徒自勞形於事何

故如此罪從本是空生如是等七種心已緣想十
方諸佛賢聖擎拳合掌披陳至到慚愧改革舒歷
心肝洗蕩腸胃如此懺悔亦何罪而不滅亦何障而
不消若復心念悠悠緩縱情慮徒自勞形於事何
益且復人命无常喻如轉燭一息不還便同灰壤三塗
苦報即身應受不可以錢財寶貨囑託求脫窈窈
冥冥息敎无期獨嬰此苦无代受者莫言我今生
中无有此罪所以不能懇到懺悔經中道言凡夫之人
舉足動步无非是罪又復過去生中皆是成就无
量惡業追逐行者如影隨形若不懺悔罪惡日深
故苞藏瑕疵佛敎不許說悔先罪淨名所高故知
長淪苦海寔由隱覆是故弟子今日發露懺悔不敢
覆藏所言三障者一曰煩惱二名爲業三是果報此三
種法更相由藉因煩惱故以起惡業因惡業故故得
苦果是故弟子今日至心第一先應懺悔又此煩惱
以爲怨家何以能斷衆生慧命根故亦名此煩惱以之爲
賊能劫衆生諸善法故詔此煩惱以爲瀑河能漂衆生
入於生死大苦海故亦因此煩惱以爲羈鎖繫縛衆生於
生死獄不能得出故所以六道牽連四生不絶惡業无
窮苦果不息當知皆是煩惱過患是故弟子今日運此
增上善心歸依佛
南无東方善德佛　南无南方寶相佛
南无西方普无佛　南无北方相德佛
南无東南方銅明佛　南无西南方上智佛

窮苦果不息當知皆是煩惱過患是故弟子今日運此
增上善心歸依佛
南无東方善德佛　南无南方寶相佛
南无西方普无佛　南无北方相德佛
南无東南方銅明佛　南无西南方上智佛
南无西北方華德佛　南无東北方明智佛
南无下方明德佛　南无上方香積佛
如是十方盡虛空界一切三寶
弟子從无始以來至于今日或在人天六道受報有此
心識常懷愚惑繁滿胷衿或因三毒根造一切罪
或因三漏造一切罪或因三覺造一切罪或因三受造一
切罪或因三苦造一切或緣三假造一切罪或貪三有
造一切罪如是等罪无量无邊惱亂一切六道四生今日
慚愧皆悉懺悔
又復弟子无始以來至於今日或因四識住造一切罪或
因四流造一切罪或因四取造一切罪或因四執造一切罪
或因四緣造一切罪或因四大造一切罪或因四縛造一切
罪或因四食造一切罪或因四生造一切罪如是等罪无
量无邊惱亂六道一切衆生今日慚愧皆悉懺悔
又復弟子无始以來至於今日或因七漏造一切罪或
因七使造一切罪或因八倒造一切罪或因八垢造一切罪
或因八苦造一切罪惱亂六道一切四生今日發露皆悉懺悔
又復无始以來至于今日或因九惱造一切罪或因九結
造一切罪或因九上緣造一切罪或因十煩惱造一切罪或
因十纏造一切罪或因十一遍使造一切罪或因十二入造

……慚愧皆悉懺悔
又復弟子无始以來至於今日或因七漏造一切罪或
因七使造一切罪或因八倒造一切罪或因八垢造一切罪
或因八苦造一切罪惱亂六道一切四生今日發露皆悉懺悔
又復无始以來至于今日或因九惱造一切罪或因九結
造一切罪或因九上緣造一切罪或因十煩惱造一切罪或
因十纏造一切罪或因十一遍使造一切罪或因十二入造
一切罪或因十六知見造一切罪或因十八界造一切罪或因廿
五我造一切罪或因六十二見造一切罪或因見諦思惟
九十八使百八煩惱晝夜熾然開諸漏門造一切罪惱
亂賢聖及以四生遍滿三界彌亘六道无處可藏无
處可避今日至到向十方佛尊法聖衆慚愧發露皆悉懺悔
願弟子承是懺悔三毒一切煩惱生生世世三慧明三
達朗三苦滅三願滿
願弟子承是懺悔四識等一切煩惱所生功德生生世
世廣四等心立四信業四惡趣滅得四无畏願弟子承
是懺悔五蓋等諸煩惱度五道樹五根淨五眼成五
分懺悔六愛等諸煩惱所生功德願生生世世具足六
神通滿足六度業不為六塵或常行六妙行
又復弟子承是懺悔七漏八垢九結十纏等一切諸煩惱
所生世世坐七淨花洗塵八水具九斷智成十地行願以
懺悔十一遍使及十二入十八界等一切諸煩惱所生功德願十一
空解常用栖心自在能轉十二行輪具足十八不共之法无量

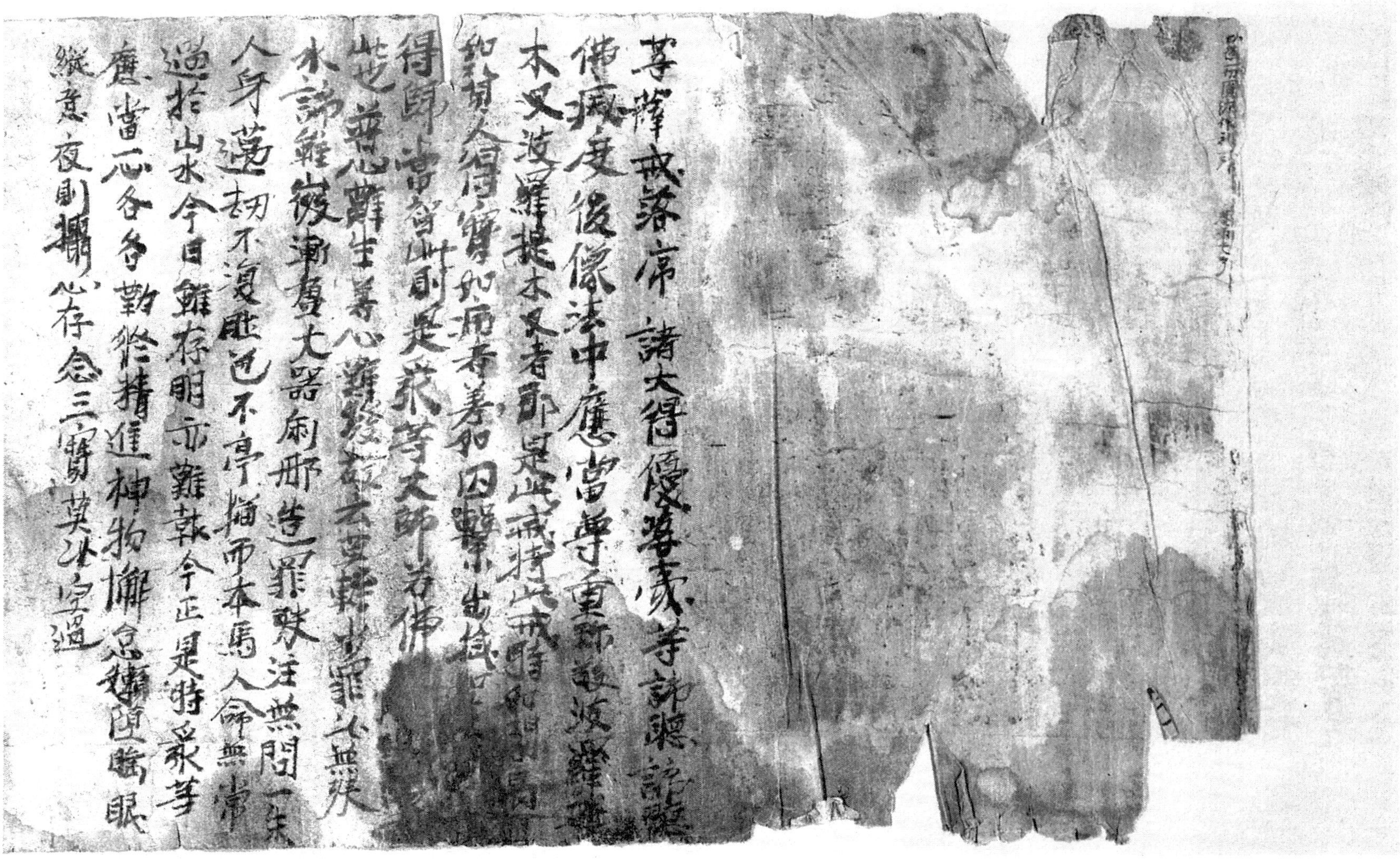

等聽戒落席　諸大得優婆塞等諦聽說
佛滅度後像法中應當尊重波羅提
木叉波羅提木叉者即是此戒持此戒時如[illegible]
和貧人得寶如病者得差如囚繫出獄[illegible]
得歸當知此戒則是衆等大師若佛
此也怖心難生善心難發[illegible]罪[illegible]無殊
求諦雖發漸習大器所那造罪趣注無間一失
人身萬劫不復壯色不停猶而奔馬人命無常
過於山水今日雖存明亦難保今正是時衆等
應當一心各各勤修精進神物懈怠懶惰睡眠
縱意夜則攝心存念三寶莫以空過

BD02613 號背　梵網經盧舍那佛說菩薩心地戒品第十序（雜寫）　（1–1）

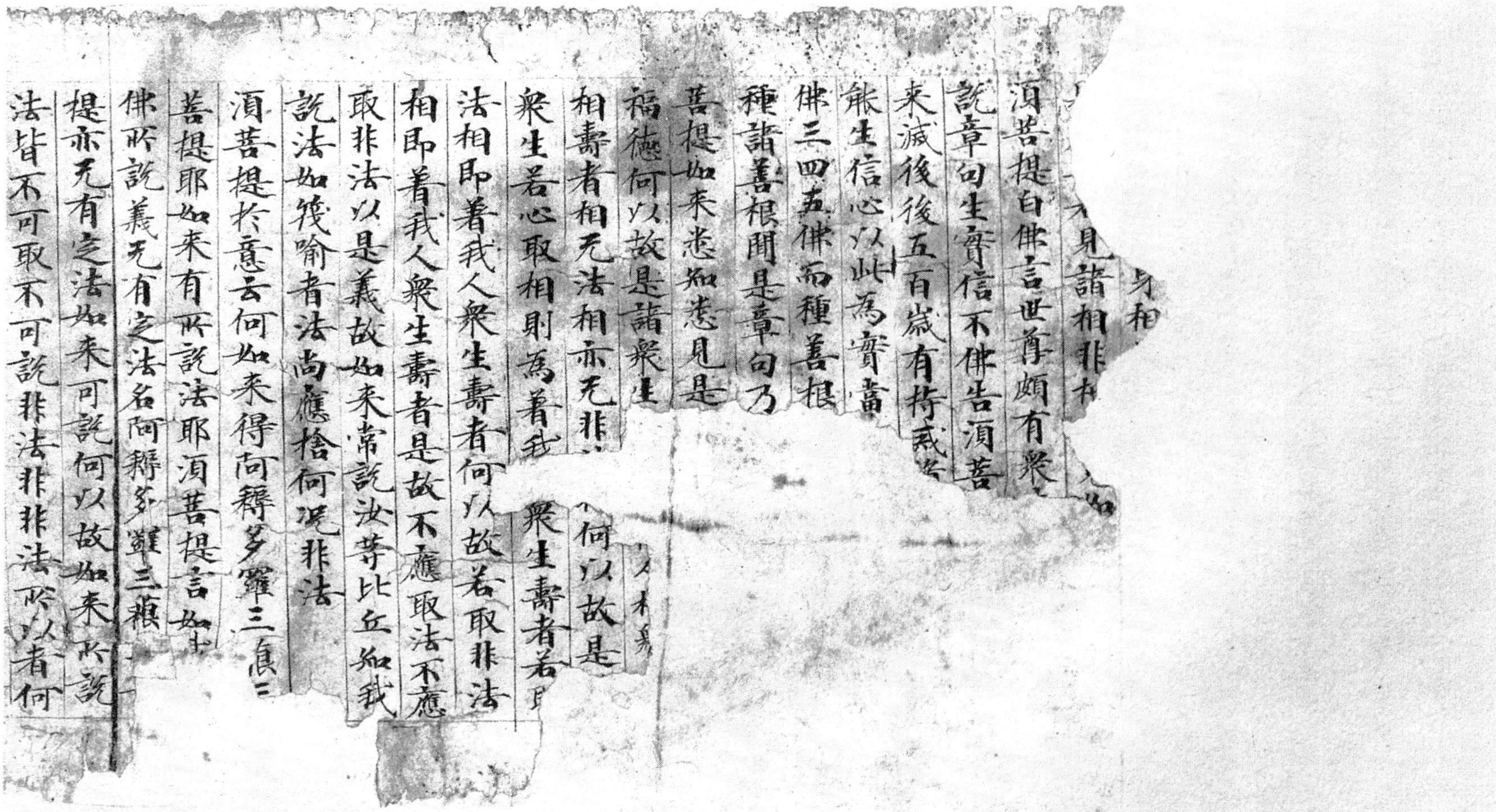

見諸相非相
須菩提白佛言世尊頗有衆
說章句生實信不佛告須菩
來滅後後五百歲有持戒脩
能生信心以此為實當
佛三四五佛而種善根
種諸善根聞是章句乃
菩提如来悉知悉見是
福德何以故是諸衆生
相壽者相无法相亦无非　何以故是
衆生若心取相則為着我　衆生壽者若
法相即着我人衆生壽者何以故若取非法
相即着我人衆生壽者是故不應取法不應
取非法以是義故如来常說汝等比丘知我
說法如筏喻者法尚應捨何况非法
須菩提於意云何如来得阿耨多羅三藐三
菩提耶如来有所說法耶須菩提言如我
佛所說義无有定法名阿耨多羅三藐
提亦无有定法如来可說何以故如来所說
法皆不可取不可說非法非非法所以者何

BD02614 號　金剛般若波羅蜜經　（13–1）

說法如筏喻者法尚應捨何況非法
須菩提於意云何如來得阿耨多羅三藐三
菩提耶如來有所說法耶須菩提言如我
佛所說義无有定法名阿耨多羅三藐
提亦无有定法如來可說何以故如來所說
法皆不可取不可說非法非非法所以者何
一切賢聖皆以无為法而有差別
須菩提於意云何若有人滿三千大千世界七
寶以用布施是人所得福德寧為多不須菩
提言甚多世尊何以故是福德即非福德性
是故如來說福德多若復有人於此經中受
持乃至四句偈等為他人說其福勝彼何以
故須菩提一切諸佛及諸佛阿耨多羅三藐
三菩提法皆從此經出須菩提所謂佛法者
即非佛法
須菩提於意云何須陁洹能作是念我得須
陁洹果不須菩提言不也世尊何以故須菩
洹名為入流而无所入不入色聲香味觸法
是名須陁洹須菩提於意云何斯陁含能作
是念我得斯陁含果不須菩提言不也世尊
何以故斯陁含名一往來而實无往來是名
斯陁含須菩提於意云何阿那含能作是念
我得阿那含果不須菩提言不也世尊何以
故阿那含名為不來而實无來是故名阿那
含須菩提於意云何阿羅漢能作是念我得
阿羅漢道不須菩提言不也世尊何以故實

我得阿那含果不須菩提言不也世尊何以
故阿那含名為不來而實无來是故名阿那
含須菩提於意云何阿羅漢能作是念我得
阿羅漢道不須菩提言不也世尊何以故實
无有法名阿羅漢世尊若阿羅漢作是念我
得阿羅漢道即為著我人衆生壽者世尊佛
說我得无諍三昧人中最為第一是第一離
欲阿羅漢我不作是念我是離欲阿羅漢世
尊我若作是念我得阿羅漢道世尊則不說
須菩提是樂阿蘭那行者以須菩提實无
所行而名須菩提是樂阿蘭那行
佛告須菩提於意云何如來昔在然燈佛所
於法有所得不世尊如來在然燈佛所於法
實无所得須菩提於意云何菩薩莊嚴佛土
不不也世尊何以故莊嚴佛土者則非莊嚴
是名莊嚴是故須菩提諸菩薩摩訶薩應如
是生清淨心不應住色生心不應住聲香味
觸法生心應无所住而生其心須菩提譬如
有人身如須弥山王於意云何是身為大不須
菩提言甚大世尊何以故佛說非身是名大身
須菩提如恒河中所有沙數如是沙等恒河
於意云何是諸恒河沙寧為多不須菩提言
甚多世尊但諸恒河尚多无數何況其沙須
菩提我今實言告汝若有善男子善女人以
七寶滿尒所恒河沙數三千大千世界以用
布施得福多不須菩提言甚多世尊佛告須

甚多世尊但諸恒河尚多无數何况其沙須
菩提我今實言告汝若有善男子善女人以
七寶滿尒所恒河沙數三千大千世界以用
布施得福多不須菩提言甚多世尊佛告須
菩提若善男子善女人於此經中乃至受持
四句偈等為他人說而此福德勝前福德復
次須菩提隨說是經乃至四句偈等當知此
處一切世間天人阿脩羅皆應供養如佛塔
廟何况有人盡能受持讀誦須菩提當知是
人成就最上第一希有之法若是經典所在
之處則為有佛若尊重弟子
尒時須菩提白佛言世尊當何名此經我等
云何奉持佛告須菩提是經名為金剛般若
波羅蜜以是名字汝當奉持所以者何須菩
提佛說般若波羅蜜則非般若波羅蜜須菩
提於意云何如來有所說法不須菩提白佛言
世尊如來无所說須菩提於意云何三千
大千世界所有微塵是為多不須菩提言甚
多世尊須菩提諸微塵如來說非微塵是名
微塵如來說世界非世界是名世界須菩提
於意云何可以三十二相見如來不不也世
尊何以故如來說三十二相即是非相是名
三十二相須菩提若有善男子善女人以恒
河沙等身命布施若復有人於此經中乃至
受持四句偈等為他人說其福甚多
尒時須菩提聞說是經深解義趣涕淚悲泣

BD02614 號　金剛般若波羅蜜經　（13–4）

河沙等身命布施若復有人於此經中乃至
受持四句偈等為他人說其福甚多
尒時須菩提聞說是經深解義趣涕淚悲泣
而白佛言希有世尊佛說如是甚深經典我
從昔來所得慧眼未曾得聞如是之經世尊
若復有人得聞是經信心清淨則生實相當
知是人成就第一希有功德世尊是實相者
則是非相是故如來說名實相世尊我今得
聞如是經典信解受持不足為難若當來世
後五百歲其有衆生得聞是經信解受持是
人則為第一希有何以故此人无我相人相
衆生相壽者相所以者何我相即是非相人
相衆生相壽者相即是非相何以故離一切
諸相則名諸佛佛告須菩提如是如是若復
有人得聞是經不驚不怖不畏當知是人甚
為希有何以故須菩提如來說第一波羅蜜
非第一波羅蜜是名第一波羅蜜
須菩提忍辱波羅蜜如來說非忍辱波羅蜜
何以故須菩提如我昔為歌利王割截身體
我於尒時无我相无人相无衆生相无壽者
相何以故我於往昔節節支解時若有我相
人相衆生相壽者相應生瞋恨須菩提又念
過去於五百世作忍辱仙人於尒所世无我
相无人相无衆生相无壽者相是故須菩提
菩薩應離一切相發阿耨多羅三藐三菩提
心不應住色生心不應住聲香味觸法生心

BD02614 號　金剛般若波羅蜜經　（13–5）

過去於五百世作忍辱仙人於爾所世无我
相无人相无衆生相无壽者相是故須菩提
菩薩應離一切相發阿耨多羅三藐三菩提
心不應住色生心不應住聲香味觸法生心
應生无所住心若心有住則為非住是故佛
說菩薩心不應住色布施須菩提菩薩為
益利一切衆生應如是布施如來說一切諸相
即是非相又說一切衆生則非衆生須菩提
如來是真語者實語者如語者不誑語者不
異語者須菩提如來所得法此法无實无虛
須菩提若菩薩心住於法而行布施如人入
闇則无所見若菩薩心不住法而行布施如
人有目日光明照見種種色須菩提當來之
世若有善男子善女人能於此經受持讀誦
則為如來以佛智慧悉知是人悉見是人皆
得成就无量无邊功德
須菩提若有善男子善女人初日分以恒河
沙等身布施中日分復以恒河沙等身布施
後日分亦以恒河沙等身布施如是无量百
千萬億劫以身布施若復有人聞此經典信
心不逆其福勝彼何況書寫受持讀誦為人
解說須菩提以要言之是經有不可思議不
可稱量无邊功德如來為發大乘者說為發
最上乘者說若有人能受持讀誦廣為人說
如來悉知是人悉見是人皆得成就不可量
不可稱无有邊不可思議功德如是人等則
為荷擔如來阿耨多羅三藐三菩提何以故

BD02614 號　金剛般若波羅蜜經　(13–6)

可稱量无邊功德如來為發大乘者說為發
最上乘者說若有人能受持讀誦廣為人說
如來悉知是人悉見是人皆得成就不可量
不可稱无有邊不可思議功德如是人等則
為荷擔如來阿耨多羅三藐三菩提何以故
須菩提若樂小法者著我見人見衆生見壽
者見則於此經不能聽受讀誦為人解說須
菩提在在處處若有此經一切世間天人阿
脩羅所應供養當知此處則為是塔皆應恭
敬作禮圍繞以諸華香而散其處
復次須菩提善男子善女人受持讀誦此經
若為人輕賤是人先世罪業應墮惡道以今
世人輕賤故先世罪業則為消滅當得阿耨
多羅三藐三菩提須菩提我念過去无量阿
僧祇劫於然燈佛前得值八百四千萬億那
由他諸佛悉皆供養承事无空過者若復有
人於後末世能受持讀誦此經所得功德於
我所供養諸佛功德百分不及一千萬億分
乃至算數譬喻所不能及須菩提若善男子
善女人於後末世有受持讀誦此經所得功
德我若具說者或有人聞心則狂亂狐疑不
信須菩提當知是經義不可思議果報亦不
可思議
尒時須菩提白佛言世尊善男子善女人發
阿耨多羅三藐三菩提心云何應住云何降伏
其心佛告須菩提善男子善女人發阿耨
多羅三藐三菩提者當生如是心我應滅度

BD02614 號　金剛般若波羅蜜經　(13–7)

信須菩提當知是經義不可思議果報亦不可
可思議
尒時須菩提白佛言世尊善男子善女人發
阿耨多羅三藐三菩提心云何應住云何降伏
其心佛告須菩提善男子善女人發阿耨
多羅三藐三菩提者當生如是心我應滅度
一切衆生滅度一切衆生已而无有一衆生
實滅度者何以故若菩薩有我相人相衆生
相壽者相則非菩薩所以者何須菩提實无
有法發阿耨多羅三藐三菩提者須菩提於
意云何如來於然燈佛所有法得阿耨多羅
三藐三菩提不不也世尊如我解佛所說義
佛於然燈佛所无有法得阿耨多羅三藐三
菩提佛言如是如是須菩提實无有法如來
得阿耨多羅三藐三菩提須菩提若有法如
來阿得耨多羅三藐三菩提者然燈佛則不
與我受記汝於來世當得作佛號釋迦牟尼
以實无有法得阿耨多羅三藐三菩提是故
然燈佛與我受記作是言汝於來世當得作
佛号釋迦牟尼何以故如來者即諸法如義
若有人言如來得阿耨多羅三藐三菩提須
菩提實无有法佛得阿耨多羅三藐三菩提
須菩提如來所得阿耨多羅三藐三菩提於
是中无實无虛是故如來說一切法皆是佛
法須菩提所言一切法者即非一切法是故
名一切法須菩提譬如人身長大須菩提言
世尊如來說人身長大則為非大身是名大

須菩提如來所得阿耨多羅三藐三菩提於
是中无實无虛是故如來說一切法皆是佛
法須菩提所言一切法者即非一切法是故
名一切法須菩提譬如人身長大須菩提言
世尊如來說人身長大則為非大身是名大
身須菩提菩薩亦如是若作是言我當滅度
无量衆生則不名菩薩何以故須菩提實无
有法名為菩薩是故佛說一切法无我无人
无衆生无壽者須菩提若菩薩作是言我當
莊嚴佛土是不名菩薩何以故如來說莊嚴
佛土者即非莊嚴是名莊嚴須菩提若菩薩
通達无我法者如來說名真是菩薩
須菩提於意云何如來有肉眼不如是世尊
如來有肉眼須菩提於意云何如來有天眼
不如是世尊如來有天眼須菩提於意云何
如來有慧眼不如是世尊如來有慧眼須菩提
於意云何如來有法眼不如是世尊如來
有法眼須菩提於意云何如來有佛眼不如
是世尊如來有佛眼須菩提於意云何恒河
中所有沙佛說是沙不如是世尊如來說是
沙須菩提於意云何如一恒河中所有沙有
如是等恒河是諸恒河所有沙數佛世界如
是寧為多不甚多世尊佛告須菩提尒所國
土中所有衆生若干種心如來悉知何以故
如來說諸心皆為非心是名為心所以者何
須菩提過去心不可得現在心不可得未來

是寧為多不甚多世尊佛告須菩提尒所國
土中所有衆生若干種心如來悉知何以故
如來說諸心皆為非心是名為心所以者何
須菩提過去心不可得現在心不可得未來
心不可得須菩提於意云何若有人滿三千
大千世界七寶以用布施是人以是因緣得
福多不如是世尊此人以是因緣得福甚多
須菩提若福德有實如來不說得福德多以
福德无故如來說得福德多
須菩提於意云何佛可以具足色身見不不也
世尊如來不應以具足色身見何以故如來說
具足色身即非具足色身是名具足色身須
菩提於意云何如來可以具足諸相見不不
也世尊如來不應以具足諸相見何以故如
來說諸相具足即非具足是名諸相具足須
菩提汝勿謂如來作是念我當有所說法莫
作是念何以故若人言如來有所說法即為
謗佛不能解我所說故須菩提說法者无法
可說是名說法須菩提白佛言世尊佛得
阿耨多羅三藐三菩提為无所得耶如是如
是須菩提我於阿耨多羅三藐三菩提乃至
无有少法可得是名阿耨多羅三藐三菩提復
次須菩提是法平等无有高下是名阿耨多
羅三藐三菩提以无我无人无衆生无壽者
脩一切善法則得阿耨多羅三藐三菩提須
菩提所言善法者如來說非善法是名善法
須菩提若三千大千世界中所有諸須弥山

羅三藐三菩提以无我无人无衆生无壽者
脩一切善法則得阿耨多羅三藐三菩提須
菩提所言善法者如來說非善法是名善法
須菩提若三千大千世界中所有諸須弥山
王如是等七寶聚有人持用布施若人以此
般若波羅蜜經乃至四句偈等受持讀誦為他
人說於前福德百分不及一百千萬億分乃至
筭數譬喻所不能及
須菩提於意云何汝等勿謂如來作是念我
當度衆生須菩提莫作是念何以故實无有
衆生如來度者若有衆生如來度者如來則
有我人衆生壽者須菩提如來說有我者則
非有我而凡夫之人以為有我須菩提凡夫
者如來說則非凡夫須菩提於意云何可以
三十二相觀如來不須菩提言如是如是以
三十二相觀如來佛言須菩提若以三十二
相觀如來者轉輪聖王則是如來須菩提白
佛言世尊如我解佛所說義不應以三十二
相觀如來尒時世尊而說偈言
若以色見我　以音聲求我　是人行邪道　不能見如來
須菩提汝若作是念如來不以具足相故得
阿耨多羅三藐三菩提須菩提莫作是念如
來不以具足相故得阿耨多羅三藐三菩提
須菩提汝若作是念發阿耨多羅三藐三菩
提者說諸法斷滅相莫作是念何以故發阿
耨多羅三藐三菩提者於法不說斷滅相須

阿耨多羅三藐三菩提[illegible]
來不以具足相故得阿耨多羅三藐三菩提
須菩提汝若作是念發阿耨多羅三藐三菩
提者說諸法斷滅相莫作是念何以故發阿
耨多羅三藐三菩提者於法不說斷滅相須
菩提若菩薩以滿恒河沙等世界七寶布施
若復有人知一切法无我得成於忍此菩薩
勝前菩薩所得功德須菩提以諸菩薩不受
福德故須菩提白佛言世尊云何菩薩不受
福德須菩提菩薩所作福德不應貪著是故
說不受福德須菩提若有人言如來若來若
去若坐若卧是人不解我所說義何以故如
來者无所從來亦无所去故名如來
須菩提若有善男子善女人以三千大千世界
碎為微塵於意云何是微塵衆寧為多不甚
多世尊何以故若是微塵衆實有者佛則不
說是微塵衆所以者何佛說微塵衆則非微
塵衆是名微塵衆世尊如來所說三千大千
世界則非世界是名世界何以故若世界實
有者則是一合相如來說一合相則非一合
相是名一合相須菩提一合相者則是不可
說但凡夫之人貪著其事須菩提若人言佛
說我見人見衆生見壽者見須菩提於意云
何是人解我所說義不世尊是人不解如來
所說義何以故世尊說我見人見衆生見壽
者見即非我見人見衆生見壽者見是名我
見人見衆生見壽者見須菩提發阿耨多羅

相是名一合相須菩提一合相者則是不可
說但凡夫之人貪著其事須菩提若人言佛
說我見人見衆生見壽者見須菩提於意云
何是人解我所說義不世尊是人不解如來
所說義何以故世尊說我見人見衆生見壽
者見即非我見人見衆生見壽者見是名我
見人見衆生見壽者見須菩提發阿耨多羅
三藐三菩提心者於一切法應如是知如是
見如是信解不生法相須菩提所言法相者
如來說即非法相是名法相須菩提若有人
以滿无量阿僧祇世界七寶持用布施若有
善男子善女人發菩薩心者持於此經乃至
四句偈等受持讀誦為人演說其福勝彼云
何為人演說不取於相如如不動何以故
一切有為法　如夢幻泡影　如露亦如電　應作如是觀
佛說是經已長老須菩提及諸比丘比丘尼
優婆塞優婆夷一切世間天人阿脩羅聞佛
所說皆大歡喜信受奉行

金剛般若波羅蜜經

[illegible]行
[illegible]故觸滅觸
[illegible]故取滅取滅故有滅有滅故生
[illegible]故老死愁歎苦憂惱得滅如是唯滅純極大苦之聚
此是世尊所說因緣之法何者是法所謂八聖道正見正
思惟正語正業正命正精進正念正定此是八聖道果及
涅槃世尊所說名之為法
何者是佛所謂知一切法者名之為佛以彼慧眼及身法能見作
菩提學無學法故云何見因緣如佛所說若能見因緣
之法常無壽離壽如實性無錯謬性無生無起無作無
為無障导無竟界寂靜無畏無侵奪不寂靜相者是
若能如是於法亦見常無壽離壽如實性無生無起無
作無為無障导無境界寂靜無畏無侵奪不寂靜相者
得正智故能悟勝法以無上法身而見於佛
問曰何故名因緣 答曰有因有緣名為因緣非無因無緣
故是故名為因緣之法世尊略說因緣之相彼緣生果如來
出現若不出現法性常住乃至法性法住性法定性與
因緣相應性真如性無錯謬性無變異性真實性實際性
不虛妄性不顛倒性等作如是說
此因緣法以其二種而得生起云何為二所謂因相應緣相
應彼復有二謂及此中何者是外因緣法因相應所謂從
種生芽從芽生葉從葉生莖從莖生節從節生穗從穗
生花從花生實若無有種芽即不生乃至若無有花實亦

BD02615號　大乘稻竿經　（7–1）

不虛妄性不顛倒性等作如是說
此因緣法以其二種而得生起云何為二所謂因相應緣相
應彼復有二謂及此中何者是外因緣法因相應所謂從
種生芽從芽生葉從葉生莖從莖生節從節生穗從穗
生花從花生實若無有種芽即不生乃至若無有花實亦
不生有種芽生如是有花實亦得生彼種亦不作是念我
能生芽芽亦不作是念我從種生乃至花亦不作是念我
能生實實亦不作是念我從花生雖然有種故而芽得生
如是有花故實即而能成就應如是觀外因緣法因相應義
應云何觀外因緣法緣相應義謂六界和合故以何六界和
合所謂地水火風空時界等和合外因緣法而得生起應
如是觀外因緣法緣相應義
地界者能持於種水界者潤漬於種火界者能暖於種風界
者動搖於種空界者不障於種時則能變種子若無此
眾緣種則不能而生於芽若外地界無不具足如是乃至水
火風空時等無不具足一切和合種子滅時而芽得生
此中地界不作是念我能任持種子如是水界亦不作是念
我能潤漬於種火界亦不作是念我能暖於種子風界亦
不作是念我能動搖於種空界亦不作是念我能不障於
種時亦不作是念我能變於種子種子亦不作是念我能
生芽芽亦不作是念我今從此眾緣而生雖然有此眾緣
而種滅時芽即得生如是有花之時實即得生彼芽亦
非自作亦非他作非自他俱作非自在作亦非時變非自
性生亦非無因而生雖然地水火風空時界等和合種滅
之時而芽得生是故應如是觀外因緣法緣相應義
應以五種觀彼外因緣法何等為五不常不斷不移從於
小因而生大果與彼相似云何不常為芽與種各別異故
彼芽非種非種壞時而芽得生亦非不滅而得生起種壞
之時而芽得生是故不常云何不斷非過去種壞而生於
芽亦非不滅而得生起種子亦壞當爾之時如秤高下而

BD02615號　大乘稻竿經　（7–2）

應以五種觀彼外因緣法何等為五不常不斷不移從於
小因而生大果與彼相似云何不常為芽與種各別異故
彼芽非種非種壞時而芽得生亦非不滅而得生起種壞
之時而芽得生是故不常云何不斷非過去種壞而生於
芽亦非不滅而得生起種子亦壞當尒之時如秤高下而
芽得生是故不斷云何不移芽與種別芽非種故是故
不移云何小因而生大果從小種子而生大果是故從於小
小因而生大果云何與彼相似如所植種生彼果故是故
與彼相似是以五種觀外因緣之法
如是内因緣法亦以二種而得生起云何為二所謂因相應
緣相應何者是内因緣法因相應義所謂始從无明緣行
乃至生緣老死若无明不生行亦不有乃至若无有生老
死非有如是有无明故行乃得生故老死得有无明亦不
作是念我能生行行亦不作是念我從无明而生乃至生亦
不作是念我能生於老死老死亦不作念我從生有雖然有
无明故行乃得生如是有生故老死得有是故應如是觀
内因緣法因相應義
應云何觀内因緣法緣相應事為六界和合故以何六界和
合所謂地水火風空識界等和合故應如是觀内因緣法緣相應事
何者是内因緣法地界之相為此身中作堅硬者名為地界為
令此身而聚集者名為水界能消身所食飲嚼噉者名為
火界為此身中作内外出入息者名為風界為此身中作虛
通者名為空界五識身相應及有漏意識猶如束蘆能成
就此身名色芽者名為識界若无此衆緣身則不生若
内地界无不具足如是乃至水火風空識界等无不具足一切和合身
即得生
彼地界亦不作是念我而作身中堅硬之事水界亦不作是念我
能為身而作聚集火界亦不作念我能而消身所食飲嚼噉

BD02615號　大乘稻竿經　（7-3）

即得生
彼地界亦不作是念我而作身中堅硬之事水界亦不作是念我
能為身而作聚集火界亦不作念我能而消身所食飲嚼噉
之事風界亦不作念我能作内外出入息空界亦不作念我能
而作身中虛通之事識界亦不作念我能成就此身名色之芽
身亦不作念我從此衆緣而生雖然有此衆緣之時身即得生
彼地界亦非是我非是衆生非命者非生者非儒童非作者
非男非女非黃門非自在非我所亦非餘等如是乃至水界火界
風界空界識界亦非是我非是衆生非命者非生者非儒童
非作者非男非女非黃門非自在非我所亦非餘等
何者是无明於此六界起於一想一合想常想堅牢想不壞想
安樂想衆生命者養育士夫人儒童作者我我所想等及餘
種種无知此是无明故於諸境界起貪瞋癡於諸
境界起貪瞋癡者此是无明緣行而於諸事能了別者名
之為識與識俱生四取蘊者此是名色依名色諸根名為六
入三法和合名之為觸覺受觸者名之為受於受貪著名之
為愛增長愛者名之為取從取而生能生業者名之為有而
從彼因所生之蘊名之為生生已蘊成熟者名之為者老已蘊
滅壞者名之為死臨終之時内具貪著及熱惱者名之為愁
從愁而生諸言辞者名之為嘆五識身受苦者名之為苦作
意意識受諸苦者名之為憂具如是等及隨煩惱者名之
為惱大黑闇故故名无明造作故名諸行了別故名識相依故
名名色為生門故名六入觸故名觸受故名受渴故名愛取故名
取生後有故名有生蘊故名生蘊熟故名老蘊壞故名死愁故名愁
嘆故名嘆惱身故名苦惱心故名憂煩惱故名惱
復次不了真性顛倒无知名為无明如是有无明故能成三行所
謂福行罪行不動行從於福行而生福行識者此是无明緣行
從於罪行而生罪行識者此則名為行緣識從於不動行而生

BD02615號　大乘稻竿經　（7-4）

歎故名歎惱身故名苦惱心故名憂煩惱故名惱
復次不了真性顛倒无知名為无明如是有无明故能成三行所
謂福行罪行不動行從於福行而生福行識者此是无明緣行
從於罪行而生罪行識者此則名為行緣識從於不動行而生
不動行識者此則名為識緣名色名色增長故從六入門中能
成事者此是名色緣六入從於六入而生六聚觸者此是六入緣觸
從於所觸而生彼受者此則名為觸緣受了別受已而生樂著
深者此則名為受緣愛知已而生樂著深故不欲遠離好色及
於安樂而生願樂者此是愛緣取生願樂已從口意造後有業
者此是取緣有從於彼業所生蘊者此是有緣生生已諸蘊成
熟及滅壞者此則名為生緣老死是故彼因緣十二支法牙相
為因牙相為緣非常非无常非有為非无為非无因非无緣非有
受非盡法非壞法非滅法從无始已來如暴流水而无斷絕雖然
此因緣十二支法牙相為因牙相為緣非常非无常非有為非无為
非无因非无緣非有受非盡法非壞法非滅法從无始已來如暴
流水而无斷絕有其四支能攝十二因緣之法云何為四所謂无明愛
業識識者以種子性為因業者以田性為因无明及愛以煩惱
性為因此中業及煩惱能生種子之識業則能作種子識田愛
則能潤種子之識无明能殖種子之識若无此衆緣種子之識
而不能成
彼業亦不作念我今能作種子識田愛亦不作念我能潤於種子之
識无明亦不作念我今能殖種子之識彼種子識亦不作念我今
從此衆緣而生雖然種子之識依彼業田及愛所潤无明糞壤所
生之處入於母胎能生名色之芽彼名色芽亦非自作亦非他作
非自他俱作非自在化亦非時變非自性生非假作者亦非无因
而生雖然父母和合時及餘緣和合之時无我之法无我我所猶如虛
空彼諸幻法因及衆緣无不具足故依彼生處入於母胎則能成
就執受種子之識名色之芽
如眼識生時若具五緣而則得生云何為五所謂依眼色明空作意

BD02615號　大乘稻芊經

（7–5）

非自他俱作非自在化亦非時變非自性生非假作者亦非无因
而生雖然父母和合時及餘緣和合之時无我之法无我我所猶如虛
空彼諸幻法因及衆緣无不具足故依彼生處入於母胎則能成
就執受種子之識名色之芽
如眼識生時若具五緣而則得生云何為五所謂依眼色明空依作
意故眼識得生此中眼則能眼識所依色則能作眼識之境明
則能為顯現之事空則能為不障之事作意能為思想之事若
无此衆緣眼識不生若內入眼无不具足如是乃至色明空作意
无不具足一切和合之時眼識得生
彼眼亦不作是念我今能為眼識所依色亦不作念我今能作眼識
之境明亦不作念我今能作眼識顯現之事空亦不作念我今能
為眼識不障之事作意亦不作念我今能為眼識所思彼眼識亦
不作念我是從此衆緣而有雖然有此衆緣眼識得生乃至諸
餘根等隨類知之
如是无有少法而從此世移至他世雖然因及衆緣无不具足業
果亦現譬如明鏡之中現其面像雖然彼面像不移鏡中因及
衆緣无不具足是故面像亦現如是無有少許從於此滅生其餘
處因及衆緣無不具足是故業果亦現譬如月輪從此四万二千由
旬而行彼月輪形像現其有水小器中者彼月輪亦不從彼移至
於有水之器雖然因及衆緣无不具足是故月輪亦現如是无有少
許從於此滅而生餘處因及衆緣无不具足是故業果亦現譬如
其火因及衆緣若不具足而不能燃因及衆緣具足之時乃可得
燃如是无我之法无我我所猶如虛空依彼幻法因及衆緣无
不具足是故所生之處入於母胎則能成就種子之識業及煩惱所生
名色之芽是故應如是觀內因緣法緣相應事
應以五種觀內因緣法云何為五不常不斷不移從於小因而生
大果與彼相似云何不常所謂彼後滅蘊與彼生分各異為後滅
蘊非生分故彼後滅蘊亦滅生分亦得現故是故不常云何不

BD02615號　大乘稻芊經

（7–6）

應以五種觀内因緣法云何為五不常不斷不移從於小因而生
大果與彼相似云何不常所謂彼後滅蘊與彼生分各異為後滅
蘊非生分故彼後滅蘊亦滅生分亦得現故是故不常云何不
斷非依後滅蘊滅壞之時生分得有亦非不滅彼後滅蘊亦滅
當尒之時生分之蘊如秤高下而得生故是故不斷云何不移為
諸有情從非衆同分處能生衆同分處故是故不移云何從於
小因而生大果作於小業感大異熟是故從於小因而生大果如所作
因感彼果故與相似是故應以五種觀因緣法
尊者舍利子若復有人能以正智常觀如來所說因緣之法无
壽離壽如實性无錯謬性无生无起无作无為无障㝵无境界
寂靜无畏无侵奪无盡不寂靜相不有虛誑无堅實如病如
癰如箭過失无常苦空无我者我於過去而有生耶而無生耶而
不分別過去之際於未來世生於何處亦不分別未來之際此是何
耶此復云何而作何物此諸有情從何而來從於此滅而生何處亦不
分別現在之有
復能滅於世間沙門婆羅門不同諸見所謂我見衆生見壽者
見人見希有見吉祥見開合之見善了知故如多羅樹明了斷
除諸根栽已於未來世證得无生无滅之法
尊者舍利子若復有人具足如是无生法忍善能了別此因緣
法者如來應供正遍知明行足善逝世間解无上士調御丈夫
天人師佛世尊即與授阿耨多羅三藐三菩提記
尒時弥勒菩薩摩訶薩說是語已舍利子及一切世間天人阿脩羅
揵闥婆等聞弥勒菩薩摩訶薩所說之法信受奉行

佛說大乘稻芉經

BD02615號　大乘稻芉經　（7–7）

[illegible]弥尼犯出家相
婆塞重戒優婆夷犯優婆
當先洗浴著新淨衣不食葷
治室內以諸幡華莊嚴道場　長四
十九枚幡莊嚴佛坐安置佛像以種種香栴
檀沈水熏陸多伽羅蘇揵陀種種末香塗香
燒如是等種種妙香種種華興大慈悲願救
苦衆生未度者令度未解者令解未安者令
安未涅槃者令得涅槃晝夜思惟如來本行
苦行於无量劫受諸苦惱不生疲厭爲求无
上菩提故於一切衆生自生下心如僮僕心
若比丘懺悔四重罪如是晝夜卌九日當對
八清淨比丘發露所犯罪七日一對發露至
心懇重悔昔所作一心歸命十方諸佛稱名
礼拜隨力隨分如是至心滿卌九日罪必除
滅是人得清淨時當有相現若於覺中若於
夢中見十方諸佛與其記莂或見菩薩與其
記莂將詣道場共爲已伴或與摩頂示滅罪
相或自見身入大會中處在衆次或自見身

BD02616號　佛名經（十二卷本）卷八　（4–1）

礼拜隨引隨分如是至心滿卌九日罪必除
滅是人得清淨時當有相現若於覺中若於
夢中見十方諸佛與其記莂或見菩薩與其
記莂將詣道場共為已伴或與摩頂示滅罪
相或自見身入大會中處在衆次或自見身
處衆說法或見諸師淨行沙門將詣道場示
其諸佛舍利弗若比丘懺悔罪時若見如是
相者當知是人罪垢得滅除不至心若比丘
尼懺悔八重罪者當如比丘法法之卌九日
當得清淨除不至心若式叉摩那沙弥沙弥
尼懺悔根本重罪當對四清淨比丘比丘尼
如上法滿廿一日當知清淨除不至心若優
婆塞優婆夷懺重戒罪應當至心恭敬三寶
若見沙門恭敬礼拜生難遭想當請詣道場
設種種供養當請一比丘心敬重者就其發
露所犯諸罪至心懺悔一心歸命十方諸佛
稱名礼拜如是滿足七日必得清淨除不至
心尒時世尊而說偈言
得成菩提降伏魔　自在經行道樹下
證无郼礙眼及身　法界平等如虛空
十億國土微塵數　菩薩弟子衆圍遶
得於一切寂靜心　善住普賢諸行中
佛身相好妙莊嚴　放於種種无量光
普照十方諸國土　諸佛不可思議力
見諸國土悉无垢　无量妙色清淨滿

證无郼礙眼及身　法界平等如虛空
十億國土微塵數　菩薩弟子衆圍遶
得於一切寂靜心　善住普賢諸行中
佛身相好妙莊嚴　放於種種无量光
普照十方諸國土　諸佛不可思議力
見諸國土悉无垢　无量妙色清淨滿
諸佛所有勝妙事　承佛神力見大眾
東方世界名寶幢　遠離諸垢妙莊嚴
彼處自在寶燈佛　於今現在彼世界
南方頗黎燈國土　清淨妙色普嚴淨
摩尼清淨雲如來　現今在世說妙色
西方无垢清淨土　名為安樂妙世界
彼自在佛无量壽　菩薩弟子現圍遶
北方世界名香燈　國土清淨甚嚴飾
无染光幢佛所化　現今自在道場樹
琉璃光明真妙色　國土清淨勝莊嚴
无礙光雲佛如來　於今現在東北方
光明照幢世界中　現見滿足諸菩薩
自在吼聲佛彼處　現今在於東南方
種種樂樂佛世界　摩尼莊嚴妙无垢
勝妙智月如須弥　現見在於西南方
現見西北方如來　弥留光明平等界
彼處大聖自在佛　弟子菩薩衆圍遶
下方世界自在光　國土清淨寶炎藏
光明妙輪不空見　佛今住彼妙國土

摩尼清淨雲如來　現今在世說妙色
西方无垢清淨土　名爲安樂妙世界
彼自在佛无量壽　菩薩弟子現圍遶
北方世界名香燈　國土清淨甚嚴飾
无涤光幢佛所化　現今自在道場樹
琉璃光明真妙色　國土清淨勝莊嚴
无礙光雲佛如來　於今現在東北方
光明照幢世界中　現見滿足諸菩薩
自在吼聲佛彼處　現今在於東南方
種種樂樂佛世界　摩尼莊嚴妙无垢
勝妙智月如須彌　現見在於西南方
現見西北方如來　彌留光明平等界
彼處大聖自在佛　弟子菩薩衆圍遶
下方世界自在光　國土清淨寶炎藏
光明妙輪不空見　佛今住彼妙國土
上方世界光炎藏　彼世界名[illegible]垢
[illegible]力德光明雲　現見菩提樹下[illegible]
[illegible]承佛神力見十方過去
[illegible]舍利弗[illegible]

BD02616 號　佛名經（十二卷本）卷八　（4–4）

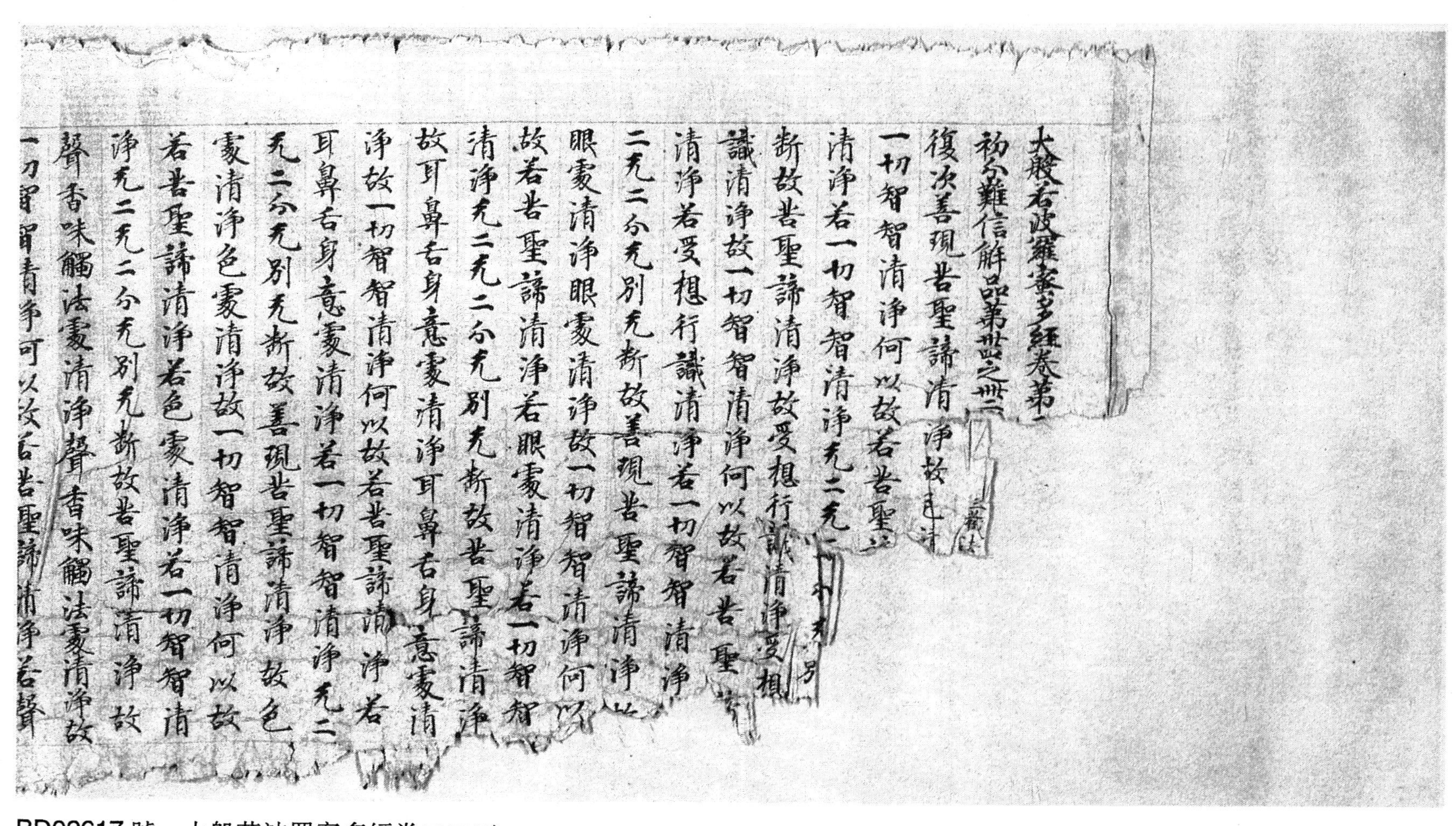
大般若波羅蜜多經卷第二[illegible]
初分難信解品第卅四之卌二
復次善現苦聖諦清淨故色[illegible]
一切智智清淨何以故若苦聖[illegible]
清淨若一切智智清淨无二无[illegible]
斷故苦聖諦清淨故受想行識清淨受想
識清淨故一切智智清淨何以故若苦聖諦
清淨若受想行識清淨若一切智智清淨
二无二分无別无斷故善現苦聖諦清淨故
眼處清淨眼處清淨故一切智智清淨何以
故若苦聖諦清淨若眼處清淨若一切智智
清淨无二无二分无別无斷故苦聖諦清淨
故耳鼻舌身意處清淨耳鼻舌身意處清
淨故一切智智清淨何以故若苦聖諦清淨若
耳鼻舌身意處清淨若一切智智清淨无二
无二分无別无斷故善現苦聖諦清淨故色
處清淨色處清淨故一切智智清淨何以故
若苦聖諦清淨若色處清淨若一切智智清
淨无二无二分无別无斷故苦聖諦清淨故
聲香味觸法處清淨聲香味觸法處清淨故
一切智智清淨何以故若苦聖諦清淨若聲[illegible]

BD02617 號　大般若波羅蜜多經卷二二三　（3–1）

耳鼻舌身意處清淨若一切智智清淨无二
无二分无別无斷故善現苦聖諦清淨故色
處清淨色處清淨故一切智智清淨何以故
若苦聖諦清淨若色處清淨若一切智智清
淨无二无二分无別无斷故苦聖諦清淨故
聲香味觸法處清淨聲香味觸法處清淨故
一切智智清淨何以故若苦聖諦清淨若聲
香味觸法處清淨若一切智智清淨无二无
二分无別无斷故善現苦聖諦清淨故眼界
清淨眼界清淨故一切智智清淨何以故若
苦聖諦清淨若眼界清淨若一切智智清淨
无二无二分无別无斷故苦聖諦清淨故色
界眼識界及眼觸眼觸為緣所生諸受清淨
色界乃至眼觸為緣所生諸受清淨故一切
智智清淨何以故若苦聖諦清淨若色界乃
至眼觸為緣所生諸受清淨若一切智智清
淨无二无二分无別无斷故善現苦聖諦清
淨故耳界清淨耳界清淨故一切智智清淨
何以故若苦聖諦清淨若耳界清淨若一切
智智清淨无二无二分无別无斷故苦聖諦
清淨故聲界耳識界及耳觸耳觸為緣所生
諸受清淨聲界乃至耳觸為緣所生諸受清
淨故一切智智清淨何以故若苦聖諦清淨
若聲界乃至耳觸為緣所生諸受清淨若一
切智智清淨无二无二分无別无斷故善現
苦聖諦清淨故鼻界清淨鼻界清淨故一切
智智清淨何以故若苦聖諦清淨若鼻界清
淨若一切智智清淨无二无二分无別无斷

BD02617 號　大般若波羅蜜多經卷二二三　（3–2）

至眼觸為緣所生諸受清淨若一切智智清
淨无二无二分无別无斷故善現苦聖諦清
淨故耳界清淨耳界清淨故一切智智清淨
何以故若苦聖諦清淨若耳界清淨若一切
智智清淨无二无二分无別无斷故苦聖諦
清淨故聲界耳識界及耳觸耳觸為緣所生
諸受清淨聲界乃至耳觸為緣所生諸受清
淨故一切智智清淨何以故若苦聖諦清淨
若聲界乃至耳觸為緣所生諸受清淨若一
切智智清淨无二无二分无別无斷故善現
苦聖諦清淨故鼻界清淨鼻界清淨故一切
智智清淨何以故若苦聖諦清淨若鼻界清
淨若一切智智清淨无二无二分无別无斷
故苦聖諦清淨故香界鼻識界及鼻觸鼻觸
為緣所生諸受清淨香界乃至鼻觸為緣所
生諸受清淨故一切智智清淨何以故若苦
聖諦清淨若香界乃至鼻觸為緣所生諸受
清淨若一切智智清淨无二无二分无別无
斷故善現苦聖諦清淨故舌界清淨舌界清
淨故一切智智清淨何以故若苦聖諦清淨
若舌界清淨若一切智智清淨无二无二分
无別无斷故苦聖諦清淨故味界舌識界及
舌觸舌觸為緣所生諸受清淨味界乃至舌
觸為緣所生諸受清淨故一切智智清淨何
以故若苦聖諦清淨若味界乃至舌觸為緣

BD02617 號　大般若波羅蜜多經卷二二三　（3–3）

二百廿三

BD02617 號背　勘記　　（1–1）

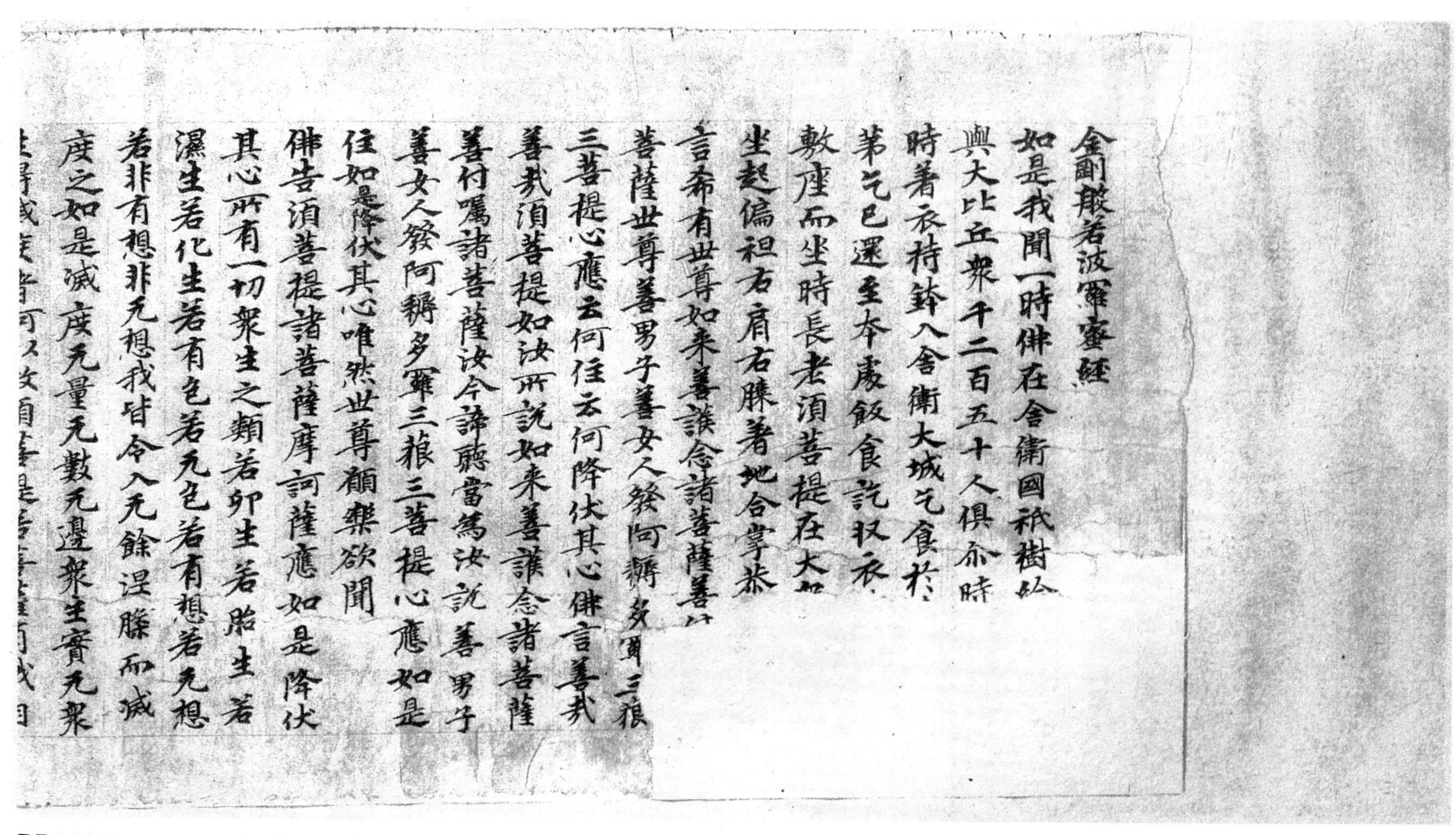
金剛般若波羅蜜經
如是我聞一時佛在舍衛國祇樹給
與大比丘衆千二百五十人俱尒時
時著衣持鉢入舍衛大城乞食於
第乞已還至本處飯食訖收衣
敷座而坐時長老須菩提在大
坐起偏袒右肩右膝著地合掌恭
言希有世尊如來善護念諸菩薩善付
菩薩世尊善男子善女人發阿耨多羅三藐
三菩提心應云何住云何降伏其心佛言善哉
善哉須菩提如汝所說如來善護念諸菩薩
善付囑諸菩薩汝今諦聽當為汝說善男子
善女人發阿耨多羅三藐三菩提心應如是
住如是降伏其心唯然世尊願樂欲聞
佛告須菩提諸菩薩摩訶薩應如是降伏
其心所有一切衆生之類若卵生若胎生若
濕生若化生若有色若无色若有想若无想
若非有想非无想我皆令入无餘涅槃而滅
度之如是滅度无量无數无邊衆生實无衆

BD02618 號　金剛般若波羅蜜經　　（6–1）

佛告須菩提諸菩薩摩訶薩應如是降伏
其心所有一切衆生之類若卵生若胎生若
濕生若化生若有色若无色若有想若无想
若非有想非无想我皆令入无餘涅槃而滅
度之如是滅度无量无數无邊衆生實无衆
生得滅度者何以故須菩提若菩薩有我相
人相衆生相壽者相即非菩薩
復次須菩提菩薩於法應无所住行於布
施所謂不住色布施不住聲香味觸法布施
須菩提菩薩應如是布施不住於相何以故
若菩薩不住相布施其福德不可思量須菩
提於意云何東方虛空可思量不不也世尊
須菩提南西北方四維上下虛空可思量不
不也世尊須菩提菩薩无住相布施福德亦
復如是不可思量須菩提菩薩但應如所教
住須菩提於意云何可以身相見如來不不
也世尊不可以身相得見如來何以故如來
所說身相即非身相佛告須菩提凡所有
相皆是虛妄若見諸相非相則見如來須
菩提白佛言世尊頗有衆生得聞如是言
說章句生實信不佛告須菩提莫住是說如
來滅後後五百歲有持戒脩福者於此章句
能生信心以此為實當知是人不於一佛二
佛三四五佛而種善根已於无量千万佛所
種諸善根聞是章句乃至一念生淨信者須

BD02618號　金剛般若波羅蜜經　（6–2）

說章句生實信不佛告須菩提莫住是說如
來滅後後五百歲有持戒脩福者於此章句
能生信心以此為實當知是人不於一佛二
佛三四五佛而種善根已於无量千万佛所
種諸善根聞是章句乃至一念生淨信者須
菩提如是悉知悉見是諸衆生得如是无量
福德何以故是諸衆生无復我相人相衆生
相壽者相无法相亦无非法相何以故是諸
衆生若心取相則為著我人衆生壽者若取
法相即著我人衆生壽者何以故若取非法
相即著我人衆生壽者是故不應取法不應
取非法以是義故如來常說汝等比丘知我說
法如栰喻者法尚應捨何況非法
須菩提於意云何如來得阿耨多羅三藐三
菩提耶如來有所說法耶須菩提言如我解
佛所說義无有定法名阿耨多羅三藐三菩
提亦无有定法如來可說何以故如來所說
法皆不可取不可說非法非非法所以者何
一切賢聖皆以无為法而有差別須菩提於
意云何若人滿三千大千世界七寶以用布
施是人所得福德寧為多不須菩提言甚多
世尊何以故是福德即非福德性是故如來
說福德多若復有人於此經中受持乃至四
句偈等為他人說其福勝彼何以故須菩提
一切諸佛及諸佛阿耨多羅三藐三菩提法

BD02618號　金剛般若波羅蜜經　（6–3）

世尊何以故是福德即非福德性是故如来
說福德多若復有人於此經中受持乃至四
句偈等為他人說其福勝彼何以故須菩提
一切諸佛及諸佛阿耨多羅三藐三菩提法
皆從此經出須菩提所謂佛法者即非佛法
須菩提於意云何須陁洹能作是念我得須
陁洹果不須菩提言不也世尊何以故須陁
洹名為入流而无所入不入色聲香味觸法
是名須陁洹須菩提於意云何斯陁含能作
是念我得斯陁含果不須菩提言不也世尊
何以故斯陁含名一往来而實无往来是名
斯陁含須菩提於意云何阿那含能作是念
我得阿那含果不須菩提言不也世尊何以
故阿那含名為不来而實无来是故名阿那
含須菩提於意云何阿羅漢能作是念我得
阿羅漢道不須菩提言不也世尊何以故實
无有法名阿羅漢世尊若阿羅漢作是念我
得阿羅漢道即為著我人衆生壽者世尊佛
說我得无諍三昧人中最為第一是第一離
欲阿羅漢我不作是念我是離欲阿羅漢世
尊我若作是念我得阿羅漢道世尊則不說
須菩提是樂阿蘭那行者以須菩提實无所
行而名須菩提是樂阿蘭那行
佛告須菩提於意云何如来昔在燃燈佛
所於法有所得不世尊如来在燃燈佛所於

BD02618號　金剛般若波羅蜜經　（6–4）

須菩提是樂阿蘭那行者以須菩提實无所
行而名須菩提是樂阿蘭那行
佛告須菩提於意云何如来昔在燃燈佛
所於法有所得不世尊如来在燃燈佛所於
法實无所得須菩提於意云何菩薩莊嚴佛
土不不也世尊何以故莊嚴佛土者則非莊嚴
是名莊嚴是故須菩提諸菩薩摩訶薩應如
是生清淨心不應住色生心不應住聲香味
觸法生心應无所住而生其心須菩提譬如
有人身如須弥山王於意云何是身為大不
須菩提言甚大世尊何以故佛說非身是名
大身
須菩提如恒河中所有沙數如是沙等恒河
於意云何是諸恒河沙寧為多不須菩提言
甚多世尊但諸恒河尚多无數何況其沙須
菩提我今實言告汝若有善男子善女人以
七寶滿尒所恒河沙數三千大千世界以用
布施得福多不須菩提言甚多世尊佛告須
菩提若善男子善女人於此經中乃至受持
四句偈等為他人說而此福德勝前福德復
次須菩提隨說是經乃至四句偈等當知此
處一切世間天人阿脩羅皆應供養如佛塔
廟何況有人盡能受持讀誦須菩提當知是
人成就最上第一希有之法若是經典所在
之處則為有佛若尊重弟子

BD02618號　金剛般若波羅蜜經　（6–5）

菩提我今實言告汝若有善男子善女人以
七寶滿尒所恒河沙數三千大千世界以用
布施得福多不須菩提言甚多世尊佛告須
菩提若善男子善女人於此經中乃至受持
四句偈等為他人說而此福德勝前福德復
次須菩提隨說是經乃至四句偈等當知此
處一切世間天人阿脩羅皆應供養如佛塔
廟何況有人盡能受持讀誦須菩提當知是
人成就最上第一希有之法若是經典所在
之處則為有佛若尊重弟子
尒時須菩提白佛言世尊當何名此經我等
云何奉持佛告須菩提是經名為金剛般若
波羅蜜以是名字汝當奉持所以者何須
菩提佛說般若波羅蜜則非般若波羅蜜須菩
提於意云何如來有所說法不須菩提白佛
言世尊如來无所說須菩提於意云何三千
大千世界所有微塵是為多不須菩提言
多世尊須菩提諸微塵如來說非微塵是名
微塵如來說世界非世界是名世界須菩提
於意云何可以三十二相見如來不

BD02618號　金剛般若波羅蜜經　（6–6）

一切善法生從真實生從不放逸生從如
是无量清淨法生如來身諸仁者欲得佛身
斷一切衆生病者當發阿耨多羅三藐三菩
提心如是長者維摩詰為諸問疾者如應說
法令无數千人皆發阿耨多羅三藐三菩提心
弟子品第三
尒時長者維摩詰自念寢疾于牀世尊大慈
寧不垂愍佛知其意即告舍利弗汝行詣維
摩詰問疾舍利弗白佛言世尊我不堪任詣
彼問疾所以者何憶念我昔曾於林中宴坐
樹下時維摩詰來謂我言唯舍利弗不必是
坐為宴坐也夫宴坐者不於三界現身意是
為宴坐不起滅定而現諸威儀是為宴坐不
捨道法而現凡夫事是為宴坐心不住內亦
不住外是為宴坐於諸見不動而脩行三十
七品是為宴坐不斷煩惱而入涅槃是為宴
坐若能如是坐者佛所印可時我世尊聞是
語嘿然而止不能加報故我不任詣彼問疾
佛告大目揵連汝行詣維摩詰問疾目連白
佛言世尊我不堪任詣彼問疾所以者何憶
念我昔入毗耶離大城於里巷中為諸居士

BD02619號　維摩詰所說經卷上　（17–1）

坐若能如是坐者佛所印可時我世尊聞是
語嘿然而止不能加報故我不任詣彼問疾
佛告大目揵連汝行詣維摩詰問疾目連白
佛言世尊我不堪任詣彼問疾所以者何憶
念我昔入毗耶離大城於里巷中爲諸居士
説法時維摩詰來謂我言唯大目連爲白衣
居士説法不當如仁者所説夫説法者當如
法説法无衆生離衆生垢故法无有我離我
垢故法无壽命離生死故法无有人前後際
断故法常寂然滅諸相故法離於相无所緣
故法无名字言語断故法无有説離覺觀故
法无形相如虚空故法无戲論畢竟空故法
无我所離我所故法无分別離諸識故法无
有比无相待故法不屬因不在緣故法同法
性入諸法故法隨於如无所隨故法住實際
諸邊不動故法无動摇不依六塵故法无去
來常不住故法順空隨无相應无作法離好
醜法无增損法无生滅法无所歸法過眼耳
鼻舌身心法无高下法常住不動法離一切
觀行唯大目連法相如是豈可説乎夫説法
者无説无示其聽法者无聞无得譬如幻士
爲幻人説法當建是意而爲説法當了衆生
根有利鈍善於知見无所罣㝵以大悲心讃于
大乘念報佛恩不斷三寶然後説法維摩詰
説是法時八百居士發阿耨多羅三藐三菩
提心我无此辯是故不任詣彼問疾

BD02619 號　維摩詰所説經卷上　（17–2）

者无説无示其聽法者无聞无得譬如幻士
爲幻人説法當建是意而爲説法當了衆生
根有利鈍善於知見无所罣㝵以大悲心讃于
大乘念報佛恩不斷三寶然後説法維摩詰
説是法時八百居士發阿耨多羅三藐三菩
提心我无此辯是故不任詣彼問疾
佛告大迦葉汝行詣維摩詰問疾迦葉白佛
言世尊我不堪任詣彼問疾所以者何憶念
我昔於貧里而行乞食時維摩詰來謂我言唯
大迦葉有慈悲心而不能普捨豪富從貧乞
迦葉住平等法應次行乞食爲不食故應行
乞食爲壞和合相故應取揣食爲不受故應
受彼食以空聚想入於聚落所見色與盲等
所聞聲與響等所嗅香與風等所食味不分
別受諸觸如智證知諸法如幻相无自性无
他性本自不然今則无滅迦葉若能不捨八
邪入八解脱以邪相入正法以一食施一切供
養諸佛及衆賢聖然後可食如是食者非
有煩惱非離煩惱非入定意非起定意非住
世間非住涅槃其有施者无大福无小福不
爲益不爲損是爲正入佛道不依聲聞迦葉
若如是食爲不空食人之施也時我世尊聞説
是語得未曾有即於一切菩薩深起敬心復
作是念斯有家名辯才智慧乃能如是其誰
不發阿耨多羅三藐三菩提心我從是來不復
勸人以聲聞辟支佛行是故不任詣彼問疾
佛告須菩提汝行詣維摩詰問疾須菩提白

BD02619 號　維摩詰所説經卷上　（17–3）

不發阿耨多羅三藐三菩提心我從是來不復
勸人以聲聞辟支佛行是故不任詣彼問疾
佛告須菩提汝行詣維摩詰問疾須菩提白
佛言世尊我不堪任詣彼問疾所以者何憶念
我昔入其舍從乞食時維摩詰取我鉢盛滿
飯謂我言唯須菩提若能於食等者諸法亦
等諸法等者於食亦等如是行乞乃可取食
若須菩提不斷婬怒癡亦不與俱不壞於身
而隨一相不滅癡愛起於明脫以五逆相而
得解脫亦不解不縛不見四諦非不見諦非
得果非不得果非凡夫非離凡夫法非聖人
非不聖人雖成就一切法而離諸法相乃可
取食若須菩提不見佛不聞法彼外道六師
富蘭那迦葉末迦梨拘賒梨子刪闍夜毗羅胝
子阿耆多翅舍欽婆羅迦羅鳩馱迦栴延尼
揵陀若提子等是汝之師因其出家彼師所
墮汝亦隨墮乃可取食若須菩提入諸邪見不
到彼岸住於八難不得无難同於煩惱離清淨
法汝得无諍三昧一切衆生亦得是定其施
汝者不名福田供養汝者墮三惡道為與衆
魔共一手作諸勞侶汝與衆魔及諸塵勞等
无有異於一切衆生而有怨心謗諸佛毀於
法不入衆數終不得滅度汝若如是乃可取
食時我世尊聞此茫然不識是何言不知以
何荅便置鉢欲出其舍維摩詰言唯須菩提
取鉢勿懼於意云何如來所作化人若以是

BD02619號　維摩詰所說經卷上　（17–4）

法不入衆數終不得滅度汝若如是乃可取
食時我世尊聞此茫然不識是何言不知以
何荅便置鉢欲出其舍維摩詰言唯須菩提
取鉢勿懼於意云何如來所作化人若以是
事詰寧有懼不我言不也維摩詰言一切諸
法如幻化相汝今不應有所懼也所以者何
一切言說不離是相至於智者不著文字故
无所懼何以故文字性離无有文字是則解
脫解脫相者則諸法也維摩詰說是法時二百
天子得法眼淨故我不任詣彼問疾
佛告富樓那彌多羅尼子汝行詣維摩詰問
疾富樓那白佛言世尊我不堪任詣彼問疾
所以者何憶念我昔於大林中在一樹下為
諸新學比丘說法時維摩詰來謂我言唯富
樓那先當入定觀此人心然後說法无以穢
食置於寶器當知是比丘心之所念无以琉
璃同彼水精汝不能知衆生根源无得發起
以小乘法彼自无創勿傷之也欲行大道莫
示小徑无以大海內於牛跡无以日光等彼
螢火富樓那此比丘久發大乘心中忘此意如
何以小乘法而教導之我觀小乘智慧微淺
猶如盲人不能分別一切衆生根之利鈍時
維摩詰即入三昧令此比丘自識宿命曾
於五百佛所殖衆德本迴向阿耨多羅三藐
三菩提即時豁然還得本心於是諸比丘稽
首礼維摩詰足時維摩詰因為說法於阿耨

BD02619號　維摩詰所說經卷上　（17–5）

維摩詰即入三昧令此比丘自識宿命曾
於五百佛所殖衆德本迴向阿耨多羅三藐
三菩提即時豁然還得本心於是諸比丘稽
首礼維摩詰足時維摩詰因為說法於阿耨
多羅三藐三菩提不復退轉我念聲聞不觀
人根不應說法是故不任詣彼問疾
佛告摩訶迦旃延汝行詣維摩詰問疾迦旃
延白佛言世尊我不堪任詣彼問疾所以
者何憶念昔者佛為諸比丘略說法要我即
於後敷演其義謂无常義苦義空義无我義
寂滅義時維摩詰來謂我言唯迦旃延无以生滅
心行說實相法迦旃延諸法畢竟不生不滅
是无常義五受陰通達空无所起是苦義諸
法究竟无所有是空義於我无我而不二是
无我義法本不然今則无滅是寂滅義說是
法時彼諸比丘心得解脫故我不任詣彼問疾
佛告阿那律汝行詣維摩詰問疾阿那律白
佛言世尊我不堪任詣彼問疾所以者何憶
念我昔於一處經行時有梵王名曰嚴淨與
万梵俱放淨光明來詣我所稽首作礼問我
言幾何阿那律天眼所見我即答言仁者吾
見此釋迦牟尼佛土三千大千世界如觀掌中
阿摩勒菓時維摩詰來謂我言唯阿那律天
眼為作相耶无作相耶假使作相則與外道
五通等若无作相即是无為不應有見世尊
我時嘿然彼諸梵聞其言得未曾有即為

BD02619 號　維摩詰所說經卷上　（17–6）

阿摩勒菓時維摩詰來謂我言唯阿那律天
眼為作相耶无作相耶假使作相則與外道
五通等若无作相即是无為不應有見世尊
我時嘿然彼諸梵聞其言得未曾有即為
作礼而問曰世孰有真天眼者維摩詰言有佛
世尊得真天眼常在三昧悉見諸佛國土不以
二相於是嚴淨梵王及其眷屬五百梵天皆
發阿耨多羅三藐三菩提心礼維摩詰足已
忽然不現故我不任詣彼問疾
佛告優波離汝行詣維摩詰問疾優波離白
佛言世尊我不堪任詣彼問疾所以者何憶
念昔者有二比丘犯律行以為恥不敢問佛
來問我言唯優波離我等犯律誠以為恥不
敢問佛願解疑悔得免斯咎我即為其如法
解說時維摩詰來謂我言唯優波離无重增
此二比丘罪當直除滅勿擾其心所以者何
彼罪性不在內不在外不在中間如佛所說
心垢故衆生垢心淨故衆生淨心亦不在內
不在外不在中間如其心然罪垢亦然諸法
亦然不出於如如優波離以心相得解脫時
寧有垢不我言不也維摩詰言一切衆生心
相无垢亦復如是唯優波離妄想是垢无妄
想是淨顛倒是垢无顛倒是淨取我是垢不
取我是淨優波離一切法生滅不住如幻
如電諸法不相待乃至一念不住諸法皆妄
見如夢如炎如水中月如鏡中像以妄想生其
知此者是名奉律其知此者是名善解於是

BD02619 號　維摩詰所說經卷上　（17–7）

如電諸法不相待乃至一念不住諸法皆妄
見如夢如炎如水中月如鏡中像以妄相生其
知此者是名奉律其知此者是名善解於是
二比丘言上智哉是優波離所不能及持律之
上而不能說我答言自捨如來未有聲聞及
菩薩能制其樂說之辯其智慧明達為若此
也時二比丘疑悔即除發阿耨多羅三藐三
菩提心作是願言令一切衆生皆得是辯故
我不任詣彼問疾
佛告羅睺羅汝行詣維摩詰問疾羅睺羅白
佛言世尊我不堪任詣彼問疾所以者何憶
念昔時毗耶離諸長者子來詣我所稽首作
礼問我言唯羅睺羅汝佛之子捨轉輪王位
出家為道其出家者有何等利我即如法為
說出家功德之利時維摩詰來謂我言唯羅
睺羅不應說出家功德之利所以者何无利
无功德是為出家有為法者可說有利有
功德夫出家者為无為法无為法中无利无功
德羅睺羅出家者无彼无此亦无中間離六
十二見處於涅槃智者所受聖所行處降伏
衆魔度五道淨五眼得五力立五根不惱於
彼離衆雜惡摧諸外道超越假名出於泥无
繫著无我所无所受无擾亂內懷喜護彼意
隨禪定離衆過若能如是是真出家於是維
摩詰語諸長者子汝等於正法中宜共出家
所以者何佛世難值諸長者子言居士我聞

BD02619號　維摩詰所說經卷上　（17–8）

繫著无我所无所受无擾亂內懷喜護彼意
隨禪定離衆過若能如是是真出家於是維
摩詰語諸長者子汝等於正法中宜共出家
所以者何佛世難值諸長者子言居士我聞
佛言父母不聽不得出家維摩詰言然汝等
便發阿耨多羅三藐三菩提心是即出家是
即具足尒時卅二長者子皆發阿耨多羅三
藐三菩提心故我不任詣彼問疾
佛告阿難汝行詣維摩詰問疾阿難白佛言
世尊我不堪任詣彼問疾所以者何憶念昔
時世尊身小有疾當用牛乳我即持鉢詣大
婆羅門家門下立時維摩詰來謂我言唯阿
難何為晨朝持鉢住此我言居士世尊身小
有疾當用牛乳故來至此維摩詰言止止阿
難莫作是語如來身者金剛之體諸惡已斷
衆善普會當有何疾當有何惱嘿往阿難勿
謗如來莫使異人聞此麤言无令大威德諸
天及他方淨土諸來菩薩得聞斯語阿難轉
輪聖王以少福故尚得无病豈況如來无量
福會普勝者哉行矣阿難勿使我等受斯
耻也外道梵志若聞此語當作是念何名
為師自疾不能救而能救諸疾人可密速去
勿使人聞當知阿難諸如來身即是法身非
思欲身佛為世尊過於三界佛身无漏諸漏
已盡佛身无為不墮諸數如此之身當有何
病時我世尊實懷慙愧得无近佛而謬聽
耶即聞空中聲曰阿難如居士言但為佛出

BD02619號　維摩詰所說經卷上　（17–9）

為師自疾不能救而能救諸疾人可密速去
勿使人聞當如阿難諸如來身即是法身非
思欲身佛為世尊過於三界佛身无漏諸漏
已盡佛身无為不墮諸數如此之身當有何
病時我世尊實懷慚愧得无近佛而謬聽
耶即聞空中聲曰阿難如居士言但為佛出
五濁惡世現行斯法度脫衆生行矣阿難取
乳勿慚世尊維摩詰智慧辯才為若此也是
故不任詣彼問疾如是五百大弟子各各向
佛說其本緣稱述維摩詰所言皆曰不任詣
彼問疾

菩薩品第四

於是佛告弥勒菩薩汝行詣維摩詰問疾弥
勒白佛言世尊我不堪任詣彼問疾所以者
何憶念我昔為兜率天王及其眷屬說不退
轉地之行時維摩詰來謂我言弥勒世尊授
仁者記一生當得阿耨多羅三藐三菩提為
用何生得受記乎過去耶未來耶現在耶若
過去生過去生已滅若未來生未來生未至
若現在生現在生无住如佛所說比丘汝今
即時亦生亦老亦滅若以无生得受記者无
生即是正位於正位中亦无受記亦无得阿
耨多羅三藐三菩提云何弥勒受一生記乎
為從如生得受記耶為從如滅得受記耶若
以如生得受記者如无有生若以如滅得受
記者如无有滅一切衆生皆如也一切法亦

生即是正位於正位中亦无受記亦无得阿
耨多羅三藐三菩提云何弥勒受一生記乎
為從如生得受記耶為從如滅得受記耶若
以如生得受記者如无有生若以如滅得受
記者如无有滅一切衆生皆如也一切法亦
如也衆賢聖亦如也至於弥勒亦如也若弥
勒得受記者一切衆生亦應受記所以者何
夫如者不二不異若弥勒得阿耨多羅三藐
三菩提者一切衆生皆亦應得所以者何一
切衆生即菩提相若弥勒得滅度者一切衆
生亦當滅度所以者何諸佛知一切衆生畢
竟寂滅即涅槃相不復更滅是故弥勒无以
此法誘諸天子實无發阿耨多羅三藐三菩
提心者亦无退者弥勒當令此諸天子捨於
分別菩提之見所以者何菩提者不可以身
得不可以心得寂滅是菩提滅諸相故不觀
是菩提離諸緣故不行是菩提无憶念故斷
是菩提捨諸見故離是菩提離諸妄想故鄣
是菩提鄣諸願故不入是菩提无貪著故
順是菩提順於如故住是菩提住法性故至
是菩提至實際故不二是菩提離意法故等
是菩提等虛空故无為是菩提无生住滅故
智是菩提了衆生心行故不會是菩提諸入
不會故不合是菩提離煩惱習故无處是菩
提无形色故假名是菩提名字空故如化是菩
提无取捨故无亂是菩提常自靜故善寂是

是菩提等虛空故无為是菩提无生住滅故
智是菩提了衆生心行故不會是菩提諸入
不會故不合是菩提離煩惱習故无處是菩
提无形色故假名是菩提名字空故如化是菩
提无取捨故无亂是菩提常自靜故善寂是
菩提性清淨故无取是菩提離攀緣故无異
是菩提諸法等故无比是菩提不可喻故微
妙是菩提諸法難知故世尊維摩詰說是法
時二百天子得无生法忍故我不任詣彼問疾
佛告光嚴童子汝行詣維摩詰問疾光嚴白
佛言世尊我不堪任詣彼問疾所以者何憶
念我昔出毗耶離大城時維摩詰方入城我
即為作礼而問言居士從何所来荅我言吾
從道場来我問道場者何所是荅曰直心是
道場无虛假故發行是道場能辨事故深心
是道場增益功德故菩提心是道場无錯謬
故布施是道場不望報故持戒是道場得願
具足故忍辱是道場於諸衆生心无㝵故精
進是道場不懈息故禪定是道場心調柔故智
慧是道場現見諸法故慈是道場等心衆生
故悲是道場忍疲苦故喜是道場悅樂法故
捨是道場憎愛斷故神通是道場成就六通
故解脫是道場能背捨故方便是道場教化
衆生故四攝法是道場攝衆生故多聞是道
場如聞行故伏心是道場正觀諸法故卅七
品是道場捨有為法故諦是道場不誑世間
故緣起是道場无明乃至老死皆无盡故諸

衆生故四攝法是道場攝衆生故多聞是道
場如聞行故伏心是道場正觀諸法故卅七
品是道場捨有為法故諦是道場不誑世間
故緣起是道場无明乃至老死皆无盡故諸
煩惱是道場知如實故衆生是道場知无我
故一切法是道場知諸法空故降魔是道場
不傾動故三界是道場无所趣故師子吼是道
場无所畏故力无畏不共法是道場无諸過
故三明是道場无餘㝵故一念知一切法是
道場成就一切智故如是善男子菩薩若應
諸波羅蜜教化衆生諸有所作舉足下足當
知皆從道場来住於佛法矣說是法時五百
天人皆發阿耨多羅三藐三菩提心故我不
任詣彼問疾
佛告持世菩薩汝行詣維摩詰問疾持世白
佛言世尊我不堪任詣彼問疾所以者何憶
念我昔住於靜室時魔波旬從万二千天女
狀如帝釋鼓樂弦歌来詣我所與其眷屬稽
首我足合掌恭敬於一面立我意謂是帝釋
而語之言善来憍尸迦雖福應有不當自恣
當觀五欲无常以求善本於身命財而脩堅
法即語我言正士受是万二千天女可備掃
灑我言憍尸迦无以此非法之物要我沙門
釋子此非我宜所言未訖時維摩詰来謂我
言非帝釋也是為魔来嬈故汝耳即語魔
言是諸女等可以與我如我應受魔即驚懼
念維摩詰將无惱我欲隱形去而不能隱盡

灑我言憍尸迦无以此非法之物要我沙門
釋子此非我宜所言未訖時維摩詰来謂我
言非帝釋也是為魔来嬈故汝耳即語魔
言是諸女等可以與我如我應受魔即驚懼
念維摩詰將无惱我欲隱形去而不能隱盡
其神力亦不得去即聞空中聲曰波旬以女
與之乃可得去魔以畏故俛仰而與尒時維
摩詰語諸女言魔以汝等與我今汝等皆
當發阿耨多羅三藐三菩提心即隨所應而
為說法令發道意復言汝等已發道意有法
樂可以自娛不應復樂五欲樂也天女即問
何謂法樂荅言樂常信佛樂欲聽法樂供養
衆樂離五欲樂觀五陰如怨賊樂觀四大如
毒虵樂觀內入如空聚樂隨護道意樂饒益
衆生樂供養師長樂廣行施樂堅持戒樂忍
辱柔和樂懃集善根樂禪定不亂樂離垢明
慧樂廣菩提心樂降伏衆魔樂斷諸煩惱樂
淨佛國土樂成就相好故脩諸功德樂莊嚴
道場樂聞深法不畏樂三解脫門不樂非時
樂近同學不樂於非同學中心无恚㝵樂將
護惡知識樂近善知識樂心喜清淨樂脩无量
道品之法是為菩薩法樂於是波旬告諸女
言我欲與汝俱還天宮諸女言以我等與此
居士有法樂我等甚樂不復樂於五欲樂也
魔言居士可捨此女一切所有施於彼者是
為菩薩維摩詰言我以捨矣汝便將去令一
切衆生得法願具足於是諸女問維摩詰

BD02619 號　維摩詰所說經卷上　（17–14）

道品之法是為菩薩法樂於是波旬告諸女
言我欲與汝俱還天宮諸女言以我等與此
居士有法樂我等甚樂不復樂於五欲樂也
魔言居士可捨此女一切所有施於彼者是
為菩薩維摩詰言我以捨矣汝便將去令一
切衆生得法願具足於是諸女問維摩詰
我等云何止於魔宮維摩詰言諸姊有
法門名无盡燈汝等當學无盡燈者譬如一
燈燃百千燈瞑者皆明明終不盡如是諸姊
夫一菩薩開導百千衆生令發阿耨多羅三
藐三菩提心於其道意亦不㓕盡隨所說法
而自增益一切善法是名无盡燈也汝等雖
住魔宮以是无盡燈令无數天子天女皆發
阿耨多羅三藐三菩提心者為報佛恩亦大
饒益一切衆生尒時天女頭面礼維摩詰足
隨魔還宮忽然不見世尊維摩詰有如是自
在神力智慧辯才故我不任詣彼問疾
佛告長者子善德汝行詣維摩詰問疾善德
白佛言世尊我不堪任詣彼問疾所以者何
憶念我昔自於父舍設大施會供養一切沙
門婆羅門及諸外道貧窮下賤孤獨乞人期
滿七日時維摩詰來入會中謂我言長者子
夫大施會不當如汝所設當為法施之會何
用是財施會為我言居士何謂法施之會法
施會者无前无後一時供養一切衆生是名
法施之會何謂也謂以菩提起於慈心以救
衆生起大悲心以持正法起於喜心以攝智

BD02619 號　維摩詰所說經卷上　（17–15）

用是財施會爲我言居士何謂法施之會法
施會者无前无後一時供養一切衆生是名
法施之會何謂也謂以菩提起於慈心以救
衆生起大悲心以持正法起於喜心以攝智
慧行於捨心以攝慳貪起檀波羅蜜以化犯
戒起尸波羅蜜以无我法起羼提波羅蜜以
離身心相起毗梨耶波羅蜜以菩提相起禪
波羅蜜以一切智起般若波羅蜜教化衆生
而起於空不捨有爲法而起无相示現受生
而起无作護持正法起方便力以度衆生起
四攝法以敬事一切起除慢法於身命財起
三堅法於六念中起思念法於六和敬起質
直心正行善法起於淨命心淨歡喜起近賢聖
不憎惡人起調伏心以出家法起於深心以
如說行起於多聞以无諍法起空閑處起向
佛慧起於宴坐解衆生縛起脩行地以具相
好及淨佛土起福德業知一切衆生心念如
應說法起於智業知一切法不取不捨入一
相門起於慧業斷一切煩惱一切鄣导一切
不善法起一切善業以得一切智慧一切善
法起於一切助佛道法如是善男子是爲法
施之會若菩薩住是法施會者爲大施主亦
爲一切世間福田世尊維摩詰說是法時婆
羅門衆中二百人皆發阿耨多羅三藐三菩
提心我時心得清淨嘆未曾有稽首礼維摩
詰足即解瓔珞價直百千以上之不肯取我

BD02619號　維摩詰所說經卷上　（17–16）

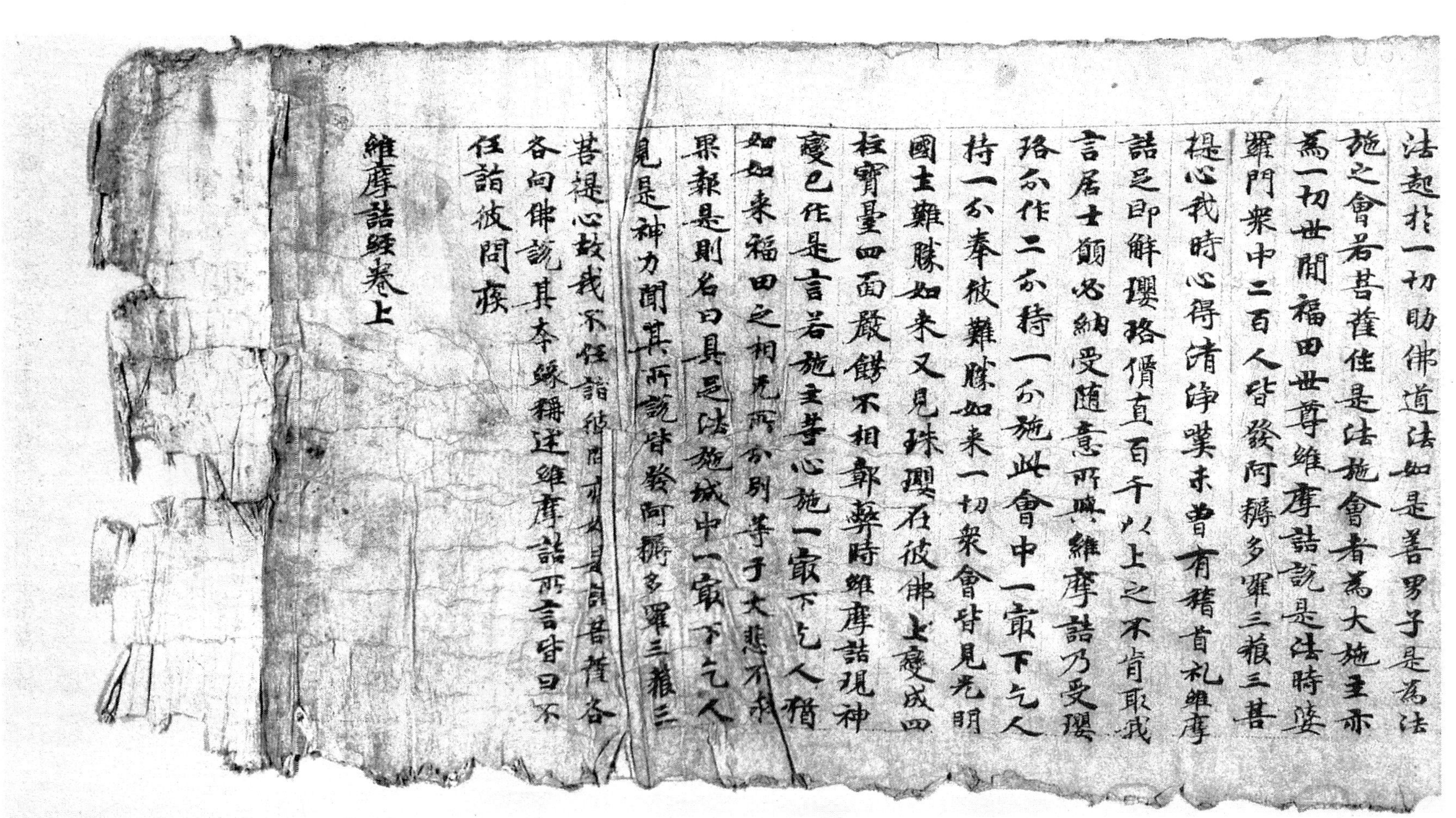

法起於一切助佛道法如是善男子是爲法
施之會若菩薩住是法施會者爲大施主亦
爲一切世間福田世尊維摩詰說是法時婆
羅門衆中二百人皆發阿耨多羅三藐三菩
提心我時心得清淨嘆未曾有稽首礼維摩
詰足即解瓔珞價直百千以上之不肯取我
言居士願必納受隨意所與維摩詰乃受瓔
珞分作二分持一分施此會中一最下乞人
持一分奉彼難勝如來一切衆會皆見光明
國土難勝如來又見珠瓔在彼佛上變成四
柱寶臺四面嚴飾不相鄣蔽時維摩詰現神
變已作是言若施主等心施一最下乞人猶
如如來福田之相无所分別等于大悲不求
果報是則名曰具足法施城中一最下乞人
見是神力聞其所說皆發阿耨多羅三藐三
菩提心故我不任詣彼問疾如是諸菩薩各
各向佛說其本緣稱述維摩詰所言皆曰不
任詣彼問疾

維摩詰經卷上

BD02619號　維摩詰所說經卷上　（17–17）

須菩提於意云何菩薩
尊何以故莊嚴佛土者
是故須菩提諸菩薩摩訶薩應如是生清
淨心不應住色生心不應住聲香味觸法生
心應无所住而生其心須菩提譬如有人身
如須弥山王於意云何是身為大不須菩提
言甚大世尊何以故佛說非身是名大身
須菩提如恒河中所有沙數如是沙等恒河
於意云何是諸恒河沙寧為多不須菩提言
甚多世尊但諸恒河尚多无數何況其沙須
菩提我今實言告汝若有善男子善女人以
七寶滿尒所恒河沙數三千大千世界以用
布施得福多不須菩提言甚多世尊佛告須
菩提若善男子善女人於此經中乃至受持
四句偈等為他人說而此福德勝前福德
復次須菩提隨說是經乃至四句偈等當知
此處一切世間天人阿脩羅皆應供養如佛
塔廟何況有人盡能受持讀誦須菩提當
知是人成就最上第一希有之法若是經典
所在之處則為有佛若尊重弟子
尒時須菩提白佛言世尊當何名此經我等
云何奉持佛告須菩提是經名為金剛般若
波羅蜜以是名字汝當奉持所以者何須菩

BD02620號　金剛般若波羅蜜經　（8–1）

四句偈等為他人說而此福德勝前福德
復次須菩提隨說是經乃至四句偈等當知
此處一切世間天人阿脩羅皆應供養如佛
塔廟何況有人盡能受持讀誦須菩提當
知是人成就最上第一希有之法若是經典
所在之處則為有佛若尊重弟子
尒時須菩提白佛言世尊當何名此經我等
云何奉持佛告須菩提是經名為金剛般若
波羅蜜以是名字汝當奉持所以者何須菩
提佛說般若波羅蜜則非般若波羅蜜須菩
提於意云何如來有所說法不須菩提白佛
言世尊如來无所說須菩提於意云何三千
大千世界所有微塵是為多不須菩提言甚
多世尊須菩提諸微塵如來說非微塵是
名微塵如來說世界非世界是名世界須菩
提於意云何可以三十二相見如來不不也世
尊不可以三十二相得見如來何以故如來
說三十二相即是非相是名三十二相
須菩提若有善男子善女人以恒河沙等身
命布施若復有人於此經中乃至受持四句偈
等為他人說其福甚多
尒時須菩提聞說是經深解義趣涕淚悲
泣而白佛言希有世尊佛說如是甚深經典
我從昔來所得慧眼未曾得聞如是之經世尊
若復有人得聞是經信心清淨則生實相當
知是人成就第一希有功德世尊是實相者
則是非相是故如來說名實相世尊我今得
聞如是經典信解受持不足為難若當來世

BD02620號　金剛般若波羅蜜經　（8–2）

尒時須菩提聞說是經深解義趣涕淚悲
泣而白佛言希有世尊佛說如是甚深經典
我從昔來所得慧眼未曾得聞如是之經世尊
若復有人得聞是經信心清淨則生實相當
知是人成就第一希有功德世尊是實相者
則是非相是故如來說名實相世尊我今得
聞如是經典信解受持不足為難若當來世
後五百歲其有眾生得聞是經信解受持是
人則為第一希有何以故此人无我相人相眾
生相壽者相所以者何我相即是非相人相
眾生相壽者相即是非相何以故離一切諸
相則名諸佛
佛告須菩提如是如是若復有人得聞是經
不驚不怖不畏當知是人甚為希有何以故
須菩提如來說第一波羅蜜非第一波羅蜜
是名第一波羅蜜
須菩提忍辱波羅蜜如來說非忍辱波羅蜜
何以故須菩提如我昔為歌利王割截身體
我於尒時无我相无人相无眾生相无壽者
相何以故我於往昔節節支解時若有我相
人相眾生相壽者相應生瞋恨須菩提又念
過去於五百世作忍辱仙人於尒所世无我
相无人相无眾生相无壽者相是故須菩提
菩薩應離一切相發阿耨多羅三藐三菩提
心不應住色生心不應住聲香味觸法生心
應生无所住心若心有住則為非住是故佛
說菩薩心不應住色布施須菩提菩薩為

BD02620號　金剛般若波羅蜜經　（8–3）

相无人相无眾生相无壽者相是故須菩提
菩薩應離一切相發阿耨多羅三藐三菩提
心不應住色生心不應住聲香味觸法生心
應生无所住心若心有住則為非住是故佛
說菩薩心不應住色布施須菩提菩薩為
利益一切眾生應如是布施如來說一切諸
相即是非相又說一切眾生則非眾生
須菩提如來是真語者實語者如語者不
誑語者不異語者須菩提如來所得法此
法无實无虛
須菩提若菩薩心住於法而行布施如人入
闇則无所見若菩薩心不住法而行布施如
人有目日光明照見種種色
須菩提當來之世若善男子善女人能於此
經受持讀誦則為如來以佛智慧悉知是人
悉見是人皆得成就无量无邊功德
須菩提若有善男子善女人初日分以恒河
沙等身布施中日分復以恒河沙等身布
施後日分亦以恒河沙等身布施如是无量百
千万億劫以身布施若復有人聞此經典信
心不逆其福勝彼何況書寫受持讀誦為
人解說
須菩提以要言之是經有不可思議不可稱
量无邊功德如來為發大乘者說為發最上
乘者說若有人能受持讀誦廣為人說如來
悉知是人悉見是人皆得成就不可量不可
稱无有邊不可思議功德如是人等則為荷

BD02620號　金剛般若波羅蜜經　（8–4）

須菩提以要言之是經有不可思議不可稱
量无邊功德如來爲發大乘者說爲發最上
乘者說若有人能受持讀誦廣爲人說如來
悉知是人悉見是人皆得成就不可量不可
稱无有邊不可思議功德如是人等則爲荷
擔如來阿耨多羅三藐三菩提何以故須菩
提若樂小法者著我見人見衆生見壽者見
則於此經不能聽受讀誦爲人解說須菩提
在在處處若有此經一切世間天人阿脩羅
所應供養當知此處則爲是塔皆應恭敬作
礼圍繞以諸華香而散其處
復次須菩提善男子善女人受持讀誦此經
若爲人輕賤是人先世罪業應墮惡道以今
世人輕賤故先世罪業則爲消滅當得阿耨
多羅三藐三菩提須菩提我念過去无量阿
僧祇劫於然燈佛前得值八百四千万億那
由他諸佛悉皆供養承事无空過者若復
有人於後末世能受持讀誦此經所得功德
於我所供養諸佛功德百分不及一千万億
分乃至筭數譬喻所不能及須菩提若善男
子善女人於後末世有受持讀誦此經所得功
德我若具說者或有人聞心則狂亂狐疑不
信須菩提當知是經義不可思議果報亦不
可思議
尒時須菩提白佛言世尊善男子善女人發
阿耨多羅三藐三菩提心云何應住云何降
伏其心佛告須菩提善男子善女人發阿耨

BD02620 號　金剛般若波羅蜜經　（8–5）

德我若具說者或有人聞心則狂亂狐疑不
信須菩提當知是經義不可思議果報亦不
可思議
尒時須菩提白佛言世尊善男子善女人發
阿耨多羅三藐三菩提心云何應住云何降
伏其心佛告須菩提善男子善女人發阿耨
多羅三藐三菩提者當生如是心我應滅度
一切衆生滅度一切衆生已而无有一衆生
實滅度者何以故若菩薩有我相人相衆生
相壽者相則非菩薩所以者何須菩提實无
有法發阿耨多羅三藐三菩提者
須菩提於意云何如來於然燈佛所有法得
阿耨多羅三藐三菩提不不也世尊如我解
佛所說義佛於然燈佛所无有法得阿
耨多羅三藐三菩提佛言如是如是須菩提實
无有法如來得阿耨多羅三藐三菩提須菩提
若有法如來得阿耨多羅三藐三菩提者然燈
佛則不與我受記汝於來世當得作佛号釋
迦牟尼以實无有法得阿耨多羅三藐三菩
提是故然燈佛與我受記作是言汝於來世
當得作佛号釋迦牟尼何以故如來者即諸
法如義若有人言如來得阿耨多羅三藐三
菩提須菩提實无有法佛得阿耨多羅三藐
三菩提須菩提如來所得阿耨多羅三藐三
菩提於是中无實无虛是故如來說一切法
皆是佛法須菩提所言一切法者即非一切
法是故名一切法
須菩提譬如人身長大須菩提言世尊如來

BD02620 號　金剛般若波羅蜜經　（8–6）

三菩提須菩提如来所得阿耨多羅三藐三
菩提於是中无實无虛是故如来說一切法
皆是佛法須菩提所言一切法者即非一切
法是故名一切法
須菩提譬如人身長大須菩提言世尊如来
說人身長大則為非大身是名大身
須菩提菩薩亦如是若作是言我當滅度无
量衆生則不名菩薩何以故須菩提實无有
法名為菩薩是故佛說一切法无我无人无
衆生无壽者須菩提若菩薩作是言我當莊
嚴佛土是不名菩薩何以故如来說莊嚴佛
土者即非莊嚴是名莊嚴須菩提若菩薩通
達无我法者如来說名真是菩薩
須菩提於意云何如来有肉眼不如是世尊
如来有肉眼須菩提於意云何如来有天眼
不如是世尊如来有天眼須菩提於意云何
如来有慧眼不如是世尊如来有慧眼須菩
提於意云何如来有法眼不如是世尊如来有
法眼須菩提於意云何如来有佛眼不如
是世尊如来有佛眼須菩提於意云何恒河
中所有沙佛說是沙不如是世尊如来說是
沙須菩提於意云何如一恒河中所有沙有
如是等恒河是諸恒河所有沙數佛世界如
是寧為多不甚多世尊佛告須菩提尒所國
土中所有衆生若干種心如来悉知何以故
如来說諸心皆為非心是名為心所以者何須
菩提過去心不可得現在心不可得未来心

沙須菩提於意云何如一恒河中所有沙有
如是等恒河是諸恒河所有沙數佛世界如
是寧為多不甚多世尊佛告須菩提尒所國
土中所有衆生若干種心如来悉知何以故
如来說諸心皆為非心是名為心所以者何須
菩提過去心不可得現在心不可得未来心
不可得須菩提於意云何若有人滿三千
大千世界七寶以用布施是人以是因緣得福
多不如是世尊此人以是因緣得福甚多
須菩提若福德有實如来不說得福德多以
福德无故如来說得福德多
須菩提於意云何佛可以具足色身見不不
世世尊如来不應以具足色身見何以故如
来說具足色身即非具足色身是名具足色
身須菩提於意云何如来可以具足諸相見不
不世世尊如来不應以具足諸相見何以故如
来說諸相具足即非具足是名諸相具足須
菩提汝勿謂如来作是念我當有所說法
莫作是念何以故若人言如来有所說法即
為謗佛不能解我所說故須菩提說法者无
法可說是名說法
須菩提白佛言世尊得阿耨多羅三藐三菩
提為无所得耶如是如是須菩提我於阿
耨多羅三藐三菩提乃至无有少法可得

佛說要行捨身經

如是我聞一時佛在王舍城耆闍崛山中與大比丘衆千二
百五十人俱皆是大阿羅漢大迦葉波而爲上首并
諸獨覺一千人俱殊勝菩薩而爲上首諸大菩薩八千人俱
地藏菩薩而爲上首大梵天王釋提桓因四大天王龍神八
部諸……鄔波索迦鄔波斯迦介時世尊於此衆
中依然而笑放大光明照屍陁林及此大會未久之間其光還
復從口而入端身而坐正念不動介時迦葉波即從座起偏
右肩遶佛三匝即於佛前右膝著地而白佛言世尊如來
何故於此衆中依然而笑放大光明照屍陁林及此大會未久之
間其光還復從口而入端身而坐正念不動唯願如來說
其意佛言善哉善哉善男子汝當諦聽善思念之吾當爲
汝說真要法我以佛眼觀此林中捨身行者未來當獲無上菩提
若有有情能發勝上捨身之意心生平等无有愛憎不生懈
隱若能一發是心雖未捨身是人已過二乘之行百千万倍即
共諸菩薩等一切同志況捨身命普及有情有如是功德我若具
說不可窮盡迦葉波白佛言世尊如來所從屍陁林普施一切有情
是義不然不名爲善若是善者水陸有情即无有分唯願
如來普示我義佛言善男子我正許說汝方問若有有情
能施身分分爲二分一分水中一分陸地是人命欲終時囑善
知識同志願者分割其身以爲二分是分身者所得功德與捨
身人功德无二我念過去然燈佛時在舍衛國循善提願捨身
命皮肉筋骨心相續弥勒于時爲我善友我命既盡即分二

BD02621 號　要行捨身經　（4–1）

共諸菩薩等一切同志況捨身命普及有情有如是功德我若具
說不可窮盡迦葉波白佛言世尊如來所從屍陁林普施一切有情
是義不然不名爲善若是善者水陸有情即无有分唯願
如來普示我義佛言善男子我正許說汝方問若有有情
能施身分分爲二分一分水中一分陸地是人命欲終時囑善
知識同志願者分割其身以爲二分是分身者所得功德與捨
身人功德无二我念過去然燈佛時在舍衛國循善提願捨身
命皮肉筋骨心相續弥勒于時爲我善友我命既盡即分二
分矣豈如法慈氏合掌即發願言以此微供普及有情水陸空行
一切都食緣是功德无未已來恒相值遇與爲眷屬次復作佛
佛即其人也我因捨身發大誓言若有有情飢食我肉渴
飲我血既飲噉已願令一切有情因食我肉發菩提心離飢渴
苦未來當得法喜食等資自性身飲我血者離諸愛渴當
獲法水灌注心源愛法住資變化身以是義故疾得无上正等菩
提又迦葉波我於因地初發心時三度无捨至萬四生即能
生捨不生貪愛於空王佛時悟空理即作薩埵王子施
身餓虎飼於七子亦作月光大王廣惠千首亦爲達拏
太子布施妻兒亦爲慈力悲王施軀於五夜叉爲求法故於
雪山邊求半偈以施其身餘其羅剎若我廣說无始已來
捨身命於百千劫不可說盡何以故都由因地初發心時无捨
身故迦葉波白佛言世尊如是善人但行捨身无量功德不
審未施已前多生造罪先世惡業捨身福報得滅以不佛言
善男子若有有情多生煞害一切有情處娑訶界四重五逆
謗方等經乃至食噉一切有情血肉如是等罪无量无邊
若有有情能施身分普濟有情除飢渴苦如上之罪悉
皆消滅從无始已來所有殃咎……

BD02621 號　要行捨身經　（4–2）

太子布施妻兒亦為慈力悲王施髓於五夜叉為求法故於
靈山邊求半偈以施其身餧其羅刹若我廣說无始已來
捨身命於百千劫不可說盡何以故都由因地初發心時死捨
身故迦葉波白佛言世尊如是善人但行捨身无量功德不
審未施已前多生造罪先世惡業捨身福報得滅以不佛言
善男子若有有情多生煞害一切有情廣造諸罪四重五逆
誹謗方等經乃至重食取一切有情血肉如是等罪无量无邊
若有有情能施身分普濟有情除飢渴苦如上之罪悉
皆消滅從无始已來所有殃咎速滅无餘緣捨身故即
是大慚愧悔悉誠懺愧十方三世一切諸佛皆悉懺業障
子假使有人從无始已來作偷僧祇物常住僧物見
前僧物不淨說法大師重犯如是等罪應入捺洛餓鬼傍
生多百千劫不得解脫恐後來苦即請召集娑訶世
界三明六通具八解脫大阿羅漢若凡若聖一切僧尼聚
在一處懺悔其罪亦不可滅何以故即有百千殑伽娑
訶世界一切眾僧清淨眾海即不來集以是因緣罪難
除滅是故云常住僧物普通法界上至龍仙下及沙彌
悉皆有分不如有人於一切生處願捨此身皮肉筋骨悉
心相續如上之罪悉皆除滅天曹地府所有薄籍自然除
滅以是因緣我見是利故勸諸有情當施身分必獲得
无上菩提爾時世尊告彌勒菩薩言慈氏如是此經汝
當護持於贍部洲廣宣流布无令斷絕爾時彌勒菩薩
白佛言世尊如來滅度惡世之中善男子善女人發勇猛
心以身布施一切有情為種波羅蜜故如是等人我於龍花
初首皆令得度唯願佛曰更不有處大梵天王釋提桓因
四天大王龍神八部諸苾芻苾芻尼鄔波索迦鄔波斯迦
白佛言世尊如此人等我等從今為作衛護不令有人作
於留難所以者何如此人輩必定獲得无等正覺爾時慶喜

BD02621 號　要行捨身經　（4–3）

在一處懺悔其罪亦不可滅何以故即有百千殑伽娑
訶世界一切眾僧清淨眾海即不來集以是因緣罪難
除滅是故云常住僧物普通法界上至龍仙下及沙彌
悉皆有分不如有人於一切生處願捨此身皮肉筋骨悉
心相續如上之罪悉皆除滅天曹地府所有薄籍自然除
滅以是因緣我見是利故勸諸有情當施身分必獲得
无上菩提爾時世尊告彌勒菩薩言慈氏如是此經汝
當護持於贍部洲廣宣流布无令斷絕爾時彌勒菩薩
白佛言世尊如來滅度惡世之中善男子善女人發勇猛
心以身布施一切有情為種波羅蜜故如是等人我於龍花
初首皆令得度唯願佛曰更不有處大梵天王釋提桓因
四天大王龍神八部諸苾芻苾芻尼鄔波索迦鄔波斯迦
白佛言世尊如此人等我等從今為作衛護不令有人作
於留難所以者何如此人輩必定獲得无等正覺爾時慶喜
白佛言世尊當何名之佛告慶喜此經名諸佛要行捨
身功德經爾時一切天人阿素洛等聞佛所說信受奉行

佛說要行捨身經

BD02621 號　要行捨身經　（4–4）

佛說要行捨身經

BD02621號背　勘記　　(1–1)

耨當爲
藐三菩提
心唯然世尊願樂欲聞
佛告……提諸菩薩摩訶薩應如
心所有一切衆生之類若卵生若
生若化生若有色若无色若有想若无想若
非有想若非无想我皆令入无餘涅槃而滅
度之如是滅度无量无數无邊衆生實无衆
生得滅度者何以故須菩提若菩薩有我相
人相衆生相壽者相即非菩薩
復次須菩提菩薩於法應无所住行於布施
所謂不住色布施不住聲香味觸法布施須
菩提菩薩應如是布施不住於相何以故若
菩薩不住相布施其福德不可思量須菩提
於意云何東西虛空可思量不不也世尊須
菩提南西北方四維上下虛空可思量不不
也世尊須菩提菩薩无住相布施福德亦復
如是不可思量須菩提菩薩但應如所教住
須菩提於意云何可以身相見如來不不也
世尊不可以身相得見如來何以故如來所
說身相即非身相佛告須菩提凡所有相皆

BD02622號　金剛般若波羅蜜經　　(5–1)

菩提南西北方四維上下虛空可思量不不
也世尊須菩提菩薩无住相布施福德亦復
如是不可思量須菩提菩薩但應如所教住
須菩提於意云何可以身相見如来不不也
世尊不可以身相得見如来何以故如来所
說身相即非身相佛告須菩提凡所有相皆
是虛妄若見諸相非相則見如来須菩提白
佛言世尊頗有衆生得聞如是言說章句生
實信不佛告須菩提莫作是說如来滅後後
五百歲有持戒脩福者於此章句能生信心
以此爲實當知是人不於一佛二佛三四五
佛而種善根已於无量千萬佛所種諸善根
聞是章句乃至一念生淨信者須菩提如来
悉知悉見是諸衆生得如是无量福德何以
故是諸衆生无復我相人相衆生相壽者相
无法相亦无非法相何以故是諸衆生若心
取相則爲著我人衆生壽者若取法相即著
我人衆生壽者何以故若取非法相即著我
人衆生壽者是故不應取法不應取非法以
是義故如来常說汝等比丘知我說法如栰
喻者法尚應捨何況非法
須菩提於意云何如来得阿耨多羅三藐三
菩提耶如来有所說法耶須菩提言如我解
佛所說義无有定法名阿耨多羅三藐三菩
提亦无有定法如来可說何以故如来所說
法皆不可取不可說非法非非法所以者何
一切賢聖皆以无爲法而有差別須菩提於
意云何若人滿三千大千世界七寶以用布

BD02622 號　金剛般若波羅蜜經　（5–2）

佛所說義无有定法名阿耨多羅三藐三菩
提亦无有定法如来可說何以故如来所說
法皆不可取不可說非法非非法所以者何
一切賢聖皆以无爲法而有差別須菩提於
意云何若人滿三千大千世界七寶以用布
施是人所得福德寧爲多不須菩提言甚多
世尊何以故是福德即非福德性是故如来
說福德多若復有人於此經中受持乃至四
句偈等爲他人說其福勝彼何以故須菩提
一切諸佛及諸佛阿耨多羅三藐三菩提法
皆從此經出須菩提所謂佛法者即非佛法
須菩提於意云何須陁洹能作是念我得須
陁洹果不須菩提言不也世尊何以故須陁
洹名爲入流而无所入不入色聲香味觸法
是名須陁洹須菩提於意云何斯陁含能作
是念我得斯陁含果不須菩提言不也世尊
何以故斯陁含名一往来而實无往来是名
斯陁含須菩提於意云何阿那含能作是念
我得阿那含果不須菩提言不也世尊何以
故阿那含名爲不来而實无来是故名阿那
含須菩提於意云何阿羅漢能作是念我得
阿羅漢道不須菩提言不也世尊何以故實
无有法名阿羅漢世尊若阿羅漢作是念我
得阿羅漢道即爲著我人衆生壽者世尊佛
說我得无諍三昧人中最爲第一是第一離
欲阿羅漢我不作是念我是離欲阿羅漢世
尊我若作是念我得阿羅漢道世尊則不說
須菩提是樂阿蘭那行者以須菩提實无所

BD02622 號　金剛般若波羅蜜經　（5–3）

得阿羅漢道即為著我人衆生壽者世尊佛
說我得无諍三昧人中最為第一是第一離
欲阿羅漢我不作是念我是離欲阿羅漢世
尊我若作是念我得阿羅漢道世尊則不說
須菩提是樂阿蘭那行者以須菩提實无所
行而名須菩提是樂阿蘭那行
佛告須菩提於意云何如來昔在然燈佛所
於法有所得不世尊如來在然燈佛所於法
實无所得須菩提於意云何菩薩莊嚴佛土
不不也世尊何以故莊嚴佛土者則非莊嚴
是名莊嚴是故須菩提諸菩薩摩訶薩應如
是生清淨心不應住色生心不應住聲香味
觸法生心應无所住而生其心須菩提譬如
有人身如須彌山王於意云何是身為大不
須菩提言甚大世尊何以故佛說非身是名
大身
須菩提如恒河中所有沙數如是沙等恒河
於意云何是諸恒河沙寧為多不須菩提言
甚多世尊但諸恒河尚多无數何況其沙須
菩提我今實言告汝若有善男子善女人以
七寶滿尒所恒河沙數三千大千世界以用
布施得福多不須菩提言甚多世尊佛告須
菩提若善男子善女人於此經中乃至受持
四句偈等為他人說而此福德勝前福德
復次須菩提隨說是經乃至四句偈等當知
此處一切世間天人阿脩羅皆應供養如佛
塔廟何況有人盡能受持讀誦須菩提當知
是人成就最上第一希有之法若是經典所

大身
須菩提如恒河中所有沙數如是沙等恒河
於意云何是諸恒河沙寧為多不須菩提言
甚多世尊但諸恒河尚多无數何況其沙須
菩提我今實言告汝若有善男子善女人以
七寶滿尒所恒河沙數三千大千世界以用
布施得福多不須菩提言甚多世尊佛告須
菩提若善男子善女人於此經中乃至受持
四句偈等為他人說而此福德勝前福德
復次須菩提隨說是經乃至四句偈等當知
此處一切世間天人阿脩羅皆應供養如佛
塔廟何況有人盡能受持讀誦須菩提當知
是人成就最上第一希有之法若是經典所
在之處則為有佛若尊重弟子
尒時須菩提白佛言世尊當何名此經我等
云何奉持佛告須菩提是經名為金剛
波羅蜜以是名字汝當奉持所以者
提佛說般若波羅蜜則非般若波
提於意云何如來有所說法不須
言世尊如來无所說須菩提
大千世界所有微塵是為多
多世尊須菩提諸微塵如來

大千世界所有微塵是為多不須菩提言甚
多世尊須菩提諸微塵如來說非微塵是名
微塵如來說世界非世界是名世界須菩提
於意云何可以三十二相見如來不不也世
尊不可以三十二相得見如來何以故如來說
三十二相即是非相是名三十二相須菩提
若有善男子善女人以恒河沙等身命布施
若復有人於此經中乃至受持四句偈等
為他人說其福甚多
尒時須菩提聞說是經深解義趣涕淚悲
泣而白佛言希有世尊佛說如是甚深經典
我從昔來所得慧眼未曾得聞如是之經世
尊若復有人得聞是經信心清淨則生實相
當知是人成就第一希有功德世尊是實相者
則是非相是故如來說名實相世尊我今得
聞如是經典信解受持不足為難若當來世
後五百歲其有眾生得聞是經信解受持是
人則為第一希有何以故此人无我相人相
眾生相壽者相所以者何我相即是非相人
相眾生相壽者相即是非相何以故離一切

BD02623號　金剛般若波羅蜜經　（11–1）

聞如是經典信解受持不足為難若當來世
後五百歲其有眾生得聞是經信解受持是
人則為第一希有何以故此人无我相人相
眾生相壽者相所以者何我相即是非相人
相眾生相壽者相即是非相何以故離一切
諸相則名諸佛
佛告須菩提如是如是若復有人得聞是經
不驚不怖不畏當知是人甚為希有何以故
須菩提如來說第一波羅蜜非第一波羅蜜
是名第一波羅蜜
須菩提忍辱波羅蜜如來說非忍辱波羅蜜
何以故須菩提如我昔為歌利王割截身體
我於尒時无我相无人相无眾生相无壽者
相何以故我於往昔節節支解時若有我相
人相眾生相壽者相應生瞋恨須菩提又念
過去於五百世作忍辱仙人於尒所世无我
相无人相无眾生相无壽者相是故須菩提
菩薩應離一切相發阿耨多羅三藐三菩提
心不應住色生心不應住聲香味觸法生心
應生无所住心若心有住則為非住是故佛
說菩薩心不應住色布施須菩提菩薩為利
益一切眾生應如是布施如來說一切諸相
即是非相又說一切眾生則非眾生須菩提
如來是真語者實語者如語者不誑語者不
異語者須菩提如來所得法此法无實无虛

BD02623號　金剛般若波羅蜜經　（11–2）

說菩薩心不應住色布施須菩提菩薩爲利
益一切衆生應如是布施如來說一切諸相
即是非相又說一切衆生則非衆生須菩提
如來是真語者實語者如語者不誑語者不
異語者須菩提如來所得法此法无實无虛
須菩提若菩薩心住於法而行布施如人入
闇則无所見若菩薩心不住法而行布施如
人有目日光明照見種種色須菩提當來之
世若有善男子善女人能於此經受持讀誦
則爲如來以佛智慧悉知是人悉見是人皆
得成就无量无邊功德
須菩提若有善男子善女人初日分以恒河
沙等身布施中日分復以恒河沙等身布施
後日分亦以恒河沙等身布施如是无量百
千萬億劫以身布施若復有人聞此經典信
心不逆其福勝彼何况書寫受持讀誦爲人
解說須菩提以要言之是經有不可思議不
可稱量无邊功德如來爲發大乘者說爲發
最上乘者說若有人能受持讀誦廣爲人說
如來悉知是人悉見是人皆得成就不可量
不可稱无有邊不可思議功德如是人等則
爲荷擔如來阿耨多羅三藐三菩提何以故
須菩提若樂小法者著我見人見衆生見壽
者見則於此經不能聽受讀誦爲人解說須
菩提在在處處若有此經一切世間天人阿

BD02623號　金剛般若波羅蜜經　（11-3）

不可稱无有邊不可思議功德如是人等則
爲荷擔如來阿耨多羅三藐三菩提何以故
須菩提若樂小法者著我見人見衆生見壽
者見則於此經不能聽受讀誦爲人解說須
菩提在在處處若有此經一切世間天人阿
脩羅所應供養當知此處則爲是塔皆應恭
敬作禮圍繞以諸華香而散其處
復次須菩提善男子善女人受持讀誦此經
若爲人輕賤是人先世罪業應墮惡道以今
世人輕賤故先世罪業則爲消滅當得阿耨
多羅三藐三菩提須菩提我念過去无量阿
僧祇劫於然燈佛前得值八百四千萬億那
由他諸佛悉皆供養承事无空過者若復有
人於後末世能受持讀誦此經所得功德於
我所供養諸佛功德百分不及一千萬億分
乃至筭數譬喻所不能及須菩提若善男子
善女人於後末世有受持讀誦此經所得功
德我若具說者或有人聞心則狂亂狐疑不
信須菩提當知是經義不可思議果報亦不
可思議
尒時須菩提白佛言世尊善男子善女人發
阿耨多羅三藐三菩提心云何應住云何降
伏其心佛告須菩提善男子善女人發阿耨
多羅三藐三菩提者當生如是心我應滅度
一切衆生滅度一切衆生已而无有一衆生

BD02623號　金剛般若波羅蜜經　（11-4）

可思議
尒時須菩提白佛言世尊善男子善女人發
阿耨多羅三藐三菩提心云何應住云何降
伏其心佛告須菩提善男子善女人發阿耨
多羅三藐三菩提者當生如是心我應滅度
一切衆生滅度一切衆生已而无有一衆生
實滅度者何以故若菩薩有我相人相衆生
相壽者相則非菩薩所以者何須菩提實无
有法發阿耨多羅三藐三菩提者須菩提於
意云何如来於然燈佛所有法得阿耨多羅
三藐三菩提不不也世尊如我解佛所說義
佛於然燈佛所无有法得阿耨多羅三藐三
菩提佛言如是如是須菩提實无有法如来
得阿耨多羅三藐三菩提須菩提若有法如
来得阿耨多羅三藐三菩提者然燈佛則不
與我受記汝於来世當得作佛号釋迦牟尼
以實无有法得阿耨多羅三藐三菩提是故
然燈佛與我受記作是言汝於来世當得作
佛号釋迦牟尼何以故如来者即諸法如義
若有人言如来得阿耨多羅三藐三菩提須
菩提實无有法佛得阿耨多羅三藐三菩提
須菩提如来所得阿耨多羅三藐三菩提於
是中无實无虛是故如来說一切法皆是佛
法須菩提所言一切法者即非一切法是故
名一切法須菩提譬如人身長大須菩提言

菩提實无有法佛得阿耨多羅三藐三菩提
須菩提如来所得阿耨多羅三藐三菩提於
是中无實无虛是故如来說一切法皆是佛
法須菩提所言一切法者即非一切法是故
名一切法須菩提譬如人身長大須菩提言
世尊如来說人身長大則為非大身是名大
身須菩提菩薩亦如是若作是言我當滅度
无量衆生則不名菩薩何以故須菩提實无
有法名為菩薩是故佛說一切法无我无人
无衆生无壽者須菩提若菩薩作是言我當
莊嚴佛土是不名菩薩何以故如来說莊嚴
佛土者即非莊嚴是名莊嚴須菩提若菩薩
通達无我法者如来說名真是菩薩
須菩提於意云何如来有肉眼不如是世尊
如来有肉眼須菩提於意云何如来有天眼
不如是世尊如来有天眼須菩提於意云何
如来有慧眼不如是世尊如来有慧眼須菩
提於意云何如来有法眼不如是世尊如来
有法眼須菩提於意云何如来有佛眼不如
是世尊如来有佛眼須菩提於意云何恒河
中所有沙佛說是沙不如是世尊如来說是
沙須菩提於意云何如一恒河中所有沙有
如是等恒河是諸恒河所有沙數佛世界如
是寧為多不甚多世尊佛告須菩提尒所國
土中所有衆生若干種心如来悉知何以故

中所有沙佛說是沙不如是世尊如來說是
沙須菩提於意云何如一恒河中所有沙有
如是等恒河是諸恒河所有沙數佛世界如
是寧為多不甚多世尊佛告須菩提尒所國
土中所有衆生若干種心如來悉知何以故
如來說諸心皆為非心是名為心所以者何
須菩提過去心不可得現在心不可得未來
心不可得須菩提於意云何若有人滿三千
大千世界七寶以用布施是人以是因緣得
福多不如是世尊此人以是因緣得福甚多
須菩提若福德有實如來不說得福德多以
福德无故如來說得福德多
須菩提於意云何佛可以具足色身見不不
也世尊如來不應以具足色身見何以故如來
說具足色身即非具足色身是名具足色身須
菩提於意云何如來可以具足諸相見不不
也世尊如來不應以具足諸相見何以故如
來說諸相具足即非具足是名諸相具足須
菩提汝勿謂如來作是念我當有所說法莫
作是念何以故若人言如來有所說法即為
謗佛不能解我所說故須菩提說法者无法
可說是名說法須菩提白佛言世尊佛得阿
耨多羅三藐三菩提為无所得耶如是如是
須菩提我於阿耨多羅三藐三菩提乃至无
有少法可得是名阿耨多羅三藐三菩提復

BD02623號　金剛般若波羅蜜經　（11-7）

謗佛不能解我所說故須菩提說法者无法
可說是名說法須菩提白佛言世尊佛得阿
耨多羅三藐三菩提為无所得耶如是如是
須菩提我於阿耨多羅三藐三菩提乃至无
有少法可得是名阿耨多羅三藐三菩提復
次須菩提是法平等无有高下是名阿耨多
羅三藐三菩提以无我无人无衆生无壽者
脩一切善法則得阿耨多羅三藐三菩提須
菩提所言善法者如來說非善法是名善法
須菩提若三千大千世界中所有諸須弥山
王如是等七寶聚有人持用布施若人以此
般若波羅蜜經乃至四句偈等受持讀誦為
他人說於前福德百分不及一百千萬億分
乃至筭數譬喻所不能及
須菩提於意云何汝等勿謂如來作是念我
當度衆生須菩提莫作是念何以故實无有
衆生如來度者若有衆生如來度者如來則
有我人衆生壽者須菩提如來說有我者則
非有我而凡夫之人以為有我須菩提凡夫
者如來說則非凡夫須菩提於意云何可以
三十二相觀如來不須菩提言如是如是以
三十二相觀如來佛言須菩提若以三十二
相觀如來者轉輪聖王則是如來須菩提白
佛言世尊如我解佛所說義不應以三十二
相觀如來尒時世尊而說偈言

BD02623號　金剛般若波羅蜜經　（11-8）

三十二相觀如來不須菩提言如是如是以
三十二相觀如來佛言須菩提若以三十二
相觀如來者轉輪聖王則是如來須菩提白
佛言世尊如我解佛所說義不應以三十二
相觀如來尒時世尊而說偈言
若以色見我　以音聲求我　是人行邪道　不能見如來
須菩提汝若作是念如來不以具足相故得
阿耨多羅三藐三菩提須菩提莫作是念如
來不以具足相故得阿耨多羅三藐三菩提
須菩提汝若作是念發阿耨多羅三藐三菩
提者說諸法斷滅相莫作是念何以故發阿
耨多羅三藐三菩提者於法不說斷滅相須
菩提若菩薩以滿恒河沙等世界七寶布施
若復有人知一切法无我得成於忍此菩薩
勝前菩薩所得功德須菩提以諸菩薩不受
福德故須菩提白佛言世尊云何菩薩不受
福德須菩提菩薩所作福德不應貪著是故
說不受福德須菩提若有人言如來若來若
去若坐若卧是人不解我所說義何以故如
來者无所從來亦无所去故名如來
須菩提若善男子善女人以三千大千世界
碎為微塵於意云何是微塵衆寧為多不甚
多世尊何以故若是微塵衆實有者佛則不
說是微塵衆所以者何佛說微塵衆則非微
塵衆是名微塵衆世尊如來所說三千大千
世界則非世界是名世界何以故若世界實

須菩提若善男子善女人以三千大千世界
碎為微塵於意云何是微塵衆寧為多不甚
多世尊何以故若是微塵衆實有者佛則不
說是微塵衆所以者何佛說微塵衆則非微
塵衆是名微塵衆世尊如來所說三千大千
世界則非世界是名世界何以故若世界實
有者則是一合相如來說一合相則非一合
相是名一合相須菩提一合相者則是不可
說但凡夫之人貪著其事須菩提若人言佛
說我見人見衆生見壽者見須菩提於意云
何是人解我所說義不世尊是人不解如來
所說義何以故世尊說我見人見衆生見壽
者見即非我見人見衆生見壽者見是名我
見人見衆生見壽者見須菩提發阿耨多羅
三藐三菩提心者於一切法應如是知如是
見如是信解不生法相須菩提所言法相者
如來說即非法相是名法相須菩提若有人
以滿无量阿僧祇世界七寶持用布施若有
善男子善女人發菩薩心者持於此經乃至
四句偈等受持讀誦為人演說其福勝彼云
何為人演說不取於相如如不動何以故
一切有為法　如夢幻泡影　如露亦如電　應作如是觀
佛說是經已長老須菩提及諸比丘比丘尼
優婆塞優婆夷一切世間天人阿脩羅聞佛
所說皆大歡喜信受奉行

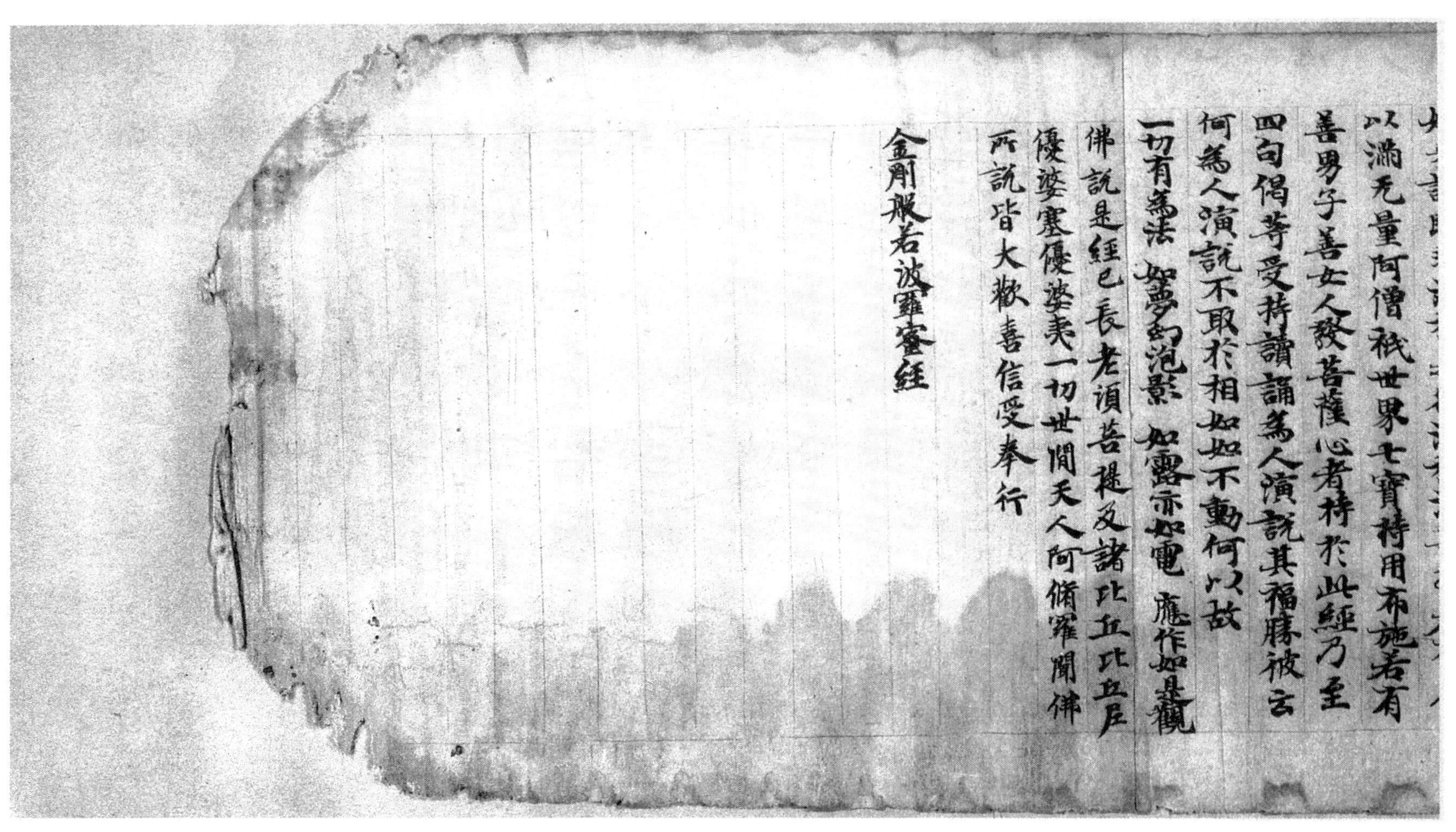

以滿无量阿僧祇世界七寶持用布施若有
善男子善女人發菩薩心者持於此經乃至
四句偈等受持讀誦為人演說其福勝彼云
何為人演說不取於相如如不動何以故
一切有為法 如夢幻泡影 如露亦如電 應作如是觀
佛說是經已長老須菩提及諸比丘比丘尼
優婆塞優婆夷一切世間天人阿脩羅聞佛
所說皆大歡喜信受奉行
金剛般若波羅蜜經

BD02623 號　金剛般若波羅蜜經　（11–11）

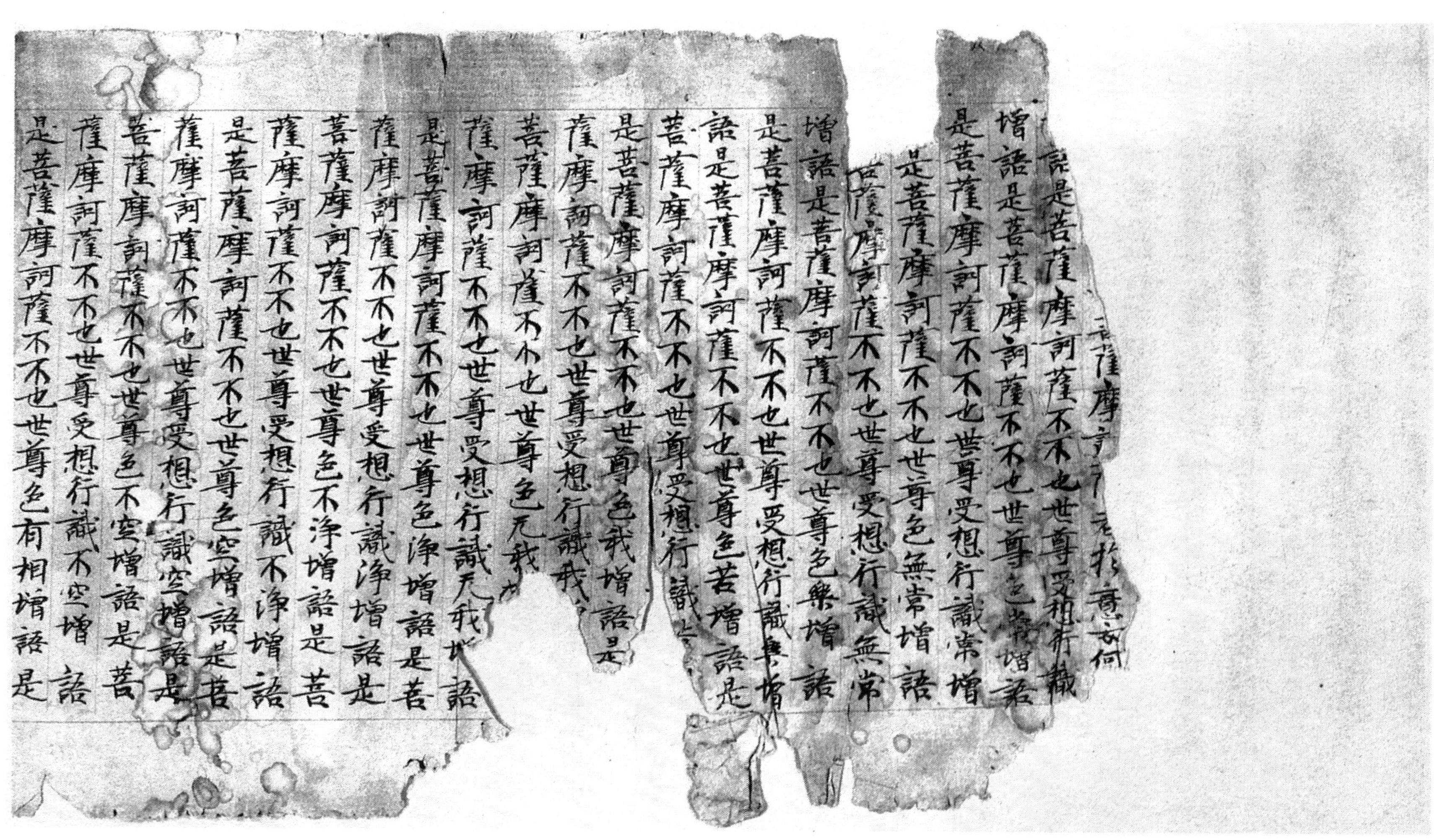

菩薩摩訶……於意云何
說是菩薩摩訶薩不不也世尊受想行識
增語是菩薩摩訶薩不不也世尊色常增語
是菩薩摩訶薩不不也世尊受想行識常增
是菩薩摩訶薩不不也世尊色無常增語
菩薩摩訶薩不不也世尊受想行識無常
增語是菩薩摩訶薩不不也世尊色樂增語
是菩薩摩訶薩不不也世尊受想行識樂增
語是菩薩摩訶薩不不也世尊色苦增語是
菩薩摩訶薩不不也世尊受想行識……
是菩薩摩訶薩不不也世尊色我增語是
菩薩摩訶薩不不也世尊受想行識我……
薩摩訶薩不不也世尊色无我……
是菩薩摩訶薩不不也世尊受想行識无我增語
是菩薩摩訶薩不不也世尊色淨增語是菩
薩摩訶薩不不也世尊受想行識淨增語是
菩薩摩訶薩不不也世尊色不淨增語是菩
薩摩訶薩不不也世尊受想行識不淨增語
是菩薩摩訶薩不不也世尊色空增語是菩
薩摩訶薩不不也世尊受想行識空增語是
菩薩摩訶薩不不也世尊色不空增語是菩
薩摩訶薩不不也世尊受想行識不空增語
是菩薩摩訶薩不不也世尊色有相增語是

BD02624 號　大般若波羅蜜多經卷四〇七　（23–1）

薩摩訶薩不不也世尊受想行識淨增語是
菩薩摩訶薩不不也世尊色不淨增語是菩
薩摩訶薩不不也世尊受想行識不淨增語
是菩薩摩訶薩不不也世尊色空增語是菩
薩摩訶薩不不也世尊受想行識空增語是
菩薩摩訶薩不不也世尊色不空增語是菩
薩摩訶薩不不也世尊受想行識不空增語
是菩薩摩訶薩不不也世尊色有相增語是
菩薩摩訶薩不不也世尊受想行識有相增
語是菩薩摩訶薩不不也世尊色无相增語
是菩薩摩訶薩不不也世尊受想行識无相增
語是菩薩摩訶薩不不也世尊色有願增
語是菩薩摩訶薩不不也世尊受想行識有
願增語是菩薩摩訶薩不不也世世尊色無願
增語是菩薩摩訶薩不不也世尊受想行識
无願增語是菩薩摩訶薩不不也世尊色寂
靜增語是菩薩摩訶薩不不也世尊受想行
識寂靜增語是菩薩摩訶薩不不也世尊色
不寂靜增語是菩薩摩訶薩不不也世尊受想
行識不寂靜增語是菩薩摩訶薩不不也
世尊色遠離增語是菩薩摩訶薩不不也世
尊受想行識遠離增語是菩薩摩訶薩不不
也世尊色不遠離增語是菩薩摩訶薩不不
也世尊受想行識不遠離增語是菩薩摩訶
薩不不也世尊色雜染增語是菩薩摩訶薩
不不也世尊受想行識雜染增語是菩薩摩
訶薩不不也尊色清淨增語是菩薩摩訶薩
不不也世尊受想行識清淨增語是菩薩摩
訶薩不不也世尊色生增語是菩薩摩訶薩

BD02624 號　大般若波羅蜜多經卷四〇七　（23–2）

薩不不也世尊色雜染增語是菩薩摩訶薩
不不也世尊受想行識雜染增語是菩薩摩
訶薩不不也世尊色清淨增語是菩薩摩訶薩
不不也世尊受想行識清淨增語是菩薩摩
訶薩不不也世尊色生增語是菩薩摩訶薩
不不也世尊受想行識生增語是菩薩摩訶
薩不不也世尊色滅增語是菩薩摩訶薩
不不也世尊受想行識滅增語是菩薩摩訶
薩不不也世尊
復次善現所言菩薩摩訶薩者於意云何眼
處增語是菩薩摩訶薩不不也世尊耳鼻舌
身意處增語是菩薩摩訶薩不不也世尊眼
處常增語是菩薩摩訶薩不不也世尊耳鼻
舌身意處常增語是菩薩摩訶薩不不也世
尊眼處無常增語是菩薩摩訶薩不不也世
尊耳鼻舌身意處无常增語是菩薩摩訶薩
不不也世尊眼處樂增語是菩薩摩訶薩不
不也世尊耳鼻舌身意處樂增語是菩薩摩
訶薩不不也世尊眼處苦增語是菩薩摩訶
薩不不也世尊耳鼻舌身意處苦增語是菩
薩摩訶薩不不也世尊眼處我增語是菩薩
摩訶薩不不也世尊耳鼻舌身意處我增語
是菩薩摩訶薩不不也世尊眼處無我增語
是菩薩摩訶薩不不也世尊耳鼻舌身意處
无我增語是菩薩摩訶薩不不也世尊眼處
淨增語是菩薩摩訶薩不不也世尊耳鼻舌
身意處淨增語是菩薩摩訶薩不不也世尊
眼處不淨增語是菩薩摩訶薩不不也世尊

BD02624 號　大般若波羅蜜多經卷四〇七　（23–3）

…不也世尊耳鼻舌身意處
无我增語是菩薩摩訶薩不不也世尊眼處
淨增語是菩薩摩訶薩不不也世尊耳鼻舌
身意處淨增語是菩薩摩訶薩不不也世尊
眼處不淨增語是菩薩摩訶薩不不也世尊
耳鼻舌身意處不淨增語是菩薩摩訶薩不
不也世尊眼處空增語是菩薩摩訶薩不不
也世尊耳鼻舌身意處空增語是菩薩摩訶
薩不不也世尊眼處不空增語是菩薩摩訶
薩不不也世尊耳鼻舌身意處不空增語是
菩薩摩訶薩不不也世尊眼處有相增語是
菩薩摩訶薩不不也世尊耳鼻舌身意處有
相增語是菩薩摩訶薩不不也世尊眼處無
相增語是菩薩摩訶薩不不也世尊耳鼻舌
身意處無相增語是菩薩訶薩不不也世尊
眼處有願增語是菩薩摩訶薩不不也世
尊耳鼻舌身意處有願增語是菩薩摩訶薩
不不也尊眼處无願增語是菩薩摩訶薩
不不也世尊耳鼻舌身意處無願增語是菩薩
摩訶薩不不也世尊眼處寂靜增語是菩
薩摩訶薩不不也世尊耳鼻舌身意處寂靜
增語是菩薩摩訶薩不不也世尊眼處不寂
靜增語是菩薩摩訶薩不不也世尊耳鼻舌
身意處不寂靜增語是菩薩摩訶薩不不也
世尊眼處遠離增語是菩薩摩訶薩不不也
世尊耳鼻舌身意處遠離增語是菩薩摩
訶薩不不也世尊眼處不遠離增語是菩薩摩
訶薩不不也世尊耳鼻舌身意處不遠離增
語是菩薩摩訶薩不不也世尊眼處離染增

身意處不寂靜增語是菩薩摩訶薩不不也
世尊眼處遠離增語是菩薩摩訶薩不不也
世尊耳鼻舌身意處遠離增語是菩薩摩
訶薩不不也世尊眼處不遠離增語是菩薩摩
訶薩不不也世尊耳鼻舌身意處不遠離增
語是菩薩摩訶薩不不也世尊眼處離染增
語是菩薩摩訶薩不不也世尊耳鼻舌身意
處離染增語是菩薩摩訶薩不不也世尊眼
處清淨增語是菩薩摩訶薩不不也世尊耳
鼻舌身意處清淨增語是菩薩摩訶薩不不
也世尊眼處生增語是菩薩摩訶薩不不也
世尊耳鼻舌身意處生增語是菩薩摩訶薩
不不也世尊眼處滅增語是菩薩摩訶薩不
不也世尊耳鼻舌身意處滅增語是菩薩摩
訶薩不不也世尊
復次善現所言菩薩摩訶薩者於意云何色
處增語是菩薩摩訶薩不不也世尊聲香味
觸法處增語是菩薩摩訶薩不不也世尊色
處常增語是菩薩摩訶薩不不也世尊聲香
味觸法處常增語是菩薩摩訶薩不不也世
尊色處無常增語是菩薩摩訶薩不不也世
尊聲香味觸法處無常增語是菩薩摩訶薩
不不也世尊色處樂增語是菩薩摩訶薩不
不也世尊聲香味觸法處樂增語是菩薩摩
訶薩不不世尊色處苦增語是菩薩摩訶
薩不不也世尊聲香味觸法處苦增語是菩
薩摩訶薩不不也世尊色處我增語是菩
薩摩訶薩不不也世尊聲香味觸處我增語

訶薩不不世尊色處苦增語是菩薩摩訶
薩不不也世尊聲香味觸法處苦增語是菩
薩摩訶薩不不也世尊色處我增語是菩
薩摩訶薩不不也世尊聲香味觸處我增語
是菩薩摩訶薩不不也世尊色處無我增語
是菩薩摩訶薩不不也世尊聲香味觸法處
无我增語是菩薩摩訶薩不不也世尊色處
淨增語是菩薩摩訶薩不不也世尊聲香味
觸法處淨增語是菩薩摩訶薩不不也世尊
色處不淨增語是菩薩摩訶薩不不也世尊
聲香味觸法處不淨增語是菩薩摩訶薩不
不也世尊色處空增語是菩薩摩訶薩不不
也世尊聲香味觸法處空增語是菩薩摩訶
薩不不也世尊色處不空增語是菩薩摩訶
薩不不也世尊聲香味觸法處不空增語是
菩薩摩訶薩不不也世尊色處有相增語是
菩薩摩訶薩不不也世尊聲香味觸法處有
相增語是菩薩摩訶薩不不也世尊色處無
相增語是菩薩摩訶薩不不也世尊聲香味
觸法處无相增語是菩薩摩訶薩不不也世
尊色處有願增語是菩薩摩訶薩不不也世
尊聲香味觸法處有願增語是菩薩摩訶薩
不不也世尊色處無願增語是菩薩摩訶薩
不不也世尊聲香味觸法處无願增語是菩
薩摩訶薩不不也世尊色處寂靜增語是菩
薩摩訶薩不不也世尊聲香味觸法處寂靜
增語是菩薩摩訶薩不不也世尊色處不寂
靜增語是菩薩摩訶薩不不也世尊聲香味觸

BD02624號　大般若波羅蜜多經卷四〇七　　（23–6）

薩摩訶薩不不也世尊色處寂靜增語是菩
薩摩訶薩不不也世尊聲香味觸法處寂靜
增語是菩薩摩訶薩不不也世尊色處不寂
靜增語是菩薩摩訶薩不不也世尊聲香味觸
法處不寂靜增語是菩薩摩訶薩不不也世
尊色處遠離增語是菩薩摩訶薩不不也
世尊聲香味觸法處遠離增語是菩薩摩訶
薩不不也世尊色處不遠離增語是菩薩摩
訶薩不不也世尊聲香味觸法處不遠離增
語是菩薩摩訶薩不不也世尊色處雜染增
語是菩薩摩訶薩不不也世尊聲香味觸法
處雜染增語是菩薩摩訶薩不不也世尊色
處清淨增語是菩薩摩訶薩不不也世尊聲
香味觸法處清淨增語是菩薩摩訶薩不不
也世尊色處生增語是菩薩摩訶薩不不也
世尊聲香味觸法處生增語是菩薩摩訶薩
不不也世尊色處滅增語是菩薩摩訶薩不
不也世尊聲香味觸法處滅增語是菩薩摩
訶薩不不也世尊
復次善現所言菩薩摩訶薩者於意云何眼
界增語是菩薩摩訶薩不不也世尊色界眼
識界及眼觸眼觸為緣所生諸受增語是菩
薩摩訶薩不不也世尊眼界常增語是菩薩
摩訶薩不不也世尊色界乃至眼觸為緣所
生諸受常增語是菩薩摩訶薩不不也世尊
眼界無常增語是菩薩摩訶薩不不也世尊
色界乃至眼觸為緣所生諸受無常增語是
菩薩摩訶薩不不也世尊眼界樂增語是菩

BD02624號　大般若波羅蜜多經卷四〇七　　（23–7）

生諸受常增語是菩薩摩訶薩不不也世尊
眼界無常增語是菩薩摩訶薩不不也世尊
色界乃至眼觸為緣所生諸受無常增語是
菩薩摩訶薩不不也世尊眼界樂增語是菩
薩摩訶薩不不也世尊色界乃至眼觸為緣所
生諸受樂增語是菩薩摩訶薩不不也世
尊眼界苦增語是菩薩摩訶薩不不也世尊
色界乃至眼觸為緣所生諸受苦增語是菩
薩摩訶薩不不也世尊眼界我增語是菩薩
摩訶薩不不也世尊色界乃至眼觸為緣所生
諸受我增語是菩薩摩訶薩不不也世尊
眼界無我增語是菩薩摩訶薩不不也世尊
色界乃至眼觸為緣所生諸受無我增語是
菩薩摩訶薩不不也世尊眼界淨增語是菩
薩摩訶薩不不也世尊色界乃至眼觸為緣所
生諸受淨增語是菩薩摩訶薩不不也世
尊眼界不淨增語是菩薩摩訶薩不不也世
尊色界乃至眼觸為緣所生諸受不淨增語是
菩薩摩訶薩不不也世尊眼界空增語是
菩薩摩訶薩不不也世尊色界乃至眼觸為
緣所生諸受空增語是菩薩摩訶薩不不也
世尊眼界不空增語是菩薩摩訶薩不不也
世尊色界乃至眼觸為緣所生諸受不空增
語是菩薩摩訶薩不不也世尊眼界有相增
語是菩薩摩訶薩不不也世尊色界乃至眼
觸為緣所生諸受有相增語是菩薩摩訶薩
不不也世尊眼界無相增語是菩薩摩訶薩
不不也世尊色界乃至眼觸為緣所生諸受無

世尊色界乃至眼觸為緣所生諸受不空增
語是菩薩摩訶薩不不也世尊眼界有相增
語是菩薩摩訶薩不不也世尊色界乃至眼
觸為緣所生諸受有相增語是菩薩摩訶薩
不不也世尊眼界無相增語是菩薩摩訶薩
不不也世尊色界乃至眼觸為緣所生諸受無
相增語是菩薩摩訶薩不不也世尊眼界有
願增語是菩薩摩訶薩不不也世尊色界乃
至眼觸為緣所生諸受有願增語是菩薩
摩訶薩不不也世尊眼界無願增語是菩薩摩
訶薩不不也世尊色界乃至眼觸為緣所生
諸受無願增語是菩薩摩訶薩不不也世尊眼
界寂靜增語是菩薩摩訶薩不不也世尊色
界乃至眼觸為緣所生諸受寂靜增語是菩
薩摩訶薩不不也世尊眼界不寂靜增語是
菩薩摩訶薩不不也世尊色界乃至眼觸為
緣所生諸受不寂靜增語是菩薩摩訶薩不
不也世尊眼界遠離增語是菩薩摩訶薩不
不也世尊色界乃至眼觸為緣所生諸生受遠
離增語是菩薩摩訶薩不不也世尊眼界不
遠離增語是菩薩摩訶薩不不也世尊色界
乃至眼觸為緣所生諸受不遠離增語是菩
薩摩訶薩不不也世尊眼界雜染增語是菩
薩摩訶薩不不也世尊色界乃至眼觸為緣
所生諸受雜染增語是菩薩摩訶薩不不也
世尊眼界清淨增語是菩薩摩訶薩不不也
世尊色界乃至眼觸為緣所生諸受清淨增
語是菩薩摩訶薩不不也世尊眼界生增語
是菩薩摩訶薩不不也世尊色界乃至眼觸

世尊眼界清淨增語是菩薩摩訶薩不不也
世尊色界乃至眼觸爲緣所生諸受清淨增
語是菩薩摩訶薩不不也世尊眼界生增語
是菩薩摩訶薩不不也世尊色界乃至眼觸
爲緣所生諸受生增語是菩薩摩訶薩不不
也世尊眼界滅增語是菩薩摩訶薩不不也
世尊色界乃至眼觸爲緣所生諸受滅增語
是菩薩摩訶薩不不也世尊
復次善現所言菩薩摩訶薩者於意云何耳
界增語是菩薩摩訶薩不不也世尊聲界耳
識界及耳觸耳觸爲緣所生諸受增語是菩
薩摩訶薩不不也世尊耳界常增語是菩薩
摩訶薩不不也世尊聲界乃至耳觸爲緣所
生諸受常增語是菩薩摩訶薩不不也世尊
耳界無常增語是菩薩摩訶薩不不也世尊
聲界乃至耳觸爲緣所生諸受無常增語是
菩薩摩訶薩不不也世尊耳界樂增語是菩
薩摩訶薩不不也世尊聲界乃至耳觸爲緣
所生諸受樂增語是菩薩摩訶薩不不也世
尊耳界苦增語是菩薩摩訶薩不不也世尊
聲界乃至耳觸爲緣所生諸受苦增語是菩
薩摩訶薩不不也世尊耳界我增語是菩薩
摩訶薩不不也世尊聲界乃至耳觸爲緣所
生諸受我增語是菩薩摩訶薩不不也世尊
耳界無我增語是菩薩摩訶薩不不也世尊
聲界乃至耳觸爲緣所生諸受無我增語是
菩薩摩訶薩不不也世尊耳界淨增語是菩
薩摩訶薩不不也世尊聲界乃至耳觸爲緣

BD02624 號　大般若波羅蜜多經卷四〇七　（23–10）

薩摩訶薩不不也世尊耳界我增語是菩薩
摩訶薩不不也世尊聲界乃至耳觸爲緣所
生諸受我增語是菩薩摩訶薩不不也世尊
耳界無我增語是菩薩摩訶薩不不也世尊
聲界乃至耳觸爲緣所生諸受無我增語是
菩薩摩訶薩不不也世尊耳界淨增語是菩
薩摩訶薩不不也世尊聲界乃至耳觸爲緣
所生諸受淨增語是菩薩摩訶薩不不也世
尊耳界不淨增語是菩薩摩訶薩不不也世
尊聲界乃至耳觸爲緣所生諸受不淨增語
是菩薩摩訶薩不不也世尊耳界空增語是
菩薩摩訶薩不不也世尊聲界乃至耳觸爲
緣所生諸受空增語是菩薩摩訶薩不不也
世尊耳界不空增語是菩薩摩訶薩不不也
世尊聲界乃至耳觸爲緣所生諸受不空增
語是菩薩摩訶薩不不也世尊耳界有相增
語是菩薩摩訶薩不不也世尊聲界乃至耳
觸爲緣所生諸受有相增語是菩薩摩訶薩
不不也世尊耳界無相增語是菩薩摩訶薩
不不也世尊聲界乃至耳觸爲緣所生諸受
无相增語是菩薩摩訶薩不不也世尊耳界
有願增語是菩薩摩訶薩不不也世尊聲界
乃至耳觸爲緣所生諸受有願增語是菩薩
摩訶薩不不也世尊耳界無願增語是菩薩
摩訶薩不不也世尊聲界乃至耳觸爲緣所
生諸受無願增語是菩薩摩訶薩不不也世
尊耳界寂靜增語是菩薩摩訶薩不不也世
尊聲界乃至耳觸爲緣所生諸受寂靜增語

BD02624 號　大般若波羅蜜多經卷四〇七　（23–11）

摩訶薩不不也世尊耳界無願增語是菩薩
摩訶薩不不也世尊聲界乃至耳觸為緣所
生諸受無願增語是菩薩摩訶薩不不也世
尊耳界寂靜增語是菩薩摩訶薩不不也世
尊聲界乃至耳觸為緣所生諸受寂靜增語
是菩薩摩訶薩不不也世尊耳界不寂靜增
語是菩薩摩訶薩不不也世尊聲界乃至耳
觸為緣所生諸受不寂靜增語是菩薩摩訶
薩不不也世尊耳界遠離增語是菩薩摩訶
薩不不也世尊聲界乃至耳觸為緣所生諸
受遠離增語是菩薩摩訶薩不不也世尊耳
界不遠離增語是菩薩摩訶薩不不也世尊
聲界乃至耳觸為緣所生諸受不遠離增語
是菩薩摩訶薩不不也世尊耳界雜染增語
是菩薩摩訶薩不不也世尊聲界乃至耳觸
為緣所生諸受雜染增語是菩薩摩訶薩不
不也世尊耳界清淨增語是菩薩摩訶薩不
不也世尊聲界乃至耳觸為緣所生諸受清
淨增語是菩薩摩訶薩不不也世尊耳界生
增語是菩薩摩訶薩不不也世尊聲界乃至
耳觸為緣所生諸受生增語是菩薩摩訶薩
不不也世尊耳界滅增語是菩薩摩訶薩不
不也世尊聲界乃至耳觸為緣所生諸受滅
增語是菩薩摩訶薩不不也世尊
復次善現所言菩薩摩訶薩者於意云何鼻
界增語是菩薩摩訶薩不不也世尊香界鼻
識界及鼻觸鼻觸為緣所生諸受增語是菩
薩摩訶薩不不也世尊鼻界常增語是菩薩

BD02624號　大般若波羅蜜多經卷四〇七　（23–12）

復次善現所言菩薩摩訶薩者於意云何鼻
界增語是菩薩摩訶薩不不也世尊香界鼻
識界及鼻觸鼻觸為緣所生諸受增語是菩
薩摩訶薩不不也世尊鼻界常增語是菩薩
摩訶薩不不也世尊香界乃至鼻觸為緣所
生諸受常增語是菩薩摩訶薩不不也世尊
鼻界無常增語是菩薩摩訶薩不不也世尊
香界乃至鼻觸為緣所生諸受无常增語是
菩薩摩訶薩不不也世尊鼻界樂增語是菩
薩摩訶薩不不也世尊香界乃至鼻觸為緣
所生諸受樂增語是菩薩摩訶薩不不也世
尊鼻界苦增語是菩薩摩訶薩不不也世尊
香界乃至鼻觸為緣所生諸受苦增語是菩
薩摩訶薩不不也世尊鼻界我增語是菩薩
摩訶薩不不也世尊香界乃至鼻觸為緣所
生諸受我增語是菩薩摩訶薩不不也世尊
鼻界无我增語是菩薩摩訶薩不不也世尊
香界乃至鼻觸為緣所生諸受無我增語是
菩薩摩訶薩不不也世尊鼻界淨增語是菩
薩摩訶薩不不也世尊香界乃至鼻觸為緣
所生諸受淨增語是菩薩摩訶薩不不也世
尊鼻界不淨增語是菩薩摩訶薩不不也世
尊香界乃至鼻觸為緣所生諸受不淨增語
是菩薩摩訶薩不不也世尊鼻界空增語是
菩薩摩訶薩不不也世尊香界乃至鼻觸為
緣所生諸受空增語是菩薩摩訶薩不不也
世尊鼻界不空增語是菩薩摩訶薩不不也
世尊香界乃至鼻觸為緣所生諸受不空增

BD02624號　大般若波羅蜜多經卷四〇七　（23–13）

是菩薩摩訶薩不不也世尊鼻界空增語是
菩薩摩訶薩不不也世尊香界乃至鼻觸為
緣所生諸受空增語是菩薩摩訶薩不不也
世尊鼻界不空增語是菩薩摩訶薩不不也
世尊香界乃至鼻觸為緣所生諸受不空增
語是菩薩摩訶薩不不也世尊鼻界有相增
語是菩薩摩訶薩不不也世尊香界乃至鼻
觸為緣所生諸受有相增語是菩薩摩訶薩
不不也世尊鼻界无相增語是菩薩摩訶薩
不不也世尊香界乃至鼻觸為緣所生諸受
无相增語是菩薩摩訶薩不不也世尊鼻界
有願增語是菩薩摩訶薩不不也世尊香界
乃至鼻觸為緣所生諸受有願增語是菩薩
摩訶薩不不也世尊鼻界无願增語是菩薩
摩訶薩不不也世尊香界乃至鼻觸為緣所
生諸受無願增語是菩薩摩訶薩不不也世
尊鼻界寂靜增語是菩薩摩訶薩不不也世
尊香界乃至鼻觸為緣所生諸受寂靜增語
是菩薩摩訶薩不不也世尊鼻界不寂靜增
語是菩薩摩訶薩不不也世尊香界乃至鼻
觸為緣所生諸受不寂靜增語是菩薩摩訶
薩不不也世尊鼻界遠離增語是菩薩摩訶
薩不不也世尊香界乃至鼻觸為緣所生諸受
遠離增語是菩薩摩訶薩不不也世尊鼻界
不遠離增語是菩薩摩訶薩不不也世尊香
界乃至鼻觸為緣所生諸受不遠離增語
是菩薩摩訶薩不不也世尊鼻界雜染增語
是菩薩摩訶薩不不也世尊香界乃至鼻觸

BD02624號　大般若波羅蜜多經卷四〇七　（23–14）

不遠離增語是菩薩摩訶薩不不也世尊香
界乃至鼻觸為緣所生諸受不遠離增語
是菩薩摩訶薩不不也世尊鼻界雜染增語
是菩薩摩訶薩不不也世尊香界乃至鼻觸
為緣所生諸受雜染增語是菩薩摩訶薩不
不也世尊鼻界清淨增語是菩薩摩訶薩不
不也世尊香界乃至鼻觸為緣所生諸受清
淨增語是菩薩摩訶薩不不也世尊鼻界生
增語是菩薩摩訶薩不不也世尊香界乃至
鼻觸為緣所生諸受生增語是菩薩摩訶薩
不不也世尊鼻界滅增語是菩薩摩訶薩不
不也世尊香界乃至鼻觸為緣所生諸受滅
增語是菩薩摩訶薩不不也世尊
復次善現所言菩薩摩訶薩者於意云何舌
界增語是菩薩摩訶薩不不也世尊味界舌
識界及舌觸舌觸為緣所生諸受增語是菩
薩摩訶薩不不也世尊舌界常增語是菩薩
摩訶薩不不也世尊味界乃至舌觸為緣所
生諸受常增語是菩薩摩訶薩不不也世尊
舌界無常增語是菩薩摩訶薩不不也世尊
味界乃至舌觸為緣所生諸受无常增語是
菩薩摩訶薩不不也世尊舌界樂增語是菩
薩摩訶薩不不也世尊味界乃至舌觸為緣
所生諸受樂增語是菩薩摩訶薩不不也世
尊舌界苦增語是菩薩摩訶薩不不也世尊
味界乃至舌觸為緣所生諸受苦增語是菩
薩摩訶薩不不也世尊舌界我增語是菩薩
摩訶薩不不也世尊味界乃至舌觸為緣所

BD02624號　大般若波羅蜜多經卷四〇七　（23–15）

所生諸受苦增語是菩薩摩訶薩不不也世
尊舌界苦增語是菩薩摩訶薩不不也世尊
味界乃至舌觸為緣所生諸受苦增語是菩
薩摩訶薩不不也世尊舌界我增語是菩薩
摩訶薩不不也世尊味界乃至舌觸為緣所
生諸受我增語是菩薩摩訶薩不不也世尊
舌界無我增語是菩薩摩訶薩不不也世尊
味界乃至舌觸為緣所生諸受無我增語是
菩薩摩訶薩不不也世尊舌界淨增語是菩
薩摩訶薩不不也世尊味界乃至舌觸為緣
所生諸受淨增語是菩薩摩訶薩不不也世
尊舌界不淨增語是菩薩摩訶薩不不也世
尊味界乃至舌觸為緣所生諸受不淨增語
是菩薩摩訶薩不不也世尊舌界空增語是
菩薩摩訶薩不不也世尊味界乃至舌觸為
緣所生諸受空增語是菩薩摩訶薩不不也
世尊舌界不空增語是菩薩摩訶薩不不也
世尊味界乃至舌觸為緣所生諸受不空增
語是菩薩摩訶薩不不也世尊舌界有相增
語是菩薩摩訶薩不不也世尊味界乃至舌
觸為緣所生諸受有相增語是菩薩摩訶薩
不不也世尊舌界無相增是菩薩摩訶薩
不不也世尊味界乃至舌觸為緣所生諸受無
相增語是菩薩摩訶薩不不也世尊舌界
有願增語是菩薩摩訶薩不不也世尊味界
乃至舌觸為緣所生諸受有願增語是菩薩
摩訶薩不不也世尊舌界無願增語是菩薩
摩訶薩不不也世尊味界乃至舌觸為緣所生
諸受無願增語是菩薩摩訶薩不不也世尊

有願增語是菩薩摩訶薩不不也世尊味界
乃至舌觸為緣所生諸受有願增語是菩薩
摩訶薩不不也世尊舌界無願增語是菩薩
摩訶薩不不也世尊味界乃至舌觸為緣所生
諸受無願增語是菩薩摩訶薩不不也世尊
舌界寂靜增語是菩薩摩訶薩不不也世
尊味界乃至舌觸為緣所生諸受寂靜增語
是菩薩摩訶薩不不也世尊舌界不寂靜增
語是菩薩摩訶薩不不也世尊味界乃至舌
觸為緣所生諸受不寂靜增語是菩薩摩訶
薩不不也世尊舌界遠離增語是菩薩摩訶
薩不不也世尊味界乃至舌觸為緣所生諸
受遠離增語是菩薩摩訶薩不不也世尊舌
界不遠離增語是菩薩摩訶薩不不也世尊
味界乃至舌觸為緣所生諸受不遠離增語
是菩薩摩訶薩不不也世尊舌界雜染增語
是菩薩摩訶薩不不也世尊味界乃至舌觸
為緣所生諸受雜染增語是菩薩摩訶薩不
不也世尊舌界清淨增語是菩薩摩訶薩不
不也世尊味界乃至舌觸為緣所生諸受清
淨增語是菩薩摩訶薩不不也世尊舌界生
語語是菩薩摩訶薩不不也世尊味界乃至
舌觸為緣所生諸受生增語是菩薩摩訶薩
不不也世尊舌界滅增語是菩薩摩訶薩不
不也世尊味界乃至舌觸為緣所生諸受滅
增語是菩薩摩訶薩不不也世尊
復次善現所言菩薩摩訶薩者於意云何身
界增語是菩薩摩訶薩不不也世尊觸界身

不也世尊味界乃至舌觸為緣所生諸受滅
增語是菩薩摩訶薩不不也世尊
復次善現所言菩薩摩訶薩者於意云何身
界增語是菩薩摩訶薩不不也世尊觸界身
識界及身觸身觸為緣所生諸受增語是菩
薩摩訶薩不不也世尊身界常增語是菩薩
摩訶薩不不也世尊觸界乃至身觸為緣所
生諸受常增語是菩薩摩訶薩不不也世尊
身界無常增語是菩薩摩訶薩不不也世尊
觸界乃至身觸為緣所生諸受無常增語是
菩薩摩訶薩不不也世尊身界樂增語是菩
薩摩訶薩不不也世尊觸界乃至身觸為緣
所生諸受樂增語是菩薩摩訶薩不不也世
尊身界苦增語是菩薩摩訶薩不不也世尊
觸界乃至身觸為緣所生諸受苦增語是菩
薩摩訶薩不不也世尊身界我增語是菩薩
摩訶薩不不也世尊觸界乃至身觸為緣所
生諸受我增語是菩薩摩訶薩不不也世尊
身界無我增語是菩薩摩訶薩不不也世尊
觸界乃至身觸為緣所生諸受無我增語是
菩薩摩訶薩不不也世尊身界淨增語是菩
薩摩訶薩不不也世尊觸界乃至身觸為緣
所生諸受淨增語是菩薩摩訶薩不不也世
尊身界不淨增語是菩薩摩訶薩不不也世
尊觸界乃至身觸為緣所生諸受不淨增語
是菩薩摩訶薩不不也世尊身界空增語是
菩薩摩訶薩不不也世尊觸界乃至身觸為
緣所生諸受空增語是菩薩摩訶薩不不也

BD02624號　大般若波羅蜜多經卷四〇七　（23–18）

尊觸界乃至身觸為緣所生諸受不淨增語
是菩薩摩訶薩不不也世尊身界空增語是
菩薩摩訶薩不不也世尊觸界乃至身觸為
緣所生諸受空增語是菩薩摩訶薩不不也
世尊身界不空增語是菩薩摩訶薩不不也
世尊觸界乃至身觸為緣所生諸受不空增
語是菩薩摩訶薩不不也世尊身界有相增
語是菩薩摩訶薩不不也世尊觸界乃至身
觸為緣所生諸受有相增語是菩薩摩訶薩
不不也世尊身界無相增語是菩薩摩訶薩
不不也世尊觸界乃至身觸為緣所生諸受
無相增語是菩薩摩訶薩不不也世尊身界
有願增語是菩薩摩訶薩不不也世尊觸界
乃至身觸為緣所生諸受有願增語是菩薩
摩訶薩不不也世尊身界無願增語是菩薩
摩訶薩不不也世尊觸界乃至身觸為緣所
生諸受無願增語是菩薩摩訶薩不不也世
尊身界寂靜增語是菩薩摩訶薩不不也世
尊觸界乃至身觸為緣所生諸受寂靜增語
是菩薩摩訶薩不不也世尊身界不寂靜增
語是菩薩摩訶薩不不也世尊觸界乃至身
觸為緣所生諸受不寂靜增語是菩薩摩訶
薩不不也世尊身界遠離增語是菩薩摩
訶薩不不也世尊觸界乃至身觸為緣所生諸
受遠離增語是菩薩摩訶薩不不也世尊身
界不遠離增語是菩薩摩訶薩不不也世尊
觸界乃至身觸為緣所生諸受不遠離增語
是菩薩摩訶薩不不也世尊身界雜染增語

BD02624號　大般若波羅蜜多經卷四〇七　（23–19）

訶薩不不也世尊觸界乃至身觸爲緣所生諸
受遠離增語是菩薩摩訶薩不不也世尊身
界不遠離增語是菩薩摩訶薩不不也世尊
觸界乃至身觸爲緣所生諸受不遠離增語
是菩薩摩訶薩不不也世尊身界雜染增語
是菩薩摩訶薩不不也世尊觸界乃至身觸爲
緣所生諸受雜染增語是菩薩摩訶薩不
不也世尊身界清淨增語是菩薩摩訶薩不
不也世尊觸界乃至身觸爲緣所生諸受清
淨增語是菩薩摩訶薩不不也世尊身界生
增語是菩薩摩訶薩不不也世尊觸界乃至
身觸爲緣所生諸受生增語是菩薩摩訶薩
不不也世尊身界滅增語是菩薩摩訶薩不
不也世尊觸界乃至身觸爲緣所生諸受
滅增語是菩薩摩訶薩不不也世尊
復次善現所言菩薩摩訶薩者於意云何意
界增語是菩薩摩訶薩不不也世尊法界意
識界及意觸意觸爲緣所生諸受增語是菩
薩摩訶薩不不也世尊意界常增語是菩薩
摩訶薩不不也世尊法界乃至意觸爲緣所
生諸受常增語是菩薩摩訶薩不不也世尊
意界無常增語是菩薩摩訶薩不不也世尊
法界乃至意觸爲緣所生諸受無常增語是
菩薩摩訶薩不不也世尊意界樂增語是菩
薩摩訶薩不不也世尊法界乃至意觸爲緣
所生諸受樂增語是菩薩摩訶薩不不也世
尊意界苦增語是菩薩摩訶薩不不也世尊
法界乃至意觸爲緣所生諸受苦增語是菩

BD02624號　大般若波羅蜜多經卷四〇七　（23–20）

菩薩摩訶薩不不也世尊意界樂增語是菩
薩摩訶薩不不也世尊法界乃至意觸爲緣
所生諸受樂增語是菩薩摩訶薩不不也世
尊意界苦增語是菩薩摩訶薩不不也世尊
法界乃至意觸爲緣所生諸受苦增語是菩
薩摩訶薩不不也世尊意界我增語是菩薩
摩訶薩不不也世尊法界乃至意觸爲緣所
生諸受我增語是菩薩摩訶薩不不也世尊
意界無我增語是菩薩摩訶薩不不也世尊
法界乃至意觸爲緣所生諸受無我增語是
菩薩摩訶薩不不也世尊意界清淨增語是
菩薩摩訶薩不不也世尊法界乃至意觸爲緣
所生諸受淨增語是菩薩摩訶薩不不也世尊
意界不淨增語是菩薩摩訶薩不不也世尊
法界乃至意觸爲緣所生諸受不淨增語
是菩薩摩訶薩不不也世尊意界空增語是
菩薩摩訶薩不不也世尊法界乃至意觸爲
緣所生諸受空增語是菩薩摩訶薩不不也
世尊意界不空增語是菩薩摩訶薩不不也
世尊法界乃至意觸爲緣所生諸受不空增
語是菩薩摩訶薩不不也世尊意界有相增
語是菩薩摩訶薩不不也世尊法界乃至意
觸爲緣所生諸受有相增語是菩薩摩訶薩
不不也世尊意界無相增語是菩薩摩訶薩
不不也世尊法界乃至意觸爲緣所生諸受無
相增語是菩薩摩訶薩不不也世尊意界
有願增語是菩薩摩訶薩不不也世尊法界
乃至意觸爲緣所生諸受有願增語是菩薩
摩訶薩不不也世尊意界無願增語是菩薩

BD02624號　大般若波羅蜜多經卷四〇七　（23–21）

不不也世尊意界無相增語是菩薩摩訶薩
不不也世尊法界乃至意觸為緣所生諸受無
相增語是菩薩摩訶薩不不也世尊意界
有願增語是菩薩摩訶薩不不也世尊法界
乃至意觸為緣所生諸受有願增語是菩薩
摩訶薩不不也世尊意界無願增語是菩薩
摩訶薩不不也世尊法界乃至意觸為緣所
生諸受無願增語是菩薩摩訶薩不不也世
尊意界寂靜增語是菩薩摩訶薩不不也世
尊法界乃至意觸為緣所生諸受寂靜增語
是菩薩摩訶薩不不也世尊意界不寂靜增
語是菩薩摩訶薩不不也世尊法界乃至意
觸為緣所生諸受不寂靜增語是菩薩摩訶
薩不不也世尊意界遠離增語是菩薩摩訶
薩不不也世尊法界乃至意觸為緣所生諸
受遠離增語是菩薩摩訶薩不不也世尊意
界不遠離增語是菩薩摩訶薩不不也世尊
法界乃至意觸為緣所生諸受不遠離增語是
菩薩摩訶薩不不也世尊意界雜染增語是
菩薩摩訶薩不不也世尊法界乃至意觸為
緣所生諸受雜染增語是菩薩摩訶薩不不
也世尊意界清淨增語是菩薩摩訶薩不不
也世尊法界乃至意觸為緣所生諸受清淨
增語是菩薩摩訶薩不不也世尊意界生增
語是菩薩摩訶薩不不也世尊法界乃至意
觸為緣所生諸受生增語是菩薩摩訶薩不
不也世尊意界滅增語是菩薩摩訶薩不不
也世尊法界乃至意觸為緣所生諸受滅增
語是菩薩摩訶薩不不也世尊

BD02624 號　大般若波羅蜜多經卷四〇七　（23–22）

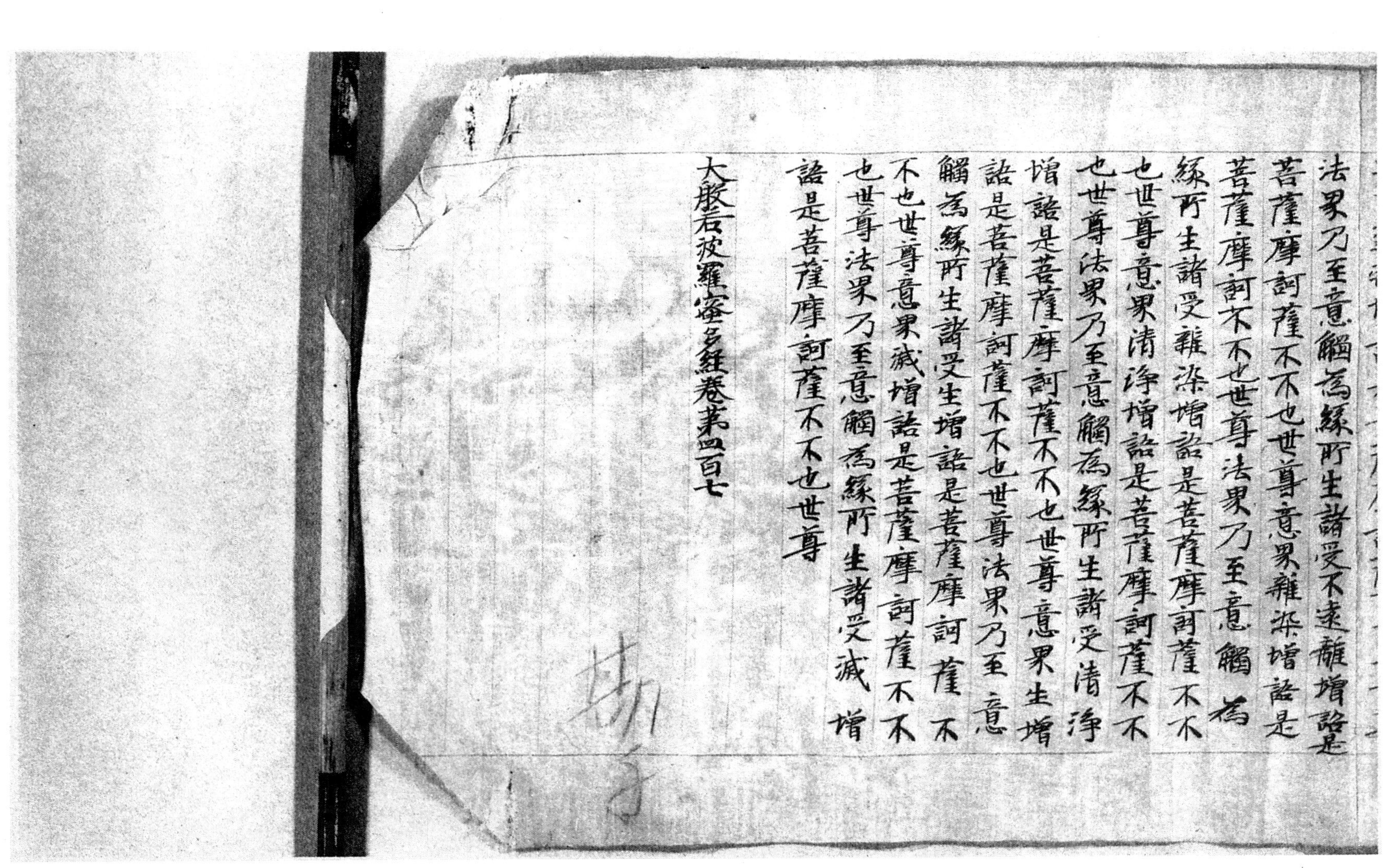

法界乃至意觸為緣所生諸受不遠離增語是
菩薩摩訶薩不不也世尊意界雜染增語是
菩薩摩訶薩不不也世尊法界乃至意觸為
緣所生諸受雜染增語是菩薩摩訶薩不不
也世尊意界清淨增語是菩薩摩訶薩不不
也世尊法界乃至意觸為緣所生諸受清淨
增語是菩薩摩訶薩不不也世尊意界生增
語是菩薩摩訶薩不不也世尊法界乃至意
觸為緣所生諸受生增語是菩薩摩訶薩不
不也世尊意界滅增語是菩薩摩訶薩不不
也世尊法界乃至意觸為緣所生諸受滅增
語是菩薩摩訶薩不不也世尊

大般若波羅蜜多經卷第四百七

BD02624 號　大般若波羅蜜多經卷四〇七　（23–23）

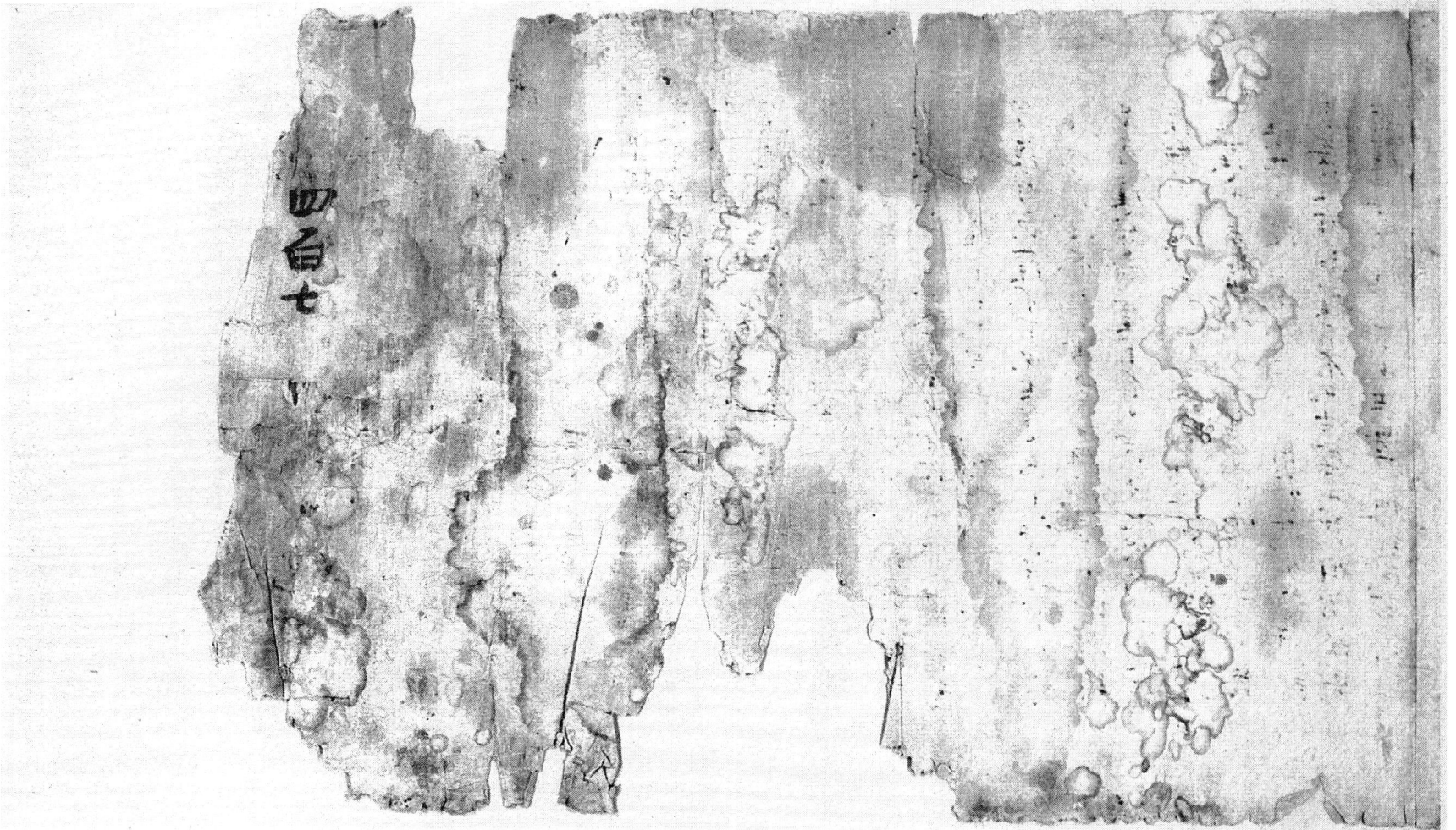

BD02624 號背　勘記　（1–1）

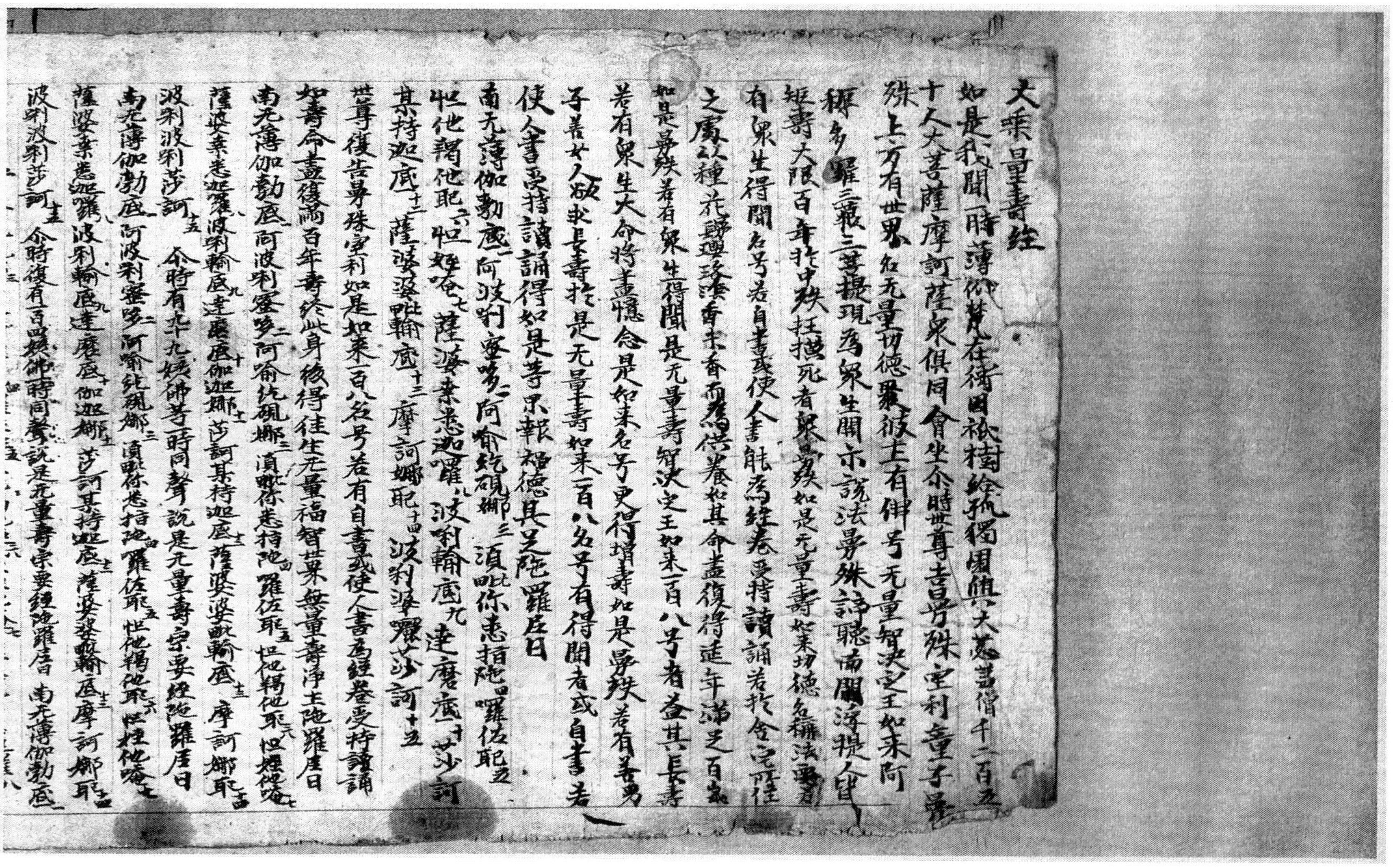

大乘無量壽經
如是我聞一時薄伽梵在舍衛國祇樹給孤獨園與大苾芻僧千二百五
十人大菩薩摩訶薩眾俱同會坐尒時世尊告曼殊室利童子曰曼
殊上方有世界名无量功德聚彼土有佛号无量智決定王如來阿
耨多羅三藐三菩提現為眾生開示說法曼殊諦聽南閻浮提人皆
短壽大限百年於中殀枉橫死者眾多曼殊如是无量壽如來功德名稱法要若
有眾生得聞名号若自書或使人書能為經卷受持讀誦若於舍宅住
之處以種種花鬘瓔珞塗香末香而為供養如其命盡復得延年滿足百歲
如是曼殊若有眾生得聞是无量壽智決定王如來一百八号者益其長壽
若有眾生大命將盡憶念是如來名号更得增壽如是曼殊若有善男
子善女人欲求長壽於是无量壽如來一百八名号有得聞者或自書若
使人書受持讀誦得如是等果報福德具足陀羅尼曰
南无薄伽勃底一阿波唎蜜多二阿喻紇硯娜三須毗你志指陀四囉佐耶五
怛他羯他耶六怛姪他七薩婆桑悉迦囉八波唎輸底九達磨底十伽伽那十一莎訶
某持迦底十二薩婆婆毗輸底十三摩訶娜耶十四波唎婆囉莎訶十五
世尊復告曼殊室利如是如來一百八名号若有自書或使人書為經卷受持讀誦
如壽命盡復滿百年壽終此身後得往生无量福智世界無量壽淨土陀羅尼曰
南无薄伽勃底一阿波唎蜜多二阿喻紇硯娜三須毗你志指陀四羅佐耶五怛他羯他耶六怛姪他七
薩婆桑悉迦囉八波唎輸底九達磨底十伽伽那十一莎訶某持迦底十二薩婆婆毗輸底十三摩訶娜耶十四
波唎波唎莎訶十五　尒時有九十九殑伽沙佛等時同聲說是无量壽宗要經陀羅尼曰
南无薄伽勃底一阿波唎蜜多二阿喻紇硯娜三須毗你志指陀四羅佐耶五怛他羯他耶六怛姪他七
薩婆桑悉迦囉八波唎輸底九達磨底十伽伽那十一莎訶某持迦底十二薩婆婆毗輸底十三摩訶娜耶十四
波唎波唎莎訶十五　尒時復有百四殑伽沙佛時同聲說是无量壽宗要經陀羅尼曰　南无薄伽勃底一

BD02625 號　無量壽宗要經　（5–1）

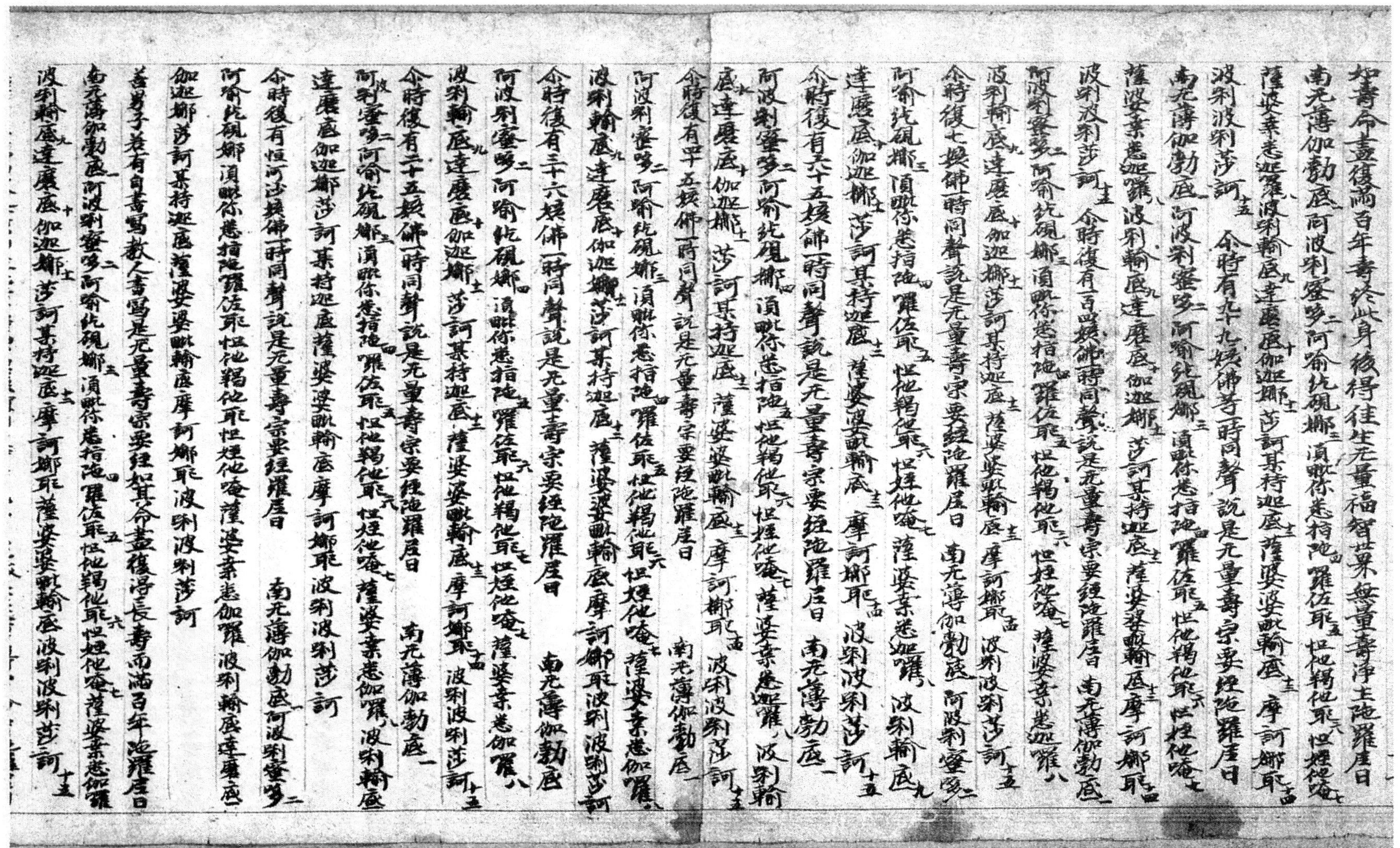

BD02625 號　無量壽宗要經　（5–2）

BD02625 號　無量壽宗要經　（5–3）

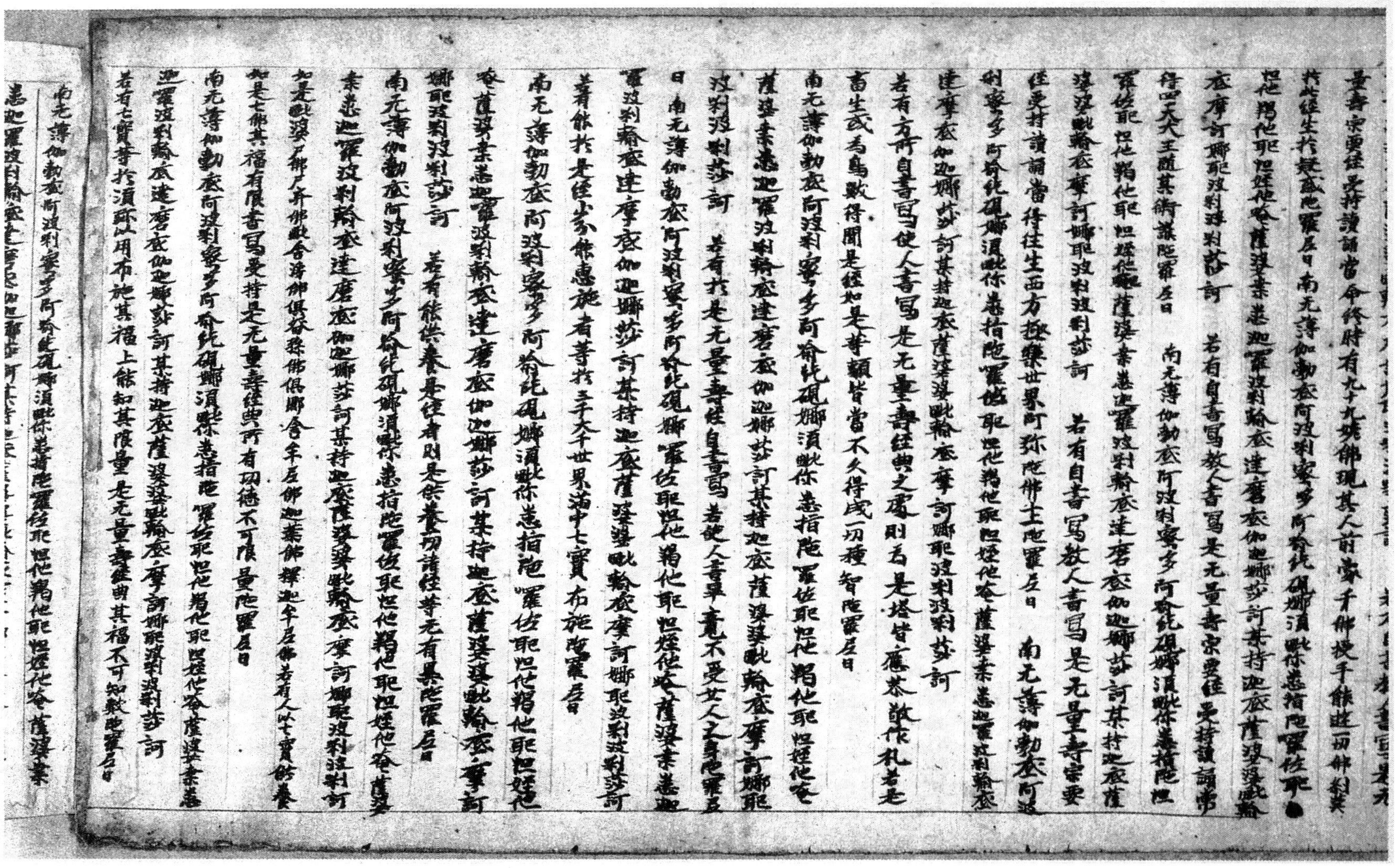
量壽宗要經受持讀誦當命終時有九十九殑伽佛現其人前當千佛授手能遊一切佛刹莫
於此經生於疑惑陀羅尼曰 南无薄伽勃底阿波唎蜜多阿喻紇硬娘須毗你悉指陀囉佐耶
怛他羯他耶怛姪他唵薩婆桑悉迦囉波唎輸底達磨底伽伽娜莎訶其持迦底薩婆婆毗輸
底摩訶娜耶波唎婆嚟莎訶 若有自書寫教人書寫是无量壽宗要經受持讀誦當
得四大天王隨其衛護陀羅尼曰 南无薄伽勃底阿波唎蜜多阿喻紇硬娘須毗你悉指陀
囉佐耶怛他羯他耶怛姪他唵薩婆桑悉迦囉波唎輸底達磨底伽伽娜莎訶其持迦底薩
婆婆毗輸底摩訶娜耶波唎婆嚟莎訶 若有自書寫教人書寫是无量壽宗要
經受持讀誦當得往生西方極樂世界阿弥陀佛土陀羅尼曰 南无薄伽勃底阿波
唎蜜多阿喻紇硬娘須毗你悉指陀囉佐耶怛他羯他耶怛姪他唵薩婆桑悉迦囉波唎輸
底達磨底伽伽娜莎訶其持迦底薩婆婆毗輸底摩訶娜耶波唎婆嚟莎訶
若有方所自書寫使人書寫是无量壽經典之處則為是塔皆應恭敬作禮若是
畜生或為鳥獸得聞是經如是等類皆當不久得成一切種智陀羅尼曰
南无薄伽勃底阿波唎蜜多阿喻紇硬娘須毗你悉指陀囉佐耶怛他羯他耶怛姪他唵
薩婆桑悉迦囉波唎輸底達磨底伽伽娜莎訶其持迦底薩婆婆毗輸底摩訶娜耶
波唎婆嚟莎訶 若有於是无量壽經自書寫若使人書寫竟不受女人之身陀羅尼
曰 南无薄伽勃底阿波唎蜜多阿喻紇硬娘須毗你悉指陀囉佐耶怛他羯他耶怛姪他唵薩婆桑悉迦
囉波唎輸底達磨底伽伽娜莎訶其持迦底薩婆婆毗輸底摩訶娜耶波唎婆嚟莎訶
若有能於是經少分佈惠施者尋於三千大千世界滿中七寶布施陀羅尼曰
南无薄伽勃底阿波唎蜜多阿喻紇硬娘須毗你悉指陀囉佐耶怛他羯他耶怛姪他
唵薩婆桑悉迦囉波唎輸底達磨底伽伽娜莎訶其持迦底薩婆婆毗輸底摩訶
娜耶波唎婆嚟莎訶 若有能供養是經者則是供養一切諸經等无有異陀羅尼曰
南无薄伽勃底阿波唎蜜多阿喻紇硬娘須毗你悉指陀囉佐耶怛他羯他耶怛姪他唵薩婆
桑悉迦囉波唎輸底達磨底伽伽娜莎訶其持迦底薩婆婆毗輸底摩訶娜耶波唎婆嚟莎訶
如是毗婆尸佛尸弃佛毗舍浮佛俱留孫佛俱那含牟尼佛迦葉佛釋迦牟尼佛 若有人以七寶供養
如是七佛其福有限書寫受持是无量壽經典所有功德不可限量陀羅尼曰
南无薄伽勃底阿波唎蜜多阿喻紇硬娘須毗你悉指陀囉佐耶怛他羯他耶怛姪他唵薩婆桑悉
迦囉波唎輸底達磨底伽伽娜莎訶其持迦底薩婆婆毗輸底摩訶娜耶波唎婆嚟莎訶
若有七寶等於須彌以用布施其福上能知其限量是无量壽經典其福不可知數陀羅尼曰
南无薄伽勃底阿波唎蜜多阿喻紇硬娘須毗你悉指陀囉佐耶怛他羯他耶怛姪他唵薩婆桑

BD02625 號　無量壽宗要經　（5–4）

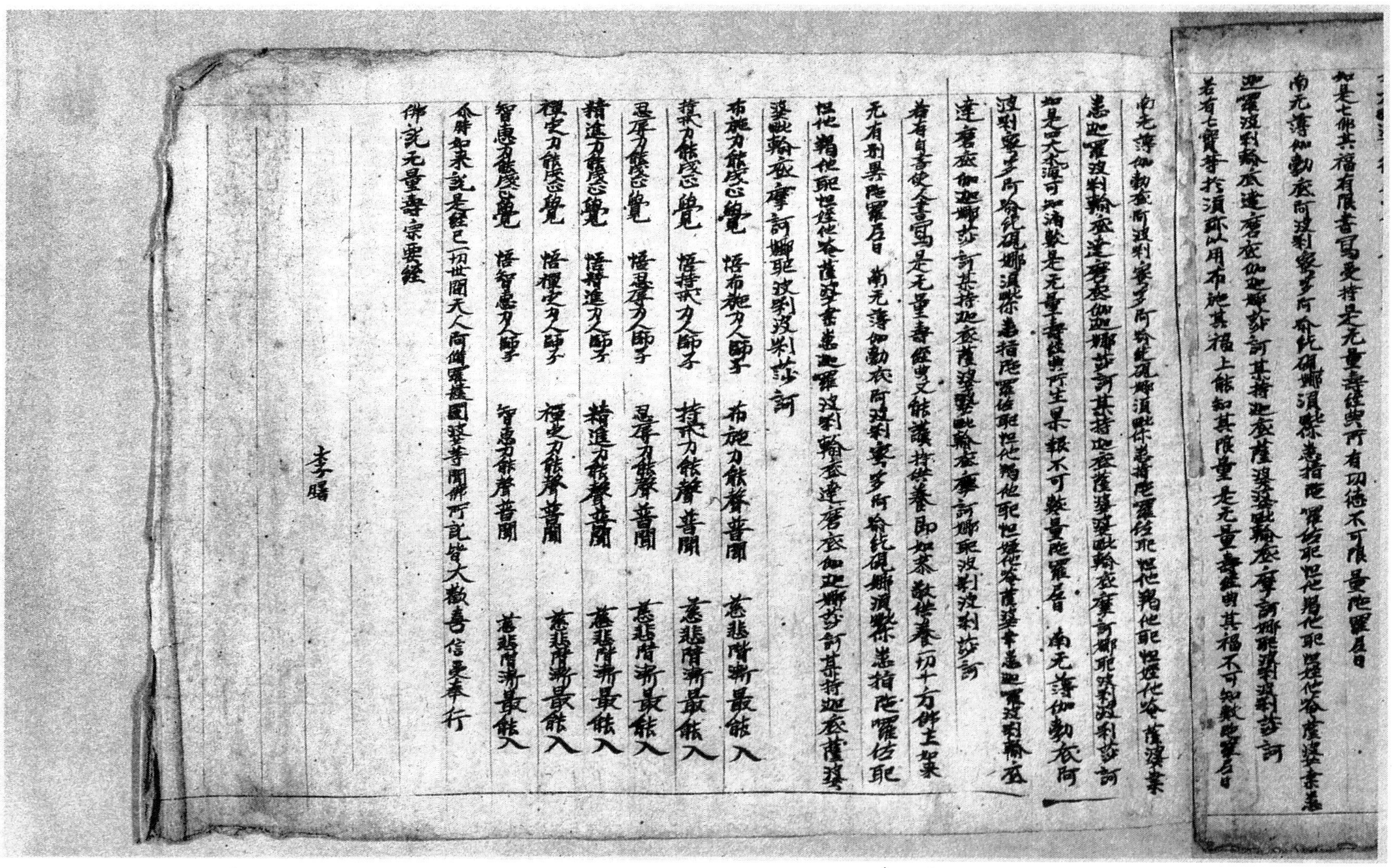
如是七佛其福有限書寫受持是无量壽經典所有功德不可限量陀羅尼曰
南无薄伽勃底阿波唎蜜多阿喻紇硬娘須毗你悉指陀囉佐耶怛他羯他耶怛姪他唵薩婆桑悉
迦囉波唎輸底達磨底伽伽娜莎訶其持迦底薩婆婆毗輸底摩訶娜耶波唎婆嚟莎訶
若有七寶等於須彌以用布施其福上能知其限量是无量壽經典其福不可知數陀羅尼曰
南无薄伽勃底阿波唎蜜多阿喻紇硬娘須毗你悉指陀囉佐耶怛他羯他耶怛姪他唵薩婆桑
悉迦囉波唎輸底達磨底伽伽娜莎訶其持迦底薩婆婆毗輸底摩訶娜耶波唎婆嚟莎訶
如四大海水可知滴數是无量壽經典所生果報不可數量陀羅尼曰 南无薄伽勃底阿
波唎蜜多阿喻紇硬娘須毗你悉指陀囉佐耶怛他羯他耶怛姪他唵薩婆桑悉迦囉波唎輸底達磨
達磨底伽伽娜莎訶其持迦底薩婆婆毗輸底摩訶娜耶波唎婆嚟莎訶
若有自書使人書寫是无量壽經典受持供養即如恭敬供養一切十方佛土如來
无有別異陀羅尼曰 南无薄伽勃底阿波唎蜜多阿喻紇硬娘須毗你悉指陀囉佐耶
怛他羯他耶怛姪他唵薩婆桑悉迦囉波唎輸底達磨底伽伽娜莎訶其持迦底薩婆
婆毗輸底摩訶娜耶波唎婆嚟莎訶
布施力能成正覺 悟布施力人師子 布施力能聲普聞 慈悲階漸最能入
持戒力能成正覺 悟持戒力人師子 持戒力能聲普聞 慈悲階漸最能入
忍辱力能成正覺 悟忍辱力人師子 忍辱力能聲普聞 慈悲階漸最能入
精進力能成正覺 悟精進力人師子 精進力能聲普聞 慈悲階漸最能入
禪定力能成正覺 悟禪定力人師子 禪定力能聲普聞 慈悲階漸最能入
智惠力能成正覺 悟智惠力人師子 智惠力能聲普聞 慈悲階漸最能入
尒時如來說是經已一切世間天人阿脩羅乾闥婆等聞佛所說皆大歡喜信受奉行
佛說无量壽宗要經
李勝

BD02625 號　無量壽宗要經　（5–5）

BD02626 號　大般若波羅蜜多經卷二二八　（4–1）

BD02626 號　大般若波羅蜜多經卷二二八　（4–2）

覺支八聖道支清淨四正斷乃至八聖道支
清淨故一切智智清淨何以故若十遍處清
淨若四正斷乃至八聖道支清淨若一切智
智清淨無二無二分無別無斷故善現十遍
處清淨故空解脫門清淨空解脫門清淨故
一切智智清淨何以故若十遍處清淨若空
解脫門清淨若一切智智清淨無二無二分
無別無斷故十遍處清淨故無相無願解脫
門清淨無相無願解脫門清淨故一切智智
清淨何以故若十遍處清淨若無相無願解
脫門清淨若一切智智清淨無二無二分無
別無斷故善現十遍處清淨故菩薩十地清
淨菩薩十地清淨故一切智智清淨何以故
若十遍處清淨若菩薩十地清淨若一切智
智清淨無二無二分無別無斷故
善現十遍處清淨故五眼清淨五眼清淨故
一切智智清淨何以故若十遍處清淨若五
眼清淨若一切智智清淨無二無二分無別
無斷故十遍處清淨故六神通清淨六神通
清淨故一切智智清淨何以故若十遍處清
淨若六神通清淨若一切智智清淨無二無
二分無別無斷故善現十遍處清淨故佛十
力清淨佛十力清淨故一切智智清淨何以
故若十遍處清淨若佛十力清淨若一切智
智清淨無二無二分無別無斷故十遍處清
淨故四無所畏四無礙解大慈大悲大喜大

BD02626號　大般若波羅蜜多經卷二二八　（4–3）

淨菩薩十地清淨故一切智智清淨何以故
若十遍處清淨若菩薩十地清淨若一切智
智清淨無二無二分無別無斷故
善現十遍處清淨故五眼清淨五眼清淨故
一切智智清淨何以故若十遍處清淨若五
眼清淨若一切智智清淨無二無二分無別
無斷故十遍處清淨故六神通清淨六神通
清淨故一切智智清淨何以故若十遍處清
淨若六神通清淨若一切智智清淨無二無
二分無別無斷故善現十遍處清淨故佛十
力清淨佛十力清淨故一切智智清淨何以
故若十遍處清淨若佛十力清淨若一切智
智清淨無二無二分無別無斷故十遍處清
淨故四無所畏四無礙解大慈大悲大喜大
捨十八佛不共法清淨四無所畏乃至十八
佛不共法清淨故一切智智清淨何以故若
十遍處清淨若四無所畏乃至十八佛不共
法清淨若一切智智清淨無二無二分無別
無斷故善現十遍處清淨故無忘失法清淨
無忘失法清淨故一切智智清淨何以故若
十遍處清淨若無忘失法清淨若一切智智

BD02626號　大般若波羅蜜多經卷二二八　（4–4）

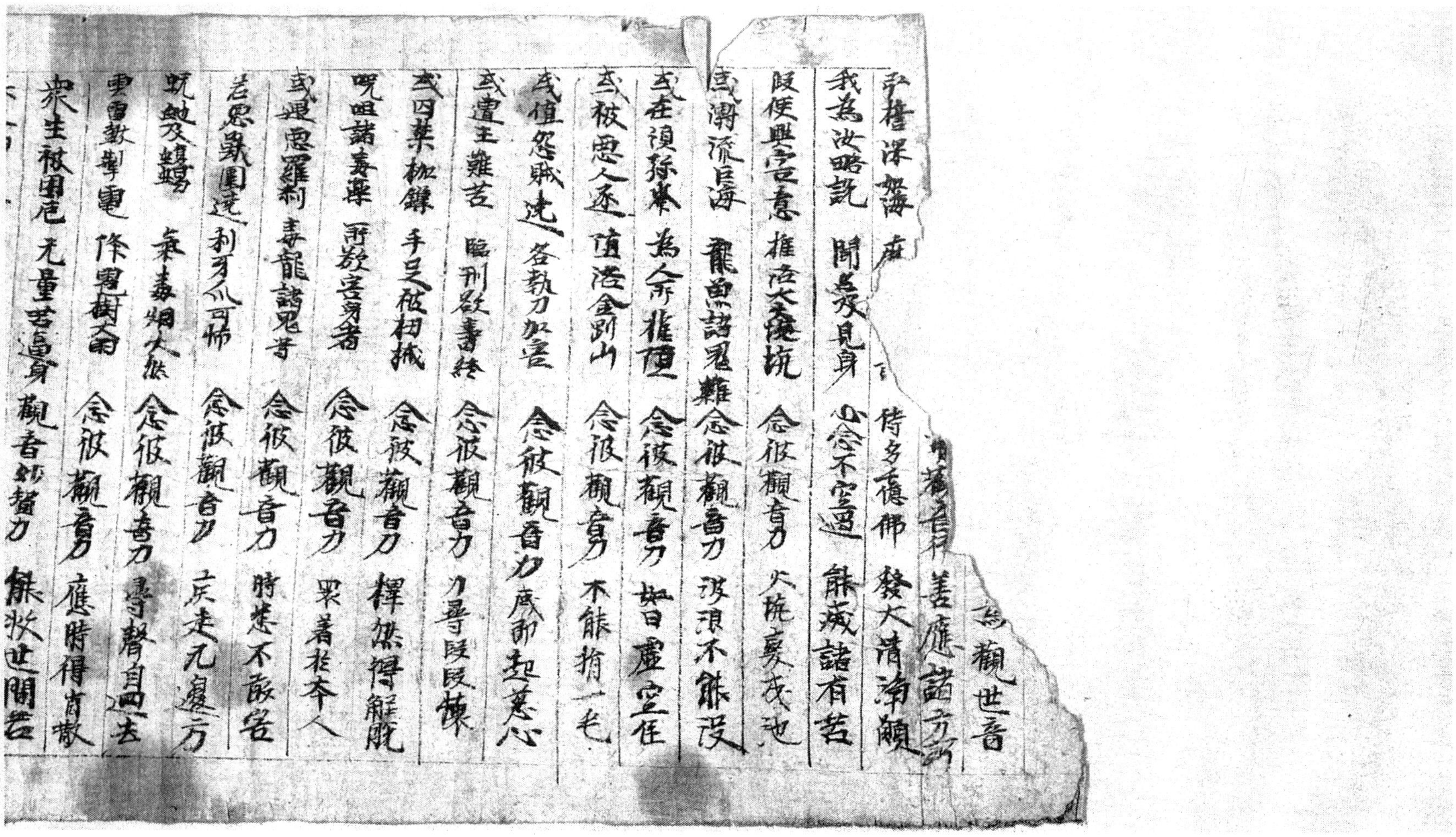

為　觀世音
觀音行　善應諸方所
弘誓深如海　歷[illegible]　侍多千億佛　發大清淨願
我為汝略說　聞名及見身　心念不空過　能滅諸有苦
假使興害意　推落大火坑　念彼觀音力　火坑變成池
或漂流巨海　龍魚諸鬼難　念彼觀音力　波浪不能沒
或在須彌峰　為人所推墮　念彼觀音力　如日虛空住
或被惡人逐　墮落金剛山　念彼觀音力　不能損一毛
或值怨賊遶　各執刀加害　念彼觀音力　咸即起慈心
或遭王難苦　臨刑欲壽終　念彼觀音力　刀尋段段壞
或囚禁枷鎖　手足被杻械　念彼觀音力　釋然得解脫
呪咀諸毒藥　所欲害身者　念彼觀音力　還著於本人
或遇惡羅剎　毒龍諸鬼等　念彼觀音力　時悉不敢害
若惡獸圍遶　利牙爪可怖　念彼觀音力　疾走无邊方
蚖蛇及蝮蠍　氣毒煙火燃　念彼觀音力　尋聲自迴去
雲雷鼓掣電　降雹澍大雨　念彼觀音力　應時得消散
眾生被困厄　无量苦逼身　觀音妙智力　能救世間苦

BD02627 號　觀世音經　（2–1）

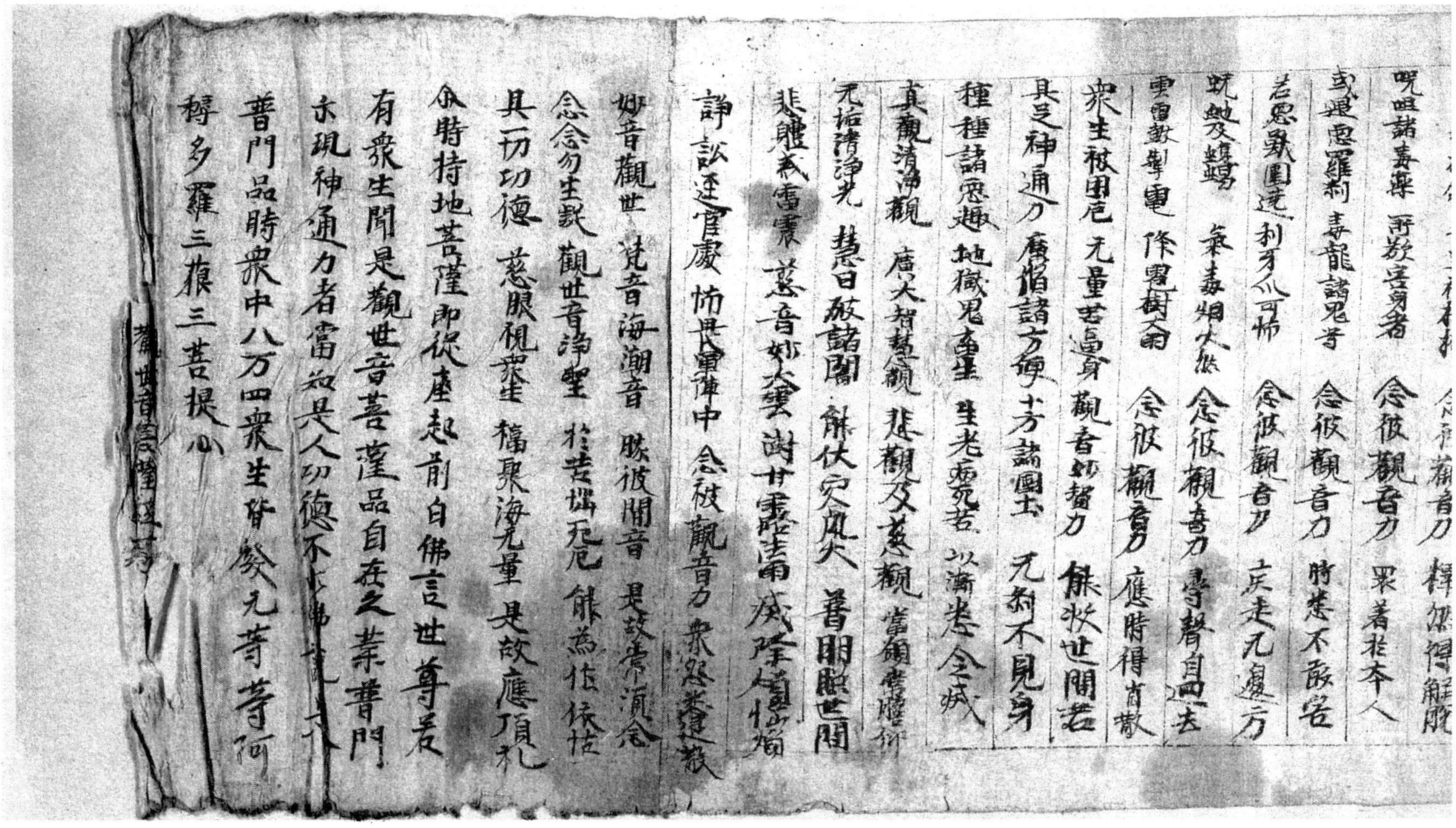

[illegible]　念彼觀音力　釋然得解脫
呪咀諸毒藥　所欲害身者　念彼觀音力　還著於本人
或遇惡羅剎　毒龍諸鬼等　念彼觀音力　時悉不敢害
若惡獸圍遶　利牙爪可怖　念彼觀音力　疾走无邊方
蚖蛇及蝮蠍　氣毒煙火燃　念彼觀音力　尋聲自迴去
雲雷鼓掣電　降雹澍大雨　念彼觀音力　應時得消散
眾生被困厄　无量苦逼身　觀音妙智力　能救世間苦
具足神通力　廣修智方便　十方諸國土　无剎不現身
種種諸惡趣　地獄鬼畜生　生老病死苦　以漸悉令滅
真觀清淨觀　廣大智慧觀　悲觀及慈觀　常願常瞻仰
无垢清淨光　慧日破諸闇　能伏災風火　普明照世間
悲體戒雷震　慈意妙大雲　澍甘露法雨　滅除煩惱焰
諍訟經官處　怖畏軍陣中　念彼觀音力　眾怨悉退散
妙音觀世音　梵音海潮音　勝彼世間音　是故須常念
念念勿生疑　觀世音淨聖　於苦惱死厄　能為作依怙
具一切功德　慈眼視眾生　福聚海无量　是故應頂禮
尒時持地菩薩即從座起前白佛言世尊若
有眾生聞是觀世音菩薩品自在之業普門
示現神通力者當知是人功德不少佛說是
普門品時眾中八万四千眾生皆發无等等阿
耨多羅三藐三菩提心
觀世音經一卷

BD02627 號　觀世音經　（2–2）

清淨若一切智智清淨无二无二分无別无
斷故四无色定清淨故四无所畏四无礙解
大慈大悲大喜大捨十八佛不共法清淨
四无所畏乃至十八佛不共法清淨故一切智
智清淨何以故若四无色定清淨若四无所
畏乃至十八佛不共法清淨若一切智智清
淨无二无二分无別无斷故善現四无色定
清淨故无忘失法清淨无忘失法清淨故一
切智智清淨何以故若四无色定清淨若无
忘失法清淨若一切智智清淨无二无二分无
別无斷故四无色定清淨故恒住捨性清
淨恒住捨性清淨故一切智智清淨何以
故若四无色定清淨若恒住捨性清淨若一
切智智清淨无二无二分无別无斷故善現
四无色定清淨故一切智清淨一切智清淨
故一切智智清淨何以故若四无色定清淨若
一切智清淨若一切智智清淨无二无二分
无別无斷故四无色定清淨故道相智一切
相智清淨道相智一切相智清淨故一切智
智清淨何以故若四无色定清淨若道相智
一切相智清淨若一切智智清淨无二无二

BD02628號　大般若波羅蜜多經卷二二六　（2–1）

切智智清淨何以故若四无色定清淨若无
忘失法清淨若一切智智清淨无二无二分无
別无斷故四无色定清淨故恒住捨性清
淨恒住捨性清淨故一切智智清淨何以
故若四无色定清淨若恒住捨性清淨若一
切智智清淨无二无二分无別无斷故善現
四无色定清淨故一切智清淨一切智清淨
故一切智智清淨何以故若四无色定清淨若
一切智清淨若一切智智清淨无二无二分
无別无斷故四无色定清淨故道相智一切
相智清淨道相智一切相智清淨故一切智
智清淨何以故若四无色定清淨若道相智
一切相智清淨若一切智智清淨无二无二
分无別无斷故善現四无色定清淨故一切
陁羅尼門清淨一切陁羅尼門清淨故一切
智智清淨何以故若四无色定清淨若一切
陁羅尼門清淨若一切智智清淨无二无二
分无別无斷故四无色定清淨故一切三摩
地門清淨一切三摩地門清淨故一切智智
清淨何以故若四无色定清淨若一切三摩

BD02628號　大般若波羅蜜多經卷二二六　（2–2）

王其有讀誦……佛莊嚴
而自莊嚴則為如來肩所荷擔其所至方應
隨向礼一心合掌恭敬供養尊重讚嘆華香
瓔珞末香塗香燒香繒蓋幢幡衣服餚饍作
諸伎樂人中上供而供養之應持天寶而以
散之天上寶聚應以奉獻所以者何是人歡
喜說法須臾聞之即得究竟阿耨多羅三藐
三菩提故尒時世尊欲重宣此義而說偈言
若欲住佛道　成就自然智　常當勤供養　受持法華者
其有欲疾得　一切種智慧　當受持是經　并供養持者
若有能受持　妙法華經者　當知佛所使　愍念諸眾生
諸有能受持　妙法華經者　捨於清淨土　愍眾故生此
當知如是人　自在所欲生　能於此惡世　廣說无上法
應以天華香　及天寶衣服　天上妙寶聚　供養說法者
吾滅後惡世　能持此經者　當合掌礼敬　如供養世尊
上饌眾甘美　及種種衣服　供養是佛子　兾得須臾聞
若能於後世　受持此經者　我遣在人中　行於如來事
若於一劫中　常懷不善心　作色而罵佛　獲无量重罪
其有讀誦持　是法華經者　須臾加惡言　其罪復過彼

BD02629號　妙法蓮華經卷四　（19–1）

吾滅後惡世　能持此經者　當合掌礼敬　如供養世尊
上饌眾甘美　及種種衣服　供養是佛子　兾得須臾聞
若能於後世　受持此經者　我遣在人中　行於如來事
若於一劫中　常懷不善心　作色而罵佛　獲无量重罪
其有讀誦持　是法華經者　須臾加惡言　其罪復過彼
有人求佛道　而於一劫中　合掌在我前　以无數偈讚
由是讚佛故　得无量功德　嘆美持經者　其福復過彼
於八十億劫　以最妙色聲　及與香味觸　供養持經者
如是供養已　若得須臾聞　則應自欣慶　我今獲大利
藥王今告汝　我所說諸經　而於此經中　法華最第一
尒時佛復告藥王菩薩摩訶薩我所說經典
无量千億已說今說當說而於其中此法華
經最為難信難解藥王此經是諸佛秘要之
藏不可分布妄授與人諸佛世尊之所守護
從昔已來未曾顯說而此經者如來現在猶
多怨嫉況滅度後藥王當知如來滅後其能
書持讀誦供養為他人說者如來則為以衣
覆之又為他方現在諸佛之所護念是人有
大信力及志願力諸善根力當知是人與如
來共宿則為如來手摩其頭藥王在在處處
若說若讀若誦若書若經卷所住處皆應起
七寶塔極令高廣嚴飾不須復安舍利所以
者何此中已有如來全身此塔應以一切華
香瓔珞繒蓋幢幡伎樂歌頌供養恭敬尊重
讚嘆若有人得見此塔礼拜供養當知是等

BD02629號　妙法蓮華經卷四　（19–2）

七寶塔極令高廣嚴飾不須復安舍利所以
者何此中已有如來全身此塔應以一切華
香瓔珞繒蓋幢幡伎樂歌頌供養恭敬尊重
讚歎若有人得見此塔禮拜供養當知是等
皆近阿耨多羅三藐三菩提藥王多有人在
家出家行菩薩道若不能得見聞讀誦書持
供養是法華經者當知是人未善行菩薩道
若有得聞是經典者乃能善行菩薩之道其
有衆生求佛道者若見若聞是法華經聞已
信解受持者當知是人得近阿耨多羅三藐
三菩提藥王譬如有人渴乏須水於彼高原
穿鑿求之猶見乾土知水尚遠施功不已轉
見濕土遂漸至泥其心決定知水必近菩薩
亦復如是若未聞未解未能循習是法華經
當知是人去阿耨多羅三藐三菩提尚遠若
得聞解思惟循習必知得近阿耨多羅三藐
三菩提所以者何一切菩薩阿耨多羅三藐
三菩提皆屬此經此經開方便門示真實相
是法華經藏深固幽遠无人能到今佛教化
成就菩薩而為開示藥王若有菩薩聞是法
華經驚疑怖畏當知是為新發意菩薩若聲
聞人聞是經驚疑怖畏當知是為增上慢者
藥王若有善男子善女人如來滅後欲為四
衆說是法華經者云何應說是善男子善女
人入如來室著如來衣坐如來坐尒乃應為
四衆廣說斯經如來室者一切衆生中大慈

華經驚疑怖畏當知是為新發意菩薩若聲
聞人聞是經驚疑怖畏當知是為增上慢者
藥王若有善男子善女人如來滅後欲為四
衆說是法華經者云何應說是善男子善女
人入如來室著如來衣坐如來坐尒乃應為
四衆廣說斯經如來室者一切衆生中大慈
悲心是如來衣者柔和忍辱心是如來坐者
一切法空是安住是中然後以不懈怠心為
諸菩薩及四衆廣說是法華經藥王我於餘
國遣化人為其集聽法衆亦遣化比丘比丘
尼優婆塞優婆夷聽其說法是諸化人聞法
信受隨順不逆若說法者在空閑處我時廣
遣天龍鬼神乾闥婆阿脩羅等聽其說法我
雖在異國時時令說法者得見我身若於此
經忘失句逗我還為說令得具足尒時世尊
欲重宣此義而說偈言

欲捨諸懈怠　應當聽此經　是經難得聞　信受者亦難
如人渴須水　穿鑿於高原　猶見乾燥土　知去水尚遠
漸見濕土泥　決定知近水
藥王汝當知　如是諸人等　不聞法華經　去佛智甚遠
若聞是深經　決了聲聞法　是諸經之王　聞已諦思惟
當知此人等　近於佛智慧
若人說此經　應入如來室　著於如來衣　而坐如來坐
處衆无所畏　廣為分別說
大慈悲為室　柔和忍辱衣　諸法空為坐　處此為說法
若說此經時　有人惡口罵　加刀杖瓦石　念佛故應忍

乾王汝當知　如是諸人等　不聞法華經　去佛智甚遠
若聞是深經　决了聲聞法　是諸經之王　聞已諦思惟
當知此人等　近於佛智慧
若人說此經　應入如來室　著於如來衣　而坐如來坐
處衆无所畏　廣為分別說
大慈悲為室　柔和忍辱衣　諸法空為坐　處此為說法
若說此經時　有人惡口罵　加刀杖瓦石　念佛故應忍
我千万億土　現淨堅固身　於无量億劫　為衆生說法
若我滅度後　能說此經者　我遣化四衆　比丘比丘尼
及清信士女　供養於法師　引導諸衆生　集之令聽法
若人欲加惡　刀杖及瓦石　則遣變化人　為之作衛護
若說法之人　獨在空閑處　寂漠无人聲　讀誦此經典
我尒時為現　清淨光明身　若忘失章句　為說令通利
若人具是德　或為四衆說　空處讀誦經　皆得見我身
若人在空閑　我遣天龍王　夜叉鬼神等　為作聽法衆
是人樂說法　分別无罣閡　諸佛護念故　能令大衆喜
若親近法師　速得菩薩道　隨順是師學　得見恒沙佛
妙法蓮華經見寶塔品第十一
尒時佛前有七寶塔高五百由旬縱廣二百
五十由旬從地踊出住在空中種種寶物而
莊挍之五千蘭楯龕室千万无數幢幡以為
嚴飾垂寶瓔珞寶鈴万億而懸其上四面皆
出多摩羅跋栴檀之香充遍世界其諸幡蓋
皆以金銀琉璃車璖馬瑙真珠玫瑰七寶合
成高至四天王宮世三天雨天曼陁羅華供
養寶塔餘諸天龍夜叉乾闥婆阿脩羅迦樓

嚴飾垂寶瓔珞寶鈴万億而懸其上四面皆
出多摩羅跋栴檀之香充遍世界其諸幡蓋
皆以金銀琉璃車璖馬瑙真珠玫瑰七寶合
成高至四天王宮世三天雨天曼陁羅華供
養寶塔餘諸天龍夜叉乾闥婆阿脩羅迦樓
羅緊那羅摩睺羅伽人非人等千万億衆以
一切華香瓔珞幡蓋伎樂供養寶塔恭敬尊
重讚嘆尒時寶塔中出大音聲嘆言善哉善
哉釋迦牟尼世尊能以平等大慧教菩薩法
佛所護念妙法華經為大衆說如是如是釋
迦牟尼世尊如所說者皆是真實
尒時四衆見大寶塔住在空中又聞塔中所
出音聲皆得法喜怪未曾有從座而起恭敬
合掌却住一面尒時有菩薩摩訶薩名大樂
說知一切世間天人阿脩羅等心之所疑而
白佛言世尊以何因緣有此寶塔從地踊出
又於其中發是音聲尒時佛告大樂說菩薩
此寶塔中有如來全身乃往過去東方无量
千万阿僧祇世界國名寶淨彼中有佛号曰
多寶其佛行菩薩道時作大誓願若我成佛
滅度之後於十方國土有說法華經處我之
塔廟為聽是經故踊現其前為作證明讚言
善哉彼佛成道已臨滅度時於天人大衆中
告諸比丘我滅度後欲供養我全身者應起
一大塔其佛神通願力十方世界在在處處
若有說法華經者彼之寶塔皆踊在其前全

善哉彼佛成道已臨滅度時於天人大衆中
告諸比丘我滅度後欲供養我全身者應起
一大塔其佛神通願力十方世界在在處處
若有說法華經者彼之寶塔皆踊出其前全
身在於塔中讚言善哉善哉大樂說今多寶
如來塔聞說法華經故從地踊出讚言善哉
善哉是時大樂說菩薩以如來神力故白佛
言世尊我等願欲見此佛身佛告大樂說菩
薩摩訶薩是多寶佛有深重願若我寶塔為
聽法華經故出於諸佛前時其有欲以我身
示四衆者彼佛分身諸佛在於十方世界說
法盡還集一處然後我身乃出現耳大樂說
我分身諸佛在於十方世界說法者今應當
集大樂說白佛言世尊我等亦願欲見世尊
分身諸佛礼拜供養尒時佛放白毫一光即
見東方五百万億那由他恒河沙等國土諸
佛彼諸國土皆以頗梨為地寶樹寶衣以為
莊嚴无數千万億菩薩充滿其中遍張寶幔
寶網羅上彼國諸佛以大妙音而說諸法及
見无量千万億菩薩遍滿諸國為衆說法南西
北方四維上下白毫相光所照之處亦復如是
尒時十方諸佛各告衆菩薩言善男子我今
應往娑婆世界釋迦牟尼佛所并供養多寶
如來寶塔時娑婆世界即變清淨流璃為地
寶樹莊嚴黃金為繩以界八道无諸聚落村
營城邑大海江河山川林藪燒大寶香曼陁

BD02629 號　妙法蓮華經卷四　（19–7）

[illegible]
如來寶塔時娑婆世界即變請淨流璃為地
寶樹莊嚴黃金為繩以界八道无諸聚落村
營城邑大海江河山川林藪燒大寶香曼陁
羅華遍布其地以寶網幔羅覆其上懸諸寶
鈴唯留此會衆移諸天人置於他土是時諸
佛各將一大菩薩以為侍者至娑婆世界各
到寶樹下一一寶樹高五百由旬枝葉華菓
次第莊嚴諸寶樹下皆有師子之座高五由
旬亦以大寶而校飾之尒時諸佛各於此座
結跏趺坐如是展轉遍滿三千大千世界而
於釋迦牟尼佛一方所分之身猶故未盡時
釋迦牟尼佛欲容受所分身諸佛故八方各
更變二百万億那由他國皆令清淨无有地
獄餓鬼畜生及阿脩羅又移諸天人置於他
土所化之國亦以流璃為地寶樹莊嚴樹高
五百由旬枝葉華菓次第嚴飾樹下皆有寶
師子座高五由旬種種諸寶以為莊校亦无
大海江河及目真隣陁山摩訶目真隣陁山
鐵圍山大鐵圍山須弥山等諸山王通為一
佛國土寶地平正寶交露幔遍覆其上懸諸
幡蓋燒大寶香諸天寶華遍布其地釋迦牟
尼佛為諸佛當來坐故復於八方各變二百
万億那由他國皆令清淨无有地獄餓鬼畜
生及阿脩羅又移諸天人置於他土所化之
國亦以流璃為地寶樹莊嚴樹高五百由旬
枝葉華菓次第莊嚴樹下皆有寶師子座高

BD02629 號　妙法蓮華經卷四　（19–8）

万億那由他國皆令清淨无有地獄餓鬼畜
生及阿脩羅又移諸天人置於他土所化之
國亦以瑠璃爲地寶樹莊嚴樹高五百由旬
枝葉華菓次第莊嚴樹下皆有寶師子座高
五由旬亦以大寶而校餝之亦无大海江河
及目真隣陁山摩訶目真隣陁山鐵圍大鐵
圍須弥山等諸山王通爲一佛國土寶地平
正寶交露幔遍覆其上懸諸幡蓋燒大寶香
諸天寶華遍布其地尒時東方釋迦牟尼所
分之身百千万億那由他恒河沙等國土中
諸佛各各說法來集於此如是次第十方諸
佛皆悉來集坐於八方尒時一一方四百万
億那由他國土諸佛如來遍滿其中是時諸
佛各在寶樹下坐師子座皆遣侍者問訊釋
迦牟尼佛各賫寶華滿掬而告之言善男子
汝往詣耆闍崛山釋迦牟尼佛所如我辭曰
少病少惱氣力安樂及菩薩聲聞衆悉安隱
不以此寶華散佛供養而作是言彼某甲佛
與欲開此寶塔諸佛遣使亦復如是
尒時釋迦牟尼佛見所分身佛悉已來集各
各坐於師子之座皆聞諸佛與欲同開寶塔
即從坐起住虛空中一切四衆起立合掌一
心觀佛於是釋迦牟尼佛以右指開七寶塔
戶出大音聲如却關鑰開大城門即時一切
衆會皆見多寶如來於寶塔中坐師子座全

即從坐起住虛空中一切四衆起立合掌一
心觀佛於是釋迦牟尼佛以右指開七寶塔
戶出大音聲如却關鑰開大城門即時一切
衆會皆見多寶如來於寶塔中坐師子座全
身不散如入禪定又聞其言善哉善哉釋迦
牟尼佛快說是法華經我爲聽是經故而來
至此尒時四衆等見過去无量千万億劫滅
度佛說如是言歎未曾有以天寶華聚散多
寶佛及釋迦牟尼佛上尒時多寶佛於寶塔
中分半座與釋迦牟尼佛而作是言釋迦牟
尼佛可就此坐即時釋迦牟尼佛入其塔中
坐其半坐結跏趺坐尒時大衆見二如來在
七寶塔中師子座上結跏趺坐各作是念佛
座高遠唯願如來以神通力令我等輩俱處
虛空即時釋迦牟尼佛以神通力接諸大衆
皆在虛空以大音聲普告四衆誰能於此娑
婆國土廣說妙法華經今正是時如來不久
當入涅槃佛欲以此妙法華經付囑有在尒
時世尊欲重宣此義而說偈言
聖主世尊　雖久滅度　在寶塔中　尚爲法來
諸人云何　不勤爲法　此佛滅度　无央數劫
處處聽法　以難遇故　彼佛本願　我滅度後
在在所往　常爲聽法　又我分身　无量諸佛
如恒沙等　來欲聽法　及見滅度　多寶如來
各捨妙土　及弟子衆　天人龍神　諸供養事
令法久住　故來至此　爲坐諸佛　以神通力

在在所住　常爲聽法　又我分身　无量諸佛
如恒沙等　来欲聽法　及見滅度　多寶如来
各捨妙土　及弟子衆　天人龍神　諸供養事
令法久住　故来至此　爲坐諸佛　以神通力
移无量衆　令國清淨　諸佛各各　詣寶樹下
如清淨池　蓮華莊嚴　其寶樹下　諸師子座
佛坐其上　光明嚴飾　如夜闇中　然大炬火
身出妙香　遍十方國　衆生蒙薰　喜不自勝
譬如大風　吹小樹枝　以是方便　令法久住
告諸大衆　我滅度後　誰能護持　讀說斯經
今於佛前　自說誓言　其多寶佛　雖久滅度
以大誓願　而師子吼　多寶如来　及與我身
所集化佛　當知此意　諸佛子等　誰能護法
當發大願　令得久住　其有能護　此經法者
則爲供養　我及多寶　此多寶佛　處於寶塔
常遊十方　爲是經故　亦復供養　諸来化佛
莊嚴光飾　諸世界者　若說此經　則爲見我
多寶如来　及諸化佛　諸善男子　各諦思惟
此爲難事　宜發大願　諸餘經典　數如恒沙
雖說此等　未足爲難　若接須弥　擲置他方
无數佛土　亦未爲難　若以足指　動大千界
遠擲他國　亦未爲難　若立有頂　爲衆演說
无量餘經　亦未爲難　若佛滅後　於惡世中
能說此經　是則爲難　假使有人　手把虛空
而以遊行　亦未爲難　於我滅後　若自書持
若使人書　是則爲難　若以大地　置足甲上

遠擲他國　亦未爲難　若立有頂　爲衆演說
无量餘經　亦未爲難　若佛滅後　於惡世中
能說此經　是則爲難　假使有人　手把虛空
而以遊行　亦未爲難　於我滅後　若自書持
若使人書　是則爲難　若以大地　置足甲上
昇於梵天　亦未爲難　佛滅度後　於惡世中
暫讀此經　是則爲難　假使劫燒　擔負乾草
入中不燒　亦未爲難　我滅度後　若持此經
爲一人說　是則爲難　若持八万　四千法藏
十二部經　爲人演說　令諸聽者　得六神通
雖能如是　亦未爲難　於我滅後　聽受此經
問其義趣　是則爲難　若人說法　令千万億
无量无數　恒沙衆生　得阿羅漢　具六神通
雖有是益　亦未爲難　於我滅後　若能奉持
如斯經典　是則爲難　我爲佛道　於无量土
從始至今　廣說諸經　而於其中　此經第一
若有能持　則持佛身　諸善男子　於我滅後
誰能受持　讀誦此經　今於佛前　自說誓言
此經難持　若暫持者　我則歡喜　諸佛亦然
如是之人　諸佛所歎　是則勇猛　是則精進
是名持戒　行頭陀者　則爲疾得　无上佛道
能於来世　讀持此經　是真佛子　住純善地
佛滅度後　能解其義　是諸天人　世間之眼
於恐畏世　能須臾說　一切天人　皆應供養
妙法蓮華經提婆達多品第十二
尒時佛告諸菩薩及天人四衆吾於過去无

佛滅度後　能解其義　是諸天人世間之眼
於恐畏世　能須臾說　一切天人　皆應供養
妙法蓮華經提婆達多品第十二
尒時佛告諸菩薩及天人四衆吾於過去无
量劫中求法華經无有懈惓於多劫中常作
國王發願求於无上菩提心不退轉為欲滿
足六波羅蜜懃行布施心无悋惜象馬七珎
國城妻子奴婢僕從頭目髓腦身肉手足不
惜軀命時世人民壽命无量為於法故捐捨
國位委政太子撃鼓宣令四方求法誰能為
我說大乘者吾當終身供給走使時有仙人
來白王言我有大乘名妙法華經若不違我
當為宣說王聞仙言歡喜踊躍即隨仙人供
給所須採菓汲水拾薪設食乃至以身而作
床座身心无惓于時奉事經於千歲為於法
故精懃給侍令无所乏尒時世尊欲重宣此
義而說偈言
我念過去劫　為求大法故　雖作世國王　不貪五欲樂
搥鍾告四方　誰有大法者　若為我解說　身當為奴僕
時有阿私仙　來白於大王　我有微妙法　世間所希有
若能脩行者　吾當為汝說　時王聞仙語　心生大喜悅
即便隨仙人　供給於所欲　採薪及菓蓏　隨時恭敬與
情存妙法故　身心无懈惓　普為諸衆生　懃求於大法
亦不為己身　及以五欲樂　故為大國王　懃求獲此法
遂致得成佛　今故為汝說
佛告諸比丘尒時王者則我身是時仙人者

BD02629號　妙法蓮華經卷四　（19–13）

即便隨仙人　供給於所欲　採薪及菓蓏　隨時恭敬與
情存妙法故　身心无懈惓　普為諸衆生　懃求於大法
亦不為己身　及以五欲樂　故為大國王　懃求獲此法
遂致得成佛　今故為汝說
佛告諸比丘尒時王者則我身是時仙人者
今提婆達多是由提婆達多善知識故令我
具足六波羅蜜慈悲喜捨三十二相八十種
好紫磨金色十力四无所畏四攝法十八不
共神通道力成等正覺廣度衆生皆因提婆
達多善知識故告諸四衆提婆達多却後過
无量劫當得成佛号天王如來應供正遍知
明行足善逝世間解无上士調御丈夫天人
師佛世尊世界名天道時天王佛住世廿中
劫廣為衆生說於妙法恒河沙衆生得阿羅
漢果无量衆生發緣覺心恒河沙衆生發无
上道心得无生忍至不退轉時天王佛般涅
槃後正法住世廿中劫全身舍利起七寶塔
高六十由旬縱廣卌由旬諸天人民悉以雜
華末香燒香塗香衣服瓔珞幢幡寶蓋伎樂
歌頌礼拜供養七寶妙塔无量衆生得阿羅
漢果无量衆生悟辟支佛不可思議衆生發
菩提心至不退轉佛告諸比丘未來世中若
有善男子善女人聞妙法華經提婆達多品
淨心信敬不生疑惑者不墮地獄餓鬼畜生
生十方佛前所生之處常聞此經若生人天

BD02629號　妙法蓮華經卷四　（19–14）

漢果无量衆生悟辟支佛不可思議衆生發
菩提心至不退轉佛告諸比丘未來世中若
有善男子善女人聞妙法華經提婆達多品
淨心信敬不生疑惑者不墮地獄餓鬼畜生
生十方佛前所生之處常聞此經若生人天
中受勝妙樂若在佛前蓮華化生於時下方
多寶世尊所從菩薩名曰智積白多寶佛當
還本土釋迦牟尼佛告智積曰善男子且待
須臾此有菩薩名文殊師利可與相見論說
妙法可還本土尒時文殊師利坐千葉蓮華
大如車輪俱來菩薩亦坐寶蓮華從於大海
娑竭龍宮自然踊出住虛空中詣靈鷲山從
蓮華下至於佛所頭面敬礼二世尊足脩敬
已畢往智積所共相慰問却坐一面智積菩
薩問文殊師利仁往龍宮所化衆生其數幾
何文殊師利言其數无量不可稱計非口所
宣非心所測且待須臾自當有證所言未竟无
數菩薩坐寶蓮華從海踊出詣靈鷲山住在
虛空此諸菩薩皆是文殊師利之所化度具
菩薩行皆共論說六波羅蜜本聲聞人在虛
空中說聲聞行今皆脩行大乘空義文殊師
利謂智積曰於海教化其事如此尒時智積
菩薩以偈讚曰
大智德勇健　化度无量衆　今此諸大會　及我皆已見
演暢實相義　開闡一乘法　廣導諸群生　令速成菩提
文殊師利言我於海中唯常宣說妙法華經

BD02629 號　妙法蓮華經卷四　（19–15）

利謂智積曰於海教化其事如此尒時智積
菩薩以偈讚曰
大智德勇健　化度无量衆　今此諸大會　及我皆已見
演暢實相義　開闡一乘法　廣導諸群生　令速成菩提
文殊師利言我於海中唯常宣說妙法華經
智積問文殊師利言此經甚深微妙諸經中
寶世所希有頗有衆生懃加精進脩行此經
速得佛不文殊師利言有娑竭羅龍王女年
始八歲智慧利根善知衆生諸根行業得陁
羅尼諸佛所說甚深秘藏悉能受持深入禪
定了達諸法於剎那頃發菩提心得不退轉
辯才无閡慈念衆生猶如赤子功德具足心
念口演微妙廣大慈悲仁讓志意和雅能至
菩提智積菩薩言我見釋迦如來於无量劫
難行苦行積功累德求菩提道未曾止息觀
三千大千世界乃至无有如芥子許非菩薩
捨身命處為衆生故然後乃得成菩提道不
信此女於須臾頃便成正覺言論未訖時龍
王女忽現於前頭面礼敬却住一面以偈讚
曰
深達罪福相　遍照於十方　微妙淨法身　具相三十二
以八十種好　用莊嚴法身　天人所戴仰　龍神咸恭敬
一切衆生類　无不宗奉者　又聞成菩提　唯佛當證知
我闡大乘教　度脫苦衆生
時舍利弗語龍女言汝謂不久得无上道是
事難信所以者何女身垢穢非是法器云何

BD02629 號　妙法蓮華經卷四　（19–16）

以八十種好 用莊嚴法身 天人所戴仰 龍神咸恭敬
一切衆生類 无不宗奉者 又聞成菩提 唯佛當證知
我闡大乘教 度脫苦衆生
時舍利弗語龍女言汝謂不久得无上道是
事難信所以者何女身垢穢非是法器云何
能得无上菩提佛道懸曠逕无量劫懃苦積
行具脩諸度然後乃成又女身猶有五鄣一
者不得作梵天王二者帝釋三者魔王四者
轉輪聖王五者佛身云何女身速得成佛尒
時龍女有一寶珠價直三千大千世界持以
上佛佛即受之龍女謂智積菩薩尊者舍利
弗言我獻寶珠世尊納受是事疾不荅言甚
疾女言以汝神力觀我成佛復速於此當時
衆會皆見龍女忽然之間變成男子具菩薩
行即往南方无垢世界坐寶蓮華成等正覺
三十二相八十種好普為十方一切衆生演
說妙法尒時娑婆世界菩薩聲聞天龍八部
人與非人皆遙見彼龍女成佛普為時會人
天說法心大歡喜悉遙敬礼无量衆生聞法
解悟得不退轉无量衆生得受道記无垢世
界六反震動娑婆世界三千衆生住不退地
三千衆生發菩提心而得受記智積菩薩及
舍利弗嘿然信受
妙法蓮華經持品第十三
尒時藥王菩薩摩訶薩及大樂說菩薩摩訶
薩與二万菩薩眷屬俱皆於佛前作是誓言
[illegible]

BD02629號　妙法蓮華經卷四　（19–17）

[illegible]
三千衆生發菩提心而得受記智積菩薩及
舍利弗嘿然信受
妙法蓮華經持品第十三
尒時藥王菩薩摩訶薩及大樂說菩薩摩訶
薩與二万菩薩眷屬俱皆於佛前作是誓言
唯願世尊不以為慮我等於佛滅後當奉持
讀誦說此經典後惡世衆生善根轉少多增
上慢貪利供養增不善根遠離解脫雖難可
教化我等當起大忍力讀誦此經持說書寫
種種供養不惜身命尒時衆中五百阿羅漢
得受記者白佛言世尊我等亦自誓願於異
國土廣說此經復有學无學八千人得受記
者從坐而起合掌向佛作是誓言世尊我等
亦當於他國土廣說此經所以者何是娑婆
國中人多弊惡懷增上慢功德淺薄瞋濁諂
曲心不實故尒時佛姨母摩訶波闍波提比
丘尼與學无學比丘尼六千人俱從坐而起
一心合掌瞻仰尊顏目不暫捨於時世尊告
憍曇弥何故憂色而視如來汝心將无謂我
不說汝名受阿耨多羅三藐三菩提記耶憍
曇弥我先揔說一切聲聞皆已受記今汝欲
知記者將來之世當於六万八千億諸佛法
中為大法師及六千學无學比丘尼俱為法
師汝如是漸漸具菩薩道當得作佛号一切
衆生憙見如來應供正遍知明行足善逝世
間解无上士調御丈夫天人師佛世尊憍曇

BD02629號　妙法蓮華經卷四　（19–18）

丘尼與學无學六千人俱從坐而起
一心合掌瞻仰尊顏目不暫捨於時世尊告
憍曇弥何故憂色而視如來汝心將无謂我
不說汝名受阿耨多羅三藐三菩提記耶憍
曇弥我先揔說一切聲聞皆已受記今汝欲
知記者將來之世當於六万八千億諸佛法
中為大法師及六千學无學比丘尼俱為法
師汝如是漸漸具菩薩道當得作佛号一切
衆生憙見如來應供正遍知明行足善逝世
間解无上士調御丈夫天人師佛世尊憍曇
弥是一切衆生喜見佛及六千菩薩轉次授
記得阿耨多羅三藐三菩提尒時羅睺羅母
耶輸陁羅比丘尼作是念世尊於授記中獨
不說我名佛告耶輸陁羅汝於來世百万億
諸佛法中脩菩薩行為大法師漸具佛道於
善國中當得作佛号具足千万光相如來應
供正遍知明行足善逝世間解无上士調御
丈夫天人師佛世尊佛壽无量阿僧秖劫尒
時摩訶波闍波提比丘尼及耶輸陁羅比丘
尼并其眷屬皆大歡喜得未曾有即於佛前
而說偈言

BD02629號　妙法蓮華經卷四　（19–19）

六其
於八　千劫為四部
經一一皆度六百万億
等衆生示教利喜令發阿耨
提心大通智勝佛過八万四
諸法座安詳而坐普告
甚為希有諸根通利
養无量千万億數諸佛於
持佛智開示衆生令入
數數親近而供養之所以者
佛及諸菩薩能信是十六菩
受持不毀者是人皆當得阿耨
提如來之慧佛告諸比丘是
槃說是妙法蓮華經一一菩薩
六百万億那由他恒河沙等衆生世世
與菩薩俱從其聞法悉皆信解以此因
得值四万億諸佛世尊于今不盡諸比丘
語汝彼佛弟子十六沙弥今皆得阿耨
三藐三菩提於十方國土現在說法有
量百千万億

BD02630號　妙法蓮華經卷三　（7–1）

樂說是妙法蓮華經一一菩薩
六百万億那由他恒河沙等衆生世世
與菩薩俱從其聞法悉皆信解以此因
緣得值四万億諸佛世尊于今不盡諸比丘
語汝彼佛弟子十六沙弥今皆得阿耨
三藐三菩提於十方國土現在說法有
量百千万億菩薩聲聞以為眷屬其二沙
弥東方作佛一名阿閦在歡喜國二名須弥
頂東南方二佛一名師子音二名師子相南
方二佛一名虛空住二名常滅西南方二佛
一名帝相二名梵相西方二佛一名阿弥陁
名度一切世間苦惱西北方二佛一名多
摩羅跋栴檀香神通二名須弥相北方二佛
一名雲自在二名雲自在王東北方佛名壞
一切世間怖畏第十六我釋迦牟尼佛於娑
婆國土成阿耨多羅三藐三菩提諸比丘我
等為沙弥時各各教化无量百千万億恒河
沙等衆生從我聞法為阿耨多羅三藐三菩
提此諸衆生于今有住聲聞地者我常教化
阿耨多羅三藐三菩提是諸人等應以是法
漸入佛道所以者何如來智慧難信難解尒
時所化无量恒河沙等衆生者汝等諸比丘
及我滅度後未來世中聲聞弟子是也我滅
度後復有弟子不聞是經不知不覺菩薩所
行自於所得功德生滅度想當入涅槃我於
餘國作佛更有異名是人雖生滅度之想入
於涅槃而於彼土求佛智慧得聞是經唯以

BD02630號　妙法蓮華經卷三　（7–2）

漸入佛道所以者何如來智慧難信難解尒
時所化无量恒河沙等衆生者汝等諸比丘
及我滅度後未來世中聲聞弟子是也我滅
度後復有弟子不聞是經不知不覺菩薩所
行自於所得功德生滅度想當入涅槃我於
餘國作佛更有異名是人雖生滅度之想入
於涅槃而於彼土求佛智慧得聞是經唯以
佛乘而得滅度更无餘乘除諸如來方便說
法諸比丘若如來自知涅槃時到衆又清淨
信解堅固了達空法深入禪定便集諸菩薩
及聲聞衆為說是經世間无有二乘而得滅
度唯一佛乘得滅度耳比丘當知如來方便
深入衆生之性知其志樂小法深著五欲為
是等故說於涅槃是人若聞則便信受譬如
五百由旬險難惡道曠絕无人怖畏之處若
有多衆欲過此道至珎寶處有一導師聰慧
明達善知險道通塞之相將導衆人欲過此
難所將人衆中路懈退白導師言我等疲極
而復怖畏不能復進前路猶遠今欲退還導
師多諸方便而作是念此等可愍云何捨大
珎寶而欲退還作是念已以方便力於險道
中過三百由旬化作一城告衆人言汝等勿
怖莫得退還今此大城可於中止隨意所作
若入是城快得安隱若能前至寶所亦可得
去是時疲極之衆心大歡喜歎未曾有我等
今者免斯惡道快得安隱於是衆人前入化
城生已度想生安隱想尒時導師知此人衆

BD02630號　妙法蓮華經卷三　（7–3）

怖莫得退還今此大城可於中止隨意所作
若入是城快得安隱若能前至寶所亦可得
去是時疲極之衆心大歡喜歎未曾有我等
今者免斯惡道快得安隱於是衆人前入化
城生已度想生安隱想尒時導師知此人衆
既得止息无復疲惓即滅化城語衆人言汝
等去來寶處在近向者大城我所化作為止
息耳諸比丘如來亦復如是今為汝等作大
導師知諸生死煩惱惡道險難長遠應去應
度若衆生但聞一佛乘者則不欲見佛不欲
親近便作是念佛道長遠久受勤苦乃可得
成佛知是心怯弱下劣以方便力而於中道
為止息故說二涅槃若衆生住於二地如來
尒時即便為說汝等所作未辦汝所住地近
於佛慧當觀察籌量所得涅槃非真實也但
是如來方便之力於一佛乘分別說三如彼
導師為止息故化作大城既知息已而告之
言寶處在近此城非實我化作耳尒時世尊
欲重宣此義而說偈言
大通智勝佛　十劫坐道場　佛法不現前　不得成佛道
諸天神龍王　阿脩羅衆等　常雨於天華　以供養彼佛
諸天擊天鼓　并作衆伎樂　香風吹萎華　更雨新好者
過十小劫已　乃得成佛道　諸天及世人　心皆懷踊躍
彼佛十六子　皆與其眷屬　千万億圍繞　俱行至佛所
頭面礼佛足　而請轉法輪　聖師子法雨　充我及一切
世尊甚難值　久遠時一現　為覺悟群生　震動於一切
東方諸世界　五百万億國　梵宮殿光曜　昔所未曾有

BD02630號　妙法蓮華經卷三　（7-4）

諸天擊天鼓　并作衆伎樂　香風吹萎華　更雨新好者
過十小劫已　乃得成佛道　諸天及世人　心皆懷踊躍
彼佛十六子　皆與其眷屬　千万億圍繞　俱行至佛所
頭面礼佛足　而請轉法輪　聖師子法雨　充我及一切
世尊甚難值　久遠時一現　為覺悟群生　震動於一切
東方諸世界　五百万億國　梵宮殿光曜　昔所未曾有
諸梵見此相　尋來至佛所　散華以供養　并奉上宮殿
請佛轉法輪　以偈而讚歎　佛知時未至　受請嘿然坐
三方及四維　上下亦復尒　散華奉宮殿　請佛轉法輪
世尊甚難值　願以大慈悲　廣開甘露門　轉无上法輪
无量慧世尊　受彼衆人請　為宣種種法　四諦十二緣
无明至老死　皆從生緣有　如是衆過患　汝等應當知
宣暢是法時　六百万億姟　得盡諸苦際　皆成阿羅漢
第二說法時　千万恒沙衆　於諸法不受　亦得阿羅漢
從是後得道　其數无有量　万億劫筭數　不能得其邊
時十六王子　出家作沙弥　皆共請彼佛　演說大乘法
我等及營從　皆當成佛道　願得如世尊　慧眼第一淨
佛知童子心　宿世之所行　以无量因緣　種種諸譬喻
說六波羅蜜　及諸神通事　分別真實法　菩薩所行道
說是法華經　如恒河沙偈　彼佛說經已　靜室入禪定
一心一處坐　八万四千劫　是諸沙弥等　知佛禪未出
為无量億衆　說佛无上慧　各各坐法座　說是大乘經
於佛宴寂後　宣揚助法化　一一沙弥等　所度諸衆生
有六百万億　恒河沙等衆　彼佛滅度後　是諸聞法者
在在諸佛土　常與師俱生　是十六沙弥　具足行佛道
今現在十方　各得成正覺　尒時聞法者　各在諸佛所
其有住聲聞　漸教以佛道　我在十六數　曾亦為汝說
是故以方便　引汝趣佛慧　以是本因緣　今說法華經

BD02630號　妙法蓮華經卷三　（7-5）

有六百万億　恒河沙等衆　彼佛滅度後　是諸聞法者
在在諸佛土　常與師俱生　是十六沙弥　具足行佛道
今現在十方　各得成正覺　尒時聞法者　各在諸佛所
其有住聲聞　漸教以佛道　我在十六數　曾亦為汝說
是故以方便　引汝趣佛慧　以是本因緣　今說法華經
令汝入佛道　慎勿懷驚懼　譬如險惡道　迥絶多毒獸
又復无水草　人所怖畏處　无數千万衆　欲過此險道
其路甚曠遠　經五百由旬　時有一導師　強識有智慧
明了心決定　在險濟衆難　衆人皆疲惓　而白導師言
我等今頓乏　於此欲退還　導師作是念　此輩甚可愍
如何欲退還　而失大珎寶　尋時思方便　當設神通力
化作大城郭　莊嚴諸舍宅　周帀有園林　渠流及浴池
重門高樓閣　男女皆充滿　即作是化已　慰衆言勿懼
汝等入此城　各可隨所樂　諸人既入城　心皆大歡喜
皆生安隱想　自謂已得度　導師知息已　集衆而告言
汝等當前進　此是化城耳　我見汝疲極　中路欲退還
故以方便力　權化作此城　汝今勤精進　當共至寶所
我亦復如是　為一切導師　見諸求道者　中路而懈癈
不能度生死　煩惱諸險道　故以方便力　為息說涅槃
言汝等苦滅　所作皆已辦　既知到涅槃　皆得阿羅漢
尒乃集大衆　為說真實法　諸佛方便力　分別說三乘
唯有一佛乘　息處故說二　今為汝說實　汝所得非滅
為佛一切智　當發大精進　汝證一切智　十力等佛法
具三十二相　乃是真實滅　諸佛之導師　為息說涅槃
既知是息已　引入於佛慧

妙法蓮華經卷第三

BD02630號　妙法蓮華經卷三　　(7–6)

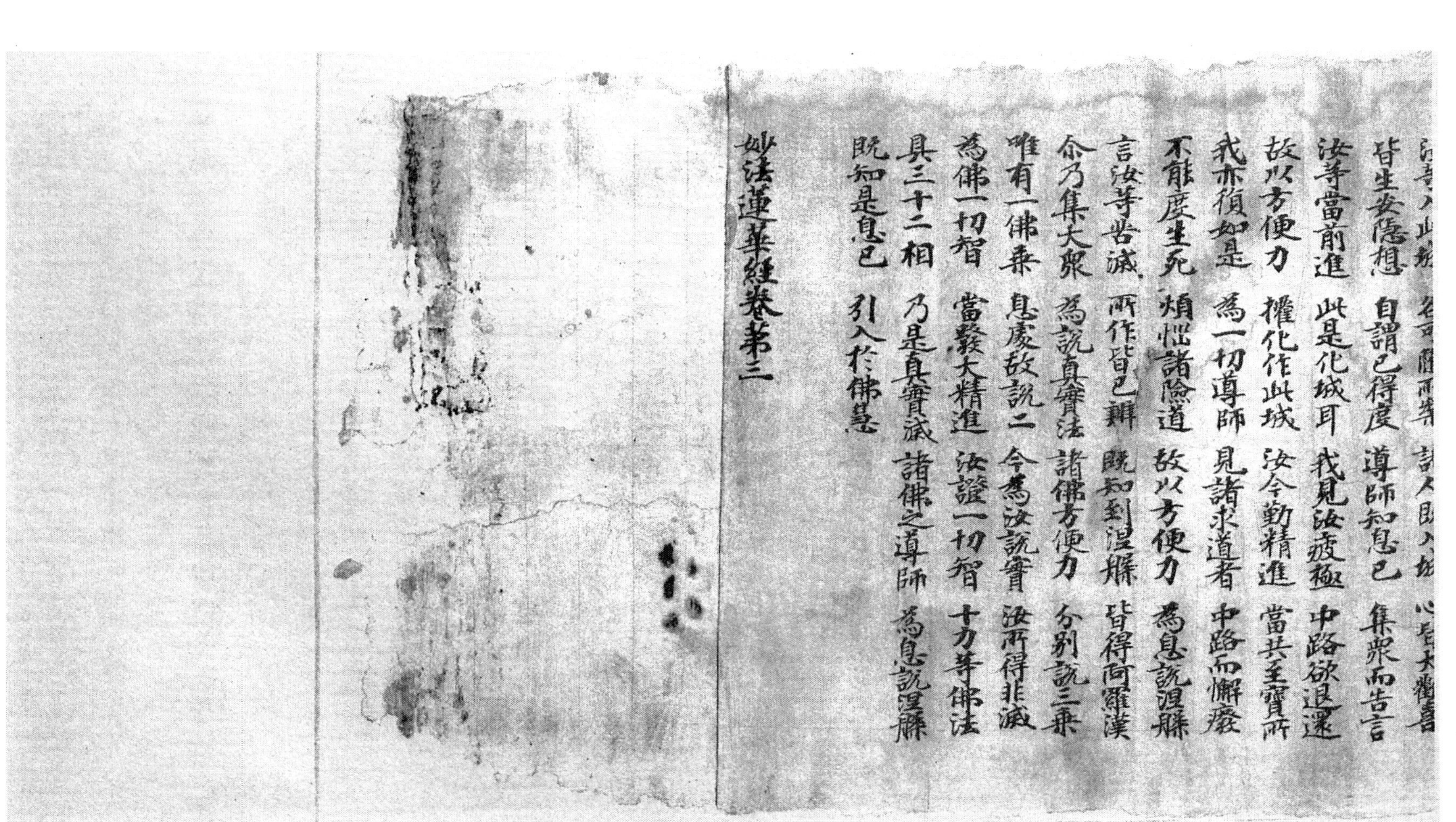

皆生安隱想　自謂已得度　導師知息已　集衆而告言
汝等當前進　此是化城耳　我見汝疲極　中路欲退還
故以方便力　權化作此城　汝今勤精進　當共至寶所
我亦復如是　為一切導師　見諸求道者　中路而懈癈
不能度生死　煩惱諸險道　故以方便力　為息說涅槃
言汝等苦滅　所作皆已辦　既知到涅槃　皆得阿羅漢
尒乃集大衆　為說真實法　諸佛方便力　分別說三乘
唯有一佛乘　息處故說二　今為汝說實　汝所得非滅
為佛一切智　當發大精進　汝證一切智　十力等佛法
具三十二相　乃是真實滅　諸佛之導師　為息說涅槃
既知是息已　引入於佛慧

妙法蓮華經卷第三

BD02630號　妙法蓮華經卷三　　(7–7)

[illegible]法清淨若一切智
[illegible]分无別无斷故无為空清淨故
恒住捨性清淨恒住捨性清淨故一切智智
清淨何以故若无為空清淨若恒住捨性淨
淨若一切智智清淨无二无二分无別无斷
故善現无為空清淨故一切智智清淨一切智
智故一切智智清淨何以故若无為空清
智清淨若一切智智清淨无二无
故[illegible]為空清淨故道相智一切
智清淨道相智一切相智清淨故一切
智清淨何以故若无為空清淨若道相智
一切相智清淨若一切智智清淨无二无二
分无別无斷故善現无為空清淨故一切陁
羅尼門清淨一切陁羅尼門清淨故一切智
故若[illegible]為空清淨若一切陁羅
清淨[illegible]一切智智清淨无二无二分无別
斷故无為空清淨故一切三摩地門清
淨一切三摩地門清淨故一切智智清淨何以
故若无為空清淨若一切三摩地門清淨若
一切智智清淨无二无二分无別无斷故
善現无為空清淨故預流果清淨預流果清
淨[illegible]清淨何以故若无為空清淨
[illegible]流果清淨若一切智智清淨无二无二

BD02631號　大般若波羅蜜多經卷二一一　（12–1）

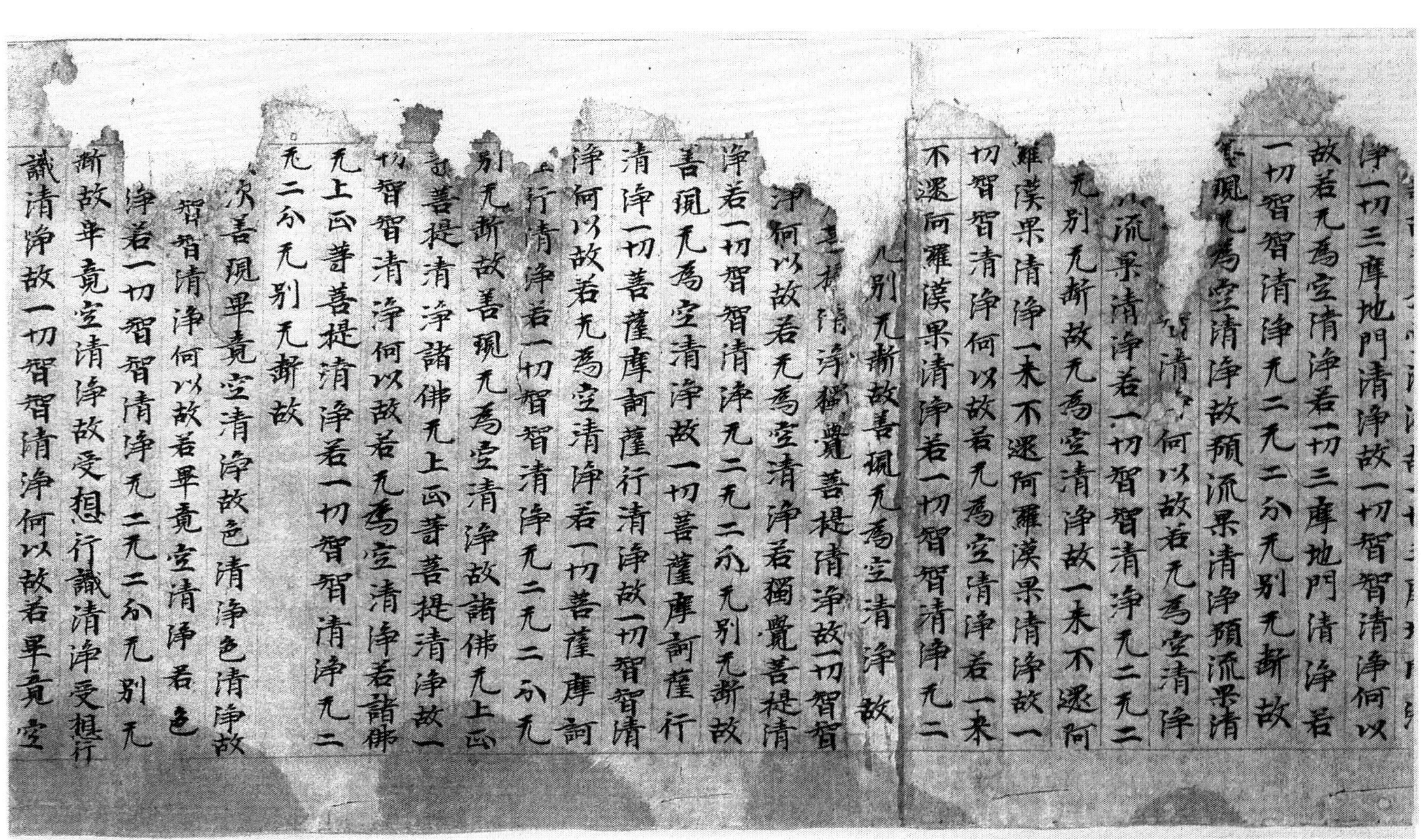
淨一切三摩地門清淨故一切智智清淨何以
故若无為空清淨若一切三摩地門清淨若
一切智智清淨无二无二分无別无斷故
善現无為空清淨故預流果清淨預流果清
淨[illegible]清[illegible]何以故若无為空清淨
[illegible]流果清淨若一切智智清淨无二无二
分无別无斷故无為空清淨故一來不還阿
羅漢果清淨一來不還阿羅漢果清淨故一
切智智清淨何以故若无為空清淨若一來
不還阿羅漢果清淨若一切智智清淨无二
[illegible]分无別无斷故善現无為空清淨故
[illegible]獨覺菩提清淨獨覺菩提清淨故一切智智
淨何以故若无為空清淨若獨覺菩提清
淨若一切智智清淨无二无二分无別无斷故
善現无為空清淨故一切菩薩摩訶薩行
清淨一切菩薩摩訶薩行清淨故一切智智清
淨何以故若无為空清淨若一切菩薩摩訶
[illegible]行清淨若一切智智清淨无二无二分无
別无斷故善現无為空清淨故諸佛无上正
等菩提清淨諸佛无上正等菩提清淨故一
切智智清淨何以故若无為空清淨若諸佛
无上正等菩提清淨若一切智智清淨无二
无二分无別无斷故
復次善現畢竟空清淨故色清淨色清淨故
一切智智清淨何以故若畢竟空清淨若色
清淨若一切智智清淨无二无二分无別无
斷故畢竟空清淨故受想行識清淨受想行
識清淨故一切智智清淨何以故若畢竟空

BD02631號　大般若波羅蜜多經卷二一一　（12–2）

次善現畢竟空清淨故色清淨色清淨故
智智清淨何以故若畢竟空清淨若色
淨若一切智智清淨无二无二分无別无
斷故畢竟空清淨故受想行識清淨受想行
識清淨故一切智智清淨何以故若畢竟空
清淨若受想行識清淨若一切智智清淨无
二无二分无別无斷故善現畢竟空清淨故
清淨眼處清淨故一切智智清淨何以故
竟空清淨若眼處清淨若一切智智清
淨无二无二分无別无斷故畢竟空清淨
故耳鼻舌身意處清淨耳鼻舌身意處清
淨故一切智智清淨何以故若畢竟空清淨若
耳鼻舌身意處清淨若一切智智清淨无二
别无斷故善現畢竟空清淨故色
淨色處清淨故一切智智清淨何以故
畢竟空清淨若色處清淨若一切智智清
淨无二无二分无別无斷故畢竟空清淨故
聲香味觸法處清淨聲香味觸法處清
淨故一切智智清淨何以故若畢竟空清淨若
味觸法處清淨若一切智智清淨无二无
别无斷故善現畢竟空清淨故眼界
淨眼界清淨故一切智智清淨何以故若畢
竟空清淨若眼界清淨若一切智智清淨无
二无二分无別无斷故畢竟空清淨故色
界眼識界及眼觸眼觸為緣所生諸受清
界乃至眼觸為緣所生諸受清淨故一切智
淨何以故若畢竟空清淨若色界乃至
眼觸為緣所生諸受清淨若一切智智清淨
无二无二分无別无斷故善現畢竟空清淨

BD02631 號　大般若波羅蜜多經卷二一一　（12–3）

二无二分无別无斷故畢竟空清淨故色
界眼識界及眼觸眼觸為緣所生諸受清
界乃至眼觸為緣所生諸受清淨故一切智
淨何以故若畢竟空清淨若色界乃至
眼觸為緣所生諸受清淨若一切智智清淨
无二无二分无別无斷故善現畢竟空清淨
故耳界清淨耳界清淨故一切智智清淨
何以故若畢竟空清淨若耳界清淨若一切
智智清淨无二无二分无別无斷故畢竟空
故聲界耳識界及耳觸耳觸為緣所生
諸受清淨聲界乃至耳觸為緣所生諸受清
淨故一切智智清淨何以故若畢竟空清淨
若聲界乃至耳觸為緣所生諸受清淨若一
切智智清淨无二无二分无別无斷故善現畢
清淨故鼻界清淨鼻界清淨故一切
智智清淨何以故若畢竟空清淨若鼻界清
淨若一切智智清淨无二无二分无別无斷故
竟空清淨故香界鼻識界乃至鼻觸鼻
觸為緣所生諸受清淨香界乃至鼻觸為緣所
生諸受清淨故一切智智清淨何以故若畢
清淨若香界乃至鼻觸為緣所生諸受
清淨若一切智智清淨无二无二分无別无
故善現畢竟空清淨故舌界清淨舌界清
故一切智智清淨何以故若畢竟空清淨
若舌界清淨若一切智智清淨无二无二分无
別无斷故畢竟空清淨故味界舌識界及
舌觸舌觸為緣所生諸受清淨味界乃至舌
觸為緣所生諸受清淨故一切智智清淨何

BD02631 號　大般若波羅蜜多經卷二一一　（12–4）

故一切智智清淨何以故若畢竟空清淨
若舌界清淨若一切智智清淨无二无二分无
別无斷故畢竟空清淨故味界舌識界及
舌觸舌觸為緣所生諸受清淨味界乃至舌
觸為緣所生諸受清淨故一切智智清淨何
以故若畢竟空清淨若味界乃至舌觸為緣
所生諸受清淨若一切智智清淨无二无二分
无別无斷故善現畢竟空清淨故身界清
淨身界清淨故一切智智清淨何以故若畢
竟空清淨若身界清淨若一切智智清淨无
二无二分无別无斷故畢竟空清淨故觸界
身識界及身觸身觸為緣所生諸受清淨觸
界乃至身觸為緣所生諸受清淨故一切智
智清淨何以故若畢竟空清淨若觸界乃至
身觸為緣所生諸受清淨若一切智智清淨
无二无二分无別无斷故善現畢竟空清淨
故意界清淨意界清淨故一切智智清淨何
以故若畢竟空清淨若意界清淨若一切智
智清淨无二无二分无別无斷故畢竟空清
淨故法界意識界及意觸意觸為緣所生諸
受清淨法界乃至意觸為緣所生諸受清淨
故一切智智清淨何以故若畢竟空清淨若
法界乃至意觸為緣所生諸受清淨若一切
智智清淨无二无二分无別无斷故善現畢
竟空清淨故地界清淨地界清淨故一切智
智清淨何以故若畢竟空清淨若地界清淨若
一切智智清淨无二无二分无別无斷故畢竟
空清淨故水火風空識界清淨水火風空
識界清淨故一切智智清淨何以故若畢

BD02631號　大般若波羅蜜多經卷二一一　（12–5）

竟空清淨故地界清淨地界清淨故一切智
智清淨何以故若畢竟空清淨若地界清淨若
一切智智清淨无二无二分无別无斷故畢竟
空清淨故水火風空識界清淨水火風空
識界清淨故一切智智清淨何以故若畢
竟空清淨若水火風空識界清淨若一切智
智清淨无二无二分无別无斷故
善現畢竟空清淨故无明清淨无明清淨故
一切智智清淨何以故若畢竟空清淨若无
明清淨若一切智智清淨无二无二分无別
无斷故畢竟空清淨故行識名色六處觸受
愛取有生老死愁歎苦憂惱清淨行乃至
老死愁歎苦憂惱清淨故一切智智清淨何以
故若畢竟空清淨若行乃至老死愁歎苦憂
惱清淨若一切智智清淨无二无二分无別
无斷故善現畢竟空清淨故布施波羅蜜多
清淨布施波羅蜜多清淨故一切智智清淨
何以故若畢竟空清淨若布施波羅蜜多清
淨若一切智智清淨无二无二分无別无斷故
畢竟空清淨故淨戒安忍精進靜慮般若
波羅蜜多清淨淨戒乃至般若波羅蜜多清
淨故一切智智清淨何以故若畢竟空清淨若
淨戒乃至般若波羅蜜多清淨若一切
智清淨无二无二分无別无斷故善現畢竟
空清淨故內空清淨內空清淨故一切智智
清淨何以故若畢竟空清淨若內空清淨若
一切智智清淨无二无二分无別无斷故畢竟
空清淨故外空內外空空空大空勝義空

BD02631號　大般若波羅蜜多經卷二一一　（12–6）

一清淨故內空清淨內空清淨故一切智智
淨何以故若畢竟空清淨若內空清淨若
一切智智清淨无二无二分无別无斷故畢竟
空清淨故外空內外空空空大空勝義空
有為空无為空无際空散空无變異空本
性空自相空共相空一切法空不可得空无
性空自性空无性自性空清淨外空乃至无
性自性空清淨故一切智智清淨何以故若畢竟
空清淨若外空乃至无性自性空清淨若
一切智智清淨无二无二分无別无斷故善
現畢竟空清淨故真如清淨真如清淨故一
切智智清淨何以故若畢竟空清淨若真如
清淨若一切智智清淨无二无二分无別无
斷故畢竟空清淨故法界法性不虛妄性不
異性平等性離生性法定法住實際虛
空界不思議界清淨法界乃至不思議界清
淨故一切智智清淨何以故若畢竟空清淨若
法界乃至不思議界清淨若一切智智清淨
无二无二分无別无斷故善現畢竟空清淨
故苦聖諦清淨苦聖諦清淨故一切智智清
淨何以故若畢竟空清淨若苦聖諦清淨若
一切智智清淨无二无二分无別无斷故畢竟
空清淨故集滅道聖諦清淨集滅道聖諦
清淨故一切智智清淨何以故若畢竟空清淨
若集滅道聖諦清淨若一切智智清淨无
二无二分无別无斷故善現畢竟空清淨故
四靜慮清淨四靜慮清淨故一切智智清淨
何以故若畢竟空清淨若四靜慮清淨若一
切智智清淨[illegible]

BD02631號　大般若波羅蜜多經卷二一一　（12–7）

清淨故一切智智清淨何以故若畢竟空清淨
若集滅道聖諦清淨若一切智智清淨无
二无二分无別无斷故善現畢竟空清淨故
四靜慮清淨四靜慮清淨故一切智智清淨
何以故若畢竟空清淨若四靜慮清淨若一
切智智清淨无二无二分无別无斷故畢竟
空清淨故四无量四无色定清淨四无量四无
色定清淨故一切智智清淨何以故若畢竟
空清淨若四无量四无色定清淨若一切智
智清淨无二无二分无別无斷故善現畢
竟空清淨故八解脫清淨八解脫清淨故一切
智智清淨何以故若畢竟空清淨若八解脫
清淨若一切智智清淨无二无二分无別无
斷故畢竟空清淨故八勝處九次第定十遍
處清淨八勝處九次第定十遍處清淨故一切
智智清淨何以故若畢竟空清淨若八勝處
九次第定十遍處清淨若一切智智清淨无
二无二分无別无斷故善現畢竟空清淨
淨故四念住清淨四念住清淨故一切智智
清淨何以故若畢竟空清淨若四念住清淨
若一切智智清淨无二无二分无別无斷故
畢竟空清淨故四正斷四神足五根五力七
等覺支八聖道支清淨四正斷乃至八聖道
支清淨故一切智智清淨何以故若畢竟空
清淨若四正斷乃至八聖道支清淨若一切
智智清淨无二无二分无別无斷故善現畢
竟空清淨故空解脫門清淨空解脫門清
淨故一切智智清淨何以故若畢竟空清淨若
空解脫門清淨若一切智智清淨无二无二

BD02631號　大般若波羅蜜多經卷二一一　（12–8）

清淨若四正斷乃至八聖道支清淨若一切
智智清淨无二无二分无別无斷故善現畢
竟空清淨故空解脫門清淨空解脫門清
淨故一切智智清淨何以故若畢竟空清淨若
空解脫門清淨若一切智智清淨无二无二
分无別无斷故畢竟空清淨故无相无願解
脫門清淨无相无願解脫門清淨故一切智
智清淨何以故若畢竟空清淨若无相无願
解脫門清淨若一切智智清淨无二无二分无別
无斷故善現畢竟空清淨故菩薩十地清
淨菩薩十地清淨故一切智智清淨何以故
若畢竟空清淨若菩薩十地清淨若一切智
智清淨无二无二分无別无斷故
善現畢竟空清淨故五眼清淨五眼清淨故
一切智智清淨何以故若畢竟空清淨若五眼清
淨若一切智智清淨无二无二分无別无斷
故畢竟空清淨故六神通清淨六神通清
淨故一切智智清淨何以故若畢竟空清
淨若六神通清淨若一切智智清淨无二无
二分无別无斷故善現畢竟空清淨故佛十
力清淨佛十力清淨故一切智智清淨何以故
若畢竟空清淨若佛十力清淨若一切智
智清淨无二无二分无別无斷故畢竟空清
淨故四无所畏四无礙解 大慈大悲大喜大
捨十八佛不共法清淨四无所畏乃至十八
佛不共法清淨故一切智智清淨何以故若畢
竟空清淨若四无所畏乃至十八佛不共
法清淨若一切智智清淨无二无二分无別
无斷故善現畢竟空清淨故无忘失法清淨

淨故四无所畏四无礙解 大慈大悲大喜大
捨十八佛不共法清淨四无所畏乃至十八
佛不共法清淨故一切智智清淨何以故若畢
竟空清淨若四无所畏乃至十八佛不共
法清淨若一切智智清淨无二无二分无別
无斷故善現畢竟空清淨故无忘失法清淨
无忘失法清淨故一切智智清淨何以故若畢
竟空清淨若无忘失法清淨若一切智智清
淨无二无二分无別无斷故畢竟空清淨故恒
住捨性清淨恒住捨性清淨故一切智智
清淨何以故若畢竟空清淨若恒住捨性
清淨若一切智智清淨无二无二分无別无
斷故善現畢竟空清淨故一切智清淨一切
智清淨故一切智智清淨何以故若畢竟空
清淨若一切智清淨若一切智智清淨无二
无二分无別无斷故畢竟空清淨故道相
智一切相智清淨道相智一切相智清淨故一
切智智清淨何以故若畢竟空清淨若道相智
一切相智清淨若一切智智清淨无二无二分
无別无斷故善現畢竟空清淨故一切陁羅
尼門清淨一切陁羅尼門清淨故一切智智
清淨何以故若畢竟空清淨若一切陁羅
尼門清淨若一切智智清淨无二无二分无
別无斷故畢竟空清淨故一切三摩地門清
淨一切三摩地門清淨故一切智智清淨何
以故若畢竟空清淨若一切三摩地門清淨
若一切智智清淨无二无二分无別无斷故
善現畢竟空清淨故預流果清淨預流果
清淨故一切智智清淨何以故若畢竟空清

清淨何以故若畢竟空清淨若一切陁羅
尼門清淨若一切智智清淨无二无二分无
別无斷故畢竟空清淨故一切三摩地門清
淨一切三摩地門清淨故一切智智清淨何
以故若畢竟空清淨若一切三摩地門清淨
若一切智智清淨无二无二分无別无斷故
善現畢竟空清淨故預流果清淨預流果
清淨故一切智智清淨何以故若畢竟空清
淨若預流果清淨若一切智智清淨无二无
二分无別无斷故畢竟空清淨故一來不還
阿羅漢果清淨一來不還阿羅漢果清淨
故一切智智清淨何以故若畢竟空清淨若
一來不還阿羅漢果清淨若一切智智清淨
无二无二分无別无斷故善現畢竟空清淨
故獨覺菩提清淨獨覺菩提清淨故一切智
智清淨何以故若畢竟空清淨若獨覺菩提清
淨若一切智智清淨无二无二分无別无斷故
善現畢竟空清淨故一切菩薩摩訶薩行
清淨一切菩薩摩訶薩行清淨故一切智智
清淨何以故若畢竟空清淨若一切菩薩摩
訶薩行清淨若一切智智清淨无二无二分
无別无斷故善現畢竟空清淨故諸佛无
上正等菩提清淨諸佛无上正等菩提清
淨故一切智智清淨何以故若畢竟空清淨
諸佛无上正等菩提清淨若一切智智清淨
无二无二分无別无斷故

大般若波羅蜜多經卷第二百十一

BD02631號　大般若波羅蜜多經卷二一一　（12–11）

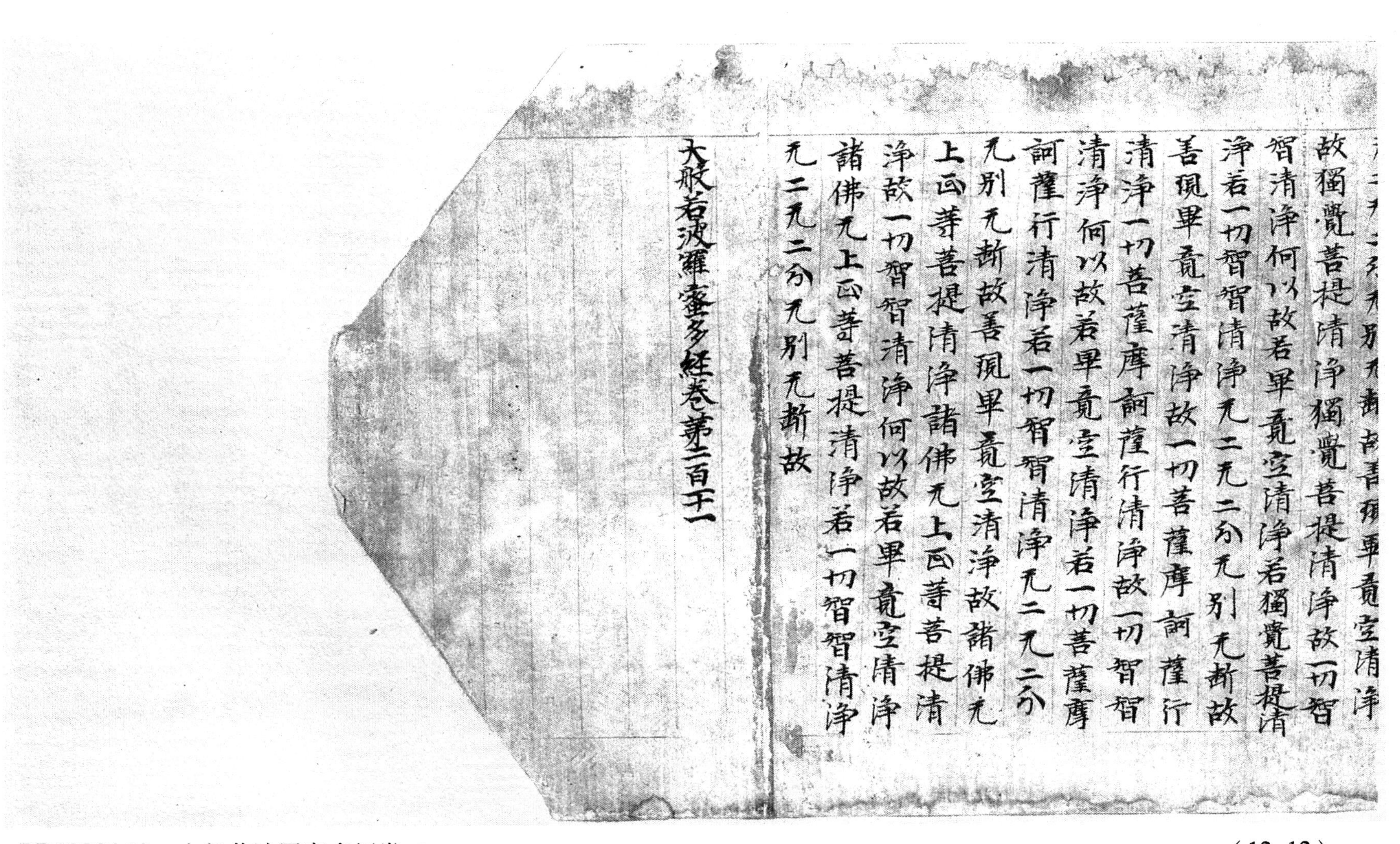
故獨覺菩提清淨獨覺菩提清淨故一切智
智清淨何以故若畢竟空清淨若獨覺菩提清
淨若一切智智清淨无二无二分无別无斷故
善現畢竟空清淨故一切菩薩摩訶薩行
清淨一切菩薩摩訶薩行清淨故一切智智
清淨何以故若畢竟空清淨若一切菩薩摩
訶薩行清淨若一切智智清淨无二无二分
无別无斷故善現畢竟空清淨故諸佛无
上正等菩提清淨諸佛无上正等菩提清
淨故一切智智清淨何以故若畢竟空清淨
諸佛无上正等菩提清淨若一切智智清淨
无二无二分无別无斷故

大般若波羅蜜多經卷第二百十一

BD02631號　大般若波羅蜜多經卷二一一　（12–12）

以无智故　誹謗正法　不知恭敬　父母尊長
如是衆罪　今悉懺悔
愚惑所覆　憍慢放逸　因貪恚癡　造作衆惡
如是衆罪　今悉懺悔
我今供養　无量无邊　三千大千　世界諸佛
我當扶濟　十方一切　无量衆生　所有諸苦
我當安止　不可思議　阿僧祇衆　令住十地
已得安止　住十地者　悉令具足　如來正覺
為一衆生　億劫脩行　使无量衆　令度苦海
我當為是　諸衆生等　演說微妙　甚深悔法
所謂金光　滅除諸惡　千劫所作　極重惡業
若能至心　一懺悔者　如是衆罪　悉皆滅盡
令我已說　懺悔之法　是金光明　清淨微妙
速能除滅　一切業鄣
我當安止　住於十地　十種珎寶　以為脚足
成佛无上　功德光明　令諸衆生　度三有海
諸佛所有　甚深法藏　不可思議　无量功德
一切種智　願悉具足　百千禪定　根力覺道
不可思議　諸陁羅尼　十力世尊　我當成就
諸佛世尊　有大慈悲　當證微誠　哀受我悔
若我百劫　所作衆惡　以是因緣　生大憂苦

BD02632號　合部金光明經卷二　（24–1）

速能除滅　一切業鄣
我當安止　住於十地　十種珎寶　以為脚足
成佛无上　功德光明　令諸衆生　度三有海
諸佛所有　甚深法藏　不可思議　无量功德
一切種智　願悉具足　百千禪定　根力覺道
不可思議　諸陁羅尼　十力世尊　我當成就
諸佛世尊　有大慈悲　當證微誠　哀受我悔
若我百劫　所作衆惡　以是因緣　生大憂苦
貧窮困乏　愁熱驚懼　怖畏惡業　心常怯劣
在在處處　暫无歡樂　十方現在　大悲世尊
能除衆生　一切怖畏　願當受我　誠心懺悔
令我恐懼　悉得消除　我之所有　煩惱業垢
唯願現在　諸佛世尊　以大悲水　洗除令淨
過去諸惡　今悉悔過　現所作業　誠心發露
所未作者　更不敢作　已作之業　不敢覆藏
身業三種　口業有四　意三業行　今悉懺悔
身口所作　及以意思　十種惡行　一切懺悔
遠離十惡　脩行十善　安止十住　逮十力尊
所造惡業　應受惡報　今於佛前　誠心懺悔
若此國土　及餘世界　所有善法　悉以迴向
我所脩行　身口意善　願於來世　證无上道
若在諸有　六趣險難　愚癡无智　造作衆惡
今於佛前　皆悉懺悔　世間所有　生死險難
種種婬欲　愚煩惱難　如是諸難　我今懺悔
心輕躁難　近惡友難　三有險難　及三毒難
遇无難難　值好時難　脩功德難　值佛亦難
如是諸難　今悉懺悔

BD02632號　合部金光明經卷二　（24–2）

令於佛前 皆悉懺悔 世間所有 生死嶮難
種種婬欲 愚煩惱難 如是諸難 我今懺悔
心輕躁難 近惡友難 三有嶮難 及三毒難
遇无難難 值好時難 脩功德難 值佛亦難
如是諸難 今悉懺悔
諸佛世尊 我所依止 是故我今 敬礼佛海
金光晃耀 猶如須弥 是故我今 頂礼畢膝
其色无上 猶如真金 眼目清淨 如紺琉璃
功德威神 名稱顯著 佛日大悲 滅一切闇
善淨无垢 離諸塵翳 无上佛日 大光普照
煩惱火熾 令心焦熱 唯佛能除 如月清涼
三十二相 八十種好 莊嚴其身 視之无猒
功德巍巍 明網顯曜 安住三界 如日照世
猶如琉璃 淨无瑕穢 妙色廣大 種種各異
其色紅赤 如日初出 頗黎白銀 校飾光網
如是種種 莊嚴佛日 三有之中 生死大河
老水波蕩 惱亂我心 其味苦毒 冣為麁澀
如來網明 能令枯涸 妙身端嚴 相好殊特
金色光明 遍照一切 智慧大海 弥滿三界
是故我今 稽首敬礼 如大海水 其量難知
大地微塵 不可稱計 諸須弥山 難可度量
虛空邊際 亦不可得 諸佛亦尒 功德无量
一切有心 无能知者 於无量劫 極心思惟
不能得知 佛功德邊 大地諸山 尚可知量
毛渧海水 亦可知數 諸佛功德 无能知者
相好莊嚴 名稱讚歎 如是功德 令衆皆得

虛空邊際 亦不可得 諸佛亦尒 功德无量
一切有心 无能知者 於无量劫 極心思惟
不能得知 佛功德邊 大地諸山 尚可知量
毛渧海水 亦可知數 諸佛功德 无能知者
相好莊嚴 名稱讚歎 如是功德 令衆皆得
我以善業 諸因緣故 來世不久 成於佛道
講宣妙法 利益衆生 度脫一切 无量諸苦
摧伏諸魔 及其眷屬 轉於无上 清淨法輪
住壽无量 不思議劫 充足衆生 甘露法味
我當具足 六波羅蜜 猶如過佛 之所成就
斷諸煩惱 除一切苦 悉滅貪欲 及恚癡等
我當憶念 宿命之事 百生千生 千万億生
常當至心 正念諸佛 聞說微妙 无上之法
我因善業 常值諸佛 遠離諸惡 脩諸善業
一切世界 所有衆生 无量苦惱 我當悉滅
若有衆生 諸根毀壞 不具足者 悉令具足
十方世界 所有疾苦 羸瘦頓乏 无救護者
悉令解脫 如是諸苦 還得勢力 平復如本
若犯王法 臨當刑戮 无量怖畏 愁憂苦惱
如是之人 悉令解脫 若受鞭撻 繫縛枷鎖
種種苦事 逼切其身 无量百千 愁憂驚畏
種種恐懼 擾亂其心 如是无邊 諸苦惱等
願使一切 悉得解脫
若有衆生 飢渴所惱 令得種種 甘美飲食
盲者得視 聾者得聽 瘂者能言 裸者得衣
貧窮之者 即得寶藏 倉庫盈溢 无所乏少

[illegible]

願使一切　悉得解脫

若有衆生　飢渴所惱　令得種種　甘美飲食

盲者得視　聾者得聽　瘂者能言　裸者得衣

貧窮之者　即得寶藏　倉庫盈溢　无所乏少

一切皆受　安隱快樂　乃至无有　一人受苦

衆生相視　和顏悅色　形貌端嚴　人所喜見

心常思念　他人善事　飲食飽滿　功德具足

隨諸衆生　之所思念　皆願令得　種種伎樂

箜篌箏笛　琴瑟鼓吹　如是種種　微妙音聲

江河池沼　流泉諸水　金華遍布　及優鉢羅

隨諸衆生　之所思念　即得種種　衣服飲食

錢財珍寶　金銀琉璃　真珠璧玉　雜廁瓔珞

願諸衆生　不聞惡聲　乃至无有　可惡見者

願諸衆生　色貌微妙　各各相於　共相愛念

世間所有　資生之具　隨其所念　悉令具足

願諸衆生　諸所求索　如其所須　應念即得

香華諸樹　常於三時　雨細末香　及塗身香

衆生受者　歡喜快樂

願諸衆生　常得供養　不可思議　十方諸佛

无上妙法　清淨无垢　及諸菩薩　聲聞大衆

願諸衆生　常得遠離　三惡八難　值无難處

覲覲諸佛　无上之王

願諸衆生　常生尊貴　多饒財寶　安隱豐樂

上妙色像　莊嚴其身　功德成就　有大名稱

願諸女人　皆成男子　具足智慧　精勤不懈

一切皆行　菩薩之道　勤心脩集　六波羅蜜

覲覲諸佛　无上之王

願諸衆生　常生尊貴　多饒財寶　安隱豐樂

上妙色像　莊嚴其身　功德成就　有大名稱

願諸女人　皆成男子　具足智慧　精勤不懈

一切皆行　菩薩之道　勤心脩集　六波羅蜜

常見十方　无量諸佛　坐寶樹下　琉璃座上

安住禪定　自在快樂　演說正法　衆所樂聞

若我現在　及過去世　所作惡業　諸有嶮難

應得惡果　不適意者　願悉盡滅　令无有餘

若諸衆生　三有繫縛　生死羅網　堅密牢固

願以智力　割斷破裂　除諸苦惱　早成菩提

若此閻浮　及餘他方　无量世界　所有衆生

所作種種　善妙功德　我今深心　隨其歡喜

我今以此　隨喜功德　及身口意　所作善業

願於來世　成无上道　得淨无垢　吉祥果報

若有敬礼　讚歎十力　信心清淨　无諸疑網

能作如是　所說懺悔　便得超越　六十劫罪

諸善男子　及善女人　諸王剎利　婆羅門等

若有恭敬　合掌向佛　稱歎如來　并讚此偈

在在處處　常識宿命　諸根具足　清淨端食

種種功德　悉皆成就　在在處處　常爲國王

輔相大臣　之所恭敬　非於一佛　五佛十佛

種諸功德　聞是懺悔　若於无量　百千万億

諸佛如來　種諸善根　然後乃得　聞是懺悔

金光明經業鄣滅品第五

尒時世尊善正分別入於深法妙有名稱從

種諸功德　聞是懺悔　若於无量百千万億
諸佛如來　種諸善根　然後乃得　聞是懺悔

金光明經業鄣滅品第五

尒時世尊善正分別入於淨法妙有名禪從
於毛孔放種種光无量百千種色皆從身出
因此光內一切諸佛刹土悉現光中於十方
恒河沙譬喻筭數所不能知五濁惡世為
光所照是諸衆生所作十惡五无間業誹謗
三不孝父母及沙門婆羅門輕慢尊長應
墮地獄餓鬼畜生各各蒙光至於住處是諸
衆生見斯光已應念安樂因光力故是諸衆生
端正微妙色相具足福德莊嚴皆得親近諸
佛世尊是時大衆與天帝釋及恒水女神皆
集會所却坐一面於是天帝釋承佛神力即
從座起偏袒右肩右膝著地合掌向佛而
白佛言世尊云何善男子善女人願求阿耨
多羅三藐三菩提脩行大乘攝受一切衆生
是諸業鄣云何懺悔而得解脫佛言善哉善
哉善男子汝今脩行欲為无量无數无邊衆
生令得清淨解脫安樂哀愍世間善男子一切
衆生為業鄣故隨多種罪應當日夜六時偏
袒右肩右膝著地合掌恭敬一心一意口自說
言歸命頂礼一切諸佛世尊現在十方世界
已得阿耨多羅三藐三菩提者轉法輪照法
輪持法輪雨大法雨擊大法鼓吹大法螺出
微妙聲竪大法幢秉大法炬為欲利益安樂

言歸命頂礼一切諸佛世尊現在十方世界
已得阿耨多羅三藐三菩提者轉法輪照法
輪持法輪雨大法雨擊大法鼓吹大法螺出
微妙聲竪大法幢秉大法炬為欲利益安樂
衆生故行法施誘接荷負一切衆生為令无
量无數衆生得清淨故得安樂故欲令大衆
得大果故為諸天人得清淨故如是世尊故
應礼敬以身口意頂礼歸誠是諸世尊以真
實慧以真實眼真實證明真實平等悉知
悉見一切衆生善惡之業我從无始隨生死流
與一切衆生已造業鄣為貪瞋癡之所纏縛未
識佛時未識法時未識僧時未識善惡為身
口意得无量罪以惡心故出佛身血誹謗正法
破和合僧殺阿羅漢殺害父母十不善法自作
教他見作隨喜身三口四意三業行於諸衆生
横生毀呰斗秤欺誑以偽為真不淨飲食以
施衆生於生死六道所有父母更相觸惱塔物
僧物四方僧物心生偷奪自在而用如佛所說
言教法律過分謗學師長教亦不相隨從有行
聲聞者行緣覺者行大乘者喜生罵辱令諸行
人心退愁恨見有有勝己便懷嫉妬法施財施
而生鄣礙无明所覆邪見疑惑使惡增長於諸
佛所而起惡言法說非法非法說法如是衆罪
齊如諸佛真實慧真實眼真實證真實平
等悉知悉見奉對懺悔皆悉發露不敢覆藏
未作之罪不敢復作已作之罪今悉懺悔所作
鄣業應墮惡道地獄畜生餓鬼阿脩羅生十二

佛所而起惡言法説非法説法如是衆罪
齊如諸佛真實慧真實眼真實證真實平
等悉知悉見奉對懺悔皆悉發露不敢覆藏
未作之罪不敢復作已作之罪今悉懺悔所作
鄣業應墮惡道地獄畜生餓鬼阿脩羅生十二
難處願我此生所有業鄣皆悉滅盡未來不受
猶如過去諸大菩薩之所脩行三菩提道所有
業鄣悉已懺悔如我業鄣今亦懺悔皆悉發露
不敢覆藏已作之罪願得除滅未來之惡更不
敢作亦如未來諸大菩薩脩三菩提行所有
業鄣悉已懺悔如我業鄣今亦懺悔皆悉發
露不敢覆藏已作之罪願得除滅未來之惡
不敢復作亦如現在諸十方世界菩薩摩訶
薩脩三菩提行所有業鄣悉已懺悔如我業
鄣今亦懺悔皆悉發露不敢覆藏已作之罪
願得除滅未來之惡不敢復作亦如過去未
來現在三世諸大菩薩摩訶薩如是業鄣皆
悉懺悔我亦如是所有業鄣今亦懺悔皆悉
發露不敢覆藏已作之罪願得除滅未來之
惡不敢復作是故善男子若有罪過一刹那
中不得覆藏何況一日一夜善男子若有犯
罪願得清淨而懷慚愧信於未來必有果報
生大恐怖如是脩行譬如男女如火燒頭如火
燒衣救令速滅火若未滅不得暫安是善男
子若已犯罪亦復如是即應懺悔使令滅除
於一切法欲求清淨无諸鄣礙如是懺悔未來

BD02632號　合部金光明經卷二　（24–9）

罪願得清淨而懷慚愧信於未來必有果報
生大恐怖如是脩行譬如男女如火燒頭如火
燒衣救令速滅火若未滅不得暫安是善男
子若已犯罪亦復如是即應懺悔使令滅除
於一切法欲求清淨无諸鄣礙如是懺悔未來
之罪不敢復作若欲生富樂之家金銀穀米
倉庫盈溢發大乘行亦應懺悔滅除業鄣若
欲生豪貴婆羅門家七寶具足亦應懺悔滅
除業鄣若欲生刹利大貴之家及轉輪聖王
亦應懺悔滅除業鄣若欲生四天王天亦應
懺悔滅除業鄣若欲生卅三天夜摩天兜率
陁天化樂天他化自在天亦應懺悔滅除業
鄣若欲生梵輔梵淨大梵天亦應懺悔滅除
業鄣若欲生小光无量光淨光天亦應懺悔
滅除業鄣若欲生小淨无量淨遍淨天亦應
懺悔滅除業鄣若欲生无欲天无熱天善現
天善見天阿迦尼吒天亦應懺悔滅除業鄣
若欲求須陁洹果斯陁含果阿那含果阿羅漢
果亦應懺悔滅除業鄣若欲願求三明六通
菩提自在聲聞力究竟聲聞大自在辟支菩
薩自在地亦應懺悔滅除業鄣若欲願求
一切智智淨智不思議智不動智三藐三菩提
正遍智亦應懺悔滅除業鄣何以故善男子
一切諸法從因緣生如來所説異相生異相
滅以異因緣故是時過去諸法已滅已盡已
轉如是業鄣无復遺餘是諸行法未得現

BD02632號　合部金光明經卷二　（24–10）

薩自在地亦應懺悔滅除業鄣若欲願求
一切智智淨智不思議智不動智三藐三菩提
正遍智亦應懺悔滅除業鄣何以故善男子
一切諸法從因緣生如來所説異相生異相
滅以異因緣故是時過去諸法已滅已盡已
轉如是業鄣无復遺餘是諸行法未得現
生而今得生未來業鄣更不復起何以故善
男子一切法空如來所説亦无衆生亦无壽
者亦无我人亦无生滅亦无行法善男子一
切諸法皆依於本是亦不可説何以故過一
切相故若有善男子善女人如是入於真理
生於信敬是名无衆生而有於本以是義
故説於懺悔除滅業鄣善男子有四種法
成就善男子善女人滅除業鄣永得清淨何
者爲四一者正心成就二者念於甚深經義
不生誹謗三者於初發心菩薩起一切智心四
者於一切衆生起无量慈心若能成就如是
四種之法懺悔業鄣永得除滅尒時世尊
而説偈言
專心護三業　不誹謗深經　作一切智心　慈心淨業鄣
善男子以有四種最大業鄣難可清淨何者
爲四一者於菩薩律儀犯極重惡二者於大
乘十二部經心生誹謗三者於自身中不能
增長一切善根四者貪著有心又有四種對
治滅業鄣法何者爲四者於十方世界一切
如來至心親近懺一切罪二者爲十方一切衆
生勸請諸佛説諸妙法三者隨喜十方一切

BD02632號　合部金光明經卷二　（24–11）

乘十二部經心生誹謗三者於自身中不能
增長一切善根四者貪著有心又有四種對
治滅業鄣法何者爲四者於十方世界一切
如來至心親近懺一切罪二者爲十方一切衆
生勸請諸佛説諸妙法三者隨喜十方一切
衆生所有成就功德四者所有一切功德善
根悉以迴向阿耨多羅三藐三菩提尒時天
帝釋白佛言世尊云何善男子善女人於
大乘行其有行者有不行者云何而得隨
喜一切衆生功德善根佛言善男子若有
善男子善女人日夜六時偏袒右肩右膝
著地合掌恭敬一心一意口自説言十方世
界一切衆生脩施脩戒脩智我皆隨喜皆悉如
前以隨喜故尊勝可愛最上无等並皆隨喜如
是過去未來所有善根皆悉隨喜於現在世
中初發心菩薩所有發菩提心功德過百大
劫行菩薩行所有大功德聚得无生法忍得
不退地功德之衆得一生補處如是一切功德
悉以隨喜讚歎皆如上説過去未來一切菩
薩功德隨喜讚歎亦復如是現在十方世界
一切諸佛如來應供正遍知已具三菩提道爲
度脱一切衆生轉无上法輪行无礙法施然大
法炬擊大法鼓吹大法螺出微妙聲竪大
法幢一切衆生皆蒙法施悉得飽滿勸化衆生
皆令信受爲欲安樂一切衆生哀念一切衆
生一切人天皆蒙安樂聲聞辟支菩薩功

BD02632號　合部金光明經卷二　（24–12）

法炬擊大法鼓吹大法螺出微妙聲竪大
法幢一切衆生皆蒙法施悉得飽滿勸化衆生
皆令信受爲欲安樂一切衆生哀念一切衆
生一切人天皆蒙安樂聲聞辟支菩薩功
德善根皆已脩立若有衆生未具如此諸
功德者悉令具足我皆隨喜而讚歎之如是
所說亦如三世諸佛菩薩聲聞之衆所有功
德皆生隨喜而讚歎之如是善男子隨喜无
量无數功德之聚譬如三千大千及恒河沙
等世界所有一切衆生悉成阿羅漢道滅一
切諸漏是善男子善女人等盡形壽以衣服
飲食卧具醫藥四事供養如是功德不及隨
喜脩功德者何以故是前功德有數有量不
攝一切諸功德故是隨喜功德无量无數能
攝三世一切功德故是故善男子若有善男子
善女人欲增長自善根者應如是隨喜脩功
德者若有女人欲轉女身以爲男身應當隨
喜如是脩功德者尒時帝釋復白佛言世尊
願爲更說勸請功德爲令未來菩薩得大
光明現在菩薩願脩行故善男子若有善
男子善女人願求阿耨多羅三藐三菩提者
應當脩行聲聞緣覺大乘之道若有衆生
未得脩行日夜六時偏袒右肩右膝著地合
掌恭敬一心一意口自說言頂礼十方一切諸佛
世尊現已得阿耨多羅三藐三菩提能轉无上
法輪者我今皆頂礼勸請轉无上法輪然大法
燈持法道理无㝵法施秉大法炬雨大法雨擊

BD02632 號　合部金光明經卷二　（24–13）

未得脩行日夜六時偏袒右肩右膝著地合
掌恭敬一心一意口自說言頂礼十方一切諸佛
世尊現已得阿耨多羅三藐三菩提能轉无上
法輪者我今皆頂礼勸請轉无上法輪然大法
燈持法道理无㝵法施秉大法炬雨大法雨擊
大法鼓吹大法螺出微妙聲竪大法幢爲度
脫一切衆生故悉如上說乃至人天皆蒙安
樂復次善男子若有善男子善女人欲得
阿耨多羅三藐三菩提者應脩聲聞緣覺
大乘之行其有未脩行者日夜六時偏袒右
肩右膝著地合掌恭敬一心一意口自說言
頂礼十方世界一切諸佛世尊欲捨應身入涅
槃者我今稽請莫般涅槃久住於世度脫安
樂一切衆生如前所說乃至人天皆蒙安樂
以此勸請善根功德悉以迴向阿耨多羅三
藐三菩提亦如過去未來現在諸大菩薩所有
功德皆悉迴向阿耨多羅三藐三菩提我亦
如是所有勸請一切功德皆悉迴向阿耨多
羅三藐三菩提善男子譬如有人以三千大
千世界滿中七寶供養如來若有善男子
善女人勸請如來轉大法輪勸請功德其福
勝彼何以故是上善根即是財施勸請功德即
是法施善男子且置三千大千世界七寶如
是恒河沙數世界若有善男子善女人以七
寶滿恒河沙數世界而用供養一切諸佛若
善男子善女人勸請如來轉大法輪其福勝

BD02632 號　合部金光明經卷二　（24–14）

是法施善男子且置三千大千世界七寶如
是恒河沙數世界若有善男子善女人以七
寶滿恒河沙數世界而用供養一切諸佛若
善男子善女人勸請如來轉大法輪其福勝
彼何以故其法施者有五種事何等為五一
者法施彼我兼利財施不尒二者法施能令
衆生出於三界財施不出欲界三者法施利
益法身財施之者增長色身四者法施增長
无窮財施必皆有竭五者法施能斷无明財
施正伏貪心是故善男子勸請功德无量无
數難可辟喻如我昔行菩薩行時如前諸
佛世尊勸請轉大法輪是善根故一切帝釋
及諸梵王勸請於我轉大法輪世尊諸轉法
輪為度脫安樂一切衆生及諸人天我於往
昔為菩提行勸請如來久住於世莫般涅
槃依此功德我得十力四无所畏四无礙辯
大慈大悲得无量无數不共之法我已入於无
餘涅槃而我正法久住於世我法身者无比
清淨種種相貌无量智慧无量自在難可思
議无量福德一切衆生沐蒙慈潤百千万億
劫說不可盡是故法身能攝藏一切之法一切
之法不能攝藏法身法身常住不墮常見雖
復斷滅不墮斷見破一切衆生種種之見能生
一切種種真見能解一切衆生之縛與縛不異
能種一切衆生諸善根本能成熟一切衆生善
根已成熟者能令解脫无作无動无為寂靜
安樂自在遠離憒鬧過於三世能見三世過

BD02632 號　合部金光明經卷二　（24–15）

復斷滅不墮斷見破一切衆生種種之見能生
一切種種真見能解一切衆生之縛與縛不異
能種一切衆生諸善根本能成熟一切衆生善
根已成熟者能令解脫无作无動无為寂靜
安樂自在遠離憒鬧過於三世能見三世過
於聲聞緣覺境界大地菩薩之所脩行一切
如來皆无異體勸請功德善根力故如是法
身我今已得是故善男子若有善男子善女
人為得阿耨多羅三藐三菩提一句一偈以持
勸化為人解說功德善根難可限量何況勸
請如來轉大法輪久住於世莫般涅槃尒
時帝釋白佛言世尊云何善男子善女人為
得阿耨多羅三藐三菩提脩行聲聞緣覺
大乘之道若有衆生未得脩行功德善根云何
悉以迴向為一切智智佛言善男子若有善男
子善女人欲求阿耨多羅三藐三菩提脩行
聲聞緣覺大乘之道若有衆生未得脩行一
日一夜一心一意口自說言我從无始生死已來
所有善根皆已成就於三寶所若於他所乃
至畜生人非人等乃至升摶以施一切兼以
善言和解鬪諍三歸學戒一切功德善根
皆由懺悔而得皆由隨喜而得皆由勸請而得
是諸善根安置一處攝受同時合集稱量
皆以迴施一切衆生永已捨施更无尋心解
脫不攝猶如諸佛世尊知者見者不可思量
无礙无垢佛智慧故如是一切功德善根悉

BD02632 號　合部金光明經卷二　（24–16）

是諸善根安置一處攝受同時合集稱量
皆以迴施一切衆生永已捨施更无尊心解
脫不攝猶如諸佛世尊知者見者不可思量
无礙无垢佛智慧故如是一切功德善根悉
以迴施一切衆生不住相心不捨相心我亦
如是功德善根悉以迴施一切衆生願令一
切衆生悉得寶手破空出寶滿衆生願富樂
无盡福德无盡妙法无盡自在无盡四辯无
盡為得阿耨多羅三藐三菩提故為得一切
智故我已施與一切衆生功德善根從此善
根復更饒无量一切善根合集稱量悉以迴
向阿耨多羅三藐三菩提是諸善根悉與衆
生共至阿耨多羅三藐三菩提得一切智智
如昔菩薩摩訶薩脩行菩提之道功德善根
悉皆迴向為一切種智智我亦如是功德善根
亦皆迴向阿耨多羅三藐三菩提是諸善根
亦與衆生共之同共一時得阿耨多羅三藐三菩
提為得一切智智故猶如未來菩薩摩訶薩
功德善根亦應迴向共一切衆生得阿耨多
羅三藐三菩提我亦如是所有功德善根亦
以迴向如上廣說猶如現在菩薩摩訶薩功
德善根迴向阿耨多羅三藐三菩提與一切
衆生共得阿耨多羅三藐三菩提我亦如是
所有功德善根亦與衆生共之如上廣說如
餘諸佛坐於道場菩提樹下不可思議无垢
清淨住於无盡法藏陀羅尼首楞嚴三昧
破魔波旬无量兵衆應見應知應覺應可

BD02632號　合部金光明經卷二　（24–17）

衆生共得阿耨多羅三藐三菩提我亦如是
所有功德善根亦與衆生共之如上廣說如
餘諸佛坐於道場菩提樹下不可思議无垢
清淨住於无盡法藏陀羅尼首楞嚴三昧
破魔波旬无量兵衆應見應知應覺應可
通達如是一切一刹那中皆悉照了於後夜中
證甘露道得甘露法我亦如是與一切衆生同
共善根是善根故俱得阿耨多羅三藐三菩
提道同得一切智智猶如无量壽佛勝光佛
妙光佛阿閦佛功德善光佛師子光明佛百光
明佛網光明佛寶相佛寶炎佛炎光明佛炎
盛光明佛安吉上王佛微妙聲佛妙莊嚴王
佛法幢佛上勝身佛遍可愛色佛光明遍照
佛梵淨王佛上性佛如是諸如來應供正遍
知過去未來現在皆悉亦現應化得阿耨多
羅三藐三菩提轉无上法輪為欲度脫安樂
一切衆生廣說如上我亦如是同共衆生得
阿耨多羅三藐三菩提轉大法輪廣說如上
若善男子善女人是金光明衆經之王業鄣
滅品汝當受持讀誦憶念不忘為他廣說无
量无數廣大功德聚猶如三千大千世界所
有一切衆生无有前後皆得成就人身得人
身已得緣覺道若有善男子善女人盡形壽
恭敬礼拜四事供養一一緣覺各各供給七寶
如須弥山以用供養如是一一緣覺皆入涅
槃起七寶塔是一一塔皆用七寶何等為七
金銀琉璃頗梨馬瑙車渠青黃寶等具各

BD02632號　合部金光明經卷二　（24–18）

身已得緣覺道若有善男子善女人盡形壽
恭敬礼拜四事供養一一緣覺各各供給七寶
如須弥山以用供養如是一一緣覺皆入涅
槃起七寶塔是一一塔皆用七寶何等爲七
金銀琉璃頗梨馬瑙車𤦲青黃寶等具塔
高廣十二由旬於此塔處以諸華香寶幢幡
蓋一一供具皆以供養善男子於意云何是
善男子善女人得福多不甚多世尊佛言
善男子是金光明微妙經典衆經之王業鄣滅
品汝當受持讀誦憶念不忘爲他廣說如前
功德善根於後所得功德乘百分不及一百
千万億分筭數譬喻所不能及何以故是善
男子善女人住正行中勸請十方諸佛正覺
世尊轉无上法輪皆令如來歡喜讚歎善男
子如我所說一切施中法施爲勝是故善男子
於三寶所所設供養不可爲比受持三歸一切
諸戒不可爲比三寶不空不可爲比一切世界
三世三寶勸請久住不可爲比三世一切世
界於无量劫勸請如來說深正法不可爲
比一切世界一切衆生隨力隨能隨心於三
乘中勸發菩提心不可爲比三世一切世界
衆生皆令无礙速得成就功德滿足不可爲
比三世一切世界所有衆生勸令无礙得三
菩提不可爲比三世一切世界衆生勸令
出四惡道不可爲比三世一切世界衆生勸
令滅除惡業不可爲比一切苦惱勸令得

衆生皆令无礙速得成就功德滿足不可爲
比三世一切世界所有衆生勸令无礙得三
菩提不可爲比三世一切世界衆生勸令
出四惡道不可爲比三世一切世界衆生勸
令滅除惡業不可爲比一切苦惱勸令得
解脫不可爲比一切怖畏困苦逼切勸令得
解脫不可爲比三世佛前一切衆生所有功德
善根勸令皆以隨喜三世自發菩提願不
可爲比惡行罵辱惡業道除一世功德善根
皆願攝持生生世世勸請恭敬供養一切三
寶勸請普皆清淨福行成滿三菩提道勸
請滿足具六波羅蜜勸請轉无上法輪勸請
住无量劫說无量甚深妙法不可爲比尒時帝
釋恒水女神无量諸梵王及四天王從座而起
各偏袒右肩右膝著地合掌頂礼而白佛
言世尊我等一切得聞是金光明衆經之王
今當受持讀誦爲他廣說應當依此法住何
以故世尊我等欲求阿耨多羅三藐三菩提
隨順此義故種種之相正法行故是時梵王及
天帝釋等皆悉雲集於說法之處以種種
曼陁羅華而散佛上三千大千世界地皆大
動一切天鼓及諸音樂不鼓自鳴放金色光
遍滿世界所出言音是金光明微妙經典慈愍
普被種種利益種種增長菩薩善根滅諸
業鄣佛言如是如是汝所說何以故善男子
我憶往昔至于此生過百千阿僧祇劫實王

重一十六天蓋及諸蓋等不蓋自照放金色光
遍滿世界所出言音是金光明微妙經典意息
普被種種利益種種增長菩薩善根滅諸
業鄣佛言如是如是汝所說何以故善男子
我憶往昔至于此生過百千阿僧祇劫寳王
大光照如来應正遍知出現於世六百八十億
劫住於世界初集會所百千万億衆生皆
得阿羅漢諸漏已盡具六神通自在无礙第
二集會九十千億億万衆得阿羅漢皆悉漏
盡三明六通皆得自在第三大會九十八千
億億万衆皆得阿羅漢三明六通自在无礙
是時寳王大光照如来與諸天人梵王沙門
婆羅門及諸人民爲欲度脫安樂一切故出現
於世是善男子我於尒時作女人身名福寳
光明第三集會於會座所親近世尊受持讀
誦是金光明經爲他廣說爲得阿耨多羅三
藐三菩提故是故世尊爲我受記是福寳光
明女人於未来世當得作佛号釋迦牟尼如
来應供正遍知明行足善逝世間解无上士
調御丈夫天人師佛世尊捨女身後從是已
来度四惡道生天人中受上妙樂八十四百千
反作轉輪王至于今日得值於佛名稱普
聞遍滿世界時會乃見寳王大光照如来轉
无上法輪說微妙法從此娑婆去彼東方
過百千恒河沙數佛土有世界名寳莊嚴今
猶現在未般涅槃說微妙法廣化衆生復次
善男子若有善男子善女人聞是寳王大

BD02632號　合部金光明經卷二　（24–21）

无上法輪說微妙法從此娑婆去彼東方
過百千恒河沙數佛土有世界名寳莊嚴今
猶現在未般涅槃說微妙法廣化衆生復次
善男子若有善男子善女人聞是寳王大
光照如来名号得不退轉於菩薩地至般涅
槃若有女人聞是寳王大光照如来名号臨
命終時得見世尊来至其所得見佛已究竟
不復更受女身善男子是金光明微妙經典
種種利益種種增長菩薩善根滅諸鄣業
善男子若有比丘比丘尼優婆塞優婆夷在
在處處爲人講說是金光明微妙經典在所
國土皆獲四種功德善根何等爲四一者國王
无諸疾惱一切災厄二者壽命長遠无有鄣
礙三者无諸怨敵兵衆勇健无能勝者四者
安隱快樂妙法常興何以故如是人王釋梵四
王夜叉之衆常来守護善男子有是事不尒
諸无量釋梵四王及夜叉衆俱時同聲荅世
尊言如是如是若在所國土講說此經是諸
國王我等四王常来擁護行住共俱其王若
有一切災鄣怨敵我等四王皆能消却若有
疾惱諸不適意悉令除愈增長壽命於吉
祥法於愛敬法我力能令生歡喜心我等亦
能使其兵衆皆悉勇健佛言善哉善哉善男
子如汝所說汝當脩行何以故是諸國王如
法脩行一切人民随王脩習若有人民能如法
脩行汝等皆蒙色力勝利宮殿光華眷屬强
盛諸釋梵等白佛言如是世尊佛言於此國土

BD02632號　合部金光明經卷二　（24–22）

能使其兵衆皆悉勇健佛言善哉善哉善男
子如汝所説汝當脩行何以故是諸國王如
法脩行一切人民隨王脩習若有人民能如法
脩行汝等皆蒙色力勝利宮殿光華眷属强
盛諸釋梵等白佛言如是世尊佛言於此國土
處處講説是金光明微妙經典於諸國主
大臣宰相蒙四種之恩一者更相親睦尊重
愛念安忍二者常爲人王心所敬重亦爲沙
門婆羅門大國小國之所愛護三者輕財重
法不求勝利聲名遍布人所讃仰四者壽
命脩長安隱快樂如是四種恩德若有國土
宣説是經沙門婆羅門得四種功德何者爲
四一者衣服飲食卧具醫藥二者皆得安心
坐禪讀誦三者依於山林得安樂住四者依
心皆得如意滿足是名四種功德若有國主
講宣是經一切人民皆得豊樂无諸疾疫商
估往還多獲寶貨具足四福是名種種功德
利益尒時釋梵四王及此會大衆白佛言世
尊若現在世如是經典甚深之義如來卅七
品道品等住世未滅若是經典滅盡之時正
法亦滅佛言善男子如是相貌是金光明經
一句一偈一品一部一心正聞一心正持一心
正思惟一心正讀誦一心爲他廣説長夜安
樂

金光明經卷第二

BD02632號　合部金光明經卷二　（24–23）

坐禪讀誦三者依於山林得安樂住四者依
心皆得如意滿足是名四種功德若有國主
講宣是經一切人民皆得豊樂无諸疾疫商
估往還多獲寶貨具足四福是名種種功德
利益尒時釋梵四王及此會大衆白佛言世
尊若現在世如是經典甚深之義如來卅七
品道品等住世未滅若是經典滅盡之時正
法亦滅佛言善男子如是相貌是金光明經
一句一偈一品一部一心正聞一心正持一心
正思惟一心正讀誦一心爲他廣説長夜安
樂

金光明經卷第二

BD02632號　合部金光明經卷二　（24–24）

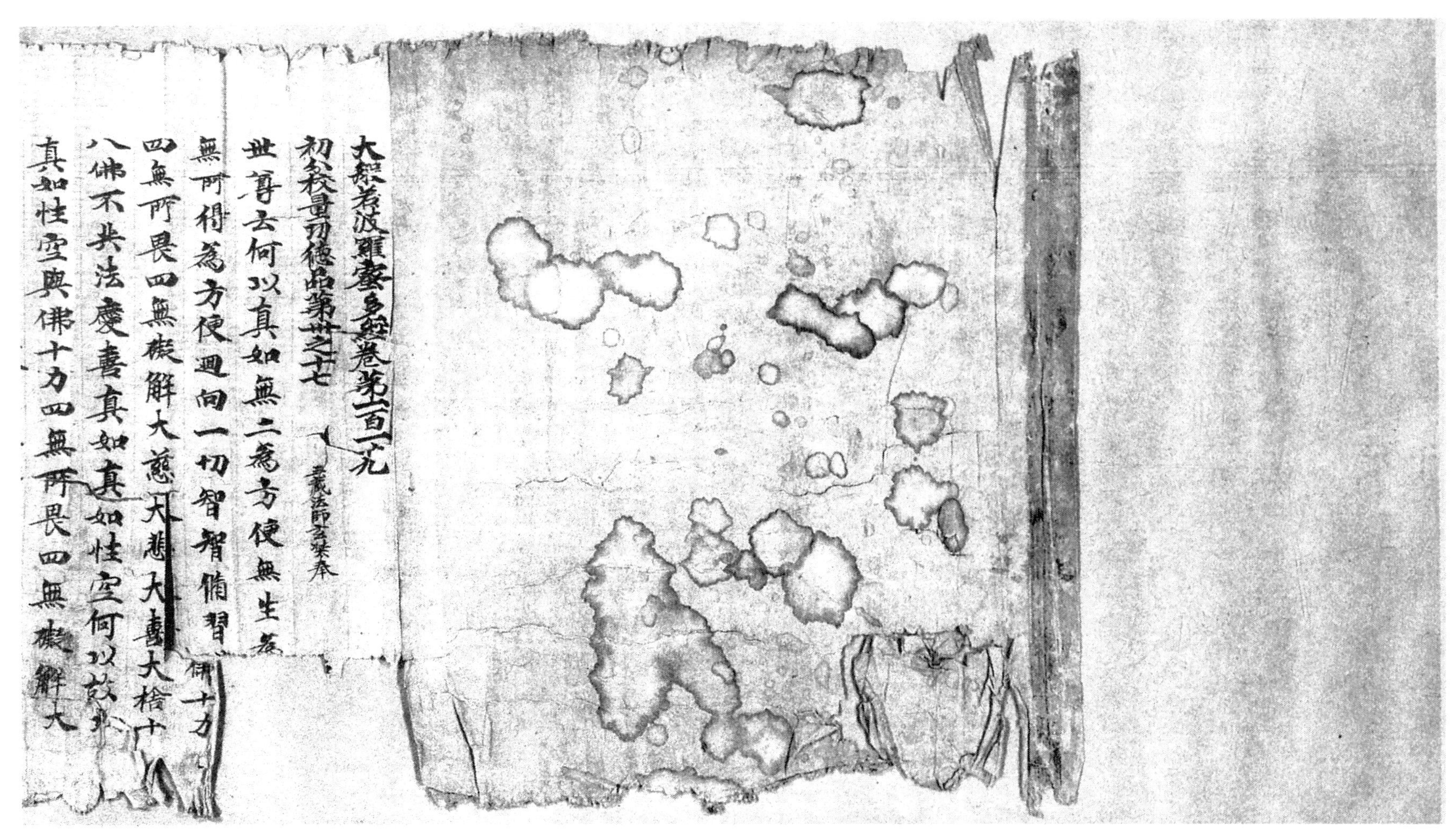

BD02633 號　大般若波羅蜜多經卷一一九　（4–1）

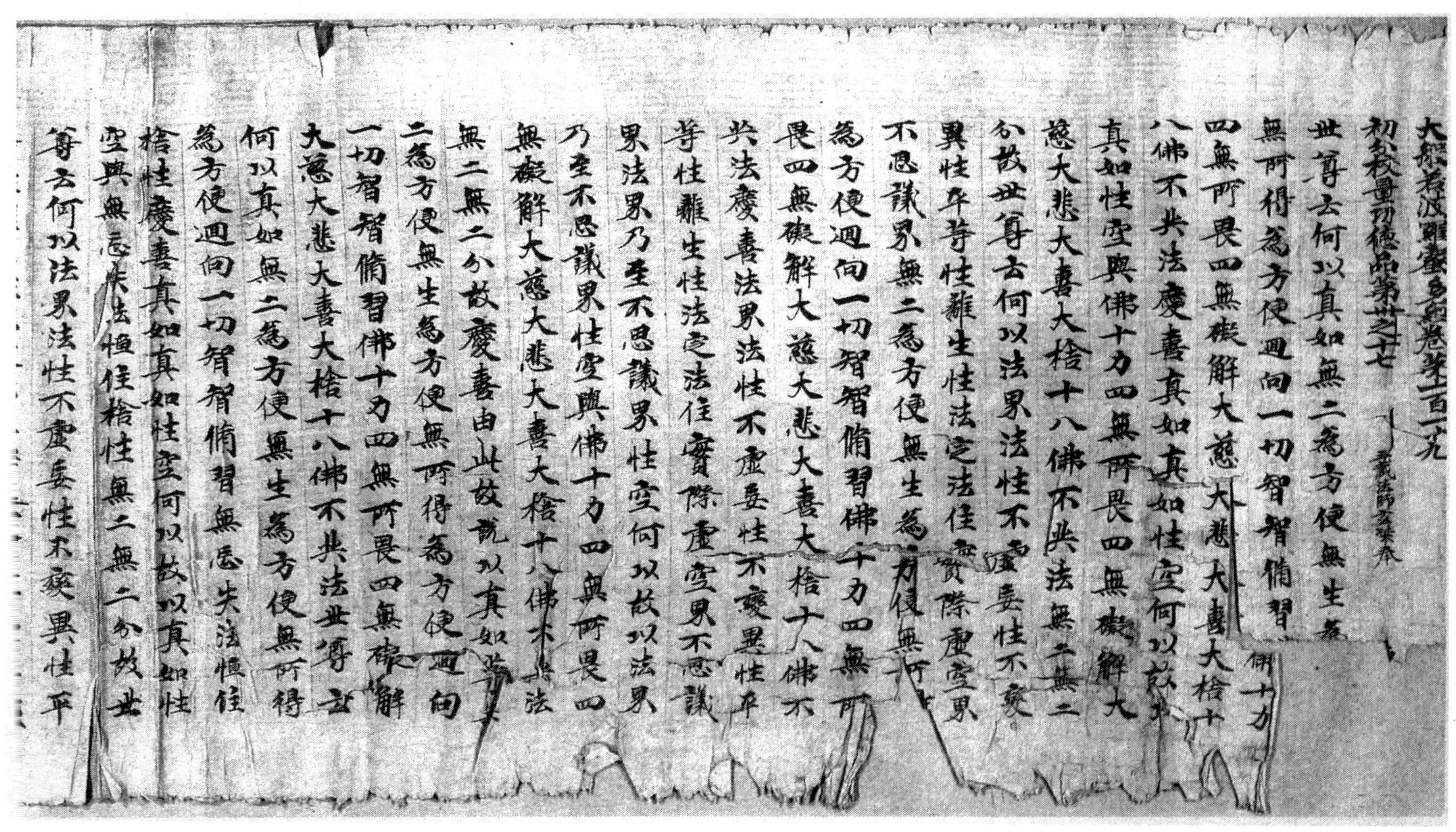

BD02633 號　大般若波羅蜜多經卷一一九　（4–2）

一切智智脩習[illegible]
大慈大悲大喜大捨十八佛不共法世尊云
何以真如無二為方便無生為方便無所得
為方便迴向一切智智脩習無忘失法恒住
捨性慶喜真如真如性空何以故以真如性
空與無忘失法恒住捨性無二無二分故世
尊云何以法界法性不虛妄性不變異性平
等性離生性法定法住實際虛空界不思議
界無二為方便無生為方便無所得為方便
迴向一切智智脩習無忘失法恒住捨性慶
喜法界法性不虛妄性不變異性平等性離
生性法定法住實際虛空界不思議界法界
乃至不思議界性空何以故以法界乃至不
思議界性空與無忘失法恒住捨性無二無
二分故慶喜由此故說以真如等無二為方
便無生為方便無所得為方便迴向一切智
智脩習無忘失法恒住捨性世尊云何以真
如無二為方便無生為方便無所得為方便
迴向一切智智脩習一切智道相智一切相
智慶喜真如真如性空何以故以真如性空
與一切智道相智一切相智無二無二分故
世尊云何以法界法性不虛妄性不變異性
平等性離生性法定法住實際虛空界不思
議界無二為方便無生為方便無所得為方
便迴向一切智智脩習一切智道相智一切
相智慶喜法界法性不虛妄性不變異性平
等性離生性法定法住實際虛空界不思議

BD02633 號　大般若波羅蜜多經卷一一九　（4–3）

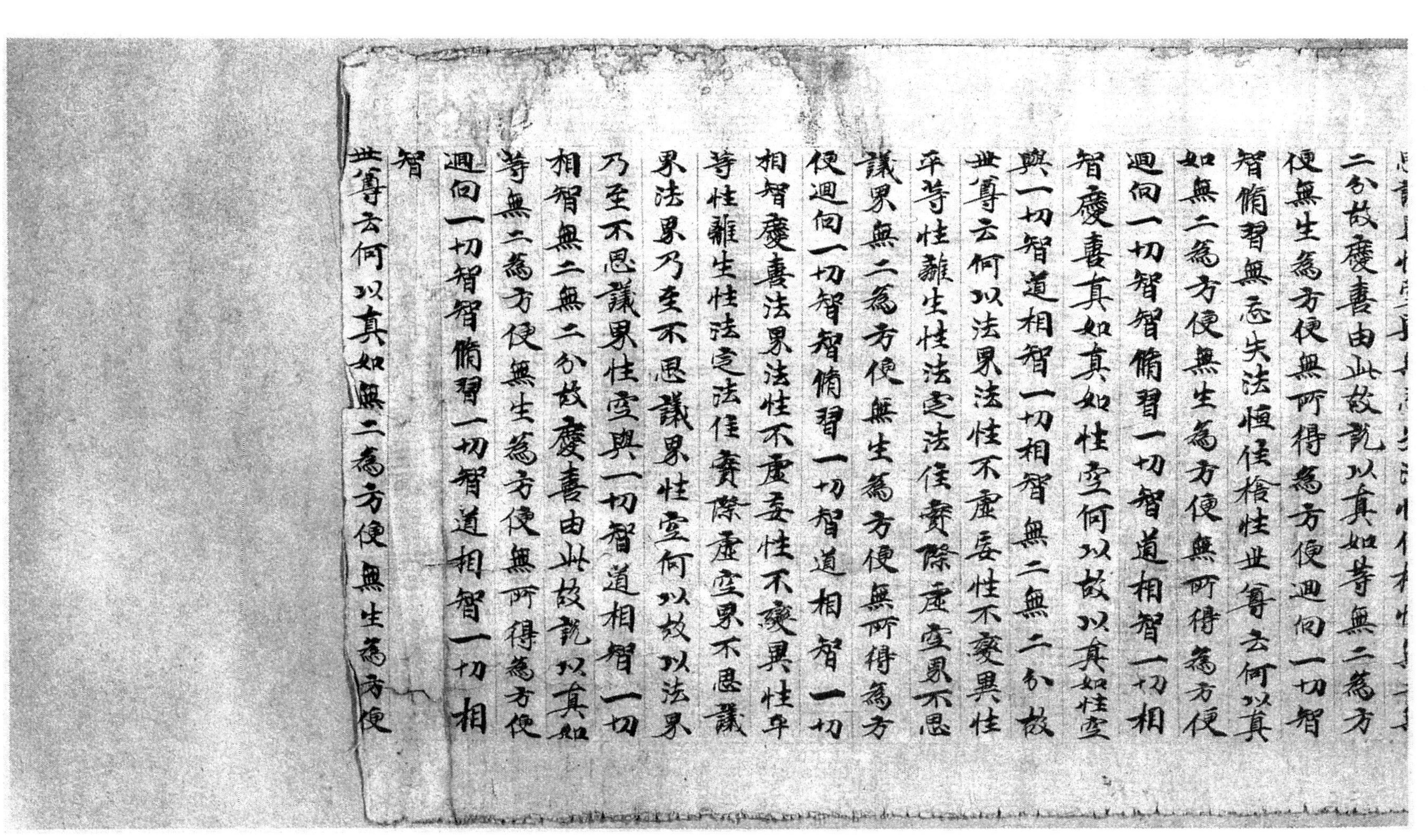

二分故慶喜由此故說以真如等無二為方
便無生為方便無所得為方便迴向一切智
智脩習無忘失法恒住捨性世尊云何以真
如無二為方便無生為方便無所得為方便
迴向一切智智脩習一切智道相智一切相
智慶喜真如真如性空何以故以真如性空
與一切智道相智一切相智無二無二分故
世尊云何以法界法性不虛妄性不變異性
平等性離生性法定法住實際虛空界不思
議界無二為方便無生為方便無所得為方
便迴向一切智智脩習一切智道相智一切
相智慶喜法界法性不虛妄性不變異性平
等性離生性法定法住實際虛空界不思議
界法界乃至不思議界性空何以故以法界
乃至不思議界性空與一切智道相智一切
相智無二無二分故慶喜由此故說以真如
等無二為方便無生為方便無所得為方便
迴向一切智智脩習一切智道相智一切相
智
世尊云何以真如無二為方便無生為方便

BD02633 號　大般若波羅蜜多經卷一一九　（4–4）

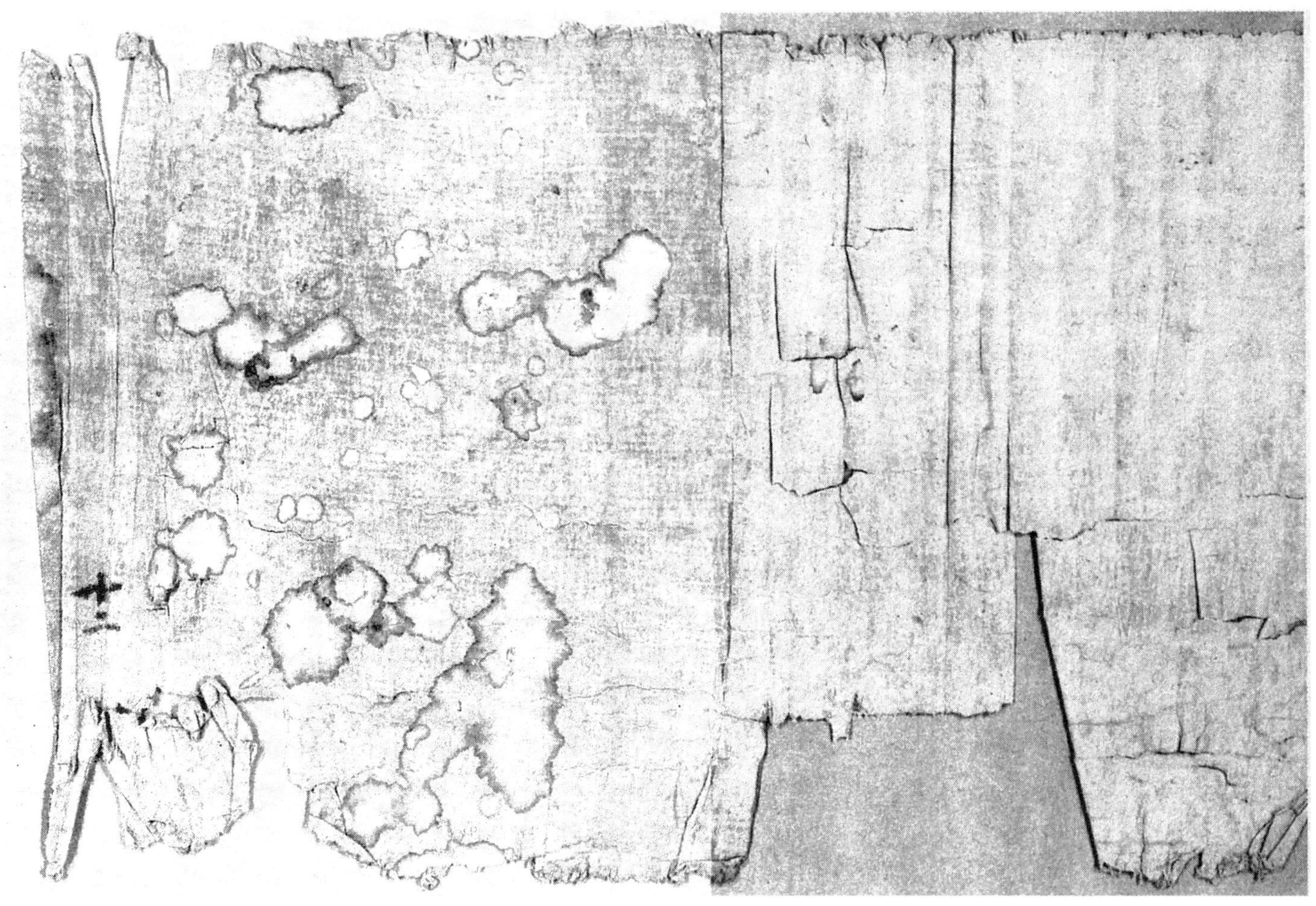

BD02633號背　勘記　（1-1）

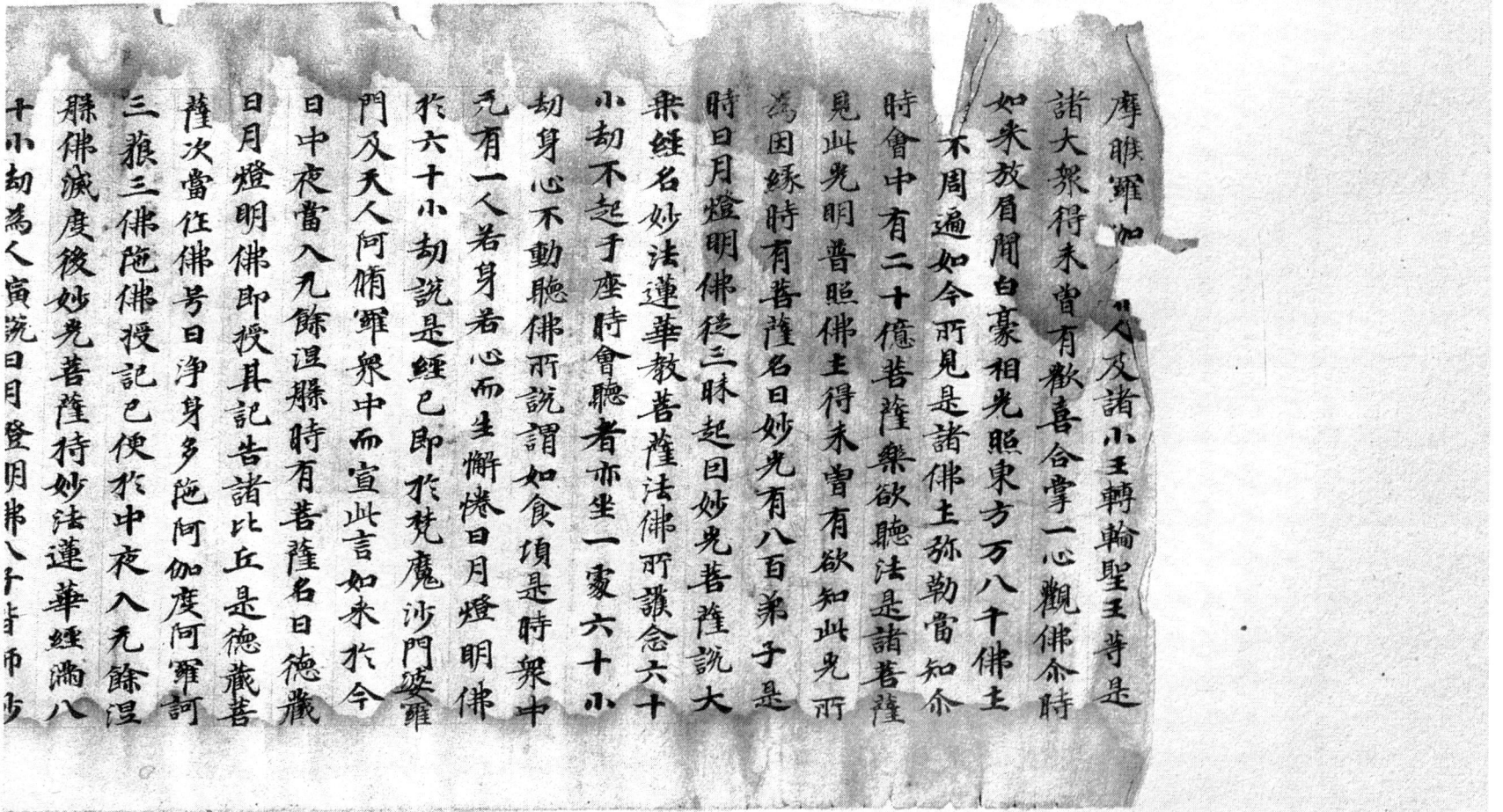

摩睺羅伽[illegible]人及諸小王轉輪聖王等是
諸大衆得未曾有歡喜合掌一心觀佛尒時
如來放眉間白豪相光照東方万八千佛土
不周遍如今所見是諸佛土弥勒當知尒
時會中有二十億菩薩樂欲聽法是諸菩薩
見此光明普照佛土得未曾有欲知此光所
為因緣時有菩薩名曰妙光有八百弟子是
時日月燈明佛從三昧起因妙光菩薩說大
乘經名妙法蓮華教菩薩法佛所護念六十
小劫不起于座時會聽者亦坐一處六十小
劫身心不動聽佛所說謂如食頃是時衆中
无有一人若身若心而生懈惓日月燈明佛
於六十小劫說是經已即於梵魔沙門婆羅
門及天人阿脩羅衆中而宣此言如來於今
日中夜當入无餘涅槃時有菩薩名曰德藏
日月燈明佛即授其記告諸比丘是德藏菩
薩次當作佛号曰淨身多陁阿伽度阿羅訶
三藐三佛陁佛授記已便於中夜入无餘涅
槃佛滅度後妙光菩薩持妙法蓮華經滿八
十小劫為人演說日月燈明佛八子皆師妙

BD02634號　妙法蓮華經卷一　（5-1）

日中夜當入无餘涅槃時有菩薩名曰德藏
日月燈明佛即授其記告諸比丘是德藏菩
薩次當作佛号曰淨身多陀阿伽度阿羅訶
三藐三佛陁佛授記已便於中夜入无餘涅
槃佛滅度後妙光菩薩持妙法蓮華經滿八
十小劫為人演說日月燈明佛八子皆師妙
光妙光教化令其堅固阿耨多羅三藐三菩
提是諸王子供養无量百千万億佛已皆成
佛道其最後成佛者名曰然燈八百弟子中
有一人号曰求名貪著利養雖復讀誦衆經
而不通利多所忘失故号求名是人亦以種
諸善根因緣故得值无量百千万億諸佛供
養恭敬尊重讚歎彌勒當知尒時妙光菩薩
豈異人乎我身是也求名菩薩汝身是也今
見此瑞與本无異是故惟忖今日如來當說
大乘經名妙法蓮華教菩薩法佛所護念尒
時文殊師利於大衆中欲重宣此義而說偈
言
我念過去世　无量无數劫　有佛人中尊　号日月燈明
世尊演說法　度无量衆生　无數億菩薩　令入佛智慧
佛未出家時　所生八王子　見大聖出家　亦隨脩梵行
時佛說大乘　經名无量義　於諸大衆中　而為廣分別
佛說此經已　即於法座上　跏趺坐三昧　名无量義處
天雨曼陁華　天鼓自然鳴　諸天龍鬼神　供養人中尊
一切諸佛土　即時大震動　佛放眉間光　現諸希有事

BD02634號　妙法蓮華經卷一　(5–2)

佛未出家時　所生八王子　見大聖出家　亦隨脩梵行
時佛說大乘　經名无量義　於諸大衆中　而為廣分別
佛說此經已　即於法座上　跏趺坐三昧　名无量義處
天雨曼陁華　天鼓自然鳴　諸天龍鬼神　供養人中尊
一切諸佛土　即時大震動　佛放眉間光　現諸希有事
此光照東方　万八千佛土　示一切衆生　生死業報處
有見諸佛土　以衆寶莊嚴　瑠璃頗梨色　斯由佛光照
及見諸天人　龍神夜叉衆　乾闥緊那羅　各供養其佛
又見諸如來　自然成佛道　身色如金山　端嚴甚微妙
如淨瑠璃中　內現真金像　世尊在大衆　敷演深法義
一一諸佛土　聲聞衆无數　因佛光所照　悉見彼大衆
或有諸比丘　在於山林中　精進持淨戒　猶如護明珠
又見諸菩薩　行施忍辱等　其數如恒沙　斯由佛光照
又見諸菩薩　深入諸禪定　身心寂不動　以求无上道
又見諸菩薩　知法寂滅相　各於其國土　說法求佛道
尒時四部衆　見日月燈佛　現大神通力　其心皆歡喜
各各自相問　是事何因緣　天人所奉尊　適從三昧起
讚妙光菩薩　汝為世間眼　一切所歸信　能奉持法藏
如我所說法　唯汝能證知　世尊既讚歎　令妙光歡喜
說是法華經　滿六十小劫　不起於此座　所說上妙法
是妙光法師　悉皆能受持　佛說是法華　令衆歡喜已
尋即於是日　告於天人衆　諸法實相義　已為汝等說
我今於中夜　當入於涅槃　汝一心精進　當離於放逸
諸佛甚難值　億劫時一遇　世尊諸子等　聞佛入涅槃
各各懷悲惱　佛滅一何速　聖主法之王　安慰无量衆
我若滅度時　汝等勿憂怖　是德藏菩薩　於无漏實相

BD02634號　妙法蓮華經卷一　(5–3)

說是法華經　滿六十小劫　不起於此座　所說上妙法
是妙光法師　悉皆能受持　佛說是法華　令衆歡喜已
尋即於是日　告於天人衆　諸法實相義　已為汝等說
我今於中夜　當入於涅槃　汝一心精進　當離於放逸
諸佛甚難值　億劫時一遇　世尊諸子等　聞佛入涅槃
各各懷悲惱　佛滅一何速　聖主法之王　安慰无量衆
我若滅度時　汝等勿憂怖　是德藏菩薩　於无漏實相
心已得通達　其次當作佛　号曰為淨身　亦度无量衆
佛此夜滅度　如薪盡火滅　分布諸舍利　而起无量塔
比丘比丘尼　其數如恒沙　倍復加精進　以求无上道
是妙光法師　奉持佛法藏　八十小劫中　廣宣法華經
是諸八王子　妙光所開化　堅固无上道　當見无數佛
供養諸佛已　隨順行大道　相繼得成佛　轉次而授記
最後天中天　号曰燃燈佛　諸仙之導師　度脫无量衆
是妙光法師　時有一弟子　心常懷懈怠　貪著於名利
求名利无猒　多遊族姓家　棄捨所習誦　廢忘不通利
以是因緣故　号之為求名　亦行衆善業　得見无數佛
供養於諸佛　隨順行大道　具六波羅蜜　今見釋師子
其後當作佛　号名曰弥勒　廣度諸衆生　其數无有量
彼佛滅度後　懈怠者汝是　妙光法師者　今則我身是
我見燈明佛　本光瑞如此　以是知今佛　欲說法華經
今相如本瑞　是諸佛方便　今佛放光明　助發實相義
諸人今當知　合掌一心待　佛當雨法雨　充足求道者
諸求三乘人　若有疑悔者　佛當為除斷　令盡无有餘

妙法蓮華經方便品第二

BD02634號　妙法蓮華經卷一　（5–4）

是諸八王子　妙光所開化　堅固无上道　當見无數佛
供養諸佛已　隨順行大道　相繼得成佛　轉次而授記
最後天中天　号曰燃燈佛　諸仙之導師　度脫无量衆
是妙光法師　時有一弟子　心常懷懈怠　貪著於名利
求名利无猒　多遊族姓家　棄捨所習誦　廢忘不通利
以是因緣故　号之為求名　亦行衆善業　得見无數佛
供養於諸佛　隨順行大道　具六波羅蜜　今見釋師子
其後當作佛　号名曰弥勒　廣度諸衆生　其數无有量
彼佛滅度後　懈怠者汝是　妙光法師者　今則我身是
我見燈明佛　本光瑞如此　以是知今佛　欲說法華經
今相如本瑞　是諸佛方便　今佛放光明　助發實相義
諸人今當知　合掌一心待　佛當雨法雨　充足求道者
諸求三乘人　若有疑悔者　佛當為除斷　令盡无有餘

妙法蓮華經方便品第二

尒時世尊從三昧安詳而起告舍利弗諸佛
智慧甚深无量其智慧門難解難入一切聲
聞辟支佛所不能知所以者何佛曾親近百
千万億无數諸佛盡行諸佛无量道法勇猛
精進名稱普聞成就甚深未曾有法隨宜所
說意趣難解舍利弗吾從成佛已來種種因

BD02634號　妙法蓮華經卷一　（5–5）

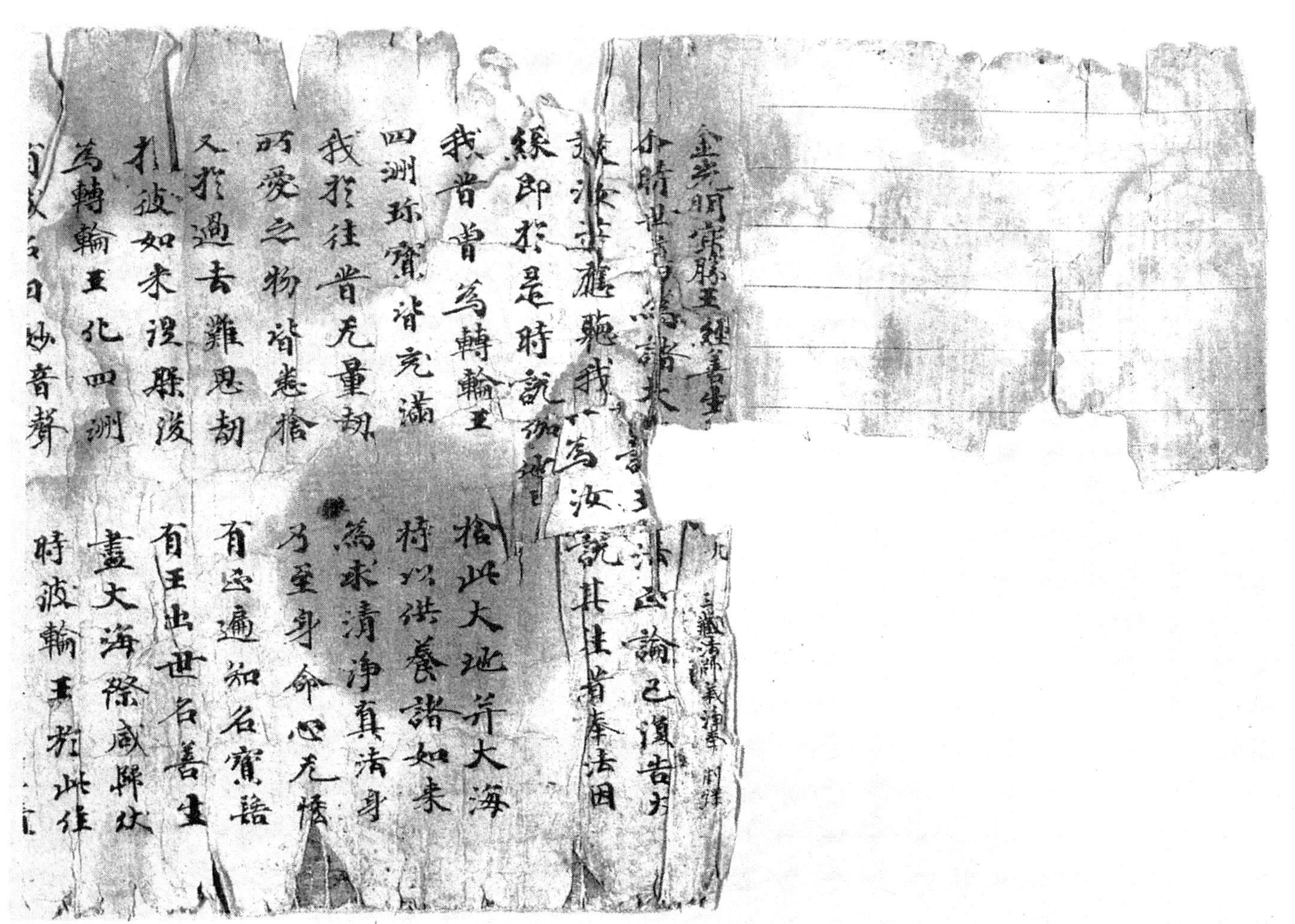

BD02635 號　金光明最勝王經卷九　（22–1）

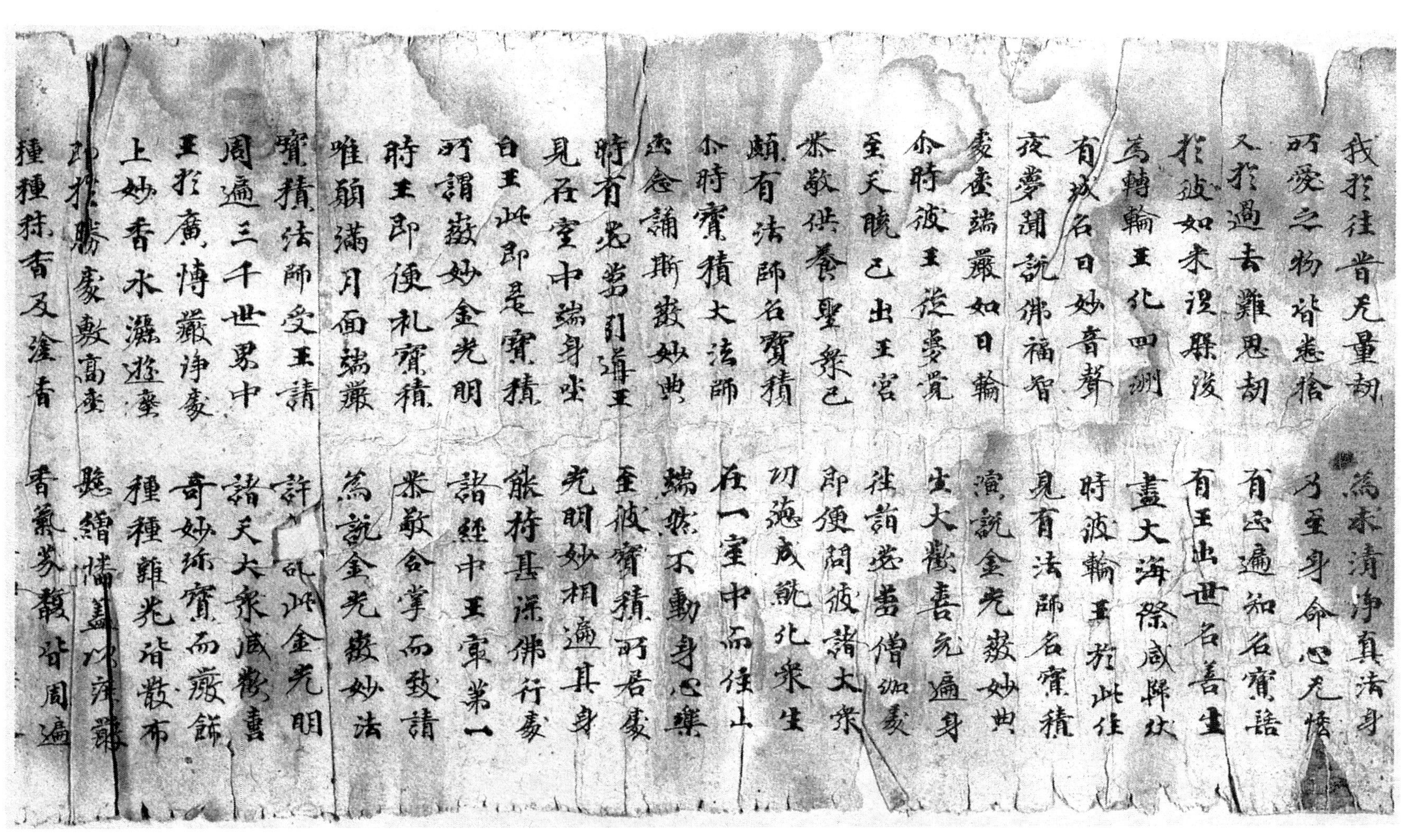

BD02635 號　金光明最勝王經卷九　（22–2）

周遍三千世界中　諸天大衆咸歡喜
王於廣博嚴淨處　奇妙珎寶而嚴飾
上妙香水灑塵處　種種雜花皆散布
即於勝處敷高座　懸繒幡蓋以莊嚴
種種抹香及塗香　香氣芬馥皆周遍
天龍脩羅緊那羅　莫呼洛伽及藥叉
諸天悉雨曼陁花　咸來供養彼高座
復有千万億諸天　樂聞正法俱來集
法師初從本座起　咸悉供養以天花
是時寶積大法師　淨洗浴已著鮮服
詣彼大衆法座所　合掌虔心而礼敬
天主天衆及天女　悉皆共散曼陁花
百千天樂難思議　住在空中出妙響
尒時寶積大法師　即昇高座跏趺坐
念彼十方諸剎主　百千万億大慈尊
遍及一切諸衆生　皆起平等慈悲念
為彼請主善生故　演說微妙金光明
王既得聞如是法　合掌一心唱隨喜
聞法希有淚交流　身心大喜皆充遍
于時國主善生王　為欲供養此經故
手持如意末尼寶　發願咸為諸衆生
今可於斯贍部洲　普雨七寶瓔珞具
所有匱乏資財者　皆得隨心受安樂
即便遍雨於七寶　悉皆充足四洲中
瓔珞嚴身隨所須　衣服飲食皆无乏
尒時國主善生王　見此四洲雨珎寶

今可於斯贍部洲　普雨七寶瓔珞具
所有匱乏資財者　皆得隨心受安樂
即便遍雨於七寶　悉皆充足四洲中
瓔珞嚴身隨所須　衣服飲食皆无乏
尒時國主善生王　見此四洲雨珎寶
咸持供養寶髻佛　所有遺教苾芻僧
應知過去善生王　即我釋迦牟尼是
為於昔時捨大地　及諸珎寶滿四洲
昔時寶積大法師　為彼善生說妙法
因彼聞演經王故　東方現成不動佛
以我曾聽此經王　合掌一言稱隨喜
及施七寶諸功德　獲此最勝金剛身
金光百福相莊嚴　所有見者皆歡喜
一切有情无不愛　俱胝天衆亦同然
過去曾經九十九　俱胝億劫作輪王
亦於小國為人王　復經无量百千劫
於无量劫為帝釋　亦復曾為大梵王
供養十力大慈尊　彼之數量難窮盡
我昔聞經隨喜善　所有福聚難測知
由斯福故證菩提　獲得法身真妙智
尒時天衆聞是說已歎未曾有皆願奉
持金光明經流通不絕

金光明最勝經諸天藥叉護持品第廿二

尒時世尊告大吉祥天女曰若有淨信善男
子善女人欲於過去未來現在諸佛以不可
[illegible]

持金光明經 流通不絕
金光明最勝王經諸天藥叉護持品第廿二
尒時世尊告大吉祥天女曰：若有淨信善男
子善女人欲於過去未來現在諸佛以不可
思議廣大微妙供養之具而為奉獻，及欲解
了三世諸佛甚深行處，是人應當決定至心
隨是經王所在之處城邑聚落或山澤中廣
為衆生敷演流布，其聽法者應除亂想攝
耳用心。世尊即為彼天及諸大衆說伽他曰：
若欲於諸佛 不思議供養 復了諸如來 甚深境界者
若見演說此 最勝金光明 應親詣彼方 至其所住處
此經難思議 能生諸功德 無邊大苦海 解脫諸有情
我觀此經王 初中後皆善 甚深不可測 譬喻無能比
假使恒河沙 大地塵海水 虛空諸山石 無能喻少分
欲入深法界 應先聽是經 法性之制底 甚深善安住
於斯制底內 見我牟尼尊 悅意妙音聲 演說斯經典
由此俱胝劫 數量難思議 生在人天中 常受勝妙樂
若聽是經者 應作如是心 我得不思議 無邊功德蘊
假使大火聚 滿百踰繕那 為聽此經王 直過無辭苦
既至彼住處 得聞如是經 能滅於罪業 及除諸惡夢
惡星諸變怪 蠱道邪魅等 得聞是經時 諸惡皆捨離
應嚴勝高座 淨妙若蓮花 法師處其上 猶如大龍坐
於斯安坐已 說此甚深經 書寫及誦持 并為解其義
法師捨此座 往詣餘方所 於此高座中 神通非一相
或見法師像 猶在高座上 或時見世尊 及以諸菩薩
或作普賢像 或如妙吉祥 或見慈氏尊 身處於高座
或見希奇相 及以諸天像 暫得覩容儀 忽然還不現

BD02635號　金光明最勝王經卷九　（22–5）

應嚴勝高座 淨妙若蓮花 法師處其上 猶如大龍坐
於斯安坐已 說此甚深經 書寫及誦持 并為解其義
法師捨此座 往詣餘方所 於此高座中 神通非一相
或見法師像 猶在高座上 或時見世尊 及以諸菩薩
或作普賢像 或如妙吉祥 或見慈氏尊 身處於高座
或見希奇相 及以諸天像 暫得覩容儀 忽然還不現
成就諸吉祥 所作皆隨意 功德悉圓滿 世尊如是說
最勝有名稱 能滅諸煩惱 他國賊皆除 戰時常得勝
惡夢悉皆無 及消諸毒害 所作三業罪 經力能除滅
於此贍部洲 名稱咸充滿 所有諸怨結 悉皆相捨離
設有怨敵至 聞名便退散 不假動兵戈 兩陣生歡喜
梵王帝釋主 護世四天王 及金剛藥叉 正了知大將
無熱池龍王 及以娑揭羅 緊那羅樂神 蘇羅金翅王
大辯才天女 并大吉祥天 斯等上首天 各領諸天衆
常供養諸佛 法寶不思議 恒生歡喜心 於經起恭敬
斯等諸天衆 皆悉共思惟 遍觀修福者 共作如是說
應觀此有情 咸是大福德 善根精進力 當來生我天
為聽甚深經 敬心來至此 供養法制底 尊重正法故
憐愍於衆生 而作大饒益 於此深經典 能為法寶器
入此法門者 能入於法性 於此金光明 至心應聽受
是人曾供養 無量百千佛 由彼諸善根 得聞此經典
如是諸天主 天女大辯才 并彼吉祥天 及以四王衆
無數藥叉衆 勇猛有神通 各於其四方 常來相擁護
日月天帝釋 風水火諸神 吠率怒大肩 闍羅辯才等
一切諸護世 勇猛具威神 擁護持經者 晝夜常不離
大力藥叉王 那羅延自在 正了知為首 二十八藥叉

BD02635號　金光明最勝王經卷九　（22–6）

是人曾供養 無量百千佛 由彼諸善根 得聞此經典
如是諸天主 天女大辯才 并彼吉祥天 及以四王眾
無數藥叉眾 勇猛有神通 各於其四方 常來相擁護
日月天帝釋 風水火諸神 吠率怒大自 閻羅辯才等
一切諸護世 勇猛具威神 擁護持經者 晝夜常不離
大力藥叉王 那羅延自在 正了知為首 二十八藥叉
餘藥叉百千 神通有大力 恒於恐怖處 常來護此人
金剛藥叉王 并五百眷屬 諸大菩薩眾 常來護此人
寶王藥叉王 及以滿賢王 曠野金毗羅 賓度羅黃色
此等藥叉王 各五百眷屬 見聽此經者 皆來共擁護
彩軍乾闥婆 豈王常戰勝 珠頸及青頸 并勃里沙王
大最勝大黑 蘇跋拏雞舍 半之加羊足 及以大婆伽
小渠并護法 及以獼猴王 針毛及日支 寶髮皆來護
大渠諸狗羅 栴檀欲中勝 舍羅及雪山 及以娑多山
皆有大神通 雄猛具大力 見持此經者 皆來相擁護
阿那婆答多 及以娑揭羅 目真豎羅葉 難陀小難陀
於百千龍中 神通具威德 共護持經人 晝夜常不離
婆稚羅睺羅 毗摩質多羅 母旨占跋羅 大肩及歡喜
及餘蘇羅王 并無數天眾 大力有勇健 皆來護是人
訶利底母神 五百藥叉眾 於彼人睡覺 常來相擁護
旃荼旃荼利 藥叉旃稚女 昆帝拘吒齒 吸眾生精氣
如是諸神眾 大力有神通 常護持經者 晝夜恒不離
上首辯才天 無量諸天女 吉祥天為首 并餘諸眷屬
此大地神女 果實園林神 樹神江河神 制底諸神等
如是諸天神 心生大歡喜 彼皆來擁護 讀誦此經人
見有持經者 增壽命色力 威光及福德 妙相以莊嚴

BD02635號　金光明最勝王經卷九　（22–7）

旃荼旃荼利 藥叉旃稚女 昆帝拘吒齒 吸眾生精氣
如是諸神眾 大力有神通 常護持經者 晝夜恒不離
上首辯才天 無量諸天女 吉祥天為首 并餘諸眷屬
此大地神女 果實園林神 樹神江河神 制底諸神等
如是諸天神 心生大歡喜 彼皆來擁護 讀誦此經人
見有持經者 增壽命色力 威光及福德 妙相以莊嚴
星宿現災變 困厄當此人 夢見惡徵祥 皆悉令除滅
此大地神女 堅固有威勢 由此經力故 法味常充足
地肥若流下 過百踰繕那 地神令味上 滋潤於大地
此地厚六十 八億踰繕那 乃至金剛際 地味皆令上
由聽此經王 獲大功德蘊 能使諸天眾 悉蒙其利益
復令諸天眾 威力有光明 歡喜常安樂 捨離於衰相
於此南洲內 林果苗稼神 由此經威力 心常得歡喜
苗實皆成就 處處有妙花 果實並滋繁 充滿於大地
所有諸果樹 及以眾園林 悉皆生妙花 香氣常芬馥
眾草諸樹木 咸出微妙花 及生甘美果 隨處皆充遍
於此贍部洲 無量諸龍女 心生大歡喜 皆共入池中
種植鉢頭摩 及以分陀利 青白二蓮花 池中皆遍滿
由此經威力 虛空淨無翳 雲霧皆除遣 昏闇悉光明
日出放千光 光垢皆清淨 由此經王力 流暉遶四天
此經威德力 資助於天子 皆用贍部金 而作於宮殿
日天子初出 見此洲歡喜 常以大光明 周遍皆照耀
於斯大地內 所有蓮花池 日光照及時 無不盡開發
於此贍部洲 田疇諸果藥 悉皆令善熟 充滿於大地
由此經威力 日月所照處 星辰不失度 風雨皆順時
遍此贍部洲 國土咸豐樂 隨有此經處 殊勝倍餘方

BD02635號　金光明最勝王經卷九　（22–8）

於斯大地內 所有蓮花池 日光照及時 无不盡開發
於此贍部洲 田疇諸果藥 悉皆令善熟 充滿於大地
由此經威力 日月所照處 星辰不失度 風雨皆順時
遍此贍部洲 國土咸豐樂 隨有此經處 殊勝倍餘方
若此金光明 經典流布處 有能講誦者 悉得如上福
尒時大吉祥天女及諸天等聞佛所說皆大
歡喜於經王及受持者一心擁護令无憂
惱常得安樂

金光明最勝王經授記品第廿三

尒時如來於大衆中廣說法已欲為妙幢菩
薩及其二子銀幢銀光授阿耨多羅三藐三
菩提記時有十千天子最勝光明而為上首
俱從三十三天來至佛所頂礼佛足却坐一
面聽佛說法尒時佛告妙幢菩薩言汝於未來
世過无量无數百千万億那庾多劫已於金
光明世界當成阿耨多羅三藐三菩提号金
寶山王如來應正遍知明行足善逝世間解无
上士調御丈夫天人師佛世尊出現於世時
此如來般涅槃後所有教法亦皆滅盡時彼
長子名曰銀幢即於此界次補佛處世界尒
時轉名淨幢當得作佛名曰金幢光如來
應正遍知明行足善逝世間解无上士調御
丈夫天人師佛世尊時此如來般涅槃後所有
教法亦皆滅盡次子銀光即補佛處還於此
界當得作佛号曰金光明如來應正遍知明

時轉名淨幢當得作佛名曰金幢光如來
應正遍知明行足善逝世間解无上士調御
丈夫天人師佛世尊時此如來般涅槃後所有
教法亦皆滅盡次子銀光即補佛處還於此
界當得作佛号曰金光明如來應正遍知明
行足善逝世間解无上士調御丈夫天人師
佛世尊是時十千天子聞三大士得授記已
復聞如是最勝王經心生歡喜清淨无垢
猶如虛空尒時如來知是十千天子善根成
熟即便與授大菩提記汝等天子於當來世
過无量无數百千万億那庾多劫於最勝因
陁羅高幢世界得成阿耨多羅三藐三菩
提同一種姓又同一名号曰面目清淨優鉢羅
香山十号具足如是次第十千諸佛出現於世
尒時菩提樹神白佛言世尊是十千天子從
三十三天為聽法故來詣佛所云何如來便
與授記當得成佛世尊我未曾聞是諸天
子具足修習六波羅蜜多難行苦行捨於手足
頭目髓腦眷屬妻子象馬車乘奴婢僕使宮
殿園林金銀瑠璃硨磲碼碯珊瑚虎珀璧玉
珂貝飲食衣服卧具醫藥如餘无量百千
菩薩以諸供具供養過去无量百千万億那
庾多佛如是菩薩各經无量无邊劫數然後
方得受菩提記世尊是諸天子以何因緣修何
勝行種何善根從彼天來暫時聞法便得授
記唯願世尊為我解說斷除疑網佛告地神
善女天如汝所說皆從勝妙善根因緣勤苦

爰多佛如是菩薩各經无量无邊劫數然後
方得受菩提記世尊是諸天子以何因緣修何
勝行種何善根從彼天來暫時聞法便得授
記唯願世尊為我解說斷除疑網佛告地神
善女天如汝所說皆從勝妙善根因緣勤苦
修已方得授記此諸天子於妙天宮捨五欲
樂故來聽是金光明經既聞法已於是經中
心生殷重如淨瑠璃无諸瑕穢復得聞此三
大菩薩授記之事亦由過去久修正行誓願
因緣是故我今皆與授記於未來世當成阿
耨多羅三藐三菩提時彼樹神聞佛說已歡
喜信受

金光明最勝王經除病品第廿四

佛告菩提樹神善女天諦聽諦聽善思念
之是十千天子本願因緣今為汝說善女天過
去无量不可思議阿僧企耶劫尒時有佛出
現於世名曰寶髻如來應正遍知明行足善
逝世間解无上士調御丈夫天人師佛世尊
善女天時彼世尊般涅槃後正法滅已於像
法中有王名曰天自在光常以正法化於人
民猶如父母是王國中有一長者名曰持水
善解醫明妙通八術衆生病苦四大不調咸
能救療善女天尒時持水長者唯有一子名
日流水顏容端正人所樂觀受性聰敏妙閑諸
論書畫筭印無不通達時王國內有无量
百千諸衆生類皆遇疫疾衆苦所逼乃至无

BD02635號　金光明最勝王經卷九　（22–11）

善解醫明妙通八術衆生病苦四大不調咸
能救療善女天尒時持水長者唯有一子名
日流水顏容端正人所樂觀受性聰敏妙閑諸
論書畫筭印無不通達時王國內有无量
百千諸衆生類皆遇疫疾衆苦所逼乃至无
有歡樂之心善女天尒時長者子流水見是
無量百千衆生受諸病苦起大悲心作如是
念无量衆生為諸疾苦之所逼迫我父長者
雖善醫方妙通八術能療衆病四大增損然
已衰邁老耄虛羸要假扶策方能進步不
復能往城邑聚落救諸病苦今有无量百千衆
生皆遇重病无能救者我今當至大醫父所
諮問治病醫方祕法若得解已當往城邑聚
落之所救諸衆生種種疾病令於長夜得受
安樂時長者子作是念已即詣父所稽首禮
足合掌恭敬却住一面即以伽他請其父曰
慈父當哀愍　我欲救衆生　今請諸醫方　幸願為我說
云何身衰壞　諸大有增損　復在何時中　能生諸疾病
云何噉飲食　得受於安樂　能使內身中　火勢不衰損
衆生有四病　風黃熱痰癊　及以總集病　云何而療治
何時風病起　何時熱病發　何時動痰癊　何時總集生
時彼長者聞子請已復以伽他而荅之曰
我今依古仙　所有療病法　次第為汝說　善聽救衆生
三月是春時　三月名為夏　三月名秋分　三月謂冬時
此據一年中　三三而別說　二二為一節　便成歲六時
初二是花時　三四名熱際　五六名雨際　七八謂秋時
九十是寒時　後二名氷雪　既知如是別　授藥勿令差

BD02635號　金光明最勝王經卷九　（22–12）

我今依古仙　所有療病法　次第為汝說　善聽救衆生
三月是春時　三月名為夏　三月名秋分　三月謂冬時
此據一年中　三三而別說　二二為一節　便成歲六時
初二是花時　三四名熱際　五六名雨際　七八謂秋時
九十是寒時　後二名氷雪　既知如是別　授藥勿令差
當隨此時中　調息飲於食　入腹令消散　衆病則不生
節氣若變改　四大有推移　此時無藥資　必生於病苦
醫人解四時　復知其六節　明閑身七界　食藥使無差
謂味界血肉　膏骨及髓腦　病入此中時　知其可療不
病有四種別　謂風熱痰癊　及以總集病　應知發動時
春中痰癊動　夏內風病生　秋時黃熱增　冬節三俱起
春食澁熱辛　夏膩熱醎醋　秋時冷甜膩　冬酸澁膩甜
於此四時中　服藥及飲食　若依如是味　衆病無由生
食後病由癊　食消時由熱　消後起由風　准時須識病
既識病源已　隨病而設藥　假令患狀殊　先須療其本
風病服油膩　患熱利為良　癊病應變吐　總集須三藥
風熱癊俱有　是名為總集　雖知病起時　應觀其本性
如是觀知已　順時而授藥　飲食藥無差　斯名善醫者
復應知八術　總攝諸醫方　於此若明閑　可療衆生病
謂針刺傷破　身疾并鬼神　惡毒及孩童　延年增氣力
先觀彼形色　語言及性行　然後問其夢　知風熱癊殊
乾瘦少頭髮　其心無定住　多語夢飛行　斯人是風性
少年生白髮　多汗及多瞋　聰明夢見火　斯人是熱性
心定身平整　慮審頭津膩　夢見水白物　是癊性應知
總集性俱有　或二或具三　隨有一偏增　應知是其性
既知本性已　准病而授藥　驗其無死相　方名可救人

BD02635號　金光明最勝王經卷九　（22–13）

少年生白髮　多汗及多瞋　聰明夢見火　斯人是熱性
心定身平整　慮審頭津膩　夢見水白物　是癊性應知
總集性俱有　或二或具三　隨有一偏增　應知是其性
既知本性已　准病而授藥　驗其無死相　方名可救人
諸根倒取境　尊醫人起慢　親友生瞋恚　是死相應知
左眼白色變　舌黑鼻梁欹　耳輪與舊殊　下脣垂向下
訶梨勒一種　具足有六味　能除一切病　無忌藥中王
又三果三辛　諸藥中易得　沙糖蜜蘇乳　此能療衆病
自餘諸藥物　隨病可增加　先起慈愍心　莫規於財利
我已為汝說　療疾中要事　以此救衆生　當獲無邊果
善女天！爾時長者子流水親問其父八術之
要，四大增損時節不同，餌藥方法，既善了知，
自忖堪能救療衆病，即便遍至城邑聚落，
所在之處，隨有百千萬億病苦衆生，皆至其
所，善言慰喻，作如是語：我是醫人，我是醫人，
善知方藥。今為汝等療治衆病，悉令除愈。善女
天！爾時衆人聞長者子善言慰喻，許為治病，
時有無量百千衆生遇極重病，聞是語已，身
心踊躍，得未曾有。以此因緣，所有病苦悉得
蠲除，氣力充實，平復如本。善女天！爾時復有
無量百千衆生病苦深重難療治者，即共往
詣長者子所，重請醫療。時長者子即以妙
藥令服，皆蒙除差。善女天！是長者子於此國
內，百千萬億衆生病苦悉得除差。

金光明最勝王經長者子流水品第廿五

爾時佛告菩提樹神善女天：爾時長者子流

BD02635號　金光明最勝王經卷九　（22–14）

詣長者子所重請醫療時長者子即以妙
藥令服皆蒙除差善女天是長者子於此國
內百千万億衆生病苦悉得除差
金光明最勝王經長者子流水品第廿五
尒時佛告菩提樹神善女天尒時長者子流
水於往昔時在天自在光王國內療諸衆生
所有病苦令得平復受安隱樂時諸衆生以
病除故多脩福業廣行慧施以自歡娛即共
往詣長者子所咸生尊敬作如是言善哉善
哉大長者子善能滋長福德之事增益我
等安隱壽命仁今實是大力醫王慈悲菩薩
妙閑醫藥善療衆生无量病苦如是稱嘆周
遍城邑善女天時長者子妻名水肩藏有其
二子一名水滿二名水藏是時流水將其二子
漸次遊行城邑聚落過空澤中深險之處見
諸禽獸犲狼狐玃鵰鷲之屬食血肉者皆悉
奔飛一向而去時長者子作如是念此諸禽獸
何因緣故一向飛走我當隨後暫往觀之即
便隨去見有大池名曰野生其水將盡於
此池中多有衆魚流水見已生大悲心時有樹
神示現半身作如是語善哉善哉善男子
汝有實義名流水者可愍此魚應与其水有
二因緣名為流水一能流水二能与水汝今應
當隨名而作是時流水問樹神言此魚頭數
為有幾何樹神荅曰數滿十千善女天時
長者子聞是數已倍益悲心時此大池為日
所暴餘水无幾是十千魚將入死門旋身婉

BD02635號　金光明最勝王經卷九　（22–15）

二因緣名為流水一能流水二能与水汝今應
當隨名而作是時流水問樹神言此魚頭數
為有幾何樹神荅曰數滿十千善女天時
長者子聞是數已倍益悲心時此大池為日
所暴餘水无幾是十千魚將入死門旋身婉
轉見是長者心有所希隨逐瞻視目未曾捨
時長者子見是事已馳趣四方欲覓於水
竟不能得復望一邊見有大樹即便昇上折
取枝葉為作蔭涼復更推求是池中水從何
處來尋覓不已見一大河名曰水生時此河邊
有諸魚人為取魚故於河上流懸險之處
決棄其水不令下過於所決處卒難修補便
作是念此崖深峻設百千人時經三月亦未
能斷況我一身而堪濟辦時長者子速還本
城至大王所頭面禮足却住一面合掌恭敬
作如是言我為大王國土人民治種種病悉
令安隱漸次遊行至其空澤見有一池名曰
野生其水欲涸有十千魚為日所暴將死不
久唯願大王慈悲愍念與二十大象暫往負
水濟彼魚命如我與諸病人壽命尒時大王
即勅大臣速疾與此醫王大象時彼大臣奉
王勅已白長者子善哉大士仁今自可至象
廄中隨意選取二十大象利益衆生令得安
樂是時流水及其二子將二十大象又從酒
家多借皮囊往決水處以囊盛水象負至池
寫置池中水即弥滿還復如故善女天時長
者子於池四邊周旋而視時彼衆魚亦復隨

BD02635號　金光明最勝王經卷九　（22–16）

樂是時流水及其二子將二十大象又從酒
家多借皮囊往決水處以囊盛水象負至池
寫置池中水即彌滿還復如故善女天時長
者子於池四邊周旋而視時彼眾魚亦復隨
逐循岸而行時長者子復作是念眾魚何故
隨我而行必為飢火之所惱逼復欲從我求
索於食我今當與爾時長者子流水告其子
言汝取一象最大力者速至家中啟父長者
家中所有可食之物乃至父母食噉之分及
以妻子奴婢之分悉皆收取即可持來爾時
二子受父教已乘最大象速往家中至祖父
所說如上事收取家中可食之物置於象上
疾還父所至彼池邊是時流水見其子來
身心喜躍遂取餅食遍散池中魚得食已悉
皆飽足便作是念我今施食令魚得命願於
來世當施法食充濟無邊復更思惟我先曾
於空閑林處見一苾芻讀大乘經說十二緣生
甚深法要又經中說若有眾生臨命終時
得聞寶髻如來名者即生天上我今當為是
十千魚演說甚深十二緣起亦當稱說寶髻
佛名然贍部洲有二種人一者深信大乘二者
不信毀呰亦當為彼增長信心時長者子作
如是念我入池中可為眾魚說深妙法作是
念已即便入水高言南無過去寶髻如來應
正遍知明行足善逝世間解無上士調御丈
夫天人師佛世尊此佛往昔修菩薩行時作
是誓願於十方界所有眾生臨命終時聞我

不信毀呰亦當為彼增長信心時長者子作
如是念我入池中可為眾魚說深妙法作是
念已即便入水高言南無過去寶髻如來應
正遍知明行足善逝世間解無上士調御丈
夫天人師佛世尊此佛往昔修菩薩行時作
是誓願於十方界所有眾生臨命終時聞我
名者命終之後得生三十三天爾時流水復
為池魚演說如是甚深妙法此有故彼有此
生故彼生所謂無明緣行行緣識識緣名色
名色緣六處六處緣觸觸緣受受緣愛愛
緣取取緣有有緣生生緣老死憂悲苦惱此
滅故彼滅所謂無明滅則行滅行滅則識滅
識滅則名色滅名色滅則六處滅六處滅則觸滅
觸滅則受滅受滅則愛滅愛滅則取滅取
滅則有滅有滅則生滅生滅則老死滅老
死滅則憂悲苦惱滅如是純極苦蘊悉皆除
滅說是法已復為宣說十二緣起相應陀
羅尼曰
怛姪他 毗折你毗折你 折你 僧塞枳你
僧塞枳你 僧塞枳你 毗尒你 毗尒你
毗尒你 莎訶 怛姪他 那弭你那弭你
那弭你 然雜你 然雜你 然雜你
颯鉢哩設你 颯鉢哩設你 颯鉢哩設你莎訶 怛姪他
薩達你薩達你 薩達你 窒里瑟你 窒里瑟你
窒里瑟你 鄔波地你 鄔波地你 鄔波地你莎訶
怛姪他 婆毗你婆毗你 婆毗你 闍底你

毗尒你莎訶　怛姪他　那弭你那弭你
那弭你　熱雞你　熱雞你　熱雞你
颯鉢哩設你　颯鉢哩設你　颯鉢哩設你莎訶　怛姪他
薩達你薛達你　薛達你　窒里瑟你你
窒里瑟你你　鄔波地你　鄔波地你　鄔波地你莎訶
怛姪他　婆毗你婆毗你　婆毗你　闍底你
闍底你　闍底你　闍摩你你　闍摩你你
闍摩你你莎訶
尒時世尊為諸大衆說長者子昔緣之時諸
人天衆嘆未曾有時四大天王各於其處異口
同音作如是說
善哉釋迦尊　說妙法明呪　生福除衆惡　十二支相應
我等亦說呪　擁護如是法　若有生違逆　不善隨順者
頭破作七分　猶如蘭香梢　我等於佛前　共說其呪曰
怛姪他　呬里謎　揭睇　健陀哩
旃荼里　地鑭　驗伐鑭　石四伐鑭
補囉布鑭　矩矩末底　崎囉末底　達地目契
窶嚕婆　母嚕婆　具荼母嚕　健提
杜嚕杜嚕　毗麗　醫涅醫涅涅（徒洽反下同）娓
達沓娓鄔慈怛哩　烏卒吒囉伐底
頞剌婆伐底　鉢杜摩伐底
俱蘇摩伐底　莎訶
佛告善女天尒時長者子流水及其二子為
彼池魚施水施食并說法已俱共還家是長
者子流水復於後時因有聚會設衆伎樂醉
酒而卧十千魚同時命過生三十三天起如
是念我等以何善業因緣生此天中便相謂

俱蘇摩伐底　莎訶
佛告善女天尒時長者子流水及其二子為
彼池魚施水施食并說法已俱共還家是長
者子流水復於後時因有聚會設衆伎樂醉
酒而卧十千魚同時命過生三十三天起如
是念我等以何善業因緣生此天中便相謂
曰我等先於贍部洲內墮傍生中共受魚
身長者子流水施我等水及以餅食復為我
等說甚深法十二緣起及陀羅尼復稱寶髻
如來名号以是因緣能令我等得生此天是
故我今咸應詣彼長者子所報恩供養尒時
十千天子即於天沒至贍部洲大醫王所時
長者子在高樓上安隱而睡時十千天子共
以十千真珠瓔珞置其頭邊復以十千置其
足處復以十千置於右脇復以十千置左脇
邊雨曼陀羅花摩訶曼陀羅花積至于膝光
明普照種種天樂出妙音聲令贍部洲有睡
眠者皆悉覺悟長者子流水亦從睡寤是
時十千天子為供養已即於空中飛騰而去於
天自在光王國內處處皆雨天妙蓮花是諸天
子復至本處空澤池中雨衆天花便於此沒還
天宮殿隨意自在受五欲樂天自在光王至
天曉已問諸大臣昨夜何緣忽現如是希有
瑞相放大光明大臣答言大王當知有諸天
衆於長者子流水家中雨四十千真珠瓔珞
及天曼陀羅花積至于膝王告臣曰詣長者
家喚取其子大臣受勑即至其家宣王

子復至本處空澤池中雨衆天光便於此池還
天宮殿隨意自在受五欲樂天自在光王至
天曉已詔諸大臣昨夜何緣忽現如是希有
瑞相放大光明大臣答言大王當知有諸天
衆於長者子流水家中雨四十千真珠瓔珞
及天曼陁羅花積至于膝王告臣曰詣長者
家喚取其子大臣受勅即至其家奉宣王
命喚長者子時長者子即至王所王曰何緣昨
夜示現如是希有瑞相長者子言如我思忖
定應是彼池內衆魚如經所說命終之後得
生三十三天彼來報恩故現如是希奇之相
王曰何以得知流水答曰王可遣使并我二
子往彼池所驗其虛實彼十千魚爲死爲活
王聞是語即便遣使及子向彼池邊見其池
中多有曼陁羅花積成大聚諸魚並死見已
馳還爲王廣說王聞是已心生歡喜歎未曾
有尒時佛告菩提樹神善女天汝今當知昔
時長者子流水者即我身是持水長者即
妙幢是彼之二子長子水滿即銀幢是次子水
藏即銀光是彼天自在光王者即汝菩提樹
神是十千魚者即十千天子是因我往昔以
水濟魚與食令飽爲說甚深十二緣起并此
相應陁羅尼呪又爲稱彼寶髻佛名因此善
根得生天上今來我所歡喜聽法我皆當爲
授阿耨多羅三藐三菩提記說其名号善
女天如我往昔於生死中輪迴諸有廣爲利
益令無量衆生悉令次弟成無上覺與其授

BD02635 號　金光明最勝王經卷九　（22–21）

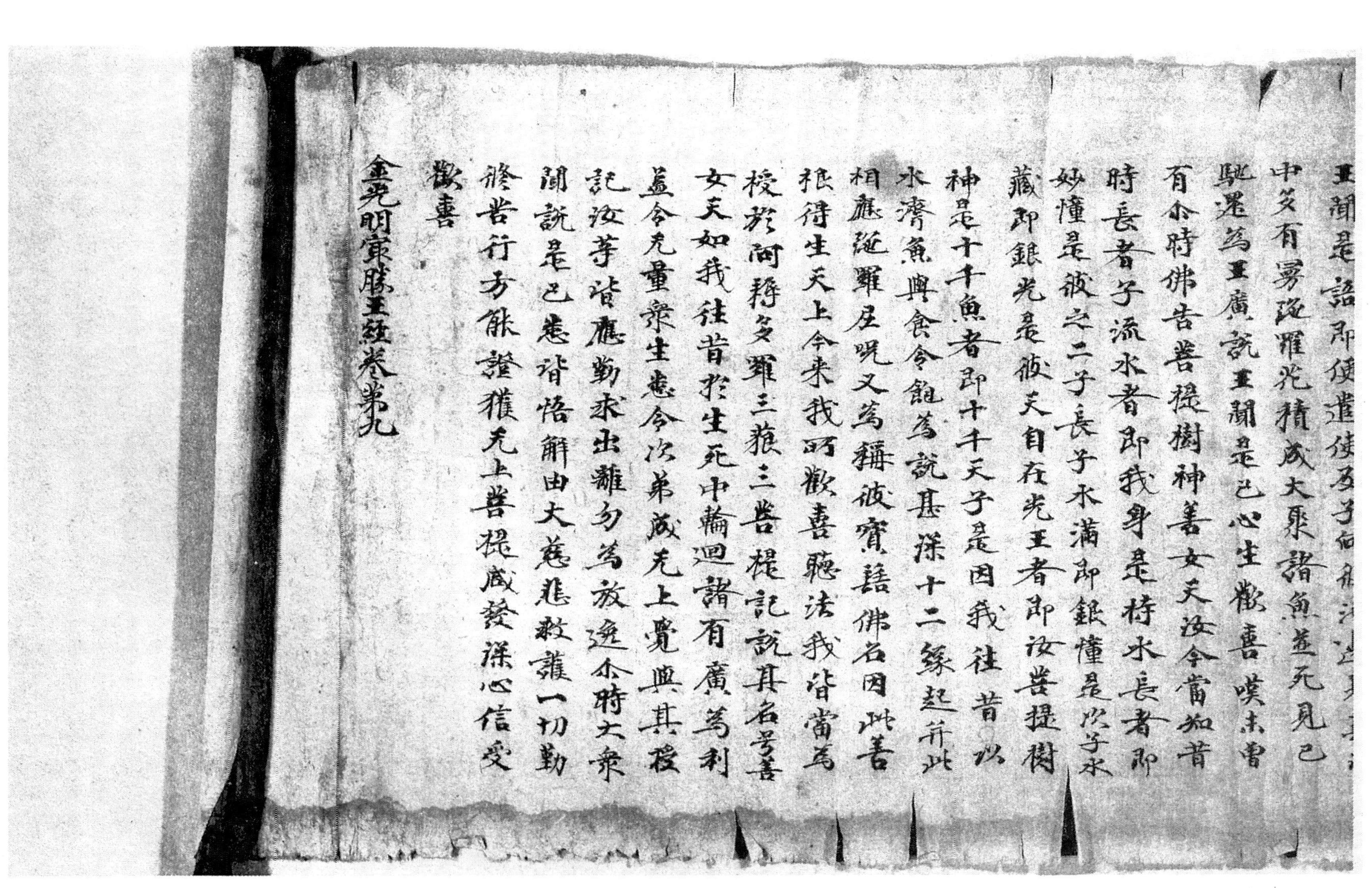

王聞是語即便遣使及子向彼池邊見其池
中多有曼陁羅花積成大聚諸魚並死見已
馳還爲王廣說王聞是已心生歡喜歎未曾
有尒時佛告菩提樹神善女天汝今當知昔
時長者子流水者即我身是持水長者即
妙幢是彼之二子長子水滿即銀幢是次子水
藏即銀光是彼天自在光王者即汝菩提樹
神是十千魚者即十千天子是因我往昔以
水濟魚與食令飽爲說甚深十二緣起并此
相應陁羅尼呪又爲稱彼寶髻佛名因此善
根得生天上今來我所歡喜聽法我皆當爲
授阿耨多羅三藐三菩提記說其名号善
女天如我往昔於生死中輪迴諸有廣爲利
益令無量衆生悉令次弟成無上覺與其授
記汝等皆應勤求出離勿爲放逸尒時大衆
聞說是已悉皆悟解由大慈悲救護一切勤
修苦行方能證獲無上菩提咸發深心信受
歡喜

金光明最勝王經卷第九

BD02635 號　金光明最勝王經卷九　（22–22）

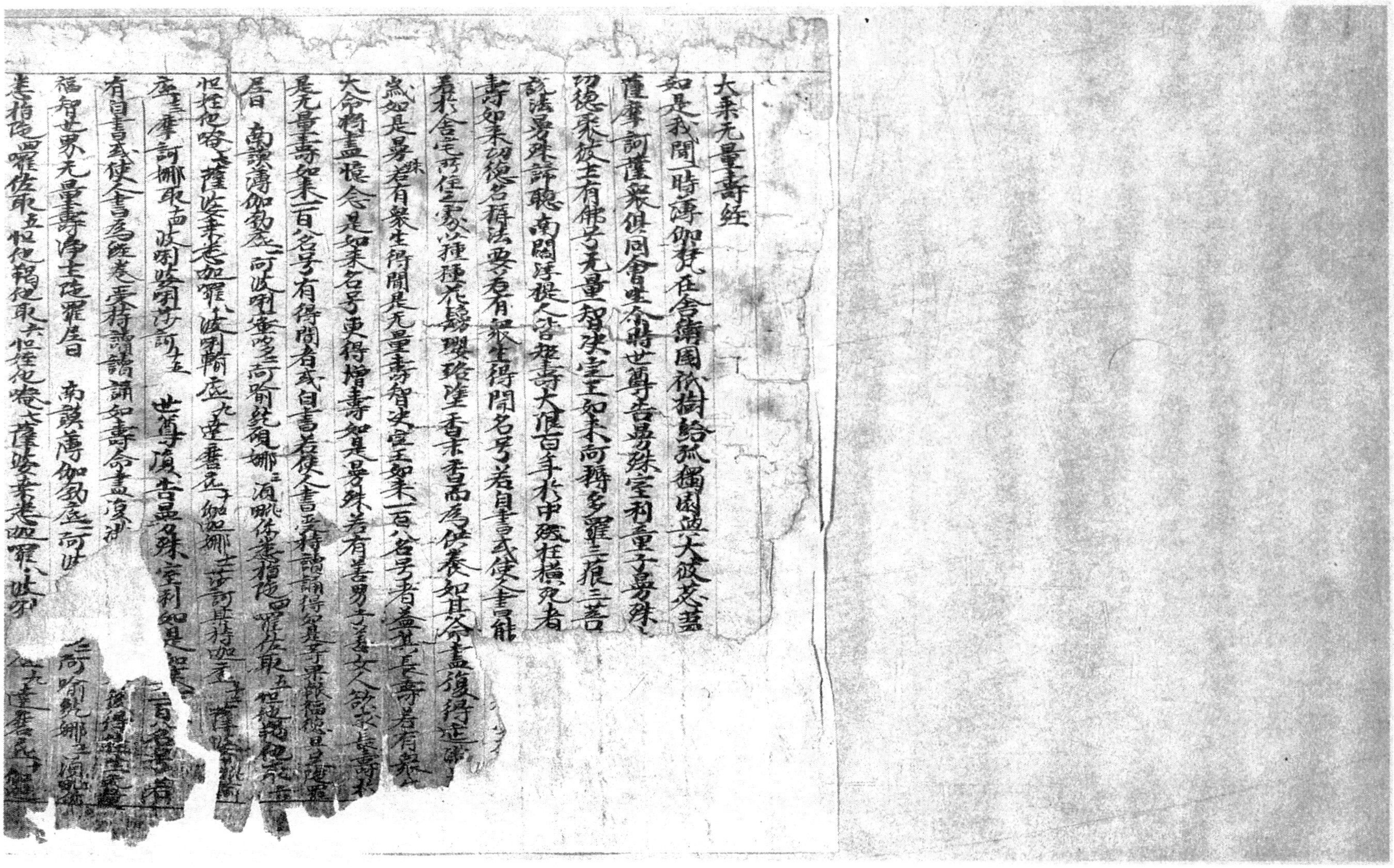

大乘無量壽經
如是我聞一時薄伽梵在舍衛國祇樹給孤獨園與大苾芻衆菩
薩摩訶薩衆俱同會坐尒時世尊告曼殊室利童子曼殊
功德聚彼土有佛号無量智決定王如來阿耨多羅三藐三菩
說法曼殊諦聽南閻浮提人皆短壽大限百年於中殀枉橫死者
壽如來功德名稱法要若有衆生得聞名号若自書或使人書能
為於舍宅所住之處以種種花鬘瓔珞塗香末香而為供養如其命盡復得延壽
歲如是曼殊若有衆生得聞是無量壽智決定王如來一百八名号者益其長壽若有衆
大命將盡憶念是如來名号更得增壽如是曼殊若有善男子善女人欲求長壽於
是無量壽如來一百八名号有得聞者或自書若使人書受持讀誦得如是等果報福德[illegible]
尼曰 南謨薄伽勃底一阿波唎蜜哆二阿喻紇硯娜三須毗你悉指陀四囉佐耶五怛他羯他耶六
怛姪他唵七薩婆桑塞迦囉八波唎輸底九達磨底十伽伽娜十一莎訶其持伽底十二[illegible]
底十三摩訶娜耶十四波唎婆唎莎訶十五 世尊復告曼殊室利如是如[illegible]
有自書或使人書為經卷受持讀誦如壽命盡復得[illegible]
福智世界無量壽淨土陀羅尼曰 南謨薄伽勃底一阿波[illegible]
悉指陀四囉佐耶五怛他羯他耶六怛姪他唵七薩婆桑塞迦囉八波[illegible]

BD02636 號　無量壽宗要經　（4–1）

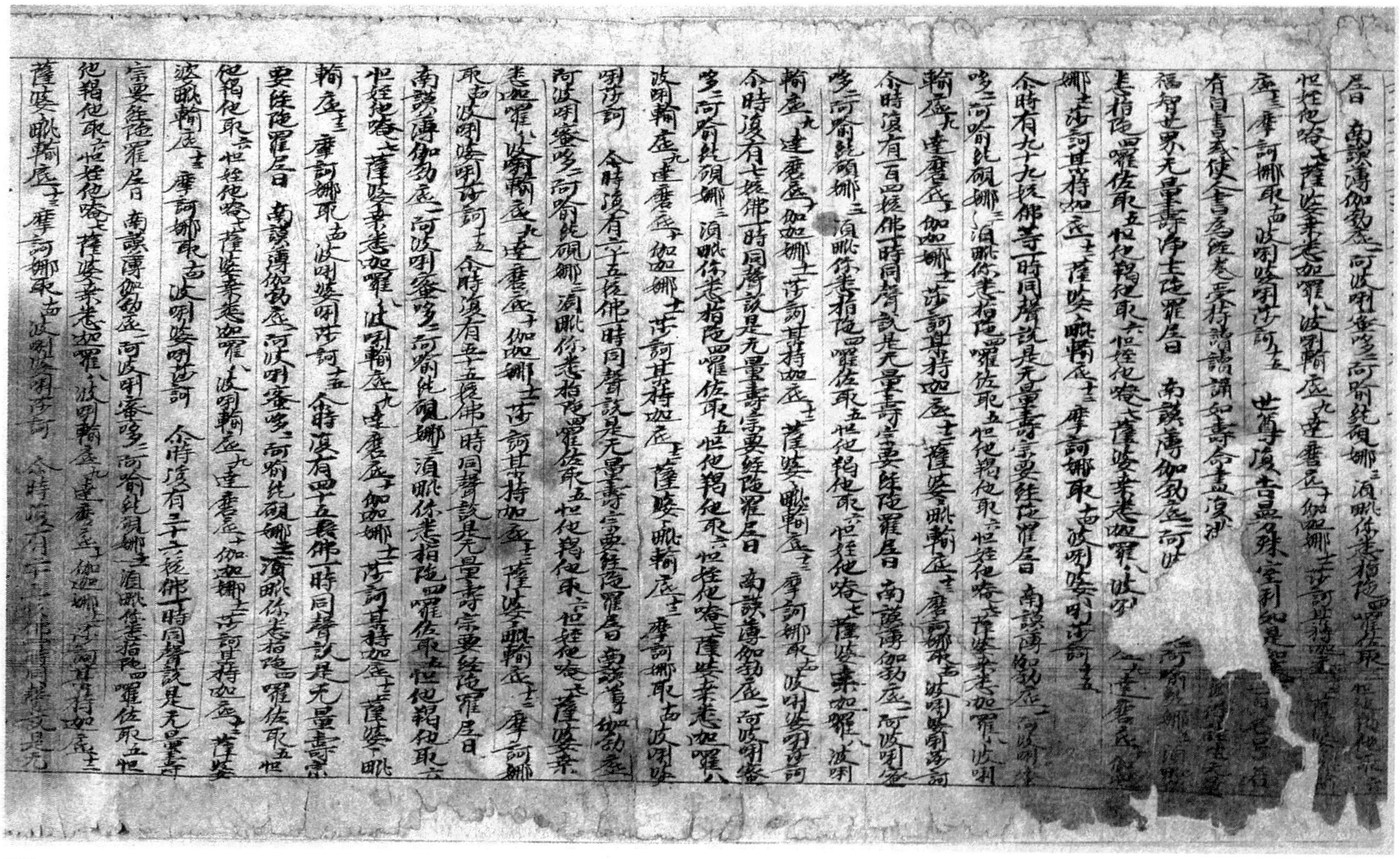

尼曰 南謨薄伽勃底一阿波唎蜜哆二阿喻紇硯娜三須毗你悉指陀四囉佐耶五怛他羯他耶六
怛姪他唵七薩婆桑塞迦囉八波唎輸底九達磨底十伽伽娜十一莎訶其持伽底十二
底十三摩訶娜耶十四波唎婆唎莎訶十五 世尊復告曼殊室利如是如
有自書或使人書為經卷受持讀誦如壽命盡復得
福智世界無量壽淨土陀羅尼曰 南謨薄伽勃底一阿波
悉指陀四囉佐耶五怛他羯他耶六怛姪他唵七薩婆桑塞迦囉八波唎
娜十一莎訶其持伽底十二薩婆娑毗輸底十三摩訶娜耶十四波唎婆唎莎訶十五
尒時有九十九殑伽沙佛一時同聲說是無量壽宗要經陀羅尼曰 南謨薄伽勃底一阿波唎蜜
哆二阿喻紇硯娜三須毗你悉指陀四囉佐耶五怛他羯他耶六怛姪他唵七薩婆桑塞迦囉八波唎
輸底九達磨底十伽伽娜十一莎訶其持伽底十二薩婆娑毗輸底十三摩訶娜耶十四波唎婆唎莎訶
尒時復有百四殑伽佛一時同聲說是無量壽宗要經陀羅尼曰 南謨薄伽勃底一阿波唎蜜
哆二阿喻紇硯娜三須毗你悉指陀四囉佐耶五怛他羯他耶六怛姪他唵七薩婆桑塞迦囉八波唎
輸底九達磨底十伽伽娜十一莎訶其持伽底十二薩婆娑毗輸底十三摩訶娜耶十四波唎婆唎莎訶
尒時復有七殑伽佛一時同聲說是無量壽宗要經陀羅尼曰 南謨薄伽勃底一阿波唎蜜
哆二阿喻紇硯娜三須毗你悉指陀四囉佐耶五怛他羯他耶六怛姪他唵七薩婆桑塞迦囉八
波唎輸底九達磨底十伽伽娜十一莎訶其持伽底十二薩婆娑毗輸底十三摩訶娜耶十四波唎婆
唎莎訶 尒時復有六十五殑伽佛一時同聲說是無量壽宗要經陀羅尼曰 南謨薄伽勃底
阿波唎蜜哆二阿喻紇硯娜三須毗你悉指陀四囉佐耶五怛他羯他耶六怛姪他唵七薩婆桑
塞迦囉八波唎輸底九達磨底十伽伽娜十一莎訶其持伽底十二薩婆娑毗輸底十三摩訶娜
耶十四波唎婆唎莎訶十五 尒時復有五十五殑伽佛一時同聲說是無量壽宗要經陀羅尼曰
南謨薄伽勃底一阿波唎蜜哆二阿喻紇硯娜三須毗你悉指陀四囉佐耶五怛他羯他耶六
怛姪他唵七薩婆桑塞迦囉八波唎輸底九達磨底十伽伽娜十一莎訶其持伽底十二薩婆娑毗
輸底十三摩訶娜耶十四波唎婆唎莎訶十五 尒時復有四十五殑伽佛一時同聲說是無量壽宗
要經陀羅尼曰 南謨薄伽勃底一阿波唎蜜哆二阿喻紇硯娜三須毗你悉指陀四囉佐耶五怛
他羯他耶六怛姪他唵七薩婆桑塞迦囉八波唎輸底九達磨底十伽伽娜十一莎訶其持伽底十二薩婆
娑毗輸底十三摩訶娜耶十四波唎婆唎莎訶 尒時復有三十六殑伽佛一時同聲說是無量壽
宗要經陀羅尼曰 南謨薄伽勃底一阿波唎蜜哆二阿喻紇硯娜三須毗你悉指陀四囉佐耶五怛
他羯他耶六怛姪他唵七薩婆桑塞迦囉八波唎輸底九達磨底十伽伽娜十一莎訶其持伽底十二
薩婆娑毗輸底十三摩訶娜耶十四波唎婆唎莎訶 尒時復有二十五殑伽佛一時同聲說是無

BD02636 號　無量壽宗要經　（4–2）

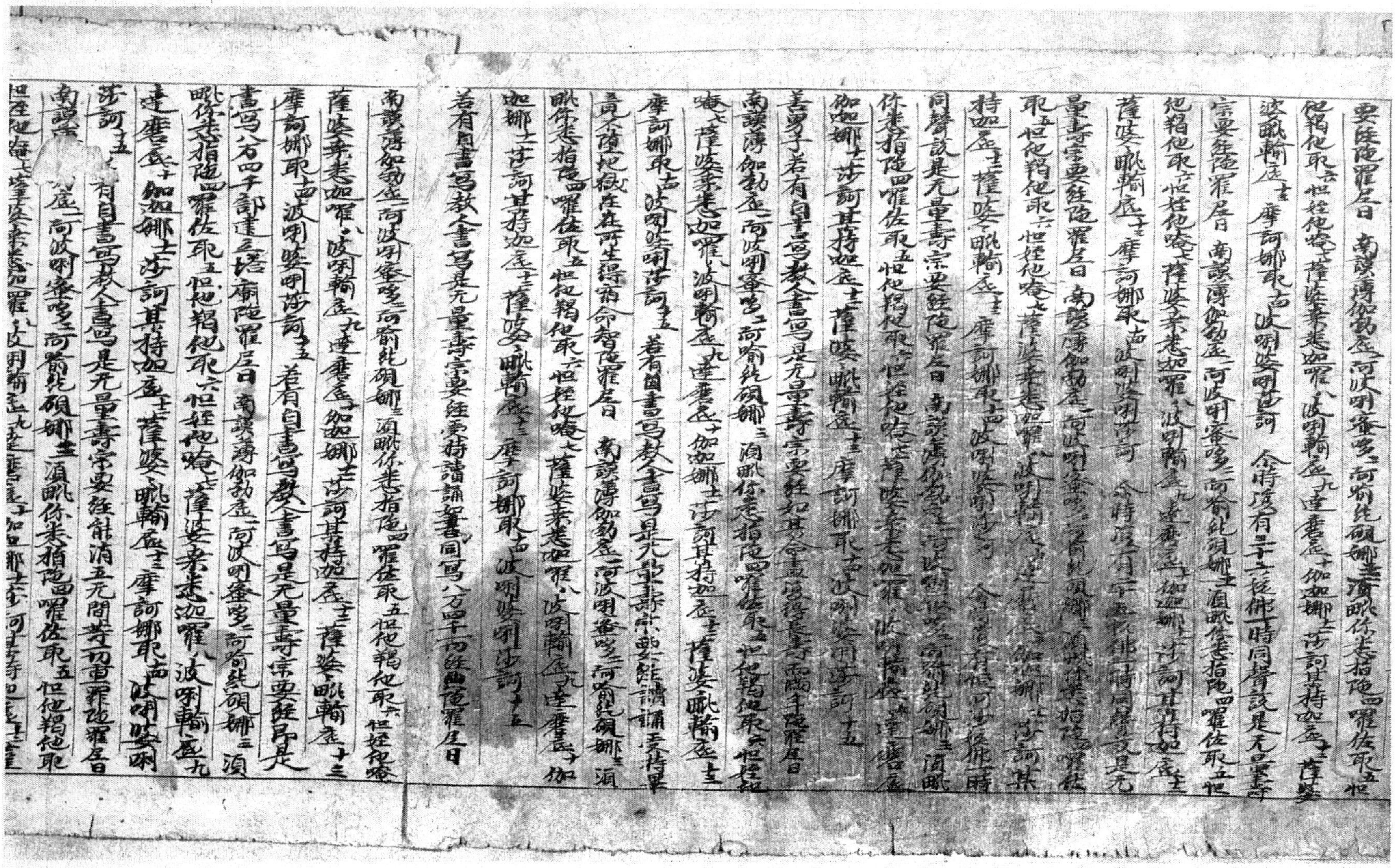

要經陁羅尼曰 南謨薄伽勃底一阿波唎蜜多二阿喻紇硯娜三須毗你悉指陁四囉佐耶五怛他羯他耶六怛姪他唵七薩婆桑塞迦囉八波唎輸底九達磨底十伽伽娜十一莎訶其持迦底十二薩婆毗輸底十三摩訶娜耶十四波唎婆唎莎訶 爾時復有三十三垓佛一時同聲說是无量壽宗要經陁羅尼曰 南謨薄伽勃底一阿波唎蜜多二阿喻紇硯娜三須毗你悉指陁四囉佐耶五怛他羯他耶六怛姪他唵七薩婆桑塞迦囉八波唎輸底九達磨底十伽伽娜十一莎訶其持迦底十二薩婆毗輸底十三摩訶娜耶十四波唎婆唎莎訶 爾時復有……佛一時同聲說是无量壽宗要經陁羅尼曰 南謨薄伽勃底一阿波唎蜜多二阿喻紇硯娜三須毗你悉指陁四囉佐耶五怛他羯他耶六怛姪他唵七薩婆桑塞迦囉八波唎輸底九達磨底十伽伽娜十一莎訶其持迦底十二薩婆毗輸底十三摩訶娜耶十四波唎婆唎莎訶 爾時復有……佛一時同聲說是无量壽宗要經陁羅尼曰 南謨薄伽勃底一阿波唎蜜多二阿喻紇硯娜三須毗你悉指陁四囉佐耶五怛他羯他耶六怛姪他唵七薩婆桑塞迦囉八波唎輸底九達磨底伽伽娜十一莎訶其持迦底十二薩婆毗輸底十三摩訶娜耶十四波唎婆唎莎訶十五

善男子若有自書寫教人書寫是无量壽宗要經如其命盡復得長壽而滿百年陁羅尼曰 南謨薄伽勃底一阿波唎蜜多二阿喻紇硯娜三須毗你悉指陁四囉佐耶五怛他羯他耶六怛姪他唵七薩婆桑塞迦囉八波唎輸底九達磨底十伽伽娜十一莎訶其持迦底十二薩婆毗輸底十三摩訶娜耶十四波唎婆唎莎訶十五

若有自書寫教人書寫是无量壽宗要經讀誦受持畢竟不墮地獄在在所生得宿命智陁羅尼曰 南謨薄伽勃底一阿波唎蜜多二阿喻紇硯娜三須毗你悉指陁四囉佐耶五怛他羯他耶六怛姪他唵七薩婆桑塞迦囉八波唎輸底九達磨底十伽伽娜十一莎訶其持迦底十二薩婆毗輸底十三摩訶娜耶十四波唎婆唎莎訶十五

若有自書寫教人書寫是无量壽宗要經受持讀誦如書同寫八万四千部經典陁羅尼曰 南謨薄伽勃底一阿波唎蜜多二阿喻紇硯娜三須毗你悉指陁四囉佐耶五怛他羯他耶六怛姪他唵七薩婆桑塞迦囉八波唎輸底九達磨底十伽伽娜十一莎訶其持迦底十二薩婆毗輸底十三摩訶娜耶十四波唎婆唎莎訶十五

若有自書寫教人書寫是无量壽宗要經即是書寫八万四千部建立塔廟陁羅尼曰 南謨薄伽勃底一阿波唎蜜多二阿喻紇硯娜三須毗你悉指陁四囉佐耶五怛他羯他耶六怛姪他唵七薩婆桑塞迦囉八波唎輸底九達磨底十伽伽娜十一莎訶其持迦底十二薩婆毗輸底十三摩訶娜耶十四波唎婆唎莎訶十五

若有自書寫教人書寫是无量壽宗要經能消五无間等一切重罪陁羅尼曰 南謨薄伽勃底一阿波唎蜜多二阿喻紇硯娜三須毗你悉指陁四囉佐耶五怛他羯他耶六怛姪他唵七薩婆桑塞迦囉八波唎輸底九達磨底十伽伽娜十一莎訶其持迦底十二薩

BD02636 號　無量壽宗要經　　（4–3）

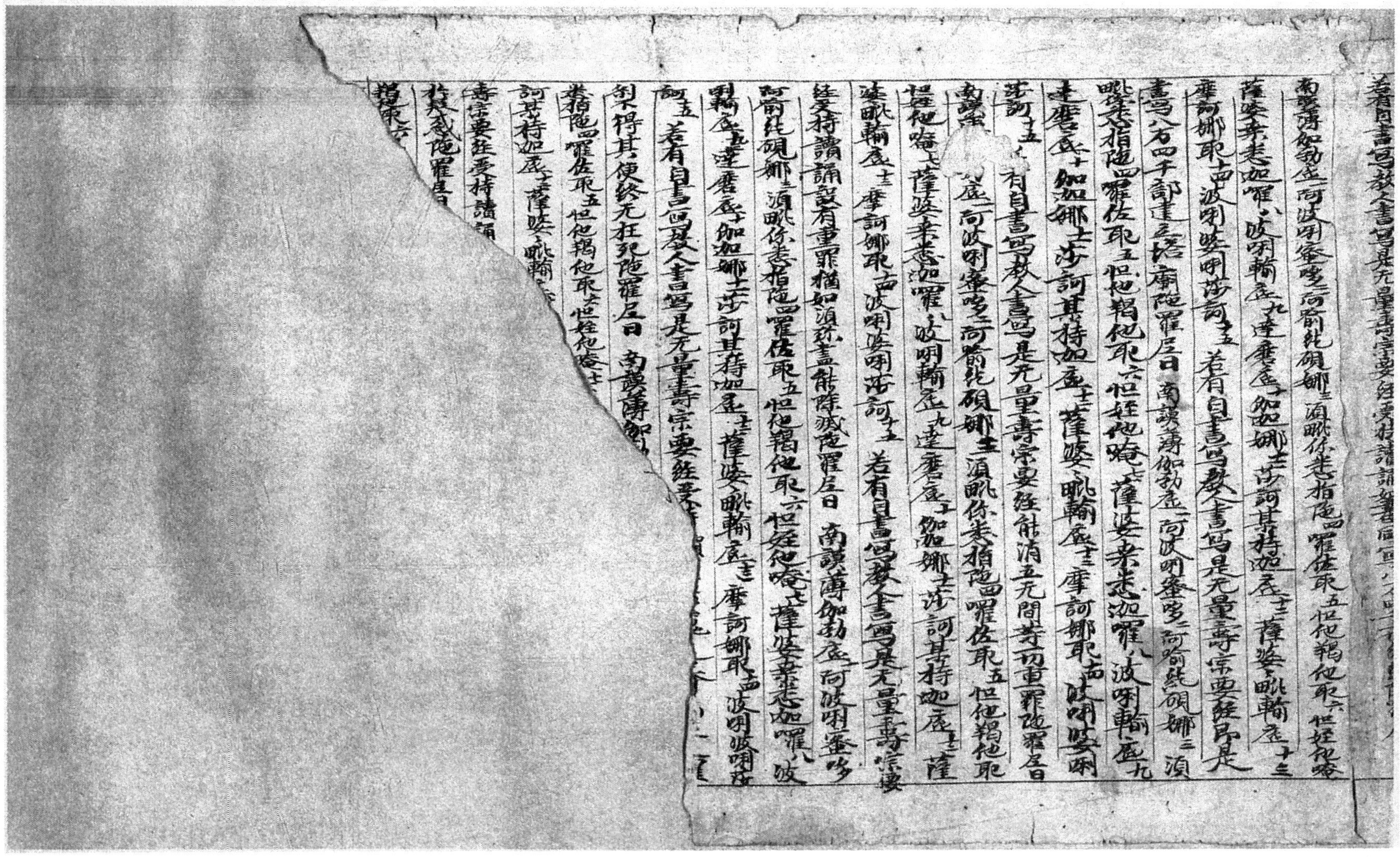

若有自書寫教人書寫是无量壽宗要經受持讀誦如書同寫八万四千部……

南謨薄伽勃底一阿波唎蜜多二阿喻紇硯娜三須毗你悉指陁四囉佐耶五怛他羯他耶六怛姪他唵七薩婆桑塞迦囉八波唎輸底九達磨底十伽伽娜十一莎訶其持迦底十二薩婆毗輸底十三摩訶娜耶十四波唎婆唎莎訶十五

若有自書寫教人書寫是无量壽宗要經即是書寫八万四千部建立塔廟陁羅尼曰 南謨薄伽勃底一阿波唎蜜多二阿喻紇硯娜三須毗你悉指陁四囉佐耶五怛他羯他耶六怛姪他唵七薩婆桑塞迦囉八波唎輸底九達磨底十伽伽娜十一莎訶其持迦底十二薩婆毗輸底十三摩訶娜耶十四波唎婆唎莎訶十五

若有自書寫教人書寫是无量壽宗要經能消五无間等一切重罪陁羅尼曰 南謨薄伽勃底一阿波唎蜜多二阿喻紇硯娜三須毗你悉指陁四囉佐耶五怛他羯他耶六怛姪他唵七薩婆桑塞迦囉八波唎輸底九達磨底十伽伽娜十一莎訶其持迦底十二薩婆毗輸底十三摩訶娜耶十四波唎婆唎莎訶十五

若有自書寫教人書寫是无量壽宗要經受持讀誦設有重罪猶如須彌盡能除滅陁羅尼曰 南謨薄伽勃底一阿波唎蜜多二阿喻紇硯娜三須毗你悉指陁四囉佐耶五怛他羯他耶六怛姪他唵七薩婆桑塞迦囉八波唎輸底九達磨底十伽伽娜十一莎訶其持迦底十二薩婆毗輸底十三摩訶娜耶十四波唎婆唎莎訶十五

若有自書寫教人書寫是无量壽宗要經受……魔眷屬不得其便終无枉死陁羅尼曰 南謨薄伽……悉指陁四囉佐耶五怛他羯他耶六怛姪他唵七……莎訶其持迦底十二薩婆毗輸……壽宗要經受持讀誦……於其……陁羅尼曰……羯他耶六……

BD02636 號　無量壽宗要經　　（4–4）

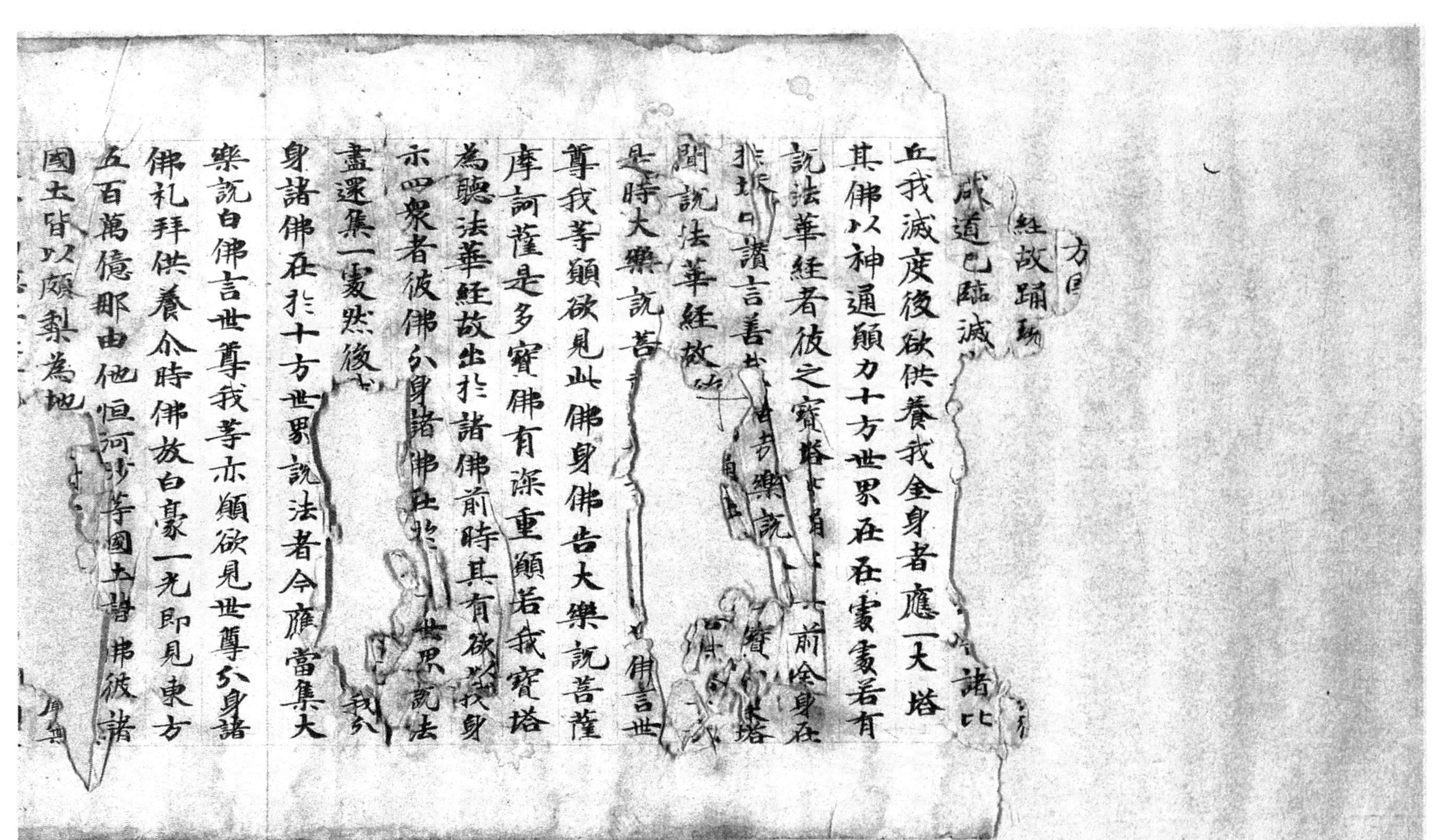

方[illegible]
經故踊現[illegible]
成道已臨滅[illegible]諸比
丘我滅度後欲供養我全身者應起一大塔
其佛以神通願力十方世界在在處處若有
說法華經者彼之寶塔皆[illegible]前令身在
於[illegible]中讚言善哉[illegible]寶塔
聞說法華經故從[illegible]
是時大樂說菩[illegible]佛言世
尊我等願欲見此佛身佛告大樂說菩薩
摩訶薩是多寶佛有深重願若我寶塔
為聽法華經故出於諸佛前時其有欲以我身
示四衆者彼佛分身諸佛在於[illegible]世界說法
盡還集一處然後[illegible]我分
身諸佛在於十方世界說法者今應當集大
樂說白佛言世尊我等亦願欲見世尊分身諸
佛礼拜供養尒時佛放白豪一光即見東方
五百萬億那由他恒河沙等國土諸佛彼諸
國土皆以頗梨為地[illegible]

BD02637號　妙法蓮華經卷四　（7–1）

盡還集一處然後[illegible]
身諸佛在於十方世界說法者今應當集大
樂說白佛言世尊我等亦願欲見世尊分身諸
佛礼拜供養尒時佛放白豪一光即見東方
五百萬億那由他恒河沙等國土諸佛彼諸
國土皆以頗梨為地[illegible]寶樹寶衣[illegible]
數千萬億菩薩充[illegible]
上彼國諸佛以大妙音而說諸法及見無量
千萬億菩薩遍滿諸國為衆說法南西北方
四維上下白豪相光所照之處亦復如是尒
時十方諸佛各告衆菩薩言[illegible]子我今應
往娑婆世界釋迦[illegible]多寶如
来寶塔時娑婆世界即變清淨瑠璃為地寶
樹莊嚴黄金為繩以界八道無諸聚落村營
城邑大海江河山川林藪燒大寶香曼陁羅
華遍布其地以寶網幔羅覆其上懸諸寶鈴
唯留此會衆移諸天[illegible]是時諸佛
各將一大菩薩以為侍者至娑婆世界各到
寶樹下一一寶樹高五百由旬枝葉華菓次
第莊嚴諸寶樹下皆有師子之座高五由
旬亦以大寶而校飾之尒時諸佛各於此座結
加趺坐如是展轉遍滿[illegible]世界而於
釋迦牟尼佛一方所分[illegible]猶故未盡時釋
迦牟尼佛欲容受所分身諸佛故八方各更
變二百萬億那由他國皆令清淨無有地獄

BD02637號　妙法蓮華經卷四　（7–2）

第莊嚴諸寶樹下皆有師子之座高五由
旬亦以大寶而校飾之尒時諸佛各於此座結
加趺坐如是展轉遍滿[illegible]世界而於
釋迦牟尼佛一方所分之身猶故未盡時釋
迦牟尼佛欲容受所分身諸佛故八方各更
變二百萬億那由他國皆令清淨無有地獄
餓鬼畜生及阿脩羅又移諸天人置於他土
所化之國亦以瑠璃為地寶樹莊高五百由
旬枝葉華菓次第嚴[illegible]寶師
子座高五由旬種種諸寶以為莊校亦無大
海江河及目真隣陁山摩訶目真隣陁山鐵
圍山大鐵圍山須弥山等諸山王通為一佛
國土寶地平正寶交露幔遍覆其上懸諸幡
蓋燒大寶香諸天寶華[illegible]地釋迦牟尼
佛為諸佛當來坐故復於八方各變二百萬
億那由他國皆令清淨無有地獄餓鬼畜生
及阿脩羅又移諸天人置於他土所化之國
亦以瑠璃為地寶樹莊嚴樹高五百由旬枝
葉華菓次第莊嚴樹下皆有寶師子座高五
由旬亦以大寶而校飾之亦無大海江河及
目真隣陁山摩訶目真隣陁山鐵圍山大鐵
圍山須弥山等諸山王通為一佛國土寶地
平正寶交露幔遍覆其上懸諸幡蓋燒大寶
香諸天寶華遍布其地尒時東方迦牟尼
所分之身百千萬億那由他恒河沙等國土
[illegible]

BD02637號　妙法蓮華經卷四　（7–3）

目真隣陁山摩訶目真隣陁山鐵圍山大鐵
圍山須弥山等諸山王通為一佛國土寶地
平正寶交露幔遍覆其上懸諸幡蓋燒大寶
香諸天寶華遍布其地尒時東方迦牟尼
所分之身百千萬億那由他恒河沙等國土
中諸佛各各說法來集於此如是次第十方
諸佛皆悉來集坐於八方尒時一一方四百萬
億那由他國土諸佛如來遍滿其中是時諸
佛各在寶樹下坐師子座皆遣侍者問訊釋
迦牟尼佛各賫寶華滿掬而告之言善男子
汝往詣耆闍崛山釋迦牟尼佛所如我辭曰
少病少惱氣力安樂及菩薩聲聞衆悉安隱
不以此寶華散佛供養而作是言彼某甲佛
與欲開此寶塔諸佛遣使亦復如是尒時釋
迦牟尼佛見所分身佛悉已來集各各坐於
師子之座皆聞諸佛與欲同開寶塔即從座
起住虛空中一切四衆起立合掌一心觀佛於
是釋迦牟尼佛以右指開七寶塔戶出大音
聲如却關鑰開大城門即時一切衆會皆見
多寶如來於寶塔中坐師子座全身不散如
入禪定又聞其言善哉善哉釋迦牟尼佛快
說是法華經我為聽是經故而來至此尒時
四衆等見過去無量千萬億劫滅度佛說
如是言歎未曾有以天寶華聚散多寶佛及
釋迦牟尼佛上尒時多寶佛於寶塔中分半

BD02637號　妙法蓮華經卷四　（7–4）

入禪定又聞其言善哉善哉釋迦牟尼佛快
說是法華經我為聽是經故而來至此尒時
四衆等見過去無量千萬億劫滅度佛說
如是言歎未曾有以天寶華聚散多寶佛及
釋迦牟尼佛上尒時多寶佛於寶塔中分半
座與釋迦牟尼佛而作是言釋迦牟尼佛可
就此座即時釋迦牟尼佛入其塔中坐其半座
結跏趺坐尒時大衆見二如來在七寶塔中
師子座上結跏趺坐各作是念佛座高遠唯
願如來以神通力令我等輩俱處虛空即
時釋迦牟尼佛以神通力接諸大衆皆在虛
空以大音聲普告四衆誰能於此娑婆國土
廣說妙法華經今正是時如來不久當入涅
槃佛欲以此妙法華經付囑有在尒時世尊
欲重宣此義而說偈言
聖主世尊　雖久滅度　在寶塔中　尚為法來
諸人云何　不勤為法　此佛滅度　無央數劫
處處聽法　以難遇故　彼佛本願　我滅度後
在在所往　常為聽法　又我分身　無量諸佛
如恒沙等　來欲聽法　及見滅度　多寶如來
各捨妙土　及弟子衆　天人龍神　諸供養事
令法久住　故來至此　為坐諸佛　以神通力
移無量衆　令國清淨　諸佛各各　詣寶樹下
如清淨池　蓮華莊嚴　其寶樹下　諸師子座
佛坐其上　光明嚴飾　如夜闇中　然大炬火
身出妙香　遍十方國　衆生蒙薰　喜不自勝

令法久住　故來至此　為坐諸佛　以神通力
移無量衆　令國清淨　諸佛各各　詣寶樹下
如清淨池　蓮華莊嚴　其寶樹下　諸師子座
佛坐其上　光明嚴飾　如夜闇中　然大炬火
身出妙香　遍十方國　衆生蒙薰　喜不自勝
譬如大風　吹小樹枝　以是方便　令法久住
告諸大衆　我滅度後　誰能護持　讀說斯經
今於佛前　自說誓言　其多寶佛　雖久滅度
以大誓願　而師子吼　多寶如來　及與我身
所集化佛　當知此意　諸佛子等　誰能護法
當發大願　令得久住　其有能護　此經法者
則為供養　我及多寶　此多寶佛　處於寶塔
常遊十方　為是經故　亦復供養　諸來化佛
莊嚴光飾　諸世界者　若說此經　則為見我
多寶如來　及諸化佛　諸善男子　各諦思惟
此為難事　宜發大願　諸餘經典　數如恒沙
雖說此等　未足為難　若接須彌　擲置他方
無數佛土　亦未為難　若以足指　動大千界
遠擲他國　亦未為難　若立有頂　為衆演說
無量餘經　亦未為難　若佛滅後　於惡世中
能說此經　是則為難　假使有人　手把虛空
而以遊行　亦未為難　於我滅後　若自書持
若使人書　是則為難　若以大地　置足甲上
昇於梵天　亦未為難　佛滅度後　於惡世中
暫讀此經　是則為難　假使劫燒　擔負乾草

能說[illegible]
而以遊行　亦未為難　於我滅後　若自書持
若使人書　是則為難　若以大地　置足甲上
昇於梵天　亦未為難　佛滅度後　於惡世中
暫讀此經　是則為難　假使劫燒　擔負乾草
入中不燒　亦未為難　我滅度後　若持此經
為一人說　是則為難　若持八萬　四千法藏
十二部經　為人演說　令諸聽者　得六神通
雖能如是　亦未為難　於我滅後　聽受此經
問其義趣　是則為難　若人說法　令千萬億
無量無數　恒沙眾生　得阿羅漢　具六神通
雖有是益　亦未為難　於我滅後　若能奉持
如斯經典　是則為難　我為佛道　於無量土
從始至今　廣說諸經　而於其中　此經第一
若有能持　則持佛身　諸善男子　於我滅後
誰能護持　讀誦此經　今於佛前　自說誓言
此經難持　若暫持者　我則歡喜　諸佛亦然
如是之人　諸佛所歎　是則勇猛　是則精進
是名持戒　行頭陀者　則為疾得　無上佛道
能於來世　讀持此經　是真佛子　住淳善地
佛滅度後　能解其義　是諸天人　世間之眼
於恐畏世　能須臾說　一切天人　皆應供養

BD02637號　妙法蓮華經卷四　（7–7）

首礼維摩詰足時維摩詰因為說法於阿耨
多羅三藐三菩提不復退轉我念聲聞不觀
人根不應說法是故不任詣彼問疾佛告
摩訶迦旃延汝行詣維摩詰問疾迦旃延白
佛言世尊我不堪任詣彼問疾所以者何憶
念昔者佛為諸比丘略說法要我即於後敷
演其義謂无常義苦義空義无我義寂滅義
時維摩詰來謂我言唯迦旃延无以生滅心
行說實相法迦旃延諸法畢竟不生不滅是
无常義五受陰通達空无所起是苦義諸法
究竟无所有是空義於我无我而不二是无
我義法本不然今則无滅是寂滅義說是法
時彼諸比丘心得解脫故我不任詣彼問疾
佛告阿那律汝行詣維摩詰問疾阿那律白
佛言世尊我不堪任詣彼問疾所以者何憶
念我昔於一處經行時有梵王名曰嚴淨與
万梵天俱放淨光明來詣我所稽首作礼問
我言幾何阿那律天眼所見我即答言仁者
吾見此釋迦牟尼佛土三千大千世界如觀
掌中阿摩勒菓時維摩詰來謂我言唯阿那律
天眼所見為作相耶无作相耶假使作相則與
外道五通等若无作相即是无為不應有見
世尊我時嘿然彼諸梵聞其言得未曾有即

BD02638號　維摩詰所說經卷上　（13–1）

佛言世尊我不堪任詣彼問疾所以者何憶
念我昔於一處經行時有梵王名曰嚴淨與
万梵天俱放淨光明來詣我所稽首作礼問
我言幾何阿那律天眼所見我即荅言仁者
吾見此釋迦牟尼佛土三千大千世界如觀
掌中阿摩勒菓時維摩詰來謂我言唯阿那律
天眼所見為作相耶无作相耶假使作相則與
外道五通等若无作相即是无為不應有見
世尊我時嘿然彼諸梵聞其言得未曾有即
為作礼而問曰世孰有真天眼者維摩詰言有
佛世尊得真天眼常在三昧悉見諸佛國不
以二相於是嚴淨梵王及其眷屬五百梵天皆
發阿耨多羅三藐三菩提心礼維摩詰足已
忽然不現故我不任詣彼問疾
佛告優波離汝行詣維摩詰問疾優波離白
佛言世尊我不堪任詣彼問疾所以者何憶
念昔者有二比丘犯律行以為恥不敢問佛
來問我言唯優波離我等犯律誠以為恥不
敢問佛願解疑悔得免斯咎我即為其如法
解說時維摩詰來謂我言唯優波離无重增
此二比丘罪當直除滅勿擾其心所以者何
彼罪性不在內不在外不在中間如佛所說
心垢故衆生垢心淨故衆生淨心亦不在內
不在外不在中間如其心然罪垢亦然諸法
亦然不出於如如優波離以心相得解脫時
寧有垢不我言不也維摩詰言一切衆生心

BD02638號　維摩詰所說經卷上　（13–2）

彼罪性不在內不在外不在中間如佛所說
心垢故衆生垢心淨故衆生淨心亦不在內
不在外不在中間如其心然罪垢亦然諸法
亦然不出於如如優波離以心相得解脫時
寧有垢不我言不也維摩詰言一切衆生心
相无垢亦復如是唯優波離妄想是垢无妄
想是淨顛倒是垢无顛倒是淨取我是垢不
取我是淨優波離一切法生滅不住如幻如
電諸法不相待乃至一念不住諸法皆妄見
如夢如炎如水中月如鏡中像以妄想生其
知此者是名奉律其知此者是名善解於是
二比丘言上智哉是優波離所不及持律之
上而不能說我荅言自捨如來未有聲聞及
菩薩能制其樂說之辯其智慧明達為若此
也時二比丘疑悔即除發阿耨多羅三藐三
菩提心作是願言令一切衆生皆得是辯故
我不任詣彼問疾
佛告羅睺羅汝行詣維摩詰問疾羅睺羅白
佛言世尊我不堪任詣彼問疾所以者何憶
念昔時毗耶離諸長者子來詣我所稽首作
礼問我言唯羅睺羅汝佛之子捨轉輪王位
出家為道其出家者有何等利我即如法
為說出家功德之利時維摩詰來謂我言唯
羅睺羅不應說出家功德之利所以者何无
利无功德是為出家有為法者可說有利有
功德夫出家者為无為法无為法中无利无

BD02638號　維摩詰所說經卷上　（13–3）

為說出家功德之利時維摩詰來謂我言唯
羅睺羅不應說出家功德之利所以者何无
利无功德是為出家有為法者可說有利有
功德夫出家者為无為法无為法中无利无
功德羅睺羅出家者无彼无此亦无中間離
六十二見處於涅槃智者所受聖所行處降
伏衆魔度五道淨五眼得五力立五根不惱
於彼離衆雜惡摧諸外道超越假名出淤泥
无繫著无我所无所受无擾亂內懷喜護彼
意隨禪定離衆過若能如是是真出家於是
維摩詰語諸長者子汝等於正法中宜共出
家所以者何佛世難值諸長者子言居士我
聞佛言父母不聽不得出家維摩詰言然汝
等便發阿耨多羅三藐三菩提心是即出家
是即具足尒時卅二長者子皆發阿耨多羅
三藐三菩提心故我不任詣彼問疾
佛告阿難汝行詣維摩詰問疾阿難白佛言
世尊我不堪任詣彼問疾所以者何憶念昔
時世尊身小有疾當用牛乳我即持鉢詣大
婆羅門家門下立時維摩詰來謂我言唯阿
難何為晨朝持鉢住此我言居士世尊身小
有疾當用牛乳故來至此維摩詰言止止阿
難莫作是語如來身者金剛之體諸惡已斷
衆善普會當有何疾當有何惱嘿往阿難勿
謗如來莫使異人聞此麤言无令大威德諸

BD02638號　維摩詰所說經卷上　（13–4）

有疾當用牛乳故來至此維摩詰言止止阿
難莫作是語如來身者金剛之體諸惡已斷
衆善普會當有何疾當有何惱嘿往阿難勿
謗如來莫使異人聞此麤言无令大威德諸
天及他方淨土諸來菩薩得聞斯語阿難轉
輪聖王以少福故尚得无病豈況如來无量
福會普勝者哉行矣阿難勿使我等受斯恥
世外道梵志若聞此語當作是念何名為師
自疾不能救而能救諸疾人可密速去勿使
人聞當知阿難諸如來身即是法身非思欲
身佛為世尊過於三界佛身无漏諸漏已盡
佛身无為不墮諸數如此之身當有何疾時
我世尊實懷慚愧得无近佛而謬聽耶即聞
空中聲曰阿難如居士言但為佛出五濁惡
世現行斯法度脫衆生行矣阿難取乳勿慚
世尊維摩詰智慧辯才為若此也是故不任
詣彼問疾如是五百大弟子各各向佛說其
本緣稱述維摩詰所言皆曰不任詣彼問疾
菩薩品第四
於是佛告彌勒菩薩汝行詣維摩詰問疾彌
勒白佛言世尊我不堪任詣彼問疾所以者
何憶念我昔為兜率天王及其眷屬說不退
轉地之行時維摩詰來謂我言彌勒世尊授
仁者記一生當得阿耨多羅三藐三菩提為
用何生得受記乎過去耶未來耶現在耶若

BD02638號　維摩詰所說經卷上　（13–5）

於是佛告弥勒菩薩汝行詣維摩詰問疾弥
勒白佛言世尊我不堪任詣彼問疾所以者
何憶念我昔為兜率天王及其眷屬說不退
轉地之行時維摩詰来謂我言弥勒世尊授
仁者記一生當得阿耨多羅三藐三菩提為
用何生得受記乎過去耶未来耶現在耶若
過去生過去生已滅若未来生未来生未至
若現在生現在生无住如佛所說比丘汝今
即時亦生亦老亦滅若以无生得受記者无
生即是正位於正位中亦无受記亦无得阿
耨多羅三藐三菩提云何弥勒受一生記乎
為從如生得受記耶為從如滅得受記耶若
以如生得受記者如无有生若以如滅得受
記者如无有滅一切衆生皆如也一切法亦
如也及衆賢聖亦如也至於弥勒亦如也若
弥勒得受記者一切衆生亦應受記所以者
何夫如者不一不異若弥勒得阿耨多羅三
藐三菩提者一切衆生皆亦應得所以者何
一切衆生即菩提相若弥勒滅度者一切衆
生亦當滅度所以者何諸佛知一切衆生畢
竟寂滅即涅槃相不復更滅是故弥勒无以
此法誘諸天子實无衆生發阿耨多羅三藐
三菩提心者亦无退者弥勒當令此諸天子
捨於分別菩提之見所以者何菩提者不可
以身得不可以心得寂滅是菩提滅諸相故

BD02638號　維摩詰所說經卷上　（13–6）

一切衆生即菩提相若弥勒滅度者一切衆
生亦當滅度所以者何諸佛知一切衆生畢
竟寂滅即涅槃相不復更滅是故弥勒无以
此法誘諸天子實无衆生發阿耨多羅三藐
三菩提心者亦无退者弥勒當令此諸天子
捨於分別菩提之見所以者何菩提者不可
以身得不可以心得寂滅是菩提滅諸相故
觀是菩提離諸緣故不行是菩提无憶念故
斷是菩提捨諸見故離是菩提離諸妄想故
鄣是菩提鄣諸願故不入是菩提无貪着故
順是菩提順於如故住是菩提住法性故至
是菩提至實際故不二是菩提離意法故等
是菩提等虛空故无為是菩提无生住滅故
知是菩提了衆生心行故不會是菩提諸入
不會故不合是菩提離煩惱習故无處是菩
提无形色故假名是菩提名字空故如化是
菩提无取捨故无亂是菩提常自靜故善寂
是菩提性清淨故无取是菩提離攀緣故无
異是菩提諸法等故无比是菩提无可喻故
微妙是菩提諸法難知故世尊維摩詰說是
法時二百天子得无生法忍故我不任詣彼
問疾佛告光嚴童子汝行詣維摩詰問疾光
嚴白佛言世尊我不堪任詣彼問疾所以者
何憶念我昔出毗耶離大城時維摩詰方入
城我即為作礼而問言居士從何所来荅我

BD02638號　維摩詰所說經卷上　（13–7）

法時二百天子得无生法忍故我不任詣彼
問疾佛告光嚴童子汝行詣維摩詰問疾光
嚴白佛言世尊我不堪任詣彼問疾所以者
何憶念我昔出毗耶離大城時維摩詰方入
城我即為作礼而問言居士從何所來荅我
言吾從道場來我問道場者何所是荅曰直
心是道場无虛假故發行是道場能辯事故
深心是道場增益功德故菩提心是道場无
錯謬故布施是道場不望報故持戒是道場
得願具故忍辱是道場於諸衆生心无礙故
精進是道場不懈怠故禪定是道場心調柔
故智慧是道場現見諸法故慈是道場等衆
生故悲是道場忍疲苦故喜是道場悅樂法
故捨是道場憎愛斷故神通是道場成就六
通故解脫是道場能背捨故方便是道場教
化衆生故四攝是道場攝衆生故多聞是道
場如聞行故伏心是道場正觀諸法故三十
七品是道場捨有為法故諦是道場不誑世
間故緣起是道場无明乃至老死皆无盡故
諸煩惱是道場知如實故衆生是道場知无
我故一切法是道場知諸法空故降魔是道
場不傾動故三界是道場无所起故師子吼
是道場无所畏故力无畏不共法是道場无
諸過故三明是道場无餘礙故一念知一切
法是道場成就一切智故如是善男子菩薩

我故一切法是道場知諸法空故降魔是道
場不傾動故三界是道場无所起故師子吼
是道場无所畏故力无畏不共法是道場无
諸過故三明是道場无餘礙故一念知一切
法是道場成就一切智故如是善男子菩薩
若應諸波羅蜜教化衆生諸有所作舉足下
足當知皆從道場來住於佛法矣說是法時
五百天人皆發阿耨多羅三藐三菩提心故
我不任詣彼問疾
佛告持世菩薩汝行詣維摩詰問疾持世白
佛言世尊我不堪任詣彼問疾所以者何憶
念我昔住於靜室時魔波旬從万二千天女
狀如帝釋鼓樂絃歌來詣我所與其眷屬稽
首我足合掌恭敬於一面立我意謂是帝釋
而語之言善來憍尸迦雖福應有不當自恣
當觀五欲无常以求善本於身命財而脩堅
法即語我言居士受是万二千天女可備掃
灑我言憍尸迦无以此非法之物要我沙門
釋子此非我宜所言未訖時維摩詰來謂我
言非帝釋也是為魔來嬈固汝耳即語魔言
是諸女等可以與我如我應受魔即驚懼念
維摩詰將无惱我欲隱形去而不能隱盡其
神力亦不得去即聞空中聲曰波旬以女與之
乃可得去魔以畏故俛仰而與爾時維摩詰
語諸女言魔以汝等與我今汝皆當發阿耨
多羅三藐三菩提心即隨所應而為說法令

維摩詰將无惱我欲隱形去而不能隱盡其
神力亦不得去即聞空中聲曰波旬以女與之
乃可得去魔以畏故俛仰而與爾時維摩詰
語諸女言魔以汝等與我今汝皆當發阿耨
多羅三藐三菩提心即隨所應而爲說法令
發道意復言汝等已發道意有法樂可以自
娛不應復樂五欲樂也天女即問何謂法樂
荅言樂常信佛樂欲聽法樂供養衆樂離五
欲樂觀五陰如怨賊樂觀四大如毒虵樂觀
六入如空聚樂隨護道意樂饒益衆生樂供
養師樂廣行施樂堅持戒樂忍辱柔和樂勤
集善根樂禪定不亂樂離垢明慧樂廣菩提
心樂降伏衆魔樂斷諸煩惱樂淨佛國土樂
成就相好故脩諸功德樂莊嚴道場樂聞深
法不畏樂三脫門不樂非時樂近同學樂於
非同學中心无罣礙樂將護惡知識樂近善
知識樂心喜清淨樂脩无量道品之法是爲菩
薩法樂於是波旬告諸女言我欲與汝俱還天
宮諸女言以我等與此居士有法樂我等甚
樂不復樂五欲樂也魔言居士可捨此女一
切所有施於彼者是爲菩薩維摩詰言我已
捨矣汝便將去令一切衆生得法願具足於
是諸女問維摩詰我等云何止於魔宮維摩
詰言諸姊有法門名无盡燈汝等當學无盡
燈者譬如一燈燃百千燈冥者皆明明終不
盡如是諸

BD02638號　維摩詰所說經卷上　（13–10）

切所有施於彼者是爲菩薩維摩詰言我已
捨矣汝便將去令一切衆生得法願具足於
是諸女問維摩詰我等云何止於魔宮維摩
詰言諸姊有法門名无盡燈汝等當學无盡
燈者譬如一燈燃百千燈冥者皆明明終不
盡如是諸姊夫一菩薩開導百千衆生令發
阿耨多羅三藐三菩提心於其道意亦不滅
盡隨所說法而自增益一切善法是名无盡
燈也汝等雖住魔宮以是无盡燈令无數天
子天女發阿耨多羅三藐三菩提心者爲報佛
恩亦大饒益一切衆生尒時天女頭面礼維
摩詰足隨魔還宮忽然不現世尊維摩詰有
如是自在神力智慧辯才故我不任詣彼問
疾
佛告長者子善德汝行詣維摩詰問疾善得
白佛言世尊我不堪任詣彼問疾所以者何
憶念我昔自於父舍設大施會供養一切沙
門婆羅門及諸外道貧窮下賤孤獨乞人期
滿七日時維摩詰來入會中謂我言長者子
夫大施會不當如汝所設當爲法施之會何
用是財施會爲我言居士何謂法施之會法
施會者无前无後一時供養一切衆生是名
法施之會何謂也謂以菩提起於慈心以救
衆生起大悲心以持正法起於喜心以攝智
慧行於捨心以攝慳貪起檀波羅蜜以化犯
戒起尸羅波羅蜜以无我法起羼提波羅蜜

BD02638號　維摩詰所說經卷上　（13–11）

法施之會何謂也謂以菩提起於慈心以救
衆生起大悲心以持正法起於喜心以攝智
慧行於捨心以攝慳貪起檀波羅蜜以化犯
戒起尸羅波羅蜜以无我法起羼提波羅蜜
以離身心相起毗梨耶波羅蜜以菩提相
起禪波羅蜜以一切智起般若波羅蜜教化
衆生而起於空不捨有為法而起无相示現
受生而起无作護持正法起方便力以度衆
生起四攝法以敬事一切起除慢法於身命
財起三堅法於六念中起思念法於六和敬
起質直心正行善法起於淨命心淨歡喜起
近賢聖不憎惡人起調伏心以出家法起於
深心以如說行起於多聞以无諍法起空閑
處趣向佛慧起於宴坐解衆生縛起脩行地
以具相好及淨佛土起福德業知一切衆生心
念如應說法起於智業知一切法不取不捨
入一相門起於慧業斷一切煩惱一切鄣礙
一切不善法起一切善業以得一切智慧一
切善法起於一切助佛道法如是善男子是
為法施之會若菩薩住是法施會者為大施
主亦為一切世間福田世尊維摩詰說是法
時婆羅門衆中二百人皆發阿耨多羅三藐
三菩提心我時心得清淨歎未曾有稽首礼
維摩詰足即解瓔珞價直百千以上之不肯
取我言居士願必納受隨意所與維摩詰乃
受瓔珞分作二分持一分施此會中一最下
乞人持一分奉彼難勝如來一切衆會皆見

BD02638 號　維摩詰所說經卷上

（13–12）

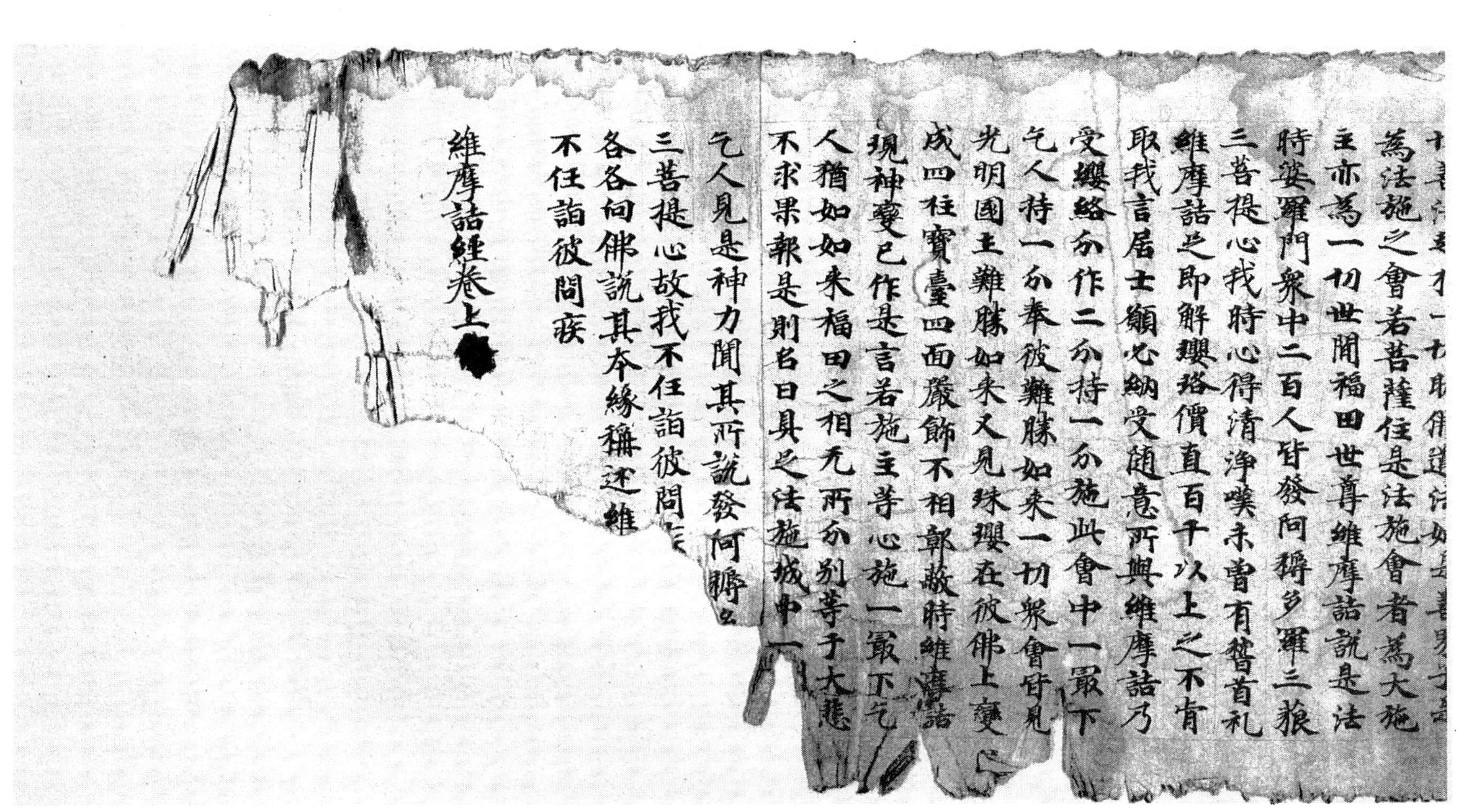

為法施之會若菩薩住是法施會者為大施
主亦為一切世間福田世尊維摩詰說是法
時婆羅門衆中二百人皆發阿耨多羅三藐
三菩提心我時心得清淨歎未曾有稽首礼
維摩詰足即解瓔珞價直百千以上之不肯
取我言居士願必納受隨意所與維摩詰乃
受瓔珞分作二分持一分施此會中一最下
乞人持一分奉彼難勝如來一切衆會皆見
光明國土難勝如來又見珠瓔在彼佛上變
成四柱寶臺四面嚴飾不相鄣蔽時維摩詰
現神變已作是言若施主等心施一最下乞
人猶如如來福田之相无所分別等于大悲
不求果報是則名曰具足法施城中一
乞人見是神力聞其所說發阿耨多
三菩提心故我不任詣彼問疾
各各向佛說其本緣稱述維
不任詣彼問疾

維摩詰經卷上

BD02638 號　維摩詰所說經卷上

（13–13）

及耳觸耳觸為緣所生諸受有灾思惟耳界
有橫思惟聲界耳識界及耳觸耳觸為緣所
生諸受有橫思惟耳界有疫思惟聲界耳識
界及耳觸耳觸為緣所生諸受有疫思惟耳
界有癘思惟聲界耳識界及耳觸耳觸為緣
所生諸受有癘思惟耳界性不安隱思惟聲
界耳識界及耳觸耳觸為緣所生諸受性不
安隱思惟耳界不可保信思惟聲界耳識界
及耳觸耳觸為緣所生諸受不可保信思惟耳
界無生無滅思惟聲界耳識界及耳觸耳觸
為緣所生諸受無生無滅思惟耳界無染無
淨思惟聲界耳識界及耳觸耳觸為緣所生
諸受無染無淨思惟耳界無作無為思惟聲
界耳識界及耳觸耳觸為緣所生諸受無作
無為憍尸迦是為菩薩摩訶薩般若波羅蜜
多
憍尸迦若菩薩摩訶薩以應一切智智心用
無所得為方便思惟鼻界無常思惟香界鼻
識界及鼻觸鼻觸為緣所生諸受無常思惟

BD02639號　大般若波羅蜜多經卷七七　（11–1）

多
憍尸迦若菩薩摩訶薩以應一切智智心用
無所得為方便思惟鼻界無常思惟香界鼻
識界及鼻觸鼻觸為緣所生諸受無常思惟
鼻界苦思惟香界鼻識界及鼻觸鼻觸為
緣所生諸受苦思惟鼻界無我思惟香界鼻識
界及鼻觸鼻觸為緣所生諸受無我思惟鼻
界不淨思惟香界鼻識界及鼻觸鼻觸為緣
所生諸受不淨思惟鼻界空思惟香界鼻識
界及鼻觸鼻觸為緣所生諸受空思惟鼻界
無相思惟香界鼻識界及鼻觸鼻觸為緣所
生諸受無相思惟鼻界無願思惟香界鼻識
界及鼻觸鼻觸為緣所生諸受無願思惟鼻
界寂靜思惟香界鼻識界及鼻觸鼻觸為
緣所生諸受寂靜思惟鼻界遠離思惟香界
鼻識界及鼻觸鼻觸為緣所生諸受遠離思
惟鼻界如病思惟香界鼻識界及鼻觸鼻
觸為緣所生諸受如病思惟鼻界如癕思惟香界
鼻識界及鼻觸鼻觸為緣所生諸受如癕
思惟鼻界如箭思惟香界鼻識界及鼻觸
鼻觸為緣所生諸受如箭思惟鼻界如瘡思
惟香界鼻識界及鼻觸鼻觸為緣所生諸受
如瘡思惟鼻界熱惱思惟香界鼻識界及鼻
觸鼻觸為緣所生諸受熱惱思惟鼻界逼切
思惟香界鼻識界及鼻觸鼻觸為緣所生諸
受逼切思惟鼻界敗壞思惟香界鼻識界及
鼻觸鼻觸為緣所生諸受敗壞思惟鼻界衰

BD02639號　大般若波羅蜜多經卷七七　（11–2）

惟香界鼻識界及鼻觸鼻觸為緣所生諸受
如癰思惟鼻界熱惱思惟香界鼻識界及鼻
觸鼻觸為緣所生諸受熱惱思惟鼻界逼切
思惟香界鼻識界及鼻觸鼻觸為緣所生諸
受逼切思惟鼻界敗壞思惟香界鼻識界及
鼻觸鼻觸為緣所生諸受敗壞思惟鼻界衰
朽思惟香界鼻識界及鼻觸鼻觸為緣所生
諸受衰朽思惟鼻界變動思惟香界鼻識界
及鼻觸鼻觸為緣所生諸受變動思惟鼻界
速滅思惟香界鼻識界及鼻觸鼻觸為緣所
生諸受速滅思惟鼻界可畏思惟香界鼻識
界及鼻觸鼻觸為緣所生諸受可畏思惟鼻界
可猒思惟香界鼻識界及鼻觸鼻觸為緣所
生諸受可猒思惟鼻界有灾思惟香界鼻識
界及鼻觸鼻觸為緣所生諸受有灾思惟鼻
界有横思惟香界鼻識界及鼻觸鼻觸為緣所
生諸受有横思惟鼻界有疫思惟香界鼻識
及鼻觸鼻觸為緣所生諸受有疫思惟鼻界
有癘思惟香界鼻識界及鼻觸鼻觸為緣所
生諸受有癘思惟鼻界性不安隱思惟香界鼻
識界及鼻觸鼻觸為緣所生諸受性不安隱
思惟鼻界不可保信思惟香界鼻識界及鼻
觸鼻觸為緣所生諸受不可保信思惟鼻界
無生無滅思惟香界鼻識界及鼻觸鼻觸為
緣所生諸受無生無滅思惟鼻界無染無淨
思惟香界鼻識界及鼻觸鼻觸為緣所生諸
受無染無淨思惟鼻界無作無為思惟香界

BD02639號　大般若波羅蜜多經卷七七　（11–3）

思惟鼻界不可保信思惟香界鼻識界及鼻
觸鼻觸為緣所生諸受不可保信思惟鼻界
無生無滅思惟香界鼻識界及鼻觸鼻觸為
緣所生諸受無生無滅思惟鼻界無染無淨
思惟香界鼻識界及鼻觸鼻觸為緣所生諸
受無染無淨思惟鼻界無作無為思惟香界
鼻識界及鼻觸鼻觸為緣所生諸受無作無
為憍尸迦是為菩薩摩訶薩般若波羅蜜多
憍尸迦若菩薩摩訶薩以應一切智智心用
無所得為方便思惟舌界無常思惟味界舌
識界及舌觸舌觸為緣所生諸受無常思惟
舌界苦思惟味界舌識界及舌觸舌觸為緣
所生諸受苦思惟舌界無我思惟味界舌識界
及舌觸舌觸為緣所生諸受無我思惟舌
界不淨思惟味界舌識界及舌觸舌觸為緣
所生諸受不淨思惟舌界空思惟味界舌識
界及舌觸舌觸為緣所生諸受空思惟舌界
無相思惟味界舌識界及舌觸舌觸為緣所
生諸受無相思惟舌界無願思惟味界舌識
界及舌觸舌觸為緣所生諸受無願思惟舌
界寂靜思惟味界舌識界及舌觸舌觸為緣
所生諸受寂靜思惟舌界遠離思惟味界舌
識界及舌觸舌觸為緣所生諸受遠離思惟
舌界如病思惟味界舌識界及舌觸舌觸為
緣所生諸受如病思惟舌界如癰思惟味界
舌識界及舌觸舌觸為緣所生諸受如癰思
惟舌界如箭思惟味界舌識界及舌觸舌觸

BD02639號　大般若波羅蜜多經卷七七　（11–4）

舌界如病思惟味界舌識界及舌觸舌觸為
緣所生諸受如病思惟舌界如癰思惟味界
舌識界及舌觸舌觸為緣所生諸受如癰思
惟舌界如箭思惟味界舌識界及舌觸舌觸
為緣所生諸受如箭思惟舌界如瘡思惟味
界舌識界及舌觸舌觸為緣所生諸受如瘡
思惟舌界熱惱思惟味界舌識界及舌觸舌
觸為緣所生諸受熱惱思惟舌界逼切思惟
味界舌識界及舌觸舌觸為緣所生諸受逼
切思惟舌界敗壞思惟味界舌識界及舌觸
舌觸為緣所生諸受敗壞思惟舌界衰朽思
惟味界舌識界及舌觸舌觸為緣所生諸受
衰朽思惟舌界變動思惟味界舌識界及舌
觸舌觸為緣所生諸受變動思惟舌界速滅
思惟味界舌識界及舌觸舌觸為緣所生諸
受速滅思惟舌界可畏思惟味界舌識界及
舌觸舌觸為緣所生諸受可畏思惟舌界可猒
思惟味界舌識界及舌觸舌觸為緣所生
諸受可猒思惟舌界有災思惟味界舌識界
及舌觸舌觸為緣所生諸受有災思惟舌界
有橫思惟味界舌識界及舌觸舌觸為緣所
生諸受有橫思惟舌界有疫思惟味界舌識
界及舌觸舌觸為緣所生諸受有疫思惟舌
界有癘思惟味界舌識界及舌觸舌觸為緣
所生諸受有癘思惟舌界性不安隱思惟味
界舌識界及舌觸舌觸為緣所生諸受性不

BD02639號　大般若波羅蜜多經卷七七　（11–5）

界及舌觸舌觸為緣所生諸受有疫思惟舌
界有癘思惟味界舌識界及舌觸舌觸為緣
所生諸受有癘思惟舌界性不安隱思惟味
界舌識界及舌觸舌觸為緣所生諸受性不
安隱思惟舌界不可保信思惟味界舌識界
及舌觸舌觸為緣所生諸受不可保信思惟
舌界無生無滅思惟味界舌識界及舌觸舌
觸為緣所生諸受無生無滅思惟舌界無染
無淨思惟味界舌識界及舌觸舌觸為緣所
生諸受無染無淨思惟舌界無作無為思惟
味界舌識界及舌觸舌觸為緣所生諸受無
作無為憍尸迦是為菩薩摩訶薩般若波羅
蜜多
憍尸迦若菩薩摩訶薩以應一切智智心用
無所得為方便思惟身界無常思惟觸界身
識界及身觸身觸為緣所生諸受無常思惟
身界若思惟觸界身識界及身觸身觸為緣
所生諸受若思惟身界無我思惟觸界身識
界及身觸身觸為緣所生諸受無我思惟身
界不淨思惟觸界身識界及身觸身觸為緣
所生諸受不淨思惟身界空思惟觸界身識
界及身觸身觸為緣所生諸受空思惟身界
無相思惟觸界身識界及身觸身觸為緣所
生諸受無相思惟身界無願思惟觸界身識
界及身觸身觸為緣所生諸受無願思惟身
界寂靜思惟觸界身識界及身觸身觸為緣

BD02639號　大般若波羅蜜多經卷七七　（11–6）

無相思惟觸界身識界及身觸身觸爲緣所
生諸受無相思惟身界無願思惟觸界身識
界及身觸身觸爲緣所生諸受無願思惟身
界寂靜思惟觸界身識界及身觸身觸爲緣
所生諸受寂靜思惟身界遠離思惟觸界身
識界及身觸身觸爲緣所生諸受遠離思惟
身界如病思惟觸界身識界及身觸身觸爲
緣所生諸受如病思惟身界如癰思惟觸界
身識界及身觸身觸爲緣所生諸受如癰思
惟身界如箭思惟觸界身識界及身觸身觸
爲緣所生諸受如箭思惟身界如瘡思惟觸
界身識界及身觸身觸爲緣所生諸受如瘡
思惟身界熱惱思惟觸界身識界及身觸身
觸爲緣所生諸受熱惱思惟身界逼切思惟
觸界身識界及身觸身觸爲緣所生諸受逼
切思惟身界敗壞思惟觸界身識界及身觸
身觸爲緣所生諸受敗壞思惟身界衰朽思
惟觸界身識界及身觸身觸爲緣所生諸受
衰朽思惟身界變動思惟觸界身識界及身
觸身觸爲緣所生諸受變動思惟身界速滅
思惟觸界身識界及身觸身觸爲緣所生諸
受速滅思惟身界可畏思惟觸界身識界及
身觸身觸爲緣所生諸受可畏思惟身界可
猒思惟觸界身識界及身觸身觸爲緣所生
諸受可猒思惟身界有灾思惟觸界身識界
及身觸身觸爲緣所生諸受有灾思惟身界

BD02639號　大般若波羅蜜多經卷七七　　（11–7）

身觸身觸爲緣所生諸受可畏思惟身界可
猒思惟觸界身識界及身觸身觸爲緣所生
諸受可猒思惟身界有灾思惟觸界身識界
及身觸身觸爲緣所生諸受有灾思惟身界
有横思惟觸界身識界及身觸身觸爲緣所
生諸受有横思惟身界有疫思惟觸界身識界
及身觸身觸爲緣所生諸受有疫思惟身界
有癘思惟觸界身識界及身觸身觸爲緣所
生諸受有癘思惟身界性不安隱思惟觸界
身識界及身觸身觸爲緣所生諸受性不
安隱思惟身界不可保信思惟觸界身識界
及身觸身觸爲緣所生諸受不可保信思惟
身界無生無滅思惟觸界身識界及身觸身
觸爲緣所生諸受無生無滅思惟身界無染
無淨思惟觸界身識界及身觸身觸爲緣所
生諸受無染無淨思惟身界無作無爲思惟
觸界身識界及身觸身觸爲緣所生諸受無
作無爲憍尸迦是爲菩薩摩訶薩般若波
羅蜜多
憍尸迦若菩薩摩訶薩以應一切智智心用
無所得爲方便思惟意界無常思惟法界意
識界及意觸意觸爲緣所生諸受無常思惟
意界苦思惟法界意識界及意觸意觸爲緣
所生諸受苦思惟意界無我思惟法界意識
界及意觸意觸爲緣所生諸受無我思惟意
界不淨思惟法界意識界及意觸意觸爲緣

BD02639號　大般若波羅蜜多經卷七七　　（11–8）

識界及意觸意觸為緣所生諸受無常思惟
意界若思惟法界意識界及意觸意觸為緣
所生諸受苦思惟意界無我思惟法界意識
界及意觸意觸為緣所生諸受無我思惟意
界不淨思惟法界意識界及意觸意觸為緣
所生諸受不淨思惟意界空思惟法界意識
界及意觸意觸為緣所生諸受空思惟意界
無相思惟法界意識界及意觸意觸為緣所
生諸受無相思惟意界無願思惟法界意識
界及意觸意觸為緣所生諸受無願思惟意
界寂靜思惟法界意識界及意觸意觸為緣
所生諸受寂靜思惟意界遠離思惟法界意
識界及意觸意觸為緣所生諸受遠離思惟
意界如病思惟法界意識界及意觸意觸為
緣所生諸受如病思惟意界如癰思惟法界
意識界及意觸意觸為緣所生諸受如癰思惟
意界如箭思惟法界意識界及意觸意觸為
緣所生諸受如箭思惟意界如瘡思惟法界
意識界及意觸意觸為緣所生諸受如瘡思
惟意界熱惱思惟法界意識界及意觸意觸
為緣所生諸受熱惱思惟意界逼切思惟法界
意識界及意觸意觸為緣所生諸受逼切思
惟意界敗壞思惟法界意識界及意觸意觸
為緣所生諸受敗壞思惟意界衰朽思惟法
界意識界及意觸意觸為緣所生諸受衰
朽思惟意界變動思惟法界意識界及意觸
意觸為緣所生諸受變動思惟意界速滅思

BD02639號　大般若波羅蜜多經卷七七　（11–9）

惟意界敗壞思惟法界意識界及意觸意觸
為緣所生諸受敗壞思惟意界衰朽思惟法
界意識界及意觸意觸為緣所生諸受衰
朽思惟意界變動思惟法界意識界及意觸
意觸為緣所生諸受變動思惟意界速滅思
惟法界意識界及意觸意觸為緣所生諸受
速滅思惟意界可畏思惟法界意識界及意觸
意觸為緣所生諸受可畏思惟意界可厭思
惟法界意識界及意觸意觸為緣所生諸受
可厭思惟意界有災思惟法界意識界及意
觸意觸為緣所生諸受有災思惟意界有橫
思惟法界意識界及意觸意觸為緣所生諸
受有橫思惟意界有疫思惟法界意識界及
意觸意觸為緣所生諸受有疫思惟意界有
癘思惟法界意識界及意觸意觸為緣所生
諸受有癘思惟意界性不安隱思惟法界意
識界及意觸意觸為緣所生諸受性不安隱
思惟意界不可保信思惟法界意識界及意
觸意觸為緣所生諸受不可保信思惟意界
無生無滅思惟法界意識界及意觸意觸為
緣所生諸受無生無滅思惟意界無染無淨
思惟法界意識界及意觸意觸為緣所生諸
受無染無淨思惟意界無作無為思惟法界
意識界及意觸意觸為緣所生諸受無作無
為憍尸迦是為菩薩摩訶薩般若波羅蜜多

BD02639號　大般若波羅蜜多經卷七七　（11–10）

觸思惟法界意識界及意觸意觸為緣所生
諸受有動思惟意界性不安隱思惟法界意
識界及意觸意觸為緣所生諸受性不安隱
思惟意界不可保信思惟法界意識界及意
觸意觸為緣所生諸受不可保信思惟意界
無生無滅思惟法界意識界及意觸意觸為
緣所生諸受無生無滅思惟意界無染無淨
思惟法界意識界及意觸意觸為緣所生諸
受無染無淨思惟意界無作無為思惟法界
意識界及意觸意觸為緣所生諸受無作無
為憍尸迦是為菩薩摩訶薩般若波羅蜜多

大般若波羅蜜多經卷第七十七

BD02639號　大般若波羅蜜多經卷七七　（11–11）

施大寶帳　處師子座　眷屬圍繞　諸人侍衛
或有計算　金銀寶物　出內財產　注記券疏
窮子見父　豪貴尊嚴　謂是國王　若國王等
驚怖自怪　何故至此　覆自念言　我若久住
或見逼迫　強驅使作　思惟是已　馳走而去
借問貧里　欲往傭作　長者是時　在師子座
遙見其子　默而識之　即勅使者　追捉將來
窮子驚喚　迷悶躃地　是人執我　必當見殺
何用衣食　使我至此　長者知子　愚癡狹劣
不信我言　不信是父　即以方便　更遣餘人
眇目矬陋　无威德者　汝可語之　云當相雇
除諸糞穢　倍與汝價　窮子聞之　歡喜隨來
為除糞穢　淨諸房舍　長者於牖　常見其子
念子愚劣　樂為鄙事　於是長者　著弊垢衣
執除糞器　往到子所　方便附近　語令勤作
既益汝價　并塗足油　飲食充足　薦席厚暖
如是苦言　汝當勤作　又以軟語　若如我子
長者有智　漸令入出　經二十年　執作家事
示其金銀　真珠頗梨　諸物出入　皆使令知
猶處門外　止宿草庵　自念貧事　我无此物

BD02640號　妙法蓮華經卷二　（2–1）

遥見其子　默而識之　即勅使者　追捉將來
窮子驚喚　迷悶躄地　是人執我　必當見殺
何用衣食　使我至此　長者知子　愚癡狹劣
不信我言　不信是父　即以方便　更遣餘人
眇目矬陋　无威德者　汝可語之　云當相雇
除諸糞穢　倍與汝價　窮子聞之　歡喜隨來
爲除糞穢　淨諸房舍　長者於牖　常見其子
念子愚劣　樂爲鄙事　於是長者　著弊垢衣
執除糞器　往到子所　方便附近　語令勤作
既益汝價　并塗足油　飲食充足　薦席厚暖
如是苦言　汝當勤作　又以軟語　若如我子
長者有智　漸令入出　經二十年　執作家事
示其金銀　真珠頗梨　諸物出入　皆使令知
猶處門外　止宿草庵　自念貧事　我无此物
父知子心　漸已曠大　欲與財物　即聚親族
國王大臣　剎利居士　於此大衆　說是我子
捨我他行　經五十歲　自見子來　已二十年
昔於某城　而失是子　周行求索　遂來至此
凡我所有　舍宅人民　悉以付之　恣其所用
子念昔貧　[illegible]　大獲珎寶

BD02640號　妙法蓮華經卷二　（2–2）

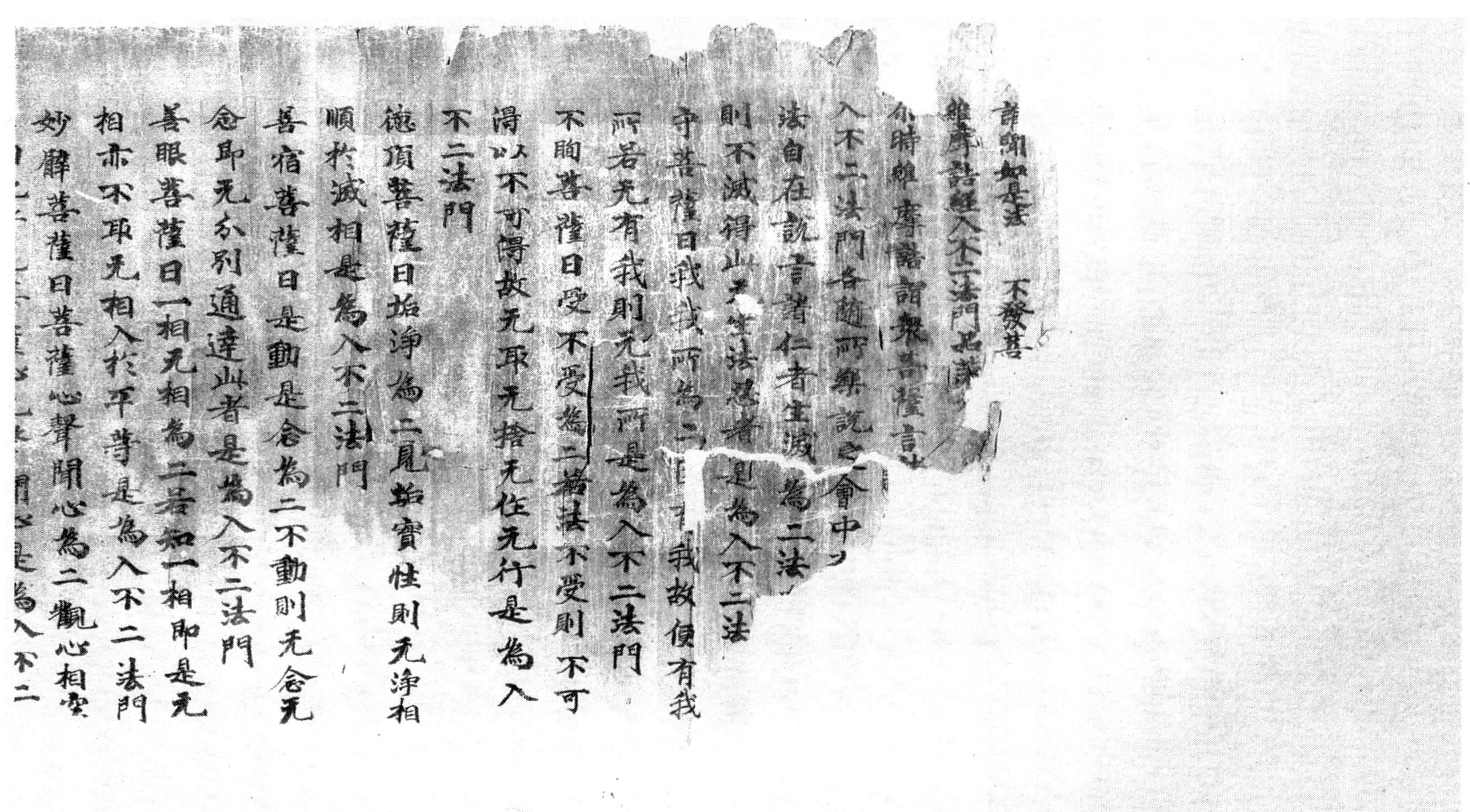

諸聞如是法　不發菩
維摩詰經入不二法門品[illegible]
爾時維摩詰謂衆菩薩言[illegible]
入不二法門各隨所樂說之會中有
法自在說言諸仁者生滅爲二法
則不滅得此无生法忍者是爲入不二法
守菩薩曰我我所爲二因有我故便有我
所若无有我則无我所是爲入不二法門
不眴菩薩曰受不受爲二若法不受則不可
得以不可得故无取无捨无作无行是爲入
不二法門
德頂菩薩曰垢淨爲二見垢實性則无淨相
順於滅相是爲入不二法門
善宿菩薩曰是動是念爲二不動則无念无
念即无分別通達此者是爲入不二法門
善眼菩薩曰一相无相爲二若知一相即是无
相亦不取无相入於平等是爲入不二法門
妙臂菩薩曰菩薩心聲聞心爲二觀心相空
[illegible]是爲入不二

BD02641號　維摩詰所說經卷中　（6–1）

善宿菩薩曰是動是念為二不動則无念无
念即无分別通達此者是為入不二法門
善眼菩薩曰一相无相為二若知一相即是无
相亦不取无相入於平等是為入不二法門
妙臂菩薩曰菩薩心聲聞心為二觀心相空
如幻化者无菩薩心无聲聞心是為入不二
法門
弗沙菩薩曰善不善為二若不起善不善入
无相際而通達者是為入不二法門
師子菩薩曰罪福為二若達罪性則與福
无異以金剛慧決了此相无縛无解者是為
入不二法門
師子意菩薩曰有漏无漏為二若得諸
法等則不起漏不漏想不著於相亦不住
无相是為入不二法門
淨解菩薩曰有為无為為二若離一切數則
心如虛空以清淨慧无所㝵者是為入不二
法門
那羅延菩薩曰世間出世間為二世間性空
即是出世間於其中不入不出不溢不散是
為入不二法門
善意菩薩曰生死涅槃為二若見生死性
則无生死无縛无解不然不滅如是解者為
入不二法門
現見菩薩曰盡不盡為二法若究竟盡若
不盡皆是无盡相无盡相即是空空則无

為入不二法門
善意菩薩曰生死涅槃為二若見生死性
則无生死无縛无解不然不滅如是解者為
入不二法門
現見菩薩曰盡不盡為二法若究竟盡若
不盡皆是无盡相无盡相即是空空則无
有盡不盡相如是入者是為入不二法門
普守菩薩曰我无我為二我尚不可得非
我何可得見我實性者不復起二是為入不
二法門
電天菩薩曰明无明為二无明實性即是明
明亦不可取離一切數於其中平等无二者
是為入不二法門
喜見菩薩曰色色空為二色即是空非色滅
空色性自空如是受想行識識空為二識即
是空非識滅空識性自空於其中而通達者
是為入不二法門
明相菩薩曰四種異空種異為二四種性即
是空種性如前際後際空故中際亦空若能
如是知諸種性者是為入不二法門
妙意菩薩曰眼色為二若知眼性於色不貪
不恚不癡是名寂滅如是耳聲鼻香舌味
身觸意法為二若知意性於法不貪不恚不
癡是名寂滅安住其中是為入不二法門
无盡意菩薩曰布施迴向一切智為二布施
性即是迴向一切智性如是持戒忍辱精進

妙意菩薩曰眼色為二若知眼性於色不貪
不恚不癡是名寂滅如是耳聲鼻香舌味
身觸意法為二若知意性於法不貪不恚不
癡是名寂滅安住其中是為入不二法門
无盡意菩薩曰布施迴向一切智為二布施
性即是迴向一切智性如是持戒忍辱精進
禪定智慧迴向一切智為二智慧性即是迴
向一切智性於其中入一相是為入不二法門
深慧菩薩曰是空是无相是无作為二空即
无相无相即无作若空无相无作則无心意
識於一解脫門即是三解脫門者是為入不
二法門
寂根菩薩曰佛法眾為二佛即是法法即是
眾是三寶皆无為相與虛空等一切法亦尒
能隨此行者是為入不二法門
心无㝵菩薩曰身身滅為二身即是身滅所
以者何見身實相者不起見身及見滅身身
與滅身无二无分別於其中不驚不懼者是
為入不二法門
上善菩薩曰身口意善為二是三業皆无作
相身无作相即口无作相口无作相即意无作
相是三業无作相即是一切法无作相能如是
隨无作慧者是為入不二法門
福田菩薩曰福行罪行不動行為二三行實
性即是空空則无福行无罪行无不動行於
此三行而不起者是為入不二法門

BD02641號　維摩詰所說經卷中　（6–4）

相身无作相即口无作相口无作相即意无作
相是三業无作相即是一切法无作相能如是
隨无作慧者是為入不二法門
福田菩薩曰福行罪行不動行為二三行實
性即是空空則无福行无罪行无不動行於
此三行而不起者是為入不二法門
華嚴菩薩曰從我起二為二見我實相者不
起二法若不住二法則无有識无所識者是為
入不二法門
德藏菩薩曰有所得相為二若无所得則无取
捨无取捨者是為入不二法門
月上菩薩曰闇與明為二无闇无明則无有二
所以者何如入滅受想定无闇无明一切法相
亦復如是於其中平等入者是為入不二法
門
寶印手菩薩曰樂涅槃不樂世間為二若不
樂涅槃不猒世間則无有二所以者何若有縛
則有解若本无縛其誰求解无縛无解
則无樂猒是為入不二法門
珠頂王菩薩曰正道耶道為二住正道者則不
分別是耶是正離此二者是為入不二法門
樂實菩薩曰實不實為二實見者尚不見
實何況非實所以者何非肉眼所見慧眼乃
能見而此慧眼无見无不見是為入不二法門
如是諸菩薩各各說已問文殊師利何等是
菩薩入不二法門文殊師利曰如我意者於一
切法无言无說无示无識離諸問答是為

BD02641號　維摩詰所說經卷中　（6–5）

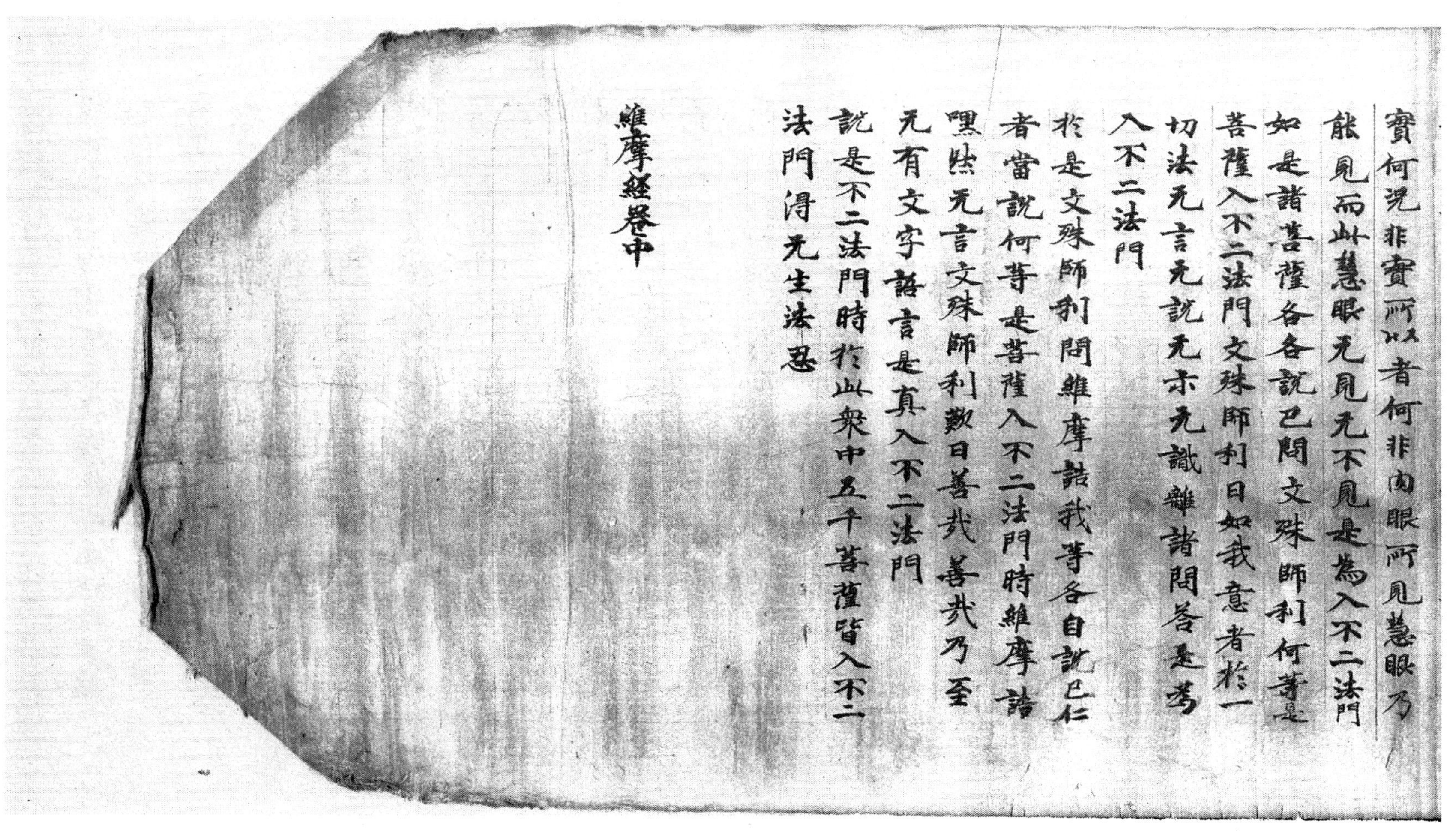
實何況非實所以者何非肉眼所見慧眼乃
能見而此慧眼无見无不見是為入不二法門
如是諸菩薩各各說已問文殊師利何等是
菩薩入不二法門文殊師利曰如我意者於一
切法无言无說无示无識離諸問荅是為
入不二法門
於是文殊師利問維摩詰我等各自說已仁
者當說何等是菩薩入不二法門時維摩詰
嘿然无言文殊師利歎曰善哉善哉乃至
无有文字語言是真入不二法門
說是不二法門時於此衆中五千菩薩皆入不二
法門得无生法忍
維摩經卷中

BD02641 號　維摩詰所說經卷中　（6–6）

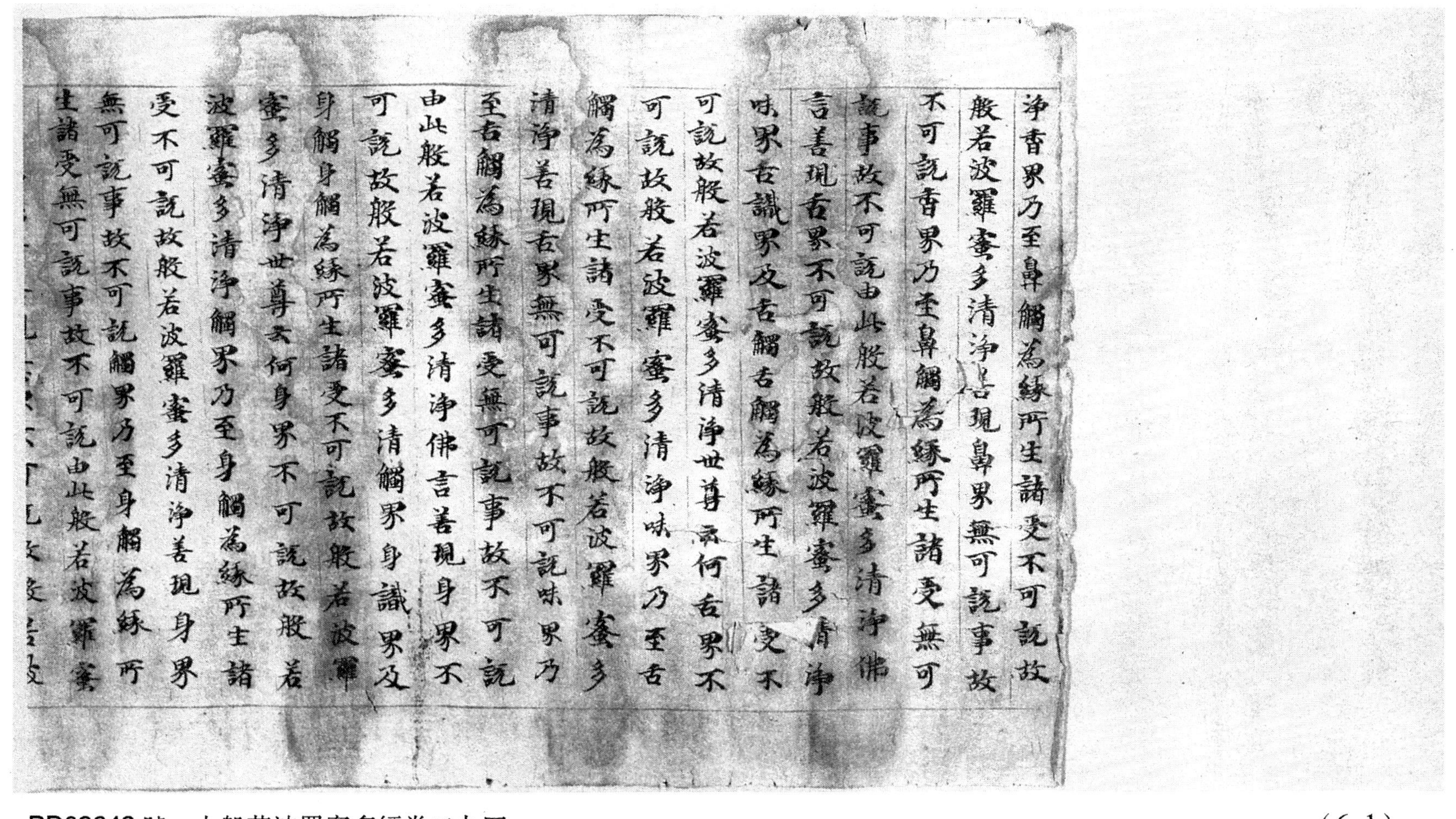
淨香界乃至鼻觸為緣所生諸受不可說故
般若波羅蜜多清淨善現鼻界無可說事故
不可說香界乃至鼻觸為緣所生諸受無可
說事故不可說由此般若波羅蜜多清淨佛
言善現舌界不可說故般若波羅蜜多清淨
味界舌識界及舌觸舌觸為緣所生諸受不
可說故般若波羅蜜多清淨世尊云何舌界不
可說故般若波羅蜜多清淨味界乃至舌
觸為緣所生諸受不可說故般若波羅蜜多
清淨善現舌界無可說事故不可說味界乃
至舌觸為緣所生諸受無可說事故不可說
由此般若波羅蜜多清淨佛言善現身界不
可說故般若波羅蜜多清淨觸界身識界及
身觸身觸為緣所生諸受不可說故般若波羅
蜜多清淨世尊云何身界不可說故般若
波羅蜜多清淨觸界乃至身觸為緣所生諸
受不可說故般若波羅蜜多清淨善現身界
無可說事故不可說觸界乃至身觸為緣所
生諸受無可說事故不可說由此般若波羅蜜

BD02642 號　大般若波羅蜜多經卷二九四　（6–1）

蜜多清淨世尊云何身界不可說故般若
波羅蜜多清淨觸界乃至身觸為緣所生諸
受不可說故般若波羅蜜多清淨善現身界
無可說事故不可說觸界乃至身觸為緣所
生諸受無可說事故不可說由此般若波羅蜜
多清淨佛言善現意界不可說故般若波
羅蜜多清淨法界意識界及意觸意觸為緣
所生諸受不可說故般若波羅蜜多清淨世
尊云何意界不可說故般若波羅蜜多清淨
法界乃至意觸為緣所生諸受不可說故般
若波羅蜜多清淨善現意界無可說事故不
可說法界乃至意觸為緣所生諸受不可說
事故不可說由此般若波羅蜜多清淨
佛言善現地界不可說故般若波羅蜜多清
淨水火風空識界不可說故般若波羅蜜多
清淨世尊云何地界不可說故般若波羅蜜
多清淨水火風空識界不可說故般若波羅
蜜多清淨善現地界無可說事故不可說水
火風空識界無可說事故不可說由此般若
波羅蜜多清淨佛言善現无明不可說故般
若波羅蜜多清淨行識名色六處觸受愛取
有生老死愁歎苦憂惱不可說故般若波羅
蜜多清淨世尊云何無明不可說故般若波
羅蜜多清淨行乃至老死愁歎苦憂惱不可
說故般若波羅蜜多清淨善現無明無可說

BD02642 號　大般若波羅蜜多經卷二九四　（6–2）

若波羅蜜多清淨行識名色六處觸受愛取
有生老死愁歎苦憂惱不可說故般若波羅
蜜多清淨世尊云何無明不可說故般若波
羅蜜多清淨行乃至老死愁歎苦憂惱不可
說故般若波羅蜜多清淨善現無明無可說
事故不可說行乃至老死愁歎苦憂惱無可說
事故不可說由此般若波羅蜜多清淨
佛言善現布施波羅蜜多不可說故般若波
羅蜜多清淨淨戒安忍精進靜慮般若波羅
蜜多不可說故般若波羅蜜多清淨世尊云
何布施波羅蜜多不可說故般若波羅蜜多
清淨淨戒乃至般若波羅蜜多不可說故般
若波羅蜜多清淨善現布施波羅蜜多無可
說事故不可說淨戒乃至般若波羅蜜多無
可說事故不可說由此般若波羅蜜多清淨
佛言善現內空不可說故般若波羅蜜多清
淨外空內外空空空大空勝義空有為空無
為空畢竟空無際空散空無變異空本性空
自相空共相空一切法空不可得空無性空
自性空無性自性空不可說故般若波羅蜜
多清淨世尊云何內空不可說故般若波羅
蜜多清淨外空乃至無性自性空不可說故
般若波羅蜜多清淨善現內空無可說事故
不可說外空乃至無性自性空無可說事故
不可說由此般若波羅蜜多清淨佛言善現
真如不可說故般若波羅蜜多清淨法界法

BD02642 號　大般若波羅蜜多經卷二九四　（6–3）

般若波羅蜜多清淨善現內空無可說事故
不可說外空乃至無性自性空無可說事故
不可說由此般若波羅蜜多清淨佛言善現
真如不可說故般若波羅蜜多清淨法界法
性不虛妄性不變異性平等性離生性法定
法住實際虛空界不思議界不可說故般若
波羅蜜多清淨世尊云何真如不可說故般
若波羅蜜多清淨法界乃至不思議界不可
說故般若波羅蜜多清淨善現真如無可說
事故不可說法界乃至不思議界無可說事
故不可說由此般若波羅蜜多清淨佛言善
現苦聖諦不可說故般若波羅蜜多清淨集
滅道聖諦不可說故般若波羅蜜多清淨世
尊云何苦聖諦不可說故般若波羅蜜多清
淨集滅道聖諦不可說故般若波羅蜜多清
淨善現苦聖諦無可說事故不可說集滅道
聖諦無可說事故不可說由此般若波羅蜜
多清淨
佛言善現四靜慮不可說故般若波羅蜜多
清淨四無量四無色定不可說故般若波羅
蜜多清淨世尊云何四靜慮不可說故般若
波羅蜜多清淨四無量四無色定不可說故
般若波羅蜜多清淨善現四靜慮無可說事
故不可說四無量四無色定無可說事故不
可說由此般若波羅蜜多清淨佛言善現八
解脫不可說故般若波羅蜜多清淨八勝處

BD02642 號　大般若波羅蜜多經卷二九四　（6–4）

蜜多清淨世尊云何四靜慮不可說故般若
波羅蜜多清淨四無量四無色定不可說故
般若波羅蜜多清淨善現四靜慮無可說事
故不可說四無量四無色定無可說事故不
可說由此般若波羅蜜多清淨佛言善現八
解脫不可說故般若波羅蜜多清淨八勝處
九次第定十遍處不可說故般若波羅蜜多
清淨世尊云何八解脫不可說故般若波羅
蜜多清淨八勝處九次第定十遍處不可說
故般若波羅蜜多清淨善現八解脫無可說
事故不可說八勝處九次第定十遍處無可
說事故不可說由此般若波羅蜜多清淨佛
言善現四念住不可說故般若波羅蜜多清
淨四正斷四神足五根五力七等覺支八聖
道支不可說故般若波羅蜜多清淨世尊云
何四念住不可說故般若波羅蜜多清淨四
正斷乃至八聖道支不可說故般若波羅蜜
多清淨善現四念住無可說事故不可說四
正斷乃至八聖道支無可說事故不可說由
此般若波羅蜜多清淨佛言善現空解脫門
不可說故般若波羅蜜多清淨無相無願解
脫門不可說故般若波羅蜜多清淨世尊云
何空解脫門不可說故般若波羅蜜多清淨
無相無願解脫門不可說故般若波羅蜜多
清淨善現空解脫門無可說事故不可說無
相無願解脫門無可說事故不可說由此般
若波羅蜜多清淨佛言善現菩薩十地不可

BD02642 號　大般若波羅蜜多經卷二九四　（6–5）

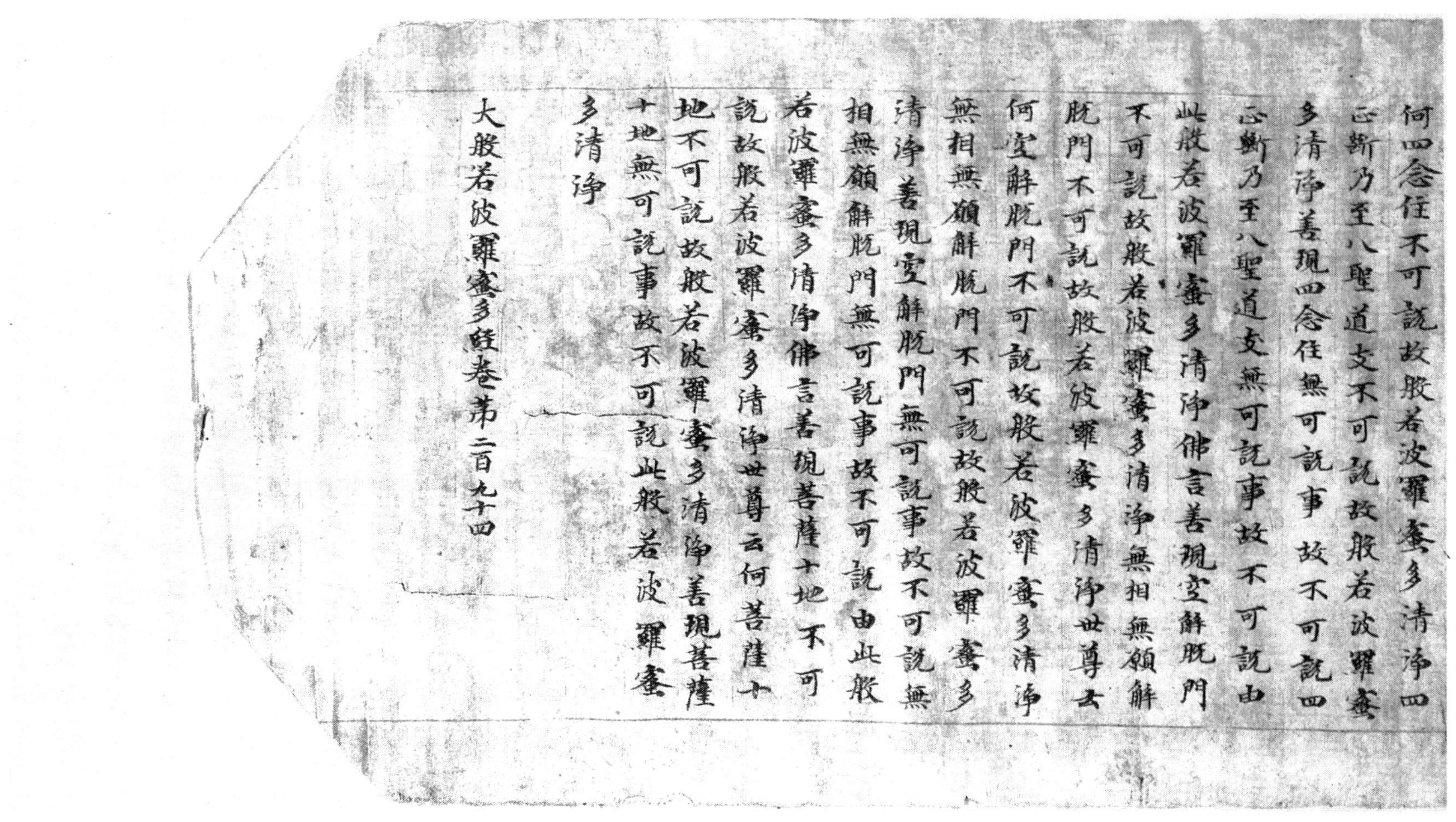

BD02642號　大般若波羅蜜多經卷二九四　（6–6）

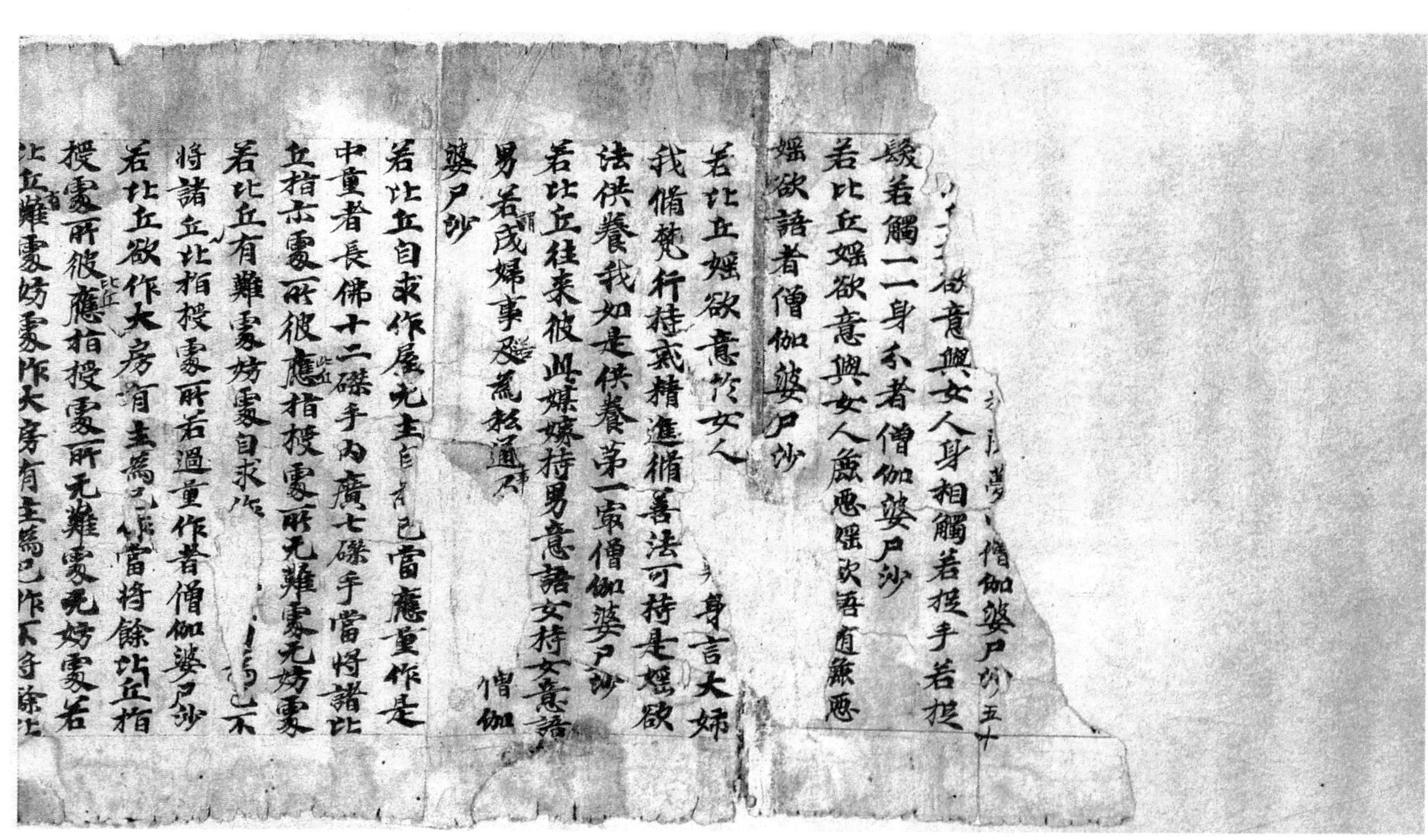

BD02643號　四分律比丘戒本　（5–1）

中量者長佛十二磔手內廣七磔手當將諸比
丘指示處所彼應指授處所无難處无妨處
若比丘有難處妨處自求作……不
將諸比丘指授處所若過量作者僧伽婆尸沙
若比丘欲作大房有主爲已作當將餘比丘指
授處所彼應指授處所无難處无妨處若
比丘難處妨處作大房有主爲已作不將餘比
丘指授處所者僧伽婆尸沙
若比丘瞋恚所覆故非波羅夷比丘以无根波
羅夷法謗欲壞彼清淨行彼於異時若問
若不問知此事无根說我瞋恚故作是語
者僧伽婆尸沙
若比丘以瞋恚故於異分事中取片非波羅
夷比丘以无根波羅夷法謗欲壞彼清淨行
後於異時若問若不問知是異分事中取片
便言我瞋恚故作是語者僧伽婆尸沙
若比丘欲壞和合僧方便受壞和合僧法堅
持不捨彼比丘應諫是比丘言大德莫壞和
合僧莫方便壞和合僧莫受壞僧法堅持
不捨大德應與僧和合歡喜不諍同一師學
如水乳合於佛法中有增益安樂住是比丘
如是諫時堅持不捨彼比丘應三諫捨此事
故乃至三諫捨者善不捨者僧伽婆尸沙
若比丘有餘伴黨若一二三乃至无數是比丘
語彼比丘言大德莫諫此比丘此比丘是法語比丘
律語比丘此比丘所說我等喜樂我等忍可

BD02643號　四分律比丘戒本　（5–2）

如是諫時堅持不捨彼比丘應三諫捨此事
故乃至三諫捨者善不捨者僧伽婆尸沙
若比丘有餘伴黨若一二三乃至无數是比丘
語彼比丘言大德莫諫此比丘此比丘是法語比丘
律語比丘此比丘所說我等喜樂我等忍可
彼比丘應諫是比丘言大德莫作是說言此比丘
是法語律語比丘此比丘所說我等喜樂我等
忍可然此比丘非法語律語比丘大德莫欲壞
和合僧汝等當樂欲和合僧大德與僧和合
歡喜不諍同一師學如水乳合於佛法中有增
益安樂住是比丘如是諫時堅持不捨彼比丘
應三諫捨此事故乃至三諫捨者善不捨
者僧伽婆尸沙
若比丘依聚落若城邑住汙他家行惡行俱
有見聞諸比丘當語是比丘言大德汙他家行
惡行俱有見聞今可遠此聚落去不須住此
是比丘語彼比丘作是語大德今僧有愛有恚有
怖有癡有如是同罪比丘有驅者有不驅者
諸比丘報言大德莫作是語僧不有愛有恚
有怖有癡有如是同罪比丘有驅者有不驅者
而僧不愛不恚不怖不癡大德汙他家行惡行
俱有見聞是比丘如是諫時堅持不捨彼比丘
應再三諫捨此事故乃至三諫捨者善不
捨者僧伽婆尸沙
若比丘惡性不受人語於戒法中諸比丘如法
諫已自身不受諫語言諸大德莫向我說若

BD02643號　四分律比丘戒本　（5–3）

而僧不愛不恚不怖不癡大德汙他家行惡行
俱有見聞是比丘如是諫時堅持不捨彼比丘
應乖三諫捨此事故乃至三諫捨者善不
捨者僧伽婆尸沙
若比丘惡性不受人語於戒法中諸比丘如法
諫已自身不受諫語言諸大德莫向我說若
好若惡我亦不向諸大德說若好若惡諸大德
且止莫諫我彼比丘諫是比丘言大德莫自身
不受諫語大德自身當受諫語大德如法諫諸
比丘諸比丘亦如法諫大德如是佛弟子衆
得增益展轉相諫展轉相教展轉懺悔是
比丘如是諫時堅持不捨彼比丘應三諫捨是
事故乃至三諫捨者善不捨者僧伽婆尸沙
諸大德我已說十三僧伽婆尸沙法九初犯四
乃至三諫若比丘犯一一法知而覆藏應強
與波利婆沙行波利婆沙竟增上與六夜
摩那埵行摩那埵已餘有出罪應二十僧中出
是比丘罪若少一人不滿二十衆出是比丘罪
是比丘罪不得除諸比丘亦可呵此是時
今問諸大德是中清淨不 三說
諸大德是中清淨嘿然故是事如是持
諸大德是二不定法半月半月戒經中說
若比丘與女人獨在屏處覆處鄣處可作婬
處坐說非法語有住信優婆夷於三法中一
一法說若波羅夷若僧伽婆尸沙若波逸提
是坐比丘自言我犯是罪於三法中應一一

BD02643號　四分律比丘戒本　（5–4）

乃至三諫若比丘犯一一法知而覆藏應強
與波利婆沙行波利婆沙竟增上與六夜
摩那埵行摩那埵已餘有出罪應二十僧中出
是比丘罪若少一人不滿二十衆出是比丘罪
是比丘罪不得除諸比丘亦可呵此是時
今問諸大德是中清淨不 三說
諸大德是中清淨嘿然故是事如是持
諸大德是二不定法半月半月戒經中說
若比丘與女人獨在屏處覆處鄣處可作婬
處坐說非法語有住信優婆夷於三法中一
一法說若波羅夷若僧伽婆尸沙若波逸提
是坐比丘自言我犯是罪於三法中應一一
治若波羅夷若僧伽婆尸沙若波逸提如住
信優婆夷所說應如法治是比丘是名不定法
若比丘與女人在露現處不可作婬處坐作麁
惡語有住信優婆夷於二法中一一法說若
僧伽婆尸沙若波逸提是坐比丘自言我犯
是事於二法中應一一法治若僧伽婆尸沙
若波逸提如住信優婆夷所說應如法治
是比丘是名不定法
諸大德我已說二不定法今問諸大德是中
清淨不 三說

BD02643號　四分律比丘戒本　（5–5）

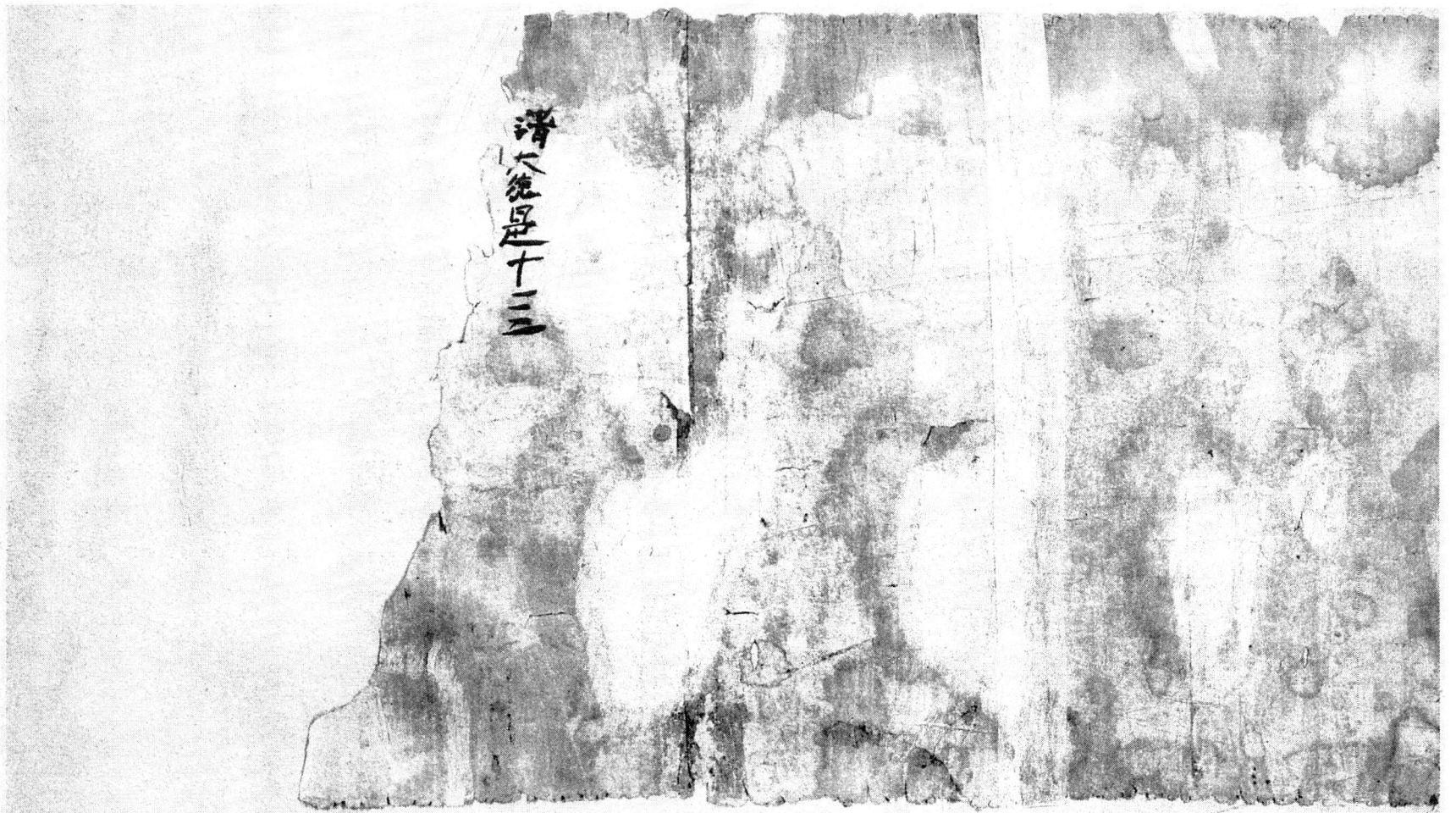

BD02643號背　雜寫　（3-1）

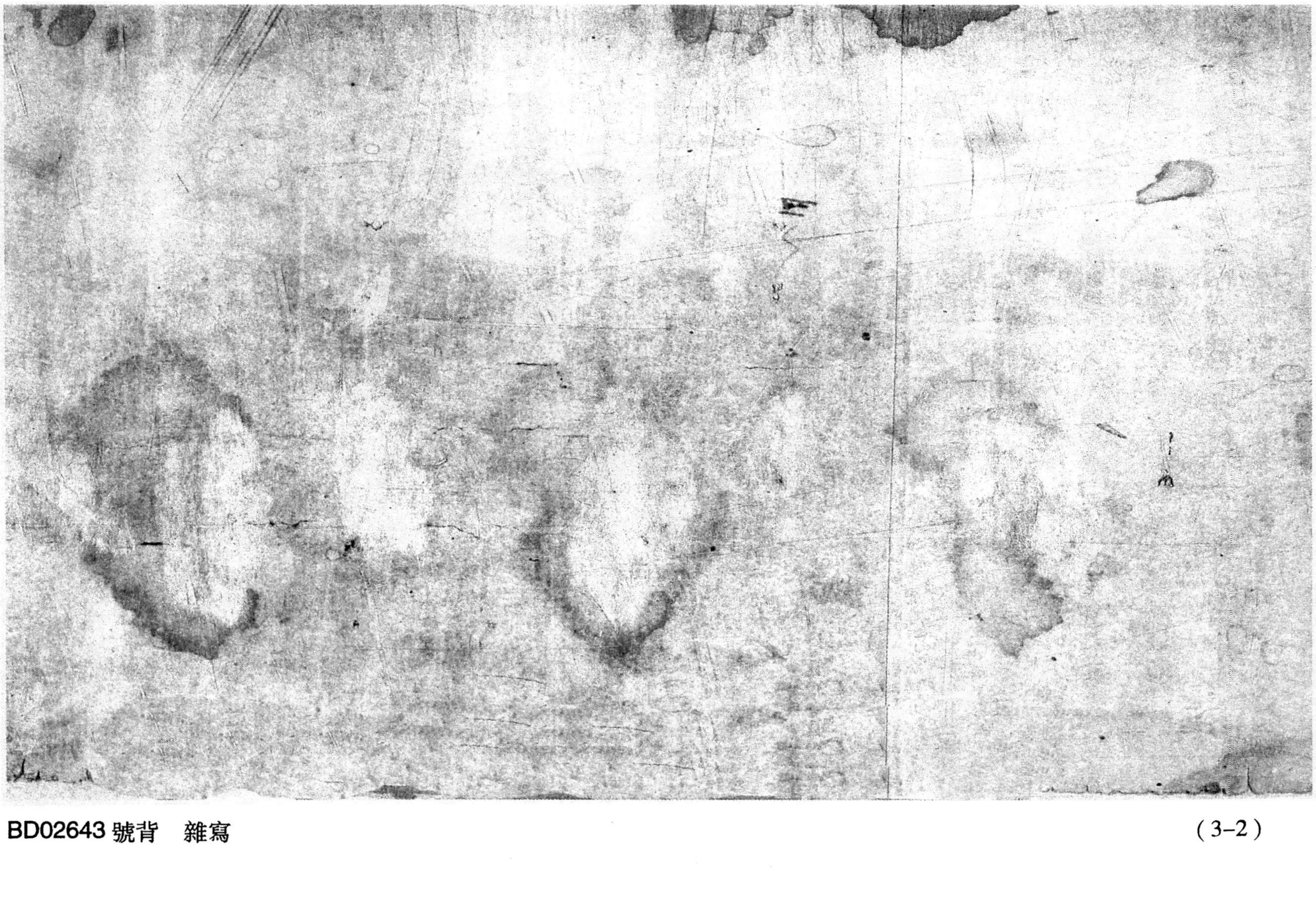

BD02643號背　雜寫　（3-2）

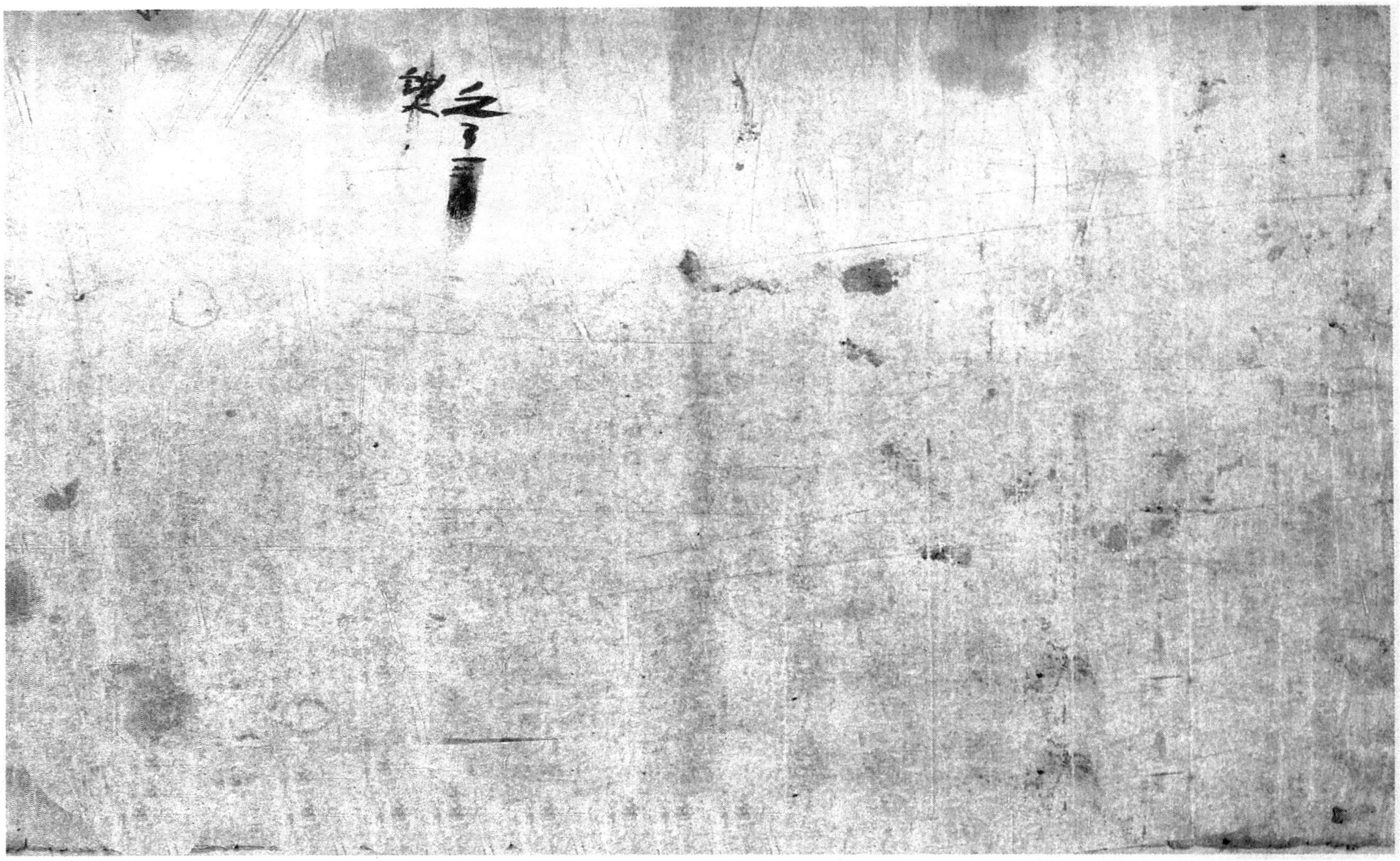

BD02643號背　雜寫　　　　（3–3）

各以衣裓盛衆妙華供養他方十万億佛即
以食時還到本國飯食經行舍利弗極樂國
土成就如是功德莊嚴
復次舍利弗彼國常有種種奇妙雜色之鳥
白鵠孔雀鸚鵡舍利迦陵頻伽共命之鳥是
諸衆鳥晝夜六時出和雅音其音演暢五根
五力七菩提分八聖道分如是等法其土衆
生聞是音已皆悉念佛念法念僧舍利弗汝
勿謂此鳥實是罪報所生所以者何彼佛國
土无三惡趣舍利弗其佛國土尚无三惡道
之名何況有實是諸衆鳥皆是阿弥陁佛欲
令法音宣流變化所作舍利弗彼佛國土微
風吹動諸寶行樹及寶羅網出微妙音譬如百
千種樂同時俱作聞是音者皆自然生念佛念
法念僧之心舍利弗其佛國土成就如是功德
莊嚴
舍利弗於汝意云何彼佛何故号阿弥陁舍
利弗彼佛光明无量照十方國无所障礙是故
号為阿弥陁又舍利弗彼佛壽命及其人民
无量无邊阿僧祇劫故名阿弥陁舍利弗阿
弥陁佛成佛已來於今十劫又舍利弗彼佛

BD02644號　阿彌陀經　　　　（5–1）

莊嚴
舍利弗於汝意云何彼佛何故号阿弥陁舍
利弗彼佛光明无量照十方國无所障礙是故
号為阿弥陁又舍利弗彼佛壽命及其人民
无量无邊阿僧祇劫故名阿弥陁舍利弗阿
弥陁佛成佛已來於今十劫又舍利弗彼佛
有无量无邊聲聞弟子皆阿羅漢非是筭
數之所能知諸菩薩亦如是舍利弗彼佛國
土成就如是功德莊嚴
又舍利弗極樂國土衆生生者皆是阿鞞䟦
致其中多有一生補處其數甚多非是筭數
所能知之但可以无量无邊阿僧祇劫說舍利
弗衆生聞者應當發願願生彼國所以者何
得與如是諸上善人俱會一處舍利弗不可
以少善根福德因緣得生彼國舍利弗若
有善男子善女人聞說阿弥陁佛執持名号
若一日若二日若三日若四日若五日若六日
若七日一心不亂其人臨命終時阿弥陁佛與
諸聖衆現在其前是人終時心不顛倒即得
往生阿弥陁佛極樂國土舍利弗我見是利
故說此言若有衆生聞是說者應當發願
生彼國土
舍利弗如我今者讚嘆阿弥陁佛不可思議
功德東方亦有阿閦鞞佛須弥相佛大須弥
佛須弥光佛妙音佛如是等恒河沙數諸佛

BD02644號　阿彌陀經　（5–2）

生彼國土
舍利弗如我今者讚嘆阿弥陁佛不可思議
功德東方亦有阿閦鞞佛須弥相佛大須弥
佛須弥光佛妙音佛如是等恒河沙數諸佛
各於其國出廣長舌相遍覆三千大千世界
說誠實言汝等衆生當信是稱讚不可思議
功德一切諸佛所護念經
舍利弗南方世界有日月燈佛名聞光佛大焰
肩佛須弥燈佛无量精進佛如是等恒河沙
數諸佛各於其國出廣長舌相遍覆三千大
千世界說誠實言汝等衆生當信是稱讚不
可思議功德一切諸佛所護念經
舍利弗西方世界有无量壽佛无量相佛无
量幢佛大光佛大明佛寶相佛淨光佛如是
等恒河沙數諸佛各於其國出廣長舌相遍
覆三千大千世界說誠實言汝等衆生當信
是稱讚不可思議功德一切諸佛所護念經
舍利弗北方世界有焰肩佛最勝音佛難沮
佛日生佛網明佛如是等恒河沙數諸佛各
於其國出廣長舌相遍覆三千大千世界說
誠實言汝等衆生當信是稱讚不可思議功
德一切諸佛所護念經
舍利弗下方世界有師子佛名聞佛名光佛
達摩佛法幢佛持法佛如是等恒河沙數諸
佛各於其國出廣長舌相遍覆三千大千世界
說誠實言汝等衆生當信是稱讚不可思

BD02644號　阿彌陀經　（5–3）

舍利弗下方世界有師子佛名聞佛名光佛
達摩佛法幢佛持法佛如是等恒河沙數諸
佛各於其國出廣長舌相遍覆三千大千世界
說誠實言汝等衆生當信是稱讚不可思
議功德一切諸佛所護念經
舍利弗上方世界有梵音佛宿王佛香上佛
香光佛大焰肩佛雜色寶華嚴身佛娑羅
樹王佛寶華德佛見一切義佛如須弥山佛
如是等恒河沙數諸佛各於其國出廣長舌
相遍覆三千大千世界說誠實言汝等衆生
當信是稱讚不可思議功德一切諸佛所護念
經
舍利弗於汝意云何何故名一切諸佛所護
念經舍利弗若有善男子善女人聞是諸佛
所說名及經名者是諸善男子善女人皆為
一切諸佛共所護念皆得不退轉於阿耨多羅
三藐三菩提是故舍利弗汝等皆當信受我
語及諸佛所說舍利弗若有人已發願今發願
當發願欲生阿弥陁佛國者是諸人等皆得不
退轉於阿耨多羅三藐三菩提於彼國土若已
生若今生若當生是故舍利弗諸善男子善
女人若有信者應當發願生彼國土
舍利弗如我今者稱讚諸佛不可思議功德彼
諸佛等亦稱說我不可思議功德而作是言
釋迦牟尼佛能為甚難希有之事能於娑婆
國土五濁惡世劫濁見濁煩惱濁衆生濁命

BD02644號　阿彌陀經　　（5–4）

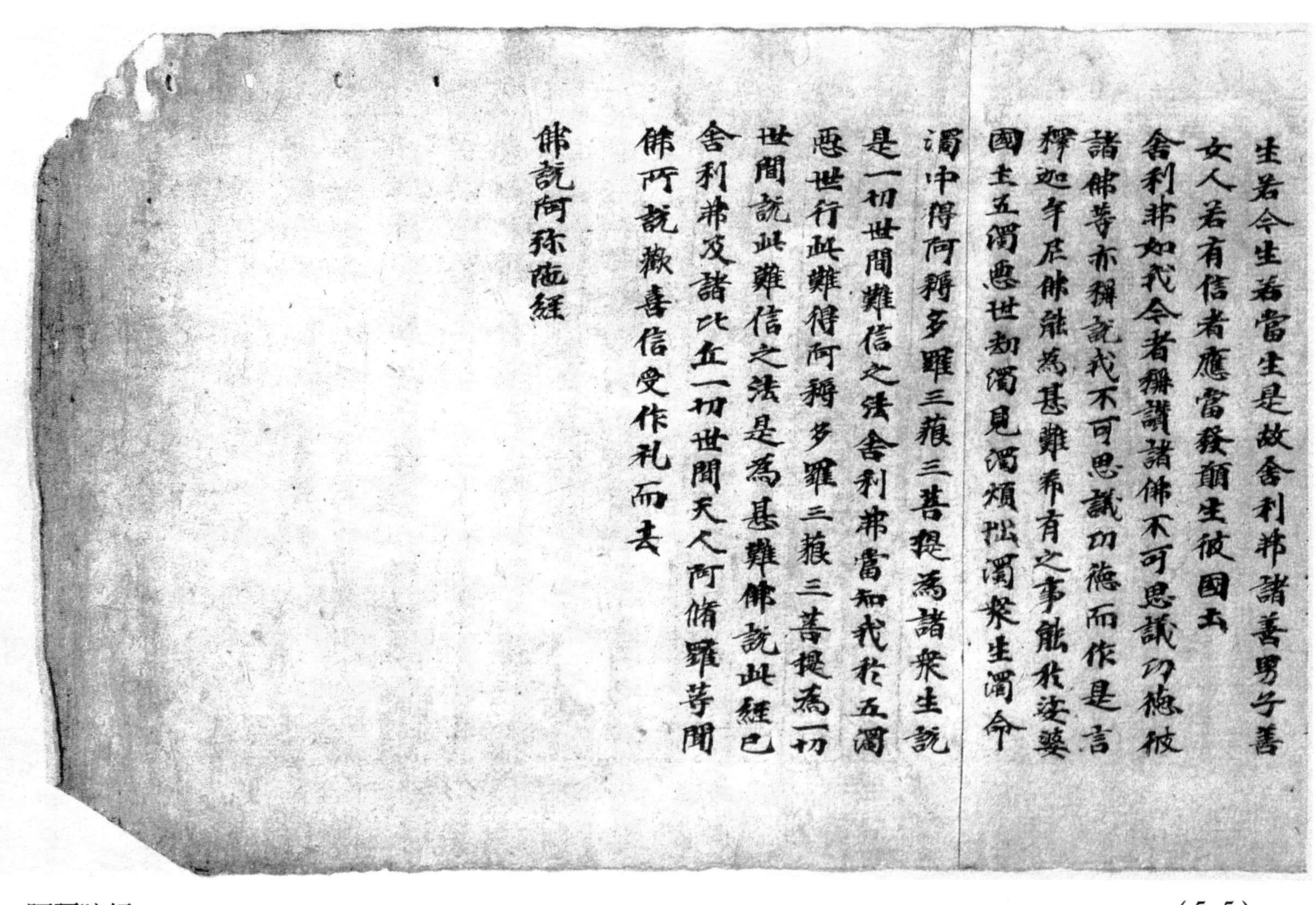

生若今生若當生是故舍利弗諸善男子善
女人若有信者應當發願生彼國土
舍利弗如我今者稱讚諸佛不可思議功德彼
諸佛等亦稱說我不可思議功德而作是言
釋迦牟尼佛能為甚難希有之事能於娑婆
國土五濁惡世劫濁見濁煩惱濁衆生濁命
濁中得阿耨多羅三藐三菩提為諸衆生說
是一切世間難信之法舍利弗當知我於五濁
惡世行此難事得阿耨多羅三藐三菩提為一切
世間說此難信之法是為甚難佛說此經已
舍利弗及諸比丘一切世間天人阿脩羅等聞
佛所說歡喜信受作礼而去

佛說阿弥陁經

BD02644號　阿彌陀經　　（5–5）

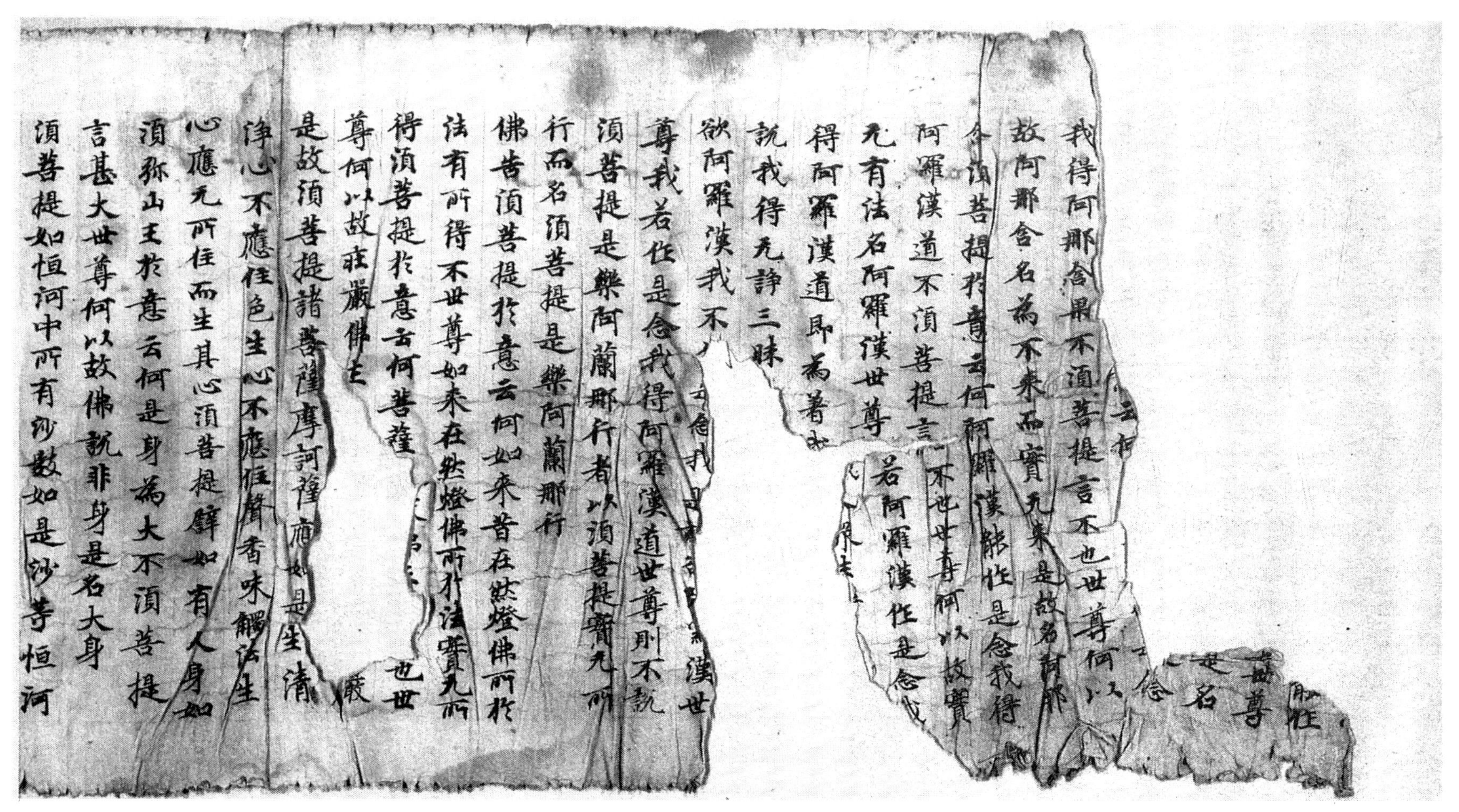

我得阿那含果不須菩提言不也世尊何以
故阿那含名為不來而實无來是故名阿那
含須菩提於意云何阿羅漢能作是念我得
阿羅漢道不須菩提言不也世尊何以故實
无有法名阿羅漢世尊若阿羅漢作是念我
得阿羅漢道即為著我
說我得无諍三昧
欲阿羅漢我不　漢世
尊我若作是念我得阿羅漢道世尊則不說
須菩提是樂阿蘭那行者以須菩提實无所
行而名須菩提是樂阿蘭那行
佛告須菩提於意云何如來昔在然燈佛所於
法有所得不世尊如來在然燈佛所於法實无所
得須菩提於意云何菩薩　也世
尊何以故莊嚴佛土　嚴
是故須菩提諸菩薩摩訶薩應如是生清
淨心不應住色生心不應住聲香味觸法生
心應无所住而生其心須菩提譬如有人身如
須弥山王於意云何是身為大不須菩提
言甚大世尊何以故佛說非身是名大身
須菩提如恒河中所有沙數如是沙等恒河

BD02645號　金剛般若波羅蜜經　（12–1）

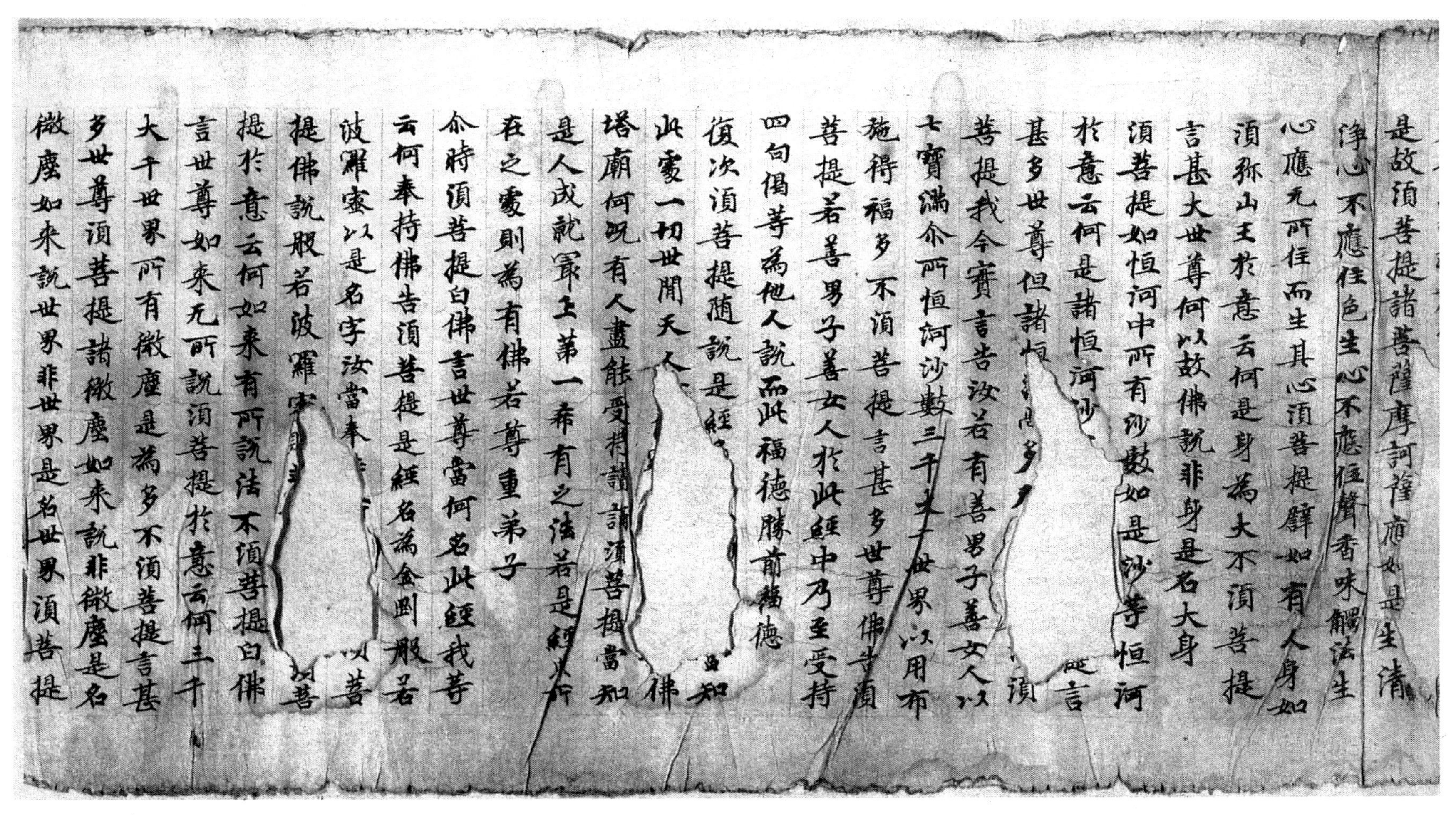

是故須菩提諸菩薩摩訶薩應如是生清
淨心不應住色生心不應住聲香味觸法生
心應无所住而生其心須菩提譬如有人身如
須弥山王於意云何是身為大不須菩提
言甚大世尊何以故佛說非身是名大身
須菩提如恒河中所有沙數如是沙等恒河
於意云何是諸恒河沙　言
甚多世尊但諸恒　多　須
菩提我今實言告汝若有善男子善女人以
七寶滿尒所恒河沙數三千大千世界以用布
施得福多不須菩提言甚多世尊佛告須
菩提若善男子善女人於此經中乃至受持
四句偈等為他人說而此福德勝前福德
復次須菩提隨說是經　知
此處一切世間天人　佛
塔廟何況有人盡能受持讀誦須菩提當知
是人成就最上第一希有之法若是經典所
在之處則為有佛若尊重弟子
尒時須菩提白佛言世尊當何名此經我等
云何奉持佛告須菩提是經名為金剛般若
波羅蜜以是名字汝當奉　菩
提佛說般若波羅蜜　菩
提於意云何如來有所說法不須菩提白佛
言世尊如來无所說須菩提於意云何三千
大千世界所有微塵是為多不須菩提言甚
多世尊須菩提諸微塵如來說非微塵是名
微塵如來說世界非世界是名世界須菩提

BD02645號　金剛般若波羅蜜經　（12–2）

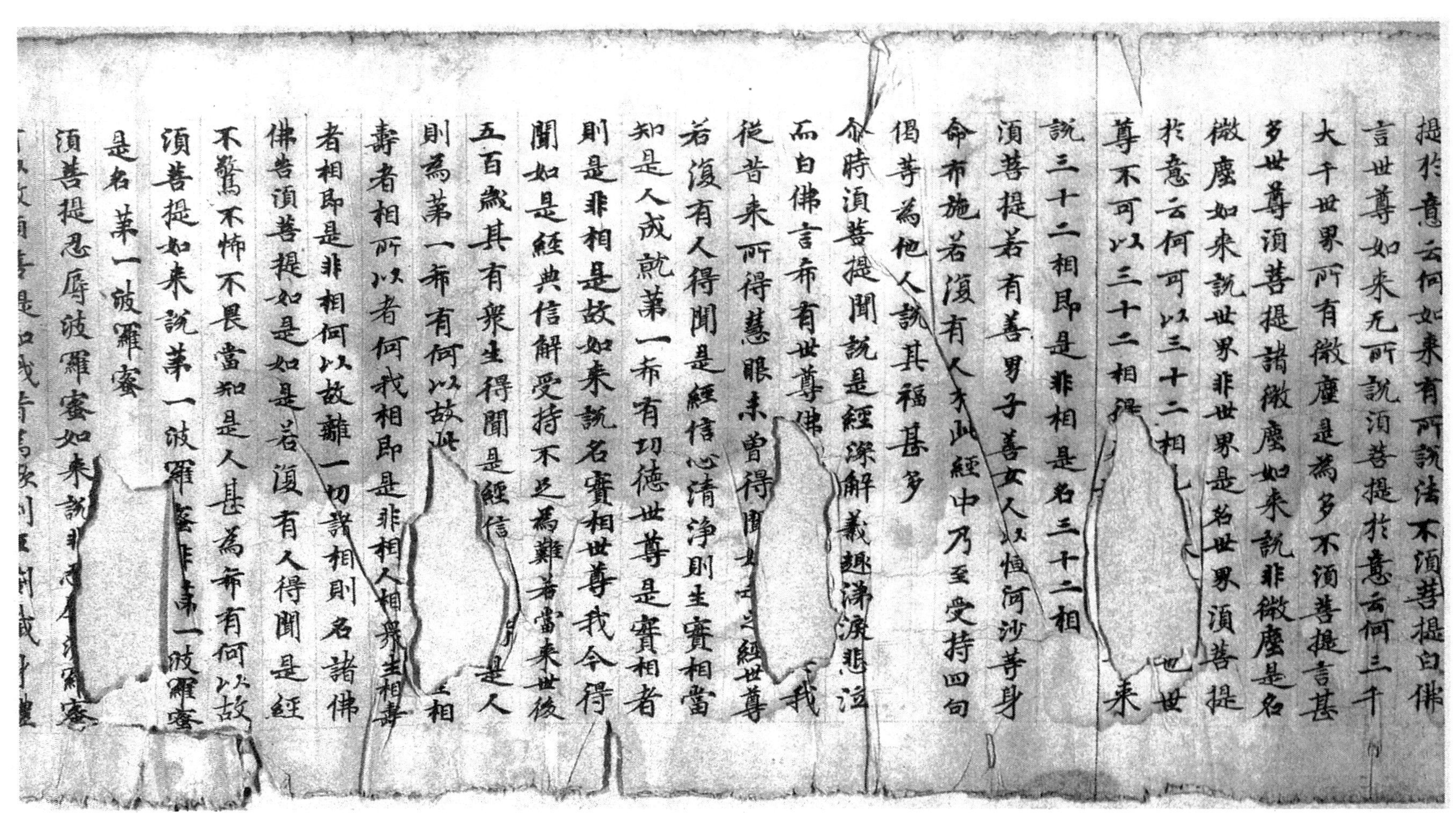

提於意云何如來有所說法不須菩提白佛
言世尊如來无所說須菩提於意云何三千
大千世界所有微塵是為多不須菩提言甚
多世尊須菩提諸微塵如來說非微塵是名
微塵如來說世界非世界是名世界須菩提
於意云何可以三十二相　也世
尊不可以三十二相　來
說三十二相即是非相是名三十二相
須菩提若有善男子善女人以恒河沙等身
命布施若復有人於此經中乃至受持四句
偈等為他人說其福甚多
尒時須菩提聞說是經深解義趣涕淚悲泣
而白佛言希有世尊佛　我
從昔來所得慧眼未曾得聞　之經世尊
若復有人得聞是經信心清淨則生實相當
知是人成就第一希有功德世尊是實相者
則是非相是故如來說名實相世尊我今得
聞如是經典信解受持不足為難若當來世後
五百歲其有眾生得聞是經信　是人
則為第一希有何以故此　相
壽者相所以者何我相即是非相人相眾生相壽
者相即是非相何以故離一切諸相則名諸佛
佛告須菩提如是如是若復有人得聞是經
不驚不怖不畏當知是人甚為希有何以故
須菩提如來說第一波羅蜜非第一波羅蜜
是名第一波羅蜜
須菩提忍辱波羅蜜如來說非　羅蜜

BD02645號　金剛般若波羅蜜經　（12–3）

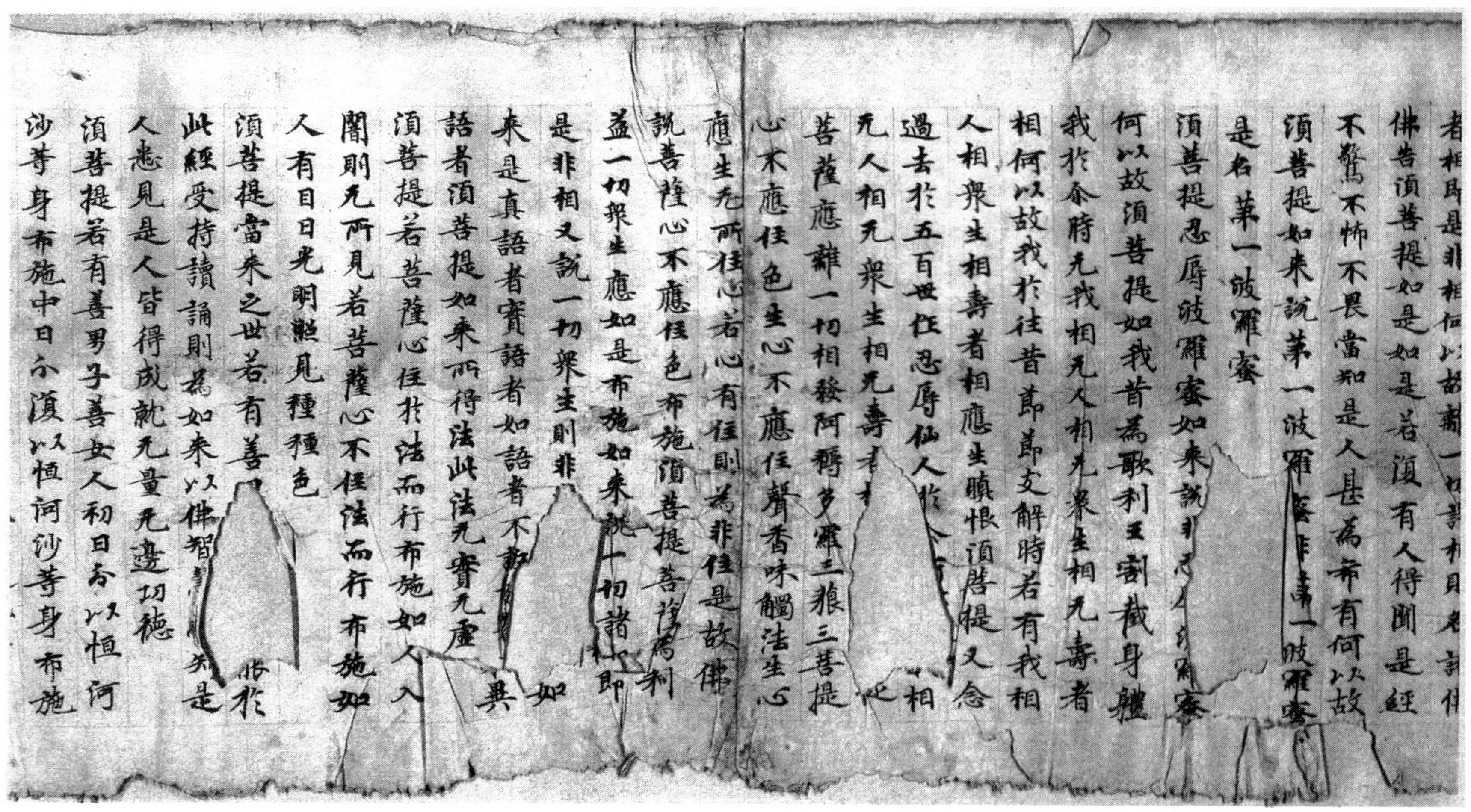

者相即是非相何以故離一切諸相則名諸佛
佛告須菩提如是如是若復有人得聞是經
不驚不怖不畏當知是人甚為希有何以故
須菩提如來說第一波羅蜜非第一波羅蜜
是名第一波羅蜜
須菩提忍辱波羅蜜如來說非
何以故須菩提如我昔為歌利王割截身體
我於尒時无我相无人相无眾生相无壽者
相何以故我於往昔節節支解時若有我相
人相眾生相壽者相應生瞋恨須菩提又念
過去於五百世作忍辱仙人於　无
无人相无眾生相无壽者
菩薩應離一切相發阿耨多羅三藐三菩提
心不應住色生心不應住聲香味觸法生心
應生无所住心若心有住則為非住是故佛
說菩薩心不應住色布施須菩提菩薩為利
益一切眾生應如是布施如來說一切諸相即
是非相又說一切眾生則非　如
來是真語者實語者如語者不　異
語者須菩提如來所得法此法无實无虛
須菩提若菩薩心住於法而行布施如人入
闇則无所見若菩薩心不住法而行布施如
人有目日光明照見種種色
須菩提當來之世若有善　於
此經受持讀誦則為如來以佛智　是
人悉見是人皆得成就无量无邊功德
須菩提若有善男子善女人初日分以恒河
沙等身布施中日分復以恒河沙等身布施

BD02645號　金剛般若波羅蜜經　（12–4）

人有目日光明照見種種色
須菩提當來之世若有善[illegible]於
此經受持讀誦則為如來以佛智[illegible]是
人悉見是人皆得成就无量无邊功德
須菩提若有善男子善女人初日分以恒河
沙等身布施中日分復以恒河沙等身布施
後日分亦以恒河沙等身布施如是无量百
千万億劫以身布施若復有[illegible]信心不
逆其福勝彼何況書寫受持讀誦為人[illegible]說
須菩提以要言之是經有不可思議不可稱量
无邊功德如來為發大乘者說為發最上乘
者說若有人能受持讀誦廣為人說如來
悉知是人悉見是人皆得成就不可量不可
稱无有邊不可思議功德如[illegible]為荷
擔如來阿耨多羅三藐三菩提何以故須菩
提若樂小法者著我見人見衆生見壽者見
則於此經不能聽受讀誦為人解說須菩提
在在處處若有此經一切世間天人阿脩羅
所應供養當知此處則為是塔皆應恭敬作
礼圍遶以諸華香而散其處
復次須菩提善男子善女人受持讀誦此經
若為人輕賤是人先世罪業應墮惡道以今
世人輕賤故先世罪業則為消滅當得阿耨多
羅三藐三菩提須菩提我念過去无量阿僧
祇劫於然燈佛前得值八百[illegible]那由
他諸佛悉皆供養承事无空過者若復有
人於後末世能受持讀誦此經所得功德於

BD02645 號　金剛般若波羅蜜經　（12–5）

世人輕賤故先世罪業則為消滅當得阿耨多
羅三藐三菩提須菩提我念過去无量阿僧
祇劫於然燈佛前得值八百[illegible]那由
他諸佛悉皆供養承事无空過者若復有
人於後末世能受持讀誦此經所得功德於
我所供養諸佛功德百分不及一千万億分乃至
筭數譬喻所不能及須菩提若善男子善女
人於後末世有受持讀誦此[illegible]德我
若具說者或有人聞心則狂亂狐疑不信須
菩提當知是經義不可思議果報亦不可思議
尒時須菩提白佛言世尊善男子善女人發
阿耨多羅三藐三菩提心云何應住云何降
伏其心佛告須菩提善男子[illegible]發阿耨
多羅三藐三菩提者當生如是心[illegible]滅度
一切衆生滅度一切衆生已而无有一衆生
實滅度者何以故若菩薩有我相人相衆生
相壽者相則非菩薩所以者何須菩提實无
有法發阿耨多羅三藐三菩提者
須菩提於意云何如來於然燈佛[illegible]有法得
阿耨多羅三藐三菩提不不也世尊如我解
佛所說義佛於然燈佛所无有法得阿耨多
羅三藐三菩提佛言如是如是須菩提實无
有法如來得阿耨多羅三藐三菩提須菩提
若有法如來得阿耨多羅三藐三[illegible]者然
燈佛則不與我受記汝於來世當得作佛号釋
迦牟尼以實无有法得阿耨多羅三藐三菩
提是故然燈佛與我受記作是言汝於來世

BD02645 號　金剛般若波羅蜜經　（12–6）

若有法如来得阿耨多羅三藐三菩[illegible]者然
燈佛則不與我受記汝於来世當得作佛号釋
迦牟尼以實无有法得阿耨多羅三藐三菩
提是故然燈佛與我受記作是言汝於来世
當得作佛号釋迦牟尼何以故如[illegible]即諸
法如義若有人言如来得阿耨多羅三藐三
菩提須菩提實无有法佛得阿耨多羅三藐
三菩提須菩提如来所得阿耨多羅三藐三菩
提於是中无實无虛是故如来說一切法
皆是佛法須菩提所言一切法者[illegible]一切
法是故名一切法
須菩提譬如人身長大須菩提言世尊如来
說人身長大則為非大身是名大身
須菩提菩薩亦如是若作是言我當滅度无
量衆生則不名菩薩何以故須菩[illegible]无有
法名為菩薩是故佛說一切法无我无人无
衆生无壽者須菩提若菩薩作是言我當莊
嚴佛土是不名菩薩何以故如来說莊嚴佛
土者即非莊嚴是名莊嚴須菩提若菩薩
通達无我法者如来說名真是菩薩
須菩提於意云何如来有肉眼不如是世尊
如来有肉眼須菩提於意云何如来有天眼
不如是世尊如来有天眼須菩提於意云何如
来有慧眼不如是世尊如来有慧眼須菩提
於意云何如来有法眼不如是世尊如来有
法眼須菩提於意云何如来有佛眼不如是
世尊如来有佛眼須菩提於意云何恒河

如来有肉眼須菩提於意云何如来有天眼
不如是世尊如来有天眼須菩提於意云何如
来有慧眼不如是世尊如来有慧眼須菩提
於意云何如来有法眼不如是世尊如来有
法眼須菩提於意云何如来有佛眼不如是
世尊如来有佛眼須菩提於意云何恒河
中所有沙佛說是沙不如是世尊如来說是
沙須菩提於意云何如一恒河中所有沙有
如是等恒河是諸恒河所有沙數佛世界如
是寧為多不甚多世尊佛告須菩提尒所國
土中所有衆生若干種心如来悉知何以故如
来說諸心皆為非心是名為心所以者何須
菩提過去心不可得現在心不可得未来心
不可得須菩提於意云何若有人滿三千
大千世界七寶以用布施是人以是因緣得
福多不如是世尊此人以是因緣得福甚多
須菩提若福德有實如来不說得福德多以
福德无故如来說得福德多
須菩提於意云何佛可以具足色身見不不
也世尊如来不應以具足色身見何以故如来
說具足色身即非具足色身是名具足色
身須菩提於意云何如来可以具足諸相見
不不也世尊如来不應以具足諸相見何以
故如来說諸相具足即非具足是名諸相具足
須菩提汝勿謂如来作是念我當有所說法
莫作是念何以故若人言如来有所說法即
為謗佛不能解我所說故須菩提說法者无

故如来說諸相具足即非具足是名諸相具足
須菩提汝勿謂如来作是念我當有所說法
莫作是念何以故若人言如来有所說法即
爲謗佛不能解我所說故須菩提說法者无
法可說是名說法
須菩提白佛言世尊佛得阿耨多羅三藐三
菩提爲无所得耶如是如是須菩提我於阿
耨多羅三藐三菩提乃至无有少法可得是
名阿耨多羅三藐三菩提復次須菩提是法
平等无有高下是名阿耨多羅三藐三菩提
以无我无人无衆生无壽者脩一切善法則
得阿耨多羅三藐三菩提須菩提所言善法
者如来說非善法是名善法
須菩提若三千大千世界中所有諸須弥山
王如是等七寶聚有人持用布施若人以此
般若波羅蜜經乃至四句偈等受持讀誦爲
他人說於前福德百分不及一百千万億分
乃至筭數譬喻所不能及
須菩提於意云何汝等勿謂如来作是念我
當度衆生須菩提莫作是念何以故實无有
衆生如来度者若有衆生如来度者如来則
有我人衆生壽者須菩提如来說有我者則
非有我而凡夫之人以爲有我須菩提凡夫
者如来說則非凡夫
須菩提於意云何可以卅二相觀如来不須
菩提言如是如是以卅二相觀如来佛言須菩
提若以卅二相觀如来者轉輪聖王則是

有我人衆生壽者須菩提如来說有我者則
非有我而凡夫之人以爲有我須菩提凡夫
者如来說則非凡夫
須菩提於意云何可以卅二相觀如来不須
菩提言如是如是以卅二相觀如来佛言須菩
提若以卅二相觀如来者轉輪聖王則是
如来須菩提白佛言世尊如我解佛所說義
不應以卅二相觀如来介時世尊而說偈言
若以色見我　以音聲求我　是人行邪道　不能見如来
須菩提汝若作是念如来不以具足相故得
阿耨多羅三藐三菩提須菩提莫作是念如
来不以具足相故得阿耨多羅三藐三菩提須
菩提汝若作是念發阿耨多羅三藐三菩
提者說諸法斷滅莫作是念何以故發阿耨
多羅三藐三菩提者於法不說斷滅相須菩
提若菩薩以滿恒河沙等世界七寶布施若
復有人知一切法无我得成於忍此菩薩勝
前菩薩所得功德須菩提以諸菩薩不受福
德故須菩提白佛言世尊云何菩薩不受福
須菩提菩薩所作福德不應貪著是故說不受福
德須菩提若有人言如来若来若去若坐若
卧是人不解我所說義何以故如来者无所從
来亦无所去故名如来
須菩提若善男子善女人以三千大千世界
碎爲微塵於意云何是微塵衆寧爲多不甚
多世尊何以故若是微塵衆實有者佛則不
說是微塵衆所以者何佛說微塵衆則非微
塵衆[illegible]

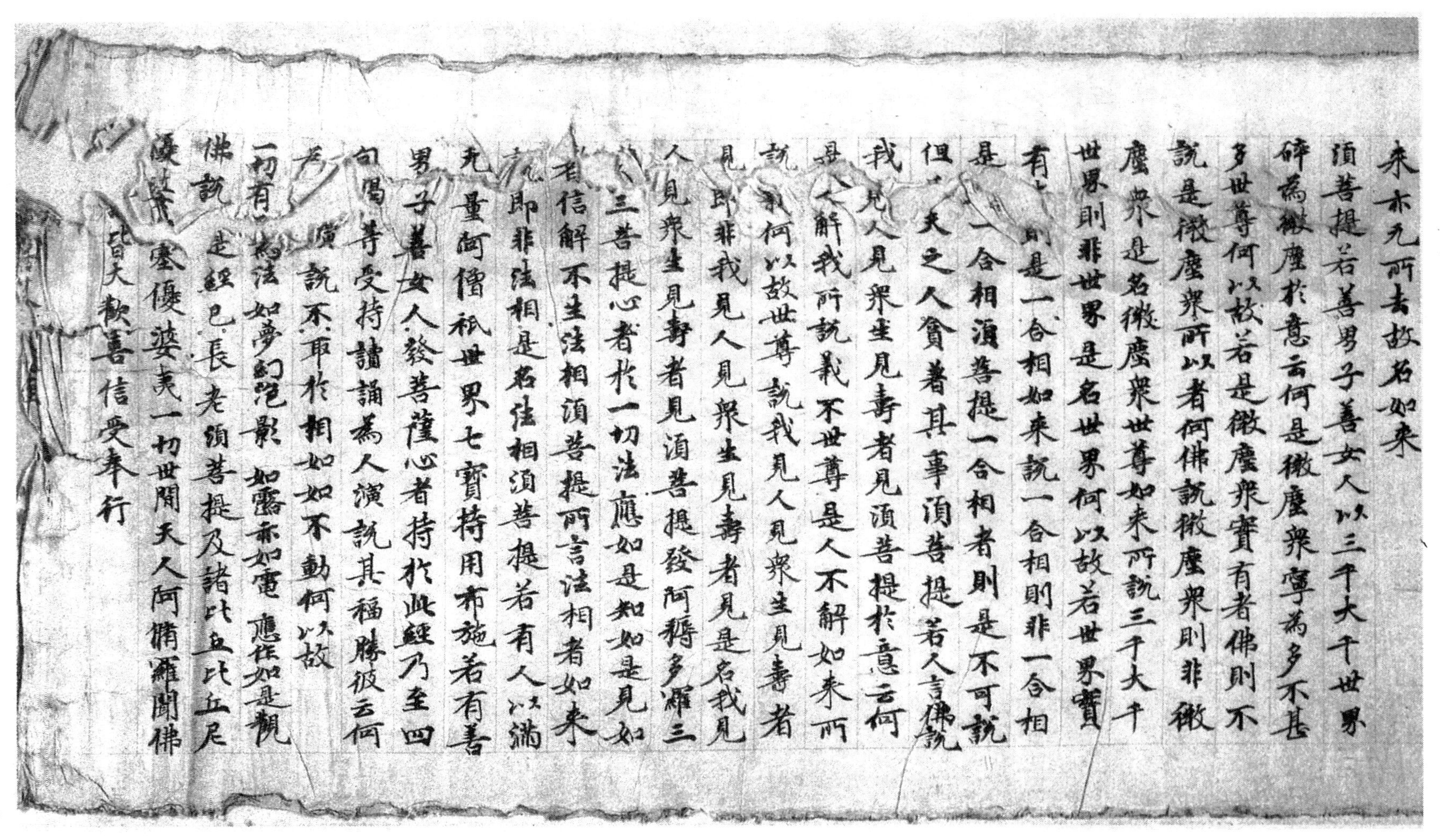

來亦无所去故名如來
須菩提若善男子善女人以三千大千世界
碎為微塵於意云何是微塵衆寧為多不甚
多世尊何以故若是微塵衆實有者佛則不
說是微塵衆所以者何佛說微塵衆則非微
塵衆是名微塵衆世尊如來所說三千大千
世界則非世界是名世界何以故若世界實
有者則是一合相如來說一合相則非一合相
是名一合相須菩提一合相者則是不可說
但凡夫之人貪著其事須菩提若人言佛說
我見人見衆生見壽者見須菩提於意云何
是人解我所說義不世尊是人不解如來所
說義何以故世尊說我見人見衆生見壽者
見即非我見人見衆生見壽者見是名我見
人見衆生見壽者見須菩提發阿耨多羅三
藐三菩提心者於一切法應如是知如是見如
是信解不生法相須菩提所言法相者如來
說即非法相是名法相須菩提若有人以滿
无量阿僧祇世界七寶持用布施若有善
男子善女人發菩薩心者持於此經乃至四
句偈等受持讀誦為人演說其福勝彼云何
為人演說不取於相如如不動何以故
一切有為法如夢幻泡影如露亦如電應作如是觀
佛說是經已長老須菩提及諸比丘比丘尼
優婆塞優婆夷一切世間天人阿脩羅聞佛
所說皆大歡喜信受奉行

BD02645號　金剛般若波羅蜜經　（12–11）

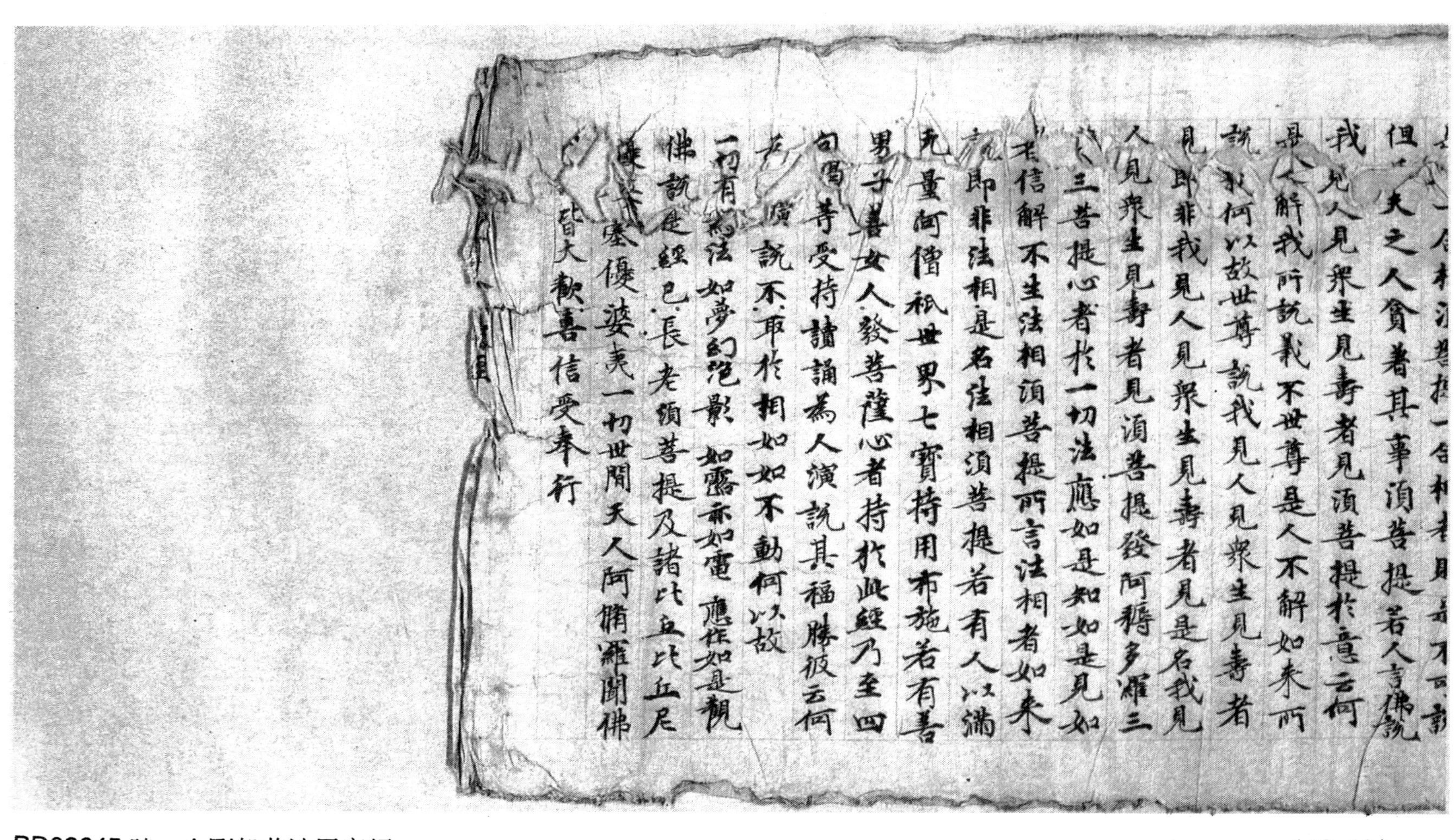

是名一合相須菩提一合相者則是不可說
但凡夫之人貪著其事須菩提若人言佛說
我見人見衆生見壽者見須菩提於意云何
是人解我所說義不世尊是人不解如來所
說義何以故世尊說我見人見衆生見壽者
見即非我見人見衆生見壽者見是名我見
人見衆生見壽者見須菩提發阿耨多羅三
藐三菩提心者於一切法應如是知如是見如
是信解不生法相須菩提所言法相者如來
說即非法相是名法相須菩提若有人以滿
无量阿僧祇世界七寶持用布施若有善
男子善女人發菩薩心者持於此經乃至四
句偈等受持讀誦為人演說其福勝彼云何
為人演說不取於相如如不動何以故
一切有為法如夢幻泡影如露亦如電應作如是觀
佛說是經已長老須菩提及諸比丘比丘尼
優婆塞優婆夷一切世間天人阿脩羅聞佛
所說皆大歡喜信受奉行

BD02645號　金剛般若波羅蜜經　（12–12）

諸菩薩摩訶薩令於[illegible]
竟世尊所言諸菩薩者何法增語謂為菩薩
世尊我不見有法可名菩薩摩訶薩者亦不
見有法可名般若波羅蜜多世尊我於菩薩
及菩薩法不見不得亦復不見不得般若波
羅蜜多云何令我為諸菩薩摩訶薩衆宣說
開示甚深般若波羅蜜多世尊我以何等甚
深般若波羅蜜多教授教誡何等菩薩摩訶
薩衆令於般若波羅蜜多速得究竟世尊若
菩薩摩訶薩聞如是語心不沉沒亦無退屈
不驚不怖如深般若波羅蜜多所說而住脩
行般若波羅蜜多令得究竟當知即是教授
教誡諸菩薩摩訶薩令於般若波羅蜜多速
得究竟亦名為彼宣說開示甚深般若波羅
蜜多復次世尊若菩薩摩訶薩脩行般若波
羅蜜多應如是學謂不執著大菩提心所以
者何心非心性本性淨故時舍利子問善現
言為有非心心之性不善現反問舍利子言
非心心性若有若無為可得不舍利子言不
也善現善現便謂舍利子言非心心性若有
若無既不可得如何可問為有非心心之性不
時舍利子問善現言何等名為心非心性
善現答言若無變壞亦無分別是則名為心

BD02646 號　大般若波羅蜜多經卷五三八　（2–1）

開示甚深般若波羅蜜多世尊我以何等甚
深般若波羅蜜多教授教誡何等菩薩摩訶
薩衆令於般若波羅蜜多速得究竟世尊若
菩薩摩訶薩聞如是語心不沉沒亦無退屈
不驚不怖如深般若波羅蜜多所說而住脩
行般若波羅蜜多令得究竟當知即是教授
教誡諸菩薩摩訶薩令於般若波羅蜜多速
得究竟亦名為彼宣說開示甚深般若波羅
蜜多復次世尊若菩薩摩訶薩脩行般若波
羅蜜多應如是學謂不執著大菩提心所以
者何心非心性本性淨故時舍利子問善現
言為有非心心之性不善現反問舍利子言
非心心性若有若無為可得不舍利子言不
也善現善現便謂舍利子言非心心性若有
若無既不可得如何可問為有非心心之性不
時舍利子問善現言何等名為心非心性
善現答言若無變壞亦無分別是則名為心
非心性時舍利子讚善現言善哉善哉誠如
所說佛說仁者住無諍定最為第一實如聖
言若菩薩摩訶薩聞如是語心不沉沒亦無
退屈不驚不怖當知已於所求無上正等菩
提得不退轉若菩薩摩訶薩如是觀察心非

BD02646 號　大般若波羅蜜多經卷五三八　（2–2）

BD02646 號背　勘記　　（1–1）

滿善逝
調御士天人師佛薄伽梵[illegible]
藥師瑠璃光如來本行菩薩
願令諸有情所求皆得
第一大願願我來世得阿耨
提時自身光明熾然照曜[illegible]
界以三十二大丈夫相八十隨好莊嚴
令一切有情如我无異
第二大願願我來世得菩提時身如瑠璃內
外明徹淨无瑕穢光明廣大功德巍巍身善
安住焰網莊嚴過於日月幽冥衆生悉蒙開
曉隨意所趣作諸事業
第三大願願我來世得菩提時以无量无邊
智慧方便令諸有情皆得无盡所受用物
莫令衆生有所乏少
第四大願願我來世得菩提時若諸有情行
邪道者悉令安住菩提道中若行聲聞獨覺

BD02647 號　藥師琉璃光如來本願功德經　　（14–1）

第三大願願我來世得菩提時以无量无邊
智慧方便令諸有情皆得无盡所受用物
莫令衆生有所乏少
第四大願願我來世得菩提時若諸有情行
邪道者悉令安住菩提道中若行聲聞獨覺
乘者皆以大乘而安立之
第五大願願我來世得菩提時若有无量无
邊有情於我法中脩行梵行一切皆令得不
缺戒具三聚戒設有毀犯聞我名已還得清
淨不墮惡趣
第六大願願我來世得菩提時若諸有情其
身下劣諸根不具醜陋頑愚盲聾瘖瘂攣躄
背僂白癩癲狂種種病苦聞我名已一切皆
得端政黠慧諸根完具无諸疾苦
第七大願願我來世得菩提時若諸有情衆
病逼切无救无歸无醫无藥无親无家貧窮
多苦我之名号一經其耳衆疾悉除身心安
樂家屬資具悉皆豐足乃至證得无上菩提
第八大願願我來世得菩提時若有女人爲
女百惡之所逼惱極生厭離願捨女身聞我
名已一切皆得轉女成男具丈夫相乃至證
得无上菩提
第九大願願我來世得菩提時令諸有情出
魔羂網解脫一切外道纏縛若墮種種惡見
稠林皆當引攝置於正見漸令脩習諸菩
薩行速證无上正等菩提

BD02647號　藥師琉璃光如來本願功德經　（14–2）

第九大願願我來世得菩提時令諸有情出
魔羂網解脫一切外道纏縛若墮種種惡見
稠林皆當引攝置於正見漸令脩習諸菩
薩行速證无上正等菩提
第十大願願我來世得菩提時若諸有情王
法所縲縛錄鞭撻繫閉牢獄或當刑戮及餘
无量災難陵辱悲愁煎迫身心受苦若聞
我名以我福德威神力故皆得解脫一切憂苦
第十一大願願我來世得菩提時若諸有情
飢渴所惱爲求食故造諸惡業得聞我名專
念受持我當先以上妙飲食飽足其身後以
法味畢竟安樂而建立之
第十二大願願我來世得菩提時若諸有情
貧无衣服蚊䖟寒熱晝夜逼惱若聞我名
專念受持如其所好即得種種上妙衣服亦
得一切寶莊嚴具華鬘塗香鼓樂衆伎隨心
所翫皆令滿足
曼殊室利是爲世尊藥師瑠璃光如來應
正等覺行菩薩道時所發十二微妙上願
復次曼殊室利彼世尊藥師瑠璃光如來行
菩薩道時所發大願及彼佛土功德莊嚴我
若一劫若一劫餘說不能盡然彼佛土一向
清淨无有女人亦无惡趣及苦音聲瑠璃爲
地金繩界道城闕宮閣軒窓羅網皆七寶成
亦如西方極樂世界功德莊嚴等无差別於
其國中有二菩薩摩訶薩一名日光遍照二

BD02647號　藥師琉璃光如來本願功德經　（14–3）

若一劫若一劫餘說不能盡然彼佛土一向
清淨无有女人亦无惡趣及苦音聲瑠璃為
地金繩界道城闕宮閣軒窓羅網皆七寶成
亦如西方極樂世界功德莊嚴等无差別於
其國中有二菩薩摩訶薩一名日光遍照二
名月光遍照是彼无量无數菩薩衆之上首
悉能持彼世尊藥師瑠璃光如來正法寶藏
是故曼殊室利諸有信心善男子善女人等
應當願生彼佛世界
尒時世尊復告曼殊室利童子言曼殊室
利有諸衆生不識善惡唯懷貪悋不知布施
施果報愚癡无智闕於信根多聚財寶勤
加守護見乞者來其心不喜設不獲已而行
施時如割身宍深生痛惜復有无量慳貪者
情積集資財於其自身尚不受用何況能與
父母妻子奴婢作使及來乞者彼諸有情從
此命終生餓鬼界或傍生趣由昔人間曾得
暫聞藥師瑠璃光如來名故今在惡趣暫
得憶念彼如來名即於念時從彼處沒還生
人中得宿命念畏惡趣苦不樂欲樂好行惠施
讚歎施者一切所有悉无貪惜漸次尚能以頭
目手足血宍身分施來求者況餘財物
復次曼殊室利若諸有情雖於如來受諸學
處而破尸羅有雖不破尸羅而破軌則有於尸
羅軌則雖得不懷然毀正見有雖不毀正
見而棄多聞於佛所說契經深義不能解了

目手足血宍身分施來求者況餘財物
復次曼殊室利若諸有情雖於如來受諸學
處而破尸羅有雖不破尸羅而破軌則有於尸
羅軌則雖得不懷然毀正見有雖不毀正
見而棄多聞於佛所說契經深義不能解了
有雖多聞而增上慢由增上慢覆蔽心故自
是非他嫌謗正法為魔伴黨如是愚人自行
邪見復令无量俱胝有情墮大險坑此諸有
情應於地獄傍生鬼趣流轉无窮若得聞此
藥師瑠璃光如來名号便捨惡行脩諸善法
不墮惡趣設有不能捨諸惡行脩行善法墮
惡趣者以彼如來本願威力令其現前暫聞
名号從彼命終還生人趣得正見精進善調
意樂便能捨家趣於非家如來法中受持學
處无有毀犯正見多聞解甚深義離增上慢
不謗正法不為魔伴漸次脩行諸菩薩行速
得圓滿
復次曼殊室利若諸有情慳貪嫉妬自讚毀
他當墮三惡趣中无量千歲受諸劇苦受劇
苦已從彼命終還生人間作牛馬駝驢恒被
鞭撻飢渴逼惱又常負重隨路而行或得為
人生居下賤作人奴婢受他駈役恒不自在
若昔人中曾聞世尊藥師瑠璃光如來名号
由此善因今復憶念至心歸依以佛神力衆
苦解脫諸根聰利智慧多聞恒求勝法常
遇善友永斷魔羂破无明殼竭煩惱河解脫一

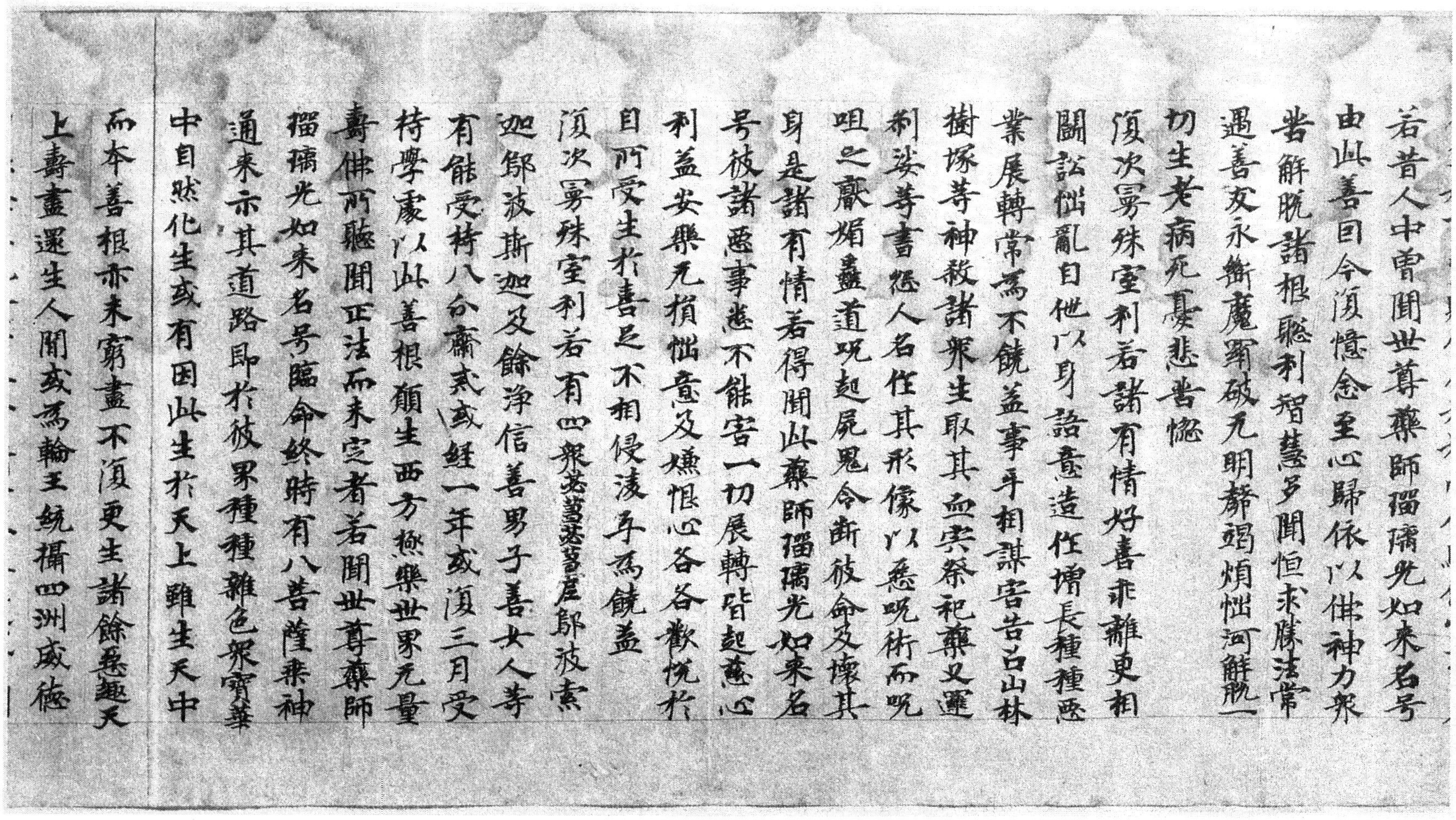

若昔人中曾聞世尊藥師瑠璃光如來名号
由此善因今復憶念至心歸依以佛神力衆
苦解脫諸根聰利智慧多聞恒求勝法常
遇善友永斷魔羂破无明鷇竭煩惱河解脫一
切生老病死憂悲苦惱
復次曼殊室利若諸有情好喜乖離更相
鬪訟惱亂自他以身語意造作增長種種惡
業展轉常爲不饒益事互相謀害告召山林
樹塚等神殺諸衆生取其血肉祭祀藥叉羅
剎娑等書怨人名作其形像以惡呪術而呪
咀之厭媚蠱道呪起屍鬼令斷彼命及壞其
身是諸有情若得聞此藥師瑠璃光如來名
号彼諸惡事悉不能害一切展轉皆起慈心
利益安樂无損惱意及嫌恨心各各歡悅於
自所受生於喜足不相侵淩互爲饒益
復次曼殊室利若有四衆苾芻苾芻尼鄔波索
迦鄔波斯迦及餘淨信善男子善女人等
有能受持八分齋戒或經一年或復三月受
持學處以此善根願生西方極樂世界无量
壽佛所聽聞正法而未定者若聞世尊藥師
瑠璃光如來名号臨命終時有八菩薩乘神
通來示其道路即於彼界種種雜色衆寶華
中自然化生或有因此生於天上雖生天中
而本善根亦未窮盡不復更生諸餘惡趣天
上壽盡還生人間或爲輪王統攝四洲威德

BD02647 號　藥師琉璃光如來本願功德經　（14–6）

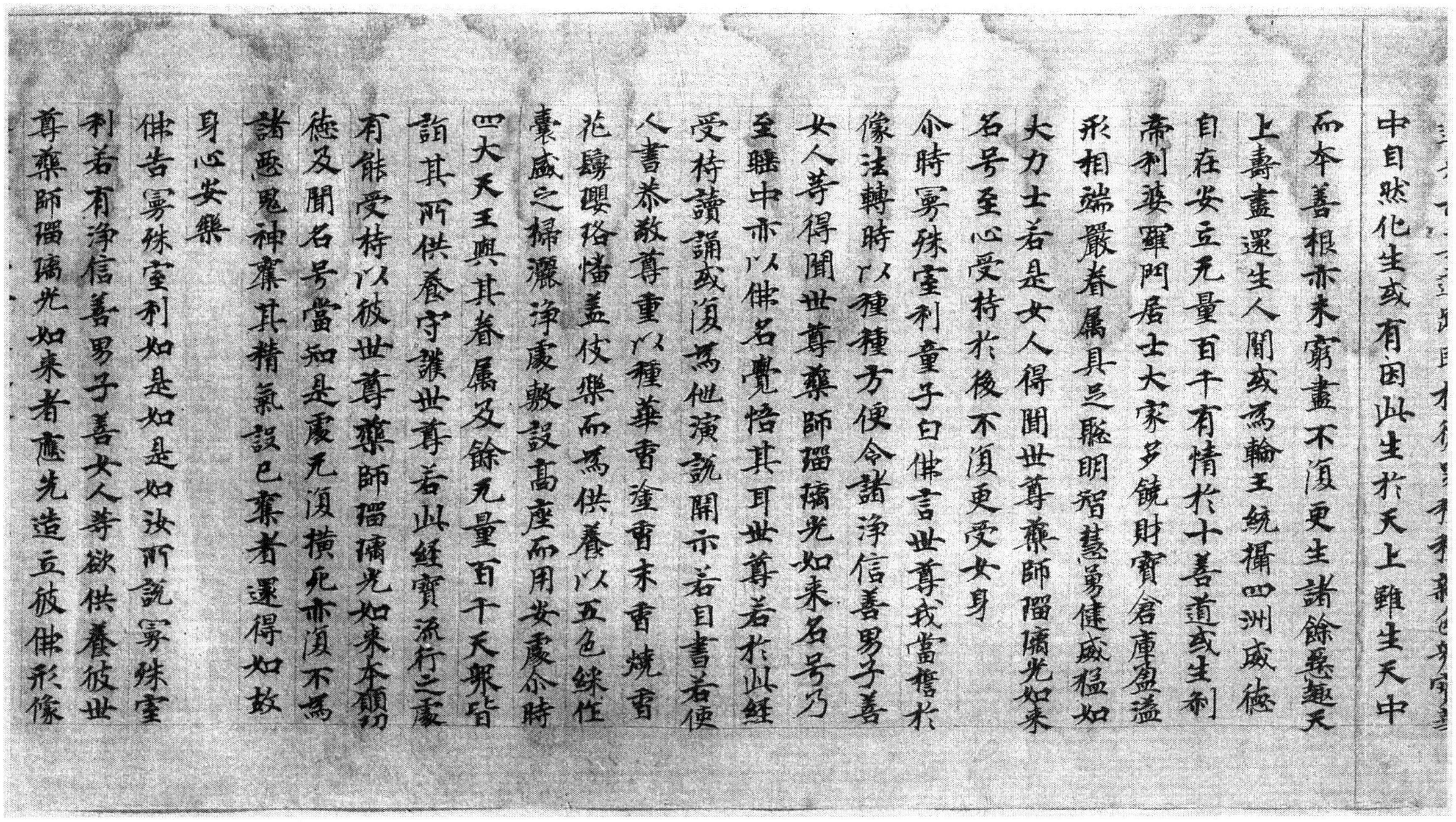

中自然化生或有因此生於天上雖生天中
而本善根亦未窮盡不復更生諸餘惡趣天
上壽盡還生人間或爲輪王統攝四洲威德
自在安立无量百千有情於十善道或生剎
帝利婆羅門居士大家多饒財寶倉庫盈溢
形相端嚴眷屬具足聰明智慧勇健威猛如
大力士若是女人得聞世尊藥師瑠璃光如來
名号至心受持於後不復更受女身
尒時曼殊室利童子白佛言世尊我當誓於
像法轉時以種種方便令諸淨信善男子善
女人等得聞世尊藥師瑠璃光如來名号乃
至睡中亦以佛名覺悟其耳世尊若於此經
受持讀誦或復爲他演說開示若自書若使
人書恭敬尊重以種種華香塗香末香燒香
花鬘瓔珞幡蓋伎樂而爲供養以五色綵作
囊盛之掃灑淨處敷設高座而用安處尒時
四大天王與其眷屬及餘无量百千天衆皆
詣其所供養守護世尊若此經寶流行之處
有能受持以彼世尊藥師瑠璃光如來本願功
德及聞名号當知是處无復橫死亦復不爲
諸惡鬼神奪其精氣設已奪者還得如故
身心安樂
佛告曼殊室利如是如是如汝所說曼殊室
利若有淨信善男子善女人等欲供養彼世
尊藥師瑠璃光如來者應先造立彼佛形像

BD02647 號　藥師琉璃光如來本願功德經　（14–7）

身心安樂
佛告曼殊室利如是如是如汝所說曼殊室
利若有淨信善男子善女人等欲供養彼世
尊藥師瑠璃光如來者應先造立彼佛形像
敷清淨座而安處之散種種花燒種種香以
種種幢幡莊嚴其處七日七夜受八分齋戒
食清淨食澡浴香潔著新淨衣應生无垢濁
心无怒害心於一切有情起利益安樂慈悲
喜捨平等之心鼓樂歌讚右遶佛像復應
念彼如來本願功德讀誦此經思惟其義演
說開示隨所樂願一切皆遂求長壽得長壽求
富饒得富饒求官位得官位求男女得男女
若復有人忽得惡夢見諸惡相或恠鳥來集
或於住處百恠出現此人若以衆妙資具恭
敬供養彼世尊藥師瑠璃光如來者惡夢惡
相諸不吉祥皆悉隱沒不能為患或有水火刀
毒懸嶮惡象師子虎狼熊羆毒虵惡蠍蜈蚣
蚰蜒蚊虻等怖若能至心憶念彼佛恭敬供
養一切怖畏皆得解脫若他國侵擾盜賊反
亂憶念恭敬彼如來者亦皆解脫
復次曼殊室利若有淨信善男子善女人等
乃至盡形不事餘天唯當一心歸佛法僧受
持禁戒若五戒十戒菩薩四百戒苾芻二百
五十戒苾芻尼五百戒於所受中或有毀犯
怖墮惡趣若能專念彼佛名号恭敬供養者
必定不受三惡趣生或有女人臨當產時受

BD02647 號　藥師琉璃光如來本願功德經　（14–8）

持禁戒若五戒十戒菩薩四百戒苾芻二百
五十戒苾芻尼五百戒於所受中或有毀犯
怖墮惡趣若能專念彼佛名号恭敬供養者
必定不受三惡趣生或有女人臨當產時受
於極苦若能至心稱名礼讚恭敬供養彼如
來者衆苦皆除所生之子身分具足形色端
正見者歡喜利根聰明安隱少病无有非人
奪其精氣
尒時世尊告阿難言如我稱揚彼佛世尊藥
師瑠璃光如來所有功德此是諸佛甚深行
處難可解了汝為信不阿難白言大德世尊
我於如來所說契經不生疑惑所以者何一
切如來身語意業无不清淨世尊此日月輪可
令墮落妙高山王可使傾動諸佛所言无
有異也世尊有諸衆生信根不具聞說諸佛
甚深行處作是思惟云何但念藥師瑠璃光
如來一佛名号便獲尒所功德勝利由此不
信返生誹謗彼於長夜失大利樂墮諸惡趣
流轉无窮佛告阿難是諸有情若聞世尊藥
師瑠璃光如來名号至心受持不生疑惑墮
惡趣者无有是處阿難此是諸佛甚深所行
難可信解汝今能受當知皆是如來威力阿
難一切聲聞獨覺及未登地諸菩薩等皆悉
不能如實信解唯除一生所繫菩薩阿難人
身難得於三寶中信敬尊重亦難可得得聞
世尊藥師瑠璃光如來名号復難於是阿難

BD02647 號　藥師琉璃光如來本願功德經　（14–9）

難一切聲聞獨覺及未登地諸菩薩等皆悉
不能如實信解唯除一生所繫菩薩阿難人
身難得於三寶中信敬尊重亦難可得得聞
世尊藥師瑠璃光如來名号須難於是阿難
彼藥師瑠璃光如來无量菩薩行无量巧方
便无量廣大願我若一劫若一劫餘而廣說
者劫可速盡彼佛行願善巧方便无有盡世
尒時衆中有一菩薩摩訶薩名曰救脫即從
座起偏袒一肩右膝著地曲躬合掌而白佛
言大德世尊像法轉時有諸衆生為種種患
之所困厄長病羸瘦不能飲食候脣乾燥見
諸方暗死相現前父母親屬朋友知識啼泣
圍遶然彼自身卧在本處見琰魔使引其神
識至于琰魔法王之前然諸有情有俱生神
隨其所作若罪若福皆具書之盡持授與琰
魔法王尒時彼王推問其人筭計所作隨其
罪福而處斷之時彼病人親屬知識若能為
彼歸依世尊藥師瑠璃光如來請諸衆僧轉
讀此經然七層之燈懸五色續命神幡或有
是處神識得還如在夢中明了自見或經七
日或二十一日或三十五日或四十九日彼識
還時如從夢覺皆自憶知善不善業所得
果報由自證見業果報故乃至命難亦不造
作諸惡之業是故淨信善男子善女人等皆
應受持藥師瑠璃光如來名号隨力所能恭

BD02647 號　藥師琉璃光如來本願功德經　（14–10）

還時如從夢覺皆自憶知善不善業所得
果報由自證見業果報故乃至命難亦不造
作諸惡之業是故淨信善男子善女人等皆
應受持藥師瑠璃光如來名号隨力所能恭
敬供養
尒時阿難問救脫菩薩曰善男子應云何恭
敬供養彼世尊藥師瑠璃光如來續命幡燈
復云何造救脫菩薩言大德若有病人欲脫
病苦當為其人七日七夜受持八分齋戒應
以飲食及餘資具隨力所辯供養苾蒭僧晝
夜六時礼拜供養彼世尊藥師瑠璃光如來
讀誦此經四十九遍然四十九燈造彼如來
形像七軀一一像前各置七燈一一燈量大
如車輪乃至四十九日光明不絕造五色綵
幡長四十九搩手應放雜類衆生至四十九
可得過度危厄之難不為諸横惡鬼所持
復次阿難若剎帝利灌頂王等灾難起時所
謂人衆疾疫難他國侵逼難自界叛逆難星
宿變怪難日月薄蝕難非時風雨難過時不
雨難彼剎帝利灌頂王等尒時應於一切有
情起慈悲心赦諸繫閉依前所說供養之法
供養彼世尊藥師瑠璃光如來由此善根及
彼如來本願力故令其國界即得安隱風雨
順時穀稼成熟一切有情无病歡樂於其國
中无有暴惡藥叉等神惱有情者一切惡相
皆即隱沒而剎帝利灌頂王等壽命色力无

BD02647 號　藥師琉璃光如來本願功德經　（14–11）

供養彼世尊藥師瑠璃光如來由此善根及
彼如來本願力故令其國界即得安隱風雨
順時穀稼成熟一切有情无病歡樂於其國
中无有暴惡藥叉等神惱有情者一切惡相
皆即隱沒而刹帝利灌頂王等壽命色力无
病自在皆得增益阿難若帝后妃主儲君王
子大臣輔相中宮綵女百官黎庶為病所苦
及餘厄難亦應造立五色神幡然燈續明放
諸生命散雜色華燒衆名香病得除愈衆
難解脫
尒時阿難問救脫菩薩言善男子云何已盡
之命而可增益救脫菩薩言大德汝豈不聞
如來說有九橫死耶是故勸造續命幡燈脩
諸福德以脩福故盡其壽命不經苦患阿難
問言九橫云何救脫菩薩言有諸有情得病
雖輕然无醫藥及看病者設復遇醫授以非
藥實不應死而便橫死又信世間邪魔外道
妖薛之師妄說禍福便生恐動心不自正卜
問覓禍殺種種衆生解奏神明呼諸魍魎請
乞福祐欲冀延年終不能得愚癡迷惑信邪
倒見遂令橫死入於地獄无有出期是名初
橫二者橫被王法之所誅戮三者畋獵嬉戲
躭婬嗜酒放逸无度橫為非人奪其精氣四
者橫為火焚五者橫為水溺六者橫為種種
惡獸所噉七者橫墮山崖八者橫為毒藥厭

BD02647 號　藥師琉璃光如來本願功德經　（14–12）

橫二者橫被王法之所誅戮三者畋獵嬉戲
躭婬嗜酒放逸无度橫為非人奪其精氣四
者橫為火焚五者橫為水溺六者橫為種種
惡獸所噉七者橫墮山崖八者橫為毒藥厭
禱呪咀起屍鬼等之所中害九者飢渴所困
不得飲食而便橫死是為如來略說橫死有
此九種其餘復有无量諸橫難可具說
復次阿難彼琰魔王主領世間名籍之記若
諸有情不孝五逆破辱三寶壞君臣法毀於
信戒琰魔法王隨罪輕重考而罰之是故我
今勸諸有情然燈造幡放生脩福令度苦厄
不遭衆難
尒時衆中有十二藥叉大將俱在會坐所謂
宮毗羅大將　伐折羅大將　迷企羅大將　安底羅大將
頞你羅大將　珊底羅大將　因達羅大將　波夷羅大將
摩虎羅大將　真達羅大將　招杜羅大將　毗羯羅大將
此十二藥叉大將一一各有七千藥叉以為眷
屬同時舉聲白佛言世尊我等今者蒙佛
威力得聞世尊藥師瑠璃光如來名号不復
更有惡趣之怖我等相率皆同一心乃至盡
形歸佛法僧誓當荷負一切有情為作義利
饒益安樂隨於何等村城國邑空閑林中若
有流布此經或復受持藥師瑠璃光如來名
号恭敬供養者我等眷屬衛護是人皆使解
脫一切苦難諸有願求悉令滿足或有疾厄求
度脫者亦應讀誦此經以五色縷結我名

BD02647 號　藥師琉璃光如來本願功德經　（14–13）

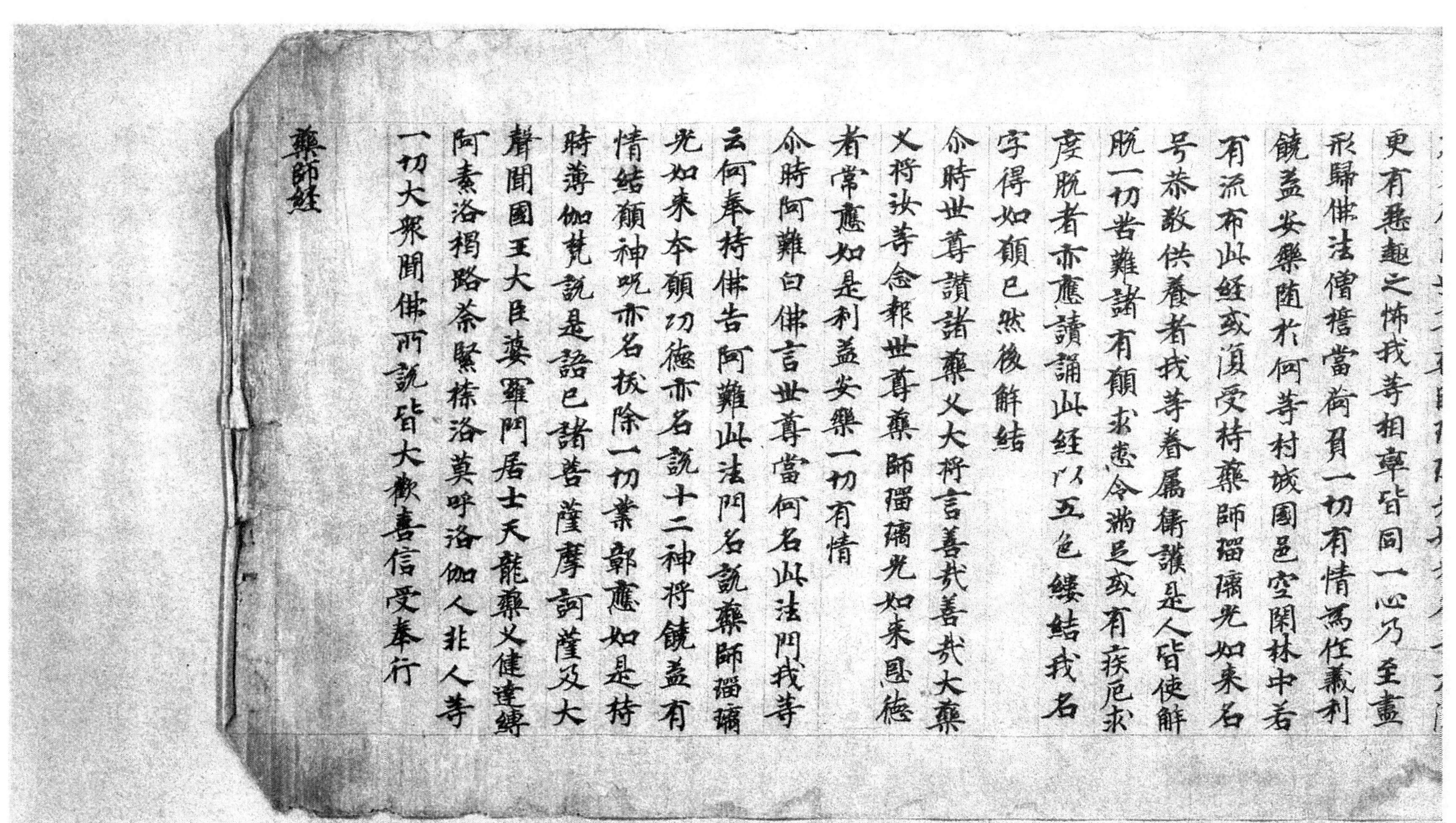

[illegible]
更有惡趣之怖我等相率皆同一心乃至盡
形歸佛法僧誓當荷負一切有情為作義利
饒益安樂隨於何等村城國邑空閑林中若
有流布此經或復受持藥師瑠璃光如來名
号恭敬供養者我等眷屬衛護是人皆使解
脫一切苦難諸有願求悉令滿足或有疾厄求
度脫者亦應讀誦此經以五色縷結我名
字得如願已然後解結
尒時世尊讚諸藥叉大將言善哉善哉大藥
叉將汝等念報世尊藥師瑠璃光如來恩德
者常應如是利益安樂一切有情
尒時阿難白佛言世尊當何名此法門我等
云何奉持佛告阿難此法門名說藥師瑠璃
光如來本願功德亦名說十二神將饒益有
情結願神呪亦名拔除一切業鄣應如是持
時薄伽梵說是語已諸菩薩摩訶薩及大
聲聞國王大臣婆羅門居士天龍藥叉健達縛
阿素洛揭路荼緊捺洛莫呼洛伽人非人等
一切大衆聞佛所說皆大歡喜信受奉行
藥師經

BD02647 號　藥師琉璃光如來本願功德經　（14–14）

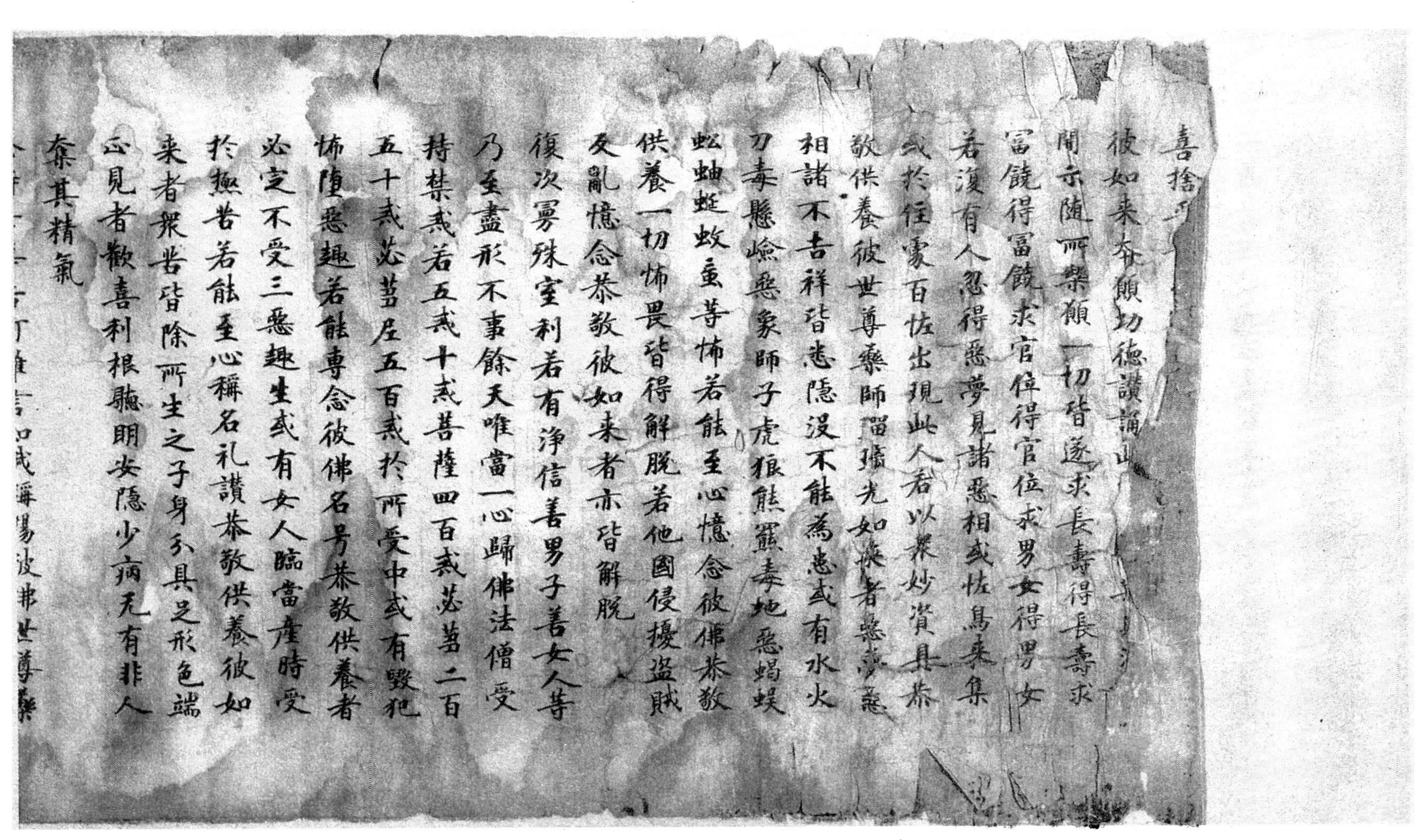

喜捨[illegible]
彼如來本願功德讀誦此[illegible]
聞示隨所樂願一切皆遂求長壽得長壽求
富饒得富饒求官位得官位求男女得男女
若復有人忽得惡夢見諸惡相或恠鳥來集
或於住處百恠出現此人若以衆妙資具恭
敬供養彼世尊藥師瑠璃光如來者惡夢惡
相諸不吉祥皆悉隱沒不能為患或有水火
刀毒懸嶮惡象師子虎狼熊羆毒虵惡蝎蜈
蚣蚰蜒蚊虻等怖若能至心憶念彼佛恭敬
供養一切怖畏皆得解脫若他國侵擾盜賊
反亂憶念恭敬彼如來者亦皆解脫
復次曼殊室利若有淨信善男子善女人等
乃至盡形不事餘天唯當一心歸佛法僧受
持禁戒若五戒十戒菩薩四百戒苾芻二百
五十戒苾芻尼五百戒於所受中或有毀犯
怖墮惡趣若能專念彼佛名号恭敬供養者
必定不受三惡趣生或有女人臨當產時受
於極苦若能至心稱名礼讚恭敬供養彼如
來者衆苦皆除所生之子身分具足形色端
正見者歡喜利根聰明安隱少病无有非人
奪其精氣
[illegible]

BD02648 號　藥師琉璃光如來本願功德經　（7–1）

必定不受三惡趣生或有女人臨當產時受
於極苦若能至心稱名礼讚恭敬供養彼如
来者衆苦皆除所生之子身分具足形色端
正見者歡喜利根聰明安隱少病无有非人
奪其精氣
尒時世尊告阿難言如我稱揚彼佛世尊藥
師瑠璃光如来所有功德此是諸佛甚深行
處難可解了汝為信不阿難白言大德世尊
我於如来所說契經不生疑惑所以者何一
切如来身語意業无清淨世尊此日月輪可
令墮落妙高山王可使傾動諸佛所言无有
異也世尊有諸衆生信根不具聞說諸佛甚
深行處作是思惟云何但念藥師瑠璃光如
来一佛名号便獲尒所功德勝利由此不信
返生誹謗彼於長夜失大利樂墮諸惡趣流
轉无窮佛告阿難是諸有情若聞世尊藥師
瑠璃光如来名号至心受持不生疑惑墮惡
趣者无有是處阿難此是諸佛甚深所行難
可信解汝今能受當知皆是如来威力阿難
一切聲聞獨覺及未登地諸菩薩等皆悉不
能如實信解唯除一生所繫菩薩阿難人身
難得於三寶中信敬尊重亦難可得聞世尊
藥師瑠璃光如来名号復難於是阿難彼藥
師瑠璃光如来无量菩薩行无量巧方便无
量廣大願我若一劫若一劫餘而廣說者劫

BD02648 號　藥師琉璃光如來本願功德經　（7–2）

難得於三寶中信敬尊重亦難可得聞世尊
藥師瑠璃光如来名号復難於是阿難彼藥
師瑠璃光如来无量菩薩行无量巧方便无
量廣大願我若一劫若一劫餘而廣說者劫
可速盡彼佛行願善巧方便无有盡也尒時
衆中有一菩薩摩訶薩名曰救脫即從座起
偏袒一肩右膝著地曲躬合掌而白佛言大
德世尊像法轉時有諸衆生為種種患之所
困厄長病羸瘦不能飲食喉脣乾燥見諸方
暗死相現前父母親屬朋友知識啼泣圍遶
然彼自身卧在本處見琰魔使引其神識至
于琰魔法王之前然諸有情有俱生神隨其
所作若罪若福皆具書之盡持授與琰魔法
王尒時彼王推問其人筭計所作隨其罪福
而處斷之時彼病人親屬知識若能為彼歸
依世尊藥師瑠璃光如来請諸衆僧轉讀此
經然七層之燈懸五色續命神幡或有是處
神識得還如在夢中明了自見或經七日或
二十一日或三十五日或四十九日彼識還
時如從夢覺皆自憶知善不善業所得果報
由自證見業果報故乃至命難亦不造作諸
惡之業是故淨信善男子善女人等皆應受
於藥師瑠璃光如来名号隨力所能恭敬供養
尒時阿難問救脫菩薩曰善男子應云何恭
敬供養彼世尊藥師瑠璃光如来續命幡燈

BD02648 號　藥師琉璃光如來本願功德經　（7–3）

惡之業是故淨信善男子善女人等皆應受
於藥師瑠璃光如來名号隨力所能恭敬供養
尒時阿難問救脫菩薩曰善男子應云何恭
敬供養彼世尊藥師瑠璃光如來續命旛燈
復云何造救脫菩薩言大德若有病人欲脫
病苦當爲其人七日七夜受持八分齋戒應
以飲食及餘資具隨力所辦供養苾蒭僧晝
夜六時礼拜供養彼世尊藥師瑠璃光如來
讀誦此經四十九遍然四十九燈造彼如來
形像七軀一一像前各置七燈一一燈量大
如車輪乃至四十九日光明不絕造五色綵
旛長四十九搩手應放雜類衆生至四十九
可得過度危厄之難不爲諸橫惡鬼所持復
次阿難若剎帝利灌頂王等災難起時所謂
人衆疾疫難他國侵逼難自界叛逆難星宿
變怪難日月薄蝕難非時風雨難過時不雨
難彼剎帝利灌頂王等尒時應於一切有情
起慈悲心赦諸繫閉依前所說供養之法供
養彼世尊藥師瑠璃光如來由此善根及彼
如來本願力故令其國界即得安隱風雨順
時穀稼成熟一切有情无病歡樂於其國中
无有暴惡藥叉等神惱有情者一切惡相皆
即隱沒而剎帝利灌頂王等壽命色力无病
自在皆得增益阿難若帝后妃主儲君王子
大臣輔相中宮綵女百官黎庶爲病所苦及
餘厄難亦應造立五色神旛然燈續明放諸

BD02648號　藥師琉璃光如來本願功德經　（7–4）

无有暴惡藥叉等神惱有情者一切惡相皆
即隱沒而剎帝利灌頂王等壽命色力无病
自在皆得增益阿難若帝后妃主儲君王子
大臣輔相中宮綵女百官黎庶爲病所苦及
餘厄難亦應造立五色神旛然燈續明放諸
生命散雜色華燒衆名香病得除愈衆難解脫
尒時阿難問救脫菩薩言善男子云何已盡
之命而可增益救脫菩薩言大德汝豈不聞
如來說有九橫死邪是故勸造續命旛燈脩
諸功德以脩福故盡其壽命不經苦患阿難
問言九橫云何救脫菩薩言若諸有情得病
雖輕然无醫藥及看病者設復遇醫授以非
藥實不應死而便橫死又信世間邪魔外道
妖孽之師妄說禍福便生恐動心不自正卜
問覓禍殺種種衆生解奏神明呼諸魍魎請
乞福祐欲冀延年終不能得愚癡迷惑信邪
倒見遂使橫死入於地獄无有出期是名初
橫二者橫被王法之所誅戮三者畋獵嬉戲
耽婬嗜酒放逸无度橫爲非人奪其精氣四
者橫爲火焚五者橫爲水溺六者橫爲種種
惡獸所噉七者橫墮山崖八者橫爲毒藥厭
禱呪咀起屍鬼等之所中害九者飢渴所困
不得飲食而便橫死是爲如來略說橫死有
此九種其餘復有无量諸橫難可具說
復次阿難彼琰魔王主領世間名籍之記若
諸有情不孝五逆破辱三寶壞君臣法毀於

BD02648號　藥師琉璃光如來本願功德經　（7–5）

惡獸所噉七者横墮山崖八者横為毒藥厭
禱呪咀起屍鬼等之所中害九者飢渴所困
不得飲食而便横死是為如來略說横死有
此九種其餘復有无量諸横難可具說
復次阿難彼琰魔王主領世間名籍之記若
諸有情不孝五逆破辱三寶壞君臣法毀於
信戒琰魔法王隨罪輕重考而罰之是故我
今勸諸有情然燈造幡放生脩福令度苦厄
不遭衆難
尒時衆中有十二藥叉大将俱在會坐所謂
宮毗羅大将 伐折羅大将 迷企羅大将 安底羅大将
頞你羅大将 珊底羅大将 因達羅大将 波夷羅大将
摩虎羅大将 真達羅大将 招杜羅大将 毗羯羅大将
此十二藥叉大将一一各有七千藥叉以為
眷屬同時舉聲白佛言世尊我等今者蒙佛
威力得聞世尊藥師瑠璃光如來名号不復
更有惡趣之怖我等相率皆同一心乃至盡
形歸佛法僧誓當荷負一切有情為作義利
饒益安樂隨於何等村城國邑空閑林中若
有流布此經或復受持藥師瑠璃光如來名
号恭敬供養者我等眷屬衛護是人皆使解
脫一切苦難諸有願求悉令滿足或有疾厄
求度脫者亦應讀誦此經以五色縷結我名
字得如願已然後解結
尒時世尊讃諸藥叉大将言善哉善哉大藥
叉将汝等念報世尊藥師瑠璃光如來恩德

BD02648號　藥師琉璃光如來本願功德經　（7–6）

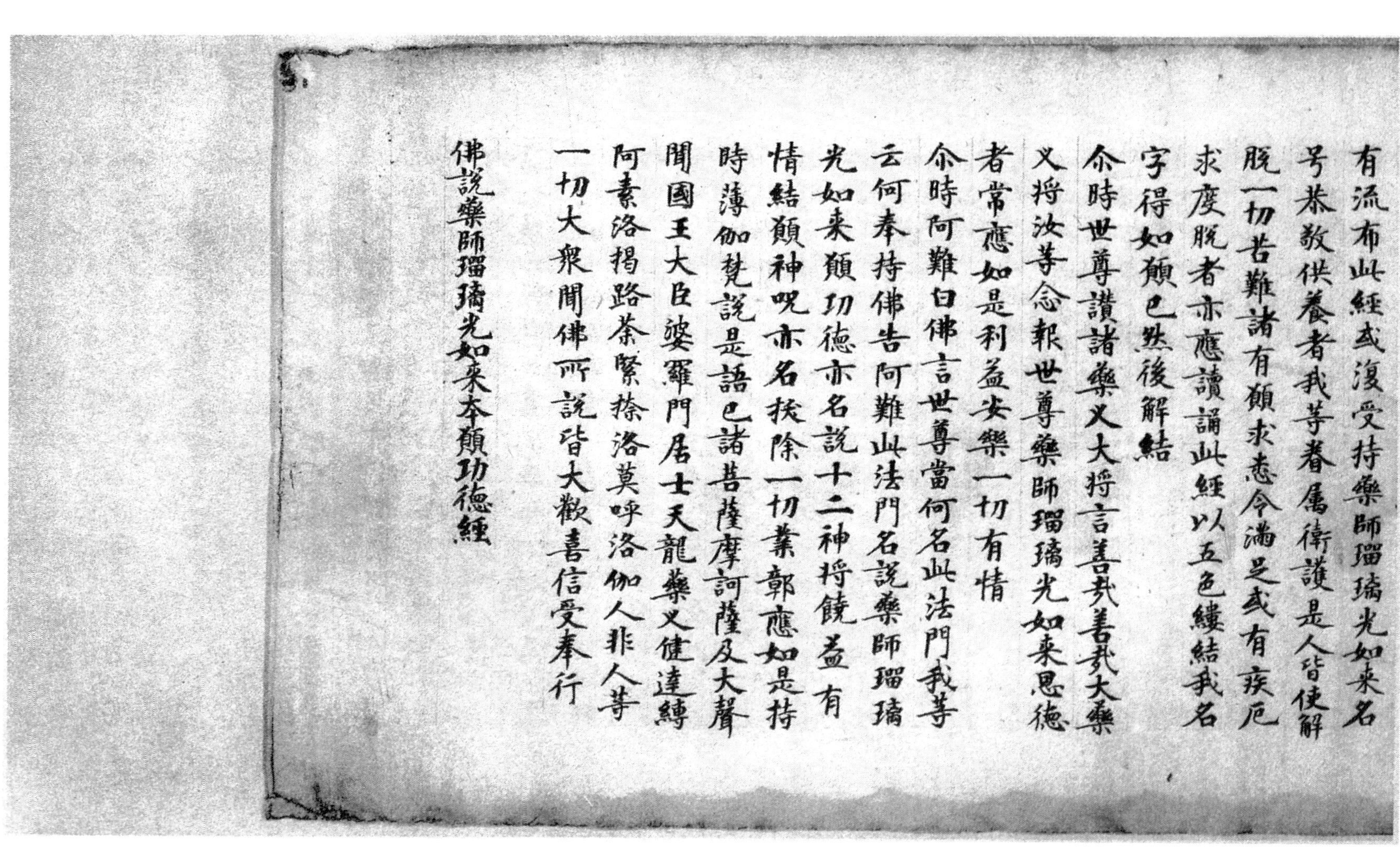

有流布此經或復受持藥師瑠璃光如來名
号恭敬供養者我等眷屬衛護是人皆使解
脫一切苦難諸有願求悉令滿足或有疾厄
求度脫者亦應讀誦此經以五色縷結我名
字得如願已然後解結
尒時世尊讃諸藥叉大将言善哉善哉大藥
叉将汝等念報世尊藥師瑠璃光如來恩德
者常應如是利益安樂一切有情
尒時阿難白佛言世尊當何名此法門我等
云何奉持佛告阿難此法門名說藥師瑠璃
光如來願功德亦名說十二神将饒益有
情結願神呪亦名拔除一切業鄣應如是持
時薄伽梵說是語已諸菩薩摩訶薩及大聲
聞國王大臣婆羅門居士天龍藥叉健達縛
阿素洛揭路荼緊捺洛莫呼洛伽人非人等
一切大衆聞佛所說皆大歡喜信受奉行
佛說藥師瑠璃光如來本願功德經

BD02648號　藥師琉璃光如來本願功德經　（7–7）

知是人成就最上第一希有之法若是經典
所在之處則為有佛若尊重弟子
尒時須菩提白佛言世尊當何名此經
云何奉持佛告須菩提是經名為金剛般若
波羅蜜以是名字汝當奉持所以者何須菩
提佛說般若波羅蜜則非般若波羅蜜
須菩提於意云何如来有所說法不須菩
提白佛言世尊如来无所說須菩提於意云何三
千大千世界所有微塵是為多不須菩提
言甚多世尊須菩提諸微塵如来說非微
塵是名微塵如来說世界非世界是名世界須菩提
於意云何可以三十二相見如来不不也世
尊不可以三十二相得見如来何以故如来
說三十二相即是非相是名三十二相
須菩提若有善男子善女人以恒河沙等
身命布施若復有人於此經中乃至受持
四句偈等為他人說其福甚多
尒時須菩提聞說是經深解義趣涕淚悲
泣而白佛言希有世尊佛說如是甚深經典
我從昔来所得慧眼未曾得聞如是之經世
尊若復有人得聞是經信心清淨則生實相
當知是人成就第一希有功德世尊是實相
者則是非相是故如来說名實相世尊我

BD02649號　金剛般若波羅蜜經　（11–1）

尒時須菩提聞說是經深解義趣涕淚悲
泣而白佛言希有世尊佛說如是甚深經典
我從昔来所得慧眼未曾得聞如是之經世
尊若復有人得聞是經信心清淨則生實相
當知是人成就第一希有功德世尊是實相
者則是非相是故如来說名實相世尊我
今得聞如是經典信解受持不足為難若當
来世後五百歲其有衆生得聞是經信解受
持是人則為第一希有何以故此人无我
相衆生相壽者相所以者何我相即是非相
人相衆生相壽者相即是非相何以故離
一切諸相則名諸佛
佛告須菩提如是如是若復有人得聞是經
不驚不怖不畏當知是人甚為希有何以故
須菩提如来說第一波羅蜜非第一波羅
蜜是名第一波羅蜜
須菩提忍辱波羅蜜如来說非忍辱波羅蜜
何以故須菩提如我昔為歌利王割截身體
我於尒時无我相无人相无衆生相无壽者
相何以故我於往昔節節支解時若有我
相人相衆生相壽者相應生瞋恨須菩提又
念過去於五百世作忍辱仙人於尒所世无我
相无人相无衆生相无壽者相是故須菩提菩
薩應離一切相發阿耨多羅三藐三菩提
心不住色生心不應住聲香味觸法生心
應生无所住心若心有住則為非住是故佛
說菩薩心不應住色布施須菩提菩薩為
利益一切衆生應如是布施如来說一切諸

BD02649號　金剛般若波羅蜜經　（11–2）

相无人相无衆生相无壽者相是故須菩提
薩應離一切相發阿耨多羅三藐三菩提
心不住色生心不應住聲香味法觸生心
應生无所住心若心有住則爲非住是故佛
說菩薩心不應住色布施須菩提菩薩爲
利益一切衆生應如是布施如來說一切諸
相即是非相又說一切衆生則非衆生
須菩提如來是真語者實語者如語者不
誑語者不異語者須菩提如來所得法此
法无實无虛
須菩提若菩薩心住於法而行布施如人入
闇則无所見若菩薩心不住法而行布施如
人有目日光明照見種種色
須菩提當來之世若善男子善女人能於此
經受持讀誦則爲如來以佛智慧悉知是
人悉見是人皆得成就无量无邊功德
須菩提若有善男子善女人初日分以恒河
沙等身布施中日分復以恒河沙等身布
施後日分亦以恒河沙等身布施如是无量
百千万億劫以身布施若復有人聞此經典
信心不逆其福勝彼何況書寫受持讀誦
爲人解說
須菩提以要言之是經有不可思議不可稱
量无邊功德如來爲發大乘者說爲發最上
乘者說若有人能受持讀誦廣爲人說如
來悉知是人悉見是人皆得成就不可量不
可稱无有邊不可思議功德如是人等則爲
荷擔如來阿耨多羅三藐三菩提何以故須

BD02649號　金剛般若波羅蜜經　（11–3）

量无邊功德如來爲發大乘者說爲發最上
乘者說若有人能受持讀誦廣爲人說如
來悉知是人悉見是人皆得成就不可量不
可稱无有邊不可思議功德如是人等則爲
荷擔如來阿耨多羅三藐三菩提何以故須
菩提若樂小法者著我見人見衆生見壽者
見則於此經不能聽受讀誦爲人解說須菩
提在在處處若有此經一切世間天人阿脩
羅所應供養當知此處則爲是塔皆應恭
敬作禮圍遶以諸華香而散其處
復次須菩提善男子善女人受持讀誦此經
若爲人輕賤是人先世罪業應墮惡道以今
世人輕賤故先世罪業則爲消滅當得阿耨
多羅三藐三菩提須菩提我念過去无量阿
僧祇劫於然燈佛前得值八百四千万億那
由他諸佛悉皆供養承事无空過者若復
有人於後末世能受持讀誦此經所得功德
於我所供養諸佛功德百分不及一千万億
分乃至筭數譬喻所不能及須菩提若善男
子善女人於後末世有受持讀誦此經所得
功德我若具說者或有人聞心則狂亂狐疑不
信須菩提當知是經義不可思議果報亦不可
思議
尒時須菩提白佛言世尊善男子善女人發阿
耨多羅三藐三菩提心云何應住云何降伏
其心佛告須菩提善男子善女人發阿耨多
羅三藐三菩提者當生如是心我應滅度一

BD02649號　金剛般若波羅蜜經　（11–4）

尒時須菩提白佛言世尊善男子善女人發阿
耨多羅三藐三菩提心云何應住云何降伏
其心佛告須菩提善男子善女人發阿耨多
羅三藐三菩提者當生如是心我應滅度一
切衆生滅度一切衆生已而无有一衆生
實滅度者何以故若菩薩有我相人相衆生
相壽者相則非菩薩所以者何須菩提實无
有法發阿耨多羅三藐三菩提者
須菩提於意云何如來於然燈佛所有法得
阿耨多羅三藐三菩提不不也世尊如我解
佛所說義佛於然燈佛所无有法得阿耨多
羅三藐三菩提佛言如是如是須菩提實无
有法如來得阿耨多羅三藐三菩提須菩提
若有法如來得阿耨多羅三藐三菩提者然
燈佛則不與我受記汝於來世當得作佛号釋
迦牟尼以實无有法得阿耨多羅三藐三菩
提是故然燈佛與我受記作是言汝於來世
當得作佛号釋迦牟尼何以故如來者即諸
法如義若有人言如來得阿耨多羅三藐三
菩提須菩提實无有法佛得阿耨多羅三藐
三菩提須菩提如來所得阿耨多羅三藐三
菩提於是中无實无虛是故如來說一切法
皆是佛法須菩提所言一切法者即非一切
法是故名一切法
須菩提譬如人身長大須菩提言世尊如來
說人身長大則為非大身是名大身

BD02649號　金剛般若波羅蜜經　（11–5）

菩提於是中无實无虛是故如來說一切法
皆是佛法須菩提所言一切法者即非一切
法是故名一切法
須菩提譬如人身長大須菩提言世尊如來
說人身長大則為非大身是名大身
須菩提菩薩亦如是若作是言我當滅度无
量衆生則不名菩薩何以故須菩提實无有
法名為菩薩是故佛說一切法无我无人无
衆生无壽者須菩提若菩薩作是言我當莊
嚴佛土是不名菩薩何以故如來說莊嚴佛
土者即非莊嚴是名莊嚴須菩提若菩薩通
達无我法者如來說名真是菩薩
須菩提於意云何如來有肉眼不如是世尊
如來有肉眼須菩提於意云何如來有天眼
不如是世尊如來有天眼須菩提於意云何
如來有慧眼不如是世尊如來有慧眼須菩
提於意云何如來有法眼不如是世尊如來
有法眼須菩提於意云何如來有佛眼不如
是世尊如來有佛眼須菩提於意云何恒河
中所有沙佛說是沙不如是世尊如來說是
沙須菩提於意云何如一恒河中所有沙有
如是等恒河是諸恒河所有沙數佛世界如
是寧為多不甚多世尊佛告須菩提尒所國
土中所有衆生若干種心如來悉知何以故
如來說諸心皆為非心是名為心所以者何
須菩提過去心不可得現在心不可得未來
心不可得須菩提於意云何若有人滿三千

BD02649號　金剛般若波羅蜜經　（11–6）

是寧為多不甚多世尊佛告須菩提尒所國
土中所有眾生若干種心如來悉知何以故
如來說諸心皆為非心是名為心所以者何
須菩提過去心不可得現在心不可得未來
心不可得須菩提於意云何若有人滿三千
大千世界七寶以用布施是人以是因緣得
福多不如是世尊此人以是因緣得福甚多
須菩提若福德有實如來不說得福德多
以福德无故如來說得福德多
須菩提於意云何佛可以具足色身見不不
也世尊如來不應以具足色身見何以故如
來說具足色身即非具足色身是名具足色
身須菩提於意云何如來可以具足諸相見
不不也世尊如來不應以具足諸相見何以故
如來說諸相具足即非具足是名諸相具足
須菩提汝勿謂如來作是念我當有所說法
莫作是念何以故若人言如來有所說法
即為謗佛不能解我所說故須菩提說法
者无法可說是名說法
須菩提白佛言世尊佛得阿耨多羅三藐三
菩提為无所得邪如是如是須菩提我於阿
耨多羅三藐三菩提乃至无有少法可得是
名阿耨多羅三藐三菩提復次須菩提是法
平等无有高下是名阿耨多羅三藐三菩提
以无我无人无眾生无壽者脩一切善法則
得阿耨多羅三藐三菩提須菩提所言善
法者如來說非善法是名善法
須菩提若三千大千世界中所有諸須弥山

BD02649號　金剛般若波羅蜜經　（11–7）

耨多羅三藐三菩提乃至无有少法可得是
名阿耨多羅三藐三菩提復次須菩提是法
平等无有高下是名阿耨多羅三藐三菩提
以无我无人无眾生无壽者脩一切善法則
得阿耨多羅三藐三菩提須菩提所言善
法者如來說非善法是名善法
須菩提若三千大千世界中所有諸須弥山
王如是等七寶聚有人持用布施若人以此
般若波羅蜜經乃至四句偈等受持讀誦為
他人說於前福德百分不及一百千万億分
乃至筭數譬喻所不能及
須菩提於意云何汝等勿謂如來作是念我
當度眾生須菩提莫作是念何以故實无
有眾生如來度者若有眾生如來度者如來
則有我人眾生壽者須菩提如來說有我
者則非有我而凡夫之人以為有我須菩提
凡夫者如來說則非凡夫
須菩提於意云何可以卅二相觀如來不須
菩提言如是如是以卅二相觀如來佛言須
菩提若以卅二相觀如來者轉輪聖王則是
如來須菩提白佛言世尊如我解佛所說義
不應以卅二相觀如來尒時世尊而說偈言
若以色見我　以音聲求我　是人行邪道　不能見如來
須菩提汝若作是念如來不以具足相故得
阿耨多羅三藐三菩提須菩提莫作是念如
來不以具足相故得阿耨多羅三藐三菩提
須菩提汝若作是念發阿耨多羅三藐三菩
提者說諸法斷滅莫作是念何以故發阿

BD02649號　金剛般若波羅蜜經　（11–8）

若以色見我以音聲求我是人行邪道不能見如来
須菩提汝若作是念如来不以具足相故得
阿耨多羅三藐三菩提須菩提莫作是念如
来不以具足相故得阿耨多羅三藐三菩提
須菩提汝若作是念發阿耨多羅三藐三菩
提者説諸法斷滅莫作是念何以故發阿
耨多羅三藐三菩提者於法不説斷滅相須
菩提若菩薩以滿恒河沙等世界七寶布施
若復有人知一切法无我得成於忍此菩薩
勝前菩薩所得功德須菩提以諸菩薩不受
福德故須菩提白佛言世尊云何菩薩不受
福德須菩提菩薩所作福德不應貪著是故
説不受福德
須菩提若有人言如来若来若去若坐若卧
是人不解我所説義何以故如来者无所從
来亦无所去故名如来
須菩提若善男子善女人以三千大千世界
碎為微塵於意云何是微塵衆寧為多不甚
多世尊何以故若是微塵衆實有者佛則不
説是微塵衆所以者何佛説微塵衆則非微
塵衆是名微塵衆世尊如来所説三千大千
世界則非世界是名世界何以故若世界實有
者則是一合相如来説一合相則非一合相是
名一合相須菩提一合相者則是不可説
但凡夫之人貪著其事須菩提若人言佛説
我見人見衆生見壽者見須菩提於意云
何是人解我所説義不世尊是人不解如来
所説義何以故世尊説我見人見衆生見壽

BD02649號　金剛般若波羅蜜經　（11–9）

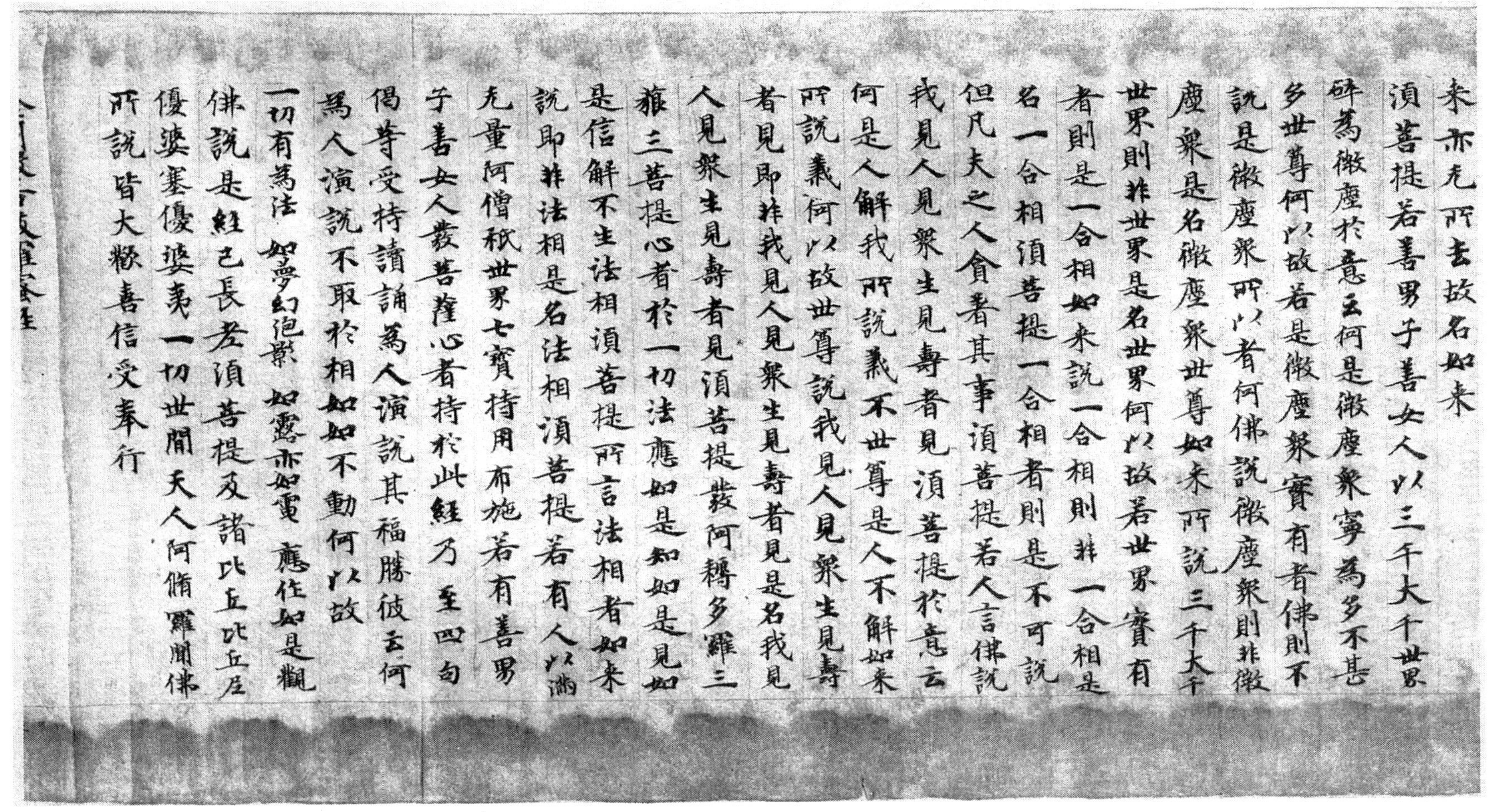
来亦无所去故名如来
須菩提若善男子善女人以三千大千世界
碎為微塵於意云何是微塵衆寧為多不甚
多世尊何以故若是微塵衆實有者佛則不
説是微塵衆所以者何佛説微塵衆則非微
塵衆是名微塵衆世尊如来所説三千大千
世界則非世界是名世界何以故若世界實有
者則是一合相如来説一合相則非一合相是
名一合相須菩提一合相者則是不可説
但凡夫之人貪著其事須菩提若人言佛説
我見人見衆生見壽者見須菩提於意云
何是人解我所説義不世尊是人不解如来
所説義何以故世尊説我見人見衆生見壽
者見即非我見人見衆生見壽者見是名我見
人見衆生見壽者見須菩提發阿耨多羅三
藐三菩提心者於一切法應如是知如是見如
是信解不生法相須菩提所言法相者如来
説即非法相是名法相須菩提若有人以滿
无量阿僧祇世界七寶持用布施若有善男
子善女人發菩薩心者持於此經乃至四句
偈等受持讀誦為人演説其福勝彼云何
為人演説不取於相如如不動何以故
一切有為法　如夢幻泡影　如露亦如電　應作如是觀
佛説是經已長老須菩提及諸比丘比丘尼
優婆塞優婆夷一切世間天人阿脩羅聞佛
所説皆大歡喜信受奉行
金剛般若波羅蜜經

BD02649號　金剛般若波羅蜜經　（11–10）

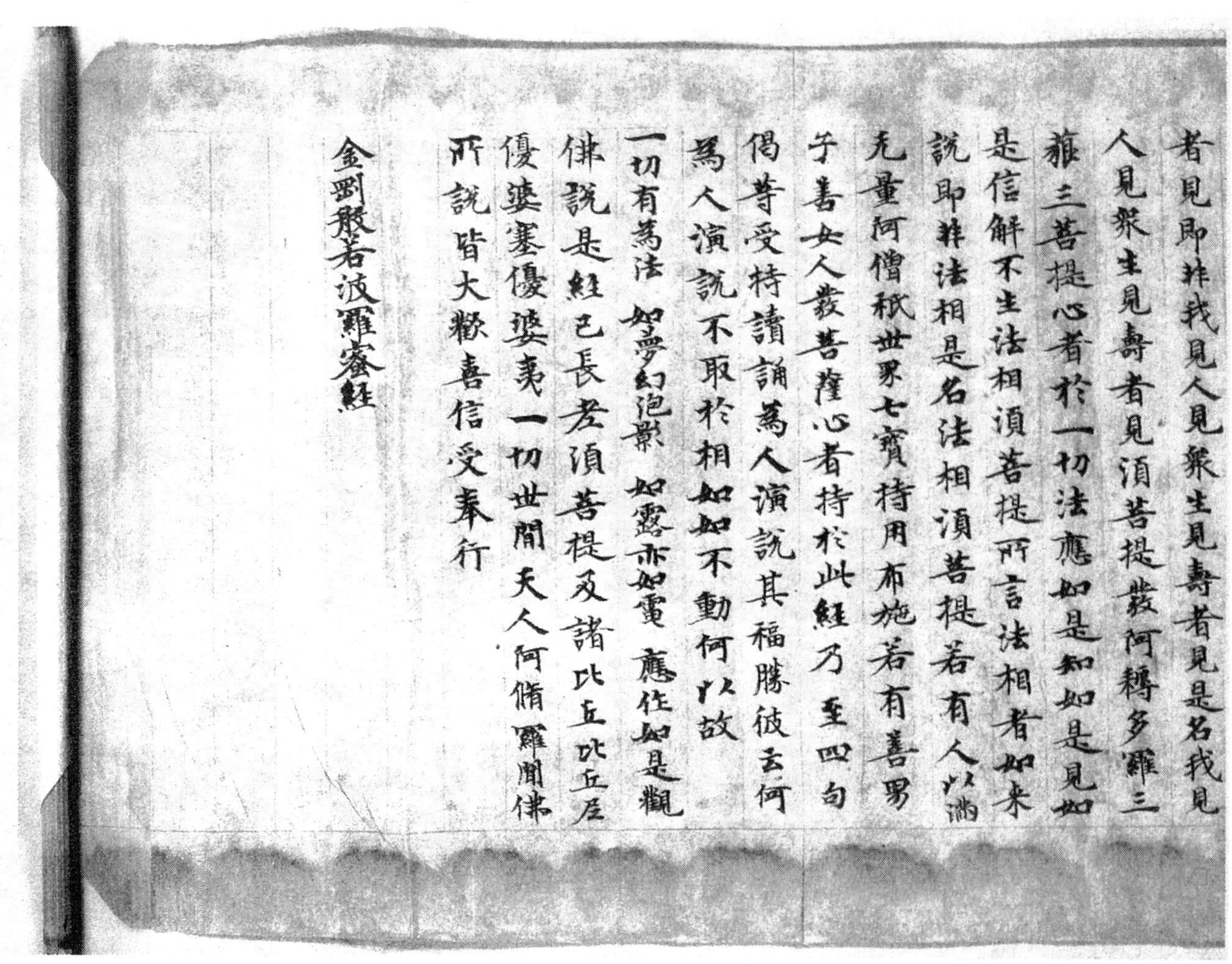
者見即非我見人見衆生見壽者見是名我見
人見衆生見壽者見須菩提發阿耨多羅三
藐三菩提心者於一切法應如是知如是見如
是信解不生法相須菩提所言法相者如来
說即非法相是名法相須菩提若有人以滿
无量阿僧祇世界七寶持用布施若有善男
子善女人發菩薩心者持於此經乃至四句
偈等受持讀誦為人演說其福勝彼云何
為人演說不取於相如如不動何以故
一切有為法　如夢幻泡影　如露亦如電　應作如是觀
佛說是經已長老須菩提及諸比丘比丘尼
優婆塞優婆夷一切世間天人阿脩羅聞佛
所說皆大歡喜信受奉行
金剛般若波羅蜜經

BD02649號　金剛般若波羅蜜經　（11–11）

久已通達淨藏菩薩已於无量百千万億劫
通達離諸惡趣三昧欲令一切衆生離諸惡
趣故其王夫人得諸佛集三昧能知諸佛祕
密之藏二子如是以方便力善化其父令心
信解好樂佛法於是妙莊嚴王與群臣眷屬
俱淨德夫人與後宮婇女眷屬俱其王二子
與四万二千人俱一時共詣佛所到已頭面
礼足繞佛三帀却住一面尒時彼佛為王說
法示教利喜王大歡悅尒時妙莊嚴王及其
夫人解頸真珠瓔珞價直百千以散佛上於
虛空中化成四柱寶臺臺中有大寶牀敷百
千万天衣其上有佛結加趺坐放大光明尒
時妙莊嚴王作是念佛身希有端嚴殊特成
就第一微妙之色時雲雷音宿王華智佛告
四衆言汝等見是妙莊嚴王於我前合掌立
不此王於我法中作比丘精勤脩習助佛道
法當得作佛号娑羅樹王國名大光劫名大
高王其娑羅樹王佛有無量菩薩衆及无量
聲聞其國平正功德如是其王即時以國付
弟與夫人二子并諸眷屬於佛法中出家脩

BD02650號　妙法蓮華經卷七　（2–1）

礼足繞佛三帀却住一面尒時彼佛為王説
法示教利喜王大歡悅尒時妙莊嚴王及其
夫人解頸真珠瓔珞價直百千以散佛上於
虛空中化成四柱寶臺臺中有大寶牀敷百
千万天衣其上有佛結加趺坐放大光明尒
時妙莊嚴王作是念佛身希有端嚴殊特成
就第一微妙之色時雲雷音宿王華智佛告
四衆言汝等見是妙莊嚴王於我前合掌立
不此王於我法中作比丘精勤脩習助佛道
法當得作佛号娑羅樹王國名大光劫名大
高王其娑羅樹王佛有無量菩薩衆及无量
聲聞其國平正功德如是其王即時以國付
弟與夫人二子并諸眷屬於佛法中出家脩
道王出家已於八万四千歲常勤精進脩行
妙法華經過是已後得一切淨功德莊嚴三
昧即昇虛空高七多羅樹而白佛言世尊此
我二子已作佛事以神通變化轉我邪心令
得安住於佛法中得見世尊此二子者是我
善知識為欲發起宿世善根饒益我故來生
我家尒時雲雷音宿王華智佛告妙莊嚴
王言如是如是如汝所言若善男子

BD02650 號　妙法蓮華經卷七　（2–2）

過非〻想天
三天一切部
羅緊那羅摩睺羅伽宮
烟雲蓋其蓋光明亦照宮
世界所有種〻香烟雲蓋皆是此經威
故是諸〻　經時種〻香氣
不但遍此三千大千世界於一念頃亦遍十方
无量无邊恒河沙等百千万億諸佛世界於
諸佛上虛空之中亦成香蓋金色普照亦復
如是〻諸世尊聞是妙香見是香蓋及金色
光於十方世界恒河沙等諸佛世尊作如是等
神力變化已〻　法者稱讚善〻哉
〻大士汝能廣宣流布如是甚深微妙經典
則為成就无量无邊不可思議功德之聚若
有聞是甚深經典所得功德則為不少况持
讀誦為諸衆生開示分別演説其義何以故
善男子此金光明微〻　經典无量无邊億那
由陁諸菩薩等若得聞　即不退轉於阿耨
多羅三藐三菩提尒時十方无量无邊恒河

BD02651 號　金光明經卷二　（5–1）

有聞是甚深經典所得功德則為不少況持
讀誦為諸衆生開示分別演說其義何以故
善男子此金光明微妙經典无量无邊億那
由他諸菩薩等若聞已即不退轉於阿耨
多羅三藐三菩提尒時十方无量无邊恒河
沙等諸佛世界現在諸佛異口同聲作如是
言善男子汝於未来世界定當得坐於道場菩
提樹下於三界中最尊最勝出過一切衆生
之上懃猶力故史皆皆行善能莊嚴菩提道
場能壞三千大千世界外道邪論摧伏諸魔
怨賊異形覺了諸法第一寂滅清淨无垢甚
深无上菩提之道善男子汝已能坐金剛坐
處轉於无上諸佛所讚十二種行甚深法輪
能擊无上最大法鼓能吹无上極妙法螺能
竪无上最勝法幢能然无上極明法炬能雨
无上甘露法雨能斷无量煩惱怨結能令无
量百千萬億那由他衆度於无崖可畏大海
解脫生死无際輪轉值遇无量百千萬億那
由他佛

尒時四天王復白佛言世尊是金光明微妙
經典能得未來現在種種无量功德是故人
王若得聞是微妙經典則為已於百千萬億
无量佛所種諸善根我以敬念是人王故復見
无量福德利故我等四王及餘眷屬无量百
千萬億鬼神於自宮殿見是種種香烟雲蓋

王若得聞是微妙經典則為已於百千萬億
无量佛所種諸善根我以敬念是人王故復見
无量福德利故我等四王及餘眷屬无量百
千萬億鬼神於自宮殿見是種種香烟雲蓋
瑞應之時我當隱蔽不現其身為聽法故當
至是王所止宮殿講法之處大梵天王釋提
桓因大辯天神功德天神堅牢地神散脂鬼
神大將軍等廿八部鬼神大將摩醯首羅金
剛密迹摩尼拔陁鬼神大將鬼子母及五百
鬼子周通卑遶阿耨達龍王娑竭羅龍王无
量百千萬億那由他鬼神諸天如是等衆為聽
法故悉自隱蔽不現其身至是人王所止宮
殿講法之處世尊我等四王及餘眷屬无量
鬼神悉當同心以是人王為善知識同共一
行善相應行能為无上大法施主以甘露味
充足我等我等應當擁護是王除其衰患
令得安樂及其宮宅國土城邑諸惡災患悉令
消滅世尊若有人王於此經典心生捨離不
樂聽聞其心不欲恭敬供養尊重讚嘆若四
部衆有能受持讀誦講說之者亦復不能恭
敬供養尊重讚嘆我等四王及餘眷屬无量
鬼神即便不得聞此正法背甘露味失大法利
无有勢力及以威德減損天衆增長惡趣世
尊我等四王及无量鬼神捨其國土不但我
[illegible]

敬供養尊重讚嘆我等四王及餘眷屬无量
鬼神即便不得聞此正法背甘露味失大法利
无有勢力及以威德減損天衆增長惡趣世
尊我等四王及无量鬼神捨其國土不但我
等亦有无量守護國土諸舊善神皆悉捨去
我等諸天及諸鬼神既捨離已其國當有種
々灾異一切人民失其善心唯有繫縛瞋恚
鬪諍互相破壞多諸疾疫彗星現怪流星
諸五星諸宿違失常度兩日並現日月薄
白黑惡虹數々出現大地震動發大音聲
風惡雨无日不有穀米勇貴飢饉凍餓多
他方怨賊侵掠其國人民多受苦惱其地无
有可愛樂處世尊我等四王及諸无量百千
鬼神并守國土諸舊善神遠離去時生如是
等无量惡事世尊若有人王欲得自護及王
國土多受安樂欲令國土一切衆生悉皆成
就具足快樂欲得摧伏一切外敵欲得擁護
一切國土欲以正法正治國土欲得滅除衆生
怖畏世尊是人王等應當畢定聽是經典
及恭敬供養讀誦受持是經典者我等四王
及无量鬼神以是法食善根因緣得服
上法味增長身力心進勇銳增
敬以是人王至心聽受是經典
說出欲論釋提桓因種々善論五
仙之論世尊梵天釋提桓因五

BD02651號　金光明經卷二　（5–4）

有可愛樂處世尊我等四王及諸无量百千
鬼神并守國土諸舊善神遠離去時生如是
等无量惡事世尊若有人王欲得自護及王
國土多受安樂欲令國土一切衆生悉皆成
就具足快樂欲得摧伏一切外敵欲得擁護
一切國土欲以正法正治國土欲得滅除衆生
怖畏世尊是人王等應當畢定聽是經典
及恭敬供養讀誦受持是經典者我等四王
及无量鬼神以是法食善根因緣得服
上法味增長身力心進勇銳增
敬以是人王至心聽受是經典
說出欲論釋提桓因種々善論五
仙之論世尊梵天釋提桓因五
百千俱那由他无量勝論是金
[illegible]未說是金光明

BD02651號　金光明經卷二　（5–5）

如是之人 乃可為說 如人至心 求佛舍利
如是求經 得已頂受 其人不復 志求餘經
亦未曾念 外道典籍 如是之人 乃可為說
告舍利弗 我說是相 求佛道者 窮劫不盡
如是等人 則能信解 汝當為說 妙法華經

妙法蓮華經信解品第四

尒時慧命須菩提摩訶迦旃延摩訶迦葉
摩訶目揵連從佛所聞未曾有法世尊授舍
利弗阿耨多羅三藐三菩提記發希有心歡
喜踊躍即從座起整衣服偏袒右肩右膝著
地一心合掌曲躬恭敬瞻仰尊顏而白佛言我
等居僧之首年並朽邁自謂已得涅槃无所
堪任不復進求阿耨多羅三藐三菩提世尊
往昔說法既久我時在座身體疲懈但念空
无相无作於菩薩法遊戲神通淨佛國土成
就衆生心不喜樂所以者何世尊令我等出
於三界得涅槃證又今我等年已朽邁於佛
教化菩薩阿耨多羅三藐三菩提不生一念
好樂之心我等今於佛前聞授聲聞阿耨多
羅三藐三菩提記心甚歡喜得未曾有不謂

BD02652號　妙法蓮華經卷二　（2–1）

往昔說法既久我時在座身體疲懈但念空
无相无作於菩薩法遊戲神通淨佛國土成
就衆生心不喜樂所以者何世尊令我等出
於三界得涅槃證又今我等年已朽邁於佛
教化菩薩阿耨多羅三藐三菩提不生一念
好樂之心我等今於佛前聞授聲聞阿耨多
羅三藐三菩提記心甚歡喜得未曾有不謂
於今忽然得聞希有之法深自慶幸獲大善
利无量珎寶不求自得世尊我等今者樂說
譬喻以明斯義譬若有人年既幼稚捨父逃
逝久住他國或十二十至五十歲年既長大
加復窮困馳騁四方以求衣食漸漸遊行遇
向本國其父先來求子不得中止一城其家
大富財寶无量金銀瑠璃珊瑚虎珀頗梨珠
等其諸倉庫悉皆盈溢多有僮僕臣佐吏民
象馬車乘牛羊无數出入息利乃遍他國商
估賈客亦甚衆多時貧窮子遊諸聚落經
歷國邑遂到其父所止之城父每念子與子離別
五十餘年而未曾向人說如此事但自思惟
心懷悔恨自念老朽多有財物金銀珎寶倉
庫盈溢无有子息一旦終沒財物散失无所
以慇懃每憶其子復作是念我若得
憂慮世尊尒時

BD02652號　妙法蓮華經卷二　（2–2）

若一切智智清淨无二
有情清淨故水火風空識界清淨水
空識界清淨故一切智智清淨何以故若水
情清淨若水火風空識界清淨若一切智智
清淨无二无二分无別无斷故善現有情清
淨故无明清淨无明清淨故一切智智清淨
何以故若有情清淨若无明清淨若一切智
智清淨无二无二分无別无斷故有情清淨
故行識名色六處觸受愛取有生老死愁歎
苦憂惱清淨行乃至老死愁歎苦憂惱清
淨故一切智智清淨何以故若有情清淨若行
乃至老死愁歎苦憂惱清淨若一切智智清
淨无二无二分无別无斷故
善現有情清淨故布施波羅蜜多清淨布
施波羅蜜多清淨故一切智智清淨何以故若
有情清淨若布施波羅蜜多清淨若一切智
智清淨无二无二分无別无斷故有情清淨
故淨戒安忍精進靜慮般若波羅蜜多清淨
淨戒乃至般若波羅蜜多清淨故一切智智
清淨何以故若有情清淨若淨戒乃至般若
波羅蜜多清淨若一切智智清淨无二无二分
无別无斷故善現有情清淨故內空清淨
內空清淨故一切智智清淨何以故若有情

BD02653 號　大般若波羅蜜多經卷一九六　（21–1）

智清淨无二无二分无別无斷故有情清淨
故淨戒安忍精進靜慮般若波羅蜜多清淨
淨戒乃至般若波羅蜜多清淨故一切智智
清淨何以故若有情清淨若淨戒乃至般若
波羅蜜多清淨若一切智智清淨无二无二分
无別无斷故善現有情清淨故內空清淨
內空清淨故一切智智清淨何以故若有情
清淨若內空清淨若一切智智清淨无二无
二分无別无斷故有情清淨故外空內外空
空空大空勝義空有為空无為空畢竟空
无際空散空无變異空本性空自相空共相空
一切法空不可得空无性空自性空无性自
性空清淨外空乃至无性自性空清淨故一
切智智清淨何以故若有情清淨若外空
乃至无性自性空清淨若一切智智清淨无
二无二分无別无斷故善現有情清淨故真如
清淨真如清淨故一切智智清淨何以故若
有情清淨若真如清淨若一切智智清淨
无二无二分无別无斷故有情清淨故法界
法性不虛妄性不變異性平等性離生性法
定法住實際虛空界不思議界清淨法界
乃至不思議界清淨故一切智智清淨何以故
若有情清淨若法界乃至不思議界清淨若
一切智智清淨无二无二分无別无斷故善
現有情清淨故苦聖諦清淨苦聖諦清淨
故一切智智清淨何以故若有情清淨若苦聖
諦清淨若一切智智清淨无二无二分无別

BD02653 號　大般若波羅蜜多經卷一九六　（21–2）

法性不虛妄性不變異性平等性離生性法
定法住實際虛空界不思議界清淨法界
乃至不思議界清淨故一切智智清淨何以故
若有情清淨若法界乃至不思議界清淨若
一切智智清淨无二无二分无別无斷故善
現有情清淨故苦聖諦清淨苦聖諦清淨
故一切智智清淨何以故若有情清淨若苦聖
諦清淨若一切智智清淨无二无二分无別
无斷故有情清淨故集滅道聖諦清淨集滅
道聖諦清淨故一切智智清淨何以故若有
情清淨若集滅道聖諦清淨若一切智智
清淨无二无二分无別无斷故
善現有情清淨故四靜慮清淨四靜慮清淨
故一切智智清淨何以故若有情清淨若四
靜慮清淨若一切智智清淨无二无二分无
別无斷故有情清淨故四无量四无色定清
淨四无量四无色定清淨故一切智智清淨
何以故若有情清淨若四无量四无色定清
淨若一切智智清淨无二无二分无別无斷
故善現有情清淨故八解脫清淨八解脫清
淨故一切智智清淨何以故若有情清淨若
八解脫清淨若一切智智清淨无二无二分
无別无斷故有情清淨故八勝處九次第定
十遍處清淨八勝處九次第定十遍處清淨
故一切智智清淨何以故若有情清淨若八勝
處九次第定十遍處清淨若一切智智清淨
无二无二分无別无斷故善現有情清淨故

BD02653號　大般若波羅蜜多經卷一九六　（21–3）

无別无斷故有情清淨故八勝處九次第定
十遍處清淨八勝處九次第定十遍處清淨
故一切智智清淨何以故若有情清淨若八勝
處九次第定十遍處清淨若一切智智清淨
无二无二分无別无斷故善現有情清淨故
四念住清淨四念住清淨故一切智智清淨
何以故若有情清淨若四念住清淨若一切
智智清淨无二无二分无別无斷故有情清
淨故四正斷四神足五根五力七等覺支八聖
道支清淨四正斷乃至八聖道支清淨故一切
智智清淨何以故若有情清淨若四正斷乃
至八聖道支清淨若一切智智清淨无二无
二分无別无斷故善現有情清淨故空解脫
門清淨空解脫門清淨故一切智智清淨何
以故若有情清淨若空解脫門清淨若一切
智智清淨无二无二分无別无斷故有情清
淨故无相无願解脫門清淨无相无願解脫
門清淨故一切智智清淨何以故若有情清
淨若无相无願解脫門清淨若一切智智清
淨无二无二分无別无斷故善現有情清淨
故菩薩十地清淨菩薩十地清淨故一切智智
清淨何以故若有情清淨若菩薩十地清淨
若一切智智清淨无二无二分无別无斷故
善現有情清淨故五眼清淨五眼清淨故一
切智智清淨何以故若有情清淨若五眼清
淨若一切智智清淨无二无二分无別无斷故
有情清淨故六神通清淨六神通清淨故

BD02653號　大般若波羅蜜多經卷一九六　（21–4）

清淨何以故若有情清淨若菩薩十地清淨
若一切智智清淨无二无二分无別无斷故
善現有情清淨故五眼清淨五眼清淨故一
切智智清淨何以故若有情清淨若五眼清
淨若一切智智清淨无二无二分无別无斷故
有情清淨故六神通清淨六神通清淨故
一切智智清淨何以故若有情清淨若六神
通清淨若一切智智清淨无二无二分无
別无斷故善現有情清淨故佛十力清淨佛
十力清淨故一切智智清淨何以故若有情
清淨若佛十力清淨若一切智智清淨无二
无二分无別无斷故有情清淨故四无所畏
四无礙解大慈大悲大喜大捨十八佛不共
法清淨四无所畏乃至十八佛不共法清淨故
一切智智清淨何以故若有情清淨若四无所
畏乃至十八佛不共法清淨若一切智智清
淨无二无二分无別无斷故善現有情清淨
故无忘失法清淨无忘失法清淨故一切智
智清淨何以故若有情清淨若无忘失法
清淨若一切智智清淨无二无二分无別无
斷故有情清淨故恒住捨性清淨恒住捨性
清淨故一切智智清淨何以故若有情清淨
若恒住捨性清淨若一切智智清淨无二分
二分无別无斷故善現有情清淨故一切智
清淨一切智清淨故一切智智清淨何以
故若有情清淨若一切智清淨若一切智智清
淨无二无二分无別无斷故有情清淨故道

若恒住捨性清淨若一切智智清淨无二分
二分无別无斷故善現有情清淨故一切智
清淨一切智智清淨故一切智智清淨何以
故若有情清淨若一切智清淨若一切智智清
淨无二无二分无別无斷故有情清淨故道
相智一切相智清淨道相智一切相智清淨
故一切智智清淨何以故若有情清淨若道
相智一切相智清淨若一切智智清淨无二无
二分无別无斷故善現有情清淨故一切
陀羅尼門清淨一切陀羅尼門清淨故一切
智智清淨何以故若有情清淨若一切陀羅
尼門清淨若一切智智清淨无二无二分无別
无斷故有情清淨故一切三摩地門清淨
一切三摩地門清淨故一切智智清淨何以
故若有情清淨若一切三摩地門清淨若一
切智智清淨无二无二分无別无斷故
善現有情清淨故預流果清淨預流果清淨
故一切智智清淨何以故若有情清淨若預
流果清淨若一切智智清淨无二无二分无
別无斷故有情清淨故一來不還阿羅漢果
清淨一來不還阿羅漢果清淨故一切智智
清淨何以故若有情清淨若一來不還阿
羅漢果清淨若一切智智清淨无二无二分
无別无斷故善現有情清淨故獨覺菩提清
淨獨覺菩提清淨故一切智智清淨何以故若
有情清淨若獨覺菩提清淨若一切智智清

羅漢果清淨若一切智智清淨无二无二分
无別无斷故善現有情清淨故獨覺菩提清
淨獨覺菩提清淨故一切智智清淨何以故若
有情清淨若獨覺菩提清淨若一切智智清
淨无二无二分无別无斷故善現有情清淨
故一切菩薩摩訶薩行清淨一切菩薩摩訶
薩行清淨故一切智智清淨何以故若有情
清淨若一切菩薩摩訶薩行清淨若一切智
智清淨无二无二分无別无斷故善現有情
清淨故諸佛无上正等菩提清淨諸佛无
上正等菩提清淨故一切智智清淨何以故若
有情清淨若諸佛无上正等菩提清淨若一
切智智清淨无二无二分无別无斷故
復次善現命者清淨故色清淨色清淨故一
切智智清淨何以故若命者清淨若色清淨
若一切智智清淨无二无二分无別无斷故
命者清淨故受想行識清淨受想行識清淨
故一切智智清淨何以故若命者清淨若受
想行識清淨若一切智智清淨无二无二分
无別无斷故善現命者清淨故眼處清淨
眼處清淨故一切智智清淨何以故若命者清
淨若眼處清淨若一切智智清淨无二无二
分无別无斷故命者清淨故耳鼻舌身意
處清淨耳鼻舌身意處清淨故一切智智清
淨何以故若命者清淨若耳鼻舌身意處清淨
若一切智智清淨无二无二分无別无斷故
善現命者清淨故色處清淨色處清淨故

分无別无斷故命者清淨故耳鼻舌身意
處清淨耳鼻舌身意處清淨故一切智智清淨
淨何以故若命者清淨若耳鼻舌身意處清淨
若一切智智清淨无二无二分无別无斷故
善現命者清淨故色處清淨色處清淨故
一切智智清淨何以故若命者清淨若色處
清淨若一切智智清淨无二无二分无別无
斷故命者清淨故聲香味觸法處清淨聲
香味觸法處清淨故一切智智清淨何以故若
命者清淨若聲香味觸法處清淨若一切智智
清淨无二无二分无別无斷故善現命者清
淨故眼界清淨眼界清淨故一切智智清淨
何以故若命者清淨若眼界清淨若一切智
智清淨无二无二分无別无斷故命者清淨
故色界眼識界及眼觸眼觸為緣所生諸受
清淨色界乃至眼觸為緣所生諸受清淨故
一切智智清淨何以故若命者清淨若色界
乃至眼觸為緣所生諸受清淨若一切智智
清淨无二无二分无別无斷故善現命者清
淨故耳界清淨耳界清淨故一切智智清
淨何以故若命者清淨若耳界清淨若一切智
智清淨无二无二分无別无斷故命者清淨
故聲界耳識界及耳觸耳觸為緣所生諸受
清淨聲界乃至耳觸為緣所生諸受清淨故
一切智智清淨何以故若命者清淨若聲界
乃至耳觸為緣所生諸受清淨若一切智智
清淨无二无二分无別无斷故善現命者清

故聲界耳識界及耳觸耳觸為緣所生諸受
清淨聲界乃至耳觸為緣所生諸受清淨故
一切智智清淨何以故若命者清淨若聲界
乃至耳觸為緣所生諸受清淨若一切智智
清淨无二无二分无別无斷故善現命者清
淨故鼻界清淨鼻界清淨故一切智智清淨
何以故若命者清淨若鼻界清淨若一切
智智清淨无二无二分无別无斷故命者清
淨故香界鼻識界及鼻觸鼻觸為緣所生諸
受清淨香界乃至鼻觸為緣所生諸受清淨
故一切智智清淨何以故若命者清淨若香界
乃至鼻觸為緣所生諸受清淨若一切智智
清淨无二无二分无別无斷故善現命者清
淨故舌界清淨舌界清淨故一切智智清淨
何以故若命者清淨若舌界清淨若一切智
智清淨无二无二分无別无斷故命者清淨
故味界舌識界及舌觸舌觸為緣所生諸受
清淨味界乃至舌觸為緣所生諸受清淨故
一切智智清淨何以故若命者清淨若味界
乃至舌觸為緣所生諸受清淨若一切智智
清淨无二无二分无別无斷故善現命者清
淨故身界清淨身界清淨故一切智智清淨
何以故若命者清淨若身界清淨若一切智
智清淨无二无二分无別无斷故命者清淨
故觸界身識界及身觸身觸為緣所生諸受
清淨觸界乃至身觸為緣所生諸受清淨故
一切智智清淨何以故若命者清淨若觸界

何以故若命者清淨若身界清淨若一切智
智清淨无二无二分无別无斷故命者清淨
故觸界身識界及身觸身觸為緣所生諸受
清淨觸界乃至身觸為緣所生諸受清淨故
一切智智清淨何以故若命者清淨若觸界
乃至身觸為緣所生諸受清淨若一切智智
清淨无二无二分无別无斷故善現命者清
淨故意界清淨意界清淨故一切智智清
淨何以故若命者清淨若意界清淨若一切智
智清淨无二无二分无別无斷故命者清淨
故法界意識界及意觸意觸為緣所生諸受
清淨法界乃至意觸為緣所生諸受清淨故
一切智智清淨何以故若命者清淨若法界
乃至意觸為緣所生諸受清淨若一切智智
清淨无二无二分无別无斷故善現命者清
淨故地界清淨地界清淨故一切智智清淨
何以故若命者清淨若地界清淨若一切智
智清淨无二无二分无別无斷故命者清淨
故水火風空識界清淨水火風空識界清淨
故一切智智清淨何以故若命者清淨若水
火風空識界清淨若一切智智清淨无二无
二分无別无斷故善現命者清淨故无明清
淨无明清淨故一切智智清淨何以故若命
者清淨若无明清淨若一切智智清淨无二
无二分无別无斷故命者清淨故行識名色
六處觸受愛取有生老死愁歎苦憂惱清
淨行乃至老死愁歎苦憂惱清淨故一切智智

淨无明清淨故一切智智清淨何以故若命
者清淨若无明清淨若一切智智清淨无二
无二分无別无斷故命者清淨故行識名色
六處觸受愛取有生老死愁歎苦憂惱清
淨行乃至老死愁歎苦憂惱清淨故一切智智
清淨何以故若命者清淨若行乃至老死愁
歎苦憂惱清淨若一切智智清淨无二无二
分无別无斷故
善現命者清淨故布施波羅蜜多清淨布施
波羅蜜多清淨故一切智智清淨何以故若
命者清淨若布施波羅蜜多清淨若一切智
智清淨无二无二分无別无斷故命者清淨
故淨戒安忍精進靜慮般若波羅蜜多清淨
淨戒乃至般若波羅蜜多清淨故一切智智
清淨何以故若命者清淨若淨戒乃至般若
波羅蜜多清淨若一切智智清淨无二无二
分无別无斷故善現命者清淨故內空清淨
內空清淨故一切智智清淨何以故若命者
清淨若內空清淨若一切智智清淨无二无
二分无別无斷故命者清淨故外空內外空
空空大空勝義空有為空无為空畢竟空无
際空散空无變異空本性空自相空共相空
一切法空不可得空無性空自性空無性自
性空清淨外空乃至无性自性空清淨故一
切智智清淨何以故若命者清淨若外空乃
至无性自性空清淨若一切智智清淨无二
无二分无別无斷故善現命者清淨故真如

BD02653號　大般若波羅蜜多經卷一九六　（21–11）

一切法空不可得空無性空自性空無性自
性空清淨外空乃至无性自性空清淨故一
切智智清淨何以故若命者清淨若外空乃
至无性自性空清淨若一切智智清淨无二
无二分无別无斷故善現命者清淨故真如
清淨真如清淨故一切智智清淨何以故若
命者清淨若真如清淨若一切智智清淨
无二无二分无別无斷故命者清淨故法界法
性不虛妄性不變異性平等性離生性法定
法住實際虛空界不思議界清淨法界乃至
不思議界清淨故一切智智清淨何以故若
命者清淨若法界乃至不思議界清淨若
一切智智清淨无二无二分无別无斷故善現
命者清淨故苦聖諦清淨苦聖諦清淨
故一切智智清淨何以故若命者清淨若苦聖諦
清淨若一切智智清淨无二无二分无別无
斷故命者清淨故集滅道聖諦清淨集滅
道聖諦清淨故一切智智清淨何以故若
命者清淨若集滅道聖諦清淨若一切智智
清淨无二无二分无別无斷故善現命者清
淨故四靜慮清淨四靜慮清淨故一切智智
清淨何以故若命者清淨若四靜慮清淨若
一切智智清淨无二无二分无別无斷故命
者清淨故四无量四无色定清淨四无量四
无色定清淨故一切智智清淨何以故若命者
清淨若四无量四无色定清淨若一切智智清
淨无二无二分无別无斷故善現命者清淨

BD02653號　大般若波羅蜜多經卷一九六　（21–12）

一切智智清淨无二无二分无別无斷故命
者清淨故四无量四无色定清淨四无量四
无色定清淨故一切智智清淨何以故若命者
清淨若四无量四无色定清淨若一切智智清
淨无二无二分无別无斷故善現命者清淨
故八解脫清淨八解脫清淨故一切智智清
淨何以故若命者清淨若八解脫清淨若一
切智智清淨无二无二分无別无斷故命者
清淨故八勝處九次第定十遍處清淨八勝
處九次第定十遍處清淨故一切智智清淨
何以故若命者清淨若八勝處九次第定十
遍處清淨若一切智智清淨无二无二分无
別无斷故善現命者清淨故四念住清淨四
念住清淨故一切智智清淨何以故若命者
清淨若四念住清淨若一切智智清淨无二
无二分无別无斷故命者清淨故四正斷四
神足五根五力七等覺支八聖道支清淨四
正斷乃至八聖道支清淨故一切智智清淨
何以故若命者清淨若四正斷乃至八聖道
支清淨若一切智智清淨无二无二分无別
无斷故善現命者清淨故空解脫門清淨空
解脫門清淨故一切智智清淨何以故若命
者清淨若空解脫門清淨若一切智智清淨
无二无二分无別无斷故命者清淨故无相
无願解脫門清淨无相无願解脫門清淨故
一切智智清淨何以故若命者清淨若无相
无願解脫門清淨若一切智智清淨无二无

者清淨若空解脫門清淨若一切智智清淨
无二无二分无別无斷故命者清淨故无相
无願解脫門清淨无相无願解脫門清淨故
一切智智清淨何以故若命者清淨若无相
无願解脫門清淨若一切智智清淨无二无
二分无別无斷故善現命者清淨故菩薩十
地清淨菩薩十地清淨故一切智智清淨何
以故若命者清淨若菩薩十地清淨若一切
智智清淨无二无二分无別无斷故
善現命者清淨故五眼清淨五眼清淨故一
切智智清淨何以故若命者清淨若五眼清
淨若一切智智清淨无二无二分无別无斷
故命者清淨故六神通清淨六神通清淨
故一切智智清淨何以故若命者清淨若六神
通清淨若一切智智清淨无二无二分无別
无斷故善現命者清淨故佛十力清淨佛十
力清淨故一切智智清淨何以故若命者清
淨若佛十力清淨若一切智智清淨无二无
二分无別无斷故命者清淨故四无所畏四
无礙解大慈大悲大喜大捨十八佛不共法
清淨四无所畏乃至十八佛不共法清淨故
一切智智清淨何以故若命者清淨若四无
所畏乃至十八佛不共法清淨若一切智智
清淨无二无二分无別无斷故善現命者
清淨故无忘失法清淨无忘失法清淨故一
切智智清淨何以故若命者清淨若无忘失
法清淨若一切智智清淨无二无二分无別

所畏乃至十八佛不共法清淨若一切智智
清淨无二无二分无別无斷故善現命者
清淨故无忘失法清淨无忘失法清淨故一
切智智清淨何以故若命者清淨若无忘
失法清淨若一切智智清淨无二无二分无別
无斷故命者清淨故恒住捨性清淨恒住捨
性清淨故一切智智清淨何以故若命者清
淨若恒住捨性清淨若一切智智清淨无二
无二分无別无斷故善現命者清淨故一切智
清淨一切智清淨故一切智智清淨何以故
若命者清淨若一切智清淨若一切智智清
淨无二无二分无別无斷故命者清淨故道
相智一切相智清淨道相智一切相智清淨
故一切智智清淨何以故若命者清淨若道
相智一切相智清淨若一切智智清淨无二
无二分无別无斷故善現命者清淨故一切陁
羅尼門清淨一切陁羅尼門清淨故一切智
智清淨何以故若命者清淨若一切陁羅尼
門清淨若一切智智清淨无二无二分无別
无斷故命者清淨故一切三摩地門清淨一
切三摩地門清淨故一切智智清淨何以故
若命者清淨若一切三摩地門清淨若一切
智智清淨无二无二分无別无斷故
善現命者清淨故預流果清淨預流果清
淨故一切智智清淨何以故若命者清淨若預
流果清淨若一切智智清淨无二无二分无
別无斷故命者清淨故一來不還阿羅漢果

智智清淨无二无二分无別无斷故
善現命者清淨故預流果清淨預流果清
淨故一切智智清淨何以故若命者清淨若預
流果清淨若一切智智清淨无二无二分无
別无斷故命者清淨故一來不還阿羅漢果
清淨一來不還阿羅漢果清淨故一切智智
清淨何以故若命者清淨若一來不還阿羅
漢果清淨若一切智智清淨无二无二分无
別无斷故善現命者清淨故獨覺菩提清
淨獨覺菩提清淨故一切智智清淨何以故
若命者清淨若獨覺菩提清淨若一切智智
清淨无二无二分无別无斷故善現命者
清淨故一切菩薩摩訶薩行清淨一切菩薩
摩訶薩行清淨故一切智智清淨何以故若
命者清淨若一切菩薩摩訶薩行清淨若一切
智智清淨无二无二分无別无斷故善現命
者清淨故諸佛无上正等菩提清淨諸佛无
上正等菩提清淨故一切智智清淨何以故
若命者清淨若諸佛无上正等菩提清淨
若一切智智清淨无二无二分无別无斷故
復次善現生者清淨故色清淨色清淨故一
切智智清淨何以故若生者清淨若色清淨
若一切智智清淨无二无二分无別无斷故
生者清淨故受想行識清淨受想行識清淨
故一切智智清淨何以故若生者清淨若受
想行識清淨若一切智智清淨无二无二分
无別无斷故善現生者清淨故眼處清淨眼

切智智清淨何以故若生者清淨若色清淨
若一切智智清淨无二无二分无別无斷故
生者清淨故受想行識清淨受想行識清淨若
故一切智智清淨何以故若生者清淨若受
想行識清淨若一切智智清淨无二无二分
无別无斷故善現生者清淨故眼處清淨眼
處清淨故一切智智清淨何以故若生者清
淨若眼處清淨若一切智智清淨无二无二
分无別无斷故生者清淨故耳鼻舌身意處
清淨耳鼻舌身意處清淨故一切智智清
淨何以故若生者清淨若耳鼻舌身意處
清淨若一切智智清淨无二无二分无別无斷
故善現生者清淨故色處清淨色處清淨
故一切智智清淨何以故若生者清淨若色處
清淨若一切智智清淨无二无二分无別无
斷故生者清淨故聲香味觸法處清淨聲香
味觸法處清淨故一切智智清淨何以故若生
者清淨若聲香味觸法處清淨若一切智智
清淨无二无二分无別无斷故善現生者清
淨故眼界清淨眼界清淨故一切智智清淨
何以故若生者清淨若眼界清淨若一切智
智清淨无二无二分无別无斷故生者清淨
故色界眼識界及眼觸眼觸為緣所生諸受
清淨色界乃至眼觸為緣所生諸受清淨故
一切智智清淨何以故若生者清淨若色界
乃至眼觸為緣所生諸受清淨若一切智智
清淨无二无二分无別无斷故善現生者清

故色界眼識界及眼觸眼觸為緣所生諸受
清淨色界乃至眼觸為緣所生諸受清淨故
一切智智清淨何以故若生者清淨若色界
乃至眼觸為緣所生諸受清淨若一切智智
清淨无二无二分无別无斷故善現生者清
淨故耳界清淨耳界清淨故一切智智清淨
何以故若生者清淨若耳界清淨若一切智
智清淨无二无二分无別无斷故生者清淨
故聲界耳識界及耳觸耳觸為緣所生諸受
清淨聲界乃至耳觸為緣所生諸受清淨故
一切智智清淨何以故若生者清淨若聲界
乃至耳觸為緣所生諸受清淨若一切智智
清淨无二无二分无別无斷故善現生者清
淨故鼻界清淨鼻界清淨故一切智智清淨
何以故若生者清淨若鼻界清淨若一切智
智清淨无二无二分无別无斷故生者清淨
故香界鼻識界及鼻觸鼻觸為緣所生諸受
清淨香界乃至鼻觸為緣所生諸受清淨故
一切智智清淨何以故若生者清淨若香界
乃至鼻觸為緣所生諸受清淨若一切智智
清淨无二无二分无別无斷故善現生者清
淨故舌界清淨舌界清淨故一切智智清淨
何以故若生者清淨若舌界清淨若一切智智
清淨无二无二分无別无斷故生者清淨故
味界舌識界及舌觸舌觸為緣所生諸受清
淨味界乃至舌觸為緣所生諸受清淨故一切
智智清淨何以故若生者清淨若味界乃至

何以故若生者清淨若舌界清淨若一切智智
清淨无二无二分无別无斷故生者清淨故
味界舌識界及舌觸舌觸為緣所生諸受清
淨味界乃至舌觸為緣所生諸受清淨故一切
智智清淨何以故若生者清淨若味界乃至
舌觸為緣所生諸受清淨若一切智智清淨
无二无二分无別无斷故善現生者清淨故
身界清淨身界清淨故一切智智清淨何以
故若生者清淨若身界清淨若一切智智
清淨无二无二分无別无斷故生
界身識界及身觸身觸
淨觸界乃至身觸為緣所生諸
智智清淨何以故若生者清淨若觸界乃至
身觸為緣所生諸受清淨若一切智智清
淨无二无二分无別无斷故善現生者清淨
故意界清淨意界清淨故一切智智清淨何
以故若生者清淨若意界清淨若一切智智
清淨无二无二分无別无斷故生者清淨故法
界意識界及意觸意觸為緣所生諸受清
淨法界乃至意觸為緣所生諸受清淨故一切
智智清淨何以故若生者清淨若法界乃至
意觸為緣所生諸受清淨若一切智智清淨
无二无二分无別无斷故善現生者清淨故
地界清淨地界清淨故一切智智清淨何以
故若生者清淨若地界清淨若一切智智清
淨无二无二分无別无斷故生者清淨故水
火風空識界清淨水火風空識界清淨故

BD02653號　大般若波羅蜜多經卷一九六　（21–19）

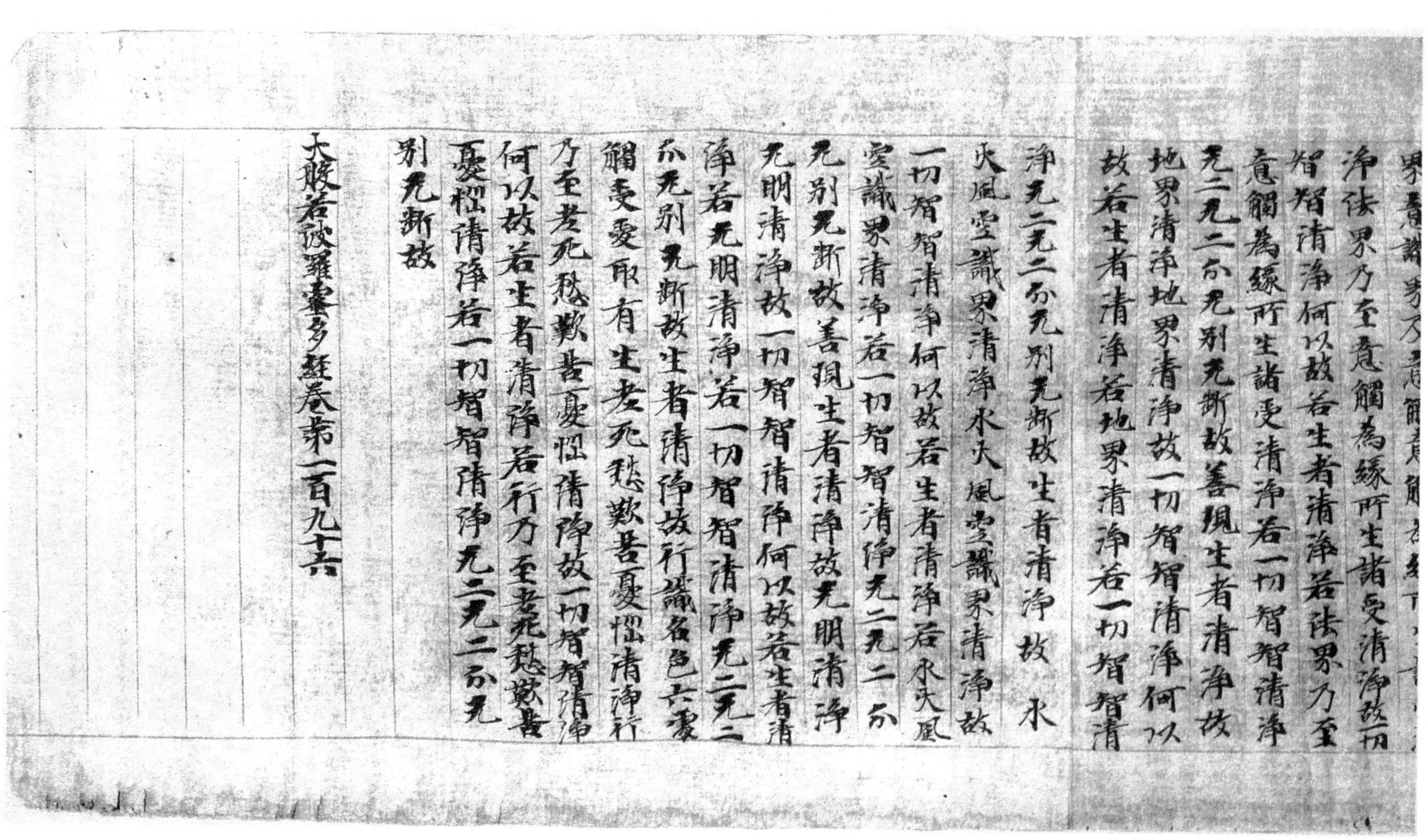
界意識界及意觸意觸為緣所
淨法界乃至意觸為緣所生諸受清淨故一切
智智清淨何以故若生者清淨若法界乃至
意觸為緣所生諸受清淨若一切智智清淨
无二无二分无別无斷故善現生者清淨故
地界清淨地界清淨故一切智智清淨何以
故若生者清淨若地界清淨若一切智智清
淨无二无二分无別无斷故生者清淨故水
火風空識界清淨水火風空識界清淨故
一切智智清淨何以故若生者清淨若水火風
空識界清淨若一切智智清淨无二无二分
无別无斷故善現生者清淨故无明清淨
无明清淨故一切智智清淨何以故若生者清
淨若无明清淨若一切智智清淨无二无二
分无別无斷故生者清淨故行識名色六處
觸受愛取有生老死愁歎苦憂惱清淨行
乃至老死愁歎苦憂惱清淨故一切智智清淨
何以故若生者清淨若行乃至老死愁歎苦
憂惱清淨若一切智智清淨无二无二分无
別无斷故

大般若波羅蜜多經卷第一百九十六

BD02653號　大般若波羅蜜多經卷一九六　（21–20）

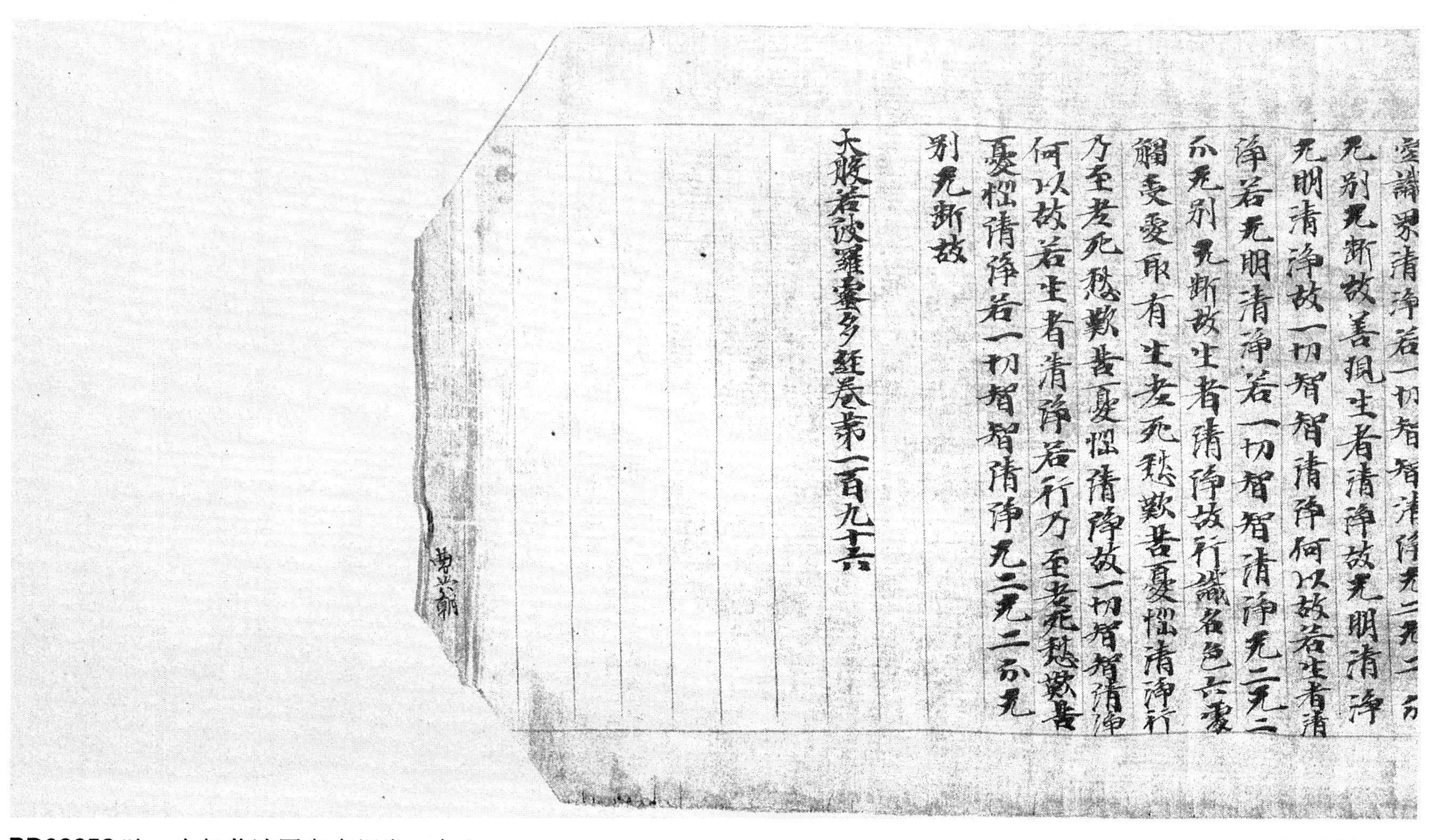

BD02653 號　大般若波羅蜜多經卷一九六　（21–21）

BD02654 號背　金光明最勝王經卷一護首　（1–1）

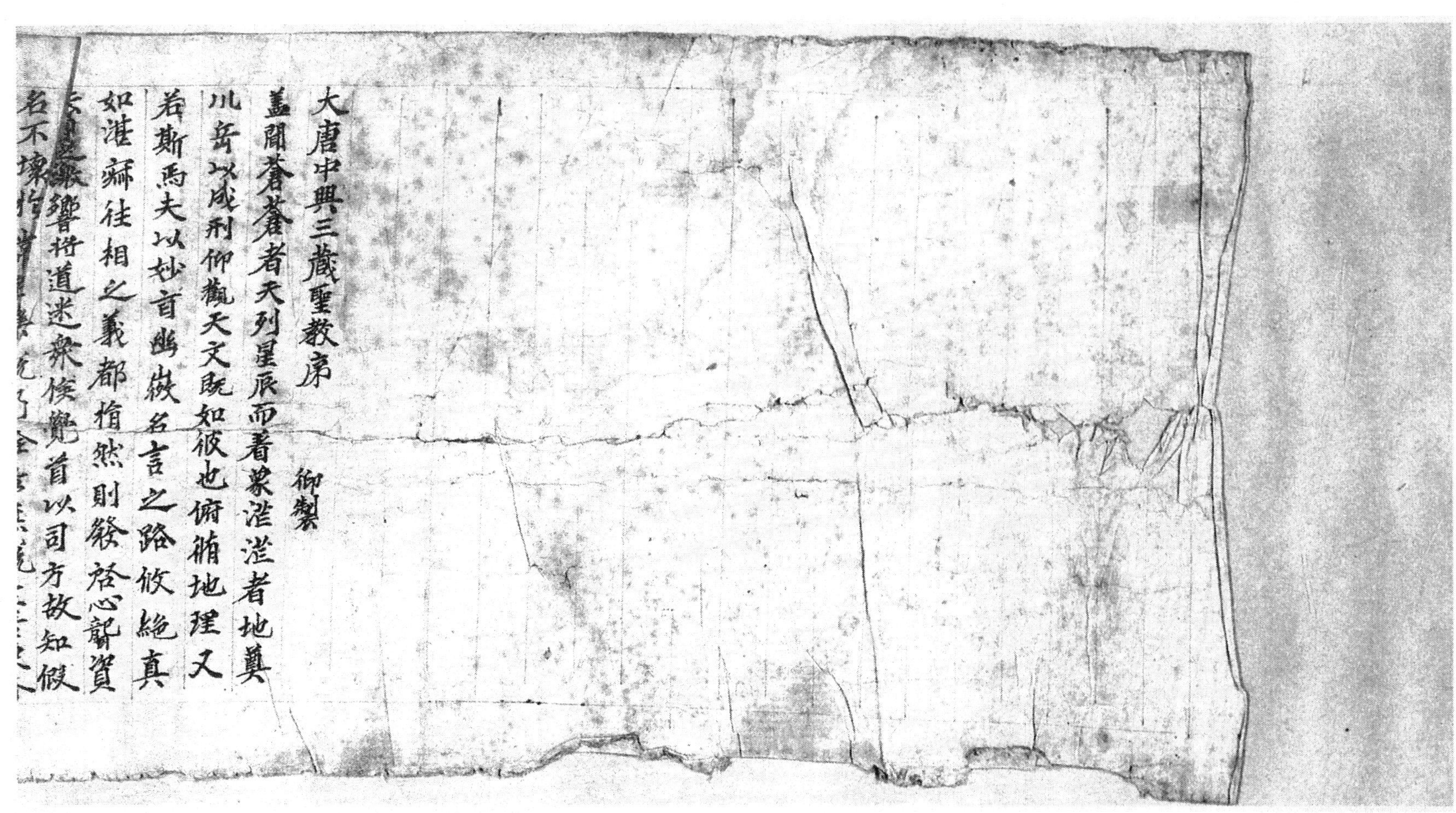

BD02654號1　大唐中興三藏聖教序　（21–1）

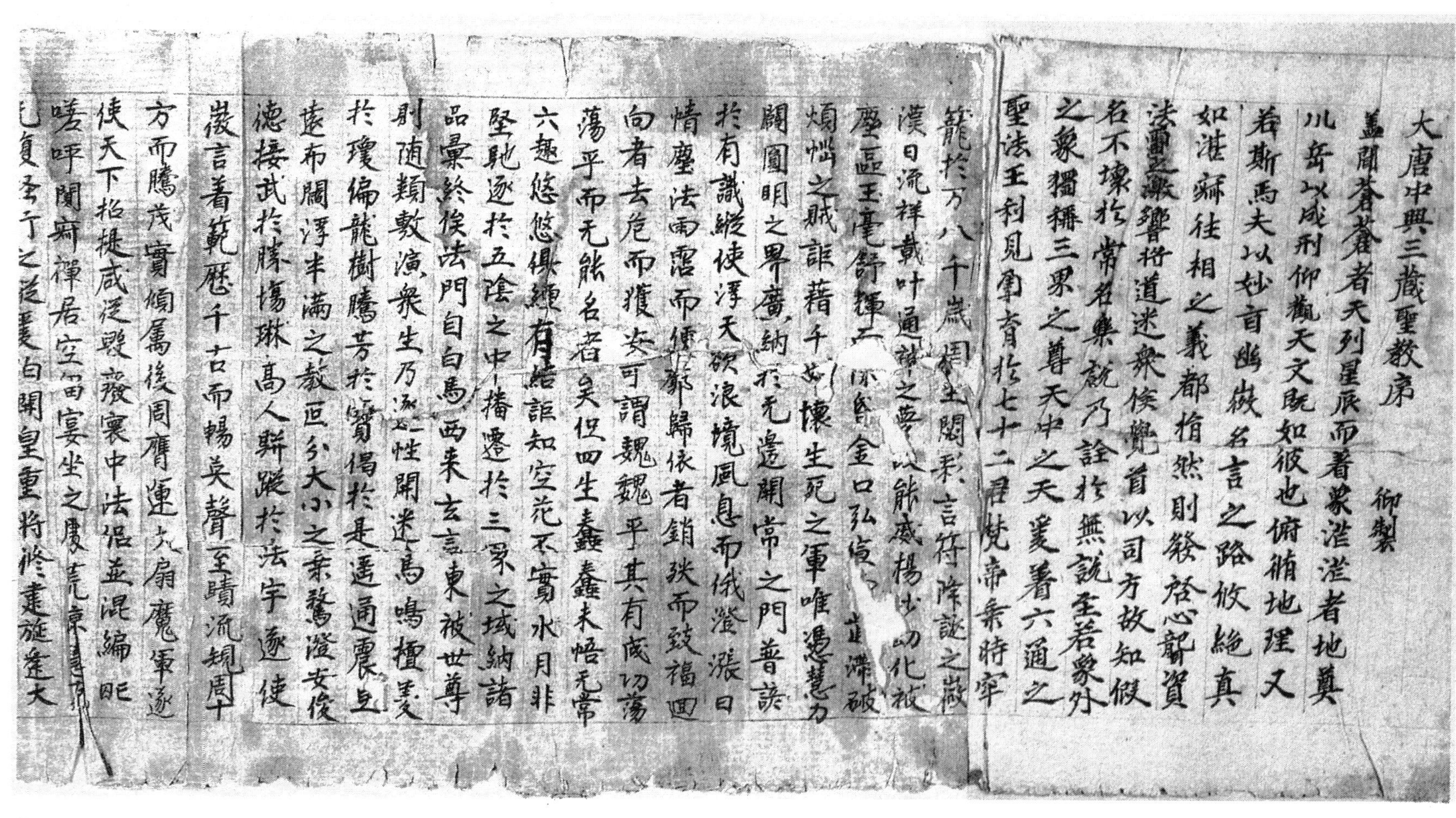

BD02654號1　大唐中興三藏聖教序　（21–2）

於瓊編龍樹騰芳於寶偈於是遥通震旦
遠布閻浮半滿之教叵分大小之乘鷲澄安俊
德接武於勝場琳高人騈蹤於法宇遂使
嵗言着範歷千古而暢英聲至賾流胡周千
方而騰茂寶緬屬後周膺運大扇魔軍遂
使天下㧞提咸從毀廢寰中法侶並混編甿
嗟呼閑穿禪居空留宴坐之處荒涼[illegible]荊
无復經行之蹤爰洎開皇重將崇建旋逢大
業又遇分崩鬼哭神吟山鳴海沸既遭塗炭寧
有伽藍正法消淪邪見增長於是迷覺路遭迴
於苦集之區俗蔽真宗羈絆於蓋纏之内我
大唐之有天下也上凌巢燧府視羲軒
三聖重光萬邦一統威加有截澤被无垠掩
坤絡以遐淳亘乾維而獻欵再懸佛日重補
梵天龍宮將八柱齊安鷲嶺共五峯爭峻
大弘釋教諒屬
皇朝者焉大福先寺翻經三藏法師義淨者
范陽人也俗姓張氏五代相韓之後三台仕晋
之前朱紫分輝貂蟬合彩高祖為東齊郡
守仁風遂扇甘雨隨車化闡六條政行十部暨
祖及父俱厭俗榮放曠一丘逍遥三徑含和
體素養性恬神攄芝秀於東山抱清流於南
澗可謂幽尋丹嶠棲偃白雲皐鶴於是吞聲
場駒以之斂影法師幼挺明晤夙彰聰敏纔
踰髫齔之歲心樂出家甫遍遊洛之年志尋
西國葉談經史學洞古今懇三藏之玄樞明
一乘之奧義既而閑居習靜息慮安禪託彼
山林遠茲塵累三十有七方遂雅懷以咸亨
二年行至廣府發蹤結契數乃十人鼓棹昇
航唯存一已巡南濱以遐逝指西域以長驅歷
巖岫之千重凌波濤之万里漸届天竺次

BD02654 號 1　大唐中興三藏聖教序　（21–3）

山林遠茲塵累三十有七方遂雅懷以咸亨
二年行至廣府發蹤結契數乃十人鼓棹昇
航唯存一已巡南濱以遐逝指西域以長驅歷
巖岫之千重凌波濤之万里漸届天竺次
至王城
佛說法花靈峯社
如來成道聖躅仍留吠舍城中獻之蹤不
泯給孤園内布金之地猶存三道寶階
居然目覩八大靈塔歷矣親觀所經三十餘國
凡歷二十餘載菩提樹下屢攀折以淹留
阿耨池邊幾濯纓而澡鑒法師慈悲作室忍
辱為衣長齋則一食自資長坐則六時无倦又
古來翻譯之者莫不先出梵文後資漢譯
蹤詞方憑於學者銓義別稟於僧徒今茲法
師不如是矣既閑五天竺語又詳二帝幽宗譯
義綴文咸由於己出指詞定理叵假於傍
求超漢代之摩騰跨秦年之羅什所將梵
本經近四百部合五十万頌
金剛座真容一鋪舍利三百粒以證聖元年
夏五月方届都焉
則天大聖皇帝出震膺期乘乾握紀紹
隆為務弘濟為心爰命百寮兼整四衆虹幡
揩日鳳吹遏雲香散六銖花飄五色鏘鏘濟濟
煒煒煌煌迎于上東之門置于授記之寺共
于闐三藏及大福先寺主沙門復礼西崇福
寺主法藏等翻花嚴經後至大福先寺與
天竺三藏寶思未多及授記寺主慧表沙門
勝莊慈訓等譯根本部律其大德等莫不四
禪凝慮六度冥懷懸法鏡於心臺朗戒珠於
性海詞林挺秀將覺樹而蓮芳慧炬揚輝

BD02654 號 1　大唐中興三藏聖教序　（21–4）

寺主法藏等翻花嚴經後至大福先寺與
天竺三藏寶思惟多及授記寺主慧表沙門
勝莊慈訓等譯根本部律其大德等莫不四
禪凝慮六度冥懷懸法鏡於心臺朗戒珠於
性海詞林挺秀將覺樹而蓮芳慧炬揚輝
澄桂輪而合彩渾金漢玉諒屬其人誠梵
宇之棟梁寔法門之龍象已翻諸雜經律二
百餘卷繕寫云畢尋並進內其餘戒律諸論方
俟後詮五篇之教具明八法之因倫曉鵝珠
尚護蟲命无復浮囊必取於不黯油鉢終
期於靡覆崇聖教之綱紀啓含生之耳目伏
願上資　先聖長隆
七廟之基下逮微躬恒佑九天之命還懷生
於壽域致薄俗於淳源嶶稔時和遠安迩
肅廓以萬機務揔四海事殷夏憑乙夜之餘
或賛弥天之德果虛和雅聊題序云
金光明最勝王經序品第一　三藏法師義淨奉　制譯
如是我聞一時薄伽梵在王舍城鷲峯山頂
於最清淨甚深法界諸佛之境如來所居與
大苾芻衆九万八千人皆是阿羅漢能善調
伏如大象王諸漏已除無復煩惱心善解脫
慧善解脫所作已畢捨諸重擔逮得己利盡
諸有結得大自在住清淨戒善巧方便智慧
莊嚴證八解脫已到彼岸其名曰具壽阿
若憍陳如具壽阿說侍多具壽婆澀波具
壽摩訶那摩具壽婆帝利迦大迦葉波優
樓頻螺迦葉伽耶迦葉那提迦葉舍利子大目
乹連唯阿難陀住於學地如是等諸大聲聞
各於晡時從定而起往詣佛所頂礼佛足右繞三
迊退坐一面
復有菩薩摩訶薩百千万億人俱有大威德

BD02654 號 1　大唐中興三藏聖教序　（21–5）
BD02654 號 2　金光明最勝王經卷一

若憍陳如具壽阿說侍多具壽婆澀波具
壽摩訶那摩具壽婆帝利迦大迦葉波優
樓頻螺迦葉伽耶迦葉那提迦葉舍利子大目
乹連唯阿難陀住於學地如是等諸大聲聞
各於晡時從定而起往詣佛所頂礼佛足右繞三
迊退坐一面
復有菩薩摩訶薩百千万億人俱有大威德
如大龍王名稱普聞衆所知識施戒清淨常
樂奉持忍行精勤經无量劫超諸靜慮盤
念現前開闡慧門善脩方便自在遊戲嚴
妙神通逮得揔持辯才无盡斷諸煩惱累染
皆三不久當成一切種智降魔軍衆而擊法鼓
制諸外道令起淨心轉妙法輪度人天衆十方
佛土悉已莊嚴六趣有情无不蒙益成就大
智具足大忍住大慈悲心有大堅固力歷事
諸佛不般涅槃發弘誓心盡未來際廣於佛
所深種淨因於三世法悟无生忍逾於二乘
所行境界以大善巧化世間於大師教能敷演
秘密之法甚深空性皆以了知无復疑惑其
名曰无障礙轉法輪菩薩常發心轉法輪菩
薩常精進菩薩不休息菩薩慈氏菩薩妙
吉祥菩薩觀自在菩薩揔持自在王菩薩大
辯莊嚴王菩薩妙高山王菩薩大海深王菩薩
寶幢菩薩大寶幢菩薩地藏菩薩虛空
藏菩薩寶手自在菩薩金剛手菩薩歡喜力
菩薩大法力菩薩大莊嚴光菩薩大金光莊嚴
菩薩淨戒菩薩常定菩薩極清淨慧菩薩
堅固精進菩薩心如虛空菩薩不斷大願菩薩
施藥菩薩療諸煩惱病菩薩醫王菩薩歡喜
高王菩薩得上授記菩薩大雲淨光菩薩大
雲持法菩薩大雲名稱喜樂菩薩大雲現无
邊稱菩薩大雲師子吼菩薩大雲牛王吼菩

BD02654 號 2　金光明最勝王經卷一　（21–6）

菩薩淨戒菩薩常定菩薩極清淨慧菩薩
堅固精進菩薩心如虛空菩薩不斷大願菩薩
施藥菩薩療諸煩惱病菩薩醫王菩薩歡喜
高王菩薩得上授記菩薩大雲淨光菩薩大
雲持法菩薩大雲名稱喜樂菩薩大雲現无
邊稱菩薩大雲師子吼菩薩大雲牛王吼菩
薩大雲吉祥菩薩大雲寶德菩薩大雲日藏
菩薩大雲月藏菩薩大雲星光菩薩大雲
火光菩薩大雲電光菩薩大雲雷音菩薩大
雲慧雨菩薩大雲清淨雨王菩薩大雲花
樹王菩薩大雲青蓮花香菩薩大雲寶旃檀
香清涼身菩薩大雲除闇菩薩大雲破翳
菩薩如是等无量大菩薩衆各於晡時從
而起往詣佛所頂礼佛足右繞三匝退坐一面
復有梨車毗童子五億八千其名曰師子光
童子師子慧童子法授童子因陁羅授童子
大光童子大猛童子佛護童子法護童子僧
護童子金剛護童子虛空護童子虛空吼童
子寶藏童子吉祥妙藏童子如是等人而為上
首悉皆安住无上菩提於大乘中深信歡喜
各於晡時往詣佛所頂礼佛足右繞三匝退
坐一面
復有四万二千天子其名曰喜見天子喜悅
天子日光天子月髻天子明慧天子虛空淨
慧天子除煩惱天子吉祥天子如是等天而
為上首皆發弘願護持大乘紹隆正法能使
不絕各於晡時往詣佛所頂礼佛足右繞三
匝退坐一面
復有二万八千龍王蓮花龍王醫羅葉龍
王大力龍王大吼龍王小波龍王持駃水龍王
金面龍王如意龍王是等龍王而為上首於

BD02654 號 2　金光明最勝王經卷一　（21–7）

不絕各於晡時往詣佛所頂礼佛足右繞三
匝退坐一面
復有二万八千龍王蓮花龍王醫羅葉龍
王大力龍王大吼龍王小波龍王持駃水龍王
金面龍王如意龍王是等龍王而為上首於
大乘法常樂授持發深信心稱揚擁護各
於晡時往詣佛所頂礼佛足右繞三匝退坐一面
復有三万六千諸藥叉衆毗沙門天王為
首其名曰菴婆藥叉持菴婆藥叉蓮花光
藏藥叉蓮花面藥叉顰眉藥叉現大怖藥叉
動地藥叉吞食藥叉是等藥叉悉皆愛樂
如來正法深心護持不生疲懈各於晡時往
詣佛所頂礼佛足右繞三匝退坐一面
復有四万九千揭路荼王香象勢力王而為
上首及餘乾闥婆阿蘇羅緊那羅莫呼洛
伽等山林河海一切神仙并諸大國所有王衆
中宮后妃淨信男女人天大衆悉皆雲集咸
願擁護无上大乘讀誦受持書寫流布各
於晡時往詣佛所頂礼佛足右繞三匝退坐
一面如是等聲聞菩薩人天大衆龍神八部
既雲集已各各至心合掌恭敬瞻仰尊容
目未曾捨願樂欲聞殊勝妙法尒時薄伽梵
於日晡時從定而起觀察大衆而說頌曰
金光明妙法　最勝諸經王　甚深難得聞　諸佛之境界
我當為大衆　宣說如是經　并四方四佛　威神共加護
東方阿閦尊　南方寶相佛　西方无量壽　北方天鼓音
我復演妙法　吉祥懺中勝　能滅一切罪　淨除諸惡業
及消衆苦患　常與无量樂　一切智根本　諸功德莊嚴
衆生身不具　壽命將損減　諸惡相現前　天神皆捨離
親友懷瞋恨　眷屬悉分離　彼此共乖違　珍財皆散失
惡星為變怪　或被邪蠱侵　若復多憂愁　衆苦之所逼

BD02654 號 2　金光明最勝王經卷一　（21–8）

東方阿閦尊　南方寶相佛　西方无量壽　北方天鼓音
我復演妙法　吉祥懺中勝　能滅一切罪　淨除諸惡業
及消眾苦患　常與无量樂　一切智根本　諸功德莊嚴
眾生身不具　壽命將損減　諸惡相現前　天神皆捨離
親友懷瞋恨　眷屬悉分離　彼此共乖違　珍財皆散失
惡星為變怪　或被邪蠱侵　若復多憂愁　眾苦之所逼
睡眠見惡夢　因此生煩惱　是人當澡浴　應著鮮潔衣
於此妙經王　甚深佛所讚　專注心无亂　讀誦聽受持
由此經威力　能離諸災橫　及餘眾苦難　无不皆除滅
護世四王眾　及大臣眷屬　无量諸藥叉　一心皆擁衛
大辯才天女　尼連河水神　訶利底母神　堅牢地神眾
梵王帝釋主　龍王緊那羅　及金翅鳥王　阿蘇羅天眾
如是天神等　并將其眷屬　皆來護是人　晝夜常不離
我當說是經　甚深佛行處　諸佛秘密教　千万劫難逢
若有聞是經　能為他演說　若心生隨喜　或設於供養
如是諸人等　當於无量劫　常為諸天人　龍神所恭敬
此福聚无量　數過於恒沙　讀誦是經者　當獲斯功德
亦於十方尊　深行諸菩薩　擁護持經者　令離諸苦難
供養是經者　如前澡浴身　飲食及香花　恒起慈悲意
若欲聽是經　念心淨无垢　常生歡喜念　能長諸功德
若以尊重心　聽聞是經者　善生於人趣　遠離諸苦難
彼人善根熟　諸佛之所讚　方得聞是經　及以懺悔法

金光明最勝王經如來壽量品第二

尒時王舍大城有一菩薩摩訶薩名曰妙幢已
於過去无量俱胝那庾多百千佛所承事
供養殖諸善根是時妙幢菩薩獨於靜處
作是思惟以何因緣釋迦牟尼如來壽命短
促唯八十年復作是念如佛所說有二因緣
得壽命長云何為二一者不害生命二者施他飲
食然釋迦牟尼如來曾於无量百千万億无
數大劫不害生命行十善道常以飲食惠施

於過去无量俱胝那庾多百千佛所承事
供養殖諸善根是時妙幢菩薩獨於靜處
作是思惟以何因緣釋迦牟尼如來壽命短
促唯八十年復作是念如佛所說有二因緣
得壽命長云何為二一者不害生命二者施他飲
食然釋迦牟尼如來曾於无量百千万億无
數大劫不害生命行十善道常以飲食惠施
一切飢餓眾生乃至己身血肉骨髓亦持施與
令得飽滿況餘飲食時彼菩薩於世尊所作
是念時以佛威力其室忽然廣博嚴淨帝
青琉璃種種眾寶雜彩間飾如佛淨土有
妙香氣過諸天香芬馥充滿於其四面各有
上妙師子之座四寶所成以天寶衣而敷其
上復於此座有妙蓮花種種珍寶以為嚴飾
量等如來自然現顯於蓮花上有四如來東
方不動南方寶相西方无量壽北天鼓音是四
如來各於其座跏趺而坐放大光明周遍照耀
王舍大城及此三千大千世界乃至十方
恒河沙等諸佛國土雨諸天花奏諸天樂尒
時於此贍部洲中及三千大千世界所有眾
生以佛威力受勝妙樂无有乏少若身不具
皆蒙具足盲者得視聾者得聞瘂者能言
愚者得智若心亂者得本心若无衣者得衣服
被惡賤者人所敬有垢穢者身清潔於此
世間所有利益未曾有事皆悉顯現
尒時妙幢菩薩見四如來及希有事歡喜
踊躍合掌一心瞻仰諸佛殊勝之相亦復思惟
釋迦牟尼如來无量功德唯於壽命生疑惑
心云何如來功德无量壽命短促唯八十年尒
時四佛告妙幢菩薩言善男子汝今不應
思忖如來壽命長短何以故善男子我等不

世間所有利益未曾有事皆悉顯現
尒時妙幢菩薩見四如來及希有事歡喜
踊躍合掌一心瞻仰諸佛殊勝之相亦復思惟
釋迦牟尼如來无量功德唯於壽命生疑惑
心云何如來功德无量壽命短促唯八十年尒
時四佛告妙幢菩薩言善男子汝今不應
思忖如來壽命長短何以故善男子我等不
見諸天世間梵摩沙門婆羅門等人及非人
有能筭知佛之壽量知其齊限唯除无上正
遍知者時四如來欲說釋迦牟尼佛所有壽
量以佛威力欲色界天諸龍鬼神乾闥婆
阿蘇羅揭路荼緊那羅莫呼洛伽及无量
百千億那庾多菩薩摩訶薩悉來集會入
妙幢菩薩妙淨室中尒時四佛於大衆中欲
顯釋迦牟尼如來所有壽量而說頌曰
一切諸海水　可知其滴數　无有能數知　釋迦之壽量
析諸妙高山　如芥可知數　无有能數知　釋迦之壽量
一切大地土　可知其塵數　无有能筭知　釋迦之壽量
假使量虛空　可得盡邊際　无有能度知　釋迦之壽量
若人住億劫　盡力常筭數　亦復不能知　世尊之壽量
不害衆生命　及施於飲食　由斯二種因　得壽命長遠
是故大覺尊　壽命難筭數　如劫无邊際　壽量亦如是
妙幢汝當知　不應起疑惑　最勝壽无量　莫能知數者
尒時妙幢菩薩聞四如來說釋迦牟尼佛壽
量无限白言世尊云何如來示現如是短促
壽量時四世尊告妙幢菩薩言善男子彼
釋迦牟尼佛於五濁世出現之時人壽百年
稟性下劣善根微薄復无信解此諸衆生多
有我見人見衆生壽者養育邪見我我所見
斷常見等為欲利益此諸異生及衆外道如是
等類令生正解速得成就无上菩提如故釋

壽量時四世尊告妙幢菩薩言善男子彼
釋迦牟尼佛於五濁世出現之時人壽百年
稟性下劣善根微薄復无信解此諸衆生多
有我見人見衆生壽者養育邪見我我所見
斷常見等為欲利益此諸異生及衆外道如是
等類令生正解速得成就无上菩提如故釋
迦牟尼如來示現如是短促壽命善男子然
彼如來欲令衆生見涅槃已生難遭之想憂
苦等想於佛世尊所說經教速當受持讀誦
通利為人解說不生謗毀是故如來現斯短壽
何以故彼諸衆生若見如來不般涅槃不生
恭敬難遭之想如來所說甚深經典亦不受
持讀誦通利為人宣說所以者何以常見佛
不尊重故善男子譬如有人見其父母多有
財產珍寶豐盈便於財物不生希有難遭
之想所以者何於父母財物生常想故善男子
彼諸衆生亦復如是若見如來不入涅槃不生希
有難遭之想所以者何由常見故善男子
譬如有人父母貧窮資財乏少然彼貧人或
詣王家或大臣家見其倉庫種種珍財悉皆
盈滿生希有心難遭之想時彼貧人為欲求
財廣設方便策勤无怠所以者何為捨貧窮
受安樂故善男子彼諸衆生亦復如是若見
如來入於涅槃生難遭之想乃至憂苦等想
復作是念於无量劫諸佛如來出現於世如
烏曇跋花時乃一現彼諸衆生發希有心起
難遭想若遇如來心生敬信聞說正法生實語
想所有經典悉皆受持不生毀謗善男子以
是因緣彼佛世尊不久住世速入涅槃善男
子是諸如來以如是等善巧方便成就衆生
尒時四佛說是語已忽然不現

烏曇跋花時乃一現彼諸衆生發希有心生
難遭想若遇如来心生敬信聞說正法生實語
想所有經典悉皆受持不生毀謗善男子以
是因緣彼佛世尊不久住世速入涅槃善男
子是諸如来以如是等善巧方便成就衆生
尒時四佛說是語已忽然不現
尒時妙幢菩薩摩訶薩與无量百千菩薩
及无量億那庾多百千衆生俱共往詣鷲
峯山中釋迦牟尼如来正遍知所頂礼佛足在
一面立時妙幢菩薩以如上事具白世尊時四如
来亦詣鷲峯至釋迦牟尼佛所各隨本方
就座而坐告侍者菩薩言善男子汝今可詣
釋迦牟尼佛所為我致問少病少惱起居輕
利安樂行不復作是言善哉善哉釋迦牟尼
如来今可演說金光明經甚深法要為欲饒
益一切衆生除去飢饉令得安樂我當隨喜
時彼侍者各詣釋迦牟尼佛所頂礼雙足
却住一面俱白佛言彼天人師致問无量少病少
惱起居輕利安樂行不復作是言善哉善
哉釋迦牟尼如来今可演說金光明經甚深
法要為欲利益一切衆生除去飢饉令得安樂
尒時釋迦牟尼如来應正等覺告彼侍者諸
菩薩言善哉彼四如来乃能為諸衆
生饒益安樂勸請於我宣揚正法尒時世尊
而說頌曰
我常在鷲山　宣說此經寶　成就衆生故　示現般涅槃
凡夫起邪見　不信我所說　為成就彼故　示現般涅槃
時大會中有婆羅門姓憍陳如名曰法師授記
與无量百千婆羅門衆供養佛已聞世尊
說入般涅槃涕淚交流前礼佛足白言世尊若
實如来於諸衆生有大慈悲憐愍利益令得

BD02654 號 2　金光明最勝王經卷一　（21–13）

而說頌曰
我常在鷲山　宣說此經寶　成就衆生故　示現般涅槃
凡夫起邪見　不信我所說　為成就彼故　示現般涅槃
時大會中有婆羅門姓憍陳如名曰法師授記
與无量百千婆羅門衆供養佛已聞世尊
說入般涅槃涕淚交流前礼佛足白言世尊若
實如来於諸衆生有大慈悲憐愍利益令得
安樂猶如父母餘无等者能與世間作歸依
處如淨滿月以大智慧能為照明如日初出
普觀衆生愛无偏黨如羅怙羅唯願世尊
施我一願尒時世尊默然而住佛威力故於此
衆中有梨車毗童子名一切衆生喜見語婆
羅門憍陳如言大婆羅門汝尒從佛欲乞
何願我能與汝婆羅門言童子我欲供養无
上世尊今從如来求請舍利如芥子許何以
故我曾聞說若善男子善女人得佛舍利如芥
子許恭敬供養是人當生三十三天而為帝
釋是時童子語婆羅門曰若欲願生三十三
天受勝報者應當至心聽是金光明義勝王
經於諸經中最為殊勝難解難入聲聞獨覺
所不能知此經能生无量无邊福得果報乃
至成辦无上菩提我今為汝略說其事婆羅
門言善哉童子此金光明甚深最上難解難
入聲聞獨覺尚不能知何况我等邊鄙之人
智慧微淺而能解了是故我今求佛舍利如芥
子許持還本處置寶函中恭敬供養命終
之後得為帝釋常受安樂云何汝今不能
為我從明行足求斯一願作是語已尒時童子
即為婆羅門而說頌曰
恒河駛流水　可生白蓮花　黄鳥作白形　黑烏變為赤
假使贍部樹　可生多羅菓　朅樹羅枝中　能出菴羅菓

BD02654 號 2　金光明最勝王經卷一　（21–14）

子許捨還本處 買寶瓶 恭敬供養 命終
之後得為帝釋 常受安樂 云何汝今不能
為我從明行足求斯一願 作是語已 尒時童子
即為婆羅門而說頌曰
恒河駛流水 可生白蓮花 黃鳥作白形 黑鳥變為赤
假使贍部樹 可生多羅菓 朅樹羅枝中 能出菴羅菓
斯等希有物 或容可轉變 世尊之舍利 畢竟不可得
假使用龜毛 織成上妙服 寒時可被著 方求佛舍利
假使蚊蚋足 可使成樓觀 堅固不搖動 方求佛舍利
假使水蛭蟲 口中生白齒 長大利如鋒 方求佛舍利
假使持兔角 用成於梯隥 可昇上天宮 方求佛舍利
鼠緣此梯上 除去阿蘇羅 能障空中月 方求佛舍利
若蠅飲酒醉 周行村邑中 廣造於舍宅 方求佛舍利
若使驢脣色 赤如頻婆菓 善作於歌舞 方求佛舍利
烏與鵂鶹鳥 同共一處遊 彼此相順從 方求佛舍利
假使波羅葉 可成於傘蓋 能遮於大雨 方求佛舍利
假令大舩舶 盛滿諸財寶 能令陸地行 方求佛舍利
假使鷦鷯鳥 以觜銜香山 隨處任遊行 方求佛舍利
尒時法師授記婆羅門聞此頌已 亦以伽他答
一切衆生喜見童子
善哉大童子 此衆中吉祥 善巧方便心 得佛无上記
如來大威德 能救護世間 仁可至心聽 我今次第說
諸佛境難思 世間无與等 法身性常住 脩行无差別
諸佛體皆同 所說法亦尒 諸佛无作者 亦復本无生
世尊金剛體 權現於化身 是故佛舍利 无如芥子許
佛非血肉身 云何有舍利 方便留身骨 為益諸衆生
法身是正覺 法界即如來 此是佛真身 亦說如是法
尒時會中三万二千天子聞說如來壽命長
遠 皆發阿耨多羅三藐三菩提心 歡喜踊躍
得未曾有 異口同音而說頌曰
佛不般涅槃 正法亦不滅 為利衆生故 示現有滅盡

法身是正覺 法界即如來 此是佛真身 亦說如是法
尒時會中三万二千天子聞說如來壽命長
遠 皆發阿耨多羅三藐三菩提心 歡喜踊躍
得未曾有 異口同音而說頌曰
佛不般涅槃 正法亦不滅 為利衆生故 示現有滅盡
世尊不思議 妙體无異相 為利衆生故 現種種莊嚴
尒時妙幢菩薩親於佛前及四如來并二大
士諸天子所聞說釋迦牟尼如來壽量事已
復從座起合掌恭敬白佛言 世尊若實如是
諸佛如來不般涅槃无舍利者 云何經中說
有涅槃及佛舍利 令諸人天恭敬供養 過去
諸佛現有身骨流布於世 人天供養得福无
邊 今復言无智生疑惑 唯願世尊哀愍我等
廣為分別
尒時佛告妙幢菩薩及諸大衆 汝等當知 云
何般涅槃有舍利者 是密意說 如是之義當一
心聽 善男子 菩薩摩訶薩如是應知 有其十
法能解如來應正等覺真實理趣說有究
竟大般涅槃 云何為十 一者諸佛如來究竟
斷盡諸煩惱障所知障故名為涅槃 二者諸佛
如來善能解了有情无性及法无性故名為
涅槃 三者能轉身依及法依故名為涅槃 四
者於諸有情任運休息化因緣故名為涅槃
五者證得真實无差別相平等法身故名為
涅槃 六者了知生死及以涅槃无二性故名
為涅槃 七者於一切法了其根本證清淨故
名為涅槃 八者於一切法无生无滅善脩行
故名為涅槃 九者真如法界實際平等得正

五者證得真實无差別相平等法身故名
涅槃六者了知生死及以涅槃无二性故名
為涅槃七者於一切法了其根本證清淨故
名為涅槃八者於一切法无生无滅善修行
故名為涅槃九者真如法界實際平等得正
智故名為涅槃十者於諸法性及涅槃性得
无差別故名為涅槃是謂十法說有涅槃
復次善男子菩薩摩訶薩如是應知復有
法能解如來應正等覺真實理趣說有究竟
大般涅槃云何為十一者一切煩惱以樂欲為
本從樂欲生諸佛世尊斷樂欲故名為涅
槃二者以諸如來斷諸樂欲不取一法以不
取故无去无來无所取故名為涅槃三者以
无去來及无所取是則法身不生不滅无生
滅故名為涅槃四者此无生滅非言所宣言
語斷故名為涅槃五者无有我人唯法生滅
得轉依故名為涅槃六者煩惱隨惑皆是客
塵法性是主无來无去佛了知故名為涅槃
七者真如是實餘皆虛妄實性體者即是
真如真如性者即是如來名為涅槃八者實際
之性无有戲論唯獨如來證實際法戲論永
斷名為涅槃九者无生是實生是虛妄愚癡
之人漂溺生死如來體實无有虛妄名為涅
槃十者不實之法是從緣生真實之法不從
緣起如來法身體是真實名為涅槃善
男子是謂十法說有涅槃
復次善男子菩薩摩訶薩如是應知復有十

BD02654 號 2　金光明最勝王經卷一　（21–17）

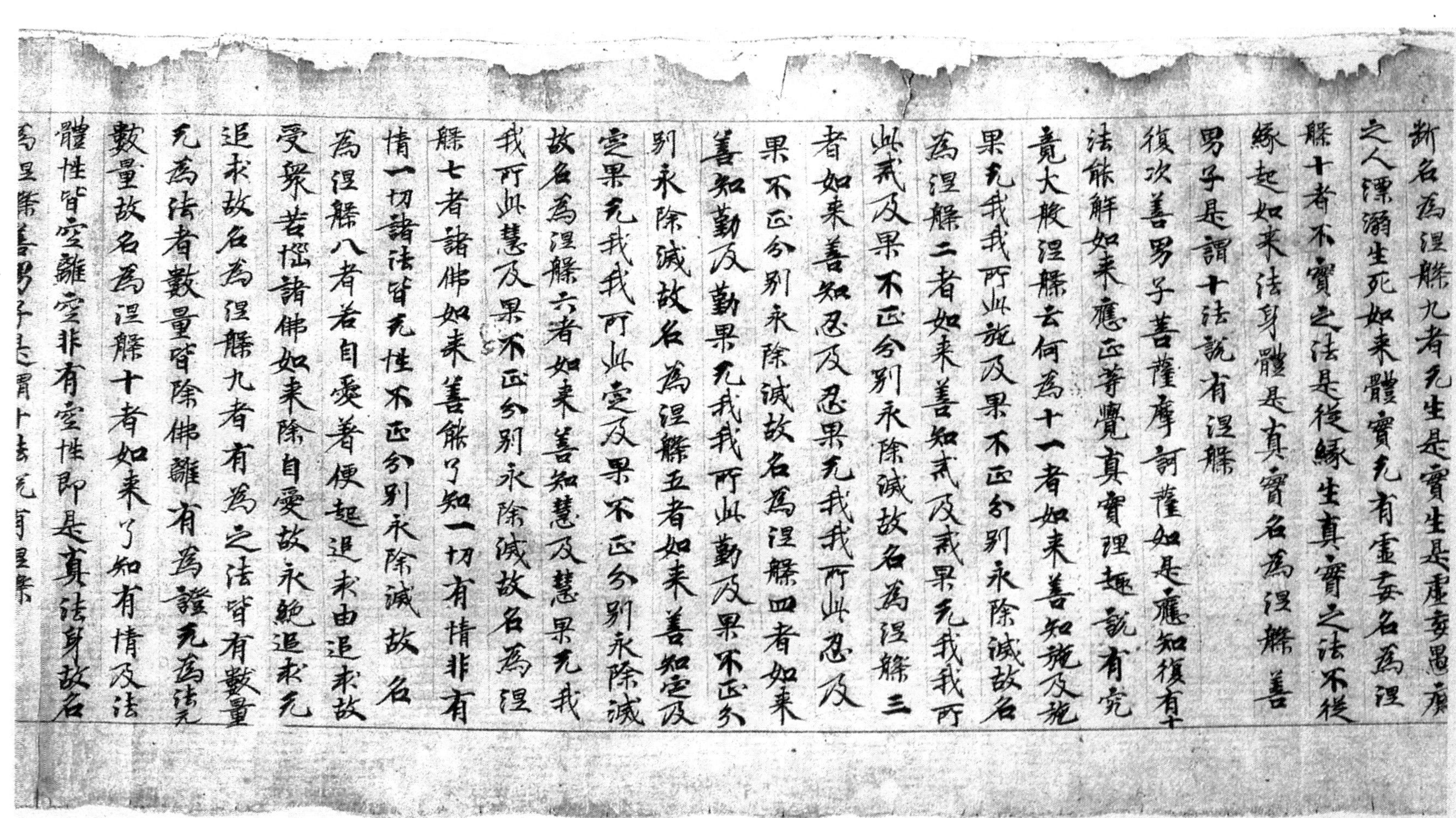

斷名為涅槃九者无生是實生是虛妄愚癡
之人漂溺生死如來體實无有虛妄名為涅
槃十者不實之法是從緣生真實之法不從
緣起如來法身體是真實名為涅槃善
男子是謂十法說有涅槃
復次善男子菩薩摩訶薩如是應知復有十
法能解如來應正等覺真實理趣說有究
竟大般涅槃云何為十一者如來善知施及施
果无我我所此施及果不正分別永除滅故名
為涅槃二者如來善知戒及戒果无我我所
此戒及果不正分別永除滅故名為涅槃三
者如來善知忍及忍果无我我所此忍及
果不正分別永除滅故名為涅槃四者如來
善知勤及勤果无我我所此勤及果不正分
別永除滅故名為涅槃五者如來善知定及
定果无我我所此定及果不正分別永除滅
故名為涅槃六者如來善知慧及慧果无我
我所此慧及果不正分別永除滅故名為涅
槃七者諸佛如來善能了知一切有情非有
情一切諸法皆无性不正分別永除滅故名
為涅槃八者若自愛著便起追求由追求故
受衆苦惱諸佛如來除自愛故永絕追求无
追求故名為涅槃九者有為之法皆有數量
无為法者數量皆除佛離有為證无為法无
數量故名為涅槃十者如來了知有情及法
體性皆空離空非有空性即是真法身故名
為涅槃善男子是謂十法說有涅槃

BD02654 號 2　金光明最勝王經卷一　（21–18）

受身[illegible]
追求故名為涅槃九者有為之法皆有數量
无為法者數量皆除佛離有為證无為法无
數量故名為涅槃十者如來了知有情及法
體性皆空離空非有空性即是真法身故名
為涅槃善男子是謂十法說有涅槃
復次善男子豈唯如來不般涅槃是為希有
復有十種希有之法是如來行云何為十一者
生死過失涅槃寂靜由於生死及以涅槃
證平等故不處流轉不住涅槃於諸有情
不生厭背是如來行二者佛於眾生不作是
念此諸愚夫行顛倒見為諸煩惱之所纏迫我
今開悟令其解脫然由往昔慈善根力於彼
有情隨其根性意樂勝解不起分別任運
濟度示教利喜盡未來際无有窮盡是如來
行三者佛无是念我今演說十二分教利益有
情然由往昔慈善根力於彼有情廣說乃至
盡未來際无有窮盡是如來行四者佛无是
念我今往彼城邑聚落王及大臣婆羅門剎
帝利薜舍戍達羅等舍從其乞食然由往
昔身語意行串習力故任運詣彼為利益事
而行乞食是如來行五者如來之身无有飢
渴亦无便利羸憊之相雖行乞而无所食亦
无分別然為任運利益有情是有食相是如
來行六者佛无是念此諸眾生有上中下隨
其機性而為說法然佛世尊无有分別隨其
器量善應機緣為彼說法是如來行七者佛

BD02654號2 金光明最勝王經卷一 （21–19）

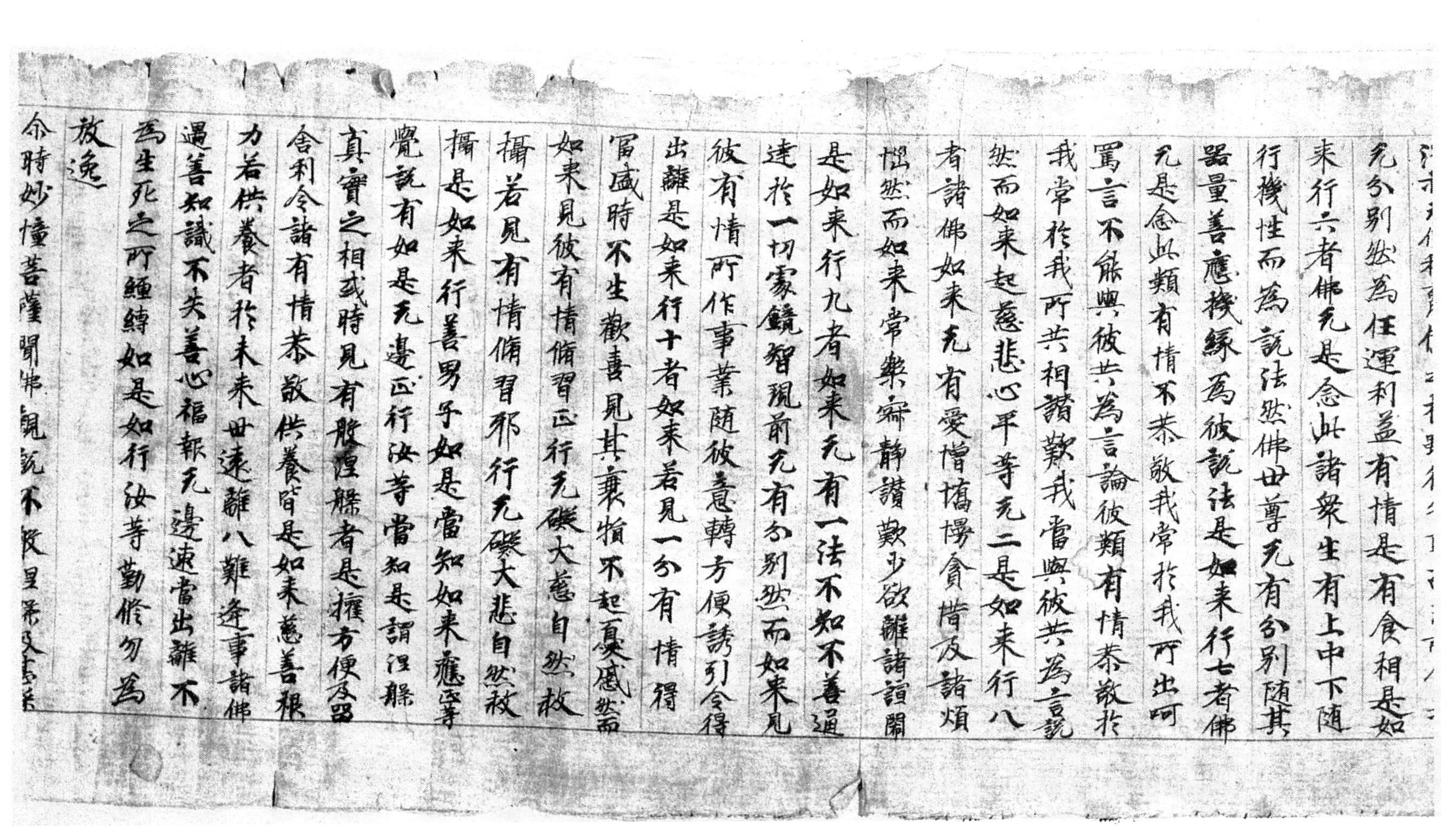
[illegible]
无分別然為任運利益有情是有食相是如
來行六者佛无是念此諸眾生有上中下隨
其機性而為說法然佛世尊无有分別隨其
器量善應機緣為彼說法是如來行七者佛
无是念此類有情不恭敬我我常於彼出呵
罵言不能與彼共為言論彼類有情恭敬於
我常於我所共相讚歎我當與彼共為言說
然而如來起慈悲心平等无二是如來行八
者諸佛如來无有愛憎憍慢貪惜及諸煩
惱然而如來常樂寂靜讚歎少欲離諸諠鬧
是如來行九者如來无有一法不知不善通
達於一切處鏡智現前无有分別然而如來見
彼有情所作事業隨彼意轉方便誘引令得
出離是如來行十者如來若見一分有情得
富盛時不生歡喜見其衰損不起憂感然而
如來見彼有情修習正行无礙大慈自然救
攝若見有情修習邪行无礙大悲自然救
攝是如來行善男子如是當知如來應正等
覺說有如是无邊正行汝等當知是謂涅槃
真實之相或時見有般涅槃者是權方便及留
舍利令諸有情恭敬供養皆是如來慈善根
力若供養者於未來世遠離八難逢事諸佛
遇善知識不失善心福報无邊速當出離不
為生死之所纏縛如是如行汝等勤修勿為
放逸
尒時妙幢菩薩聞佛親說不般涅槃及[illegible]

BD02654號2 金光明最勝王經卷一 （21–20）

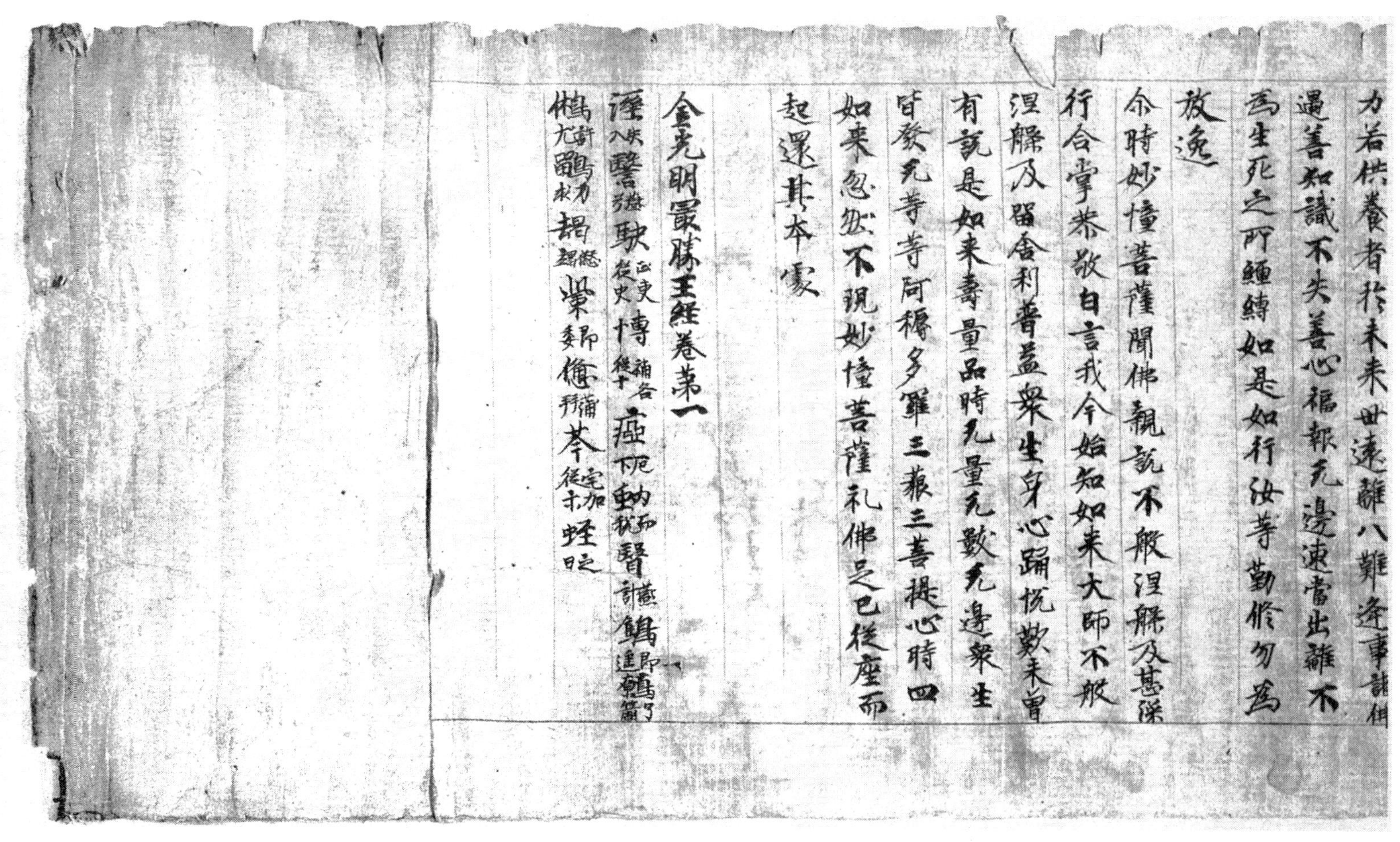

力若供養者於未來世遠離八難逢事諸佛
遇善知識不失善心福報无邊速當出離不
為生死之所纏縛如是如行汝等勤修勿為
放逸
尒時妙幢菩薩聞佛親說不般涅槃及甚深
行合掌恭敬白言我今始知如來大師不般
涅槃及留舍利普益衆生身心踊悅歎未曾
有說是如來壽量品時无量无數无邊衆生
皆發无等等阿耨多羅三藐三菩提心時四
如來忽然不現妙幢菩薩礼佛足已從座而
起還其本處
金光明最勝王經卷第一
溼[illegible]瞖[illegible]駃[illegible]博[illegible]瘂[illegible]䵷[illegible]瞖[illegible]鵂[illegible]
鵂[illegible]鶹[illegible]揭[illegible]嚛[illegible]𤛆[illegible]苓[illegible]蛭[illegible]

BD02654號2　金光明最勝王經卷一　（21–21）

如來有慧眼不如是世尊如來有慧眼須菩
提於意云何如來有法眼不如是世尊如來
有法眼須菩提於意云何如來有佛眼不如
是世尊如來有佛眼須菩提於意云何恒河
中所有沙佛說是沙不如是世尊如來說是
沙須菩提於意云何如一恒河中所有沙有
如是等恒河是諸恒河所有沙數佛世界如
是寧為多不甚多世尊佛告須菩提尒所國
土中所有衆生若干種心如來悉知何以故
如來說諸心皆為非心是名為心所以者何
須菩提過去心不可得現在心不可得未來
心不可得須菩提於意云何若有人滿三千
大千世界七寶以用布施是人以是因緣得
福多不如是世尊此人以是因緣得福甚多
須菩提若福德有實如來不說得福德多以
福德无故如來說得福德多
須菩提於意云何佛可以具足色身見不不
也世尊如來不應以具足色身見何以故如來
說具足色身即非具足色身是名具足色
身須菩提於意云何如來可以具足諸相見

BD02655號　金剛般若波羅蜜經　（3–1）

須菩提若福德有實如來不說得福德多以
福德无故如來說得福德多
須菩提於意云何佛可以具足色身見不不
也世尊如來不應以具足色身見何以故如來
說具足色身即非具足色身是名具足色
身須菩提於意云何如來可以具足諸相見
不不也世尊如來不應以具足諸相見何以
故如來說諸相具足即非具足是名諸相具
足須菩提汝勿謂如來作是念我當有所說
法莫作是念何以故若人言如來有所說法
即為謗佛不能解我所說故須菩提說法者
无法可說是名說法
須菩提白佛言世尊佛得阿耨多羅三藐三
菩提為无所得耶如是如是須菩提我於阿
耨多羅三藐三菩提乃至无有少法可得是
名阿耨多羅三藐三菩提復次須菩提是法
平等无有高下是名阿耨多羅三藐三菩提
以无我无人无衆生无壽者脩一切善法則
得阿耨多羅三藐三菩提須菩提所言善法
者如來說非善法是名善法
須菩提若三千大千世界中所有諸須弥山
王如是等七寶聚有人持用布施若人以此
般若波羅蜜經乃至四句偈等受持讀誦為
他人說於前福德百分不及一百千万億分
乃至筭數譬喻所不能及
須菩提於意云何汝等勿謂如來作是念我

BD02655 號　金剛般若波羅蜜經　（3–2）

須菩提若三千大千世界中所有諸須弥山
王如是等七寶聚有人持用布施若人以此
般若波羅蜜經乃至四句偈等受持讀誦為
他人說於前福德百分不及一百千万億分
乃至筭數譬喻所不能及
須菩提於意云何汝等勿謂如來作是念我
當度衆生須菩提莫作是念何以故實无有
衆生如來度者若有衆生如來度者如來則
有我人衆生壽者須菩提如來說有我者則
非有我而凡夫之人以為有我須菩提凡夫
者如來說則非凡夫
須菩提於意云何可以卅二相觀如來不須
菩提言如是如是以卅二相觀如來佛言須
菩提若以卅二相觀如來者轉輪聖王則是
如來須菩提白佛言世尊如我解佛所說義
不應以卅二相觀如來尒時世尊而說偈言
若以色見我　以音聲求我　是人行邪道　不能見如來
須菩提汝若作是念如來不以具足相故得
阿耨多羅三藐三菩提須菩提莫作是念如
來不以具足相故得阿耨多羅三藐三菩提
須菩提汝若作是念發阿耨多羅三藐三
菩提者說諸法斷滅莫作是念何以故發阿

BD02655 號　金剛般若波羅蜜經　（3–3）

第十一願者使我来世若有衆生飢大[illegible]
令得種種甘美飲食天諸餚饍種[illegible]
以施与令身充足
第十二願者使我来世
即得衣服窮乏之者施以[illegible]
所乏少一切皆受无量伎樂乃至无有一人受
苦使諸衆生和顏悦色形皃端嚴人所喜見
琴瑟鼓吹如是无量冣上微妙音聲施与一
切无量衆生是為十二微妙上願
佛告文殊師利此藥師琉璃光本願功德如
是我今為汝略説其國莊嚴之事此藥師琉
璃光如来國土清淨无五濁无愛慾无意垢
以白銀琉璃為地宮殿樓閣悉用七寶亦如
西方无量壽國无有異也
有二菩薩一名日曜二名月淨是二菩薩次
補佛處諸善男子及善女人亦當願生彼國
土也文殊師利白佛言唯願演説藥師琉璃
光如来无量功德饒益衆生令得佛道佛言
若有男子女人新破衆魔来入正道得聞我
説藥師琉璃光如来名字者魔家眷屬退散
馳走如是无量拔衆生苦我今説之

有二菩薩一名日曜二名月淨是二菩薩次
補佛處諸善男子及善女人亦當願生彼國
土也文殊師利白佛言唯願演説藥師琉璃
光如来无量功德饒益衆生令得佛道佛言
若有男子女人新破衆魔来入正道得聞我
説藥師琉璃光如来名字者魔家眷屬退散
馳走如是无量拔衆生苦我今説之
佛告文殊師利世間有人不解罪福慳貪不
知布施今世後世當得其福世人愚癡但知
貪惜寧自割身宍而噉食之不肯持錢財布
施求後世之福世又有人身不能衣食此大
慳貪命終以後當墮地獄餓鬼及在畜生中
聞是藥師琉璃光如来名字之時无不解脫
憂苦者也皆作信心貪福畏罪人從索頭与
頭索眼与眼乞妻与妻乞子与子求金銀珎
寶皆大布施一時歡喜即發无上正真道意
佛言若復有人受佛淨戒遵奉明法不解罪
福雖知明經不及中義不能分別曉了中事
以自貢高恒當贈憒乃与世間衆魔從事更
作縛著不解行之戀著婦女恩愛之情口為
説空行在有中不能發覺復不自知但能論
説他人是非如此人輩皆當墮於三惡道中
聞我説是藥師琉璃光本願功德无不歡喜
念欲捨家行作沙門者也
佛言世間有人好自稱譽皆是貢高當墮三

訟室行在有中不能殺貴復不自知但能論
說他人是非如此人輩皆當墮於三惡道中
聞我說是藥師琉璃光本願功德无不歡喜
念欲捨家行作沙門者也
佛言世間有人好自稱譽皆是貢高當墮三
惡道中後還為人牛馬奴婢生下賤中人當
乘其力負重而行困苦疲極亡失人身聞我
說是藥師琉璃光如來本願功德者皆當一
心歡喜踊躍更作謙敬即得解脫衆苦之患
長得歡樂聰明智慧遠離惡道得生善處与
善知識共相值遇无復憂惱離諸魔縛
佛言世間愚癡人輩兩舌鬪諍惡口罵詈更
相燋恨或就山神樹下鬼神日月之神南斗北
辰諸鬼神等所作諸呪詛或作人名字或作
人形像或作符書以相厭禱呪咀言說聞我
說是藥師琉璃光本願功德无不兩作和解
俱生慈心惡意悉滅各各歡喜无復惡念佛
言若四輩弟子比丘比丘尼清信士清信女
常脩月六齋年三長齋或晝夜精勤一心苦
行願欲往生西方阿弥陀佛國者憶念晝夜
若一日二日三日四日五日六日七日或復
中悔聞我說是藥師琉璃光本願功德盡
其壽命欲終之日有八菩薩文殊師利菩薩
觀世音菩薩大勢至菩薩无盡意菩薩寶
檀華菩薩藥王菩薩藥上菩薩弥勒菩薩
皆當飛往迎其精神不逕八難生蓮華中

BD02656號　灌頂章句拔除過罪生死得度經　（4–3）

行願欲往生西方阿弥陀佛國者憶念晝夜
若一日二日三日四日五日六日七日或復
中悔聞我說是藥師琉璃光本願功德盡
其壽命欲終之日有八菩薩文殊師利菩薩
觀世音菩薩大勢至菩薩无盡意菩薩寶
檀華菩薩藥王菩薩藥上菩薩弥勒菩薩
皆當飛往迎其精神不逕八難生蓮華中
自然音樂而相娛樂
佛言假使壽命自欲盡時臨終之日得聞我
說是琉璃光佛本願功德者命終皆得上生
天上不復經歷三惡道中天上福盡若下生
人間當為帝王家作子或生豪姓長者居士
富貴家生皆當端正聰明智慧高才勇猛若
是女人化成男子无復憂苦患難者也
佛語文殊我稱譽顯說琉璃光佛至真等正
覺本所脩集无量行願功德如是文殊師利
從坐而起長跪叉手白佛言世尊佛去世後
當以此法開化十方一切衆生使其受持是
經典也若有男子女人愛樂是經受持讀誦
宣通之者復能專念若一日二日三日四日
五日乃至七日憶念不忘能以好素帛書取

BD02656號　灌頂章句拔除過罪生死得度經　（4–4）

故現
善男子如過去无量无邊不可思議
阿僧祇劫尒時有佛号日月燈明如來應供
正遍知明行足善逝世間解无上士調御丈
夫天人師佛世尊演說正法初善中善後善
其義深遠其語巧妙純一无雜具足清白梵
行之相為求聲聞者說應四諦法度生老病
死究竟涅槃為求辟支佛者說應十二因緣
法為諸菩薩說應六波羅蜜令得阿耨多羅
三藐三菩提成一切種智次復有佛亦名日
月燈明次復有佛亦名日月燈明如是二万
佛皆同一字号日月燈明又同一姓姓頗羅
墮弥勒當知初佛後佛皆同一字名日月燈
明十号具足所可說法初中後善其最後佛
未出家時有八王子一名有意二名善意三名
无量意四名寶意五名增意六名除疑意七
名響意八名法意是八王子威德自在各領
四天下是諸王子聞父出家得阿耨多羅三
藐三菩提悉捨王位亦隨出家發大乘意常
脩梵行皆為法師已於千万佛所殖諸善本
是時日月燈明佛說大乘經名无量義教菩

无量意四名寶意五名增意六名除疑意七
名響意八名法意是八王子威德自在各領
四天下是諸王子聞父出家得阿耨多羅三
藐三菩提悉捨王位亦隨出家發大乘意常
脩梵行皆為法師已於千万佛所殖諸善本
是時日月燈明佛說大乘經名无量義教菩
薩法佛所護念說是經已即於大眾中結跏
趺坐入於无量義處三昧身心不動是時天
雨曼陁羅華摩訶曼陁羅華曼殊沙華摩
訶曼殊沙華而散佛上及諸大眾普佛世界六
種震動尒時會中比丘比丘尼優婆塞優婆
夷天龍夜叉乾闥婆阿脩羅迦樓羅緊那羅
摩睺羅伽人非人及諸小王轉輪聖王等是
諸大眾得未曾有歡喜合掌一心觀佛尒時
如來放眉間白豪相光照東方万八千佛土
靡不周遍如今所見是諸佛土弥勒當知尒
時會中有二十億菩薩樂欲聽法是諸菩薩
見此光明普照佛土得未曾有欲知此光所
為因緣時有菩薩名曰妙光有八百弟子是
時日月燈明佛從三昧起因妙光菩薩說大
乘經名妙法蓮華教菩薩法佛所護念六十
小劫不起于座時會聽者亦坐一處六十小
劫身心不動聽佛所說謂如食頃是時眾中
无有一人若身若心而生懈惓日月燈明佛
於六十小劫說是經已即於梵魔沙門婆羅

尋經名妙法蓮教菩薩法佛所護念六十
小劫不起于座時會聽者亦坐一處六十小
劫身心不動聽佛所說謂如食頃是時衆中
无有一人若身若心而生懈惓日月燈明佛
於六十小劫說是經已即於梵魔沙門婆羅
門及天人阿脩羅衆中而宣此言如來於今
日中夜當入无餘涅槃時有菩薩名曰德藏
日月燈明佛即授其記告諸比丘是德藏菩
薩次當作佛号曰淨身多陁阿伽度阿羅訶
三藐三佛陁佛授記已便於中夜入无餘涅
槃佛滅度後妙光菩薩持妙法蓮華經滿八
十小劫為人演說日月燈明佛八子皆師妙
光妙光教化令其堅固阿耨多羅三藐三菩
提是諸王子供養无量百千万億佛已皆成
佛道其最後成佛者名曰燃燈八百弟子中
有一人号曰求名貪着利養雖復讀誦衆經
而不通利多所忘失故号求名是人亦以種
諸善根因緣故得值无量百千万億諸佛供
養恭敬尊重讚歎弥勒當知尒時妙光菩薩
豈異人乎我身是也求名菩薩汝身是也今
見此瑞與本无異是故惟忖今日如來當說
大乘經名妙法蓮華教菩薩法佛所護念尒
時文殊師利於大衆中欲重宣此義而說偈言
我念過去世 无量无數劫 有佛人中尊 号日月燈明
世尊演說法 度无量衆生 无數億菩薩 令入佛智慧

BD02657 號　妙法蓮華經卷一　（13–3）

見此瑞與本无異是故惟忖今日如來當說
大乘經名妙法蓮華教菩薩法佛所護念尒
時文殊師利於大衆中欲重宣此義而說偈言
我念過去世 无量无數劫 有佛人中尊 号日月燈明
世尊演說法 度无量衆生 无數億菩薩 令入佛智慧
佛未出家時 所生八王子 見大聖出家 亦隨脩梵行
時佛說大乘 經名无量義 於諸大衆中 而為廣分別
佛說此經已 即於法座上 跏趺坐三昧 名无量義處
天雨曼陁華 天鼓自然鳴 諸天龍鬼神 供養人中尊
一切諸佛土 即時大震動 佛放眉間光 現諸希有事
此光照東方 万八千佛土 示一切衆生 生死業報處
有見諸佛土 以衆寶莊嚴 瑠璃頗梨色 斯由佛光照
及見諸天人 龍神夜叉衆 乾闥緊那羅 各供養其佛
又見諸如來 自然成佛道 身色如金山 端嚴甚微妙
如淨瑠璃中 內現真金像 世尊在大衆 敷演深法義
一一諸佛土 聲聞衆无數 因佛光所照 悉見彼大衆
或有諸比丘 在於山林中 精進持淨戒 猶如護明珠
又見諸菩薩 行施忍辱等 其數如恒沙 斯由佛光照
又見諸菩薩 深入諸禪定 身心寂不動 以求无上道
又見諸菩薩 知法寂滅相 各於其國土 說法求佛道
尒時四部衆 見日月燈佛 現大神通力 其心皆歡喜
各各自相問 是事何因緣 天人所奉尊 適從三昧起
讚妙光菩薩 汝為世間眼 一切所歸信 能奉持法藏
如我所說法 唯汝能證知 世尊既讚歎 令妙光歡喜
說是法華經 滿六十小劫 不起於此座 所說上妙法

BD02657 號　妙法蓮華經卷一　（13–4）

尒時四部衆　見日月燈佛　現大神通力　其心皆歡喜
各各自相問　是事何因緣　天人所奉尊　適從三昧起
讚妙光菩薩　汝為世間眼　一切所歸信　能奉持法藏
如我所說法　唯汝能證知　世尊既讚歎　令妙光歡喜
說是法華經　滿六十小劫　不起於此座　所說上妙法
是妙光法師　悉皆能受持　佛說是法華　令衆歡喜已
尋即於是日　告於天人衆　諸法實相義　已為汝等說
我今於中夜　當入於涅槃　汝一心精進　當離於放逸
諸佛甚難值　億劫時一遇　世尊諸子等　聞佛入涅槃
各各懷悲惱　佛滅一何速　聖主法之王　安慰无量衆
我若滅度時　汝等勿憂怖　是德藏菩薩　於无漏實相
心已得通達　其次當作佛　号曰為淨身　亦度无量衆
佛此夜滅度　如薪盡火滅　分布諸舍利　而起无量塔
比丘比丘尼　其數如恒沙　倍復加精進　以求无上道
是妙光法師　奉持佛法藏　八十小劫中　廣宣法華經
是諸八王子　妙光所開化　堅固无上道　當見无數佛
供養諸佛已　隨順行大道　相繼得成佛　轉次而授記
最後天中天　号曰燃燈佛　諸仙之導師　度脫无量衆
是妙光法師　時有一弟子　心常懷懈怠　貪著於名利
求名利无猒　多遊族姓家　棄捨所習誦　廢忘不通利
以是因緣故　号之為求名　亦行衆善業　得見无數佛
供養於諸佛　隨順行大道　具六波羅蜜　今見釋師子
其後當作佛　号名曰彌勒　廣度諸衆生　其數无有量
彼佛滅度後　懈怠者汝是　妙光法師者　今則我身是
我見燈明佛　本光瑞如此　以是知今佛　欲說法華經

以是因緣故　号之為求名　亦行衆善業　得見无數佛
供養於諸佛　隨順行大道　具六波羅蜜　今見釋師子
其後當作佛　号名曰彌勒　廣度諸衆生　其數无有量
彼佛滅度後　懈怠者汝是　妙光法師者　今則我身是
我見燈明佛　本光瑞如此　以是知今佛　欲說法華經
今相如本瑞　是諸佛方便　今佛放光明　助發實相義
諸人今當知　合掌一心待　佛當雨法雨　充足求道者
諸求三乘人　若有疑悔者　佛當為除斷　令盡无有餘

妙法蓮華經方便品第二

尒時世尊從三昧安詳而起告舍利弗諸佛
智慧甚深无量其智慧門難解難入一切聲
聞辟支佛所不能知所以者何佛曾親近百
千万億无數諸佛盡行諸佛无量道法勇猛
精進名稱普聞成就甚深未曾有法隨宜所
說意趣難解舍利弗吾從成佛已來種種因
緣種種譬喻廣演言教无數方便引導衆生
令離諸著所以者何如來方便知見波羅蜜
皆已具足舍利弗如來知見廣大深遠无量
无礙力无所畏禪定解脫三昧深入无際成
就一切未曾有法舍利弗如來能種種分別
巧說諸法言辭柔軟悅可衆心舍利弗取要
言之无量无邊未曾有法佛悉成就止舍利
弗不須復說所以者何佛所成就第一希有
難解之法唯佛與佛乃能究盡諸法實相所
謂諸法如是相如是性如是體如是力如是

就一切未曾有法舍利弗如来能種種分別
巧說諸法言辞柔軟悅可衆心舍利弗取要
言之无量无邊未曾有法佛悉成就止舍利
弗不須復說所以者何佛所成就第一希有
難解之法唯佛與佛乃能究盡諸法實相所
謂諸法如是相如是性如是體如是力如是
作如是因如是緣如是果如是報如是本末
究竟見等尒時世尊欲重宣此義而說偈言
世雄不可量　諸天及世人　一切衆生類　无能知佛者
佛力无所畏　解脫諸三昧　及佛諸餘法　无能測量者
本從无數佛　具足行諸道　甚深微妙法　難見難可了
於无量億劫　行此諸道已　道場得成果　我已悉知見
如是大果報　種種性相義　我及十方佛　乃能知是事
是法不可示　言辞相寂滅　諸餘衆生類　无有能得解
除諸菩薩衆　信力堅固者　諸佛弟子衆　曾供養諸佛
一切漏已盡　住是最後身　如是諸人等　其力所不堪
假使滿世間　皆如舍利弗　盡思共度量　不能測佛智
正使滿十方　皆如舍利弗　及餘諸弟子　亦滿十方刹
盡思共度量　亦復不能知　辟支佛利智　无漏最後身
亦滿十方界　其數如竹林　斯等共一心　於億无量劫
欲思佛實智　莫能知少分　新發意菩薩　供養无數佛
了達諸義趣　又能善說法　如稻麻竹葦　充滿十方刹
一心以妙智　於恒河沙劫　咸皆共思量　不能知佛智
不退諸菩薩　其數如恒沙　一心共思求　亦復不能知
又告舍利弗　无漏不思議　甚深微妙法　我今已具得
唯我知是相　十方佛亦然　舍利弗當知　諸佛語无異

BD02657號　妙法蓮華經卷一　（13–7）

亦滿十方界　其數如竹林　斯等共一心　於億无量劫
欲思佛實智　莫能知少分　新發意菩薩　供養无數佛
了達諸義趣　又能善說法　如稻麻竹葦　充滿十方刹
一心以妙智　於恒河沙劫　咸皆共思量　不能知佛智
不退諸菩薩　其數如恒沙　一心共思求　亦復不能知
又告舍利弗　无漏不思議　甚深微妙法　我今已具得
唯我知是相　十方佛亦然　舍利弗當知　諸佛語无異
於佛所說法　當生大信力　世尊法久後　要當說真實
告諸聲聞衆　及求緣覺乘　我令脫苦縛　逮得涅槃者
佛以方便力　示以三乘教　衆生處處著　引之令得出
尒時大衆中有諸聲聞漏盡阿羅漢阿若憍
陳如等千二百人及發聲聞辟支佛心比丘
比丘尼優婆塞優婆夷各作是念今者世尊
何故慇懃稱歎方便而作是言佛所得法甚
深難解有所言說意趣難知一切聲聞辟支
佛所不能及佛說一解脫義我等亦得此法
到於涅槃而今不知是義所趣尒時舍利弗
知四衆心疑自亦未了而白佛言世尊何因
何緣慇懃稱歎諸佛第一方便甚深微妙難
解之法我自昔來未曾從佛聞如是說今者
四衆咸皆有疑唯願世尊敷演斯事世尊何
故慇懃稱歎甚深微妙難解之法尒時舍利
弗欲重宣此義而說偈言
慧日大聖尊　久乃說是法　自說得如是　力无畏三昧
禪定解脫等　不可思議法　道場所得法　无能發問者
我意難可測　亦无能問者　无問而自說　稱歎所行道

BD02657號　妙法蓮華經卷一　（13–8）

弗欲重宣此義而說偈言
慧日大聖尊　久乃說是法　自說得如是　力无畏三昧
禪定解脫等　不可思議法　道場所得法　无能發問者
我意難可測　亦无能問者　无問而自說　稱歎所行道
智慧甚微妙　諸佛之所得　无漏諸羅漢　及求涅槃者
今皆墮疑網　佛何故說是　其求緣覺者　比丘比丘尼
諸天龍鬼神　及乾闥婆等　相視懷猶豫　瞻仰兩足尊
是事為云何　願佛為解說　於諸聲聞眾　佛說我第一
我今自於智　疑惑不能了　為是究竟法　為是所行道
佛口所生子　合掌瞻仰待　願出微妙音　時為如實說
諸天龍神等　其數如恒沙　求佛諸菩薩　大數有八万
又諸万億國　轉輪聖王至　合掌以敬心　欲聞具足道
尒時佛告舍利弗　止止不須復說　若說是事
一切世間諸天及人皆當驚疑　舍利弗重白
佛言世尊唯願說之唯願說之所以者何是
會无數百千万億阿僧祇眾生曾見諸佛諸
根猛利智慧明了聞佛所說則能敬信尒時
舍利弗欲重宣此義而說偈言
法王无上尊　唯說願勿慮　是會无量眾　有能敬信者
佛復止舍利弗若說是事一切世間天人阿脩
羅皆當驚疑增上慢比丘將墜於大坑尒
時世尊重說偈言
止止不須說　我法妙難思　諸增上慢者　聞必不敬信
尒時舍利弗重白佛言世尊唯願說之唯願

羅皆當驚疑增上慢比丘將墜於大坑尒
時世尊重說偈言
止止不須說　我法妙難思　諸增上慢者　聞必不敬信
尒時舍利弗重白佛言世尊唯願說之唯願
說之今此會中如我等比百千万億世世已
曾從佛受化如此人等必能敬信長夜安隱
多所饒益尒時舍利弗欲重宣此義而說偈
言
无上兩足尊　願說第一法　我為佛長子　唯垂分別說
是會无量眾　能敬信此法　佛已曾世世　教化如是等
皆一心合掌　欲聽受佛語　我等千二百　及餘求佛者
願為此眾故　唯垂分別說　是等聞此法　則生大歡喜
尒時世尊告舍利弗汝已慇懃三請豈得不
說汝今諦聽善思念之吾當為汝分別解說
說此語時會中有比丘比丘尼優婆塞優婆
夷五千人等即從座起禮佛而退所以者何
此輩罪根深重及增上慢未得謂得未證謂
證有如此失是以不住世尊黙然而不制止
尒時佛告舍利弗我今此眾无復枝葉純有
貞實舍利弗如是增上慢人退亦佳矣汝今
善聽當為汝說舍利弗言唯然世尊願樂欲
聞佛告舍利弗如是妙法諸佛如來時乃說
之如優曇鉢華時一現耳舍利弗汝等當信
佛之所說言不虛妄舍利弗諸佛隨宜說法

善聽當為汝說舍利弗言唯然世尊願樂欲
聞佛告舍利弗如是妙法諸佛如來時乃說
之如優曇鉢華時一現耳舍利弗汝等當信
佛之所說言不虛妄舍利弗諸佛隨宜說法
意趣難解所以者何我以无數方便種種因
緣譬喻言辭演說諸法是法非思量分別之
所能解唯有諸佛乃能知之所以者何諸佛
世尊唯以一大事因緣故出現於世舍利弗
云何名諸佛世尊唯以一大事因緣故出現
於世諸佛世尊欲令衆生開佛知見使得清
淨故出現於世欲示衆生佛之知見故出現
於世欲令衆生悟佛知見故出現於世欲令衆
生入佛知見道故出現於世舍利弗是為諸
佛以一大事因緣故出現於世佛告舍利弗
諸佛如來但教化菩薩諸有所作常為一事
唯以佛之知見示悟衆生舍利弗如來但以
一佛乘故為衆生說法无有餘乘若二若三
舍利弗一切十方諸佛法亦如是舍利弗過
去諸佛以无量无數方便種種因緣譬喻言
辭而為衆生演說諸法是法皆為一佛乘故
是諸衆生從諸佛聞法究竟皆得一切種智
舍利弗未來諸佛當出於世亦以无量无數
方便種種因緣譬喻言辭而為衆生演說諸
法是法皆為一佛乘故是諸衆生從佛聞法

BD02657號　妙法蓮華經卷一　（13-11）

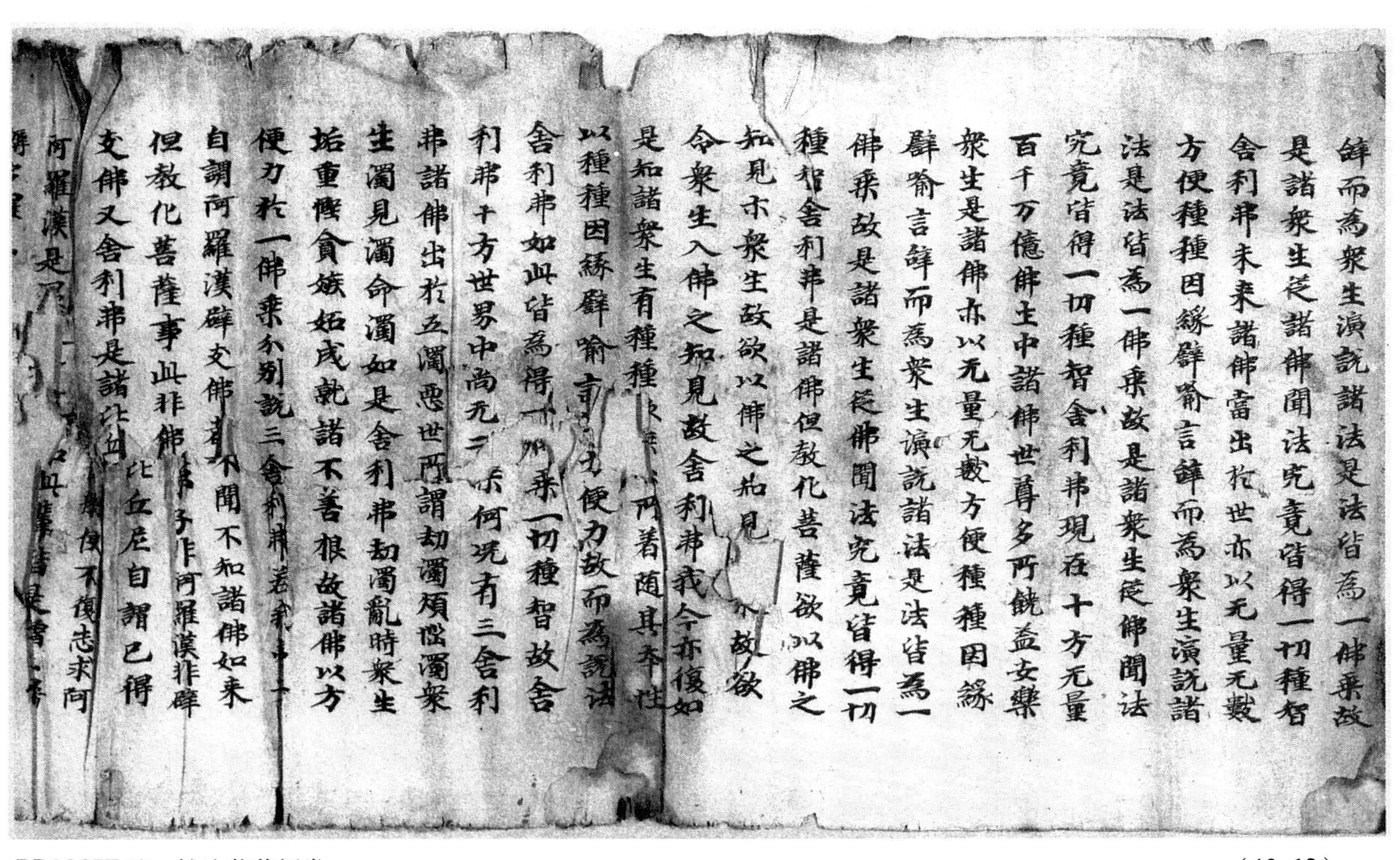
辭而為衆生演說諸法是法皆為一佛乘故
是諸衆生從諸佛聞法究竟皆得一切種智
舍利弗未來諸佛當出於世亦以无量无數
方便種種因緣譬喻言辭而為衆生演說諸
法是法皆為一佛乘故是諸衆生從佛聞法
究竟皆得一切種智舍利弗現在十方无量
百千万億佛土中諸佛世尊多所饒益安樂
衆生是諸佛亦以无量无數方便種種因緣
譬喻言辭而為衆生演說諸法是法皆為一
佛乘故是諸衆生從佛聞法究竟皆得一切
種智舍利弗是諸佛但教化菩薩欲以佛之
知見示衆生故欲以佛之知見悟衆生故欲
令衆生入佛之知見故舍利弗我今亦復如
是知諸衆生有種種欲深心所著隨其本性
以種種因緣譬喻言辭方便力故而為說法
舍利弗如此皆為得一佛乘一切種智故舍
利弗十方世界中尚无二乘何況有三舍利
弗諸佛出於五濁惡世所謂劫濁煩惱濁衆
生濁見濁命濁如是舍利弗劫濁亂時衆生
垢重慳貪嫉妬成就諸不善根故諸佛以方
便力於一佛乘分別說三舍利弗若我弟子
自謂阿羅漢辟支佛者不聞不知諸佛如來
但教化菩薩事此非佛弟子非阿羅漢非辟
支佛又舍利弗是諸比丘比丘尼自謂已得
阿羅漢是最後身究竟涅槃便不復志求阿

BD02657號　妙法蓮華經卷一　（13-12）

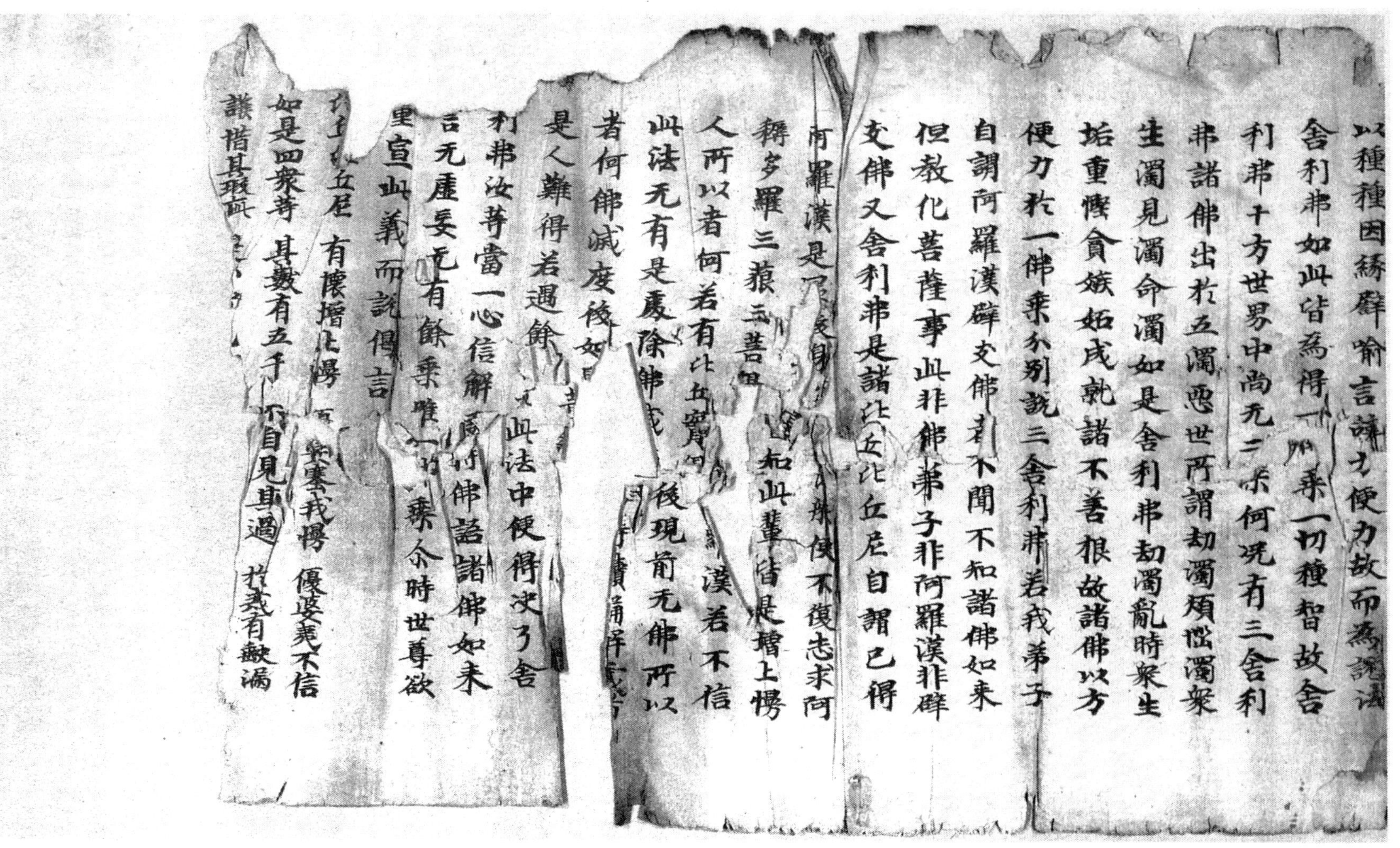

BD02657 號　妙法蓮華經卷一　（13–13）

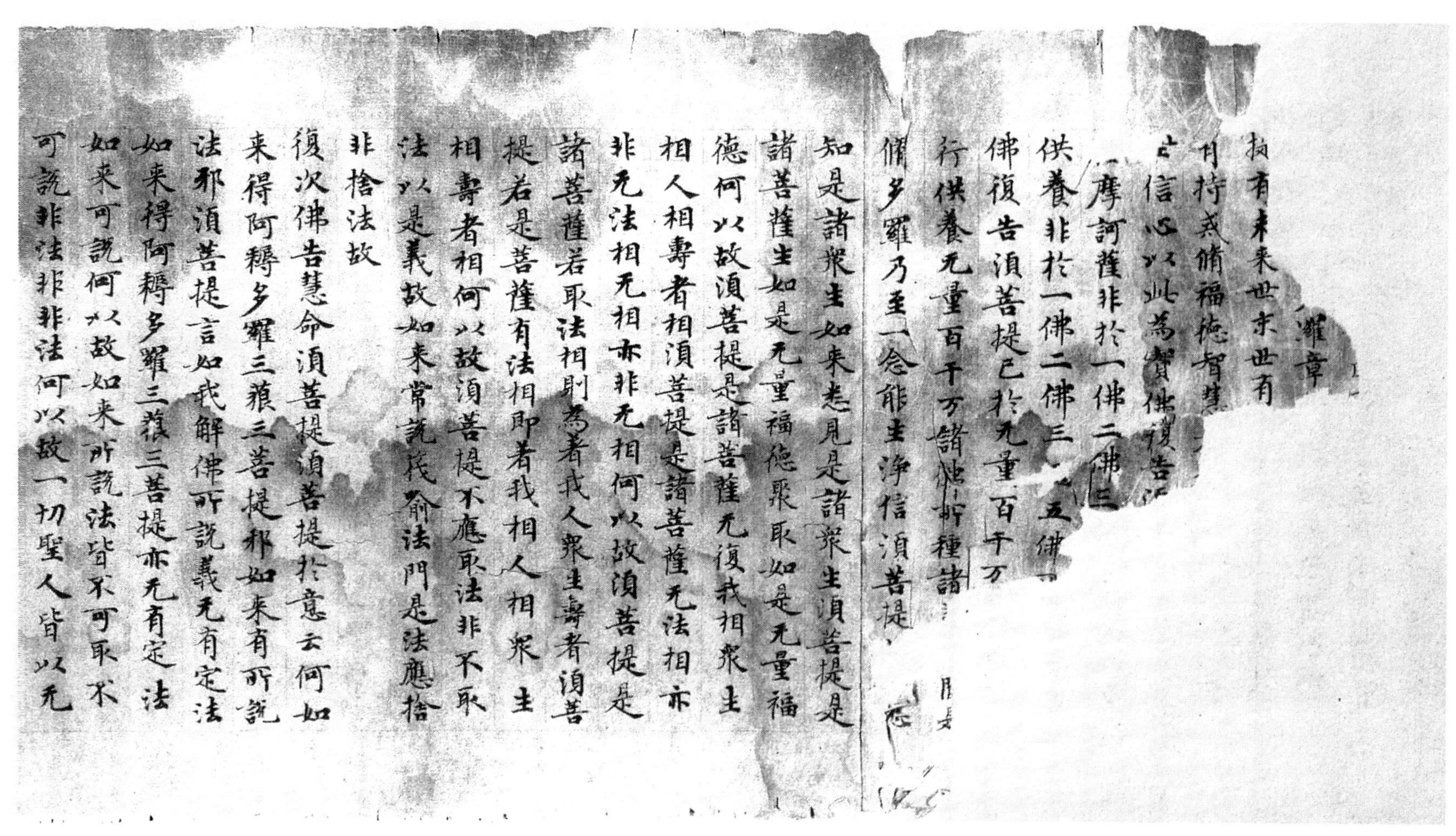

BD02658 號　金剛般若波羅蜜經（菩提留支本）　（16–1）

非捨法故
復次佛告慧命須菩提須菩提於意云何如
来得阿耨多羅三藐三菩提耶如来有所説
法耶須菩提言如我解佛所説義无有定法
如来得阿耨多羅三藐三菩提亦无有定法
如来可説何以故如来所説法皆不可取不
可説非法非非法何以故一切聖人皆以无
為法得名
須菩提於意云何若滿三千大千世界七寶
以用布施須菩提於意云何是善男子善女
人所得福德寧為多不須菩提言甚多婆伽
婆甚多脩伽陁彼善男子善女人得福甚多
何以故世尊是福德聚即非福德聚是故如
来説福德聚福德聚佛言須菩提若善男子
善女人以滿三千大千世界七寶持用布施
若復於此經中受持乃至四句偈等為
他人説其福勝彼无量不可數何以故須菩
提一切諸佛阿耨多羅三藐三菩提法皆從
此經出一切諸佛如来皆從此經生須菩提
所謂佛法佛法者即非佛法是名佛法
須菩提於意云何須陁洹能作是念我得須
陁洹果不須菩提言不也世尊何以故實无
有法名須陁洹不入色聲香味觸法是名須
陁洹佛言須菩提於意云何斯陁含能作是
念我得斯陁含果不須菩提言不也世尊何
以故實无有法名斯陁含是名斯陁含須菩
提於意云何阿那含能作是念我得阿那含

BD02658號　金剛般若波羅蜜經（菩提留支本）　（16–2）

陁洹果不須菩提言不也世尊何以故實无
有法名須陁洹不入色聲香味觸法是名須
陁洹佛言須菩提於意云何斯陁含能作是
念我得斯陁含果不須菩提言不也世尊何
以故實无有法名斯陁含是名斯陁含須菩
提於意云何阿那含能作是念我得阿那含
果不須菩提言不也世尊何以故實无有法
名阿那含是名阿那含須菩提於意云何阿
羅漢能作是念我得阿羅漢果不須菩提言
不也世尊何以故實无有法名阿羅漢世尊
若阿羅漢作是念我得阿羅漢即為著我人
衆生壽者世尊佛説我得无諍三昧最為第
一世尊説我是離欲阿羅漢世尊我不作是
念我是離欲阿羅漢世尊我若作是念我得
阿羅漢世尊則不記我无諍行第一以須菩
提實无所行而名須菩提无諍无諍行
佛告須菩提於意云何如来昔在然燈佛所
得阿耨多羅三藐三菩提法不須菩提言不
也世尊如来在然燈佛所於法實无所得阿
耨多羅三藐三菩提
佛告須菩提若菩薩作是言我莊嚴佛國土
彼菩薩不實語何以故須菩提如来所説莊
嚴佛土者則非莊嚴是名莊嚴佛土是故須
菩提諸菩薩摩訶薩應如是生清淨心而无
所住不住色生心不住聲香味觸法生心應
无所住而生其心須菩提譬如有人身如須
弥山王須菩提於意云何是身為大不須菩

BD02658號　金剛般若波羅蜜經（菩提留支本）　（16–3）

彼菩薩不實語何以故須菩提如来所說莊
嚴佛土者則非莊嚴是名莊嚴佛土是故須
菩提諸菩薩摩訶薩應如是生清淨心而无
所住不住色生心不住聲香味觸法生心應
无所住而生其心須菩提譬如有人身如須
弥山王須菩提於意云何是身為大不須菩
提言甚大世尊何以故佛說非身是名大身
彼身非身是名大身
佛言須菩提如恒河中所有沙數如是沙等
恒河於意云何是諸恒河沙寧為多不須菩
提言甚多世尊但諸恒河尚多无數何況其
沙佛言須菩提我今實言告汝若有善男子
善女人以七寶滿尒所恒河沙數世界以施諸
佛如来須菩提於意云何彼善男子善女人
得福多不須菩提言甚多世尊彼善男子善
女人得福甚多佛告須菩提以七寶滿尒所
恒河沙世界持用布施若善男子善女人於
此法門乃至受持四句偈等為他人說而此
福德勝前福德无量阿僧祇
復次須菩提隨所有處說是法門乃至四句
偈等當知此處一切世間天人阿脩羅皆應
供養如佛塔廟何況有人盡能受持讀誦此
經須菩提當知是人成就冣上第一希有之
法若是經典所在之處則為有佛若尊重似
佛尒時須菩提白佛言世尊當何名此法門
我等云何奉持佛告須菩提是法門名為金
剛般若波羅蜜以是名字汝當奉持何以故

BD02658 號　金剛般若波羅蜜經（菩提留支本）　（16–4）

法若是經典所在之處則為有佛若尊重似
佛尒時須菩提白佛言世尊當何名此法門
我等云何奉持佛告須菩提是法門名為金
剛般若波羅蜜以是名字汝當奉持何以故
須菩提佛說般若波羅蜜則非般若波羅蜜
須菩提於意云何如来有所說法不須菩提
言世尊如来无所說法須菩提於意云何三
千大千世界所有微塵是為多不須菩提言
彼微塵甚多世尊須菩提是諸微塵如来說
非微塵是名微塵如来說世界非世界是名
世界佛言須菩提於意云何可以三十二大
人相見如来不須菩提言不也世尊何以故
如来說三十二大人相即是非相是名三十
二大人相
佛言須菩提若有善男子善女人以恒河沙
等身命布施若復有人於此法門中乃至受
持四句偈等為他人說其福甚多无量阿僧
祇尒時須菩提聞說是經深解義趣涕淚悲
泣捫淚而白佛言希有婆伽婆希有脩伽陁
佛說如是甚深法門我從昔来所得慧眼未
曾得聞如是法門何以故須菩提佛說般若
波羅蜜即非般若波羅蜜世尊若復有人得
聞是經信心清淨則生實相當知是人成就
第一希有功德世尊是實相者則是非相是
故如来說名實相實相世尊我今得聞如是
法門信解受持不足為難若當来世其有衆
生得聞是法門信解受持是人則為第一希

BD02658 號　金剛般若波羅蜜經（菩提留支本）　（16–5）

第一希有功德世尊是實相者則是非相是
故如来說名實相實相世尊我今得聞如是
法門信解受持不足為難若當来世其有衆
生得聞是法門信解受持是人則為第一希
有何以故此人无我相人相衆生相壽者相
何以故我相即是非相人相衆生相壽者相
即是非相何以故離一切諸相則名諸佛佛
告須菩提如是如是若復有人得聞是經不
驚不怖不畏當知是人甚為希有何以故須
菩提如来說第一波羅蜜非第一波羅蜜如
来說第一波羅蜜者彼无量諸佛亦說波羅
蜜是名第一波羅蜜
須菩提如来說忍辱波羅蜜則非忍辱波羅
蜜何以故須菩提如我昔為歌利王割截身
體我於尒時无我相无衆生相无人相无壽
者相无相亦非无相何以故須菩提我於往
昔節節支解時若有我相衆生相人相壽者
相應生瞋恨須菩提又念過去於五百世作
忍辱仙人於尒所世无我相无衆生相无人
相无壽者相是故須菩提菩薩應離一切相
發阿耨多羅三藐三菩提心何以故若心有
住則為非住不應住色生心不應住聲香味
觸法生心應生无所住心是故佛說菩薩心
不住色布施須菩提菩薩為利益一切衆生
應如是布施須菩提言世尊一切衆生相即
是非相何以故如来說一切衆生即非衆生
須菩提如来是真語者實語者如語者不異

不住色布施須菩提菩薩為利益一切衆生
應如是布施須菩提言世尊一切衆生相即
是非相何以故如来說一切衆生即非衆生
須菩提如来是真語者實語者如語者不異
語者須菩提如来所得法所說法无實无妄語
須菩提辟如有人入闇則无所見若菩薩心
住於事而行布施亦復如是須菩提辟如人
有目夜分已盡日光明照見種種色若菩薩
不住於事行於布施亦復如是
復次須菩提若有善男子善女人能於此法
門受持讀誦脩行則為如来以佛智慧悉知
是人悉見是人皆得成就无量无
邊功德聚須菩提若有善男子善女人初日
分以恒河沙等身布施中日分復以恒河沙
等身布施後日分復以恒河沙等身布施如
是捨恒河沙等无量身如是百千万億那由
他劫以身布施若復有人聞此法門信心不
謗其福勝彼无量阿僧祇何況書寫受持讀
誦脩行為人廣說
須菩提以要言之是經有不可思議不可稱
量无邊功德此法門如来為發大乘者說為
發冣上乘者說若有人能受持讀誦脩行此
經廣為人說如来悉知是人悉見是人皆成
就不可思議不可稱无有邊无量功德聚如
是人等則為荷擔如来阿耨多羅三藐三菩
提何以故須菩提若樂小法者則於此經不
能受持讀誦脩行為人解說若有我見衆生

就不可思議不可稱无有邊无量功德衆如
是人等則為荷檐如来阿耨多羅三藐三菩
提何以故須菩提若樂小法者則於此經不
能受持讀誦脩行為人解說若有我見衆生
見人見壽者見於此法門能受持讀誦脩行
為人解說者无有是處須菩提在在處處若
有此經一切世間天人阿脩羅所應供養當
知此處則為是塔皆應恭敬作礼圍繞以諸
華香而散其處復次須菩提若善男子善女
人受持讀誦此經為人輕賤何以故是人先
世罪業應墮惡道以今世人輕賤故先世罪業
則為消滅當得阿耨多羅三藐三菩提
須菩提我念過去无量阿僧祇阿僧祇劫於
然燈佛前得值八十四億那由他百千万諸佛我
皆親承供養无空過者須菩提如是无量諸
佛我皆親承供養无空過者若復有人於
後世末世能受持讀誦脩行此經所得功德
我所供養諸佛功德於彼百分不及一千万
億分乃至筭數譬喻所不能及須菩提若有
善男子善女人於後世末世有受持讀誦脩
行此經所得功德若我具說者或有人聞心
則狂亂疑惑不信須菩提當知是法門不可
思議果報亦不可思議
尒時須菩提白佛言世尊云何菩薩發阿耨
多羅三藐三菩提心云何住云何脩行云何
降伏其心佛告須菩提菩薩發阿耨多羅三
藐三菩提心者當生如是心我應滅度一切衆

BD02658號　金剛般若波羅蜜經（菩提留支本）　（16–8）

則狂亂疑惑不信須菩提當知是法門不可
思議果報亦不可思議
尒時須菩提白佛言世尊云何菩薩發阿耨
多羅三藐三菩提心云何住云何脩行云何
降伏其心佛告須菩提菩薩發阿耨多羅三
藐三菩提心者當生如是心我應滅度一切衆
生令入无餘涅槃界如是滅度一切衆生已
而无一衆生實滅度者何以故須菩提若
菩薩有衆生相人相壽者相則非菩薩何以
故須菩提實无有法名為菩薩發阿耨多羅
三藐三菩提心者
須菩提於意云何如来於然燈佛所有法得
阿耨多羅三藐三菩提不須菩提白佛言不
也世尊如我解佛所說義佛於然燈佛所无
有法得阿耨多羅三藐三菩提佛言如是如
是須菩提實无有法如来於然燈佛所得阿
耨多羅三藐三菩提須菩提若有法如来得阿
耨多羅三藐三菩提者然燈佛則不與我授記汝
於来世當得作佛号釋迦牟尼以實无有法
得阿耨多羅三藐三菩提是故然燈佛與我
授記作如是言摩那婆汝於来世當得作佛
号釋迦牟尼何以故須菩提言如来者即實
真如須菩提若有人言如来得阿耨多羅三
藐三菩提者是人不實語須菩提實无有法
佛得阿耨多羅三藐三菩提須菩提如来所
得阿耨多羅三藐三菩提於是中不實不妄
語是故如来說一切法皆是佛法須菩提所
言一切法一切法皆即非一切法是故名一切法

BD02658號　金剛般若波羅蜜經（菩提留支本）　（16–9）

藐三菩提者是人不實語須菩提實无有法
佛得阿耨多羅三藐三菩提須菩提如来所
得阿耨多羅三藐三菩提於是中不實不妄
語是故如来說一切法皆是佛法須菩提所
言一切法一切法者即非一切法是故名一切法
須菩提譬如有人其身妙大須菩提言世尊
如来說人身妙大則非大身是故如来說名大身
佛言須菩提菩薩亦如是若作是言我當滅
度无量衆生則非菩薩佛言須菩提於意
云何頗有實法名為菩薩須菩提言不也世
尊實无有法名為菩薩是故佛說一切法无
衆生无人无壽者須菩提若菩薩作是言我
莊嚴佛國土是不名菩薩何以故如来說莊
嚴佛土莊嚴佛土者即非莊嚴是名莊嚴佛
國土須菩提若菩薩通達无我无我法者如
来說名真是菩薩菩薩
須菩提於意云何如来有肉眼不須菩提言
如是世尊如来有肉眼佛言須菩提於意云
何如来有天眼不須菩提言如是世尊如来
有天眼佛言須菩提於意云何如来有慧眼
不須菩提言如是世尊如来有慧眼佛言須
菩提於意云何如来有法眼不須菩提言如
是世尊如来有法眼佛言須菩提於意云何
如来有佛眼不須菩提言如是世尊如来有
佛眼佛言須菩提於意云何如恒河中所有
沙佛說是沙不須菩提言如是世尊如来說
是沙佛言須菩提於意云何如一恒河中所

BD02658號　金剛般若波羅蜜經（菩提留支本）　（16–10）

是世尊如来有法眼佛言須菩提於意云何
如来有佛眼不須菩提言如是世尊如来有
佛眼佛言須菩提於意云何如恒河中所有
沙佛說是沙不須菩提言如是世尊如来說
是沙佛言須菩提於意云何如一恒河中所
有沙有如是等恒河是諸恒河所有沙數佛
世界如是世界寧為多不須菩提言彼世界
甚多世尊佛告須菩提尒所世界中所有衆
生若干種心住如来悉知何以故如来說諸
心住皆為非心住是名為心住何以故須菩
提過去心不可得現在心不可得未来心不
可得須菩提於意云何若有人以滿三千大千
世界七寶持用布施是善男子善女人以是
因緣得福多不須菩提言如是世尊此人以是
因緣得福甚多佛言如是如是須菩提彼善男
子善女人以是因緣得福甚多須菩提若福
德聚有實如来則不說福德聚福德聚
須菩提於意云何佛可以具足色身見不須
菩提言不也世尊如来不應以色身見何以
故如来說具足色身即非具足色身是故如
来說名具足色身佛言須菩提於意云何如
来可以具足諸相見不須菩提言不也世尊
如来不應以具足諸相見何以故如来說諸
相具足即非具足是故如来說名諸相具足
佛言須菩提於意云何汝謂如来作是念我
當有所說法邪須菩提莫作是念何以故若
人言如来有所說法則為謗佛不能解我所

BD02658號　金剛般若波羅蜜經（菩提留支本）　（16–11）

相具足即非具足是故如来說名諸相具足
佛言須菩提於意云何汝謂如来作是念我
當有所說法邪須菩提莫作是念何以故若
人言如来有所說法則為謗佛不能解我所
說故何以故須菩提如来說法說法者无法
可說是名說法
尒時慧命須菩提白佛言世尊頗有衆生於
未来世聞說是法生信心不佛言須菩提彼
非衆生非不衆生何以故須菩提衆生衆生
者如来說非衆生是名衆生
佛言須菩提於意云何如来得阿耨多羅三
藐三菩提邪須菩提言不也世尊世尊无有
少法如来得阿耨多羅三藐三菩提佛言如
是如是須菩提我於阿耨多羅三藐三菩提
乃至无有少法可得是名阿耨多羅三藐三
菩提復次須菩提是法平等无有高下是名
阿耨多羅三藐三菩提以无衆生无人无壽者
得平等阿耨多羅三藐三菩提一切善法
得阿耨多羅三藐三菩提須菩提所言善法
善法者如来說非善法是名善法
須菩提三千大千世界中所有諸須弥山王
如是等七寶聚有人持用布施若人以此般
若波羅蜜經乃至四句偈等受持讀誦為他
人說於前福德百分不及一千分不及一百
千万分不及一歌羅分不及一數分不及一優
波尼沙陁分不及一乃至筭數譬喻所不能及
須菩提於意云何汝謂如来作是念我度衆

人說於前福德百分不及一千分不及一百
千万分不及一歌羅分不及一數分不及一優
波尼沙陁分不及一乃至筭數譬喻所不能及
須菩提於意云何汝謂如来作是念我度衆
生邪須菩提莫作是見何以故實无有衆生
如来度者佛言須菩提若有實衆生如来度
者如来則有我人衆生壽者相須菩提如来
說有我者則非有我而毛道凡夫生者以為
有我須菩提毛道凡夫生者如来說名非生
是故言毛道凡夫生
須菩提於意云何可以相成就得見如来不
須菩提言如我解如来所說義不以相成就
得見如来佛言如是如是須菩提不以相成
就得見如来佛言須菩提若以相成就觀如
来者轉輪聖王應是如来是故非以相成就
得見如来尒時世尊而說偈言
若以色見我　以音聲求我　是人行邪道　不能見如来
彼如来妙體　即法身諸佛　法體不可見　彼識不能知
須菩提於意云何如来可以相成就得阿耨
多羅三藐三菩提須菩提莫作是念如来
不以相成就得阿耨多羅三藐三菩提須菩提
汝若作是念菩薩發阿耨多羅三藐三菩提
心者說諸法斷滅相須菩提莫作是念菩薩
發阿耨多羅三藐三菩提心說諸法斷滅相
何以故菩薩發阿耨多羅三藐三菩提心者
於法不說斷滅相故須菩提若善男子善女
人以滿恒河沙等世界七寶持用布施若有善

發阿耨多羅三藐三菩提心説諸法斷滅相
何以故菩薩發阿耨多羅三藐三菩提心者
於法不説斷滅相故須菩提若善男子善女
人以滿恒河沙等世界七寶持用布施若有菩
薩知一切法无我得无生法忍此功德勝前所
得福德須菩提以諸菩薩不取福德故須菩
提白佛言世尊菩薩不取福德佛言須菩提
菩薩受福德不取福德是故菩薩取福德
須菩提若有人言如来若去若来若住若坐
若卧是人不解我所説義何以故如来者无
所至去无所從来故名如来
須菩提若善男子善女人以三千大千世界
微塵復以尒許微塵世界碎為微塵阿僧
祇須菩提於意云何是微塵衆寧為多不須
菩提言彼微塵衆甚多世尊何以故若是微
塵衆實有者佛則不説是微塵衆何以故佛説
微塵衆則非微塵衆是故佛説微塵衆世尊
如来所説三千大千世界則非世界是故佛
説三千大千世界何以故若世界實有者則
是一合相如来説一合相則非一合相是故
佛説一合相佛言須菩提一合相者則是不
可説但凡夫之人貪著其事何以故須菩提
若人如是言佛説我見人見衆生見壽者見
須菩提於意云何是人所説為正語不須菩
提言不也世尊何以故世尊如来説我見人見
衆生見壽者見即非我見人見衆生見壽
者見是名我見人見衆生見壽者見須菩提

BD02658號　金剛般若波羅蜜經（菩提留支本）　（16–14）

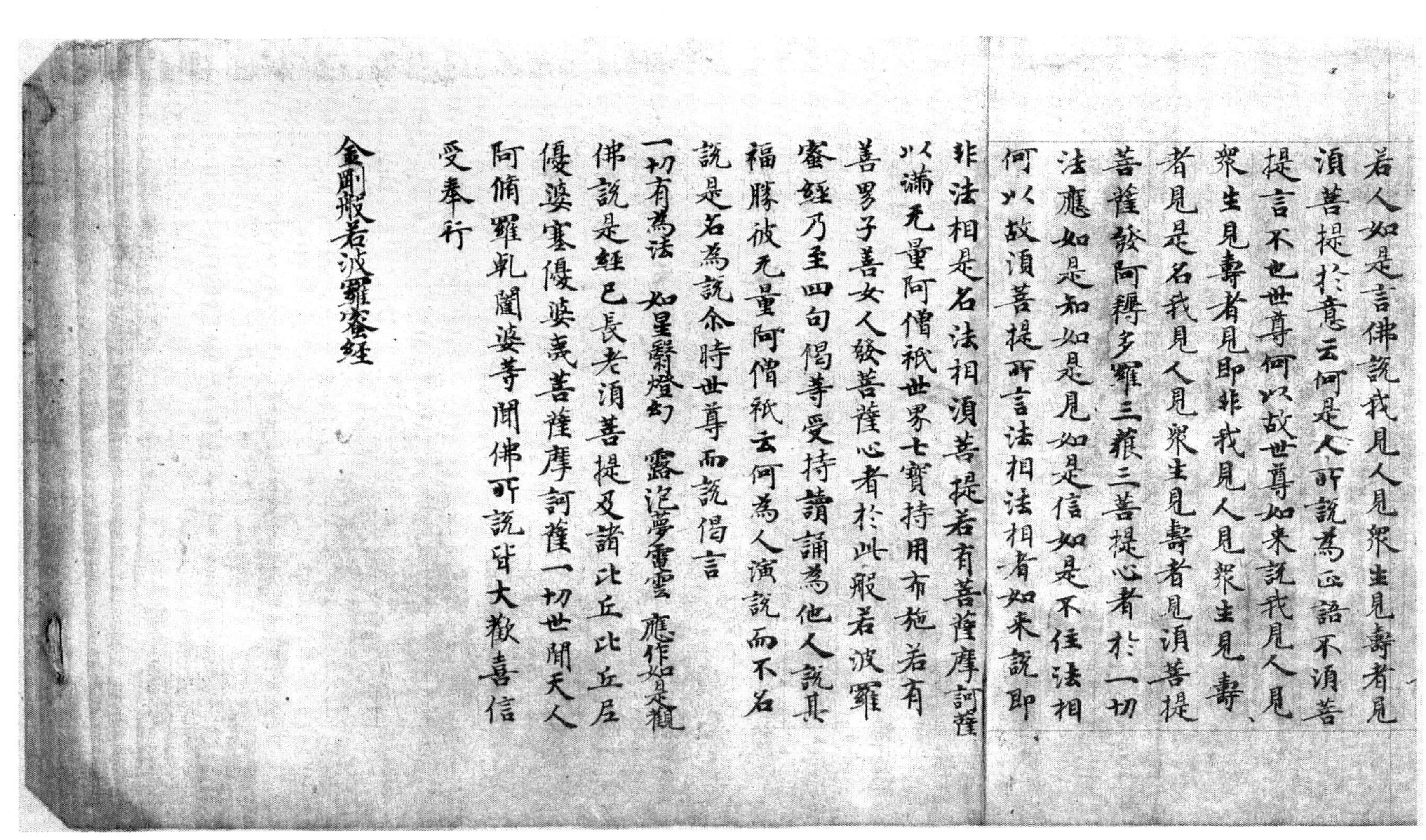

若人如是言佛説我見人見衆生見壽者見
須菩提於意云何是人所説為正語不須菩
提言不也世尊何以故世尊如来説我見人見
衆生見壽者見即非我見人見衆生見壽
者見是名我見人見衆生見壽者見須菩提
菩薩發阿耨多羅三藐三菩提心者於一切
法應如是知如是見如是信如是不住法相
何以故須菩提所言法相法相者如来説即
非法相是名法相須菩提若有菩薩摩訶薩
以滿无量阿僧祇世界七寶持用布施若有
善男子善女人發菩薩心者於此般若波羅
蜜經乃至四句偈等受持讀誦為他人説其
福勝彼无量阿僧祇云何為人演説而不名
説是名為説尒時世尊而説偈言
一切有為法　如星翳燈幻　露泡夢電雲　應作如是觀
佛説是經已長老須菩提及諸比丘比丘尼
優婆塞優婆夷菩薩摩訶薩一切世間天人
阿脩羅乾闥婆等聞佛所説皆大歡喜信
受奉行

金剛般若波羅蜜經

BD02658號　金剛般若波羅蜜經（菩提留支本）　（16–15）

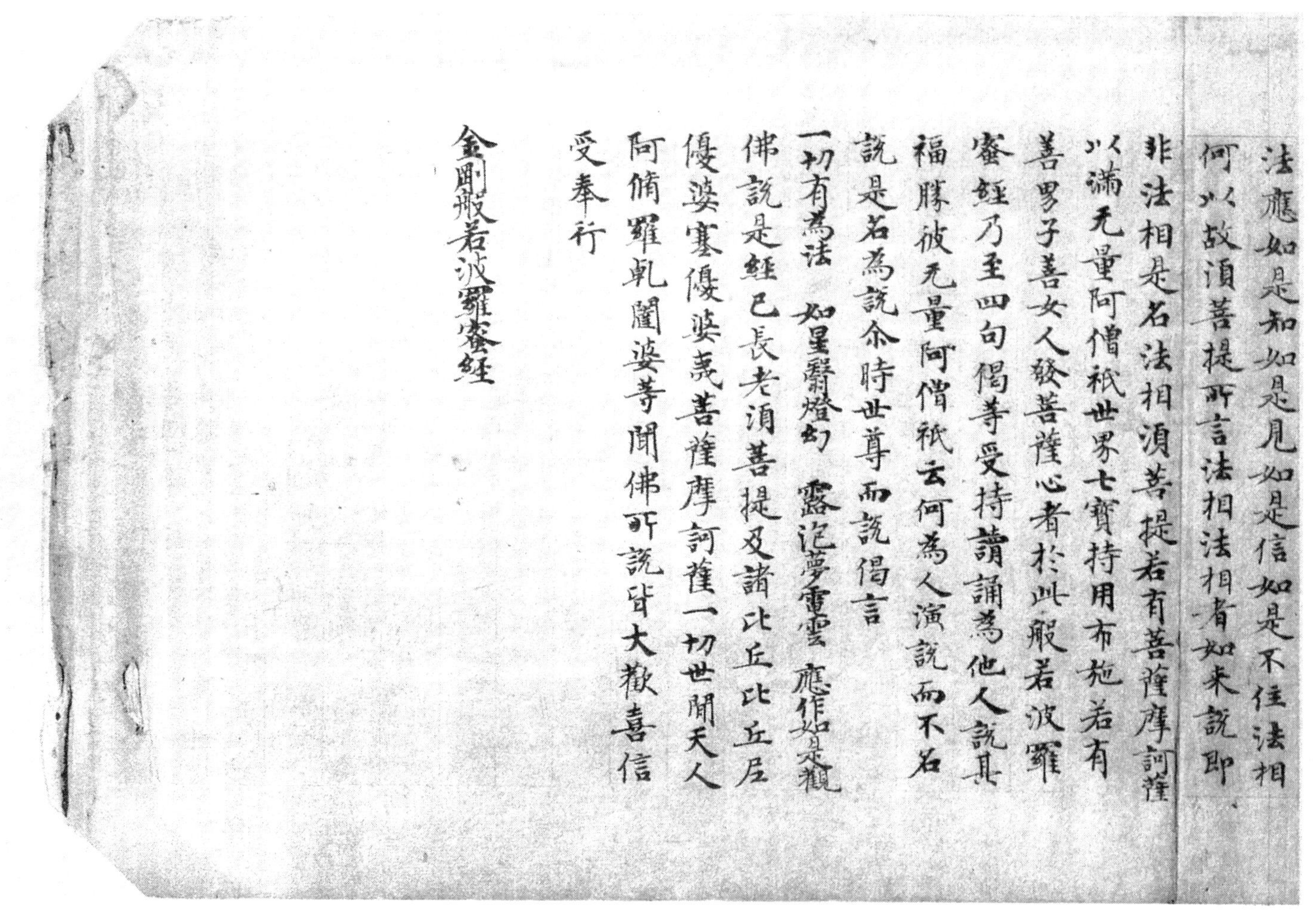

法應如是知如是見如是信如是不住法相
何以故須菩提所言法相法相者如來說即
非法相是名法相須菩提若有菩薩摩訶薩
以滿无量阿僧祇世界七寶持用布施若有
善男子善女人發菩薩心者於此般若波羅
蜜經乃至四句偈等受持讀誦為他人說其
福勝彼无量阿僧祇云何為人演說而不名
說是名為說尒時世尊而說偈言
一切有為法　如星翳燈幻　露泡夢電雲　應作如是觀
佛說是經已長老須菩提及諸比丘比丘尼
優婆塞優婆夷菩薩摩訶薩一切世間天人
阿脩羅乾闥婆等聞佛所說皆大歡喜信
受奉行
金剛般若波羅蜜經

BD02658 號　金剛般若波羅蜜經（菩提留支本）　　（16–16）

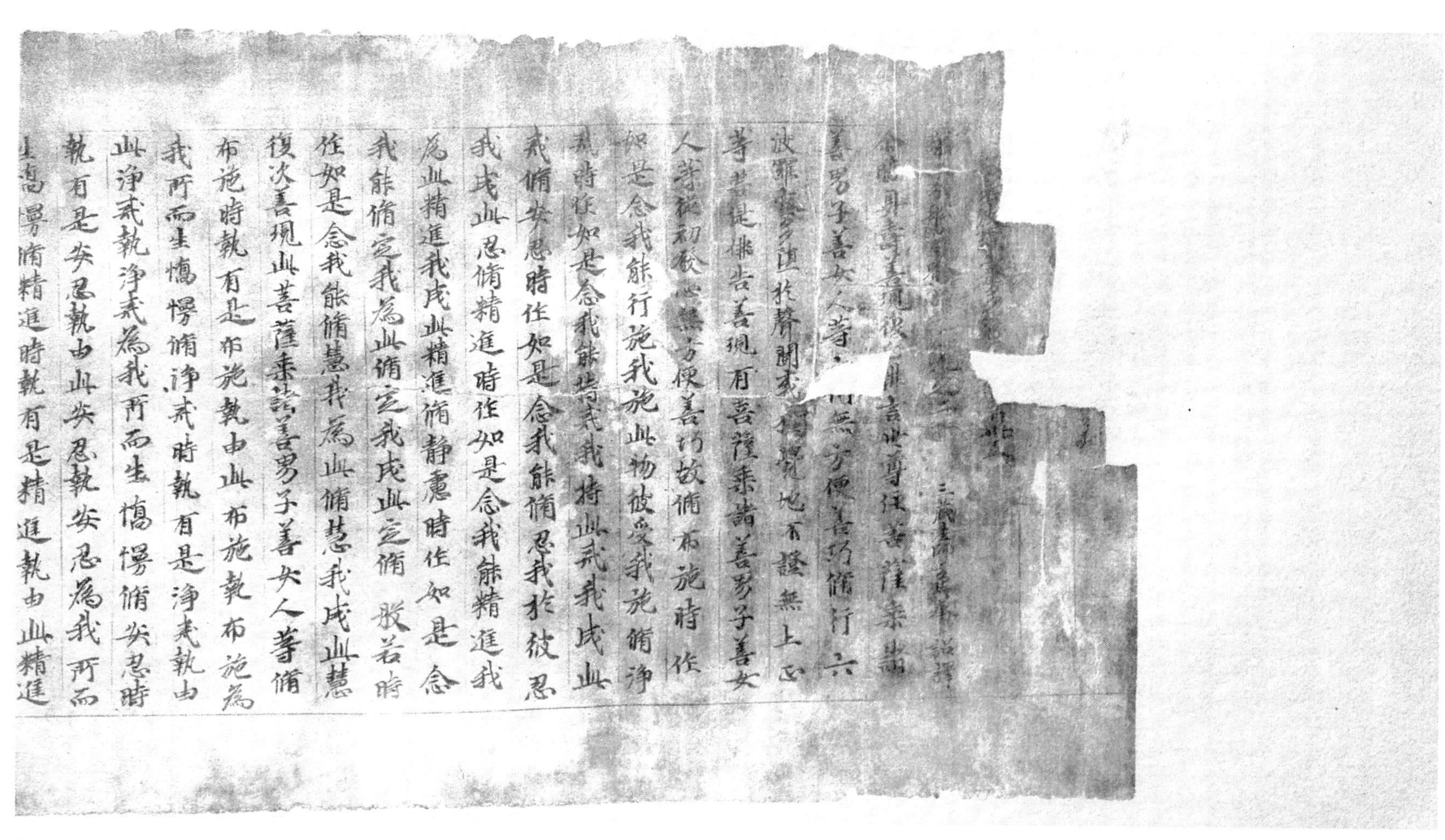

[illegible]三藏法師玄奘奉詔譯
[illegible]現復[illegible]言世尊住菩薩乘諸
善男子善女人等[illegible]無方便善巧脩行六
波羅蜜多[illegible]地不證無上正
等菩提佛告善現有菩薩乘諸善男子善女
人等從初發心無方便善巧故脩布施時作
如是念我能行施我施此物彼受我施脩淨
戒時作如是念我能持戒我持此戒我成此
戒脩安忍時作如是念我能脩忍我於彼忍
我成此忍脩精進時作如是念我能精進我
為此精進我成此精進脩靜慮時作如是念
我能脩定我為此脩定我成此定脩般若時
作如是念我能脩慧我為此脩慧我成此慧
復次善現此菩薩乘諸善男子善女人等脩
布施時執有是布施執由此布施執布施為
我所而生憍慢脩淨戒時執有是淨戒執由
此淨戒執淨戒為我所而生憍慢脩安忍時
執有是安忍執由此安忍執安忍為我所而
生憍慢脩精進時執有是精進執由此精進

BD02659 號　大般若波羅蜜多經卷四四五　　（4–1）

住如是念我能修慧我為此修慧我成此慧
復次善現此菩薩乘諸善男子善女人等修
布施時執有是布施執由此布施執布施為
我所而生憍慢修淨戒時執有是淨戒執由
此淨戒執淨戒為我所而生憍慢修安忍時
執有是安忍執由此安忍執安忍為我所而
生憍慢修精進時執有是精進執由此精進
執精進為我所而生憍慢修靜慮時執有是
靜慮執由此靜慮執靜慮為我所而生憍慢
修般若時執有是般若執由此般若執般若
為我所而生憍慢是菩薩乘諸善男子善女
人等我我所執恒隨逐故所修布施乃至般
若波羅蜜多增長生死不能解脫生等眾苦
所以者何布施波羅蜜多中無如是分別亦
不如彼所分別何以故非至此彼岸是布施
波羅蜜多相故乃至般若波羅蜜多中無如
是分別亦不如彼所分別何以故非至此彼
岸是般若波羅蜜多相故善現當知此菩薩
乘諸善男子善女人等不知此岸彼岸相故
不能攝受布施淨戒安忍精進靜慮般若波
羅蜜多如是乃至不能攝受一切智道相智
一切相智由此因緣是菩薩乘諸善男子善
女人等墮聲聞地或獨覺地不證無上正等
菩提善現住菩薩乘諸善男子善女人等如
是無方便善巧修行六波羅蜜多墮於聲聞
或獨覺地不證無上正等菩提
爾時具壽善現復白佛言世尊云何住菩薩

BD02659號　大般若波羅蜜多經卷四四五　（4–2）

一切相智由此因緣是菩薩乘諸善男子善
女人等墮聲聞地或獨覺地不證無上正等
菩提善現住菩薩乘諸善男子善女人等如
是無方便善巧修行六波羅蜜多墮於聲聞
或獨覺地不證無上正等菩提
爾時具壽善現復白佛言世尊云何住菩薩
乘諸善男子善女人等由能攝受甚深般若
波羅蜜多方便善巧具諸功德不墮聲聞及
獨覺地疾證無上正等菩提佛告善現有菩
薩乘諸善男子善女人等從初發心離我我
所執修行布施乃至般若波羅蜜多此善男
子善女人等修布施時不作是念我能行施
我施此物彼受我施修淨戒時不作是念我
能持戒我持此戒我具是戒修安忍時不作
是念我能修忍我於彼忍我具是忍修精進
時不作是念我能精進我為此精進我具是
精進修靜慮時不作是念我能修定我為此
修定我具是定修般若時不作是念我能修
慧我為此修慧我具是慧復次善現此善男
子善女人等修布施時不執有布施不執由
此布施不執布施為我所修淨戒時不執有
淨戒不執由此淨戒不執淨戒為我所修安
忍時不執有安忍不執由此安忍不執安忍
為我所修精進時不執有精進不執由此精
進不執精進為我所修靜慮時不執有靜慮
不執由此靜慮不執靜慮為我所修般若時
不執有般若不執由此般若不執般若為我所

BD02659號　大般若波羅蜜多經卷四四五　（4–3）

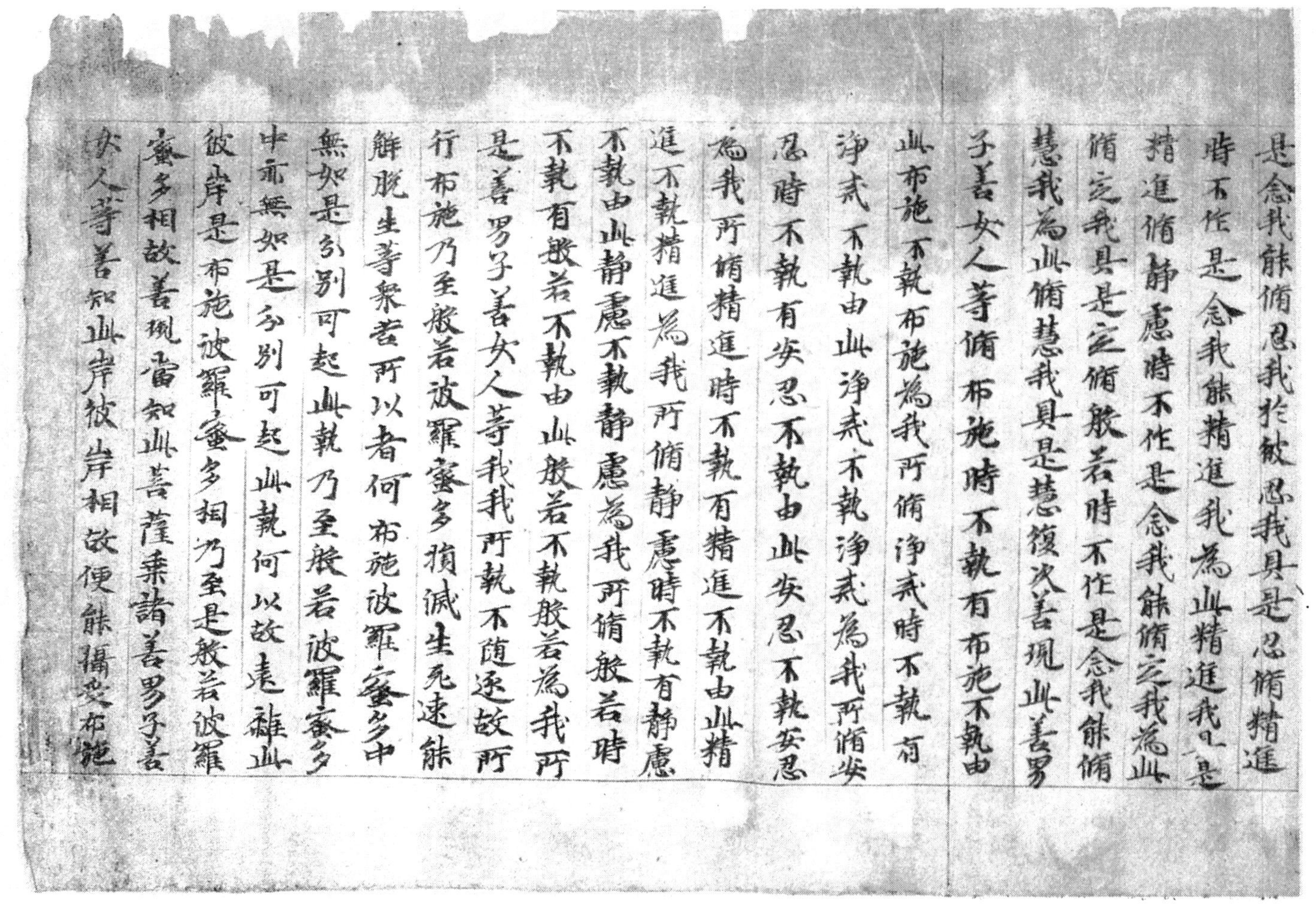
是念我能脩忍我於彼忍我具是忍脩精進
時不作是念我能精進我為此精進我已是
精進脩靜慮時不作是念我能脩定我為此
脩定我具是定脩般若時不作是念我能脩
慧我為此脩慧我具是慧復次善現此善男
子善女人等脩布施時不執有布施不執由
此布施不執為我所脩淨戒時不執有
淨戒不執由此淨戒不執淨戒為我所脩安
忍時不執有安忍不執由此安忍不執安忍
為我所脩精進時不執有精進不執由此精
進不執精進為我所脩靜慮時不執有靜慮
不執由此靜慮不執靜慮為我所脩般若時
不執有般若不執由此般若不執般若為我所
是善男子善女人等我我所執不隨逐故所
行布施乃至般若波羅蜜多損減生死速能
解脫生等衆苦所以者何布施波羅蜜多中
無如是分別可起此執乃至般若波羅蜜多
中亦無如是分別可起此執何以故遠離此
彼此岸是布施波羅蜜多相乃至是般若波羅
蜜多相故善現當知此菩薩乘諸善男子善
女人等善知此岸彼岸相故便能攝受布施

BD02659 號　大般若波羅蜜多經卷四四五　（4–4）

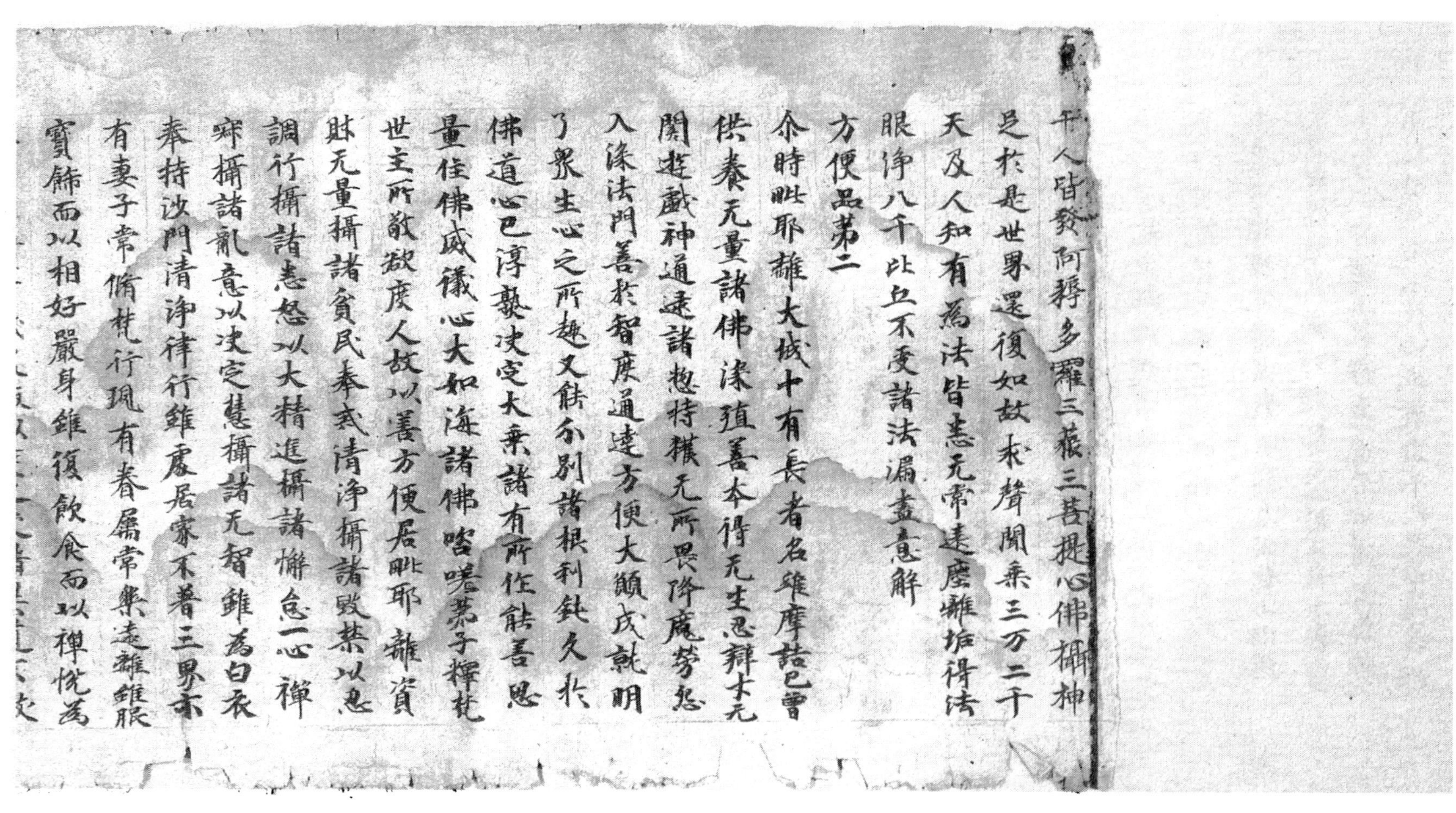
千人皆發阿耨多羅三藐三菩提心佛攝神
足於是世界還復如故求聲聞乘三万二千
天及人知有為法皆悉无常遠塵離垢得法
眼淨八千比丘不受諸法漏盡意解
方便品第二
尒時毗耶離大城中有長者名維摩詰已曾
供養无量諸佛深殖善本得无生忍辯才无
閡遊戲神通逮諸揔持獲无所畏降魔勞怨
入深法門善於智度通達方便大願成就明
了衆生心之所趣又能分別諸根利鈍久於
佛道心已淳淑決定大乘諸有所作能善思
量住佛威儀心大如海諸佛咨嗟弟子釋梵
世主所敬欲度人故以善方便居毗耶離資
財无量攝諸貧民奉戒清淨攝諸毀禁以忍
調行攝諸恚怒以大精進攝諸懈怠一心禪
寂攝諸亂意以決定慧攝諸无智雖為白衣
奉持沙門清淨律行雖處居家不著三界示
有妻子常脩梵行現有眷屬常樂遠離雖服
寶飾而以相好嚴身雖復飲食而以禪悅為

BD02660 號　維摩詰所說經卷上　（4–1）

寂攝諸亂意以決定慧攝諸无智雖為白衣
奉持沙門清淨律行雖處居家不著三界示
有妻子常脩梵行現有眷屬常樂遠離雖服
寶飾而以相好嚴身雖復飲食而以禪悅為
味若至博弈戲處輒以度人受諸異道不毀
正信雖明世典常樂佛法一切見敬為供養
中冣執持正法攝諸長幼一切治生諧偶雖
獲俗利不以喜悅遊諸四衢饒益眾生入治
正法救護一切入講論處導以大乘入諸學
堂誘開童蒙入諸婬舍示欲之過入諸酒肆
能立其志若在長者長者中尊為說勝法若
在居士居士中尊斷其貪著若在剎利剎利中
尊教以忍辱若在婆羅門婆羅門中尊除
其我慢若在大臣大臣中尊教以正法若在
王子王子中尊示以忠孝若在內官內官中
尊化正宮女若在庶民庶民中尊令興福力
若在梵天梵天中尊誨以勝慧若在帝釋帝
釋中尊示現无常若在護世護世中尊護諸
眾生長者維摩詰以如是等无量方便饒益
眾生其以方便現身有病以其疾故國王大
臣長者居士婆羅門等及諸王子并餘官屬
无數千人皆往問疾其往者維摩詰因以身
疾廣為說法諸人者是身无常无強无力无
堅速朽之法不可信也為苦為惱眾病所集
諸人者如此身明智者所不怙是身如聚沫
不可撮摩是身如泡不得久立是身如炎從渴

BD02660號　維摩詰所說經卷上　（4–2）

臣長者居士婆羅門等及諸王子并餘官屬
无數千人皆往問疾其往者維摩詰因以身
疾廣為說法諸人者是身无常无強无力无
堅速朽之法不可信也為苦為惱眾病所集
諸人者如此身明智者所不怙是身如聚沫
不可撮摩是身如泡不得久立是身如炎從渴
愛生是身如芭蕉中无有堅是身如幻從顛倒
起是身如夢為虛妄見是身如影從業緣
現是身如響屬諸因緣是身如浮雲須臾變
滅是身如電念念不住是身无主為如地是
身无我為如火是身无壽為如風是身无人
為如水是身不實四大為家是身為空離我
我所是身无知如草木瓦礫是身无作風力
所轉是身不淨穢惡充滿是身為虛偽雖假
以澡浴衣食必歸磨滅是身為災百一病惱
是身如丘井為老所逼是身无定為要當死
是身如毒蛇如怨賊如空聚陰界諸入不共
合成諸仁者此可患厭當樂佛身所以者何
佛身者即法身也從无量功德智慧生從戒
定慧解脫解脫知見生從慈悲喜捨生從布
施持戒忍辱柔和勤行精進禪定解脫三昧
多聞智慧諸波羅蜜生從方便生從六通生
從三明生從三十七道品生從止觀生從十
力四无所畏十八不共法生從斷一切不善
法集一切善法生從真實生從不放逸生從
如是无量清淨法生如來身諸人者欲得佛

BD02660號　維摩詰所說經卷上　（4–3）

所轉是身不淨穢惡充滿是身爲虛僞雖假
以澡浴衣食必歸磨滅是身爲災百一病惱
是身如丘井爲老所逼是身无定爲要當死
是身如毒蛇如怨賊如空聚陰界諸入所共
合成諸仁者此可患厭當樂佛身所以者何
佛身者即法身也從无量功德智慧生從戒
定慧解脫解脫知見生從慈悲喜捨生從布
施持戒忍辱柔和勤行精進禪定解脫三昧
多聞智慧諸波羅蜜生從方便生從六通生
從三明生從三十七道品生從止觀生從十
力四无所畏十八不共法生從斷一切不善
法集一切善法生從真實生從不放逸生從
如是无量清淨法生如來身諸仁者欲得佛
身斷一切衆生病者當發阿耨多羅三藐三
菩提心如是長者維摩詰爲諸問疾者如應
說法令无數千人皆發阿耨多羅三藐三菩
提心

BD02660號　維摩詰所說經卷上　（4–4）

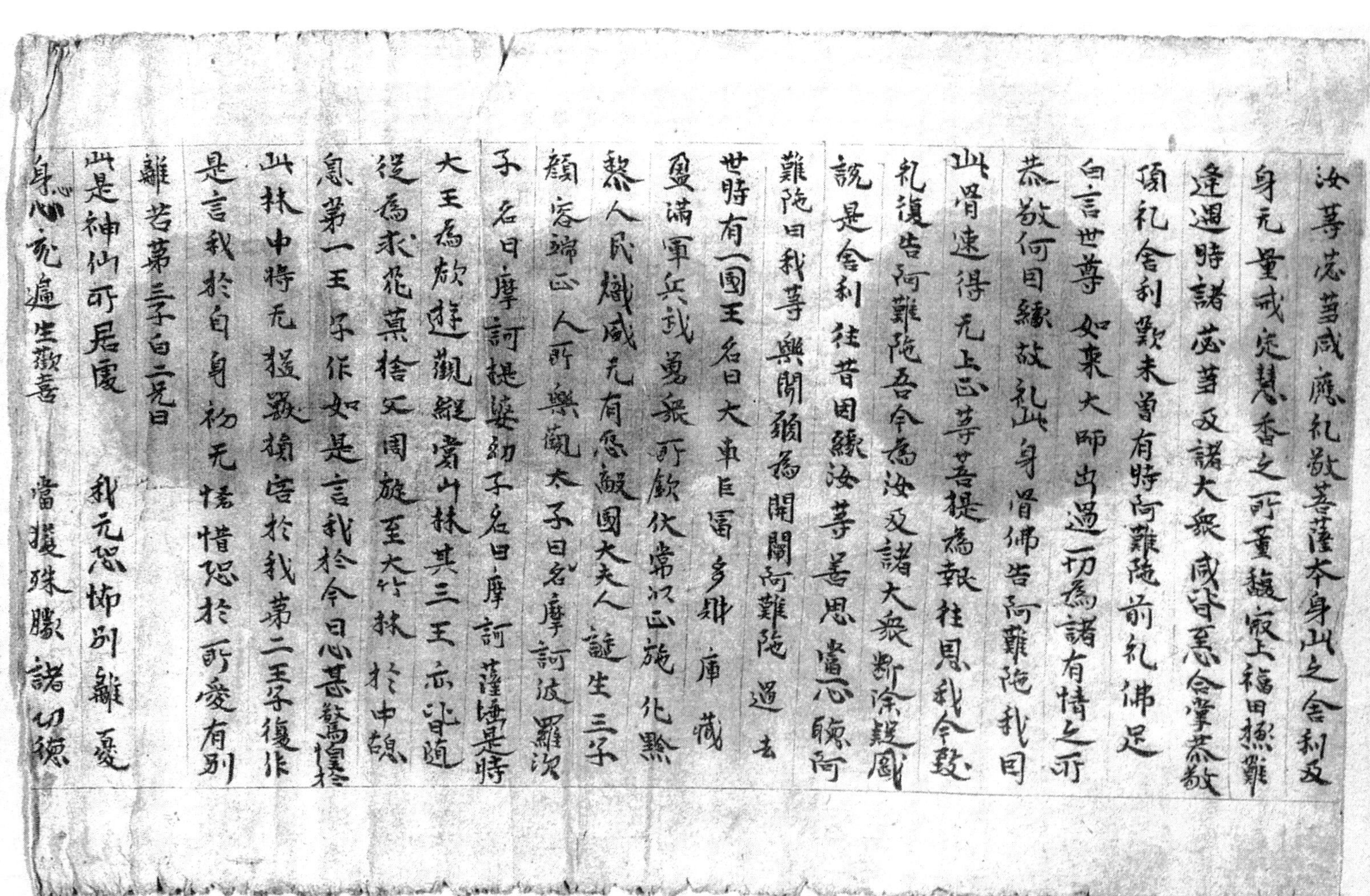
汝等苾芻咸應禮敬菩薩本身此之舍利乃
是无量戒定慧香之所熏馥最上福田極難
逢遇時諸苾芻及諸大衆咸皆至心合掌恭敬
頂禮舍利歎未曾有時阿難陀前禮佛足
白言世尊如來大師出過一切爲諸有情之所
恭敬何因緣故禮此身骨佛告阿難陀我因
此骨速得无上正等菩提爲報往恩我今致
禮復告阿難陀吾今爲汝及諸大衆斷除疑惑
說是舍利往昔因緣汝等善思當一心聽阿
難陀曰我等樂聞願爲開闡阿難陀過去
世時有一國王名曰大車巨富多財庫藏
盈滿軍兵武勇衆所欽伏常以正法施化黔
黎人民熾盛无有怨敵國大夫人誕生三子
顏容端正人所樂觀太子名曰摩訶波羅次
子名曰摩訶提婆幼子名曰摩訶薩埵是時
大王爲欲遊觀縱賞山林其三王子亦皆隨
從爲求花菓捨父周旋至大竹林於中憩
息第一王子作如是言我於今日心甚驚懼於
此林中將无猛獸損害於我第二王子復作
是言我於自身初无悋惜恐於所愛有別
離苦第三王子白二兄曰
此是神仙所居處　我无恐怖別離憂
身心充遍生歡喜　當獲殊勝諸功德

BD02661號　金光明最勝王經卷一〇　（1–1）

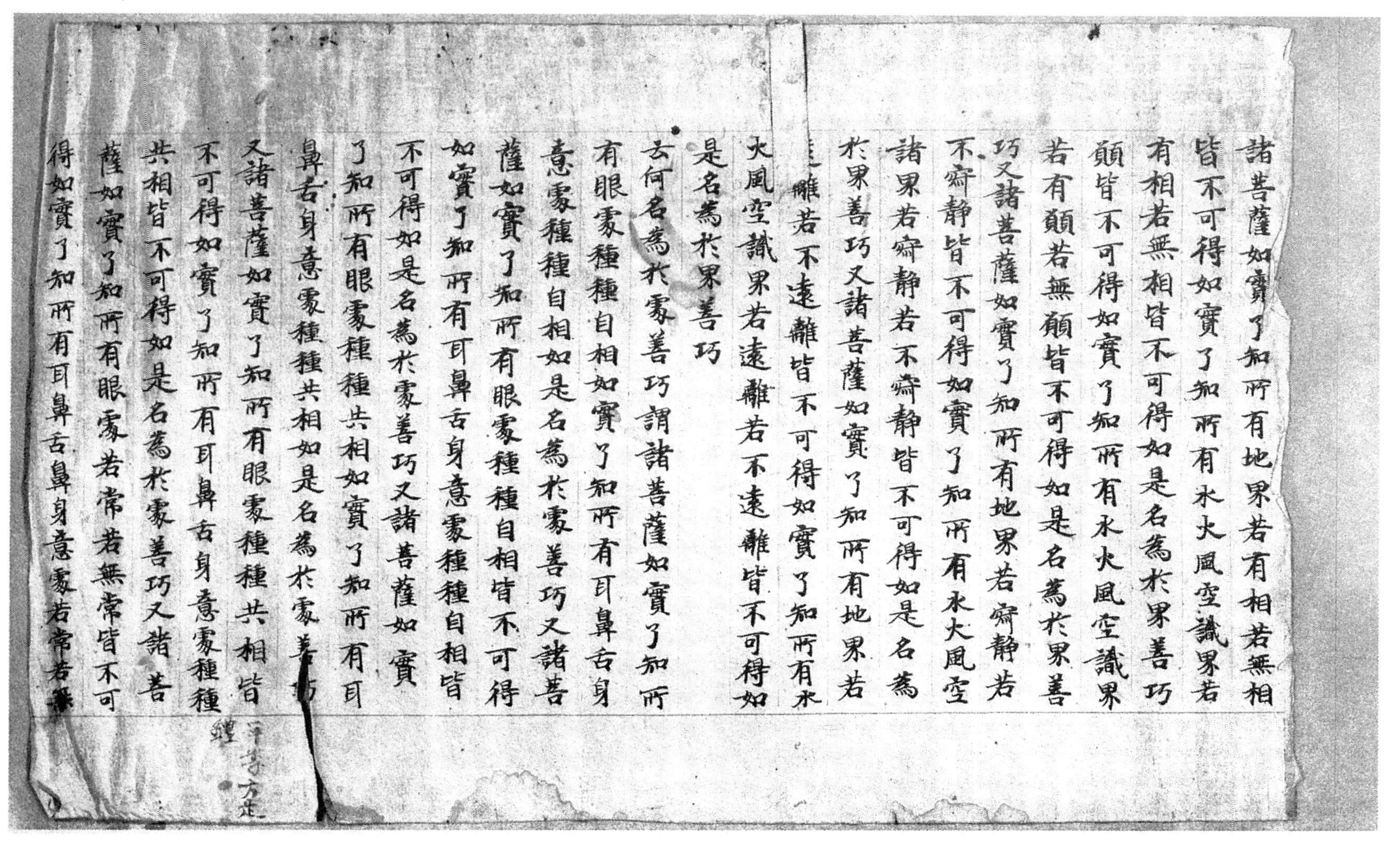

諸菩薩如實了知所有地界若有相若無相
皆不可得如實了知所有水火風空識界若
有相若無相皆不可得如是名為於界善巧
又諸菩薩如實了知所有地界若有願若無
願皆不可得如實了知所有水火風空識界
若有願若無願皆不可得如是名為於界善
巧又諸菩薩如實了知所有地界若寂靜若
不寂靜皆不可得如實了知所有水火風空
諸界若寂靜若不寂靜皆不可得如是名為
於界善巧又諸菩薩如實了知所有地界若
遠離若不遠離皆不可得如實了知所有水
火風空識界若遠離若不遠離皆不可得如
是名為於界善巧
云何名為於處善巧謂諸菩薩如實了知所
有眼處種種自相如實了知所有耳鼻舌身
意處種種自相如是名為於處善巧又諸菩
薩如實了知所有眼處種種自相皆不可得
如實了知所有耳鼻舌身意處種種自相皆
不可得如是名為於處善巧又諸菩薩如實
了知所有眼處種種共相如實了知所有耳
鼻舌身意處種種共相如是名為於處善巧
又諸菩薩如實了知所有眼處種種共相皆
不可得如實了知所有耳鼻舌身意處種種
共相皆不可得如是名為於處善巧又諸菩
薩如實了知所有眼處若常若無常皆不可
得如實了知所有耳鼻舌身意處若常若無

BD02662號　大般若波羅蜜多經（兑廢稿）卷五八五　（1–1）

BD02662號背　題名、藏文雜寫　（1–1）

金剛般若波羅蜜經
如是我聞一時佛在舍衛國祇樹給孤獨園
與大比丘衆千二百五十人俱尒時世尊食時
著衣持鉢入舍衛大城乞食於其城中次第乞
已還至本處飯食訖收衣鉢洗足已敷座而
坐時長老須菩提在大衆中即從坐起而白
佛言希有世尊如來善護念諸菩薩善付
囑諸菩薩世尊善男子善女人發阿耨多
羅三藐三菩提心應云何住云何降伏其心佛
言善哉善哉須菩提如汝所說如來善護念
諸菩薩善付囑諸菩薩汝今諦聽當為汝
說善男子善女人發阿耨多羅三藐三菩提
心應如是住如是降伏其心唯然世尊
願樂欲聞
佛告須菩提諸菩薩摩訶薩應如是降
伏其心所有一切衆生之類若卵生若胎生若
濕生若化生若有色若无色若有想若
无相若非有想若非无想我皆令入无餘
涅槃而滅度之如是滅度无量无數无

BD02663 號　金剛般若波羅蜜經　（3–1）

願樂欲聞
佛告須菩提諸菩薩摩訶薩應如是降
伏其心所有一切衆生之類若卵生若胎生若
濕生若化生若有色若无色若有想若
无相若非有想若非无想我皆令入无餘
涅槃而滅度之如是滅度无量无數无
邊衆生實无衆生得滅度者何以故
須菩提若菩薩有我相人相衆生相
壽者相即非菩薩
復次須菩提菩薩於法應无所住行於布
施所謂不住色布施不住聲香味觸法布
施須菩提菩薩應如是布施不住於相何
以故若菩薩不住相布施其福德不可思
量須菩提於意云何東方虛空可思
量不不也世尊須菩提南西北方四維上下
虛空可思量不不也世尊須菩提菩薩无
住相布施福德亦復如是不可思量須
菩提菩薩但應如所教住須菩提於意
云何可以身相見如來不不也世尊不可以
身相得見如來何以故如來所說身相即
非身相佛告須菩提凡所有相皆是
虛妄若見諸相非相則見如來
須菩提白佛言世尊頗有衆生得聞如是
言說章句生實信不佛告須菩提莫作
是說如來滅後後五百歲有持戒脩福者
於此章句能生信心以此為實當知是人

BD02663 號　金剛般若波羅蜜經　（3–2）

住相布施福德亦復如是不可思量須
菩提菩薩但應如所教住須菩提於意
云何可以身相見如来不不也世尊不可以
身相得見如来何以故如来所說身相即
非身相佛告須菩提凡所有相皆是
虛妄若見諸相非相則見如来
須菩提白佛言世尊頗有衆生得聞如是
言說章句生實信不佛告須菩提莫作
是說如来滅後後五百歲有持戒脩福者
於此章句能生信心以此為實當知是人
不於一佛二佛三四五佛而種善根已於无量
千万佛所種諸善根聞是章句乃至一念
生淨信者須菩提如来悉知悉見是諸
衆生得如是无量福德何以故是諸衆
生无復我相人相衆生相壽者相无法相
亦无非法相何以故是諸衆生若心取相則
為著我人衆生壽者若取法相即著我
人衆生壽者何以故若取非法相即著我
人衆生壽者是故不應取法不應取非
法以是義故如来常說汝等比丘知我說
法如筏喻者法尚應捨何況非法

BD02663號　金剛般若波羅蜜經　（3–3）

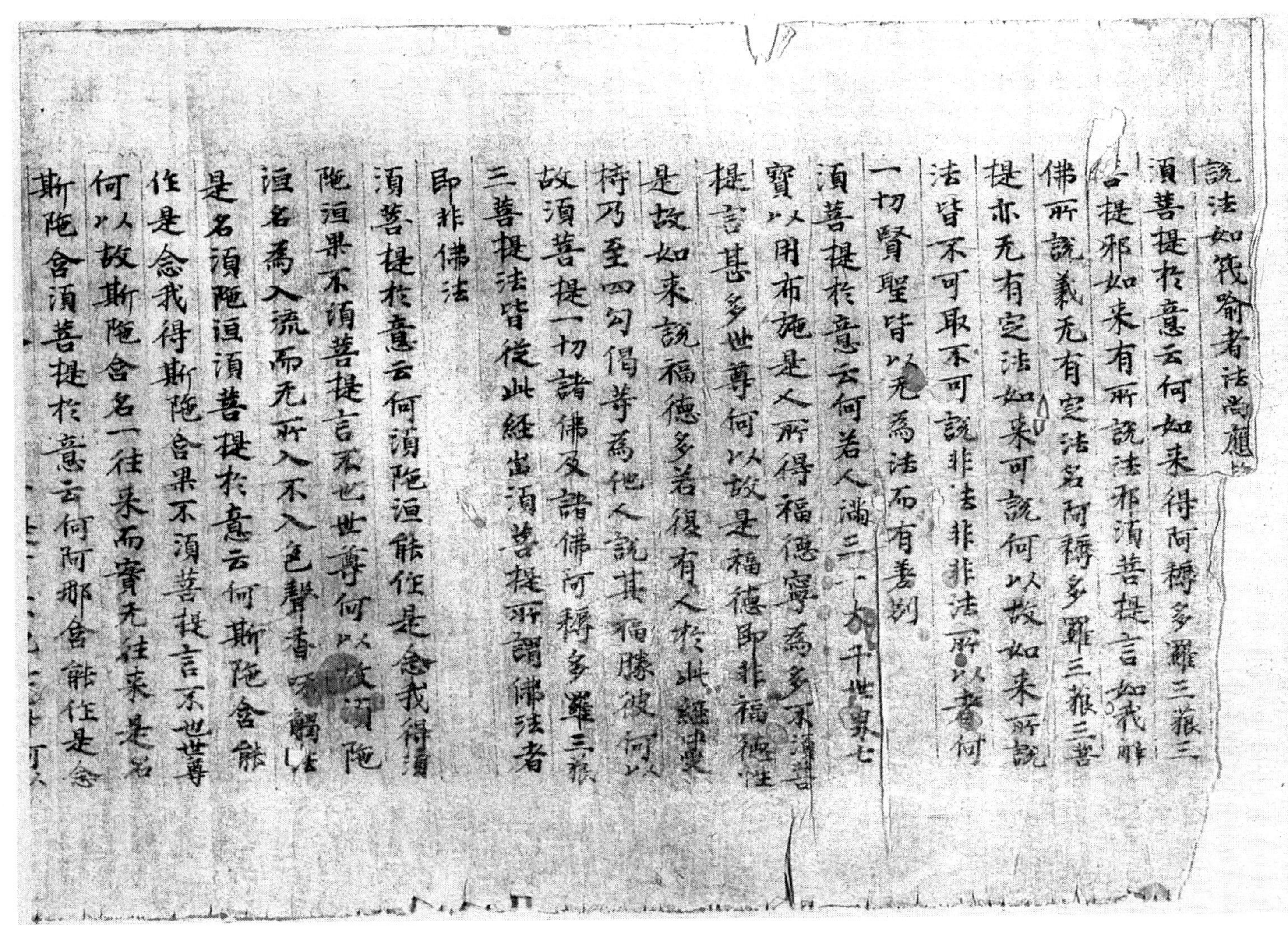

說法如筏喻者法尚應
須菩提於意云何如来得阿耨多羅三藐三
菩提耶如来有所說法耶須菩提言如我解
佛所說義无有定法名阿耨多羅三藐三菩
提亦无有定法如来可說何以故如来所說
法皆不可取不可說非法非非法所以者何
一切賢聖皆以无為法而有差別
須菩提於意云何若人滿三千大千世界七
寶以用布施是人所得福德寧為多不須菩
提言甚多世尊何以故是福德即非福德性
是故如来說福德多若復有人於此經中受
持乃至四句偈等為他人說其福勝彼何以
故須菩提一切諸佛及諸佛阿耨多羅三藐
三菩提法皆從此經出須菩提所謂佛法者
即非佛法
須菩提於意云何須陁洹能作是念我得須
陁洹果不須菩提言不也世尊何以故須陁
洹名為入流而无所入不入色聲香味觸法
是名須陁洹須菩提於意云何斯陁含能
作是念我得斯陁含果不須菩提言不也世尊
何以故斯陁含名一往来而實无往来是名
斯陁含須菩提於意云何阿那含能作是念

BD02664號　金剛般若波羅蜜經　（6–1）

陁洹果不須菩提言不也世尊何以[illegible]
洹名為入流而无所入不入色聲香味觸法
是名須陁洹須菩提於意云何斯陁含能
作是念我得斯陁含果不須菩提言不也世尊
何以故斯陁含名一往来而實无往来是名
斯陁含須菩提於意云何阿那含能作是念
我得阿那含果不須菩提言不也世尊何以
故阿那含名為不来而實无来是故名阿那
含須菩提於意云何阿羅漢能作是念我得
阿羅漢道不須菩提言不也世尊何以故實
无有法名阿羅漢世尊若阿羅漢作是念我
得阿羅漢道即為著我人衆生壽者世尊
佛說我得无諍三昧人中最為第一是第一
離欲阿羅漢我不作是念我是離欲阿羅漢世
尊我若作是念我得阿羅漢道世尊則不說
須菩提是樂阿蘭那行者以須菩提无所
行而名須菩提是樂阿蘭那行
佛告須菩提於意云何如来昔在然燈佛所
於法有所得不世尊如来在然燈佛所於法
實无所得須菩提於意云何菩薩莊嚴佛土
不不也世尊何以故莊嚴佛土者則非莊嚴
是名莊嚴是故須菩提諸菩薩摩訶薩應如
是生清淨心不應住色生心不應住聲香味
觸法生心應无所住而生其心須菩提譬如
有人身如須弥山王於意云何是身為大不
須菩提言甚大世尊何以故佛說非身是名
大身

BD02664 號　金剛般若波羅蜜經　（6–2）

是生清淨心不應住色生心不應住聲香味
觸法生心應无所住而生其心須菩提譬如
有人身如須弥山王於意云何是身為大不
須菩提言甚大世尊何以故佛說非身是名
大身
須菩提如恒河中所有沙數如是沙等恒河
於意云何是諸恒河沙寧為多不須菩提言
甚多世尊但諸恒河尚多无數何況其沙須
菩提我今實言告汝若有善男子善女人以
七寶滿尒所恒河沙數三千大千世界以用
布施得福多不須菩提言甚多世尊佛告須
菩提若善男子善女人於此經中乃至受持
四句偈等為他人說而此福德勝前福德復
次須菩提隨說是經乃至四句偈等當知此
處一切世間天人阿脩羅皆應供養如佛塔
廟何況有人盡能受持讀誦須菩提當知是
人成就最上第一希有之法若是經典所在
之處則為有佛若尊重弟子
尒時須菩提白佛言世尊當何名此經我等
云何奉持佛告須菩提是經名為金剛般若
波羅蜜以是名字汝當奉持所以者何須菩
提佛說般若波羅蜜則非般若波羅蜜須菩
提於意云何如来有所說法不須菩提白佛
言世尊如来无所說須菩提於意云何三千
大千世界所有微塵是為多不須菩提言甚
多世尊須菩提諸微塵如来說非微塵是名

BD02664 號　金剛般若波羅蜜經　（6–3）

提佛說般若波羅蜜則非般若波羅蜜須菩
提於意云何如來有所說法不須菩提白佛
言世尊如來无所說須菩提於意云何三千
大千世界所有微塵是為多不須菩提言甚
多世尊須菩提諸微塵如來說非微塵是名
微塵如來說世界非世界是名世界須菩提
於意云何可以卅二相見如來不不也世尊不
可以卅二相得見如來何以故如來說卅二相即
是非相是名卅二相須菩提若善男子善女人
以恒河沙等身命布施若復有人於經經中
乃至受持四句偈等為他人說其福甚多
尒時須菩提聞說是經深解義趣涕淚悲泣
而白佛言希有世尊佛說如是甚深經典我
從昔來所得慧眼未曾得聞如是之經世尊
若復有人得聞是經信心清淨則生實相當
知是人成就第一希有功德世尊是實相者
則是非相是故如來說名實相世尊我今得
聞如是經典信解受持不足為難若當來世
後五百歲其有眾生得聞是經信解受持是
人則為第一希有何以故此人无我相人相
眾生相壽者相所以者何我相即是非相人
相眾生相壽者相即是非相何以故離一切諸
相則名諸佛
佛告須菩提如是如是若復有人得聞是經
不驚不怖不畏當知是人甚為希有何以故
須菩提如來說第一波羅蜜非第一波羅蜜

BD02664號　金剛般若波羅蜜經　（6–4）

相眾生相壽者相即是非相何以故離一切諸
相則名諸佛
佛告須菩提如是如是若復有人得聞是經
不驚不怖不畏當知是人甚為希有何以故
須菩提如來說第一波羅蜜非第一波羅蜜
是名第一波羅蜜須菩提忍辱波羅蜜如來
說非忍辱波羅蜜何以故須菩提如我昔為
歌利王割截身體我於尒時无我相无人相
无眾生相无壽者相何以故我於往昔節節
支解時若有我相人相眾生相壽者相應生
瞋恨須菩提又念過去於五百世作忍辱仙
人於尒所世无我相无人相无眾生相无壽
者相是故須菩提菩薩應離一切相發阿耨
多羅三藐三菩提心不應住色生心不應住
聲香味觸法生心應生无所住心若心有住
則為非住是故佛說菩薩心不應住色布施
須菩提菩薩為利益一切眾生應如是布施
如來說一切諸相即是非相又說一切眾生
則非眾生須菩提如來是真語者實語者如
語者不誑語者不異語者須菩提如來所得
法此法无實无虛須菩提若菩薩心住於法
而行布施如人入闇則无所見若菩薩心不
住法而行布施如人有目日光明照見種種
色須菩提當來之世若有善男子善女人能
於此經受持讀誦則為如來以佛智慧悉知
是人悉見是人皆得成就无量无邊功德
須菩提若有善男子善女人初日分以恒河

BD02664號　金剛般若波羅蜜經　（6–5）

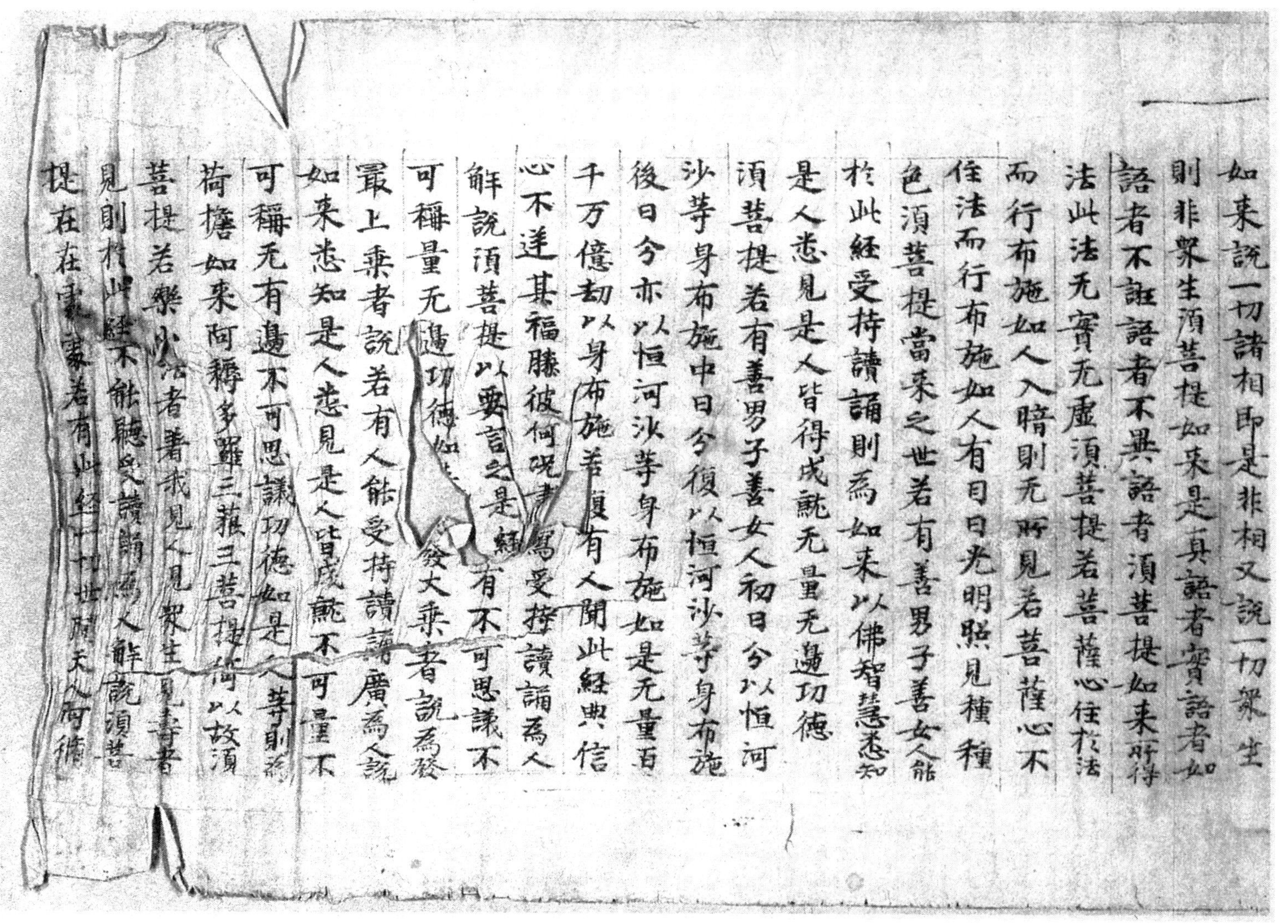
如來說一切諸相即是非相又說一切衆生
則非衆生須菩提如來是真語者實語者如
語者不誑語者不異語者須菩提如來所得
法此法无實无虛須菩提若菩薩心住於法
而行布施如人入暗則无所見若菩薩心不
住法而行布施如人有目日光明照見種種
色須菩提當來之世若有善男子善女人能
於此經受持讀誦則為如來以佛智慧悉知
是人悉見是人皆得成就无量无邊功德
須菩提若有善男子善女人初日分以恒河
沙等身布施中日分復以恒河沙等身布施
後日分亦以恒河沙等身布施如是无量百
千万億劫以身布施若復有人聞此經典信
心不逆其福勝彼何況書寫受持讀誦為人
解說須菩提以要言之是經有不可思議不
可稱量无邊功德如來為發大乘者說為發
最上乘者說若有人能受持讀誦廣為人說
如來悉知是人悉見是人皆成就不可量不
可稱无有邊不可思議功德如是人等則為
荷擔如來阿耨多羅三藐三菩提何以故須
菩提若樂小法者著我見人見衆生見壽者
見則於此經不能聽受讀誦為人解說須菩
提在在處處若有此經一切世間天人阿修

BD02664號　金剛般若波羅蜜經　（6-6）

遣四无量四无色定顯示涅槃世尊甚奇微
妙方便為不退轉地菩薩摩訶薩遣八解
脫顯示涅槃遣八勝處九次第定十遍處
顯示涅槃世尊甚奇微妙方便為不退轉地
菩薩摩訶薩遣空解脫門顯示涅槃遣
无相无願解脫門顯示涅槃世尊甚奇
微妙方便為不退轉地菩薩摩訶薩遣極
喜地顯示涅槃遣離垢地發光地焰慧地
極難勝地現前地遠行地不動地善慧地
法雲地顯示涅槃世尊甚奇微妙方便為不
退轉地菩薩摩訶薩遣五眼顯示涅槃遣
六神通顯示涅槃世尊甚奇微妙方便為
不退轉地菩薩摩訶薩遣三摩地門顯示
涅槃遣陁羅尼門顯示涅槃世尊甚奇微
妙方便為不退轉地菩薩摩訶薩遣佛十
力顯示涅槃遣四无所畏四无礙解大慈
大悲大喜大捨十八佛不共法顯示涅槃世
尊甚奇微妙方便為不退轉地菩薩摩訶薩
遣无忘失法顯示涅槃遣恒住捨性顯示涅
槃世尊甚奇微妙方便為不退轉地菩薩摩訶
薩遣預流果顯示涅槃遣一來不還阿羅
漢果顯示涅槃世尊甚奇微妙方便為不退
轉地菩薩摩訶薩遣獨覺菩提顯示涅槃

BD02665號　大般若波羅蜜多經卷三二八　（2-1）

遣六神通顯示涅槃世尊甚奇微妙方便為
不退轉地菩薩摩訶薩遮遣三摩地門顯示
涅槃遮遣陀羅尼門顯示涅槃世尊甚奇微
妙方便為不退轉地菩薩摩訶薩遮遣佛十
力顯示涅槃遮遣四无所畏四无礙解大慈
大悲大喜大捨十八佛不共法顯示涅槃世
尊甚奇微妙方便為不退轉地菩薩摩訶薩
遮遣无忘失法顯示涅槃遮遣恒住捨性顯示涅
槃世尊甚奇微妙方便為不退轉地菩薩摩訶
薩遮遣預流果顯示涅槃遮遣一來不還阿羅
漢果顯示涅槃世尊甚奇微妙方便為不退
轉地菩薩摩訶薩遮遣獨覺菩提顯示涅槃
世尊甚奇微妙方便為不退轉地菩薩摩訶
薩遮遣一切智顯示涅槃遮遣道相智一切
相智顯示涅槃世尊甚奇微妙方便為不退
轉地菩薩摩訶薩遮遣一切菩薩摩訶薩行
顯示涅槃世尊甚奇微妙方便為不退轉地

BD02665 號　大般若波羅蜜多經卷三二八　（2–2）

第十六
一切大衆[illegible]善[illegible]汝
[illegible]言諦[illegible]諦復告大衆汝等當信
解如来誠諦之語是時菩薩大衆弥勒為首
合掌白佛言世尊唯願說之我等當信受佛
語如是三白已復言唯願說之我等當信受佛
語尒時世尊知諸菩薩三請不止而告之言汝等
諦聽如来秘密神通之力一切世間天人及阿脩
羅皆謂今釋迦牟尼佛出釋氏宮去伽耶城不
遠坐於道場得阿耨多羅三藐三菩提然善男
子我實成佛已来无量无邊百千万億那由他刧
譬如五百千万億那由他阿僧祇三千大千世界
假使有人末為微塵過於東方五百千万億那
由他阿僧祇國乃下一塵如是東行盡是微塵諸
善男子於意云何是諸世界可得思惟挍計知
其數不弥勒菩薩等俱白佛言世尊是諸世界
无量无邊非筭數所知亦非心力所及一切聲聞
辟支佛以无漏智不能思惟知其限數我等住

BD02666 號　妙法蓮華經（八卷本）卷六　（8–1）

由他阿僧祇國乃下一塵如是東行盡是微塵諸
善男子於意云何是諸世界可得思惟挍計知
其數不弥勒菩薩等俱白佛言世尊是諸世界
无量无邊非筭數所知亦非心力所及一切聲聞
辟支佛以无漏智不能思惟知其限數我等住
阿惟越致地於是事中亦所不達世尊如是諸
世界无量无邊
尒時佛告大菩薩衆諸善男子今當分明宣語
汝等是諸世界若著微塵及不著者盡以為塵
一塵一劫我成佛已来復過於此百千万億那由
他阿僧祇劫自從是来我常在此娑婆世界說
法教化亦於餘處百千万億那由他阿僧祇國
導利衆生諸善男子於是中間我說然燈佛等
又復言其入於涅槃如是皆以方便分別諸善
男子若有衆生来至我所我以佛眼觀其信等
諸根利鈍隨所應度處處自說名字不同年
紀大小亦復現言當入涅槃又以種種方便說微
妙法能令衆生發歡喜心諸善男子如来見諸
衆生樂於小法德薄垢重者為是人說我少
出家得阿耨多羅三藐三菩提然我實成佛
已来久遠若斯但以方便教化衆生令入佛
道作如是說諸善男子如来所演經典皆為
度脫衆生或說已身或說他身或示已身或

衆生樂於小法德薄垢重者為是人說我少
出家得阿耨多羅三藐三菩提然我實成佛
已来久遠若斯但以方便教化衆生令入佛
道作如是說諸善男子如来所演經典皆為
度脫衆生或說已身或說他身或示已身或
示他身或示已事或示他事諸所言說皆實
不虛所以者何如来如實知見三界之相无有
生死若退若出亦未在世及滅度者非實非虛
非如非異不如三界見於三界如斯之事如来明
見无有錯謬以諸衆生有種種性種種欲種
種行種種憶想分別故欲令生諸善根以若干
因緣譬喻言辭種種說法所作佛事未曾暫
廢如是我成佛已来甚大久遠壽命无量阿
僧祇劫常住不滅諸善男子我本行菩薩道
所成壽命今猶未盡復倍上數然今非實滅度
而便唱言當取滅度如来以是方便教化衆生
所以者何若佛久住於世薄德之人不種善根
貧窮下賤貪著五欲入於憶想妄見網中若
見如来常在不滅便起憍恣而懷猒怠不能
生難遭之想恭敬之心是故如来以方便說比
丘當知諸佛出世難可值遇所以者何諸薄
德人過无量百千万億劫或有見佛或不見者
以此事故我作是言諸比丘如来難可得見
斯衆生等聞如是語必當生於難遭之想心懷

丘當知諸佛出世難可值遇所以者何諸薄
德人過无量百千万億劫或有見佛或不見者
以此事故我作是言諸比丘如來難可得見
斯衆生等聞如是語必當生於難遭之想心懷
戀慕渴仰於佛便種善根是故如來雖不實
滅而言滅度又善男子諸佛如來法皆如是為
度衆生皆實不虛譬如良醫智慧聡達明練
方藥善治衆病其人多諸子息若十二十乃至
百數以有事緣遠至餘國諸子於後飲他毒
藥藥發悶亂宛轉于地是時其父還来歸家
諸子飲毒或失本心或不失者遥見其父皆大
歡喜拜跪問訊善安隱歸我等愚癡誤服毒
藥願見救療更賜壽命父見子等苦惱如是依
諸經方求好藥草色香美味皆悉具足擣篩
和合與子令服而作是言此大良藥色香美味
皆悉具足汝等可服速除苦惱无復衆患其諸
子中不失心者見此良藥色香俱好即便服之
病盡除愈餘失心者見其父来雖亦歡喜問
訊求索治病然與其藥而不肯服所以者何毒
氣深入失本心故於此好色香藥而謂不美父作
是念此子可愍為毒所中心皆顛倒雖見我喜
求索救療如是好藥而不肯服我今當設方
便令服此藥即作是言汝等當知我今衰老

BD02666號　妙法蓮華經（八卷本）卷六　（8–4）

訊求索治病然與其藥而不肯服所以者何毒
氣深入失本心故於此好色香藥而謂不美父作
是念此子可愍為毒所中心皆顛倒雖見我喜
求索救療如是好藥而不肯服我今當設方
便令服此藥即作是言汝等當知我今衰老
死時已至是好良藥今留在此汝可取服勿憂
不差作是教已復至他國遣使還告汝父已死
是時諸子聞父背喪心大憂惱而作是念若父
在者慈愍我等能見救護今者捨我遠喪他
國自惟孤露无復恃怙常懷悲感心遂醒悟乃
知此藥色味香美即取服之毒病皆愈其父
聞子悉已得差尋便来歸咸使見之諸善男
子於意云何頗有人能說此良醫虛妄罪不
不也世尊佛言我亦如是成佛已来无量无邊
百千万億那由他阿僧祇劫為衆生故以方便
力言當滅度亦无有能如法說我虛妄過者
尒時世尊欲重宣此義而說偈言
自我得佛来　所經諸劫數　无量百千万　億載阿僧祇
常說法教化　无數億衆生　令入於佛道　尒来无量劫
為度衆生故　方便現涅槃　而實不滅度　常住此說法
我常住於此　以諸神通力　令顛倒衆生　雖近而不見
衆見我滅度　廣供養舍利　咸皆懷戀慕　而生渴仰心
衆生既信伏　質直意柔軟　一心欲見佛　不自惜身命

BD02666號　妙法蓮華經（八卷本）卷六　（8–5）

為度衆生故　方便現涅槃　而實不滅度　常住此說法
我常住於此　以諸神通力　令顛倒衆生　雖近而不見
衆見我滅度　廣供養舍利　咸皆懷戀慕　而生渴仰心
衆生既信伏　質直意柔軟　一心欲見佛　不自惜身命
時我及衆僧　俱出靈鷲山　我時語衆生　常在此不滅
以方便力故　現有滅不滅　餘國有衆生　恭敬信樂者
我復於彼中　為說无上法　汝等不聞此　但謂我滅度
我見諸衆生　没在於苦惱　故不為現身　令其生渴仰
因其心戀慕　乃出為說法　神通力如是　於阿僧祇劫
常在靈鷲山　及餘諸住處　衆生見劫盡　大火所燒時
我此土安隱　天人常充滿　園林諸堂閣　種種寶莊嚴
寶樹多華菓　衆生所遊樂　諸天擊天鼓　常作衆伎樂
雨曼陁羅華　散佛及大衆　我淨土不毀　而衆見燒盡
憂怖諸苦惱　如是悉充滿　是諸罪衆生　以惡業因緣
過阿僧祇劫　不聞三寶名　諸有脩功德　柔和質直者
則皆見我身　在此而說法　或時為此衆　說佛壽无量
久乃見佛者　為說佛難值　我智力如是　慧光照无量
壽命无數劫　久脩業所得　汝等有智者　勿於此生疑
當斷令永盡　佛語實不虛　如醫善方便　為治狂子故
實在而言死　无能說虛妄　我亦為世父　救諸苦患者
為凡夫顛倒　實在而言滅　以常見我故　而生憍恣心
放逸着五欲　墮於惡道中　我常知衆生　行道不行道
隨應所可度　為說種種法　每自作是意　以何令衆生
得入无上道　速成就佛身

BD02666號　妙法蓮華經（八卷本）卷六　（8–6）

實在而言死　无能說虛妄　我亦為世父　救諸苦患者
為凡夫顛倒　實在而言滅　以常見我故　而生憍恣心
放逸着五欲　墮於惡道中　我常知衆生　行道不行道
隨應所可度　為說種種法　每自作是意　以何令衆生
得入无上道　速成就佛身

妙法蓮華經分别功德品第十七

尒時大會聞佛說壽命劫數長遠如是无量
无邊阿僧祇衆生得大饒益於時世尊告弥勒
菩薩摩訶薩阿逸多我說是如來壽命長
遠時六百八十万億那由他恒河沙衆生得无
生法忍復千倍菩薩摩訶薩得聞持陁羅
尼門復有一世界微塵數菩薩摩訶薩得樂
說无礙辯才復有一世界微塵數菩薩摩訶薩
得百万億无量旋陁羅尼復有三千大千世界微
塵數菩薩摩訶薩能轉不退法輪復有二千中
國土微塵數菩薩摩訶薩能轉清淨法輪復
有小千國土微塵數菩薩摩訶薩八生當得阿
耨多羅三藐三菩提復有四四天下微塵數
菩薩摩訶薩四生當得阿耨多羅三藐三菩
提復有三四天下微塵數菩薩摩訶薩三生
當得阿耨多羅三藐三菩提復有二四天下微
塵數菩薩摩訶薩二生當得阿耨多羅三藐
三菩提復有一四天下微塵數菩薩摩訶薩一
生當得阿耨多羅三藐三菩提復有八世界

BD02666號　妙法蓮華經（八卷本）卷六　（8–7）

當得阿耨多羅三藐三菩提復有二四天下微
塵數菩薩摩訶薩二生當得阿耨多羅三藐
三菩提復有一四天下微塵數菩薩摩訶薩一
生當得阿耨多羅三藐三菩提復有八世界
微塵數衆生皆發阿耨多羅三藐三菩提心佛
說是諸菩薩摩訶薩得大法利時於虛空中
而雨曼陁羅華摩訶曼陁羅華以散无量百
千万億寶樹下師子座上諸佛并散七寶塔中
師子座上釋迦牟尼佛及久滅度多寶如來亦
散一切諸大菩薩及四部衆又雨細末栴檀沉
水香等於虛空中天鼓自鳴妙聲深遠又雨千
種天衣垂諸瓔珞真珠瓔珞摩尼珠瓔珞如意
珠瓔珞遍於九方衆寶香爐燒无價香自然周
至供養大會一一佛上有諸菩薩執持幡蓋次第
而上至于梵天是諸菩薩以妙音聲歌无量頌
讚歎諸佛尒時弥勒菩薩從座而起偏袒右
肩合掌向佛而說偈言
佛說希有法　昔所未曾聞　世尊有大力　壽命不可量
无數諸佛子　聞世尊分別　說得法利者　歡喜充遍身
或住不退地　或得陁羅尼　或无礙樂說　万億旋総持
或有大千界　微塵數菩薩　各各皆能轉　不退之法輪
或有中千界　微塵數菩薩　各各皆能輪　清淨之法輪
復有小千界　微塵數菩薩　餘各八生在　當得成佛道

BD02666號　妙法蓮華經（八卷本）卷六　（8–8）

以布施
法布施須
布施不住於相何以故若
其福德不可思量須菩
思量不不也世尊須
下虛空可思量不不
无住相布施福德亦復
菩薩但應如所教住
身相見如來不不也
世尊不可以身相得見如來何以故如來所
說身相即非身相佛告須菩提凡所有相皆
是虛妄若見諸相非相則見如來
須菩提白佛言世尊頗有衆生聞如是言
說章句生實信不佛告須菩提作是說如
來滅後後五百歲有持戒脩福者於此章
能生信心以此爲實當知是人不於一佛二
二四五佛而種善根已於无量千万佛所
諸善根聞是章句乃至一念生淨信者須
菩提如來悉知悉見是諸衆生得如是无量
福德何以故是諸衆生无復我相人相衆生
相壽者相无法相亦无非法相何以故是諸
衆生若心取相則爲著我人衆生壽者若
取法相即著我人衆生壽者何以故若取非法

BD02667號　金剛般若波羅蜜經　（14–1）

[illegible]善根聞是章句乃至一念生淨信者須
菩提如来悉知悉見是諸衆生得如是无量
福德何以故是諸衆生无復我相人相衆生
相壽者相无法相亦无非法相何以故是諸
衆生若心取相則爲着我人衆生壽者若
取法相即着我人衆生壽者何以故若取非法
相即着我人衆生壽者是故不應取法不應
取非法以是義故如来常説汝等比丘知我
説法如筏喻者法尚應捨何况非法
須菩提於意云何如来得阿耨多羅三藐三
菩提耶如来有所説法耶須菩提言如我解
佛所説義无有定法名阿耨多羅三藐三菩
提亦无有定法如来可説何以故如来所説
法皆不可取不可説非法非非法所以者何
一切賢聖皆以无爲法而有差別
須菩提於意云何若人滿三千大千世界七
寶以用布施是人所得福德寧爲多不須
菩提言甚多世尊何以故是福德即非福德性
是故如来説福德多若復有人於此經中受
持乃至四句偈等爲他人説其福勝彼何以
故須菩提一切諸佛及諸佛阿耨多羅三藐
三菩提法皆從此經出須菩提所謂佛法
者即非佛法
須菩提於意云何須陁洹能作是念我得須
陁洹果不須菩提言不也世尊何以故須陁
洹名爲入流而无所入不入色聲香味觸法
是名須陁洹須菩提於意云何斯陁含能作

BD02667號　金剛般若波羅蜜經　（14–2）

者即非佛法
須菩提於意云何須陁洹能作是念我得須
陁洹果不須菩提言不也世尊何以故須陁
洹名爲入流而无所入不入色聲香味觸法
是名須陁洹須菩提於意云何斯陁含能作
是念我得斯陁含果不須菩提言不也世尊
何以故斯陁含名一往来而實无往来是名
斯陁含須菩提於意云何阿那含能作是念
我得阿那含果不須菩提言不也世尊何以
故阿那含名爲不来而實无来是故名阿那
含須菩提於意云何阿羅漢能作是念我得
阿羅漢道不須菩提言不也世尊何以故實
无有法名阿羅漢世尊若阿羅漢作是念
我得阿羅漢道即爲著我人衆生壽者世尊
佛説我得无諍三昧人中最爲第一是第一離
欲阿羅漢我不作是念我是離欲阿羅漢世
尊我若作是念我得阿羅漢道世尊則不説
須菩提是樂阿蘭那行者以須菩提實无所
行而名須菩提是樂阿蘭那行
佛告須菩提於意云何如来昔在然燈佛所
於法有所得不不也世尊如来昔在然燈
佛所於法實无所得
須菩提於意云何菩薩莊嚴佛土不不也
世尊何以故莊嚴佛土者則非莊嚴是名
莊嚴是故須菩提諸菩薩摩訶薩應如是
生清淨心不應住色生心不應住聲香味
觸法生心應无所住而生其心

BD02667號　金剛般若波羅蜜經　（14–3）

佛所於法實无所得
須菩提於意云何菩薩莊嚴佛土不不世
世尊何以故莊嚴佛土者則非莊嚴是名
莊嚴是故須菩提諸菩薩摩訶薩應如是
生清淨心不應住色生心不應住聲香味
觸法生心應无所住而生其心
須菩提譬如有人身如須弥山王於意云何
是身為大不須菩提言甚大世尊何以故佛
說非身是名大身
須菩提如恒河中所有沙數如是沙等恒河
於意云何是諸恒河沙寧為多不須菩提言
甚多世尊但諸恒河尚多无數何況其沙須菩
提我今實言告汝若有善男子善女人以
七寶滿尒所恒河沙數三千大千世界以用
布施得福多不須菩提言甚多世尊佛告須
菩提若善男子善女人於此經中乃至受持
四句偈等為他人說而此福德勝前福德
復次須菩提隨說是經乃至四句偈等當知
此處一切世間天人阿脩羅皆應供養如佛
塔廟何況有人盡能受持讀誦須菩提當知
是人成就最上第一希有之法若是經典所
在之處則為有佛若尊重弟子
尒時須菩提白佛言世尊當何名此經我等
云何奉持佛告須菩提是經名為金剛般若
波羅蜜以是名字汝當奉持所以者何須菩
提佛說般若波羅蜜則非般若波羅蜜須
菩提於意云何如來有所說法不須菩提白

BD02667號　金剛般若波羅蜜經　（14–4）

在之處則為有佛若尊重弟子
尒時須菩提白佛言世尊當何名此經我等
云何奉持佛告須菩提是經名為金剛般若
波羅蜜以是名字汝當奉持所以者何須菩
提佛說般若波羅蜜則非般若波羅蜜須
菩提於意云何如來有所說法不須菩提白
佛言世尊如來无所說須菩提於意云何三千
大千世界所有微塵是為多不須菩提言甚
多世尊須菩提諸微塵如來說非微塵是名
微塵如來說世界非世界是名世界須菩提
於意云何可以卅二相見如來不不也世尊
何以故如來說卅二相即是非相是名卅二
相
須菩提若有善男子善女人以恒河沙等身
命布施若復有人於此經中乃至受持四句
偈等為他人說其福甚多
尒時須菩提聞說是經深解義趣涕淚悲泣
而白佛言希有世尊佛說如是甚深經典我
從昔來所得慧眼未曾得聞如是之經世尊
若復有人得聞是經信心清淨則生實相當
知是人成就第一希有功德世尊是實相者
則是非相是故如來說名實相世尊我今得
聞如是經典信解受持不足為難若當來世
後五百歲其有眾生得聞是經信解受持是
人則為第一希有何以故此人无我相人相
眾生相壽者相所以者何我相即是非相人
相眾生相壽者相即是非相何以故離一切

BD02667號　金剛般若波羅蜜經　（14–5）

則是非相是故如來說名實相世尊我今得
聞如是經典信解受持不足為難若當来世
後五百歲其有衆生得聞是經信解受持是
人則為第一希有何以故此人无我相人相
衆生相壽者相所以者何我相即是非相人
相衆生相壽者相即是非相何以故離一切
諸相則名諸佛
佛告須菩提如是如是若復有人得聞是經
不驚不怖不畏當知是人甚為希有何以故
須菩提如来說第一波羅蜜非第一波羅蜜
是名第一波羅蜜
須菩提忍辱波羅蜜如来說非忍辱波羅蜜
何以故須菩提如我昔為歌利王割截身體
我於尒時无我相无人相无衆生相无壽者
相何以故我於往昔節節支解時若有我相
人相衆生相壽者相應生瞋恨須菩提又念
過去於五百世作忍辱仙人於尒所世无我
相无人相无衆生相无壽者相是故須菩提
菩薩應離一切相發阿耨多羅三藐三菩提
心不應住色生心不應住聲香味觸法生心
應生无所住心若心有住則為非住是故佛
說菩薩心不應住色布施
須菩提菩薩為利益一切衆生應如是布施
如来說一切諸相即是非相又說一切衆生
則非衆生須菩提如来是真語者實語者如
語者不誑語者不異語者須菩提如来所得
法此法无實无虛

須菩提菩薩為利益一切衆生應如是布施
如来說一切諸相即是非相又說一切衆生
則非衆生須菩提如来是真語者實語者如
語者不誑語者不異語者須菩提如来所得
法此法无實无虛
須菩提若菩薩心住於法而行布施如人入
闇則无所見若菩薩心不住法而行布施如
人有目日光明照見種種色
須菩提當来之世若有善男子善女人能於
此經受持讀誦則為如来以佛智慧悉知是
人悉見是人皆得成就无量无邊功德須菩
提若有善男子善女人初日分以恒河沙等
身布施中日分復以恒河沙等身布施後日
分亦以恒河沙等身布施如是无量百千万
億劫以身布施若復有人聞此經典信心不
逆其福勝彼何况書寫受持讀誦為人解
說須菩提以要言之是經有不可思議不可稱
量无邊功德如来為發大乘者說為發最上
乘者說若有人能受持讀誦廣為人說如来
悉知是人悉見是人皆得成就不可量不可稱
无有邊不可思議功德如是人等則為荷擔
如来阿耨多羅三藐三菩提何以故須菩提
若樂小法者著我見人見衆生見壽者見則
於此經不能聽受讀誦為人解說須菩提在在
處處若有此經一切世間天人阿脩羅所應
供養當知此處則為是塔皆應恭敬作礼
圍遶以諸華香而散其處復次須菩提善男

若樂小法者著我見人見衆生見壽者見則
於此經不能聽受讀誦爲人解説須菩提在在
處處若有此經一切世間天人阿脩羅所應
供養當知此處則爲是塔皆應恭敬作礼
圍遶以諸華香而散其處復次須菩提善男
子善女人受持讀誦此經若爲人輕賤是人
先世罪業應墮惡道以今世人輕賤故先世
罪業則爲消滅當得阿耨多羅三藐三菩提
須菩提我念過去无量阿僧祇劫於然燈佛
前得值八百四千万億那由他諸佛悉皆供
養承事无空過者若復有人於後末世能受
持讀誦此經所得功德於我所供養諸佛功
德百分不及一千万億分乃至筭數譬喻所
不能及須菩提若善男子善女人於後末世
有受持讀誦此經所得功德我若具説者或
有人聞心則狂亂狐疑不信須菩提當知是
經義不可思議果報亦不可思議
尒時須菩提白佛言世尊善男子善女人發
阿耨多羅三藐三菩提心云何應住云何降
伏其心佛告須菩提善男子善女人發阿耨
多羅三藐三菩提心者當生如是心我應滅
度一切衆生滅度一切衆生已而无有一切衆
生實滅度者何以故若菩薩有我相人相衆
生相壽者相即非菩薩所以者何須菩提實
无有法發阿耨多羅三藐三菩提心者
須菩提於意云何如來於然燈佛所有法得

BD02667 號　金剛般若波羅蜜經　（14–8）

生實滅度者何以故若菩薩有我相人相衆
生相壽者相即非菩薩所以者何須菩提實
无有法發阿耨多羅三藐三菩提心者
須菩提於意云何如來於然燈佛所有法得
阿耨多羅三藐三菩提不不也世尊如我解
佛所説義佛於然燈佛所无有法得阿耨多
羅三藐三菩提佛言如是如是須菩提實无
有法如來得阿耨多羅三藐三菩提須菩提
若有法如來得阿耨多羅三藐三菩提者然
燈佛則不與我受記汝於來世當得作佛号
釋迦牟尼以實无有法得阿耨多羅三藐三
菩提是故然燈佛與我受記作是言汝於來
世當得作佛号釋迦牟尼何以故如來者即
諸法如義若有人言如來得阿耨多羅三藐
三菩提須菩提實无有法佛得阿耨多羅三
藐三菩提須菩提如來所得阿耨多羅三藐
三菩提於是中无實无虛是故如來説一切
法皆是佛法須菩提所言一切法者即非一
切法是故名一切法須菩提譬如人身長大
須菩提言世尊如來説人身長大則爲非大
身是名大身須菩提菩薩亦如是若作是言
我當滅度无量衆生則不名菩薩何以故須
菩提實无有法名爲菩薩是故佛説一切法无
我无人无衆生无壽者須菩提若菩薩作是
言我當莊嚴佛土是不名菩薩何以故如來
説莊嚴佛土者即非莊嚴是名莊嚴須菩提
若菩薩通達无我法者如來説名真是菩薩

BD02667 號　金剛般若波羅蜜經　（14–9）

菩提无有法名為菩薩是故佛說一切法无
我无人无衆生无壽者須菩提若菩薩作是
言我當莊嚴佛土是不名菩薩何以故如来
說莊嚴佛土者即非莊嚴是名莊嚴須菩提
若菩薩通達无我法者如来說名真是菩薩
須菩提於意云何如来有肉眼不如是世尊
如来有肉眼須菩提於意云何如来有天眼
不如是世尊如来有天眼須菩提於意云何
如来有慧眼不如是世尊如来有慧眼須菩
提於意云何如来有法眼不如是世尊如来
有法眼須菩提於意云何如来有佛眼不如
是世尊如来有佛眼須菩提於意云何恒河
中所有沙佛說是沙不如是世尊如来說是
沙須菩提於意云何如一恒河中所有沙有
如是等恒河是諸恒河所有沙數佛世界如
是寧為多不甚多世尊佛告須菩提尒所國
土中所有衆生若干種心如来悉知何以故
如来說諸心皆為非心是名為心所以者何
須菩提過去心不可得現在心不可得未来
心不可得
須菩提於意云何若有人滿三千大千世界
七寶以用布施是人以是因緣得福多不如
是世尊此人以是因緣得福甚多須菩提若
福德有實如来不說得福德多以福德无故
如来說得福德多
須菩提於意云何佛可以具足色身見不不
也世尊如来不應以具足色身見何以故如

BD02667號　金剛般若波羅蜜經　（14-10）

是世尊此人以是因緣得福甚多須菩提若
福德有實如来不說得福德多以福德无故
如来說得福德多
須菩提於意云何佛可以具足色身見不不
也世尊如来不應以具足色身見何以故如
来說具足色身即非具足色身是名具足
色身
須菩提於意云何如来可以具足諸相見不
不也世尊如来不應以具足諸相見何以故
如来說諸相具足即非具足是名諸相具足
須菩提汝勿謂如来作是念我當有所說法
莫作是念何以故若人言如来有所說法即
為謗佛不能解我所說故須菩提說法者无
法可說是名說法
須菩提白佛言世尊佛得阿耨多羅三藐三
菩提為无所得耶如是如是須菩提我於阿
耨多羅三藐三菩提乃至无有少法可得是
名阿耨多羅三藐三菩提復次須菩提是法
平等无有高下是名阿耨多羅三藐三菩提
以无我无人无衆生无壽者脩一切善法則
得阿耨多羅三藐三菩提須菩提所言善法
者如来說非善法是名善法
須菩提若三千大千世界中所有諸須弥山
王如是等七寶聚有人持用布施若人以此
般若波羅蜜經乃至四句偈等受持讀誦為他人
說於前福德百分不及一百千万億分乃至
筭數譬喻所不能及

BD02667號　金剛般若波羅蜜經　（14-11）

須菩提若三千大千世界中所有諸須弥山
王如是等七寶聚有人持用布施若人以此
般若波羅蜜經乃至四句偈等受持讀誦為他人
說於前福德百分不及一百千万億分乃至
筭數譬喻所不能及
須菩提於意云何汝等勿謂如来作是念我
當度衆生須菩提莫作是念何以故實无有
衆生如来度者若有衆生如来度者如来則
有我人衆生壽者須菩提如来說有我者則
非有我而凡夫之人以為有我須菩提凡夫
者如来說則非凡夫
須菩提於意云何可以三十二相觀如来不須
菩提言如是如是以三十二相觀如来佛言須
菩提若以三十二相觀如来者轉輪聖王則是
如来須菩提白佛言世尊如我解佛所說義
不應以三十二相觀如来尔時世尊而說偈言
若以色見我 以音聲求我 是人行邪道 不能見如来
須菩提汝若作是念如来不以具足相故得
阿耨多羅三藐三菩提須菩提莫作是念如
来不以具足相得阿耨多羅三藐三菩提須
菩提汝若作是念發阿耨多羅三藐三菩提
者說諸法斷滅相莫作是念何以故發阿耨多
羅三藐三菩提者於法不說斷滅相須菩提
若菩薩以滿恒河沙等世界七寶布施若復
有人知一切法无我得成於忍此菩薩勝前
菩薩所得功德須菩提以諸菩薩不受福德
須菩提白佛言世尊云何菩薩不受福德

羅三藐三菩提者於法不說斷滅相須菩提
若菩薩以滿恒河沙等世界七寶布施若復
有人知一切法无我得成於忍此菩薩勝前
菩薩所得功德須菩提以諸菩薩不受福德
故須菩提白佛言世尊云何菩薩不受福德
須菩提菩薩所作福德不應貪著是故說
不受福德須菩提若有人言如来若来若去
若坐若卧是人不解我所說義何以故如来
者无所從来亦无所去故名如来
須菩提若善男子善女人以三千大千世界
碎為微塵於意云何是微塵衆寧為多不
甚多世尊何以故若是微塵衆實有者佛則
不說是微塵衆所以者何佛說微塵衆則非微
塵衆是名微塵衆世尊如来所說三千大千
世界則非世界是名世界何以故若世界實
有者則是一合相如来說一合相則非一合
相是名一合相須菩提一合相者則是不可說但凡
夫之人貪著其事須菩提若人言佛說我
見人見衆生見壽者見須菩提於意云何是
人解我所說義不世尊是人不解如来所說義
何以故世尊說我見人見衆生見壽者見即
非我見人見衆生見壽者見是名我見人見
衆生見壽者見須菩提發阿耨多羅三藐三
菩提心者於一切法應如是知如是見如是
信解不生法相須菩提所言法相者如来說
即非法相是名法相
須菩提若有人以滿无量阿僧祇世界七寶

何以故世尊說
非我見人見衆生見壽者見是名我見人見
衆生見壽者見須菩提發阿耨多羅三藐三
菩提心者於一切法應如是知如是見如是
信解不生法相須菩提所言法相者如來說
即非法相是名法相
須菩提若有人以滿无量阿僧祇世界七寶
持用布施若有善男子善女人發菩薩心者
持於此經乃至四句偈等受持讀誦為人演
說其福勝彼云何為人演說不取於相如如
不動何以故
一切有為法 如夢幻泡影 如露亦如電 應作如是觀
佛說是經已長老須菩提及諸比丘比丘尼
優婆塞優婆夷一切世間天人阿脩羅等
聞佛所說皆大歡喜信受奉行
金剛般若波羅蜜經

BD02667號　金剛般若波羅蜜經　（14–14）

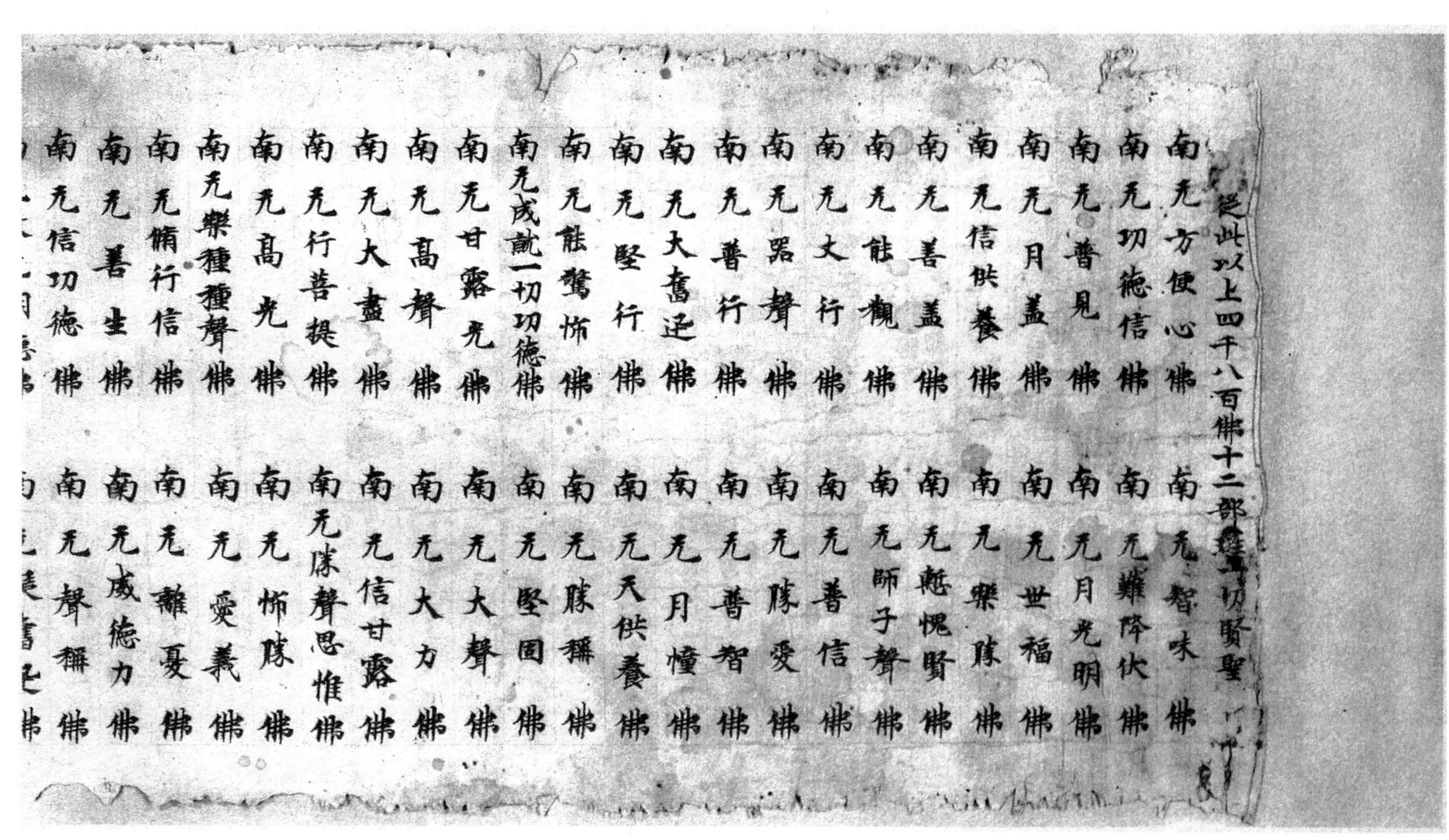
從此以上四千八百佛十二部經一切賢聖
南无方便心佛　南无智味佛
南无功德信佛　南无難降伏佛
南无普見佛　南无月光明佛
南无月蓋佛　南无世福佛
南无信供養佛　南无衆勝佛
南无善蓋佛　南无慚愧賢佛
南无能觀佛　南无師子聲佛
南无文行佛　南无善信佛
南无器聲佛　南无勝愛佛
南无普行佛　南无普智佛
南无大喜逆佛　南无月幢佛
南无堅行佛　南无天供養佛
南无能驚怖佛　南无勝稱佛
南无成就一切功德佛　南无堅固佛
南无甘露光佛　南无大聲佛
南无高聲佛　南无大力佛
南无大盡佛　南无信甘露佛
南无行菩提佛　南无勝聲思惟佛
南无高光佛　南无怖勝佛
南无樂種種聲佛　南无愛義佛
南无脩行信佛　南无離憂佛
南无善生佛　南无威德力佛
南无信功德佛　南无聲稱佛

BD02668號　佛名經（十六卷本）卷六　（4–1）

南无大盡佛　南无信甘露佛
南无行菩提佛　南无勝聲思惟佛
南无高光佛　南无怖勝佛
南无樂種種聲佛　南无愛義佛
南无脩行信佛　南无離憂佛
南无善生佛　南无成德力佛
南无信功德佛　南无聲稱佛
南无救光明德佛　南无疑奮迅佛
南无勝王佛　南无林華佛
南无功德華佛　南无捨諍佛
南无大廣佛　南无大稱佛
南无虛空愛佛　南无甘露奮迅佛
南无日聚佛　南无月聲佛
南无天幢佛　南无与清淨佛
南无能日佛　南无快可見佛
南无堅意勝聲佛　南无雨甘露佛
南无畏聲佛　南无善根聲佛
南无勝聲佛　南无勝愛佛
南无甘露稱佛　南无法華佛
南无大莊嚴佛　南无世間尊重佛
南无勝意佛　南无弥留光佛
南无清淨思惟佛　南无高光明佛
南无破怨佛　南无甘露城佛
南无華佛　南无大稱佛

次礼十二部尊經大藏法輪

南无弥勒上下經　南无陁羅尼經
南无小泥洹經　南无摩登伽經
南无十論經　南无五式經

BD02668號　佛名經（十六卷本）卷六　（4–2）

南无破怨佛　南无甘露城佛
南无華佛　南无大稱佛

次礼十二部尊經大藏法輪

南无弥勒上下經　南无陁羅尼經
南无小泥洹經　南无摩登伽經
南无十論經　南无五式經
南无不退輪經　南无入大乘輪經
南无付法藏經　南无楞伽經
南无楞伽阿䟦多羅經　南无大丈夫經
南无善解菩薩經　南无弥勒發問經
南无法自在王經　南无勝鬘經
南无文殊師利經　南无佛說明度經
南无佛說安般經　南无十緣經

從此以上四千九百佛十二部經一切賢聖

南无佛說般泥洹經
南无佛說決定比丘經
南无佛說觀弥勒菩薩生兜率天經
南无佛說危脆經　南无相經解脫經
南无寶車經　南无千佛名日七十佛名經
南无僧忍經

次礼十方諸大菩薩

南无日藏菩薩　南无不歎意菩薩
南无觀世音菩薩　南无濕尸利菩薩
南无執寶印菩薩　南无常舉手菩薩
南无弥勒菩薩　南无敬首菩薩
南无覺首菩薩　南无寶首菩薩
南无惠首菩薩　南无德首菩薩
南无目首菩薩　南无明首菩薩

BD02668號　佛名經（十六卷本）卷六　（4–3）

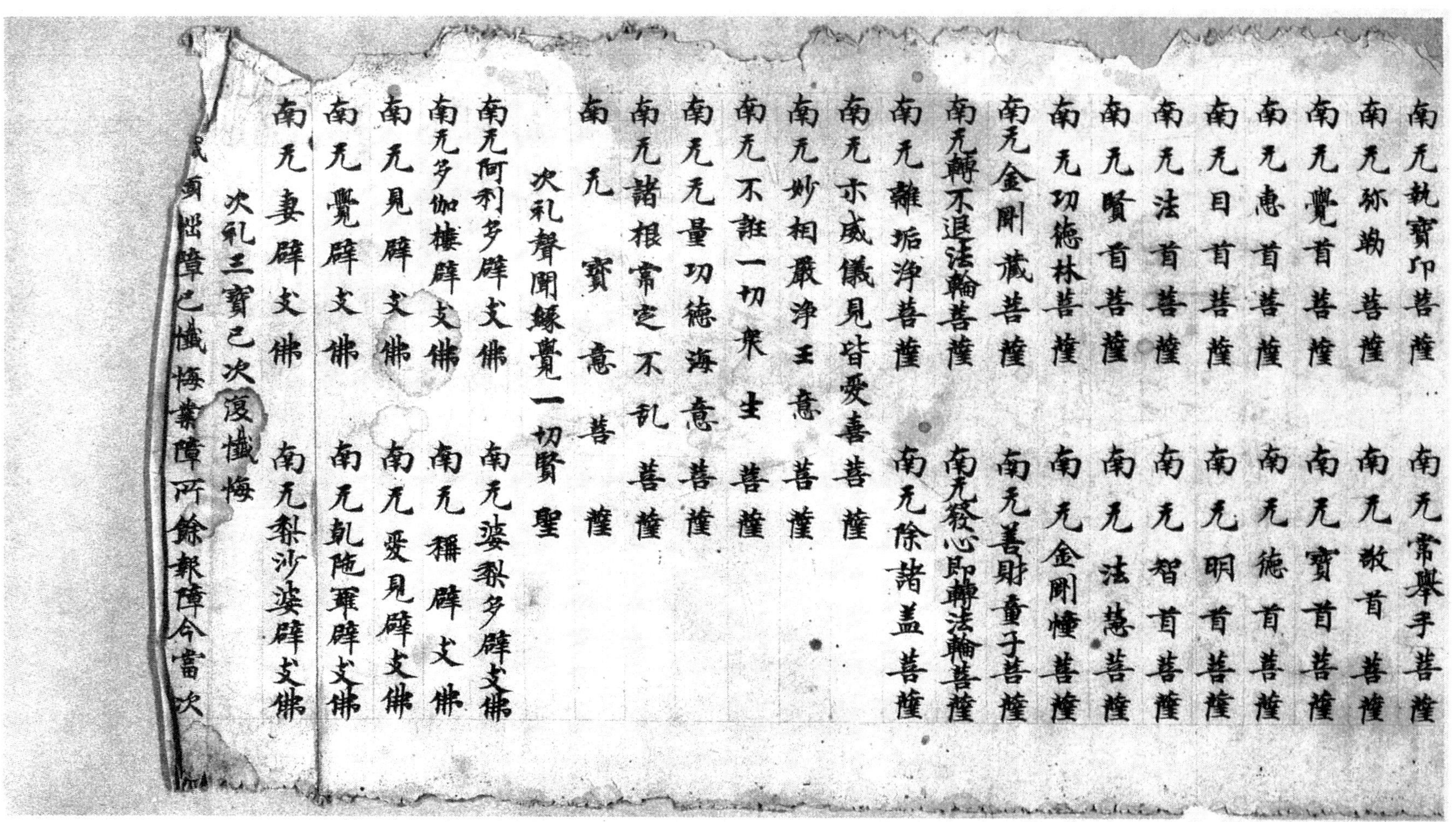

南无執寶印菩薩　南无常舉手菩薩
南无弥勒菩薩　南无敬首菩薩
南无覺首菩薩　南无寶首菩薩
南无惠首菩薩　南无德首菩薩
南无目首菩薩　南无明首菩薩
南无法首菩薩　南无智首菩薩
南无賢首菩薩　南无法慧菩薩
南无功德林菩薩　南无金剛幢菩薩
南无金剛藏菩薩　南无善財童子菩薩
南无轉不退法輪菩薩　南无發心即轉法輪菩薩
南无離垢淨菩薩　南无除諸蓋菩薩
南无亦威儀見皆愛喜菩薩
南无妙相嚴淨王意菩薩
南无不誑一切衆生菩薩
南无无量功德海意菩薩
南无諸根常定不亂菩薩
南无寶意菩薩
次礼聲聞緣覺一切賢聖
南无阿利多辟支佛　南无婆梨多辟支佛
南无多伽樓辟支佛　南无稱辟支佛
南无見辟支佛　南无愛見辟支佛
南无覺辟支佛　南无訖陀羅辟支佛
南无妻辟支佛　南无梨沙婆辟支佛
次礼三寶已次復懺悔
[illegible]煩惱障已懺悔業障所餘報障今當次

BD02668號　佛名經（十六卷本）卷六　（4–4）

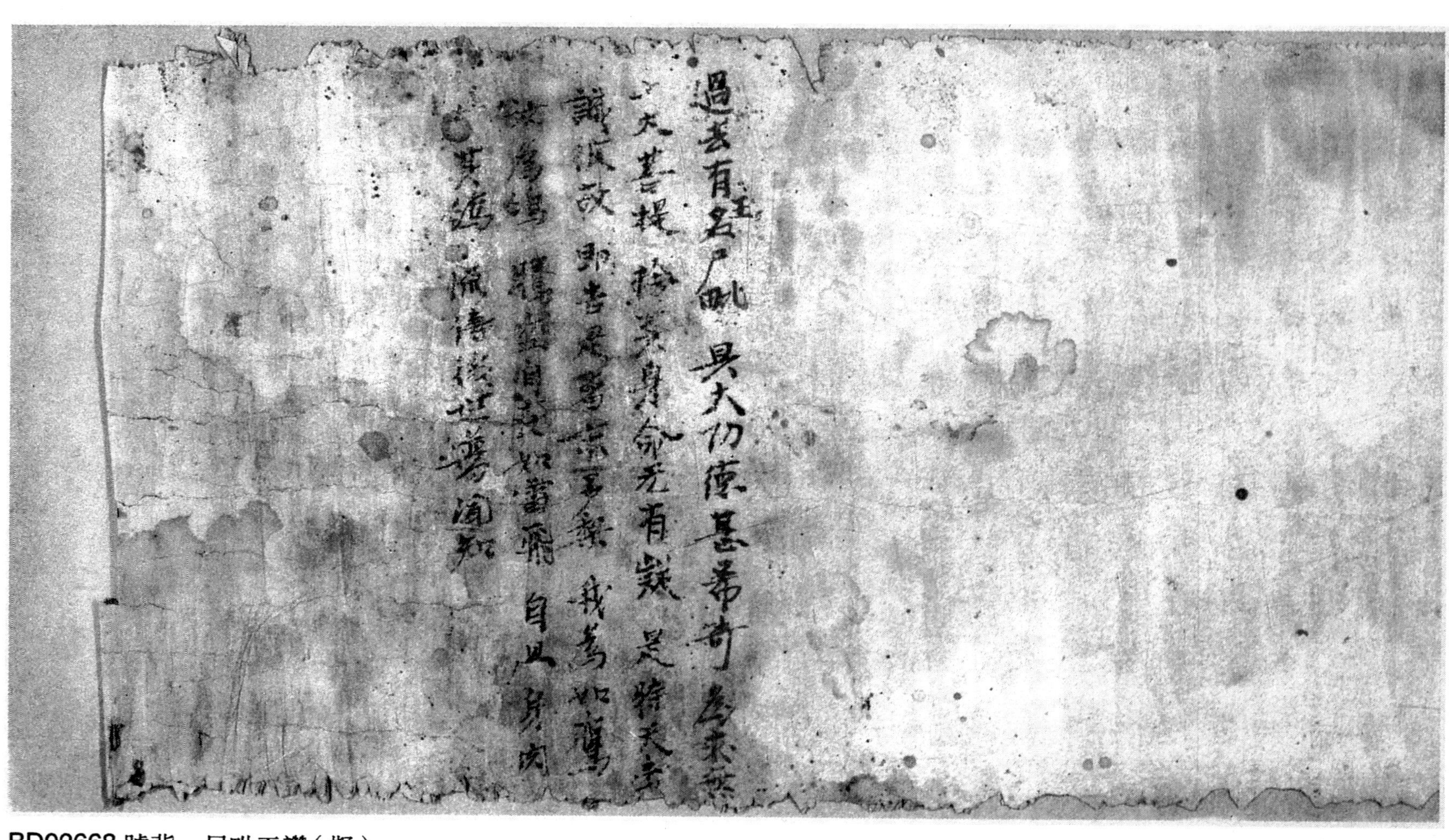

過去有王名尸毗　具大功德甚希奇　為求無
上大菩提　捨棄身命无有疑　是時天帝
識彼故　即告[illegible]毗首羯磨　我為如鷹
汝為鴿　[illegible]自[illegible]如畜飛　自以身肉
其[illegible]流傳後世[illegible]

BD02668號背　尸毗王讚（擬）　（1–1）

若預流果清淨若法住清淨無二無二分無
別無斷故一切智智清淨故一來不還阿羅
漢果清淨一來不還阿羅漢果清淨故法
住清淨何以故若一切智智清淨若一來不
還阿羅漢果清淨若法住清淨無二無二
分無別無斷故善現一切智智清淨故獨
覺菩提清淨獨覺菩提清淨故法住清
淨何以故若一切智智清淨若獨覺菩提
清淨若法住清淨無二無二分無別無斷故
善現一切智智清淨故一切菩薩摩訶薩行
清淨一切菩薩摩訶薩行清淨故法住清
淨何以故若一切智智清淨若一切菩薩摩
訶薩行清淨若法住清淨無二無二分無
別無斷故善現一切智智清淨故諸佛無
上正等菩提清淨諸佛無上正等菩提清
淨故若法住清淨無二無二分無別無斷故
復次善現一切智智清淨故色清淨色清
淨故實際清淨何以故若一切智智清淨若
色清淨若實際清淨無二無二分無別無斷
故一切智智清淨故受想行識清淨受想行

BD02669 號　大般若波羅蜜多經卷二六一　（2–1）

善現一切智智清淨故一切菩薩摩訶薩行
清淨一切菩薩摩訶薩行清淨故法住清
淨何以故若一切智智清淨若一切菩薩摩
訶薩行清淨若法住清淨無二無二分無
別無斷故善現一切智智清淨故諸佛無
上正等菩提清淨諸佛無上正等菩提清
淨故若法住清淨無二無二分無別無斷故
復次善現一切智智清淨故色清淨色清
淨故實際清淨何以故若一切智智清淨若
色清淨若實際清淨無二無二分無別無斷
故一切智智清淨故受想行識清淨受想行
識清淨故實際清淨何以故若一切智智清
淨若受想行識清淨若實際清淨無二無
二分無別無斷故善現一切智智清淨故眼
處清淨眼處清淨故實際清淨何以故若
一切智智清淨若眼處清淨若實際清淨無
二無二分無別無斷故一切智智清淨故耳鼻舌
身意處清淨耳鼻舌身意處清淨故實際
清淨何以故若一切智智清淨若耳鼻舌

BD02669 號　大般若波羅蜜多經卷二六一　（2–2）

界不淨思惟聲界耳識界及耳觸耳觸為緣
所生諸受不淨思惟耳界空思惟聲界耳識
界及耳觸耳觸為緣所生諸受空思惟耳界
無相思惟聲界耳識界及耳觸耳觸為緣所
生諸受無相思惟耳界無願思惟聲界耳識
界及耳觸耳觸為緣所生諸受無願思惟耳
界寂靜思惟聲界耳識界及耳觸耳觸為緣
所生諸受寂靜思惟耳界遠離思惟聲界耳
識界及耳觸耳觸為緣所生諸受遠離思惟
耳界如病思惟聲界耳識界及耳觸耳觸為
緣所生諸受如病思惟耳界如癰思惟聲界
耳識界及耳觸耳觸為緣所生諸受如癰思
惟耳界如箭思惟聲界耳識界及耳觸耳觸
為緣所生諸受如箭思惟耳界如瘡思惟聲
界耳識界及耳觸耳觸為緣所生諸受如瘡
思惟耳界熱惱思惟聲界耳識界及耳觸耳
觸為緣所生諸受熱惱思惟耳界逼切思惟
聲界耳識界及耳觸耳觸為緣所生諸受逼
切思惟耳界敗壞思惟聲界耳識界及耳觸
耳觸為緣所生諸受敗壞思惟耳界衰朽思
惟聲界耳識界及耳觸耳觸為緣所生諸受
衰朽思惟耳界變動思惟聲界耳識界及耳
觸耳觸為緣所生諸受變動思惟耳界速滅

BD02670號　大般若波羅蜜多經卷七七　（2–1）

緣所生諸受如病思惟耳界如癰思惟聲界
耳識界及耳觸耳觸為緣所生諸受如癰思
惟耳界如箭思惟聲界耳識界及耳觸耳觸
為緣所生諸受如箭思惟耳界如瘡思惟聲
界耳識界及耳觸耳觸為緣所生諸受如瘡
思惟耳界熱惱思惟聲界耳識界及耳觸耳
觸為緣所生諸受熱惱思惟耳界逼切思惟
聲界耳識界及耳觸耳觸為緣所生諸受逼
切思惟耳界敗壞思惟聲界耳識界及耳觸
耳觸為緣所生諸受敗壞思惟耳界衰朽思
惟聲界耳識界及耳觸耳觸為緣所生諸受
衰朽思惟耳界變動思惟聲界耳識界及耳
觸耳觸為緣所生諸受變動思惟耳界速滅
思惟聲界耳識界及耳觸耳觸為緣所生諸
受速滅思惟耳界可畏思惟聲界耳識界及
耳觸耳觸為緣所生諸受可畏思惟耳界可
猒思惟聲界耳識界及耳觸耳觸為緣所生
諸受可猒思惟耳界有灾思惟聲界耳識界

BD02670號　大般若波羅蜜多經卷七七　（2–2）

蜜多時不應住
味觸法處何以故以有所
迦菩薩摩訶薩行般若
此是眼界不應住此是
眼觸為緣所生諸受何
便故憍尸迦菩薩摩訶
時不應住此是耳界不應住
界及耳觸耳觸為緣所生諸受
所得為方便故憍尸迦菩薩
波羅蜜多時不應住此是鼻
香界鼻識界及鼻觸鼻觸為
以故以有所得為方便故憍
薩行般若波羅蜜多時不應
應住此是味界舌識界及
生諸受何以故以有所得為
菩薩摩訶薩行般若波羅蜜多時不
是身界不應住此是觸界身識界
觸為緣所生諸受何以故以有所得為方便
故憍尸迦菩薩摩訶薩行般若波羅蜜多時
不應住此是意界不應住此是法界意識界
及意觸意觸為緣所生諸受何以故以有所
得為方便故憍尸迦菩薩摩訶薩行般若波
羅蜜多時不應住此是地界不應住此是水
火風空識界何以故以有所得為方便故憍

BD02671號　大般若波羅蜜多經卷七九　（20–1）

是身界不應住此是觸界身識界
觸為緣所生諸受何以故以有所得為方便
故憍尸迦菩薩摩訶薩行般若波羅蜜多時
不應住此是意界不應住此是法界意識界
及意觸意觸為緣所生諸受何以故以有所
得為方便故憍尸迦菩薩摩訶薩行般若波
羅蜜多時不應住此是地界不應住此是水
火風空識界何以故以有所得為方便故憍
尸迦菩薩摩訶薩行般若波羅蜜多時不應
住此是苦聖諦不應住此是集滅道聖諦何
以故以有所得為方便故憍尸迦菩薩摩訶
薩行般若波羅蜜多時不應住此是無明不
應住此是行識名色六處觸受愛取有生老
死愁歎苦憂惱何以故以有所得為方便故
憍尸迦菩薩摩訶薩行般若波羅蜜多時不
應住此是內空不應住此是外空內外空空
空大空勝義空有為空無為空畢竟空無際
空散空無變異空本性空自相空共相空一切
法空不可得空無性空自性空無性自性空
何以故以有所得為方便故憍尸迦菩薩
摩訶薩行般若波羅蜜多時不應住此是真
如不應住此是法界法性不虛妄性不變異
性平等性離生性法定法住實際虛空界不
思議界何以故以有所得為方便故
憍尸迦菩薩摩訶薩行般若波羅蜜多時不
應住此是布施波羅蜜多不應住此是淨戒
安忍精進靜慮般若波羅蜜多何以故以有
所得為方便故憍尸迦菩薩摩訶薩行般若

BD02671號　大般若波羅蜜多經卷七九　（20–2）

思議界何以故以有所得為方便故
憍尸迦菩薩摩訶薩行般若波羅蜜多時不
應住此是布施波羅蜜多不應住此是淨戒
安忍精進靜慮般若波羅蜜多何以故以有
所得為方便故憍尸迦菩薩摩訶薩行般若
波羅蜜多時不應住此是四靜慮不應住此
是四無量四無色定何以故以有所得為方
便故憍尸迦菩薩摩訶薩行般若波羅蜜多
時不應住此是八解脫不應住此是八勝處
九次第定十遍處何以故以有所得為方便
故憍尸迦菩薩摩訶薩行般若波羅蜜多時
不應住此是四念住不應住此是四正斷四
神足五根五力七等覺支八聖道支何以故
以有所得為方便故憍尸迦菩薩摩訶薩行
般若波羅蜜多時不應住此是空解脫門不
應住此是無相無願解脫門何以故以有所
得為方便故憍尸迦菩薩摩訶薩行般若波
羅蜜多時不應住此是五眼不應住此是六
神通何以故以有所得為方便故憍尸迦菩
薩摩訶薩行般若波羅蜜多時不應住此是
佛十力不應住此是四無所畏四無礙解大
慈大悲大喜大捨十八佛不共法何以故以
有所得為方便故憍尸迦菩薩摩訶薩行般
若波羅蜜多時不應住此是無妄失法不應
住此是恒住捨性何以故以有所得為方便
故憍尸迦菩薩摩訶薩行般若波羅蜜多時
不應住此是一切陁羅尼門不應住此是一

慈大悲大喜大捨十八佛不共法何以故以
有所得為方便故憍尸迦菩薩摩訶薩行般
若波羅蜜多時不應住此是無妄失法不應
住此是恒住捨性何以故以有所得為方便
故憍尸迦菩薩摩訶薩行般若波羅蜜多時
不應住此是一切陁羅尼門不應住此是一
切三摩地門何以故以有所得為方便故憍
尸迦菩薩摩訶薩行般若波羅蜜多時不應
住此是一切智不應住此是道相智一切相智
何以故以有所得為方便故憍尸迦菩薩
摩訶薩行般若波羅蜜多時不應住此是聲
聞乘不應住此是獨覺乘無上乘何以故以
有所得為方便故憍尸迦菩薩摩訶薩行般
若波羅蜜多時不應住此是預流果不應住
此是一來不還阿羅漢果獨覺菩薩如來何
以故以有所得為方便故憍尸迦菩薩摩訶
薩行般若波羅蜜多時不應住此是極喜地
不應住此是離垢地發光地焰慧地極難勝
地現前地遠行地不動地善慧地法雲地何
以故以有所得為方便故憍尸迦菩薩摩訶
薩行般若波羅蜜多時不應住此是異生地
不應住此是種姓地第八地具見地薄地離
欲地已辦地獨覺地菩薩地如來地何以故
以有所得為方便故
復次憍尸迦菩薩摩訶薩行般若波羅蜜多
時不應住色若常若無常不應住受想行識
若常若無常不應住色若樂若苦不應住受

欲地已辦地獨覺地菩薩地如來地何以故以有所得為方便故

復次憍尸迦菩薩摩訶薩行般若波羅蜜多時不應住色若常若無常不應住受想行識若常若無常不應住色若樂若苦不應住受想行識若樂若苦不應住色若我若無我不應住受想行識若我若無我不應住色若淨若不淨不應住受想行識若淨若不淨不應住色若寂靜若不寂靜不應住受想行識若寂靜若不寂靜不應住色若遠離若不遠離不應住受想行識若遠離若不遠離不應住色若空若不空不應住受想行識若空若不空不應住色若有相若無相不應住受想行識若有相若無相不應住色若有願若無願不應住受想行識若有願若無願何以故以有所得為方便故

復次憍尸迦菩薩摩訶薩行般若波羅蜜多時不應住眼處若常若無常不應住耳鼻舌身意處若常若無常不應住眼處若樂若苦不應住耳鼻舌身意處若樂若苦不應住眼處若我若無我不應住耳鼻舌身意處若我若無我不應住眼處若淨若不淨不應住耳鼻舌身意處若淨若不淨不應住眼處若寂靜若不寂靜不應住耳鼻舌身意處若寂靜若不寂靜不應住眼處若遠離若不遠離不應住耳鼻舌身意處若遠離若不遠離不應住眼處若空若不空不應住耳鼻舌身意處

BD02671號　大般若波羅蜜多經卷七九　　（20–5）

靜若不寂靜不應住耳鼻舌身意處若寂靜若不寂靜不應住眼處若遠離若不遠離不應住耳鼻舌身意處若遠離若不遠離不應住眼處若空若不空不應住耳鼻舌身意處若空若不空不應住眼處若有相若無相不應住耳鼻舌身意處若有相若無相不應住眼處若有願若無願不應住耳鼻舌身意處若有願若無願何以故以有所得為方便故

復次憍尸迦菩薩摩訶薩行般若波羅蜜多時不應住眼界若常若無常不應住色界眼識界及眼觸眼觸為緣所生諸受若常若無常不應住眼界若樂若苦不應住色界乃至眼觸為緣所生諸受若樂若苦不應住眼界若我若無我不應住色界乃至眼觸為緣所生諸受若我若無我不應住眼界若淨若不淨不應住色界乃至眼觸為緣所生諸受若淨若不淨不應住眼界若寂靜若不寂靜不應住色界乃至眼觸為緣所生諸受若寂靜若不寂靜不應住眼界若遠離若不遠離不應住色界乃至眼觸為緣所生諸受若遠離若不遠離不應住眼界若空若不空不應住色界乃至眼觸為緣所生諸受若空若不空不應住眼界若有相若無相不應住色界乃至眼觸為緣所生諸受若有相若無相不應住眼界若有願若無願不應住色界乃至眼觸為緣所生諸受若有願若無願何以故以有所得為方便故

BD02671號　大般若波羅蜜多經卷七九　　（20–6）

至眼觸為緣所生諸受若有相若無相不應
住眼界若有願若無願不應住色界乃至眼
觸為緣所生諸受若有願若無願何以故以
有所得為方便故
復次憍尸迦菩薩摩訶薩行般若波羅蜜多
時不應住耳界若常若無常不應住聲界耳
識界及耳觸耳觸為緣所生諸受若常若無常
不應住耳界若樂若苦不應住聲界乃至
耳觸為緣所生諸受若樂若苦不應住耳界
若我若無我不應住聲界乃至耳觸為緣所
生諸受若我若無我不應住耳界若淨若不
淨不應住聲界乃至耳觸為緣所生諸受若
淨若不淨不應住耳界若寂靜若不寂靜不
應住聲界乃至耳觸為緣所生諸受若寂靜
若不寂靜不應住耳界若遠離若不遠離不
應住聲界乃至耳觸為緣所生諸受若遠離
若不遠離不應住耳界若空若不空不應住
聲界乃至耳觸為緣所生諸受若空若不空
不應住耳界若有相若無相不應住聲界乃
至耳觸為緣所生諸受若有相若無相不應
住耳界若有願若無願不應住聲界乃至耳
觸為緣所生諸受若有願若無願何以故以有
所得為方便故
復次憍尸迦菩薩摩訶薩行般若波羅蜜多
時不應住鼻界若常若無常不應住香界鼻
識界及鼻觸鼻觸為緣所生諸受若常若無
常不應住鼻界若樂若苦不應住香界乃至

BD02671號　大般若波羅蜜多經卷七九　（20–7）

復次憍尸迦菩薩摩訶薩行般若波羅蜜多
時不應住鼻界若常若無常不應住香界鼻
識界及鼻觸鼻觸為緣所生諸受若常若無
常不應住鼻界若樂若苦不應住香界乃至
鼻觸為緣所生諸受若樂若苦不應住鼻界
若我若無我不應住香界乃至鼻觸為緣所
生諸受若我若無我不應住鼻界若淨若不
淨不應住香界乃至鼻觸為緣所生諸受若
淨若不淨不應住鼻界若寂靜若不寂靜不
應住香界乃至鼻觸為緣所生諸受若寂靜
若不寂靜不應住鼻界若遠離若不遠離不
應住香界乃至鼻觸為緣所生諸受若遠離
若不遠離不應住鼻界若空若不空不應住
香界乃至鼻觸為緣所生諸受若空若不空
不應住鼻界若有相若無相不應住香界乃
至鼻觸為緣所生諸受若有相若無相不應住
鼻界若有願若無願不應住香界乃至鼻觸
為緣所生諸受若有願若無願何以故以有
所得為方便故
復次憍尸迦菩薩摩訶薩行般若波羅蜜多
時不應住舌界若常若無常不應住味界舌
識界及舌觸舌觸為緣所生諸受若常若無
常不應住舌界若樂若苦不應住味界乃至
舌觸為緣所生諸受若樂若苦不應住舌界
若我若無我不應住味界乃至舌觸為緣所
生諸受若我若無我不應住舌界若淨若不
淨不應住味界乃至舌觸為緣所生諸受

BD02671號　大般若波羅蜜多經卷七九　（20–8）

識界及舌觸舌觸為緣所生諸受若常若無
常不應住舌界若樂若苦不應住味界乃至
舌觸為緣所生諸受若樂若苦不應住舌界
若我若無我不應住味界乃至舌觸為緣所
生諸受若我若無我不應住舌界若淨若不
淨不應住味界乃至舌觸為緣所生諸受若
淨若不淨不應住舌界若寂靜若不寂靜不
應住味界乃至舌觸為緣所生諸受若寂靜若
不寂靜不應住舌界若遠離若不遠離不應
住味界乃至舌觸為緣所生諸受若遠離若
不遠離不應住舌界若空若不空不應住
味界乃至舌觸為緣所生諸受若空若不空
不應住舌界若有相若無相不應住味界乃
至舌觸為緣所生諸受若有相若無相不應
住舌界若有願若無願不應住味界乃至舌
觸為緣所生諸受若有願若無願何以故以
有所得為方便故
復次憍尸迦菩薩摩訶薩行般若波羅蜜多
時不應住身界若常若無常不應住觸界身
識界及身觸身觸為緣所生諸受若常若無
常不應住身界若樂若苦不應住觸界乃至
身觸為緣所生諸受若樂若苦不應住身界
若我若無我不應住觸界乃至身觸為緣所
生諸受若我若無我不應住身界若淨若不
淨不應住觸界乃至身觸為緣所生諸受若
淨若不淨不應住身界若寂靜若不寂靜不
應住觸界乃至身觸為緣所生諸受若寂靜

BD02671號　大般若波羅蜜多經卷七九　（20–9）

生諸受若我若無我不應住身界若淨若不
淨不應住觸界乃至身觸為緣所生諸受若
淨若不淨不應住身界若寂靜若不寂靜不
應住觸界乃至身觸為緣所生諸受若寂靜
若不寂靜不應住身界若遠離若不遠離不
應住觸界乃至身觸為緣所生諸受若遠離
若不遠離不應住身界若空若不空不應住
觸界乃至身觸為緣所生諸受若空若不空
不應住身界若有相若無相不應住觸界乃
至身觸為緣所生諸受若有相若無相不應
住身界若有願若無願不應住觸界乃至身
觸為緣所生諸受若有願若無願何以故以
有所得為方便故
復次憍尸迦菩薩摩訶薩行般若波羅蜜多
時不應住意界若常若無常不應住法界意
識界及意觸意觸為緣所生諸受若常若無
常不應住意界若樂若苦不應住法界乃至
意觸為緣所生諸受若樂若苦不應住意界
若我若無我不應住法界乃至意觸為緣所
生諸受若我若無我不應住意界若淨若不
淨不應住法界乃至意觸為緣所生諸受若
淨若不淨不應住意界若寂靜若不寂靜不
應住法界乃至意觸為緣所生諸受若寂靜
若不寂靜不應住意界若遠離若不遠離不
應住法界乃至意觸為緣所生諸受若遠離
若不遠離不應住意界若空若不空不應住
法界乃至意觸為緣所生諸受若空若不空不
應住意界若有相若無相不應住法界乃至

BD02671號　大般若波羅蜜多經卷七九　（20–10）

應住法界乃至意觸為緣所生諸受若遠離
若不遠離不應住意界若空若不空不應住
法界乃至意觸為緣所生諸受若空若不空不
應住意界若有相若無相不應住法界乃至
意觸為緣所生諸受若有相若無相不應住
意界若有願若無願不應住法界乃至意觸
為緣所生諸受若有願若無願何以故以有所
得為方便故
復次憍尸迦菩薩摩訶薩行般若波羅蜜多
時不應住地界若常若無常不應住水火風
空識界若常若無常不應住地界若樂若苦
不應住水火風空識界若樂若苦不應住地
界若我若無我不應住水火風空識界若我
若無我不應住地界若淨若不淨不應住水
火風空識界若淨若不淨不應住地界若寂
靜若不寂靜不應住水火風空識界若寂靜
若不寂靜不應住地界若遠離若不遠離不
應住水火風空識界若遠離若不遠離不應
住地界若空若不空不應住水火風空識界
若空若不空不應住地界若有相若無相不
應住水火風空識界若有相若無相不應住
地界若有願若無願不應住水火風空識界
若有願若無願何以故以有所得為方便故
復次憍尸迦菩薩摩訶薩行般若波羅蜜多
時不應住苦聖諦若常若無常不應住集滅
道聖諦若常若無常不應住苦聖諦若樂若
苦不應住集滅道聖諦若樂若苦不應住 苦
聖諦若我若無我不應住集滅道聖諦若我

復次憍尸迦菩薩摩訶薩行般若波羅蜜多
時不應住苦聖諦若常若無常不應住集滅
道聖諦若常若無常不應住苦聖諦若樂若
苦不應住集滅道聖諦若樂若苦不應住 苦
聖諦若我若無我不應住集滅道聖諦若我
若無我不應住苦聖諦若淨若不淨不應住
集滅道聖諦若淨若不淨不應住苦聖諦若
寂靜若不寂靜不應住集滅道聖諦若寂靜
若不寂靜不應住苦聖諦若遠離若不遠離
不應住集滅道聖諦若遠離若不遠離不應
住苦聖諦若空若不空不應住集滅道聖諦
若空若不空不應住苦聖諦若有相若無相
不應住集滅道聖諦若有相若無相不應住
苦聖諦若有願若無願不應住集滅道聖諦若
有願若無願何以故以有所得為方便故
復次憍尸迦菩薩摩訶薩行般若波羅蜜多
時不應住無明若常若無常不應住行識名
色六處觸受愛取有生老死愁歎苦憂惱若
常若無常不應住無明若樂若苦不應住行
乃至老死愁歎苦憂惱若樂若苦不應住無
明若我若無我不應住行乃至老死愁歎苦
憂惱若我若無我不應住無明若淨若不淨
不應住行乃至老死愁歎苦憂惱若淨若不
淨不應住無明若寂靜若不寂靜不應住行
乃至老死愁歎苦憂惱若寂靜若不寂靜不
應住無明若遠離若不遠離不應住行乃至
老死愁歎苦憂惱若遠離若不遠離不應住

不應住行乃至老死愁歎苦憂惱若淨若不
淨不應住行無明若寂靜若不寂靜不應住行
乃至老死愁歎苦憂惱若寂靜若不寂靜不
應住無明若遠離若不遠離不應住行乃至
老死愁歎苦憂惱若遠離若不遠離不應住
無明若空若不空不應住行乃至老死愁歎
苦憂惱若空若不空不應住無明若有相若無
相不應住行乃至老死愁歎苦憂惱若有
相若無相不應住無明若有願若無願不應
住行乃至老死愁歎苦憂惱若有願若無願
何以故以有所得為方便故
復次憍尸迦菩薩摩訶薩行般若波羅蜜多
時不應住內空若常若無常不應住外空內
外空空空大空勝義空有為空無為空畢竟
空無際空散空無變異空本性空自相空共
相空一切法空不可得空無性空自性空無
性自性空若常若無常不應住內空若樂若
苦不應住外空乃至無性自性空若樂若苦
不應住內空若我若無我不應住外空乃至
無性自性空若我若無我不應住內空若淨
若不淨不應住外空乃至無性自性空若淨
若不淨不應住內空若寂靜若不寂靜不應
住外空乃至無性自性空若寂靜若不寂靜
不應住內空若遠離若不遠離不應住外空
乃至無性自性空若遠離若不遠離不應住
內空若空若不空不應住外空乃至無性自

BD02671號　大般若波羅蜜多經卷七九　（20–13）

住外空乃至無性自性空若寂靜若不寂靜
不應住內空若遠離若不遠離不應住外空
乃至無性自性空若遠離若不遠離不應住
內空若空若不空不應住外空乃至無性自
性空若空若不空不應住內空若有相若無
相不應住外空乃至無性自性空若有相若
無相不應住內空若有願若無願不應住外
空乃至無性自性空若有願若無願何以故
以有所得為方便故
復次憍尸迦菩薩摩訶薩行般若波羅蜜多
時不應住真如若常若無常不應住法界法
性不虛妄性不變異性平等性離生性法定
法住實際虛空界不思議界若常若無常不
應住真如若樂若苦不應住法界乃至不思議界
若樂若苦不應住真如若我若無我不應住法界
乃至不思議界若我若無我不應住真如若淨
若不淨不應住法界乃至不思議界若淨若不
淨不應住真如若寂靜若不寂靜不應住法界乃
至不思議界若寂靜若不寂靜不應住真如若遠
離若不遠離不應住法界乃至不思議界若遠離若
不遠離不應住真如若空若不空不應住法界乃
至不思議界若空若不空不應住真如若有相若
無相不應住法界乃至不思議界若有相若無相
不應住真如若有願若無願不應住法界乃至不
思議界若有願若無願何以故以有所得為方便
故
復次憍尸迦菩薩摩訶薩行般若波羅蜜多時

BD02671號　大般若波羅蜜多經卷七九　（20–14）

思議界若有願若無願何以故以有所得為方便
故
復次憍尸迦菩薩摩訶薩行般若波羅蜜多時
不應住布施波羅蜜多若常若無常不應住
淨戒安忍精進靜慮般若波羅蜜多若常若
無常不應住布施波羅蜜多若樂若苦不應
住淨戒乃至般若波羅蜜多若樂若苦不
應住布施波羅蜜多若我若無我不應住淨
戒乃至般若波羅蜜多若我若無我不應住
布施波羅蜜多若淨若不淨不應住淨戒乃
至般若波羅蜜多若淨若不淨不應住布施
波羅蜜多若寂靜若不寂靜不應住淨戒乃
至般若波羅蜜多若寂靜若不寂靜不應住
布施波羅蜜多若遠離若不遠離不應住淨
戒乃至般若波羅蜜多若遠離若不遠離不
應住布施波羅蜜多若空若不空不應住淨
戒乃至般若波羅蜜多若空若不空不應住
布施波羅蜜多若有相若無相不應住淨戒
乃至般若波羅蜜多若有相若無相不應住
布施波羅蜜多若有願若無願不應住淨
戒乃至般若波羅蜜多若有願若無願何以故
以有所得為方便故
復次憍尸迦菩薩摩訶薩行般若波羅蜜多
時不應住四靜慮若常若無常不應住四無
量四無色定若常若無常不應住四靜慮若
樂若苦不應住四無量四無色定若樂若苦
不應住四靜慮若我若無我不應住四無量

BD02671號　大般若波羅蜜多經卷七九　（20–15）

時不應住四靜慮若常若無常不應住四無
量四無色定若常若無常不應住四靜慮若
樂若苦不應住四無量四無色定若樂若苦
不應住四靜慮若我若無我不應住四無量
四無色定若我若無我不應住四靜慮若淨
若不淨不應住四無量四無色定若淨若不
淨不應住四靜慮若寂靜若不寂靜不應住
四無量四無色定若寂靜若不寂靜不應住
四靜慮若遠離若不遠離不應住四無量四
無色定若遠離若不遠離不應住四靜慮若
空若不空不應住四無量四無色定若空若
不空不應住四靜慮若有相若無相不應住
四無量四無色定若有相若無相不應住四
靜慮若有願若無願不應住四無量四無色
定若有願若無願何以故以有所得為方便
故
復次憍尸迦菩薩摩訶薩行般若波羅蜜多
時不應住八解脫若常若無常不應住八勝
處九次第定十遍處若常若無常不應住八
解脫若樂若苦不應住八勝處九次第定十
遍處若樂若苦不應住八解脫若我若無我
不應住八勝處九次第定十遍處若我若無
我不應住八解脫若淨若不淨不應住八勝
處九次第定十遍處若淨若不淨不應住八
解脫若寂靜若不寂靜不應住八勝處九次
第定十遍處若寂靜若不寂靜不應住八解
脫若遠離若不遠離不應住八勝處九次第

BD02671號　大般若波羅蜜多經卷七九　（20–16）

我不應住八解脫若淨若不淨不應住八勝
處九次第定十遍處若淨若不淨不應住八
解脫若寂靜若不寂靜不應住八勝處九次
第定十遍處若寂靜若不寂靜不應住八解
脫若遠離若不遠離不應住八勝處九次第
定十遍處若遠離若不遠離不應住八解脫
若空若不空不應住八勝處九次第定十遍
處若空若不空不應住八解脫若有相若無相
不應住八勝處九次第定十遍處若有相
若無相不應住八解脫若有願若無願不應
住八勝處九次第定十遍處若有願若無願
何以故以有所得為方便故
復次憍尸迦菩薩摩訶薩行般若波羅蜜多
時不應住四念住若常若無常不應住四正
斷四神足五根五力七等覺支八聖道支若
常若無常不應住四念住若樂若苦不應住
四正斷乃至八聖道支若樂若苦不應住四
念住若我若無我不應住四正斷乃至八聖
道支若我若無我不應住四念住若淨若不
淨不應住四正斷乃至八聖道支若淨若不
淨不應住四念住若寂靜若不寂靜不應住
四正斷乃至八聖道支若寂靜若不寂靜不
應住四念住若遠離若不遠離不應住四正斷
乃至八聖道支若遠離若不遠離不應住
四念住若空若不空不應住四正斷乃至八
聖道支若空若不空不應住四念住若有相
若無相不應住四正斷乃至八聖道支若有

BD02671號　大般若波羅蜜多經卷七九　（20–17）

乃至八聖道支若遠離若不遠離不應住
四念住若空若不空不應住四正斷乃至八
聖道支若空若不空不應住四念住若有相
若無相不應住四正斷乃至八聖道支若有
相若無相不應住四念住若有願若無願不
應住四正斷乃至八聖道支若有願若無願
何以故以有所得為方便故
復次憍尸迦菩薩摩訶薩行般若波羅蜜多
時不應住空解脫門若常若無常不應住無
相無願解脫門若常若無常不應住空解脫
門若樂若苦不應住無相無願解脫門若樂
若苦不應住空解脫門若我若無我不應住
無相無願解脫門若我若無我不應住空解
脫門若淨若不淨不應住無相無願解脫門
若淨若不淨不應住空解脫門若寂靜若不
寂靜不應住無相無願解脫門若寂靜若不
寂靜不應住空解脫門若遠離若不遠離不
應住無相無願解脫門若遠離若不遠離不
應住空解脫門若空若不空不應住無相無
願解脫門若空若不空不應住空解脫門若
有相若無相不應住無相無願解脫門若有
相若無相不應住空解脫門若有願若無願
不應住無相無願解脫門若有願若無願何
以故以有所得為方便故
復次憍尸迦菩薩摩訶薩行般若波羅蜜多
時不應住五眼若常若無常不應住六神通
若常若無常不應住五眼若樂若苦不應住

BD02671號　大般若波羅蜜多經卷七九　（20–18）

相若無相不應住空解脫門若有願若無願
不應住無相無願解脫門若有願若無願何
以故以有所得為方便故
復次憍尸迦菩薩摩訶薩行般若波羅蜜多
時不應住五眼若常若無常不應住六神通
若常若無常不應住五眼若樂若苦不應住
六神通若樂若苦不應住五眼若我若無我
不應住六神通若我若無我不應住五眼若
淨若不淨不應住六神通若淨若不淨不應
住五眼若寂靜若不寂靜不應住六神通若
寂靜若不寂靜不應住五眼若遠離若不遠
離不應住六神通若遠離若不遠離不應住
五眼若空若不空不應住六神通若空若不
空不應住五眼若有相若無相不應住六神
通若有相若無相不應住五眼若有願若無
願不應住六神通若有願若無願何以故以
有所得為方便故
復次憍尸迦菩薩摩訶薩行般若波羅蜜多
時不應住佛十力若常若無常不應住四無
所畏四無礙解大慈大悲大喜大捨十八佛
不共法若常若無常不應住佛十力若樂若
苦不應住四無所畏乃至十八佛不共法若
樂若苦不應住佛十力若我若無我不應住
四無所畏乃至十八佛不共法若我若無我
不應住佛十力若淨若不淨不應住四無所
畏乃至十八佛不共法若淨若不淨不應住
佛十力若寂靜若不寂靜不應住四無所畏

BD02671 號　大般若波羅蜜多經卷七九　（20–19）

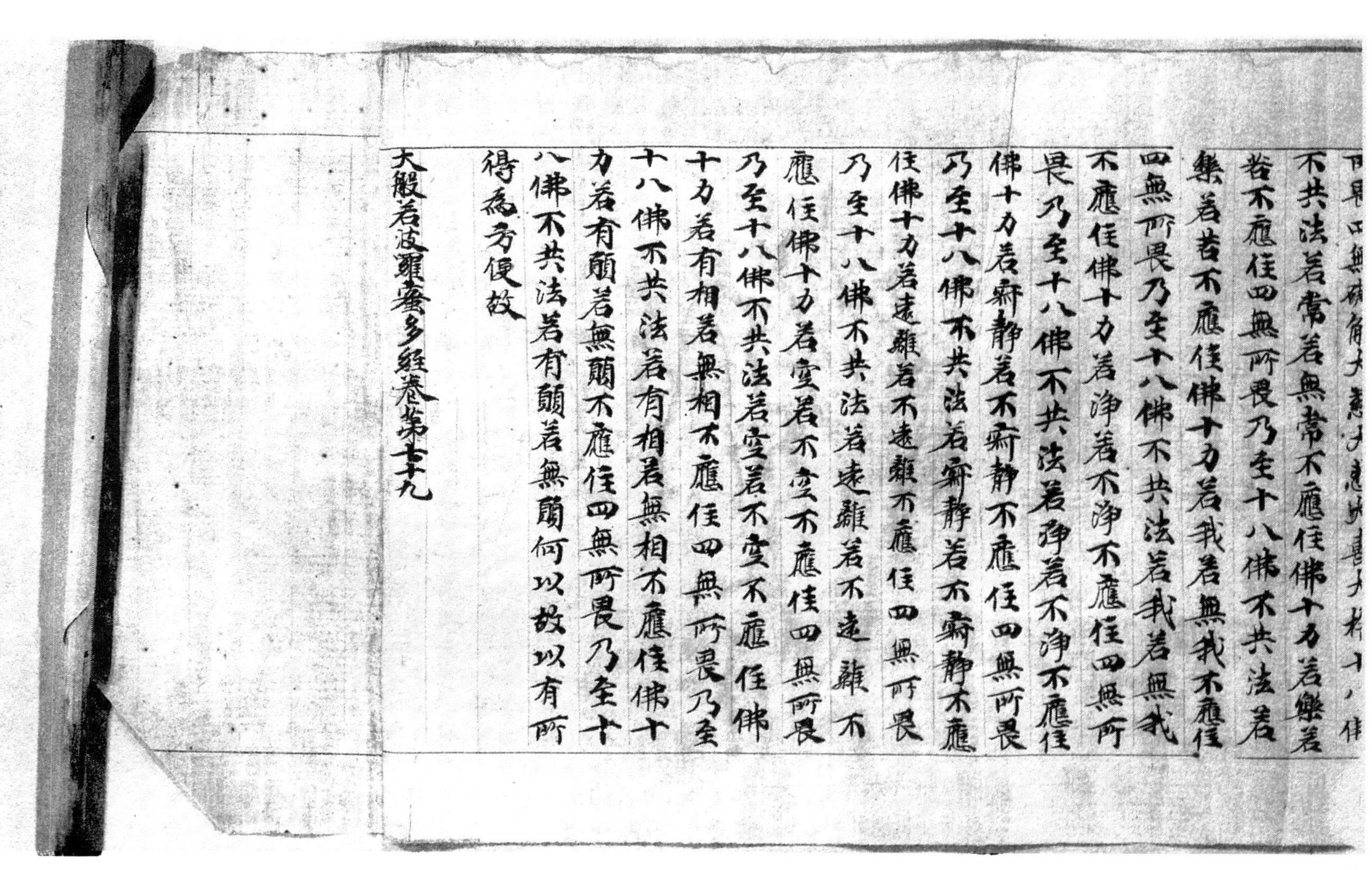

所畏四無礙解大慈大悲大喜大捨十八佛
不共法若常若無常不應住佛十力若樂若
苦不應住四無所畏乃至十八佛不共法若
樂若苦不應住佛十力若我若無我不應住
四無所畏乃至十八佛不共法若我若無我
不應住佛十力若淨若不淨不應住四無所
畏乃至十八佛不共法若淨若不淨不應住
佛十力若寂靜若不寂靜不應住四無所畏
乃至十八佛不共法若寂靜若不寂靜不應
住佛十力若遠離若不遠離不應住四無所畏
乃至十八佛不共法若遠離若不遠離不
應住佛十力若空若不空不應住四無所畏
乃至十八佛不共法若空若不空不應住佛
十力若有相若無相不應住四無所畏乃至
十八佛不共法若有相若無相不應住佛十
力若有願若無願不應住四無所畏乃至十
八佛不共法若有願若無願何以故以有所
得為方便故

大般若波羅蜜多經卷第七十九

BD02671 號　大般若波羅蜜多經卷七九　（20–20）

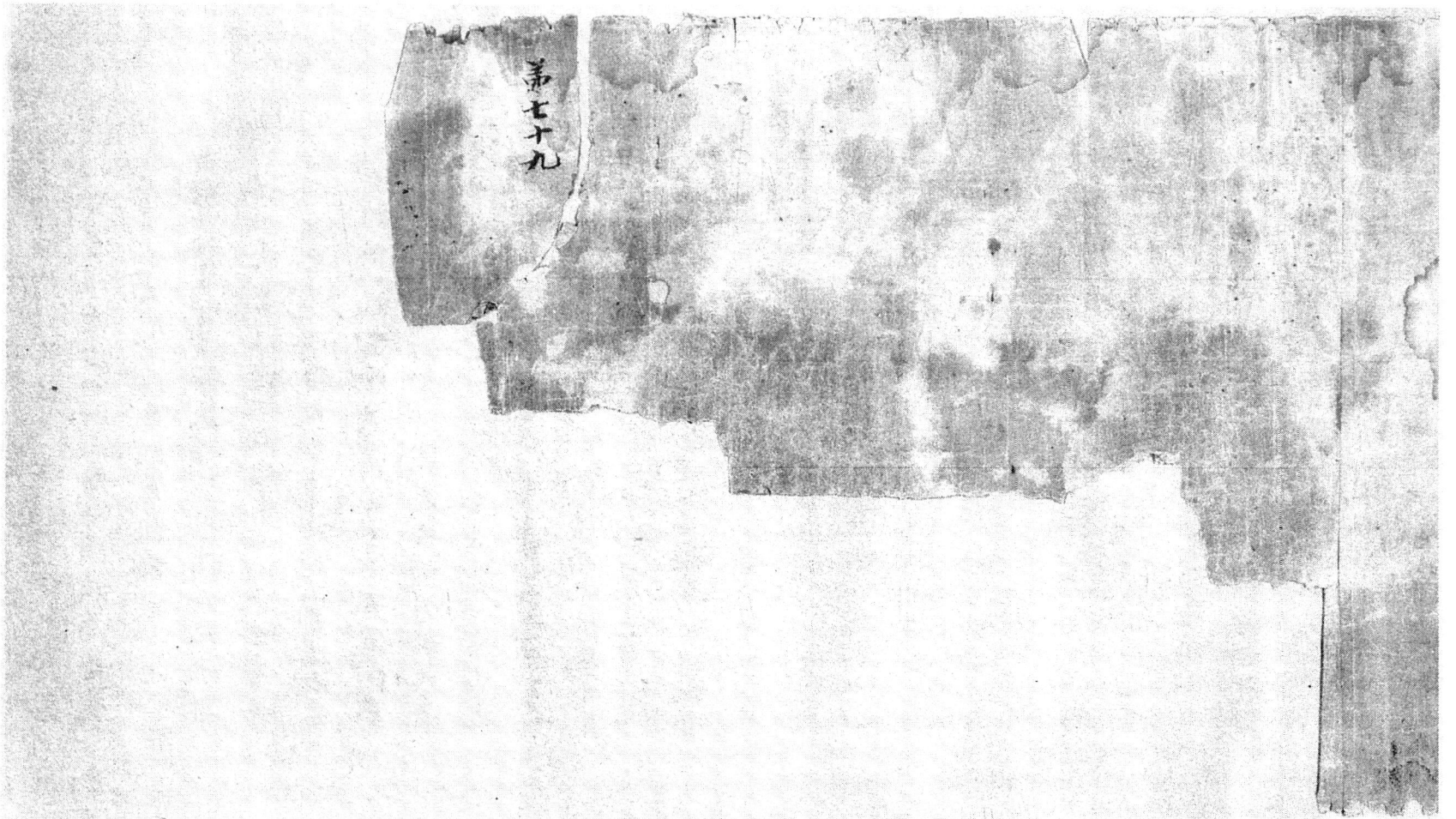

BD02671 號背　勘記　（1–1）

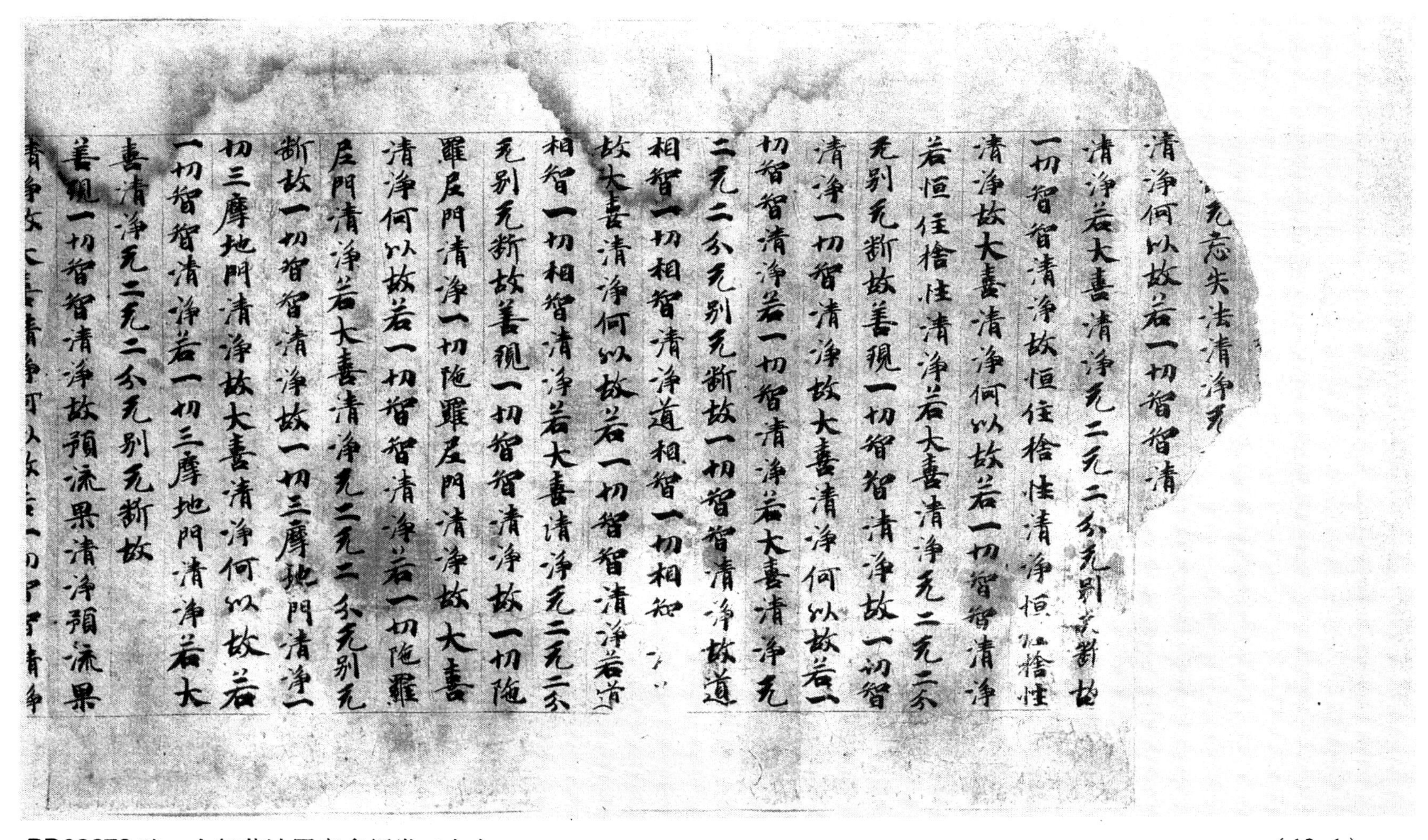

BD02672 號　大般若波羅蜜多經卷二七七　（12–1）

切三摩地門清淨故大喜清淨何以故若
一切智智清淨若一切三摩地門清淨若大
喜清淨无二无二分无別无斷故
善現一切智智清淨故預流果清淨預流果
清淨故大喜清淨何以故若一切智智清淨
若預流果清淨若大喜清淨无二无二分无
別无斷故一切智智清淨故一來不還阿羅
漢果清淨一來不還阿羅漢果清淨故大喜
清淨何以故若一切智智清淨若一來不還
阿羅漢果清淨若大喜清淨无二无二分无
別无斷故善現一切智智清淨故獨覺菩
提清淨獨覺菩提清淨故大喜清淨何以故
若一切智智清淨若獨覺菩提清淨若大喜清
淨无二无二分无別无斷故善現一切智智
清淨故一切菩薩摩訶薩行清淨一切菩薩
摩訶薩行清淨故大喜清淨何以故若一切
智智清淨若一切菩薩摩訶薩行清淨若大
喜清淨无二无二分无別无斷故善現一切智
智清淨故諸佛无上正等菩提清淨諸
佛无上正等菩提清淨故大喜清淨何以故
若一切智智清淨若諸佛无上正等菩提清
淨若大喜清淨无二无二分无別无斷故
復次善現一切智智清淨故色清淨色清淨
故大捨清淨何以故若一切智智清淨若色
清淨若大捨清淨无二无二分无別无斷故
一切智智清淨故受想行識清淨受想行識

BD02672 號　大般若波羅蜜多經卷二七七　（12–2）

復次善現一切智智清淨故色清淨色清淨
故大捨清淨何以故若一切智智清淨若色
清淨若大捨清淨无二无二分无別无斷故
一切智智清淨故受想行識清淨受想行識
清淨故大捨清淨何以故若一切智智清淨
若受想行識清淨若大捨清淨无二无二分
无別无斷故善現一切智智清淨故眼處清
淨眼處清淨故大捨清淨何以故若一切智
智清淨若眼處清淨若大捨清淨无二无二
分无別无斷故一切智智清淨故耳鼻舌身
意處清淨耳鼻舌身意處清淨故大捨清淨
何以故若一切智智清淨若耳鼻舌身意處
清淨若大捨清淨无二无二分无別无斷故
善現一切智智清淨故色處清淨色處清淨
故大捨清淨何以故若一切智智清淨若色
處清淨若大捨清淨无二无二分无別无斷
故一切智智清淨故聲香味觸法處清淨聲
香味觸法處清淨故大捨清淨何以故若一
切智智清淨若聲香味觸法處清淨若大捨
清淨无二无二分无別无斷故
善現一切智智清淨故眼界清淨眼界清淨
故大捨清淨何以故若一切智智清淨若眼
界清淨若大捨清淨无二无二分无別无斷
故一切智智清淨故色界眼識界及眼觸眼
觸爲緣所生諸受清淨色界乃至眼觸爲緣所
生諸受清淨故大捨清淨何以故若一切智

BD02672 號　大般若波羅蜜多經卷二七七　（12–3）

界清淨若大捨清淨无二无二分无別无斷
故一切智智清淨故色界眼識界及眼觸眼
觸爲緣所生諸受清淨色界及眼觸爲緣所
生諸受清淨故大捨清淨何以故若一切智
智清淨若色界乃至眼觸爲緣所生諸受
清淨若大捨清淨无二无二分无別无斷故
善現一切智智清淨故耳界清淨耳界清淨
故大捨清淨何以故若一切智智清淨若耳
界清淨若大捨清淨无二无二分无別无斷
故一切智智清淨故聲界耳識界及耳觸耳
觸爲緣所生諸受清淨聲界乃至耳觸爲緣
所生諸受清淨故大捨清淨何以故若一切
智智清淨若聲界乃至耳觸爲緣所生諸受
清淨若大捨清淨无二无二分无別无斷故
善現一切智智清淨故鼻界清淨鼻界清淨
故大捨清淨何以故若一切智智清淨若鼻
界清淨若大捨清淨无二无二分无別无斷
故一切智智清淨故香界鼻識界及鼻觸鼻
觸爲緣所生諸受清淨香界乃至鼻觸爲緣
所生諸受清淨故大捨清淨何以故若一切
智智清淨若香界乃至鼻觸爲緣所生諸受
清淨若大捨清淨无二无二分无別无斷故
善現一切智智清淨故舌界清淨舌界清淨
故大捨清淨何以故若一切智智清淨若舌
界清淨若大捨清淨无二无二分无別无斷

BD02672號　大般若波羅蜜多經卷二七七　（12–4）

故大捨清淨何以故若一切智智清淨若舌
界清淨若大捨清淨无二无二分无別无斷
故一切智智清淨故味界舌識界及舌觸舌
觸爲緣所生諸受清淨味界乃至舌觸爲緣所
生諸受清淨故大捨清淨何以故若一切智
智清淨若味界乃至舌觸爲緣所生諸受
清淨若大捨清淨无二无二分无別无斷故
善現一切智智清淨故身界清淨身界清淨
故大捨清淨何以故若一切智智清淨若身
界清淨若大捨清淨无二无二分无別无斷
故一切智智清淨故觸界身識界及身觸身
觸爲緣所生諸受清淨觸界乃至身觸爲緣
所生諸受清淨故大捨清淨何以故若一切
智智清淨若觸界乃至身觸爲緣所生諸受
清淨若大捨清淨无二无二分无別无斷故
善現一切智智清淨故意界清淨意界清淨
故大捨清淨何以故若一切智智清淨若意界
清淨若大捨清淨无二无二分无別无斷故
一切智智清淨故法界意識界及意觸意
觸爲緣所生諸受清淨法界乃至意觸爲緣
所生諸受清淨故大捨清淨何以故若一切
智智清淨若法界乃至意觸爲緣所生諸受
清淨若大捨清淨无二无二分无別无斷故
善現一切智智清淨故地界清淨地界清淨
故大捨清淨何以故若一切智智清淨若地

BD02672號　大般若波羅蜜多經卷二七七　（12–5）

智智清淨若法界乃至意觸爲緣所生諸受
清淨若大捨清淨无二无二分无別无斷故
善現一切智智清淨故地界清淨地界清淨
故大捨清淨何以故若一切智智清淨若地
界清淨若大捨清淨无二无二分无別无斷
故一切智智清淨故水火風空識界清淨水
火風空識界清淨故大捨清淨何以故若一
切智智清淨若水火風空識界清淨若大捨
清淨无二无二分无別无斷故善現一切智
智清淨故无明清淨无明清淨故大捨清淨
何以故若一切智智清淨若无明清淨若大
捨清淨无二无二分无別无斷故一切智智
清淨故行識名色六處觸受愛取有生老死
愁歎苦憂惱清淨行乃至老死愁歎苦憂惱
清淨故大捨清淨何以故若一切智智清淨
若行乃至老死愁歎苦憂惱清淨若大捨清
淨无二无二分无別无斷故
善現一切智智清淨故布施波羅蜜多清淨
布施波羅蜜多清淨故大捨清淨何以故若
一切智智清淨若布施波羅蜜多清淨若大
捨清淨无二无二分无別无斷故一切智智
清淨故淨戒安忍精進靜慮般若波羅蜜
多清淨淨戒乃至般若波羅蜜多清淨故大
捨清淨何以故若一切智智清淨若淨戒乃至
般若波羅蜜多清淨若大捨清淨无二无二分
无別无斷故善現一切智智清淨故內空清

多清淨淨戒乃至般若波羅蜜多清淨故大
捨清淨何以故若一切智智清淨若淨戒乃至
般若波羅蜜多清淨若大捨清淨无二无二分
无別无斷故善現一切智智清淨故內空清
淨內空清淨故大捨清淨何以故若一切智
智清淨若內空清淨若大捨清淨无二无
二分无別无斷故一切智智清淨故外空內
外空空空大空勝義空有爲空无爲空畢
竟空无際空散空无變異空本性空自相空
共相空一切法空不可得空无性空自性空无
性自性空清淨外空乃至无性自性空清淨
故大捨清淨何以故若一切智智清淨若外
空乃至无性自性空清淨若大捨清淨无二
无二分无別无斷故善現一切智智清淨故
真如清淨真如清淨故大捨清淨何以故若
一切智智清淨若真如清淨若大捨清淨无
二无二分无別无斷故一切智智清淨故法
界法性不虛妄性不變異性平等性離生性
法定法住實際虛空界不思議界清淨法界
乃至不思議界清淨故大捨清淨何以故若
一切智智清淨若法界乃至不思議界清淨
若大捨清淨无二无二分无別无斷故善現
一切智智清淨故苦聖諦清淨苦聖諦清淨
故大捨清淨何以故若一切智智清淨若苦
聖諦清淨若大捨清淨无二无二分无別无
斷故一切智智清淨故集滅道聖諦清淨集
滅道聖諦清淨故大捨清淨何以故若一切

一切智智清淨故苦聖諦清淨苦聖諦清淨
故大捨清淨何以故若一切智智清淨若苦
聖諦清淨若大捨清淨无二无二分无別无
斷故一切智智清淨故集滅道聖諦清淨集
滅道聖諦清淨故大捨清淨何以故若一切
智智清淨若集滅道聖諦清淨若大捨清淨
无二无二分无別无斷故善現一切智智清淨
故四靜慮清淨四靜慮清淨故大捨清淨
何以故若一切智智清淨若四靜慮清淨若
大捨清淨无二无二分无別无斷故一切智智
清淨故四无量四无色定清淨四无量四无
色定清淨故大捨清淨何以故若一切智
智清淨若四无量四无色定清淨若大捨清
淨无二无二分无別无斷故善現一切智智
清淨故八解脫清淨八解脫清淨故大捨清
淨何以故若一切智智清淨若八解脫清淨
若大捨清淨无二无二分无別无斷故一切
智智清淨故八勝處九次第定十遍處清淨
八勝處九次第定十遍處清淨故大捨清淨
何以故若一切智智清淨若八勝處九次第定
十遍處清淨若大捨清淨无二无二分无別
无斷故善現一切智智清淨故四念住清
淨四念住清淨故大捨清淨何以故若一切
智智清淨若四念住清淨若大捨清淨无二
无二分无別无斷故一切智智清淨故四正
斷四神足五根五力七等覺支八聖道支清

淨四念住清淨故大捨清淨何以故若一切
智智清淨若四念住清淨若大捨清淨无二
无二分无別无斷故一切智智清淨故四正
斷四神足五根五力七等覺支八聖道支清
淨四正斷乃至八聖道支清淨故大捨清淨
何以故若一切智智清淨若四正斷乃至八聖
道支清淨若大捨清淨无二无二分无別无
斷故善現一切智智清淨故空解脫門清淨
空解脫門清淨故大捨清淨何以故若一切
智智清淨若空解脫門清淨若大捨清淨
无二无二分无別无斷故一切智智清淨故
无相无願解脫門清淨无相无願解脫門清
淨故大捨清淨何以故若一切智智清淨若
无相无願解脫門清淨若大捨清淨无二无
二分无別无斷故善現一切智智清淨故菩
薩十地清淨菩薩地十清淨故大捨清淨何
以故若一切智智清淨若菩薩十地清淨若大
捨清淨无二无二分无別无斷故
善現一切智智清淨故五眼清淨五眼清淨
故大捨清淨何以故若一切智智清淨若五
眼清淨若大捨清淨无二无二分无別无斷
故一切智智清淨故六神通清淨六神通清
淨故大捨清淨何以故若一切智智清淨若
六神通清淨若大捨清淨无二无二分无別
无斷故善現一切智智清淨故佛十力清淨
佛十力清淨故大捨清淨何以故若一切智
智清淨若佛十力清淨若大捨清淨无二无

六神通清淨若大捨清淨无二无二分无別
无斷故善現一切智智清淨故佛十力清淨
佛十力清淨故大捨清淨何以故若一切智
智清淨若佛十力清淨若大捨清淨无二无
二分无別无斷故一切智智清淨故四无所
畏四无礙解大慈大悲大喜十八佛不共法
清淨四无所畏乃至十八佛不共法清淨故大
捨清淨何以故若一切智智清淨若四无
所畏乃至十八佛不共法清淨若大捨清淨
无二无二分无別无斷故善現一切智智清
淨故无忘失法清淨无忘失法清淨故大捨
清淨何以故若一切智智清淨若无忘失法
清淨若大捨清淨无二无二分无別无斷故
一切智智清淨故恒住捨性清淨恒住捨性
清淨故大捨清淨何以故若一切智智清淨
若恒住捨性清淨若大捨清淨无二无二分
无別无斷故

善現一切智智清淨故一切智
清淨故大捨清淨何以故若一切智智清淨
若一切智清淨若大捨清淨无二无二分无
別无斷故一切智智清淨故道相智一切相
智清淨道相智一切相智清淨故大捨清淨
何以故若一切智智清淨若道相智一切相
智清淨若大捨清淨无二无二分无別无斷
故善現一切智智清淨故一切陁羅尼門清
淨一切陁羅尼門清淨故大捨清淨何以故

智清淨若大捨清淨无二无二分无別无斷
故善現一切智智清淨故一切陁羅尼門清
淨一切陁羅尼門清淨故大捨清淨何以故
若一切智智清淨若一切陁羅尼門清淨若
大捨清淨无二无二分无別无斷故一切智
智清淨故一切三摩地門清淨一切三摩地
門清淨故大捨清淨何以故若一切智智清
淨若一切三摩地門清淨若大捨清淨无二
无二分无別无斷故善現一切智智清淨故
預流果清淨預流果清淨故大捨清淨何以
故若一切智智清淨若預流果清淨若大捨
清淨无二无二分无別无斷故一切智智清淨
故一來不還阿羅漢果清淨一來不還阿羅
漢果清淨故大捨清淨何以故若一切智智
清淨若一來不還阿羅漢果清淨若大捨
清淨无二无二分无別无斷故善現一切智
智清淨故獨覺菩提清淨獨覺菩提清淨
故大捨清淨何以故若一切智智清淨若獨覺
菩提清淨若大捨清淨无二无二分无別无斷
故善現一切智智清淨故一切菩薩摩訶薩
行清淨一切菩薩摩訶薩行清淨故大捨
清淨何以故若一切智智清淨若一切菩薩摩
訶薩行清淨若大捨清淨无二无二分无別
无斷故善現一切智智清淨故諸佛无上正
等菩提清淨諸佛无上正等菩提清淨故
大捨清淨何以故若一切智智清淨若諸佛

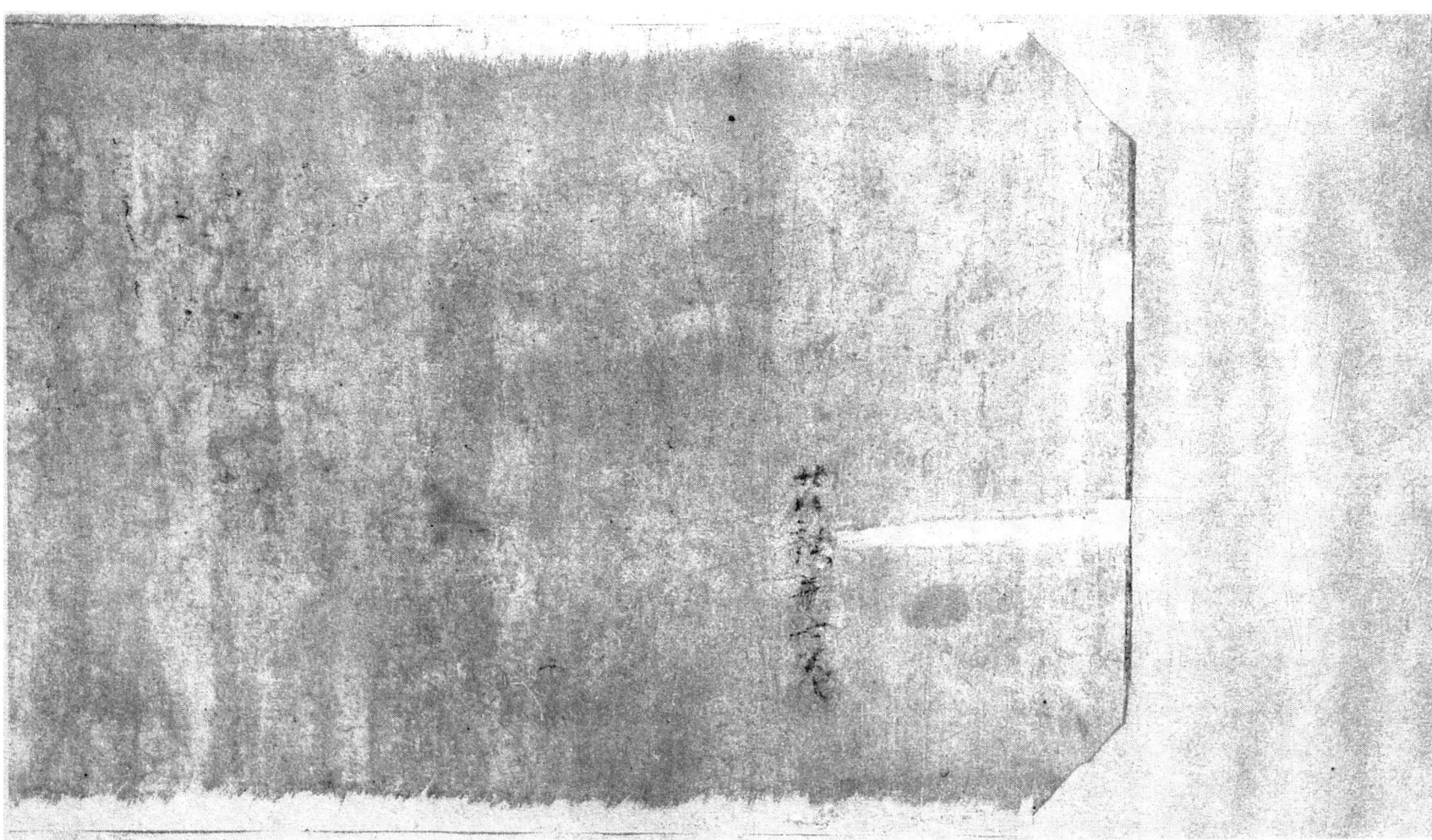

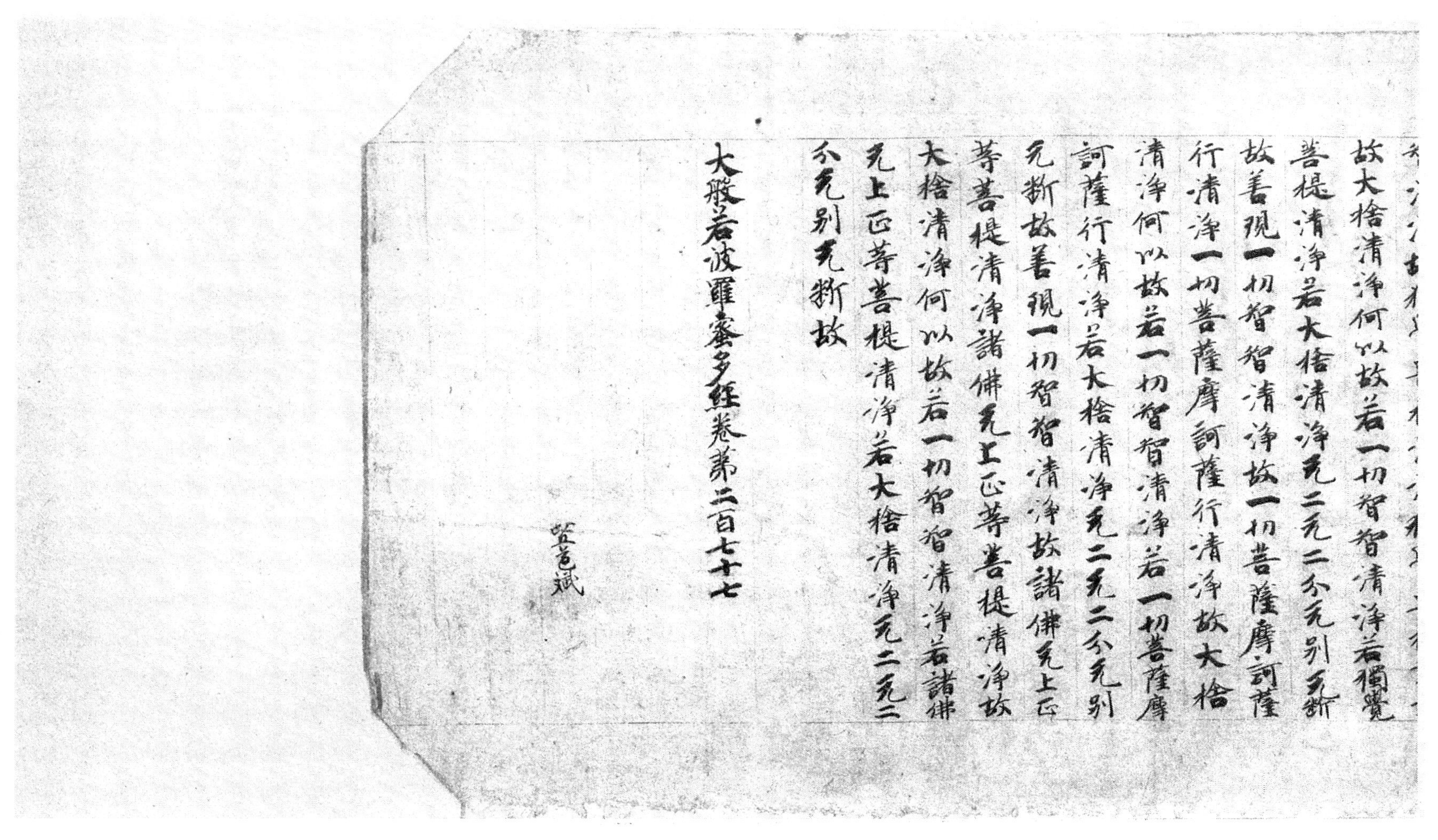

BD02672 號　大般若波羅蜜多經卷二七七　　　　（12–12）

BD02672 號背　勘記　　　　（1–1）

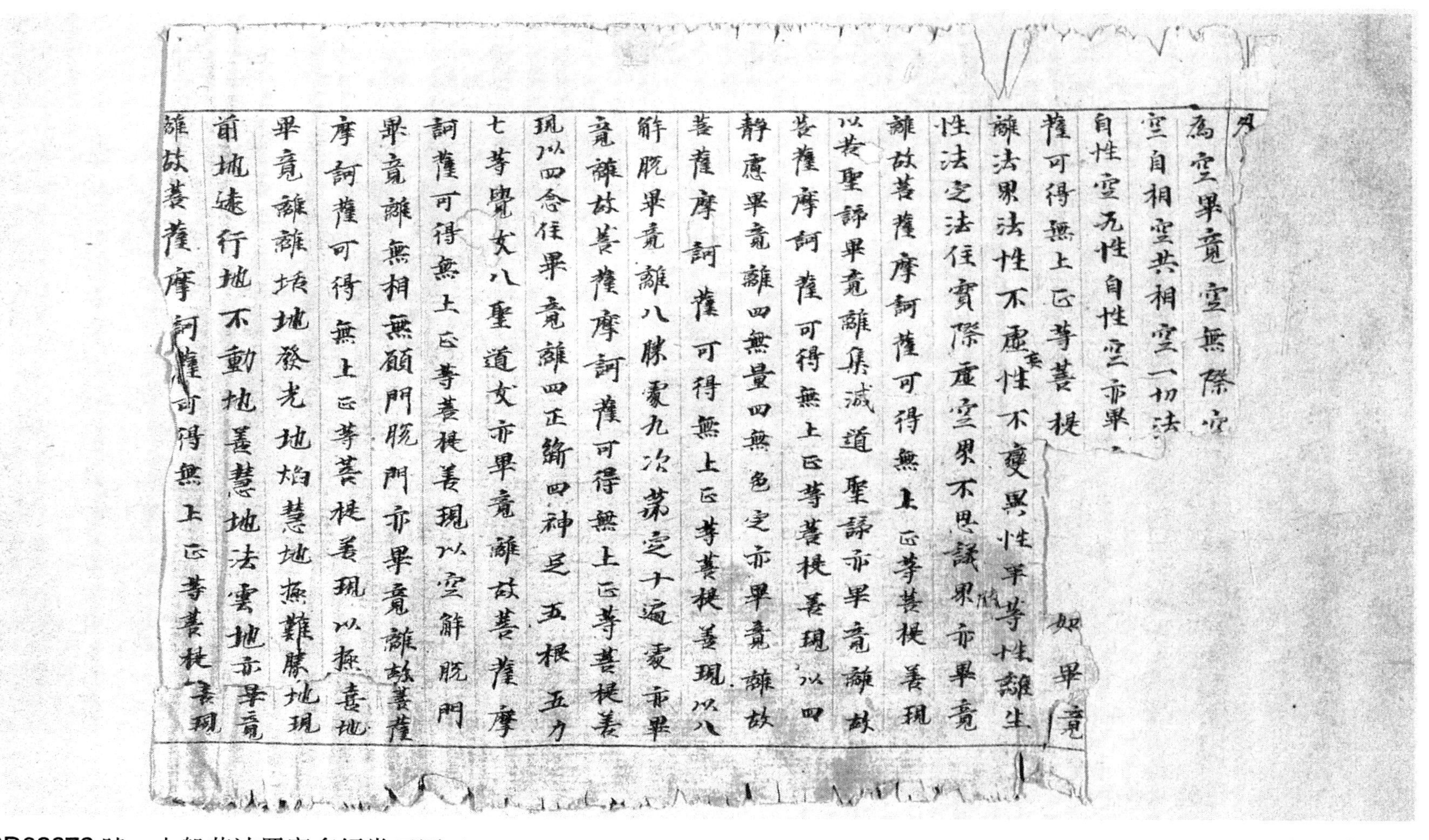

為空畢竟空無際空
空自相空共相空一切法
自性空无性自性空亦畢[illegible]
薩可得無上正等菩提[illegible]如畢竟
離法界法性不虛妄性不變異性平等性離生
性法定法住實際虛空界不思議界亦畢竟
離故菩薩摩訶薩可得無上正等菩提善現
以苦聖諦畢竟離集滅道聖諦亦畢竟離故
菩薩摩訶薩可得無上正等菩提善現以四
靜慮畢竟離四無量四無色定亦畢竟離故
菩薩摩訶薩可得無上正等菩提善現以八
解脫畢竟離八勝處九次第定十遍處亦畢
竟離故菩薩摩訶薩可得無上正等菩提善
現以四念住畢竟離四正斷四神足五根五力
七等覺支八聖道支亦畢竟離故菩薩摩
訶薩可得無上正等菩提善現以空解脫門
畢竟離無相無願解脫門亦畢竟離故菩薩
摩訶薩可得無上正等菩提善現以極喜地
畢竟離離垢地發光地焰慧地極難勝地現
前地遠行地不動地善慧地法雲地亦畢竟
離故菩薩摩訶薩可得無上正等菩提善現

BD02673 號　大般若波羅蜜多經卷三四二　　（1–1）

苐五袟凡苐二卷

BD02673 號背　勘記　　（1–1）

妙法蓮華經五百弟子受記品第八
尒時富樓那弥多羅尼子從佛聞是智慧方
便隨宜說法又聞授諸大弟子阿耨多羅三
藐三菩提記復聞宿世因緣之事復聞諸佛
有大自在神通之力得未曾有心淨踊躍即
從座起到於佛前頭面禮足却住一面瞻仰
尊顏目不暫捨而作是念世尊甚奇特所為
希有隨順世間若干種性以方知見而為說
法拔出眾生處處貪著我等於佛功德言
不能宣唯佛世尊能知我等深心本願尒時
佛告諸比丘汝等見是富樓那弥多羅尼子
不我常稱其於說法人中最為第一亦常歎
其種種功德精勤護持助宣我法能於四眾
示教利喜具足解釋佛之正法而大饒益同
梵行者自捨如來无能盡其言論之辯汝等
勿謂富樓那但能護持助宣我法亦於過去
九十億諸佛所護持助宣佛之正法於彼說
法人中亦最第一又於諸佛所說空法明了
通達得四无礙智常能審諦清淨說法无有
疑惑具足菩薩神通之力隨其壽命常修梵

BD02674號　妙法蓮華經（八卷本）卷四　（22–1）

勿謂富樓那但能護持助宣我法亦於過去
九十億諸佛所護持助宣佛之正法於彼說
法人中亦最第一又於諸佛所說空法明了
通達得四无礙智常能審諦清淨說法无有
疑惑具足菩薩神通之力隨其壽命常修梵
行彼佛世人咸皆謂之實是聲聞而富樓那
以斯方便饒益无量百千眾生又化无量阿
僧祇人令立阿耨多羅三藐三菩提為淨佛
土故常作佛事教化眾生諸比丘富樓那亦
於七佛說法人中而得第一今於我所說法人
中亦為第一於賢劫中當來諸佛說法人
中亦復第一而皆護持助宣佛法亦於未來
護持助宣无量无邊諸佛之法教化饒益无
量眾生令立阿耨多羅三藐三菩提為淨佛
土故常勤精進教化眾生漸漸具足菩薩之
道過无量阿僧祇劫當於此土得阿耨多羅
三藐三菩提號曰法明如來應供正遍知明
行足善逝世間解无上士調御丈夫天人師
佛世尊其佛以恒河沙等三千大千世界為
一佛土七寶為地地平如掌无有山陵谿澗
溝壑七寶臺觀充滿其中諸天宮殿近處虛
空人天交接兩得相見无諸惡道亦无女人
一切眾生皆以化生无有婬欲得大神通身
出光明飛行自在志念堅固精進智慧普皆
金色三十二相而自莊嚴其國眾生常以二食
一者法喜食二者禪悅食有无量阿僧祇千
万億那由他諸菩薩眾得大神通四无礙智

BD02674號　妙法蓮華經（八卷本）卷四　（22–2）

一切衆生皆以化生无有婬欲得大神通身
出光明飛行自在志念堅固精進智慧普皆
金色三十二相而自莊嚴其國衆生常以二食
一者法喜食二者禪悅食有无量阿僧祇千
万億那由他諸菩薩衆得大神通四无礙智
善能教化衆生之類其聲聞衆筭數校計所
不能知皆得具足六通三明及八解脫其佛
國土有如是等无量功德莊嚴成就劫名
寶明國名善淨其佛壽命无量阿僧祇劫法
住甚久佛滅度後起七寶塔遍滿其國尒時
世尊欲重宣此義而說偈言
諸比丘諦聽　佛子所行道　善學方便故　不可得思議
知衆樂小法　而畏於大智　是故諸菩薩　作聲聞緣覺
以无數方便　化諸衆生類　自說是聲聞　去佛道甚遠
度脫无量衆　皆悉得成就　雖小欲懈怠　漸當令作佛
內秘菩薩行　外現是聲聞　少欲猒生死　實自淨佛土
示衆有三毒　又現耶見相　我弟子如是　方便度衆生
若我具足說　種種現化事　衆生聞是者　心則懷疑惑
今此富樓那　於昔千億佛　勤脩所行道　宣護諸佛法
為求无上慧　而於諸佛所　現居弟子上　多聞有智慧
所說无所畏　能令衆歡喜　未曾有疲惓　而以助佛事
已度大神通　具四无礙智　知諸根利鈍　常說清淨法
演暢如是義　教諸千億衆　令住大乘法　而自淨佛土
未來亦供養　无量无數佛　護助宣正法　亦自淨佛土
常以諸方便　說法无所畏　度不可計衆　成就一切智
供養諸如來　護持法寶藏　其後得成佛　号名曰法明

BD02674號　妙法蓮華經（八卷本）卷四　（22–3）

未來亦供養　无量无數佛　護助宣正法　亦自淨佛土
常以諸方便　說法无所畏　度不可計衆　成就一切智
供養諸如來　護持法寶藏　其後得成佛　号名曰法明
其國名善淨　七寶所合成　劫名為寶明　菩薩衆甚多
其數无量億　皆度大神通　威德力具足　充滿其國土
聲聞亦无數　三明八解脫　得四无礙智　以是等為僧
其國諸衆生　婬欲皆已斷　純一變化生　具相莊嚴身
法喜禪悅食　更无餘食想　无有諸女人　亦无諸惡道
富樓那比丘　功德悉成滿　當得斯淨土　賢聖衆甚多
如是无量事　我今但略說
尒時千二百阿羅漢心自在者作是念我等歡
喜得未曾有若世尊各見授記如餘大弟子
者不亦快乎佛知此等心之所念告摩訶迦
葉是千二百阿羅漢我今當現前次弟與
受阿耨多羅三藐三菩提記於此衆中我大
弟子憍陳如比丘當供養六万二千億佛然
後得成為佛号曰普明如來應供正遍知明行
足善逝世間解无上士調御丈夫天人師佛
世尊其五百阿羅漢優樓頻螺迦葉伽耶迦
葉那提迦葉迦留陁夷優陁夷阿㝹樓馱離
婆多劫賓那薄拘羅周陁莎伽陁等皆當
得阿耨多羅三藐三菩提盡同一号名曰普
明尒時世尊欲重宣此義而說偈言
憍陳如比丘　當見无量佛　過阿僧祇劫　乃成等正覺
常放大光明　具足諸神通　名聞遍十方　一切之所敬

BD02674號　妙法蓮華經（八卷本）卷四　（22–4）

得阿耨多羅三藐三菩提 盡同一号 名曰普
明 尒時世尊欲重宣此義而說偈言
憍陳如比丘 當見无量佛 過阿僧祇劫 乃成等正覺
常放大光明 具足諸神通 名聞遍十方 一切之所敬
常說无上道 故号為普明 其國土清淨 菩薩皆勇猛
咸昇妙樓閣 遊諸十方國 以无上供具 奉獻於諸佛
作是供養已 心懷大歡喜 須臾還本國 有如是神力
佛壽六万劫 正法住倍壽 像法復倍是 法滅天人憂
其五百比丘 次第當作佛 同号曰普明 轉次而授記
我滅度之後 某甲當作佛 其所化世間 亦如我今日
國土之嚴淨 及諸神通力 菩薩聲聞衆 正法及像法
壽命劫多少 皆如上所說 迦葉汝已知 五百自在者
餘諸聲聞衆 亦當復如是 其不在此會 汝當為宣說
尒時五百阿羅漢於佛前得受記已 歡喜踊
躍 即從座起 到於佛前 頭面礼足 悔過自責
世尊 我等常作是念 自謂已得究竟滅度 今
乃知之 如无智者 所以者何 我等應得如來
智慧 而便自以小智為足 世尊 譬如有人至
親友家 醉酒而卧 是時親友官事當行 以无
價寶珠繫其衣裏 與之而去 其人醉卧 都不
覺知 起已遊行 到於他國 為衣食故 勤力求
索 甚大艱難 若少有所得 便以為足 於後親
友會遇見之 而作是言 咄哉丈夫 何為衣食
乃至如是 我昔欲令汝得安樂 五欲自恣 於
某年日月 以无價寶珠繫汝衣裏 今故現在
而汝不知 勤苦憂惱 以求自活 甚為癡也 汝

BD02674 號　妙法蓮華經（八卷本）卷四　（22–5）

乃至如是 我昔欲令汝得安樂 五欲自恣 於
某年日月 以无價寶珠繫汝衣裏 今故現在
而汝不知 勤苦憂惱 以求自活 甚為癡也 汝
今可以此寶貿易所須 常可如意 无所乏短
佛亦如是 為菩薩時 教化我等 令發一切智
心 而尋廢忘 不知不覺 既得阿羅漢道 自謂
滅度 資生艱難 得少為足 一切智願 猶在不
失 今者世尊覺悟我等 作如是言 諸比丘 汝
等所得 非究竟滅 我久令汝等種佛善根 以
方便故 示涅槃相 而汝謂為實得滅度 世尊
我今乃知實是菩薩 得授阿耨多羅三藐三
菩提記 以是因緣 甚大歡喜 得未曾有 尒
時阿若憍陳如等欲重宣此義而說偈言
我等聞无上 安隱授記聲 歡喜未曾有 礼无量智佛
今於世尊前 自悔諸過咎 於无量佛寶 得少涅槃分
如无智愚人 便自以為足 譬如貧窮人 往至親友家
其家甚大富 具設諸餚饍 以无價寶珠 繫著內衣裏
默與而捨去 時卧不覺知 是人既已起 遊行詣他國
求衣食自濟 資生甚艱難 得少便為足 更不願好者
不覺內衣裏 有无價寶珠 與珠之親友 後見此貧人
苦切責之已 示以所繫珠 貧人見此珠 其心大歡喜
富有諸財物 五欲而自恣 我等亦如是 世尊於長夜
常愍見教化 令種无上願 我等无智故 不覺亦不知
得少涅槃分 自足不求餘 今佛覺悟我 言非實滅度
得佛无上慧 尒乃為真滅 我今從佛聞 授記莊嚴事
及轉次受記 身心遍歡喜

BD02674 號　妙法蓮華經（八卷本）卷四　（22–6）

崇慇見教化 令種无上願 我等无智故 不覺亦不知
得少涅槃分 自足不求餘 今佛覺悟我 言非實滅度
得佛无上慧 尒乃為真滅 我今從佛聞 授記莊嚴事
及轉次受記 身心遍歡喜

妙法蓮華經授學无學人品第九

尒時阿難羅睺羅而作是念我等每自思惟
設得授記不亦快乎即從座起到於佛前頭
面礼足俱白佛言世尊我等於此亦應有分
唯有如來我等所歸又我等為一切世間天
人阿脩羅所見知識阿難常為侍者護持法
藏羅睺羅是佛之子若佛見授阿耨多羅三
藐三菩提記者我願既滿衆望亦足尒時學
无學聲聞弟子二千人皆從座起偏袒右肩
到於佛前一心合掌瞻仰世尊如阿難羅睺
羅所願住立一面尒時佛告阿難汝於來世
當得作佛号山海慧自在通王如來應供正
遍知明行足善逝世間解无上士調御丈夫
天人師佛世尊當供養六十二億諸佛護持
法藏然後得阿耨多羅三藐三菩提教化二
十千万億恒河沙諸菩薩等令成阿耨多羅
三藐三菩提國名常立勝幡其土清淨琉璃
為地劫名妙音遍滿其佛壽命无量千万億
阿僧祇劫若人於千万億无量阿僧祇劫中
筭數校計不能得知正法住世倍於壽命像
法住世復倍正法阿難是山海慧自在通王
佛為十方无量千万億恒河沙等諸佛如來

筭數校計不能得知正法住世倍於壽命像
法住世復倍正法阿難是山海慧自在通王
佛為十方无量千万億恒河沙等諸佛如來
所共讚歎稱其功德尒時世尊欲重宣此義
而說偈言
我今僧中說 阿難持法者 當供養諸佛 然後成正覺
号曰山海慧 自在通王佛 其國土清淨 名常立勝幡
教化諸菩薩 其數如恒沙 佛有大威德 名聞滿十方
壽命无有量 以慜衆生故 正法倍壽命 像法復倍是
如恒河沙等 无數諸衆生 於此佛法中 種佛道因緣
尒時會中新發意菩薩八千人咸作是念我
等尚不聞諸大菩薩得如是記有何因緣而
諸聲聞得如是決尒時世尊知諸菩薩心之
所念而告之曰諸善男子我與阿難等於空
王佛所同時發阿耨多羅三藐三菩提心阿
難常樂多聞我常勤精進是故我已得成阿
耨多羅三藐三菩提而阿難護持我法亦護
將來諸佛法藏教化成就諸菩薩衆其本願
如是故獲斯記阿難面於佛前自聞授記及
國土莊嚴所願具足心大歡喜得未曾有即
時憶念過去无量千万億諸佛法藏通達无
礙如今所聞亦識本願尒時阿難而說偈言
世尊甚希有 令我念過去 无量諸佛法 如今日所聞
我今无復疑 安住於佛道 方便為侍者 護持諸佛法
尒時佛告羅睺羅汝於來世當得作佛号蹈
七寶華如來應供正遍知明行足善逝世間

世尊甚希有　令我念過去　无量諸佛法　如今日所聞
我今无復疑　安住於佛道　方便為侍者　護持諸佛法
尒時佛告羅睺羅汝於來世當得作佛号蹈
七寶華如來應供正遍知明行足善逝世間
解无上士調御丈夫天人師佛世尊當供養
十方世界微塵等數諸佛如來常為諸佛而作
長子猶如今也是蹈七寶華佛國土莊嚴壽
命劫數所化弟子正法像法亦如山海慧自
在通王如來无異亦為此佛而作長子過是
已後當得阿耨多羅三藐三菩提尒時世
尊欲重宣此義而說偈言
我為太子時　羅睺為長子　我今成佛道　受法為法子
於未來世中　見无量億佛　皆為其長子　一心求佛道
羅睺羅密行　唯我能知之　現為我長子　以示諸衆生
无量億千万　功德不可數　安住於佛法　以求无上道
尒時世尊見學无學二千人其意柔軟寂然
清淨一心觀佛佛告阿難汝見是學无學二
千人不唯然已見阿難是諸人等當供養五
十世界微塵數諸佛如來恭敬尊重護持法
藏末後同時於十方國各得成佛皆同一号
名曰寶相如來應供正遍知明行足善逝世
間解无上士調御丈夫天人師佛世尊壽命
一劫國土莊嚴聲聞菩薩正法像法皆悉
同等尒時世尊欲重宣此義而說偈言
是二千聲聞　今於我前住　悉皆與授記　未來當成佛

一劫國土莊嚴聲聞菩薩正法像法皆悉
同等尒時世尊欲重宣此義而說偈言
是二千聲聞　今於我前住　悉皆與授記　未來當成佛
所供養諸佛　如上說塵數　護持其法藏　後當成正覺
各於十方國　悉同一名号　俱時坐道場　以證无上慧
皆名為寶相　國土及弟子　正法與像法　悉等无有異
咸以諸神通　度十方衆生　名聞普周遍　漸入於涅槃
尒時學无學二千人聞佛授記歡喜踊躍
而說偈言
世尊慧燈明　我聞授記音　心歡喜充滿　如甘露見灌
妙法蓮華經法師品第十
尒時世尊因藥王菩薩告八万大士藥王汝
見是大衆中无量諸天龍王夜叉乾闥婆阿
脩羅迦樓羅緊那羅摩睺羅伽人與非人及
比丘比丘尼優婆塞優婆夷求聲聞者求
辟支佛者求佛道者如是等類咸於佛前聞
妙法華經一偈一句乃至一念隨喜者我皆與
授記當得阿耨多羅三藐三菩提佛告藥王
又如來滅度之後若有人聞妙法華經乃至
一偈一句一念隨喜者我亦與授阿耨多羅
三藐三菩提記若復有人受持讀誦解說書
寫妙法華經乃至一偈於此經卷敬視如佛
種種供養華香瓔珞抹香塗香燒香繒蓋
幢幡衣服伎樂乃至合掌恭敬藥王當知是
諸人等已曾供養十方億佛於諸佛所成就大

種種供養華香瓔珞抹香塗香燒香繒蓋
幢幡衣服伎樂乃至合掌恭敬藥王當知是
諸人等已曾供養十方億佛於諸佛所成就大
願愍衆生故生此人間藥王若有人問何等
衆生於未來世當得作佛應示是諸人等於
未來世必得作佛何以故若善男子善女人於
法華經乃至一句受持讀誦解說書寫種
種供養經卷華香瓔珞抹香塗香燒香繒蓋
幢幡衣服伎樂合掌恭敬是人一切世間所
應瞻奉應以如來供養而供養之當知此人
是大菩薩成就阿耨多羅三藐三菩提哀愍
衆生願生此間廣演分別妙法華經何況盡
能受持種種供養者藥王當知是人自捨清
淨業報於我滅度後愍衆生故生於惡世廣
演此經若是善男子善女人我滅度後能竊
為一人說法華經乃至一句當知是人則如
來使如來所遣行如來事何況於大衆中廣
為人說藥王若有惡人以不善心於一劫中
現於佛前常毀罵佛其罪尚輕若人以一惡
言毀訾在家出家讀誦法華經者其罪甚重
藥王其有讀誦法華經者當知是人以佛莊
嚴而自莊嚴則為如來肩所荷擔其所至方
應隨向禮一心合掌恭敬供養尊重讚歎華
香瓔珞抹香塗香燒香繒蓋幢幡衣服餚饍
作諸伎樂人中上供而供養之應持天寶而
以散之天上寶聚應以奉獻所以者何是人
[illegible]

應隨向禮一心合掌恭敬供養尊重讚歎華
香瓔珞抹香塗香燒香繒蓋幢幡衣服餚饍
作諸伎樂人中上供而供養之應持天寶而
以散之天上寶聚應以奉獻所以者何是人
歡喜說法須臾聞之即得究竟阿耨多羅三
藐三菩提故尒時世尊欲重宣此義而說
偈言
若欲住佛道　成就自然智　常當勤供養　受持法華者
其有欲疾得　一切種智慧　當受持是經　并供養持者
若有能受持　妙法華經者　當知佛所使　愍念諸衆生
諸有能受持　妙法華經者　捨於清淨土　愍衆故生此
當知如是人　自在所欲生　能於此惡世　廣說無上法
應以天華香　及天寶衣服　天上妙寶聚　供養說法者
吾滅後惡世　能持是經者　當合掌禮敬　如供養世尊
上饌衆甘美　及種種衣服　供養是佛子　冀得須臾聞
若能於後世　受持是經者　我遣在人中　行於如來事
若於一劫中　常懷不善心　作色而罵佛　獲無量重罪
其有讀誦持　是法華經者　須臾加惡言　其罪復過彼
有人求佛道　而於一劫中　合掌在我前　以無數偈讚
由是讚佛故　得無量功德　歎美持經者　其福復過彼
於八十億劫　以最妙色聲　及與香味觸　供養持經者
如是供養已　若得須臾聞　則應自欣慶　我今獲大利
藥王今告汝　我所說諸經　而於此經中　法華最第一
尒時佛復告藥王菩薩摩訶薩我所說經
典無量千万億已說今說當說而於其中此法
華經最為難信難解藥王此經是諸佛秘

尒時佛復告藥王菩薩摩訶薩我所說經
典无量千万億已說今說當說而於其中此法
華經㝡為難信難解藥王此經是諸佛秘
要之藏不可分布妄授與人諸佛世尊之所
守護從昔已來未曾顯說而此經者如來現在
猶多怨嫉況滅度後藥王當知如來滅後其
能書持讀誦供養為他人說者如來則為以
衣覆之又為他方現在諸佛之所護念是人
有大信力及志願力諸善根力當知是人與
如來共宿則為如來手摩其頭藥王在在處
處若說若讀若誦若書若經卷所住之處皆
應起七寶塔極令高廣嚴飾不須復安舍利
所以者何此中已有如來全身此塔應以一切
華香瓔珞繒蓋幢幡伎樂歌頌供養恭敬
尊重讚歎若有人得見此塔礼拜供養當
知是等皆近阿耨多羅三藐三菩提藥王多有
人在家出家行菩薩道若不能得見聞讀誦
書持供養是法華經者當知是人未善行菩
薩道若有得聞是經典者乃能善行菩薩之
道其有衆生求佛道者若見若聞是法華經
聞已信解受持者當知是人得近阿耨多羅
三藐三菩提藥王譬如有人渴乏須水於彼高
原穿鑿求之猶見乾土知水尚遠施功不已
轉見濕土遂漸至泥其心決定知水必近菩
薩亦復如是若未聞未解未能脩習是法
華經當知是人去阿耨多羅三藐三菩提尚

薩亦復如是若未聞未解未能脩習是法
華經當知是人去阿耨多羅三藐三菩提尚
遠若得聞解思惟脩習必知得近阿耨多羅
三藐三菩提所以者何一切菩薩阿耨多羅
三藐三菩提皆屬此經此經開方便門示真
實相是法華經藏深固幽遠无人能到今佛
教化成就菩薩而為開示藥王若有菩薩聞
是法華經驚疑怖畏當知是為新發意菩薩
若聲聞人聞是經驚疑怖畏當知是為增上
慢者藥王若有善男子善女人如來滅後欲
為四衆說是法華經者云何應說是善男子
善女人入如來室著如來衣坐如來座尒乃
應為四衆廣說斯經如來室者一切衆生中
大慈悲心是如來衣者柔和忍辱心是如來
座者一切法空是安住是中然後以不懈怠
心為諸菩薩及四衆廣說是法華經藥王
我於餘國遣化人為其集聽法衆亦遣化比丘
比丘尼優婆塞優婆夷聽其說法是諸化人
聞法信受隨順不逆若說法者在空閑處我
時廣遣天龍鬼神乹闥婆阿脩羅等聽其說
法我雖在異國時時令說法者得見我身若
於此經忘失句逗我還為說令得具足尒時
世尊欲重宣此義而說偈言
欲捨諸懈怠　應當聽此經　是經難得聞　信受者亦難
如人渴須水　穿鑿於高原　猶見乾燥土　知水去尚遠
漸見濕土泥　決定知近水　藥王汝當知　如是諸人等

世尊欲重宣此義而說偈言
欲捨諸懈怠 應當聽此經 是經難得聞 信受者亦難
如人渴須水 穿鑿於高原 猶見乾燥土 知水去尚遠
漸見濕土泥 決定知近水 藥王汝當知 如是諸人等
不聞法華經 去佛智甚遠 若聞是深經 決了聲聞法
是諸經之王 聞已諦思惟 當知此人等 近於佛智慧
若人說此經 應入如來室 著於如來衣 而坐如來座
處衆無所畏 廣為分別說 大慈悲為室 柔和忍辱衣
諸法空為座 處此為說法 若說此經時 有人惡口罵
加刀杖瓦石 念佛故應忍 我千万億土 現淨堅固身
於无量億劫 為衆生說法 若我滅度後 能說此經者
我遣化四衆 比丘比丘尼 及清信士女 供養於法師
引導諸衆生 集之令聽法 若人欲加惡 刀杖及瓦石
則遣變化人 為之作衛護 若說法之人 獨在空閑處
寂寞无人聲 讀誦此經典 我尒時為現 清淨光明身
若忘失章句 為說令通利 若人具是德 或為四衆說
空處讀誦經 皆得見我身 若人在空閑 我遣天龍王
夜叉鬼神等 為作聽法衆 是人樂說法 分別无罣礙
諸佛護念故 能令大衆喜 若親近法師 速得菩薩道
隨順是師學 得見恒沙佛

妙法蓮華經見寶塔品第十一

尒時佛前有七寶塔高五百由旬縱廣二百
五十由旬從地踊出住在空中種種寶物而
莊挍之五千欄楯龕室千万無數幢幡以為
嚴飾垂寶瓔珞寶鈴万億而懸其上四面皆
出多摩羅跋栴檀之香充遍世界其諸幡蓋

嚴飾垂寶瓔珞寶鈴万億而懸其上四面皆
出多摩羅跋栴檀之香充遍世界其諸幡蓋
以金銀琉璃車𤦲馬瑙真珠玫瑰七寶合成
高至四天王宮三十三天雨天曼陀羅華供
養寶塔餘諸天龍夜叉乾闥婆阿脩羅迦
樓羅緊那羅摩睺羅伽人非人等千万億衆
以一切華香瓔珞幡蓋妓樂供養寶塔恭敬尊
重讚歎尒時寶塔中出大音聲歎言善哉善
哉釋迦牟尼世尊能以平等大慧教菩薩法
佛所護念妙法華經為大衆說如是如是釋
迦牟尼世尊如所說者皆是真實尒時四衆
見大寶塔住在空中又聞塔中所出音聲皆
得法喜怪未曾有從座而起恭敬合掌却住
一面尒時有菩薩摩訶薩名大樂說知一切世
間天人阿脩羅等心之所疑而白佛言世尊
以何因緣有此寶塔從地踊出又於其中發
是音聲尒時佛告大樂說菩薩此寶塔中
有如來全身乃往過去東方无量千万億阿
僧祇世界國名寶淨彼中有佛号曰多寶其
佛行菩薩道時作大誓願若我成佛滅度之
後於十方國土有說法華經處我之塔廟為
聽是經故踊現其前為作證明讚言善哉善
彼佛成道已臨滅度時於天人大衆中告諸比
丘我滅度後欲供養我全身者應起一大塔
其佛以神通願力十方世界在在處處若有
說法華經者彼之寶塔皆踊出其前全身在

彼佛成道已臨滅度時於天人大衆中告諸比
丘我滅度後欲供養我全身者應起一大塔
其佛以神通願力十方世界在在處處若有
說法華經者彼之寶塔皆踊出其前全身在
於塔中讚言善哉善哉大樂說今多寶如來
塔聞說法華經故從地踊出讚言善哉善哉
是時大樂說菩薩以如來神力故白佛言世
尊我等願欲見此佛身佛告大樂說菩薩摩
訶薩是多寶佛有深重願若我寶塔為聽
法華經故出於諸佛前時其有欲以我身示四
衆者彼佛分身諸佛在於十方世界說法盡
還集一處然後我身乃出現耳大樂我分身
諸佛在在十方世界說法者今應當集
大樂說白佛言世尊我等亦願欲見世尊分
身諸佛礼拜供養尒時佛放白豪一光即見
東方五百万億那由他恒河沙等國土諸佛彼
諸國土皆以頗梨為地寶樹寶衣以為庄嚴
无數千万億菩薩充滿其中遍張寶幔寶網
羅上彼國諸佛以大妙音而說諸法及見无
量千万億菩薩遍滿諸國為衆說法南西北
方四維上下白豪相光所照之處亦復如是
尒時十方諸佛各告衆菩薩言善男子我今
應往娑婆世界釋迦牟尼佛所并供養多
寶如來寶塔時娑婆世界即變清淨琉璃為
地寶樹庄嚴黃金為繩以界八道无諸聚落村
營城邑大海江河山川林藪燒大寶香曼陁

寶如來寶塔時娑婆世界即變清淨琉璃為
地寶樹庄嚴黃金為繩以界八道无諸聚落村
營城邑大海江河山川林藪燒大寶香曼陁
羅華遍布其地以寶網幔羅覆其上懸諸
寶鈴唯留此會衆移諸天人置於他土是時
諸佛各將一大菩薩以為侍者至娑婆世界
各到寶樹下一一寶樹高五百由旬枝葉華菓
次第庄嚴諸寶樹下皆有師子之座高五
由旬亦以大寶而挍餝之尒時諸佛各於此座
結跏趺坐如是展轉遍滿三千大千世界而
於釋迦牟尼佛一方所分之身猶故未盡時
釋迦牟尼佛欲容受所分身諸佛故八方各
更變二百万億那由他國皆令清淨无有
地獄餓鬼畜生及阿脩羅又移諸天人置於
他土所化之國亦以琉璃為地寶樹庄嚴樹
高五百由旬枝葉華菓次第嚴餝樹下皆有
寶師子座高五由旬種種諸寶以為庄挍亦无
大海江河及目真隣陁山摩訶目真隣陁山
鐵圍山大鐵圍山須弥山等諸山王通為一
佛國土寶地平正寶交露幔遍覆其上懸
諸幡蓋燒大寶香諸天寶華遍布其地釋
迦牟尼佛為諸佛當來坐故復於八方各變
二百万億那由他國皆令清淨无有地獄餓鬼
畜生及阿羅又移諸天人置於他土所化之國
亦以琉璃為地寶樹庄嚴樹高五百由旬枝
葉華菓次第庄嚴樹下皆有寶師子座高

畜生及阿羅又移諸天人置於他土所化之國
亦以琉璃為地寶樹莊嚴樹高五百由旬枝
葉華菓次第莊嚴樹下皆有寶師子座高
五由旬亦以大寶而校餝之亦无大海江河及
目真隣陁山摩訶目真隣陁山鐵圍山大鐵
圍須弥山等諸山王通為一佛國土寶地平
正寶交露幔遍覆其上懸諸幡蓋燒大寶
香諸天寶華遍布其地尒時東方釋迦牟尼
所分之身百千万億那由他恒河沙等國土
中諸佛各各說法來集於此如是次第十方諸
佛皆悉來集坐於八方尒時一一方四百万億
那由他國土諸佛如來遍滿其中是時諸
佛各在寶樹下坐師子座皆遣侍者問訊釋
迦牟尼佛各賷寶華滿掬而告之言善男子
汝往詣耆闍崛山釋迦牟尼佛所如我辭曰
少病少惱氣力安樂及菩薩聲聞衆悉安隱
不以此寶華散佛供養而作是言彼某甲佛
與欲開此寶塔諸佛遣使亦復如是尒時釋
迦牟尼佛見所分身佛悉已來集各各坐於
師子之座皆聞諸佛與欲同開寶塔即從座
起住虛空中一切四衆起立合掌一心觀佛
於是釋迦牟尼佛以右指開七寶塔戶出大
音聲如却關鑰開大城門即時一切衆會皆
見多寶如來於寶塔中坐師子座全身不散
如入禪定又聞其言善哉善哉釋迦牟尼佛
快說是法華經我為聽是經故而來至此尒

BD02674號　妙法蓮華經（八卷本）卷四　（22–19）

音聲如却關鑰開大城門即時一切衆會皆
見多寶如來於寶塔中坐師子座全身不散
如入禪定又聞其言善哉善哉釋迦牟尼佛
快說是法華經我為聽是經故而來至此尒
時四衆等見過去无量千万億劫滅度佛說
如是言歎未曾有以天寶華聚散多寶佛及
釋迦牟尼佛上尒時多寶佛於寶塔中分半
座與釋迦牟尼佛而作是言釋迦牟尼佛可
就此座即時釋迦牟尼佛入其塔中坐其半
座結跏趺坐尒時大衆見二如來在七寶塔
中師子座上結跏趺坐各作是念佛坐高遠
唯願如來以神通力令我等輩俱處虛空
即時釋迦牟尼佛以神通力接諸大衆皆在
虛空以大音聲普告四衆誰能於此娑婆國
土廣說妙法華經今正是時如來不久當入涅
槃佛欲以此妙法華經付囑有在尒時世尊
欲重宣此義而說偈言
聖主世尊　雖久滅度　在寶塔中　尚為法來
諸人云何　不勤為法　此佛滅度　无央數劫
處處聽法　以難遇故　彼佛本願　我滅度後
在在所往　常為聽法　又我分身　无量諸佛
如恒沙等　來欲聽法　及見滅度　多寶如來
各捨妙土　及弟子衆　天人龍神　諸供養事
令法久住　故來至此　為坐諸佛　以神通力
移无量衆　令國清淨　諸佛各各　詣寶樹下
如清淨池　蓮華莊嚴　其寶樹下　諸師子座
佛坐其上　光明嚴飾　如夜暗中　然大炬火

BD02674號　妙法蓮華經（八卷本）卷四　（22–20）

令法久住 故來至此 為坐諸佛 以神通力
移无量衆 令國清淨 諸佛各各 詣寶樹下
如清淨池 蓮華莊嚴 其寶樹下 諸師子座
佛坐其上 光明嚴飾 如夜闇中 然大炬火
身出妙香 遍十方國 衆生蒙薰 喜不自勝
譬如大風 吹小樹枝 以是方便 令法久住
告諸大衆 我滅度後 誰能護持 讀誦斯經
今於佛前 自說誓言 其多寶佛 雖久滅度
以大誓願 而師子吼 多寶如來 及與我身
所集化佛 當知此意 諸佛子等 誰能護法
當發大願 令得久住 其有能護 此經法者
則為供養 我及多寶 此多寶佛 處於寶塔
常遊十方 為是經故 亦復供養 諸來化佛
莊嚴光飾 諸世界者 若說此經 則為見我
多寶如來 及諸化佛 諸善男子 各諦思惟
此為難事 宜發大願 諸餘經典 數如恒沙
雖說此等 未足為難 若接須彌 擲置他方
无數佛土 亦未為難 若以足指 動大千界
遠擲他國 亦未為難 若立有頂 為衆演說
无量餘經 亦未為難 若佛滅後 於惡世中
能說此經 是則為難 假使有人 手把虛空
而以遊行 亦未為難 於我滅後 若自書持
若使人書 是則為難 若以大地 置足甲上
昇於梵天 亦未為難 佛滅度後 於惡世中
暫讀此經 是則為難 假使劫燒 擔負乾草
入中不燒 亦未為難 我滅度後 若持此經

BD02674號 妙法蓮華經（八卷本）卷四 （22–21）

若使人書 是則為難 若以大地 置足甲上
昇於梵天 亦未為難 佛滅度後 於惡世中
暫讀此經 是則為難 假使劫燒 擔負乾草
入中不燒 亦未為難 我滅度後 若持此經
為一人說 是則為難 若持八万 四千法藏
十二部經 為人演說 令諸聽者 得六神通
雖能如是 亦未為難 於我滅後 聽受此經
問其義趣 是則為難 若人說法 令千万億
无量无數 恒沙衆生 得阿羅漢 具六神通
雖有是益 亦未為難 於我滅後 若能受持
如斯經典 是則為難 我為佛道 於无量土
從始至今 廣說諸經 而於其中 此經第一
若有能持 則持佛身 諸善男子 於我滅後
誰能受持 讀誦此經 今於佛前 自說誓言
此經難持 若暫持者 我則歡喜 諸佛亦然
如是之人 諸佛所歎 是則勇猛 是則精進
是名持戒 行頭陀者 則為疾得 无上佛道
能於來世 讀持此經 是真佛子 住淳善地
佛滅度後 能解其義 是諸天人 世間之眼
於恐畏世 能須臾說 一切天人 皆應供養

妙法蓮華經卷第四

BD02674號 妙法蓮華經（八卷本）卷四 （22–22）

羅緊那羅摩
一切華香瓔珞幡
重讚歎尒時寶塔中出
哉釋迦牟尼世尊能以平等大
佛所護念妙法華經為大衆說
迦牟尼世尊如所說者皆是真
尒時四衆見大寶塔住在空中又
出音聲皆得法喜恠未曾有從座而起
合掌却住一面尒時有菩薩摩訶薩名大樂
說知一切世間天人阿脩羅等心之所疑而白
佛言世尊以何因緣有此寶塔從地踊出
又於其中發是音聲尒時佛告大樂說菩薩
此寶塔中有如來全身乃往過去東方无量
千万億阿僧祇世界國名寶淨彼中有佛
号曰多寶其佛本行菩薩道時作大誓願若我
成佛滅度之後於十方國土有說法華經處我
之塔廟為聽是經故踊現其前為作證明讚
言善哉彼佛成道已臨滅度時於天人大衆
中告諸比丘我滅度後欲供養我全身者應
起一大塔其佛以神通願力十方世界在在處
處若有說法華經者彼之寶塔皆踊出其
前全身在於塔中讚言善哉善哉大樂說今

BD02675號　妙法蓮華經卷四

（4–1）

言善哉彼佛成道已臨滅度時於天人大衆
中告諸比丘我滅度後欲供養我全身者應
起一大塔其佛以神通願力十方世界在在處
處若有說法華經者彼之寶塔皆踊出其
前全身在於塔中讚言善哉善哉大樂說今
多寶如來塔聞說法華經故從地踊出讚言
善哉善哉是時大樂說菩薩以如來神力故
白佛言世尊我等願欲見此佛身佛告大樂
說菩薩摩訶薩是多寶佛有深重願若我
寶塔為聽法華經故出於諸佛前時其有欲以
我身示四衆者彼佛分身諸佛在於十方世
界說法盡還集一處然後我身乃出現耳大
樂說我分身諸佛在於十方世界說法者今
應當集大樂說白佛言世尊我等亦願欲見
世尊分身諸佛禮拜供養
尒時佛放白毫一光即見東方五百万億那
由他恒河沙等國土諸佛彼諸國土皆以頗
梨為地寶樹寶衣以為莊嚴无數千万億菩
薩充滿其中遍張寶幔寶網羅上彼國諸佛
以大妙音而說諸法及見无量千万億菩薩
遍滿諸國為衆說法南西北方四維上下白
毫相光所照之處亦復如是尒時十方諸佛
各告衆菩薩言善男子我今應往娑婆世界
釋迦牟尼佛所并供養多寶如來寶塔時娑
婆世界即變清淨瑠璃為地寶樹莊嚴黃金
為繩以界八道无諸聚落村營城邑大海江

BD02675號　妙法蓮華經卷四

（4–2）

各告衆菩薩言善男子我今應往娑婆世界
釋迦牟尼佛所并供養多寶如來寶塔時娑
婆世界即變清淨瑠璃為地寶樹莊嚴黃金
為繩以界八道无諸聚落村營城邑大海江
河山川林藪燒大寶香曼陁羅華遍布其地
以寶網幔羅覆其上懸諸寶鈴唯留此會衆
移諸天人置於他土是時諸佛各將一大菩
薩以為侍者至娑婆世界各到寶樹下一一
寶樹高五百由旬枝葉華菓次第莊嚴諸寶
樹下皆有師子之座高五由旬亦以大寶而
挍飾之
尒時諸佛各於此座結跏趺坐如是展轉遍
滿三千大千世界而於釋迦牟尼佛一方所分
之身猶故未盡時釋迦牟尼佛欲容受所
分身諸佛故八方各更變二百万億那由他
國皆令清淨无有地獄餓鬼畜生及阿脩羅
又移諸天人置於他土所化之國亦以瑠璃
為地寶樹莊嚴樹高五百由旬枝葉華菓次
第嚴飾樹下皆有寶師子座高五由旬種種
諸寶以為莊挍亦无大海江河及目真隣陁
山摩訶目真隣陁山鐵圍山大鐵圍山須弥
山等諸山王通為一佛國土寶地平正寶交
露縵遍覆其上懸諸幡蓋燒大寶香諸天
寶華遍布其地釋迦牟尼佛為諸佛當來坐
故復於八方各變二百万億那由他國皆令清

BD02675號　妙法蓮華經卷四　（4–3）

露縵遍覆其上懸諸幡蓋燒大寶香諸天
寶華遍布其地釋迦牟尼佛為諸佛當來坐
故復於八方各變二百万億那由他國皆令清
淨无有地獄餓鬼畜生及阿脩羅又移諸天
人置於他土所化之國亦以瑠璃為地寶樹
莊嚴樹高五百由旬枝葉華菓次第莊嚴樹
下皆有寶師子座高五由旬亦以大寶而挍
飾之亦无大海江河及目真隣陁山摩訶目
真隣陁山鐵圍山大鐵圍山須弥山等諸山
王通為一佛國土寶地平正寶交露縵遍覆
其上懸諸幡蓋燒大寶香諸天寶華遍布其
地尒時東方釋迦牟尼所分之身百千万億
那由他恒河沙等國土中諸佛各各說法來
集於此如是次第十方諸佛皆悉來集坐於
八方
尒時一一方四百万億那由他國土諸佛如來
遍滿其中是時諸佛各在寶樹下坐師子
座皆遣侍者問訊釋迦牟尼佛各齎寶華滿
掬而告之言善男子汝往詣耆闍崛山釋迦
牟尼佛所如我辭曰少病少惱
菩薩聲聞

BD02675號　妙法蓮華經卷四　（4–4）

法是故我先說苦无常若我聲
功德已備堪任脩習大乘經典我於是
說六味云何六味說苦醋味无常鹹味无我
苦味樂如甜味我如辛味常如淡味彼世間
中有三種味所謂无常无我无樂煩惱為薪
智慧為火以是因緣成涅槃飯謂常樂我淨
令諸弟子悉皆甘嗜復告女人汝若有緣欲至
他處應驅惡子令出其舍悉以寶藏付示善
子女人白佛實如聖教珍寶之藏應示善子
不示惡子姉妹我亦如是般涅槃時如來微
密无上法藏不與聲聞諸弟子等如汝寶
藏不示惡子要當付囑諸菩薩等如汝寶藏
委付善子何以故聲聞弟子生變異想謂佛
如來真實滅度然我真實不滅度也如汝遠
行未還之頃汝之惡子便言汝死汝實不死
諸菩薩等說言如來常不變易如汝善子不
言汝死以是義故我以无上秘密之藏付諸
菩薩善男子若有衆生謂佛常住不變異者

BD02676號　大般涅槃經（北本）卷四

（6–1）

諸菩薩等說言如來常不變易如汝善子不
言汝死以是義故我以无上秘密之藏付諸
菩薩善男子若有衆生謂佛常住不變異者
當知是處則為有佛是名匠他能隨問荅者
若有人來問佛世尊我當云何不捨錢財而
得名為大施檀越佛言若有沙門婆羅門等少
欲知足不受不畜不淨物者當施其人奴婢
僕使脩梵行者施與女人斷酒肉者施以酒
肉不過中食施過中食不著華香施以華香
如是施者施名流布遍至他方財寶之費不
失豪釐是則名為能隨問荅尒時迦葉菩
薩白佛言世尊食肉之人不應施肉何以故我
見不食肉者有大功德佛讚迦葉善哉善哉
汝今乃能善知我意護法菩薩應當如是善
男子從今日始不聽聲聞弟子食肉若受檀
越信施之時應觀是食如子肉想迦葉菩薩
復白佛言世尊云何如來不聽食肉善男子
夫食肉者斷大慈種迦葉又言如來何故先
聽比丘食三種淨肉迦葉是三種淨肉隨事
漸制迦葉菩薩復白佛言世尊何因緣故十
種不淨乃至九種清淨而復不聽佛告迦葉
亦是因事漸次而制當知即是現斷肉義迦
葉菩薩復白佛言云何如來稱讚魚肉為美
食耶善男子我亦不說魚肉之屬為美食也

BD02676號　大般涅槃經（北本）卷四

（6–2）

亦是因事漸次而制當知即是現斷肉義迦
葉菩薩復白佛言云何如來稱讚魚肉為美
食耶善男子我亦不說魚肉之屬為美食也
我說甘蔗粳米石蜜一切穀麥及黑石蜜乳
酪蘇油以為美食雖說應畜種種衣服所應
畜者要是壞色何況貪著是魚肉味迦葉復
言如來若制不食肉者彼五種味乳酪酪漿
生蘇熟蘇胡麻油等及諸衣服憍奢耶衣珂
貝皮革金銀盂器如是等物亦不應受善男
子不應同彼尼乾所見如來所制一切禁戒
各有異意異意故聽食三種淨肉異想故斷
十種肉異想故一切悉斷及自死者迦葉我
從今日制諸弟子不得復食一切肉也迦葉
其食肉者若行若住若坐若臥一切眾生聞
其肉氣悉生恐怖譬如有人近師子已眾人
見之聞師子臭亦生恐怖善男子如人噉蒜
臭穢可惡餘人見之聞臭捨去設遠見者猶
不欲視況當近之諸食肉者亦復如是一切
眾生聞其肉氣悉皆恐怖生畏死想水陸空
行有命之類悉捨之走咸言此人是我等怨
是故菩薩不習食肉為度眾生示現食肉雖
現食之其實不食善男子如是菩薩清淨之
食猶尚不食況當食肉善男子我涅槃後無
量百歲四道聖人悉復涅槃正法滅後於像

BD02676號　大般涅槃經（北本）卷四　（6–3）

現食之其實不食善男子如是菩薩清淨之
食猶尚不食況當食肉善男子我涅槃後無
量百歲四道聖人悉復涅槃正法滅後於像
法中當有比丘似像持律少讀誦經貪嗜飲
食長養其身身所被服麤陋醜惡形容憔悴
無有威德放畜牛羊擔負薪草頭鬚髮爪悉
皆長利雖服袈裟猶如獵師細視徐行如貓
伺鼠常唱是言我得羅漢多諸病苦眠臥糞
穢外現賢善內懷貪嫉如受啞法婆羅門等
實非沙門現沙門像邪見熾盛誹謗正法如
是等人破壞如來所制戒律正行威儀說解
脫果離不淨法及壞甚深秘密之教各自隨
意反說經律而作是言如來皆聽我等食肉
自生此論言是佛說互共諍訟各自稱是沙
門釋子善男子尒時復有諸沙門等貯聚生
穀受取魚肉手自作食執持油瓶寶蓋革屣
親近國王大臣長者占相星宿勤脩醫道畜
養奴婢金銀瑠璃車璖馬瑙頗梨真珠珊瑚
虎珀璧玉珂貝種種菓蓏學諸伎藝畫師泥
作造書教學種植根栽蠱道呪幻和合諸藥
作倡伎樂香華治身樗蒱圍碁學諸工巧若
有比丘能離如是諸惡事者當說是人真我
弟子尒時迦葉復白佛言世尊諸比丘比丘
尼優婆塞優婆夷因他而活若乞食時得雜
肉食云何得食應清淨法佛言迦葉當以水

BD02676號　大般涅槃經（北本）卷四　（6–4）

作昌伎樂香華治身樗蒱圍碁學諸工巧若
有比丘能離如是諸惡事者當說是人真我
弟子尒時迦葉復白佛言世尊諸比丘比丘
尼優婆塞優婆夷因他而活若乞食時得雜
肉食云何得食應清淨法佛言迦葉當以水
洗令與肉別然後乃食若其食器為肉所汙
但使无味聽用无罪若見食中多有肉者則
不應受一切現肉悉不應食食者得罪我今
唱是斷肉之制若廣說者則不可盡涅槃時
到是故略說是則名為能隨問荅迦葉云何
善解因緣義如有四部之衆來問我言世尊
如是之義如來初出何故不為波斯匿王說
是法門深妙之義或時說深或時說淺或名
為犯或名不犯云何名墮云何名律云何名
波羅提木叉義佛言波羅提木叉者名為知
之成就威儀无所受畜亦名淨命墮者名四
惡趣又復墮者墮於地獄乃至阿鼻論其遲
速過於暴雨聞者驚怖堅持禁戒不犯威儀
脩習知足不受一切不淨之物又復墮者長
養地獄畜生餓鬼以是諸義故名曰墮波羅
提木叉者離身口意不善耶業律者入戒威
儀深經善義遮受一切不淨之物及不淨因
緣亦遮四重十三僧殘二不定法卅捨墮九
十一墮四悔過法衆多學法七滅諍等或有
人盡破一切戒云何一切謂四重法乃至七

BD02676號　大般涅槃經（北本）卷四　（6–5）

之成就威儀无所受畜亦名淨命墮者名四
惡趣又復墮者墮於地獄乃至阿鼻論其遲
速過於暴雨聞者驚怖堅持禁戒不犯威儀
脩習知足不受一切不淨之物又復墮者長
養地獄畜生餓鬼以是諸義故名曰墮波羅
提木叉者離身口意不善耶業律者入戒威
儀深經善義遮受一切不淨之物及不淨因
緣亦遮四重十三僧殘二不定法卅捨墮九
十一墮四悔過法衆多學法七滅諍等或有
人盡破一切戒云何一切謂四重法乃至七
滅諍法或復有人誹謗正法甚深經典及一
闡提具之成就盡一切相无有因緣如是等
人自言我是聰明利智輕重之罪悉皆覆藏
覆藏諸惡如龜藏六如是衆罪長夜不悔以
不悔故日夜增長是諸比丘所犯衆罪終不
發露是使所犯遂復滋蔓是故如來知是事
已漸次而制不得一時尒時有善男子善女
人白佛言世尊如來久知如是之事何不先
制將无世尊欲令衆生入阿鼻獄辟如多人
欲至他方迷失正路隨逐耶道是諸人等不

BD02676號　大般涅槃經（北本）卷四　（6–6）

思惟色界眼識界及眼觸眼觸為緣所生諸
受有橫思惟眼界有疫思惟色界眼識界及
眼觸眼觸為緣所生諸受有疫思惟眼界有癘
有癘思惟眼界性不安隱思惟色界眼識界
及眼觸眼觸為緣所生諸受性不安隱思惟眼
界不可保信思惟色界眼識界及眼觸眼觸
為緣所生諸受不可保信思惟眼界無生無滅
思惟色界眼識界及眼觸眼觸為緣所生諸受
無生無滅思惟眼界無染無淨思惟色界眼
識界及眼觸眼觸為緣所生諸受無染無淨
思惟眼界無作無為思惟色界眼識界及眼
觸眼觸為緣所生諸受無作無為憍尸迦是為
菩薩摩訶薩般若波羅蜜多
憍尸迦若菩薩摩訶薩以應一切智智心用
無所得為方便思惟耳界無常思惟聲界耳
識界及耳觸耳觸為緣所生諸受無常思惟
耳界苦思惟聲界耳識界及耳觸耳觸為緣
所生諸受苦思惟耳界無我思惟聲界耳識
界及耳觸耳觸為緣所生諸受無我思惟耳

BD02677號　大般若波羅蜜多經卷七七　（1–1）

三十二相即是非相是名三十二相
須菩提若有善男子善女人以恒河沙等身
命布施若復有人於此經中乃至受持四句偈
等為他人說其福甚多
尒時須菩提聞說是經深解義趣涕淚悲泣
而白佛言希有世尊佛說如是甚深經典我從
昔來所得慧眼未曾得聞如是之經世尊若
復有人得聞是經信心清淨則生實相當知是
人成就第一希有功德世尊是實相者則是非
相是故如來說名實相世尊我今得聞如是
經典信解受持不足為難若當來世後五百歲
其有衆生得聞是經信解受持是人則為第
一希有何以故此人无我相人相衆生相壽者
相所以者何我相即是非相人相衆生相壽者
相即是非相何以故離一切諸相則名諸佛
佛告須菩提如是如是若復有人得聞是經
不驚不怖不畏當知是人甚為希有何以故
須菩提如來說第一波羅蜜非第一波羅蜜
是名第一波羅蜜

BD02678號　金剛般若波羅蜜經　（10–1）

相即是非相何以故離一切諸相則名諸佛
佛告須菩提如是如是若復有人得聞是經
不驚不怖不畏當知是人甚為希有何以故
須菩提如來說第一波羅蜜非第一波羅蜜
是名第一波羅蜜
須菩提忍辱波羅蜜如來說非忍辱波羅
蜜何以故須菩提如我昔為歌利王割截身
體我於尒時无我相无人相无眾生相无壽者
相何以故我於往昔節節支解時若有我相人
相眾生相壽者相應生瞋恨須菩提又念過
去於五百世作忍辱仙人於尒所世无我相无
人相无眾生相无壽者相是故須菩提菩
薩應離一切相發阿耨多羅三藐三菩提
不應住色生心不應住聲香味觸法生心
應生无所住心若心有住則為非住是故佛
說菩薩心不應住色布施須菩提菩薩為
益一切眾生應如是布施如來說一切諸相
即是非相又說一切眾生則非眾生須菩提如
來是真語者實語者如語者不誑語者不
異語者須菩提如來所得法此法无實无虛
須菩提若菩薩心住於法而行布施如人入闇
則无所見若菩薩心不住法而行布施如人
有目日光明照見種種色
須菩提當來之世若有善男子善女人能於此
經受持讀誦則為如來以佛智慧悉知是人

須菩提若菩薩心住於法而行布施如人入闇
則无所見若菩薩心不住法而行布施如人
有目日光明照見種種色
須菩提當來之世若有善男子善女人能於此
經受持讀誦則為如來以佛智慧悉知是人
悉見是人皆得成就无量无邊功德
須菩提若有善男子善女人初日分以恒河
沙等身布施中日分復以恒河沙等身布施
後日分亦以恒河沙等身布施如是无量百
千万億劫以身布施若復有人聞此經典信心不
逆其福勝彼何況書寫受持讀誦為人解說
須菩提以要言之是經有不可思議不可稱
量无邊功德如來為發大乘者說為發最
上乘者說若有人能受持讀誦廣為人說
悉知是人悉見是人皆得成就不可量不可
稱无有邊不可思議功德如是人等則為荷
擔如來阿耨多羅三藐三菩提何以故須菩提
若樂小法者著我見人見眾生見壽者見
則於此經不能聽受讀誦為人解說須菩提
在在處處若有此經一切世間天人阿脩羅所
應供養當知此處則為是塔皆應恭敬
作礼圍遶以諸華香而散其處
復次須菩提善男子善女人受持讀誦此經
若為人輕賤是人先世罪業應墮惡道以今
世人輕賤故先世罪業則為消滅當得阿耨

作礼圍遶以諸華香而散其處
復次須菩提善男子善女人受持讀誦此經
若為人輕賤是人先世罪業應墮惡道以今
世人輕賤故先世罪業則為消滅當得阿耨
多羅三藐三菩提須菩提我念過去无量
阿僧祇劫於然燈佛前得值八百四千万億
那由他諸佛悉皆供養承事无空過者若復有
人於後末世能受持讀誦此經所得功德於
我所供養諸佛功德百分不及一千万億分乃
至笇數譬喻所不能及須菩提若善男子善
女人於後末世有受持讀誦此經所得功德
我若具說者或有人聞心則狂亂狐疑不信須菩
提當知是經義不可思議果報亦不可思議
尒時須菩提白佛言世尊善男子善女人發阿
耨多羅三藐三菩提心云何應住云何降伏其
心佛告須菩提善男子善女人發阿耨多
羅三藐三菩提者當生如是心我應滅度
一切衆生滅度一切衆生已而无有一衆生
實滅度者何以故若菩薩有我相人相衆生
相壽者相則非菩薩所以者何須菩提實
无有法發阿耨多羅三藐三菩提者
須菩提於意云何如來於然燈佛所有法得
阿耨多羅三藐三菩提不不也世尊如我解
佛所說義佛於然燈佛所无有法得阿耨多

无有法發阿耨多羅三藐三菩提者
須菩提於意云何如來於然燈佛所有法得
阿耨多羅三藐三菩提不不也世尊如我解
佛所說義佛於然燈佛所无有法得阿耨多
羅三藐三菩提佛言如是如是須菩提實
无有法如來得阿耨多羅三藐三菩提須菩
提若有法如來得阿耨多羅三藐三菩提然
燈佛則不與我受記汝於來世當得作佛号釋
迦牟尼以實无有法得阿耨多羅三藐三菩
提是故然燈佛與我受記作是言汝於來世
當得作佛号釋迦牟尼何以故如來者即諸
法如義若有人言如來得阿耨多羅三藐三菩
提須菩提實无有法佛得阿耨多羅三藐三
菩提須菩提如來所得阿耨多羅三藐三菩
提於是中无實无虛是故如來說一切法
是佛法須菩提所言一切法者即非一切法是
故名一切法須菩提譬如人身長大須菩提言
世尊如來說人身長大則為非大身是名大身
須菩提菩薩亦如是若作是言我當滅度无
量衆生則不名菩薩何以故須菩提實无有
法名為菩薩是故佛說一切法无我无人无衆
生无壽者須菩提若菩薩作是言我當莊嚴
佛土是不名菩薩何以故如來說莊嚴佛土
者即非莊嚴是名莊嚴須菩提若菩薩通
達无我法者如來說名真是菩薩

法名為菩薩是故佛說一切法无我无人无衆
生无壽者須菩提若菩薩作是言我當莊嚴
佛土是不名菩薩何以故如來說莊嚴佛土
者即非莊嚴是名莊嚴須菩提若菩薩通
達无我法者如來說名真是菩薩
須菩提於意云何如來有肉眼不如是世尊
如來有肉眼須菩提於意云何如來有天眼
不如是世尊如來有天眼須菩提於意云何
如來有慧眼不如是世尊如來有慧眼須菩
提於意云何如來有法眼不如是世尊如來
有法眼須菩提於意云何如來有佛眼不如
是世尊如來有佛眼須菩提於意云何恒河
中所有沙佛說是沙不如是世尊如來說是
沙須菩提於意云何如一恒河中所有沙有
如是等恒河是諸恒河所有沙數佛世界如
是寧為多不甚多世尊佛告須菩提尒所國
土中所有衆生若干種心如來悉知何以故
如來說諸心皆為非心是名為心所以者何
須菩提過去心不可得現在心不可得未來
心不可得須菩提於意云何若有人滿三千
大千世界七寶以用布施是人以是因緣得
福多不如是世尊此人以是因緣得福甚多
須菩提若福德有實如來不說得福德多
以福德无故如來說得福德多
須菩提於意云何佛可以具足色身見不不

福多不如是世尊此人以是因緣得福甚多
須菩提若福德有實如來不說得福德多
以福德无故如來說得福德多
須菩提於意云何佛可以具足色身見不不
也世尊如來不應以具足色身見何以故如
來說具足色身即非具足色是名具足色
身須菩提於意云何如來可以具足諸相見
不不也世尊如來不應以具足諸見何以
故如來說諸相具足即非具足是名諸相具
足須菩提汝勿謂如來作是念我當有所說
法莫作是念何以故若人言如來有所說法
即為謗佛不能解我所說故須菩提說法
者无法可說是名說法
須菩提白佛言世尊佛得阿耨多羅三藐三
菩提為无所得耶如是如是須菩提我於阿
耨多羅三藐三菩提乃至无有少法可得是
名阿耨多羅三藐三菩提復次須菩提是法
平等无有高下是名阿耨多羅三藐三菩
提以无我无人无衆生无壽者脩一切善法則
得阿耨多羅三藐三菩提須菩提所言善法
者如來說非善法是名善法
須菩提若三千大千世界中所有諸須弥山王
如是等七寶聚有人持用布施若人以此般
若波羅蜜經乃至四句偈等受持讀誦為他

須菩提若三千大千世界中所有諸須弥山王
如是等七寶聚有人持用布施若人以此般
若波羅蜜經乃至四句偈等受持讀誦為他
人說於前福德百分不及一百千万億分乃至
筭數譬喻所不能及
須菩提於意云何汝等勿謂如來作是念我
當度衆生須菩提莫作是念何以故實无
有衆生如來度者若有衆生如來度者如來
則有我人衆生壽者須菩提如來說有我者
則非有我而凡夫之人以為有我須菩提凡夫
者如來說則非凡夫
須菩提於意云何可以卅二相觀如來不須菩
提言如是如是以卅二相觀如來佛言須菩
提若以卅二相觀如來者轉輪聖王則是
如來須菩提白佛言世尊如我解佛所說義
不應以卅二相觀如來尒時世尊而說偈言
若以色見我 以音聲求我 是人行邪道 不能見如來
須菩提汝若作是念如來不以具足相故得阿
耨多羅三藐三菩提須菩提莫作是念 如
來不以具足相故得阿耨多羅三藐三菩提
須菩提汝若作是念發阿耨多羅三藐三菩
提者說諸法斷滅莫作是念何以故發阿耨
多羅三藐三菩提者於法不說斷滅相須菩
提若菩薩以滿恒河沙等世界七寶布施若
復有人知一切法无我得成於忍此菩薩勝前

提者說諸法斷滅莫作是念何以故發阿耨
多羅三藐三菩提者於法不說斷滅相須菩
提若菩薩以滿恒河沙等世界七寶布施若
復有人知一切法无我得成於忍此菩薩勝前
菩薩所得功德須菩提以諸菩薩不受福德
故須菩提白佛言世尊云何菩薩不受福德
須菩提菩薩所作福德不應貪著是故說
不受福德須菩提若有人言如來若來若去
若坐若卧是人不解我所說義何以故如來者
无所從來亦无所去故名如來
須菩提若善男子善女人以三千大千世界碎
為微塵於意云何是微塵衆寧為多不甚多
世尊何以故若是微塵衆實有者佛則不
說是微塵衆所以者何佛說微塵衆則非微塵
衆是名微塵衆世尊如來所說三千大千
世界則非世界是名世界何以故若世界實
有者則是一合相如來說一合相則非一合相
是名一合相須菩提一合相者則是不可說但
凡夫之人貪著其事須菩提若人言佛說
我見人見衆生見壽者見須菩提於意云
何是人解我所說義不世尊是人不解如來
所說義何以故世尊說我見人見衆生見壽者
見即非我見人見衆生見壽者見是名我見
人見衆生見壽者見須菩提發阿耨多羅三

是名一合相須菩提一合相者則是不可說
但凡夫之人貪著其事須菩提若人言佛說
我見人見衆生見壽者見須菩提於意云
何是人解我所說義不世尊是人不解如來
所說義何以故世尊說我見人見衆生見壽者
見即非我見人見衆生見壽者見是名我見
人見衆生見壽者見須菩提發阿耨多羅三
藐三菩提心者於一切法應如是知如是見如
是信解不生法相須菩提所言法相者如來
說即非法相是名法相須菩提若有人以滿无
量阿僧祇世界七寶持用布施若有善男
子善女人發菩薩心者持於此經乃至四句偈
等受持讀誦為人演說其福勝彼云何為
人演說不取於相如如不動何以故
一切有為法　如夢幻泡影　如露亦如電　應作如是觀
佛說是經已長老須菩提及諸比丘比丘尼優
婆塞優婆夷一切世間天人阿脩羅聞佛所
說皆大歡喜信受奉持

金剛般若波羅蜜經

BD02678 號　金剛般若波羅蜜經　（10–10）

善法善男子譬如有人橫
我者清淨云何復言斷諸
從因緣獲得解脫一切衆生何故不得先尼
言瞿曇若无我者誰能憶念佛告先尼若有
我者何緣復忘善男子若念是我者何因緣
故念於惡念念所不念不念所念先尼復言
瞿曇若无我者誰見誰聞佛言善男子内有
六入外有六塵内外和合生六種識是六種
識因緣得名善男子譬如一火因木得故名
為木火因草得故名為草火因糠得故名為
糠火因牛糞得故名牛糞火衆生意識亦復
如是因眼因色因明因欲名為眼識善男子
如是眼識不在眼中乃至欲中四事和合故
生是識乃至意識亦復如是若是因緣和合
故生智不應說見即是我乃至觸即是我善
男子是故我說眼識乃至意識一切諸法即
是幻也云何如幻本无今有已有還无善男
子譬如蘇麨薑胡椒蓽鉢蒲桃胡桃石榴
桵子如是和合名歡喜丸離是和合无歡喜
丸内外六入是名衆生我人士夫離内外入

BD02679 號　大般涅槃經（北本　宮本）卷三九　（11–1）

故生智不應說見即是我乃至覺即是我善
男子是故我說眼識乃至意識一切諸法即
是幻也云何如幻本无今有已有還无善男
子譬如獲麨麵薑胡椒畢鉢蒲桃胡桃石留
緌子如是和合名歡喜丸離是和合无歡喜
丸內外六入是名衆生我人士夫離內外入
无別衆生我人士夫先尼言瞿曇若无我者
云何說言我見我聞我苦我樂我憂我喜
言善男子若言我見我聞名有我者何因
故世間復言汝所作罪非我見聞善男子
如四兵和合名軍如是四兵不名為一而
說言我軍勇健我軍勝彼是內外入和合所
作亦復如是雖不是一亦得說言我作我受
我見我聞我苦我樂先尼言瞿曇汝如所言
內外和合誰出聲言我作我受佛言先尼從
愛无明因緣生業從業生有從有出生无量
心數心生覺觀覺觀動風風隨心處喉舌齒
脣衆生想倒聲出說言我作我受我見我聞
善男子如幢頭鈴風因緣故便出音聲風大
聲大風小聲小无有作者善男子譬如熱鐵
投之水中出種種聲是中真實无有作者善
男子凡夫不能思惟分別如是事故說言有
我及有我所我作我受先尼言如瞿曇說无
我我所何緣復說常樂我淨佛言善男子我
亦不說內外六入及六意識常樂我淨我乃
宣說滅內外入所生六識名之為常以是常

我及有我所我作我受先尼言如瞿曇說无
我我所何緣復說常樂我淨佛言善男子我
亦不說內外六入及六意識常樂我淨我乃
宣說滅內外入所生六識名之為常以是常
故名之為我有常我故名之為樂常我樂故
名之為淨善男子衆生厭苦斷是苦因自在
遠離是名為我以是因緣我今宣說常樂我
淨先尼言世尊唯願大慈為我宣說我當云
何獲得如是常樂我淨佛言善男子一切世
間從本已來具足大憍能增長憍亦復造作
憍因憍業是故今者受憍果報不能遠離一
切煩惱得常樂我淨若諸衆生欲得遠離一
切煩惱先當離憍先尼言世尊如是如是誠
如聖教我先有憍因憍因緣故稱如來汝稱
瞿曇性我今已離如是大憍是故誠心啟請
求法云何當得常樂我淨佛言善男子諦聽
諦聽今當為汝分別解說善男子若能非自
非他非衆生者遠離是法先尼言世尊我已
知解得法眼佛言善男子汝云何言知已
解已得正法眼世尊所言色者非自非他非
諸衆生乃至識亦復如是我如是觀得正
法眼世尊我今甚樂出家脩道願見聽許佛
言善來比丘即時具足清淨梵行證阿羅漢
果外道衆中復有梵志姓迦葉氏復作是言
瞿曇身即是命身異命異如來默然第二第

法眼世尊我今甚樂出家脩道願見聽許佛
言善來比丘即時具足清淨梵行證阿羅漢
果外道衆中復有梵志姓迦葉氏復作是言
瞿曇身即是命身異命異如來默然第二第
三亦復如是梵志復言瞿曇若人捨身未得
後身於其中間豈可不名身異命異若是異
者瞿曇何故默然不荅善男子我說身命皆
從因緣非不因緣如身命一切法亦如
是梵志復言瞿曇我見世間有法不從
因緣佛言梵志汝云何見世間有法不從因
緣梵志言我見大火焚燒榛木風吹絕焰墮
在餘處是豈不名見因緣耶佛言善男子我
說是火亦從因生非不從因梵志言瞿曇絕
焰去時不因薪炭云何而言因於因緣佛言
善男子雖无薪炭因風而去風因緣故其焰
不滅瞿曇若人捨身未得後命中間壽命誰
為因緣佛言梵志无明与愛而為因緣是无
明愛二因緣故壽命得住善男子有因緣故
身即是命命即是身有因緣故身異命異智
者不應一向而說身異命異梵志言世尊唯
願為我分別解說令我了了得知因果佛言
梵志因即五陰果亦五陰善男子若有衆生
不然火者是則无烟梵志言世尊我已知已
我已解已佛言善男子汝云何知汝云何解
世尊火即煩惱能於地獄餓鬼畜生人天燒
然烟者即是煩惱果報无常不淨臭穢可惡

BD02679號　大般涅槃經（北本　宮本）卷三九　（11–4）

不然火者是則无烟梵志言世尊我已知已
我已解已佛言善男子汝云何知汝云何解
世尊火即煩惱能於地獄餓鬼畜生人天燒
然烟者即是煩惱果報无常不淨臭穢可惡
是故名烟若有衆生不作煩惱是人則无煩
惱果報是故如來說不然火則无有烟世尊
我已正見唯願慈矜聽我出家爾時世尊告
憍陳如聽是梵志出家受戒時憍陳如受佛
勅已知爾衆僧聽其出家受具足戒逕五日
已得阿羅漢果外道衆中復有梵志名曰富
那復作是言瞿曇汝見世間是常法已說言
常耶如是義者實耶虛耶常无常亦常无常
非常非无常有邊无邊亦有邊无邊非有邊
非无邊是身是命身異命異如來滅後如去
不如去亦如去不如去非如去非不如去佛
言富那我不說世間常虛實无常亦常无常
非常非无常有邊无邊亦有邊无邊非有邊
非无邊是身是命身異命異如來滅後如去
不如去亦如去不如去非如去非不如去富
那復言瞿曇今者見何罪過不作是說佛言
富那若有人說世間是常唯此為實餘妄語
者是名為見見所見處是名見行是名見業
是名見著是名見縛是名見苦是名見取是
名見怖是名見熱是名見纏富那凡夫之人
為見所纏不能遠離生老病死迴流六趣受

BD02679號　大般涅槃經（北本　宮本）卷三九　（11–5）

者是名為見見所見處是名見行是名見業
是名見著是名見縛是名見執是名見取是
名見怖是名見熱是名見纏當知凡夫之人
為見所纏不能遠離生老病死迴流六趣受
无量苦乃至非如去非不如去亦復如是當
知我見是見有如是過是故不着不為人說
瞿曇若見如是罪過不着不說瞿曇今者何
見何着何所宣說佛言善男子夫見著者名
生死法如來已離生死法故是故不着善男
子如來名為能見能說不名為着瞿曇云何
能見云何能說佛言善男子我能明見苦集
滅道分別宣說如是四諦我見如是故能遠
離一切見一切愛一切流一切慢是故我具
清淨梵行无上寂靜獲得常身是身亦非東
西南北先尼言瞿曇何因緣故常身非是東
西南北佛言善男子我今問汝隨汝意荅於
意云何善男子如於汝前然大火聚當其然
時汝知然不如是瞿曇是火滅時汝知滅不
如是瞿曇當知若有人問汝前火聚然從何
來滅何所至當云何荅瞿曇若有問者我當
荅言是火生時賴於衆緣本緣已盡新緣未
至是火則滅若復有問是火滅已至何方面
當云荅何瞿曇我當荅言緣盡故滅不至方
所善男子如來亦尒若有无常色乃至无常
識因愛故然然者即受二十有五是故然時

荅言是火生時賴於衆緣本緣已盡新緣未
至是火則滅若復有問是火滅已至何方面
當云荅何瞿曇我當荅言緣盡故滅不至方
所善男子如來亦尒若有无常色乃至无常
識因愛故然然者即受二十有五是故然時
可說是火東西南北現在變滅二十五有果
報不然以不然故不可說有東西南北善男
子如來已滅无常之色至无常識是故身常
身若是常不得說有東西南北先尼言請說
一喻唯願聽採佛言善哉善哉隨意說之世
尊如大村外有娑羅林中有一樹先林而生
足一百年是時林主灌之以水隨時脩治其
樹陳朽皮膚枝葉悉皆脫落唯貞實在如來
亦尒所有陳故悉已除盡唯有一切真實法
在世尊我今甚樂出家脩道佛言善來比丘
說是語已即時出家漏盡證阿羅漢果復有
梵志名淨作如是言瞿曇一切衆生不知何
法見世間常无常亦常无常非有常非无常
乃至非如去非不如去佛言善男子不知色
故乃至不知識故見世間常乃至非如去非
不如去梵志言瞿曇衆生知何法故不見世
間常乃至非如去非不如去佛言善男子知
色故乃至知識故不見世間常乃至非如去
非不如去梵志言世尊唯願為我分別解說
世間常无常佛言善男子若人捨故不造新

說乃至不知諸見世間常乃至非如去非
不如去梵志言瞿曇衆生知何法故不見世
間常乃至非如去非不如去佛言善男子知
色故乃至知識故不見世間常乃至非如去
非不如去梵志言世尊唯願為我分別解說
世間常无常佛言善男子若人捨故不造新
業是人能知常与无常梵志言世尊我已知
解佛言善男子汝云何見汝云何知世尊故
名无明与愛新名取有善人遠離是无明愛
不作取有是人真實知常无常我今已得正
法淨眼歸依三寶唯願如來聽我出家佛言
憍陳如聽是梵志出家受戒時憍陳如受佛
勅已將至僧中為作羯磨令得出家十五日
後諸漏永盡得阿羅漢果犢子梵志復作是
言瞿曇我今欲問能見聽不如來嘿然第二
第三亦復如是犢子復言瞿曇我久与汝共
為親友汝之与我義无有二我欲諮問何故
嘿然尒時世尊作是思惟如是梵志其性儒
雅純善質直常為知故而來諮啓不為惱亂
彼若問者當隨意荅佛言犢子善哉善哉隨
所疑問吾當荅之犢子言瞿曇世有善耶如
是梵志有不善耶如是梵志瞿曇願為我說
令我得知善不善法佛言善男子我能分別
廣說其義今當為汝簡略說之善男子欲名
不善解脫欲者名之為善瞋恚愚癡亦復如
是煞名不善不煞名善乃至邪見亦復如是

BD02679號　大般涅槃經（北本　宮本）卷三九　（11–8）

廣說其義今當為汝簡略說之善男子欲名
不善解脫欲者名之為善瞋恚愚癡亦復如
是煞名不善不煞名善乃至邪見亦復如是
善男子我今為汝已說三種善不善法及說
十種善不善法若我弟子能作如是分別三
種善不善法乃至十種善不善法當知是人
能盡貪欲瞋恚愚癡一切諸漏斷一切有梵
志言瞿曇是佛法中頗有一比丘能盡如是
貪欲瞋癡一切諸漏一切有不佛言善男子
是佛法中非一二三乃至五百乃有无量諸
比丘等能盡如是貪欲瞋癡一切諸漏一切
諸有瞿曇置一比丘是佛法中頗有一比丘
尼能盡如是貪欲瞋癡一切諸漏一切有不
佛言善男子是佛法中非一二三乃至五百
乃有无量諸比丘尼能斷如是貪欲瞋癡一
切諸漏一切諸有犢子言瞿曇置一比丘一
比丘尼是佛法中頗有一優婆塞持戒精懃
梵行清淨度疑彼岸斷於疑网佛言善男子
我佛法中非一二三乃至五百乃有无量諸
優婆塞持戒精懃梵行清淨斷五下結得阿
那含度疑彼岸斷於疑网犢子言瞿曇置一
比丘比丘尼一優婆塞是佛法中頗有一優
婆夷持戒精懃梵行清淨度疑彼岸斷疑网
不佛言善男子我佛法中非一二三乃至五
百乃有无量諸優婆夷持戒精懃梵行清淨

BD02679號　大般涅槃經（北本　宮本）卷三九　（11–9）

婆夷持戒精懃梵行清淨度疑彼岸斷疑网
不佛言善男子我佛法中非一二三乃至五
百乃有无量諸婆優夷持戒精懃梵行清淨
斷五下結得阿那含度疑彼岸斷於疑网悔
子言瞿曇置一比丘一比丘尼盡一切漏一
優婆塞一優婆夷持戒精懃梵行清淨斷於
疑网是佛法中頗有優婆塞受五欲樂心无
疑网不佛言善男子是佛法中非一二三乃
至五百乃有无量諸優婆塞斷於三結得須
陁洹薄貪恚癡得斯陁含如優婆塞優婆夷
亦如是世尊我於今者樂說譬喻佛言善哉
樂說便說世尊譬如難陁婆難陁龍王等降大
雨如來法雨亦復如是平等而於優婆塞優
婆夷世尊若諸外道欲來出家不審如來幾
月試之佛言善男子皆四月試不必一種世
尊若不一種唯願大慈聽我出家尒時世尊
告憍陳如聽是犢子出家受戒時憍陳如受
佛勑已立衆僧中為作羯磨於出家後滿十
五日得須陁洹果既得果已復作是念若有
智慧從學得者我今已得堪任見佛即往佛
所頭面作礼脩敬已畢却住一面白佛言世
尊諸有智慧從學得者我今已得唯願為我
重分別說令我獲得无學智慧佛言善男子
汝懃精進脩集二法一舍摩他二毗婆舍那
善男子若有比丘欲得須陁洹果亦當懃脩

汝懃精進脩集二法一舍摩他二毗婆舍那
善男子若有比丘欲得須陁洹果亦當懃脩
如是二法若復欲得斯陁含果阿那含果阿
羅漢果亦當脩集如是二法善男子若有比
丘欲得四禪四无量心六神通八背捨八勝
處无諍智頂智畢竟智四无导智金剛三昧
盡智无生智亦當脩集如是二法善男子若
欲得十住地无生法忍无相法忍不可思議
法忍聖行梵行天行菩薩行虛空三昧智印
三昧空无相无作三昧地三昧不退三昧首
楞嚴三昧金剛三昧阿耨多羅三藐三提菩
佛行亦當脩集如是二法犢子聞已礼拜而
出在娑羅林中脩是二法不久即得阿羅漢
果是時復有无量比丘欲往佛所犢子見已
問言大德欲何所至諸比丘言欲往佛所犢子
復言諸大德若至佛所願為宣說犢子梵行
志脩二法已得无學智今報佛恩入般涅槃
時諸比丘至佛所已白佛言世尊犢子比丘
寄我等語世尊犢子梵志脩集二法得无學
智今報佛恩入於涅槃佛言善男子犢子梵
志得阿羅漢果汝等可往供養其身時諸比
丘受佛勑已還其屍所大設供養

大般涅槃経卷第卅九

如來真如平等同一真如平等無二無別
復次眼識界真如平等故如來真如平等如
來真如平等故眼識界真如平等耳鼻舌身
意識界真如平等故如來真如平等如來真
如平等故耳鼻舌身意識界真如平等如是
若眼識界真如平等若耳鼻舌身意識界真
如平等若如來真如平等同一真如平等無
二無別
復次眼觸真如平等故如來真如平等如來
真如平等故眼觸真如平等耳鼻舌身意觸
真如平等故如來真如平等如來真如平等
故耳鼻舌身意觸真如平等如是若眼觸真
如平等若耳鼻舌身意觸真如平等若如來
真如平等同一真如平等無二無別復次眼
觸為緣所生諸受真如平等故如來真如平
等如來真如平等故眼觸為緣所生諸受真
如平等耳鼻舌身意觸為緣所生諸受真如
平等故如來真如平等如來真如平等故耳
鼻舌身意觸為緣所生諸受真如平等如是

BD02680號　大般若波羅蜜多經卷三二一　（3–1）

等如來真如平等故眼觸為緣所生諸受真
如平等耳鼻舌身意觸為緣所生諸受真如
平等故如來真如平等如來真如平等故耳
鼻舌身意觸為緣所生諸受真如平等如是
若眼觸為緣所生諸受真如平等若耳鼻舌
身意觸為緣所生諸受真如平等若如來真
如平等同一真如平等無二無別復次地界真
如平等故如來真如平等如來真如平等
故地界真如平等水火風空識界真如平等
故如來真如平等如來真如平等故水火風
空識界真如平等如是若地界真如平等若
水火風空識界真如平等若如來真如平等
同一真如平等無二無別復次無明真如平
等故如來真如平等如來真如平等故無明
真如平等行識名色六處觸受愛取有生老
死真如平等故如來真如平等如來真如平
等故行乃至老死真如平等如是若無明真
如平等若行乃至老死真如平等若如來真
如平等同一真如平等無二無別
復次布施波羅蜜多真如平等故如來真如
平等如來真如平等故布施波羅蜜多真如平
等淨戒安忍精進靜慮般若波羅蜜多真
如平等故如來真如平等如來真如平等故
淨戒乃至般若波羅蜜多真如平等如是若
布施波羅蜜多真如平等若淨戒乃至般若
波羅蜜多真如平等若如來真如平等同一

BD02680號　大般若波羅蜜多經卷三二一　（3–2）

復次布施波羅蜜多真如平等故如來真如
平等如來真如平等故布施波羅蜜多真如平
等淨戒安忍精進靜慮般若波羅蜜多真
如平等故如來真如平等如來真如平等故
淨戒乃至般若波羅蜜多真如平等如是若
布施波羅蜜多真如平等若淨戒乃至般若
波羅蜜多真如平等若如來真如平等同一真
如平等無二無別復次內空真如平等故
如來真如平等如來真如平等故內空真如
平等外空內外空空空大空勝義空有為空
無為空畢竟空無際空散空無變異空本性
空自相空共相空一切法空不可得空無性
空自性空無性自性空真如平等故如來真
如平等如來真如平等故外空乃至無性自
性空真如平等如是若內空真如平等若外
空乃至無性自性空真如平等若如來真如
平等同一真如平等無二無別復次真如真
如平等故如來真如平等如來真如平等故真
如真如平等法界法性不虛妄性不變異性
平等性離生性法定法住實際虛空界不思
議界真如平等故如來真如平等如來真如
平等故法界乃至不思議界真如平等如

BD02680號　大般若波羅蜜多經卷三二一　（3–3）

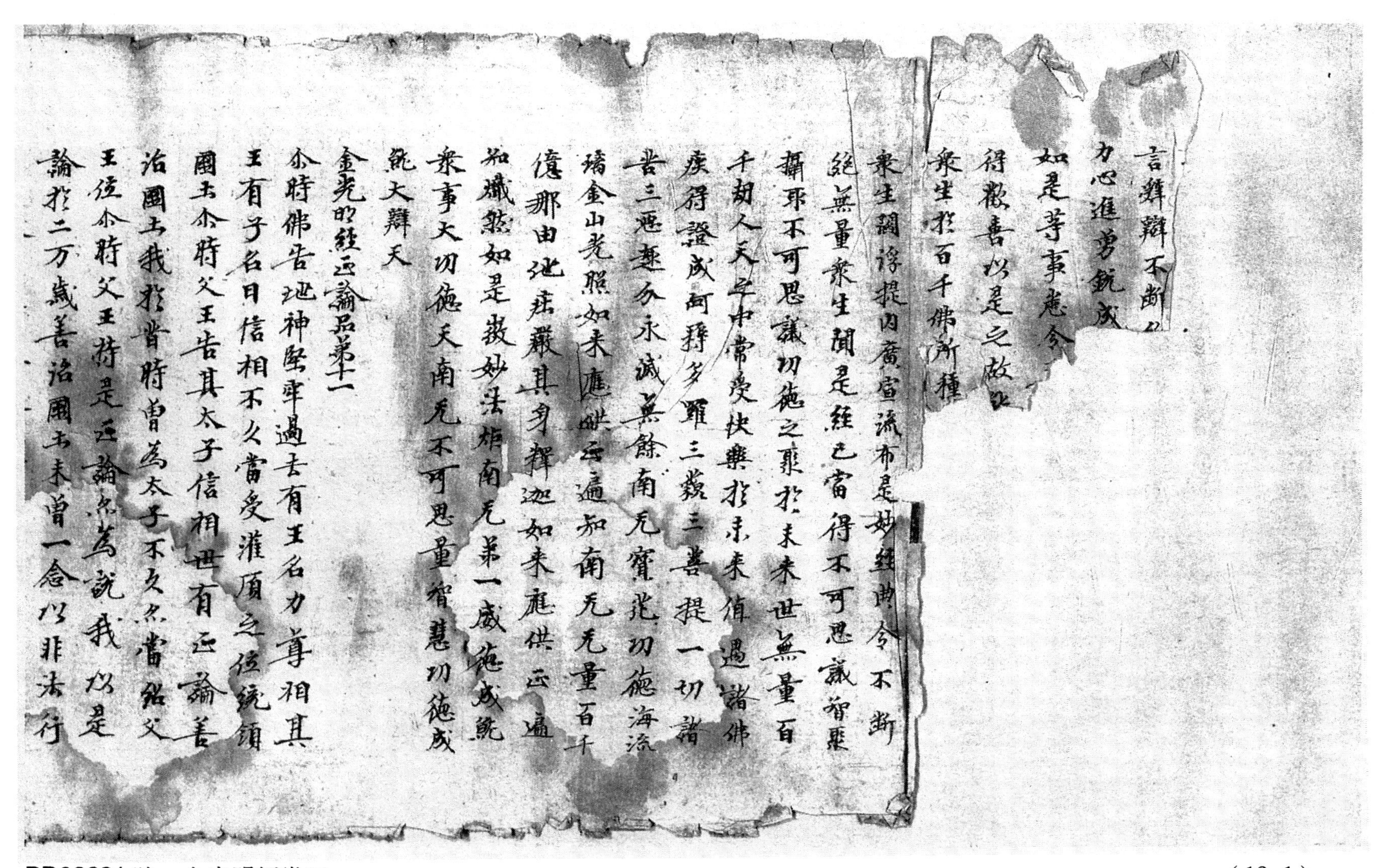
言辯辯不斷
力心進勇銳成
如是等事悉令
得歡喜以是之故以
衆生於百千佛所種
衆生閻浮提內廣宣流布是妙經典令不斷
絕無量衆生聞是經已當得不可思議智聚
攝取不可思議功德之聚於未來世無量百
千劫人天中常受快樂於未來值遇諸佛
疾得證成阿耨多羅三藐三菩提一切諸
苦三惡趣分永滅無餘南无寶花功德海流
璃金山光照如來應供正遍知南无无量百千
億那由他莊嚴其身釋迦如來應供正遍
知職然如是微妙法炬南无第一威德成就
衆事大功德天南无不可思量智慧功德成
就大辯天
金光明經正論品第十一
爾時佛告地神堅牢過去有王名力尊相其
王有子名曰信相不久當受灌頂之位統領
國土爾時父王告其太子信相世有正論善
治國土我於昔時曾為太子不久亦當紹父
王位爾時父王時是正論亦為說我以是
論於二万歲善治國土未曾一念以非法行

BD02681號　金光明經卷三　（18–1）

治國土我於昔時曾為太子不久亦當紹父
王位尒時父王將是正論亦為說我以是
論於二万歲善治國土未曾一念以非法行
於自眷屬情無愛為何等名為治世正論地
神尒時力尊相王為信相太子說是偈言
我今當說　諸王正論　為利衆生　斷諸疑網
一切人王　諸天天王　應當歡喜　合掌諦聽
諸王和合　集金剛山　護世四鎮　起問梵王
大師梵尊　天中自在　能除疑惑　當為我斷
云何是人　得名為天　云何人王　復名天子
生在人中　處王宮殿　正法治世　而名為天
護世四王　問是事已　時梵導師　即說偈言
汝今雖以　此義問我　我要當為　一切衆生
敷揚宣暢　第一勝論
因集業故　生於人中　王領國土　故稱人王
處在胎中　諸天守護　或先守護　然後入胎
雖在人中　生為人王　以天護故　復稱天子
三十三天　各以己德　分与是人　故稱天子
神力所加　故得自在　遠離惡法　遮令不起
安住善法　修令增廣　能令衆生　多生天上
半名人王　亦名執樂　羅剎魃膾　能遮諸惡
亦名父母　教誨修善　示現果報　諸天所護
善惡諸業　現在未來　現受果報　諸天所護
若有惡事　縱而不問　不隨其罪　不以正教
捨遠善法　增長惡聚　故使國中　多諸奸詐
三十三天　各生瞋恨　由其國王　縱惡不治
壞國惡去　奸詐熾盛　他方怨[illegible]

捨遠善法　增長惡聚　故使國中　多諸奸詐
三十三天　各生瞋恨　由其國王　縱惡不治
壞國惡法　奸詐熾盛　他方怨敵　競來侵掠
自家所有　錢財珍寶　諸惡盜賊　共相劫奪
如法治世　不行是者　若行是者　其國殄滅
辟如狂象　蹹蓮花池
暴風卒起　處處惡雨　惡星數出　日月無光
五穀華實　滅不茂盛　由王捨正　使國飢饉
天於宮殿　悲懷愁惱　由王暴虐　不修善事
是諸天王　各相謂言　是王行惡　与惡為伴
以造惡故　速得天瞋　以天瞋故　不久國敗
非法兵杖　奸詐鬪諍　疾疫惡病　集其國土
諸天即便　捨離是王　令其國敗　生大愁惱
兄弟姊妹　眷屬妻子　孤逬流離　身亦滅亡
流星數墮　二日並現　他方怨賊　侵掠其土
人民飢餓　多諸疾疫
所重大臣　捨離戲亡　象馬車乘　一念喪滅
諸家財產　國土所有　手相劫奪　刀兵而死
五星諸宿　違失常度　諸惡疾病　流遍其國
諸受寵祿　所任大臣　及諸群僚　專行非法
如是行惡　偏受恩遇　修善法者　日日衰滅
於行惡者　而生恭敬　見修善者　心不顧錄
故使世間　三異並起　星宿失度　降暴風雨
破壞甘露　無上正法　衆生種類　及以地肥
恭敬弊惡　毀諸善人　故天降雹　飢餓疫死
穀米藥寶　滋味衰滅　多病衆生　充滿其國
[illegible]

於行惡者　而生恭敬　見修善者　心不顧錄
故使世間　三種並起　星宿失度　降暴風雨
破壞甘露　无上正法　衆生種類　及以地肥
米穀弊惡　毀諸善人　故天降雹　飢餓疫死
穀米菓實　滋味衰滅　多病衆生　充滿其國
甘美盛菓　日日損減　皆澀惡味　隨時增長
本所遊戲　可愛之處　悉皆枯悴　无可樂者
衆生所食　精妙上味　漸漸損減　食無肌膚
顏貌醜陋　氣力衰微　凡所食噉　不知猒足
力精猛勇　悉滅无有　嬾惰懈怠　充滿其國
多有病苦　逼切其身　惡星變動　羅刹亂行
若有人王　行於非法　增長惡伴　損人天道
於三有中　多受苦惱　起如是等　无量惡事
皆由人王　愛著眷屬　縱之造惡　捨而不治
若為諸天　所護生者　如是人王　終不為是
若行善者　得生天中　行不善者　墮在三塗
三十三天　皆生集熱　由王縱惡　捨而不治
違逆諸天　及父母勅　不能正法　則非孝子
起諸奸惡　壞國土者　不應縱捨　當正治罪
是故諸天　護持是王　以滅惡法　修集善根
現世正治　得增王位　應各為說　善不善業
能示因果　故得為王　諸天護持　隨王佐助
能自為他　修正治國　有壞國者　應當正教
為命及國　修行正法　不應行惡　惡不應縱
所有餘事　不能壞國　要因多奸　然後傾敗
若起多奸　壞於國土　譬如大鳥　壞蓮花池
惡恨諸天　故天生惱　起諸惡事　彌滿其國

BD02681號　金光明經卷三　（18–4）

能示因果　故得為王　諸天護持　隨王佐助
能自為他　修正治國　有壞國者　應當正教
為命及國　修行正法　不應行惡　惡不應縱
所有餘事　不能壞國　要因多奸　然後傾敗
若起多奸　壞於國土　譬如大鳥　壞蓮花池
惡恨諸天　故天生惱　起諸惡事　彌滿其國
是故應隨　正法治國　以善化國　不順非法
寧捨身命　不受眷屬　於親非親　心常平等
視親非親　和合為一　正行名稱　流布三界
正法治國　人多行善　常以善心　御臨國主
能令天衆　具足充滿　是故正治　名為人王
一切諸天　受護人王　猶如父母　擁護其子
故令日月　五星諸宿　隨其分齊　不失常度
風雨隨時　無諸災禍　令國豐實　安樂茂盛
增益熾盛　諸天之衆　以是因緣　諸人王等
寧捨身命　不應為惡
不應捨離　正法珍寶　由正法寶　世人受樂
常當親近　修正法者　聚集功德　莊嚴其身
於自眷屬　常知止足　當遠惡人　修治正法
安止衆生　於諸善法　教勑防護　令離不善
是故國主　安隱豐樂　是王亦得　威德具足
若諸人民　所行惡法　應當調伏　如法教詔
是王當得　好名善譽　善能攝護　安樂衆生

金光明經善集品第十二

尒時如來復為地神說往因緣而作偈言

我昔曾為　轉輪聖王　捨四大地　及以大海
父於是時　以四天下　滿中珍寶　奉上諸佛

BD02681號　金光明經卷三　（18–5）

[illegible]

是故國土安隱豐樂　是王亦得威德具足
若諸人民所行惡法　應當調伏如法教詔
是王當得好名善譽　善能攝護安樂衆生

金光明經善集品第十二

尒時如來復爲地神說往因緣而作偈言
我昔曾爲轉輪聖王　捨四大地及以大海
父於是時以四天下　滿中珍寶奉上諸佛
於過去世無數劫中　爲求法故常捨身命
凡所布施皆捨所重　不見可愛而不捨者
又過去世不可議劫　有佛世尊名曰寶勝
其佛世尊般涅槃後　時有聖王名曰善集
於四天下而得自在　治正之勢盡大海際
其王有城名水音尊　於其城中止住治化
夜臥夢中聞佛功德　及見比丘名曰寶冥
善能宣暢如來正法　所謂金光微妙經典
明如日中悉能遍照　是轉輪王夢是事已
即尋覺寤心喜遍身　即出宮殿至僧房所
供養恭敬諸大聖衆　問諸大德是大衆中
頗有比丘名曰寶冥　成就一切諸功德不
尒時寶冥在一窟中　安坐不動思惟正法
讀誦如是金光明經　時有比丘即將是王
至其所止到寶冥所　時此寶冥故在窟中
形貌殊特威德熾然　即示王言是窟中者
即是所問寶冥比丘　能持甚深諸佛所行
名金光明諸經之王　時善集王即尋禮敬
寶冥比丘作如是言　面如滿月威德照盛
唯願爲我敷演宣暢　是金光明諸經之王

BD02681號　金光明經卷三　（18–6）

形貌殊特威德熾然　即示王言是窟中者
即是所問寶冥比丘　能持甚深諸佛所行
名金光明諸經之王　時善集王即尋禮敬
寶冥比丘作如是言　面如滿月威德照盛
唯願爲我敷演宣暢　是金光明諸經之王
時寶冥尊即受王請　許爲宣說是金光明
三千大千世界諸天　知當說法悉生歡喜

於淨微妙鮮潔之處　種種珍寶廁填其地
上妙香水持用灑之　散諸好花遍滿其處
王於是時自敷法座　懸繒幡蓋寶飾交絡
種種微妙殊特末香　悉以奉散大法高座
一切諸天龍及鬼神　摩睺羅伽緊那羅等
即雨天上曼陀羅花　遍散法座滿其處所
不可思議百千万億　那由他等無量諸天
一時俱來集說法所　是時寶冥尋從窟出
諸天即時以娑羅花　供養奉散寶冥比丘
是時寶冥淨洗身體　著淨妙衣至法座所
合掌敬禮是法高座　一切天王及諸天人
雨曼陀羅大曼陀羅　無量百千種種伎樂
於虛空中不鼓自鳴　寶冥比丘能說法者
尋上高座結跏趺坐　即念十方不可思議
無量千億諸佛世尊　於諸衆生與大悲心
及善集王所得王領　盡一日月所照之處
時說法者即爲尋王　敷暢宣說是妙經典
是時大王爲聞法故　於比丘前合掌而立
聞於正法讚言善哉　其心悲悼淚波交流

[illegible]

BD02681號　金光明經卷三　（18–7）

盡一日月所照之處時說法者即尋為王
敷暢宣說是妙經典
是時大王為聞法故於比丘前合掌而立
聞於正法讃言善哉其心悲悼淚交流
尋復踊悅心意嬉怡為欲供養此經典故
尒時即捉如意珠王為諸衆生發大誓願
願於今日此閻浮提悉雨无量種種珎異
瓌奇七寶及妙瓔珞以是因緣悉令無量
一切衆生皆受快樂即於尒時尋雨七寶
及諸寶飾天冠耳璫種種瓔珞百餅寶座
悉皆充滿遍四天下時善集王即持如是
滿四天下無量七寶於寶勝佛遺法之中
以用布施供養三寶尒時為王說法比丘
於今現在阿閦佛是時善集王聖受法者
今則我身釋迦文是我於尒時捨此大地
滿四天下珎寶布施得聞如是金光明經
聞是經已一稱善哉以此善根業因緣故
身得金色百福莊嚴常為无量百千万億
衆生等類之所樂見既得見已無有猒足
過去九十九億千劫當得作於轉輪聖王
亦於無量百千地中常得王領諸小國土
不可思議劫中常作釋提桓因及淨梵王
復得值遇十力世尊其數无量不可稱計
所得功德无量无邊皆由聞經及稱善哉
如我所願成就菩提正法之身我今已得
金光明經鬼神品第十三
佛告功德天若有善男子善女人欲以不可
思議妙供養具供養過去未來現在諸佛世

復得值遇十力世尊其數无量不可稱計
所得功德无量无邊皆由聞經及稱善哉
如我所願成就菩提正法之身我今已得
金光明經鬼神品第十三
佛告功德天若有善男子善女人欲以不可
思議妙供養具供養過去未來現在諸佛世
尊及欲得知三世諸佛甚深行處是人應當
必定至心隨有是經流布之處若城邑村落
舍宅空處正念不亂至心聽是微妙經典尒時
世尊欲重宣此義而說偈言
若欲供養一切諸佛欲知三世諸佛行處
應當往彼城邑聚落有是經處至心聽受
是妙經典不可思議功德大海无量无邊
能令一切衆生解脫度无量苦諸有大海
是經甚深初中後善不可得說譬喻為比
假使恒沙大地微塵大海諸水一切諸山
如是等物不得為喻
若入是經即入法性如深法性安住其中
即於是典金光明中而得見我釋迦牟尼
不可思議阿僧祇劫生天人中常受快樂
以能信解聽是經故如是无量不可思議
切德福聚悉已得之
隨所至處若百由旬滿中盛火應從中過
若至聚落阿蘭若處到法會所至心聽受
聽是經故惡夢蠱道五星諸宿變異災禍
一切惡事消滅无餘於說法處蓮花座上
說是經典書寫讀誦是說法者若下去座

隨所至處若百由旬滿中盛火應從中過
若至聚落阿蘭若處到法會所至心聽受
聽是經故惡夢蠱道五星諸宿變異災禍
一切惡事消滅无餘於說法處蓮花臺上
說是經典書寫讀誦是說法者若下法座
尒時大衆猶見坐處故有說者或佛世尊
或見佛像菩薩色像普賢菩薩文殊師利
弥勒大士及諸形色見如是等種種事已
尋復滅盡如前不異成就如是諸功德已
而為諸佛之所讚嘆威德相貌無量無邊
有大名稱能却怨家他方盜賊能令退散
勇猛多力能破強敵惡夢惱心无量惡業
如是惡事皆悉殄滅若入軍陣常能勝他
名聞流布遍閻浮提亦能摧伏一切怨敵
遠離諸惡修集諸善入陣得勝心常歡喜
大梵天王三十三天護世四王金剛密迹
鬼神諸王散脂大將禪那莫鬼及緊那王
阿耨達龍娑竭羅王阿修羅王迦樓羅王
大辯天神及大功德如是上首諸天神等
常當供養是聽法者生不思議法塔之想
衆生見者深敬歡喜諸天王等亦各思惟
而相謂言今是衆生無量威德皆悉成就
若能來至是法會所如是之人成上善根
若有聽是甚深經典故嚴出往法會之處
心生不可思議正信供養深敬无上法塔
如是大悲利益衆生即是无量深法寶器

若能來至是法會所如是之人成上善根
若有聽是甚深經典故嚴出往法會之處
心生不可思議正信供養深敬无上法塔
如是大悲利益衆生即是无量深法寶器
能入甚深无上法性由以淨心聽是經典
如是之人悉以供養過去无量百千諸佛
以是善根无量因緣應當聽受是金光明
如是衆生常為无量諸天神王之所愛護
大辯功德護世四王无量鬼神及諸力士
晝夜精勤擁護四方
釋提桓因及日月天閻摩羅王風水諸神
違馱天神及毗紐天大辯天神及自在天
火神等神大力勇猛常護世間晝夜不離
大力鬼神那羅延等摩醯首羅二十八部
諸鬼神等散脂為首百千鬼神神足大力
擁護是等令不怖畏
金剛密迹天鬼神王及其眷屬五百徒黨
一切皆是大菩提薩亦悉擁護聽是法者
摩尼跋陀大鬼神王富那跋陀及金毗羅
阿羅婆帝賓頭盧伽黃頭大神一一諸神
各有五百眷屬鬼神亦常擁護聽是經者
質多斯那阿修羅王及乾闥婆那羅羅闍
祁那沙婆摩尼乾陀及尼乾陀主雨大神
大飲食神摩訶迦吒金色髮神半祁鬼神
及半支羅車鉢羅婆有大威德婆那梨神
曇摩跋羅摩竭婆羅鉢髮鬼神繡利密多
勒那翅舍摩訶婆那及軍陀遮劍摩舍帝

祁那沙婆摩尼乾陀及尼乾陀王兩大神
大飲食神摩訶迦吒金色髮神半祁鬼神
及半支羅車鉢羅婆有大威德婆那梨神
曇摩跋羅摩竭婆羅鉢履鬼神繡利蜜多
勒那翅舍摩訶婆那及軍陀遮劒摩舍帝
復有大神奢羅蜜帝醯摩跋陀薩多琦梨
如是等神皆有无量神足大力常勤擁護
聽受如是微妙典者
阿耨達王婆伽羅王目真隣王伊羅鉢王
難陀龍王跋難陀王有如是等百千龍王
以大神力常來擁護聽是經典晝夜不離
波利羅睺阿修羅王毗摩質多及以茂脂
睒摩利子波呵梨子佉羅騫駄及以達陀
是等皆是阿修羅王有大神力常來擁護
聽是經者晝夜不離
訶利帝南鬼子母等及五百神常來擁護
聽是經者若睡若寤
旃陀旃陀利大鬼神女等鳩羅鳩羅檀提噉
人精氣如是等神皆有大力常勤擁護十方世
界受持經者
大辯天等无量天女功德天等各与眷屬
地神堅牢種植園林菓實大神如是諸神
心生歡喜悉來擁護愛樂親近是經典者
於諸衆生增命色力功德威貌莊嚴倍常
五星諸宿變異災怪皆悉能滅无有遺餘
夜卧惡夢寤則憂悴如是惡事皆悉滅盡
地神大力勢分甚深是經力故能變其味

於諸衆生增命色力功德威貌莊嚴倍常
五星諸宿變異災怪皆悉能滅无有遺餘
夜卧惡夢寤則憂悴如是惡事皆悉滅盡
地神大力勢分甚深是經力故能變其味
如是大地至金剛際厚十六万八千由旬
其中氣味无不遍有悉令踊出潤益衆生
亦令諸天大得精味充益身力歡喜快樂
閻浮提内所有諸神心生歡喜受樂无量
是經力故諸天歡喜百穀菓實皆悉滋茂
園苑叢林其光開敷香氣芬馥充遍弥滿
百草樹木生長端直其體柔軟无有邪戾
閻浮提内所有龍女其數无量不可思議
心生歡喜踊躍无量在在處處莊嚴光池
於其池中生種種光優鉢羅光波頭摩光
拘物頭光分陀利光於自宮殿除諸雲霧
令虛空中无有塵翳諸方清徹淨潔明了
日王赫焰放千光明歡喜踊躍照諸暗蔽
閻浮檀金以為宮殿止住其中威德无量
日之天子及以月天聞是經故精氣充實
是日天子出閻浮提心生歡喜放於无量
光明明網遍照諸方即於出時放大網明
開敷種種諸池蓮花
閻浮提内无量果實隨時成熟飽諸衆生
是時日月所照殊勝星宿正行不失度數
風雨隨時豐實熾盛多饒財寶无所乏少
是金光明微妙經典隨所流布讀誦之處
其國土境即得增益如上所說无量功德

是時日月所照殊勝星宿正行不失度數
風雨隨時豐實熾盛多饒財寶无所乏少
是金光明微妙經典隨所流布讀誦之處
其國土境即得增益如上所說无量功德
金光明經授記品第十四
尒時如來將欲為是信相菩薩及其二子銀
相銀光授阿耨多羅三藐三菩提記是時即
有十千天子威德熾王而為上首俱從忉利
來至佛所頂禮佛足却坐一面尒時佛告信相
菩薩汝於來世過无量无邊百千万億不可
稱計那由他劫於金光照世界當成阿耨多羅三
藐三菩提号金寶蓋山王如來應供正遍知
明行足善逝世間解无上士調御丈夫天人師
佛世尊乃至是佛般涅槃後正法像法皆滅
盡已長子銀相當於是界次補佛處世界
尒時轉名淨幢佛名閻浮檀金幢光明照如
來應供正遍知明行足善逝世間解无上士
調御丈夫天人師佛世尊乃至是佛般涅槃後
正法像法悉滅盡已次子銀光復於是後次
補佛處世界名字如本不異佛号曰金光明如
來應供正遍知明行足善逝世間解无上士
調御丈夫天人師世尊是十千天子聞三大
士得受記別復聞如是金光明經聞已歡
喜生慇重心心无垢累如淨瑠璃清淨无
㝵猶如虛空尒時如來知是十千天子善根成
就即便與授菩提道記汝等天子於當來
世過阿僧祇百千万億那由他劫於是世界

BD02681號　金光明經卷三　（18–14）

士得受記別復聞如是金光明經聞已歡
喜生慇重心心无垢累如淨瑠璃清淨无
㝵猶如虛空尒時如來知是十千天子善根成
就即便與授菩提道記汝等天子於當來
世過阿僧祇百千万億那由他劫於是世界
當成阿耨多羅三藐三菩提用此一家一姓
一名号曰青目優鉢羅光香山如來應供正
遍知明行足善逝世間解无上士調御丈夫
天人師佛世尊如是次第出現於世凡一万佛
尒時道場菩提樹神名等增益白佛言世尊
是十千天子於忉利宮為聽法故故來集此
云何如來便與授記世尊我未曾聞是諸天
子修行具足六波羅蜜未曾聞捨於手足
頭目髓腦所愛妻子財寶穀帛金銀瑠璃
車𤦲馬瑙真珠珊瑚珂貝璧玉甘饍飲食衣
服牀卧病瘦醫藥象馬車乘殿堂屋宅園林
泉池奴婢僕使如餘无量百千菩薩以種種
資生供養之具恭敬供養過去无量百千万
億那由他等諸佛世尊如是菩薩於未來世久
捨无量所重之物頭目髓腦所愛妻子財寶
穀帛乃至僕使次第修行成就具足六波羅
蜜成就是已備修菩行動經无量无邊劫數
然後方得受菩提記世尊是天子等何因何
緣修行何等勝妙善根從彼天來暫得聞法
便得受記唯願世尊為我解說斷我疑網
尒時佛告樹神善女天皆有因緣有妙善根
已隨相修何以故以是天子於所住處捨五欲
樂故來聽是金光明經既聞法已於是經中

BD02681號　金光明經卷三　（18–15）

[illegible][illegible]方得受菩提記世尊是天子等何因何
緣修行何等勝妙善根從彼天來暫得聞法
便得受記唯願世尊為我解說斷我疑網
尒時佛告樹神善女天皆有因緣有妙善根
已隨相修何以故以是天子於所住處捨五欲
樂故來聽是金光明經既聞法已於是經中
淨心慇重如說修行復聞此三大菩薩受
於記別亦以過去本昔發心誓願因緣是
故我今皆與授記於未來世當成阿耨多羅
三藐三菩提

金光明經除病品第十五

佛告道場菩提樹神善女天諦聽諦聽善持憶
念我當為汝演說往昔誓願因緣過去无量
不可思議阿僧祇劫尒時有佛出現於世名
曰寶勝如來應供正遍知明行足善逝世間
解无上士調御丈夫天人師佛世尊善女天
尒時是佛般涅槃後正法滅已於像法中有王
名曰天自在光修行正法如法治世人民和順孝
養父母是王國中有一長者名曰持水善知醫
方救諸病苦方便巧知四大增損善女天
尒時持水大長者家中復生一子名曰流水
體貌殊勝端正第一形色微妙威德具足
受性聰敏善解論諸種種伎藝書疏筭計
无不通達是時國內天降疾病時有无量百
千諸眾生等皆无免者為諸苦惱之所逼切
善女天尒時流水長者子見是无量百千眾生
受諸苦惱故為是眾生生大悲心作是思惟
如是无量百千眾生受諸苦惱我父長者

千諸眾生等皆无免者為諸苦惱之所逼切
善女天尒時流水長者子見是无量百千眾生
受諸苦惱故為是眾生生大悲心作是思惟
如是无量百千眾生受諸苦惱我父長者
雖善醫方能救諸苦方便巧知四大增損年
已衰邁老耄枯悴皮緩面皺羸瘦戰掉行來
往反要因机杖困頓疲乏不能至彼城邑聚
落而是无量百千眾生復遇重病无能救者
我今當至大醫父所諮問治病醫方秘法諮
稟知已當至城邑聚落村舍治諸眾生種種
重病悉令得脫无量諸苦時長者子思惟是
已即至父所頭面著地為父作禮叉手却住以
四大增損而問於父即說偈言
云何當知　四大諸根　衰損代謝　而得諸病
云何當知　飲食時節　若食食已　身火不滅
云何當知　治風及熱　水過肺病　及以等分
何時動風　何時動熱　何時動水　以害眾生
時父長者　即以偈頌　解說醫方　而答其子
三月是夏　三月是秋　三月是冬　三月是春
是十二月　三三而說　從如是數　一歲四時
若二二說　足滿六時　三三本攝　二二現時
隨是時節　消息飲食　是能益身　醫方所說
隨時歲中　諸根四大　代謝增損　令身得病
有善醫師　隨順四時　三月將養　調和六大
隨病飲食　及以湯藥　多風病者　夏則發動
其熱病者　秋則發動　等分病者　冬則發動
其肺病者　春則增劇　有風病者　夏則應服
肥膩醎酢　及以熱食　有熱病者　秋服冷甜
[illegible]

其熱病者 秋則發動 等分病者 冬則發動
其肺病者 春則增劇 有風病者 夏則應服
肥膩醎酢 及以熱食 有熱病者 秋服冷甜
等分冬服 甜酢肥膩 肺病春服 肥膩辛熱
飽食然後 則發肺病 於食消時 則發熱病
食消已後 則發風病 如是四大 隨三時發
病風羸損 補以蘇膩 熱病下藥 服呵梨勒
等分應服 三種妙藥 所謂甜辛 及以蘇膩
肺病應服 隨能吐藥 若風熱病 肺病等分
違時而發 應當任師 籌量隨病 飲食湯藥
善女天爾時流水長者子問其父醫四大增
損因是得了一切醫方時長者子知醫方已
遍至國內城邑聚落在在處處隨有衆生病
苦者所軟言慰喻作如是言我是醫師我是
醫師善知方藥今當為汝療治救濟悉令除
愈善女天爾時衆生聞長者子軟言慰喻許
為治病心生歡喜踊躍无量時有百千无量
衆生遇極重病聞是言已心歡喜故種種所
患即得除差平復如本氣力充實善女天復
有無量百千衆生病苦深重難除差者即共

BD02681號　金光明經卷三　（18–18）

金光明最勝王經大辯才天女品之餘　三
爾時憍陳如婆羅門說上讚歎及
辯才天女已告諸大衆仁等若
加護於現世中得无礙辯
妙言詞博綜奇才論議文飾隨意成就无疑
滯者應當如是至誠慇重而說呪言
南謨佛陀也南謨達摩也南謨僧伽也南謨
諸菩薩衆獨覺聲聞一切賢聖過去現在十
方諸佛悉皆已習真實之語能隨順說當
機實語无虛誑語已於无量俱胝大劫常說
實語有實語者悉皆隨喜以不妄語故出廣
長舌能覆於面覆贍部洲及四天下能覆一千
二千三千世界普覆十方世界圍滿周遍不可
思議能除一切煩惱炎熱敬礼敬礼一切諸
佛如是舌相願我某甲皆得成就妙辯
才至心歸命
敬礼諸佛妙辯才　諸大菩薩妙辯才
獨覺聖者妙辯才　四向四果妙辯才
四聖諦語妙辯才　正行正見妙辯才
梵衆諸仙妙辯才　大天烏摩妙辯才
塞建陀天妙辯才　摩那斯王妙辯才
聰明夜天妙辯才　四大天王妙辯才
善住天子妙辯才　金剛密主妙辯才

BD02682號　金光明最勝王經卷八　（15–1）

獨覺……
四聖諦語妙辯才　正行正見妙辯才
梵衆諸仙妙辯才　大天烏摩妙辯才
塞建陁天妙辯才　摩那斯王妙辯才
聰明夜天妙辯才　四大天王妙辯才
善住天子妙辯才　金剛密主妙辯才
吠率怒天妙辯才　毗摩天女妙辯才
侍數天神妙辯才　室唎天女妙辯才
室唎末多妙辯才　醯哩言詞妙辯才
諸母大母妙辯才　訶哩底母妙辯才
諸藥叉神妙辯才　十方諸王妙辯才
所有勝業資助我　令得无窮妙辯才
敬礼无欺誑　敬礼解脫者　敬礼離欲人　敬礼捨纏蓋
敬礼心清淨　敬礼光明者　敬礼真實語　敬礼无塵習
敬礼住勝義　敬礼大衆主　敬礼辯才天　令我詞无礙
願我所求事　皆悉速成就　无病常安隱　壽命得延長
善解諸明呪　勤脩菩提道　廣饒益羣生　求心願早遂
我說真實語　我說无誑語　天女妙辯才　令我得成就
唯願天女來　令我語无滯　速入身口內　聰明足辯才
願令我舌根　當得如來辯　由彼語威力　調伏諸衆生
我所出語時　隨事皆成就　聞者生恭敬　所作不唐損
若我求辯才　事不成就者　天女之實語　皆悉成虛妄
有作无間罪　佛語令調伏　及以阿羅漢　所有報恩語
舍利子目連　世尊衆第一　斯等真實語　願我皆成就
我今皆告請　佛之聲聞衆　皆願速來至　成就我求心
所求真實語　皆願无虛誑　上從色究竟　及以淨居天
大梵及梵輔　一切梵王衆　乃至遍三千　索訶世界主
并及諸眷屬　我今皆請召　唯願降慈悲　哀憐同攝受
他化自在天　及以樂變化　覩史多天衆　慈氏當成佛
夜摩諸天衆　及三十三天　四大王衆天　一切諸天衆
地水火風神　依妙高山住　七海山神衆　所有諸眷屬

BD02682號　金光明最勝王經卷八　（15-2）

大梵及梵輔　一切梵王衆　乃至遍三千　索訶世界主
并及諸眷屬　我今皆請召　唯願降慈悲　哀憐同攝受
他化自在天　及以樂變化　覩史多天衆　慈氏當成佛
夜摩諸天衆　及三十三天　四大王衆天　一切諸天衆
地水火風神　依妙高山住　七海山神衆　所有諸眷屬
滿財及五頂　日月諸星辰　如是諸天衆　令世間安隱
斯等諸天神　不樂作罪業　敬佛鬼子母　及最小愛兒
天龍藥叉衆　乾闥阿蘇羅　及以緊那羅　莫呼洛伽等
我以世尊力　悉皆申請召　願降慈悲心　与我无礙辯
一切人天衆　能了他心者　皆願加神力　与我妙辯才
乃至盡虛空　周遍於法界　所有含生類　与我妙辯才
尒時辯才天女聞是請已告婆羅門言善哉
大士若有男子女人能依如是呪及呪讚如前
所說受持法式歸敬三寶虔心正念於所求
事皆不唐捐兼復受持讀誦此金光明微妙
經典所願求者无不果遂速得成就除不至
心時婆羅門深心歡喜合掌頂受
尒時佛告辯才天女善哉善哉天女汝能流布是
是妙經王擁護所有受持經者及能利
益一切衆生令得安樂說如是法施与辯
才不可思議得福无量諸發心者速趣菩提
金光明最勝王經大吉祥天女品第十六
尒時大吉祥天女即從座起前礼佛足合掌
恭敬白佛言世尊我若見有苾芻苾芻尼鄔
波索迦鄔波斯迦受持讀誦為人解說是金
光明最勝王經者我當專心恭敬供養此等
法師所謂飲食衣服臥具醫藥及餘一切所
須資具皆令圓滿无有乏少若晝若夜於此
經王所有句義觀察思量安樂而住令此經

BD02682號　金光明最勝王經卷八　（15-3）

光明最勝王經者我當專心恭敬供養此等
法師所謂飲食衣服卧具醫藥及餘一切所
須資具皆令圓滿無有乏少若晝若夜於此
經王所有句義觀察思量安樂而住令此經
典於贍部洲廣行流布為彼有情已於無量
百千佛所種善根者常使得聞不速隱沒復
於無量百千億劫當受人天種種勝樂常得
豐稔永除飢饉一切有情恒受安樂亦得值
遇諸佛世尊於未來世速證無上大菩提果
永絕三塗輪迴苦難世尊我念過去有瑠璃
金山寶光照吉祥功德海如來應正等覺
十号具足我於彼所種諸善根由彼如來慈
悲護念威神力故令我今日隨所念處隨所視
方隨所至國能令無量百千万億眾生受諸快
樂乃至所須衣服飲食資生之具金銀瑠璃車
磲碼碯珊瑚虎珀真珠等寶悉令充足若復有
人至心讀誦是金光明最勝王經亦當日日
燒眾名香及諸妙花為我供養彼瑠璃金山
寶花光照吉祥功德海如來應正等覺復當
每日於三時中稱念我名別以香花及諸美
食於我亦常聽受此妙經王得如是福而說
頌曰

由能如是持經故　自身眷屬離諸衰
所須衣食無乏時　威光壽命難窮盡
能使地味常增長　諸天降雨隨時節
令彼天眾咸歡悅　及以園林穀菓神
藂林菓樹並滋榮　所有苗稼咸成熟
欲求珍財皆滿願　隨所念者遂其心

佛告大吉祥天女善哉善哉汝能如是憶念
昔因報恩供養利益安樂無邊眾生流布是

所須衣食無乏時　威光壽命難窮盡
能使地味常增長　諸天降雨隨時節
令彼天眾咸歡悅　及以園林穀菓神
藂林菓樹並滋榮　所有苗稼咸成熟
欲求珍財皆滿願　隨所念者遂其心
佛告大吉祥天女善哉善哉汝能如是憶念
昔因報恩供養利益安樂無邊眾生流布是
經功德無盡

金光明最勝王經大吉祥天女增長財物品第十七

尒時大吉祥天女復白佛言世尊北方薜室羅
末拏天王城名有財去城不遠有園名曰妙
花福光中有勝殿七寶所成世尊我常住彼
若復有人欲求五穀日日增多倉庫盈溢者
應當發起敬信之心淨治一室瞿摩塗地應
畫我像種種瓔珞周帀莊嚴當洗浴身著淨
衣服塗以名香入淨室內發心為我每日三
時稱彼佛名及此經名号而申礼敬南无瑠璃
金山寶花光照吉祥功德海如來持諸香花
及以種種甘美飲食至心奉獻亦以香花及
諸飲食供養我像復持飲食散擲餘方施
諸神等實言邀請大吉祥天發所求願若
如所言是不虛者於我所請勿令空尒于時吉
祥天女知是事已便生愍念令其宅中財穀
增長即當誦呪請召於我先稱佛名及菩
薩名字一心敬礼

南謨一切十方三世諸佛　南謨寶髻佛
南謨無垢光明寶幢佛　南謨金幢光佛
南謨百金光藏佛　南謨金蓋寶積佛
南謨金光光幢佛　南謨大燈光佛

薩名字一心敬礼
南謨一切十方三世諸佛　南謨寶髻佛
南謨无垢光明寶幢佛　南謨金幢光佛
南謨百金光藏佛　南謨金蓋寶積佛
南謨金光光幢佛　南謨大燈光佛
南謨大寶幢佛　南謨東方不動佛
南謨南方寶幢佛　南謨西方无量壽佛
南謨北方天鼓音佛　南謨妙幢菩薩
南謨金光菩薩　南謨金藏菩薩
南謨常啼菩薩　南謨法上菩薩
南謨善安菩薩
敬礼如是佛菩薩已次當誦呪請召我大吉
祥天女由此呪力所求之事皆得成就即說
呪曰
南謨室唎莫訶天女　怛姪他
鉢唎脯㗚拏折囇　三曼頞
達唎設泥(去 下皆同)　莫訶毘訶囉揭帝
三曼多毘曇末泥　莫訶迦里也
鉢唎底瑟侘鉢泥　薩婆頞他娑彈泥
蘇鉢唎底晡囇　㖿耶娜達摩多
莫訶毘俱比帝　莫訶迷咄嚕
鄔波僧呬羝　莫訶頡唎使
蘇僧近(入)里(入)呬羝　三曼多頞他
阿奴波喇泥　莎訶
世尊若人誦持如是神呪請召我時我聞請
已即至其所令願得遂世尊是灌頂法句定
成就句真實之句无虛誑句是平等行於諸
衆生是正善根若有受持讀誦呪者應七日七
夜受八支戒於晨朝時先嚼齒木淨漱口已及
於晡後香花供養一切諸佛自陳其罪當為己

衆生是正善根若有受持讀誦呪者應七日七
夜受八支戒於晨朝時先嚼齒木淨漱口已及
於晡後香花供養一切諸佛自陳其罪當為己
身及諸含識迴向發願令所希求速得成
就淨治一室或在空閑阿蘭若處瞿摩為壇
燒栴檀香而為供養置一勝座幡蓋莊嚴以
諸名花布列壇內應當至心誦持前呪希
望我至我於尒時即便護念觀察是人來入
其室就座而坐受其供養從是以後當令彼
人於睡夢中得見於我隨所求事以實告知若
聚落空澤及僧住處隨所求者皆令圓滿金
銀財寶牛羊穀麥飲食衣服皆得隨心受
諸快樂既得如是勝妙果報當以上分供
養三寶及施於我廣脩法會設諸飲食布
列香花既供養已所有供養貿之取直復為
供養我當終身常住於此擁護是人令无闕
乏隨所希求悉皆稱意亦當時時給濟貧乏
不應慳惜獨為己身常讀是經供養不絕當
以此福普施一切迴向菩提願出生死速得解
脫尒時世尊讚言善哉吉祥天女汝能如是
流布此經不可思議自他俱益
金光明最勝王經堅牢地神品第十八
尒時堅牢地神即於衆中從座而起合掌恭
敬而白佛言世尊是金光明最勝王經若現
在世若未來世若在城邑聚落王宮樓觀及
阿蘭若山澤空林有此經王流布之處世尊
我當往詣其所供養恭敬擁護流通若有
方處為說法師敷置高座演說經者我以神
力不現本身在於座所頂戴其足我得聞法深

在世若未來世若在城邑聚落王宮樓觀及
阿蘭若山澤空林有此經王流布之處世尊
我當往詣其所供養恭敬擁護流通若有
方處為說法師敷置高座演說經者我以神
力不現本身在於座所頂戴其足我得聞法深
心歡喜得飡法味增益威光慶悅無量自身
既得如是利益亦令大地深十六万八千踰
繕那至金剛輪際令其地味悉皆增益乃至
四海所有土地亦使肥濃田疇沃壤倍勝常
日亦復令此贍部洲中江河池沼所有諸樹
藥草叢林種種花菓根莖枝葉及諸苗稼
形相可愛眾所樂觀色香具足皆堪受用若
諸有情受用如是勝飲食已長命色力諸根
安隱增益光輝无諸痛惱心慧勇健无不堪
能又此大地凡有所須百千事業悉皆周備
世尊以是因緣諸贍部洲安隱豐樂人民熾
盛无諸衰惱所有眾生皆受安樂既受如是
身心快樂於此經王深加愛敬所在之處皆願
受持供養恭敬尊重讚歎又復於彼說法大
師法座之處悉皆往彼諸為眾生勸請說是
最勝經王何以故世尊由說此經我之自身
并諸眷屬咸蒙利益光輝氣力勇猛威勢顏
容端正倍勝於常世尊我堅牢地神蒙法味
已令贍部洲縱廣七千踰繕那地皆沃壤乃
至如前所有眾生皆受安樂是故世尊時彼
眾生為報我恩應作是念我當必定聽受是
經恭敬供養尊重讚歎作是念已即從住處
城邑聚落舍宅空地詣法會所頂礼法師聽
受是經既聽受已各還本處心生慶喜共作

BD02682號　金光明最勝王經卷八　（15-8）

已令贍部洲縱廣七千踰繕那地皆沃壤乃
至如前所有眾生皆受安樂是故世尊時彼
眾生為報我恩應作是念我當必定聽受是
經恭敬供養尊重讚歎作是念已即從住處
城邑聚落舍宅空地詣法會所頂礼法師聽
受是經既聽受已各還本處心生慶喜共作
是言我等今者得聞甚深无上妙法即是攝
受不可思議功德之聚由經力故我等當值
无量无邊百千俱胝那庾多佛承事供養永離
三塗極苦之處復於來世百千生中常生天
上及在人間受諸勝樂時彼諸人各還本處
為諸人眾說是經王若一喻一品一昔因緣
一如來名一菩薩名一四句頌或復一句為諸
眾生說是經典乃至首題名字世尊隨諸
眾生所住之處其地悉皆沃壤肥濃過於
餘處凡是土地所生之物悉得增長滋茂
廣大令諸眾生受於快樂多饒財射好行惠
施心常堅固深信三寶作是語已尒時世尊
告堅牢地神曰若有眾生聞是金光明最勝經
王乃至一句命終之後當得往生三十三天及
餘天處若有眾生為欲供養是經王故莊
嚴宅宇乃至張一傘蓋懸一繒幡由是因緣
六天之上如念受生七寶妙宮隨意受用各
各自然有七千天女共相娛樂日夜常受不可
思議殊勝之樂作是語已尒時堅牢地神
白佛言世尊以是因緣若有四眾昇於法座
說是法時我當晝夜擁護是人自隱其身
在於座所頂戴其足世尊如是經典為彼眾生
已於百千佛所種善根者於贍部洲流布不

BD02682號　金光明最勝王經卷八　（15-9）

[illegible]作是語已尒時[illegible]
白佛言世尊以是因緣若有四衆昇於法座
說是法時我當晝夜擁護是人自隱其身
在於座所頂戴其足世尊如是經典為彼衆生
已於百千佛所種善根者於贍部洲流布不
滅是諸衆生聽斯經於未來世无量百千
俱胝那庾多劫天上人中常受勝樂得遇諸
佛速成阿耨多羅三藐三菩提不歷三塗生
死之苦尒時堅牢地神白佛言世尊我有心
呪能利人天安樂一切若有男子女人及諸
四衆欲得親見我真身者應當至心持此陁
羅尼隨其所願皆悉遂心所謂資財珎寶伏
藏及求神通長年妙藥并療衆病降伏怨敵
制諸異論當於淨室安置道場洗浴身已
著鮮潔衣踞草座上於有舍利尊像之前或
有舍利制底之所燒香散花飲食供養於白月
八日布灑星合即可誦此請召之呪
怛姪他 只里只里 主嚕主嚕 句嚕句嚕
拘柱 句柱 覩柱 覩柱 縛訶上 縛訶
伐捨 伐捨 莎訶
世尊此之神呪若有四衆誦一百八遍請召
於我我為是人即來赴請又復世尊若有衆
生欲得見我現身共語者亦應如前安置法
式誦此神呪
怛姪他 頞浙泣去 頡力剎泣室尸達哩
訶訶四呬嘔 嚕 伐嚴 莎訶
世尊若人持此呪時應誦一百八遍并誦前
呪我必現身隨其所願悉得成就終不虛然若
欲誦此呪時先誦護身呪曰
怛[illegible] 末舍羯跛傺跛[illegible]

怛姪他 頞浙泣 頡力剎泣室尸達哩
訶訶四呬嘔 嚕 伐嚴 莎訶
世尊若人持此呪時應誦一百八遍并誦前
呪我必現身隨其所願悉得成就終不虛然若
欲誦此呪時先誦護身呪曰
怛姪他 你室里 末捨羯儌揉儌短儌
勃地上 勃地 囇 麼儌婢儌短句儌
佉婆上 只里 莎訶
世尊誦此呪時取五色線誦呪二十一遍作
二十一結繫在右髀肘後即便護身无有所
懼若有至心誦此呪者所求必遂我不妄語
我以佛法僧寶而為要契證知是實
尒時世尊告地神曰善哉善哉汝能以是實
語神呪護此經王及說法者以是因緣令汝
獲得无量福報
金光明最勝王經僧慎尒耶藥叉大將品第十九
尒時僧慎尒耶藥叉大將并与二十八部藥叉
諸神於大衆中皆從座起偏袒右肩右膝著
地合掌向佛白言世尊此金光明最勝經王
若現在世及未來世所在宣揚流布之處若
於城邑聚落山澤空林或王宮殿或僧住
處世尊我僧慎尒耶藥叉大將并与二十八
部藥叉諸神俱詣其所各自隱形隨處擁
護彼說法師令離衰惱常受安樂及聽法
者若男若女童男童女於此經中乃至受持
一四句頌或持一句或此經王首題名号及此經
中一如來名一菩薩名發心稱念恭敬供養
者我當救護攝受令无灾橫離苦得樂世尊
何故我名正了知此之因緣是佛親證我知
[illegible]法我曉一切法[illegible]所有一切法知所有一切

誰被說法師令離衰惱常受安樂及聽法
者若男若女童男童女於此經中乃至受持
一四句頌或持一句或此經王首題名号及此經
中一如來名一菩薩名發心稱念恭敬供養
者我當敕護攝受令无災橫離苦得樂世尊
何故我名正了知此之因緣是佛親證我知
諸法我曉一切法隨所有一切法如所有一切
法諸法種類體性差別世尊如是諸法我能
了知我有難思智光我有難思智炬我有難
思智行我有難思智聚我於難思智境而能
通達世尊如我於一切法正知正曉正覺能正
觀察世尊以是因緣我藥叉大將名正了知
以是義故我能令彼說法之師言詞辯了具
足莊嚴亦令精氣從毛孔入身力充足威光
勇健難思智光皆得成就得正憶念无有退
屈增益彼身令无衰減諸根安樂常生歡喜
以是因緣為彼有情已於百千佛所殖諸
善根脩福業者於贍部洲廣宣流布不速
隱沒彼諸有情聞是經已得不可思議大智
光明及以无量福智之聚於未來世當受无
量俱胝那庾多劫不可思量人天勝樂常与
諸佛共相值遇速證无上正等菩提閻羅之
界三塗極苦不復經過
尒時正了知藥叉大將白佛言世尊我有陁羅
尼今對佛前親自陳說為欲饒益憐愍諸有
情故即說呪曰
南謨佛陁引也　南謨達摩也
南謨僧伽引也　南謨跋囉蚶欱摩也
南謨因達囉也　南謨祈吐喃

BD02682號　金光明最勝王經卷八　（15–12）

尒時正了知藥叉大將白佛言世尊我有陁羅
尼今對佛前親自陳說為欲饒益憐愍諸有
情故即說呪曰
南謨佛陁引也　南謨達摩也
南謨僧伽引也　南謨跋囉蚶欱摩也
南謨因達囉也　南謨祈吐喃
莫昂囉闍喃　怛姪他呬里呬里
弭里弭里瞿里　莫訶弭里健陁里
莫訶健陁里　達囉弭雉
莫訶達囉弭雉　單荼呬勸門延弟丈
訶訶訶訶　呬呬呬呬呬
呼呼呼呼　漢魯曇謎瞿曇謎
者者者者　只只只只圭圭圭圭
旃紫禰沙之鉢攞　尸揭囉上尸揭囉
嗢恋瑟侘呬　薄伽梵僧慎尒耶
莎訶
若復有人於此明呪能受持者我當給与資
生樂具飲食衣服花菓珎異或求男女童男
童女金銀珎寶諸瓔珞具我皆供給隨所願
求令无闕乏此之明呪有大威力若誦呪時
我當速至其所令无障礙隨意成就若持此
呪時應知其法先畫一鋪僧慎尒耶藥叉形
像高四五尺手執鉾鑞於此像前作四方壇
安四滿瓶蜜水或沙糖水塗香粖香燒香及
諸花鬘又於壇前作地火爐中安炭火以蘇
摩芥子燒於爐中口誦前呪一百八遍一遍
一燒乃至我藥叉大將自來現身問呪人曰
尒何所須意所求者即以事答我即隨言於
所求事皆令滿足或須金銀及諸伏藏或欲
神仙乘空而去或求天眼通或知他心事於一

BD02682號　金光明最勝王經卷八　（15–13）

摩芥子燒於爐中口誦前呪一百八遍一遍
一燒乃至我藥叉大將自來現身問呪人曰
尒何所須意所求者即以事答我即隨言於
所求事皆令滿足或須金銀及諸伏藏或欲
神仙乘空而去或求天眼通或知他心事於一
切有情隨意自在令斷煩惱速得解脫皆
得成就
尒時世尊告正了知藥叉大將曰善哉善哉
汝能如是利益一切衆生說此神呪擁護正
法福利无邊
金光明最勝王經王法正論品第二十
尒時此大地神女名曰堅牢於大衆中從座
而起頂禮佛足合掌恭敬白佛言世尊於諸
國中為人王者若无正法不能治國安養衆
生及以自身長居勝位唯願世尊慈悲哀愍
當為我說王法正論治國之要令諸人王得
聞法已如說修行正化於世能令勝位永保
安寧國內居人咸蒙利益
尒時世尊於大衆中告堅牢地神曰汝當諦
聽過去有王名力尊幢其王有子名曰妙幢
受灌頂位未久之頃尒時父王告妙幢言有
王法正論名天主教法我於昔時受灌頂位
而為國主我之父王名智力尊幢為我說是
王法正論我依此論於二万歲善治國土我
不曾憶起一念心行於非法汝於今日亦應
如是勿以非法而治於國云何名為王法正論
汝今善聽當為汝說尒時力尊幢王即為
其子以妙伽他說正論曰
我說王法論　利安諸有情　為斷世間疑　滅除衆過失

BD02682號　金光明最勝王經卷八　（15–14）

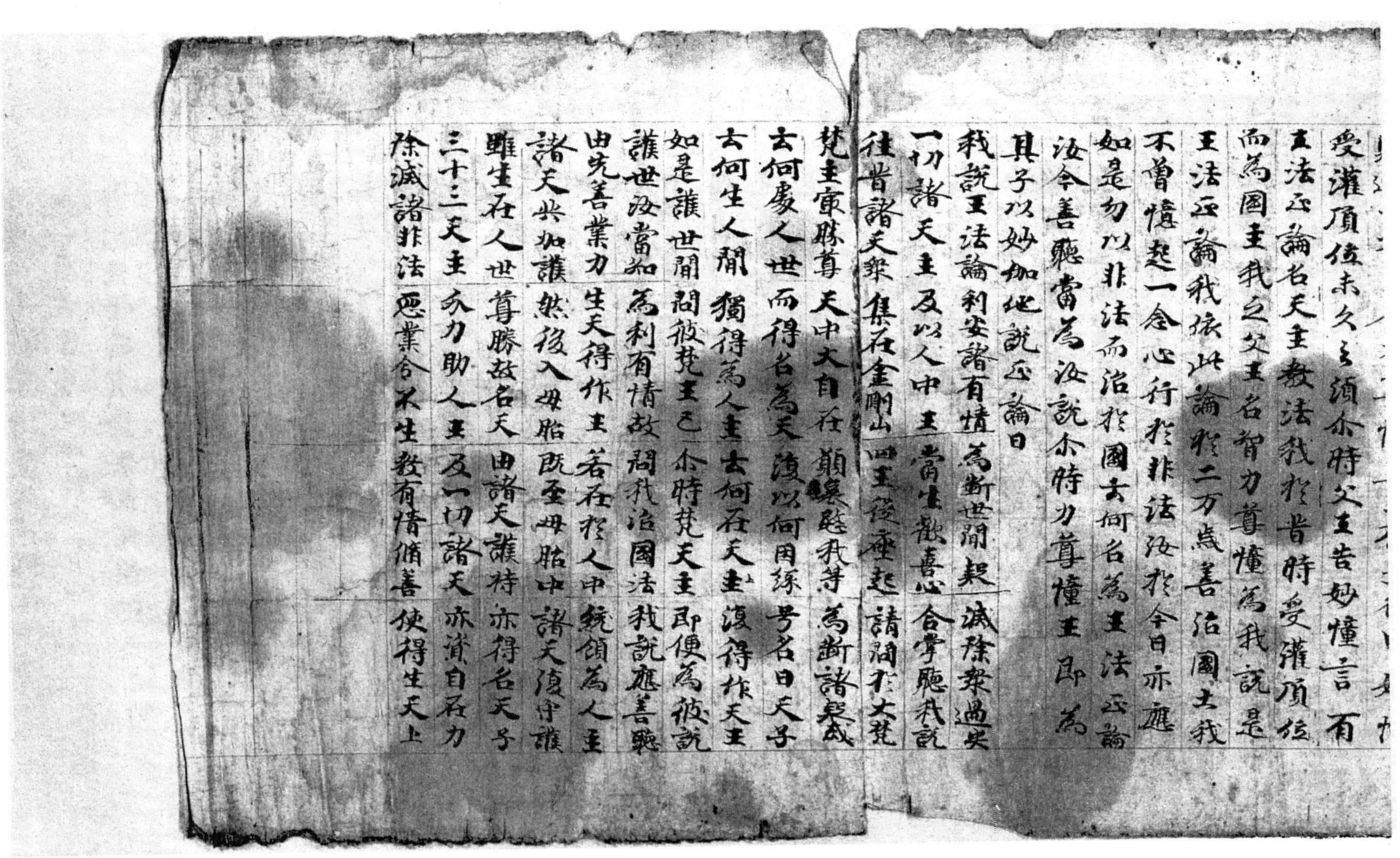
受灌頂位未久之頃尒時父王告妙幢言有
王法正論名天主教法我於昔時受灌頂位
而為國主我之父王名智力尊幢為我說是
王法正論我依此論於二万歲善治國土我
不曾憶起一念心行於非法汝於今日亦應
如是勿以非法而治於國云何名為王法正論
汝今善聽當為汝說尒時力尊幢王即為
其子以妙伽他說正論曰
我說王法論　利安諸有情　為斷世間疑　滅除衆過失
一切諸天主　及以人中王　當生歡喜心　合掌聽我說
往昔諸天衆　集在金剛山　四王從座起　請問於大梵
梵王衆勝尊　天中大自在　願哀愍我等　為斷諸疑惑
云何處人世　而得名為天　復以何因緣　号名曰天子
云何生人間　獨得為人王　云何在天上　復得作天王
如是護世間　問彼梵王已　尒時梵天王　即便為彼說
護世汝當知　為利有情故　問我治國法　我說應善聽
由先善業力　生天得作王　若在於人中　統領為人主
諸天共加護　然後入母胎　既至母胎中　諸天復守護
雖生在人世　尊勝故名天　由諸天護持　亦得名天子
三十三天主　分力助人王　及一切諸天　亦資自在力
除滅諸非法　惡業令不生　教有情修善　使得生天上

BD02682號　金光明最勝王經卷八　（15–15）

有異也世尊有諸衆生信根不具聞説諸佛
甚深行處作是思惟云何但念藥師瑠璃光
如來一佛名号便獲尒所功德勝利由此不
信返生誹謗彼於長夜失大利樂墮諸惡趣
流轉无窮佛告阿難是諸有情若聞世尊藥
師瑠璃光如來名号至心受持不生疑惑墮
惡趣者无有是處阿難此是諸佛甚深所行
難可信解汝今能受當知皆是如來威力阿
難一切聲聞獨覺及未登地諸菩薩等皆悉
不能如實信解唯除一生所繫菩薩阿難人
身難得於三寶中信敬尊重亦難可得聞
世尊藥師瑠璃光如來名号復難於是阿難彼
藥師瑠璃光如來无量菩薩行无量巧方便无
量廣大願我若一劫若一劫餘而廣説者劫可
速盡彼佛行願善巧方便无有盡也尒時衆
中有一菩薩摩訶薩名曰救脫即從座起偏
袒一肩右膝著地曲躬合掌而白佛言大德世
尊像法轉時有諸衆生爲種種患之所困厄
長病羸瘦不能飲食喉脣乾燥見諸方暗死
相現前父母親屬朋友知識啼泣圍遶然彼
自身卧在本處見琰魔使引其神識至于
魔法王之前然諸有情有俱生神隨其所作
若罪若福皆具書之盡持授與琰魔法王尒

BD02683號　藥師琉璃光如來本願功德經　（3-1）

中有一菩薩摩訶薩名曰救脫即從座起偏
袒一肩右膝著地曲躬合掌而白佛言大德世
尊像法轉時有諸衆生爲種種患之所困厄
長病羸瘦不能飲食喉脣乾燥見諸方暗死
相現前父母親屬朋友知識啼泣圍遶然彼
自身卧在本處見琰魔使引其神識至于
魔法王之前然諸有情有俱生神隨其所作
若罪若福皆具書之盡持授與琰魔法王尒
時彼王推問其人筭計所作隨其罪福而處
斷之時彼病人親屬知識若能爲彼歸依世
尊藥師瑠璃光如來請諸衆僧轉讀此經然
七層之燈懸五色續命神幡或有是處彼識
得還如在夢中明了自見或經七日或二十一
日或三十五日或四十九日彼識還時如從夢
覺皆自憶知善不善業所得果報由自證
見業果報故乃至命難亦不造作諸惡之業
是故淨信善男子善女人等皆應受持藥師
瑠璃光如來名号隨力所能恭敬供養
尒時阿難問救脫菩薩曰善男子應云何恭
敬供養彼世尊藥師瑠璃光如來續命幡燈復
云何造救脫菩薩言大德若有病人欲脫病
苦當爲其人七日七夜受持八分齋戒應以
飲食及餘資具隨力所辦供養苾蒭僧晝夜
六時礼拜供養彼世尊藥師瑠璃光如來讀
誦此經四十九遍然四十九燈造彼如來形像
七軀一一像前各置七燈一一燈量大如車輪乃
至四十九日光明不絶造五色綵幡長四十九
搩手應放雜類衆生至四十九可得過度危厄

BD02683號　藥師琉璃光如來本願功德經　（3-2）

敬供養彼世尊藥師瑠璃光如來續命幡燈復
云何造救脫菩薩言大德若有病人欲脫病
苦當為其人七日七夜受持八分齋戒應以
飲食及餘資具隨力所辦供養苾芻僧晝夜
六時礼拜供養彼世尊藥師瑠璃光如來讀
誦此經四十九遍然四十九燈造彼如來形像
七軀一一像前各置七燈一一燈量大如車輪乃
至四十九日光明不絕造五色綵幡長四十九
搩手應放雜類衆生至四十九可得過危厄
之難不為諸橫惡鬼所持
復次阿難若剎帝利灌頂王等災難起時所
謂人衆疾疫難他國侵逼難自界叛逆難星
宿變怪難日月薄蝕難非時風雨難過時不
雨難彼剎帝利灌頂王等尒時應於一切有
情起慈悲心赦諸繫閉依前所說供養之法
供養彼世尊藥師瑠璃光如來由此善根及
彼如來本願力故令其國界即得安隱風雨順
時穀稼成熟一切有情无病歡樂於其國中
无有暴惡藥叉等神惱有情者一切惡相皆
即隱沒而剎帝利灌頂王等壽命色力无病
自在皆得增益阿難若帝后妃主儲君王子
大臣輔相中宮婇女百官黎庶為病所苦及

BD02683 號　藥師琉璃光如來本願功德經　（3–3）

經者
為諸衆生講說此經深解
即知身心佛身法心所以能知即
種種无盡色色即是空空即是色
亦空即是妙色身如來耳常聞種種无盡聲
聲即是空空即是聲是妙音聲如來鼻常
嗅種種无盡香香即是空空即是香是香積
如來舌常覺種種无盡味味即是空空即是
味是法喜如來身常覺種種无盡觸觸即是
空空即是觸是智明如來意常想分別
无盡法法即是空空即是法是法明如來善
子此六根顯現人皆口說其善法法輪常轉
得成聖道若說邪語惡法常轉即墮惡趣善
男子善惡之理不得不信无量菩薩人之身心是
佛法器亦是十二部大經卷也无始已來轉轉
不盡不損豪毛如來藏經唯識心見性者之
所能知非諸聲聞凡夫所能知也
復次善男子讀誦此經為他講說深解真理
者即知身心是佛法器

BD02684 號　天地八陽神咒經　（4–1）

得成聖道若說邪語惡法常轉即墮惡趣善
男子善惡之理不得不信无㝵菩薩人之身心是
佛法器亦是十二部大經卷也无始已來轉轉
不盡不損豪毛如來藏經唯識心見性者之
所能知非諸聲聞凡夫所能知也
復次善男子讀誦此經為他講說深解真理
者即知身心是佛法器若醉迷不醒不了自
心是佛法根本流浪諸趣墮於惡道永沉苦
海不聞佛名字无㝵菩薩復白佛言世尊人
之在世生死為重生不擇日時至即生死不
擇日時至即死何因殯葬即問良辰吉日然
始殯葬殯葬之後還有妨害貧窮者多滅
門者不少唯願世尊為諸邪見无知衆生
說其因緣令得正道除其顛倒
佛言善哉善哉善男子汝實甚能問於衆
生生死之事殯葬之法汝等諦聽當為汝說
智慧之理大道之法夫天地廣大清日月廣長
明時年善善美實无有異善男子人王菩薩
甚大慈悲愍念衆生皆如赤子下為人主作
人父母順於俗民教於俗法造作曆日頒下天
下令知時節為有平滿成收開除之字執危破
殺之文愚人依字信用无不免於凶禍又使
邪師厭鎮說是道非說邪神拜餓鬼却招
殃自受苦如斯人輩返天時逆地理背日
月之光明常投闇室違正道之廣路恒尋邪
徑顛倒之甚也
復次善男子生時讀此經三遍兒則易生大

BD02684 號　天地八陽神咒經　（4–2）

邪師厭鎮說是道非說邪神拜餓鬼却招
殃自受苦如斯人輩返天時逆地理背日
月之光明常投闇室違正道之廣路恒尋邪
徑顛倒之甚也
復次善男子生時讀此經三遍兒則易生大
吉利聰明利智福德具足而不中夭死時讀
經三遍一无妨害得福无量善男子日日好
日月月好月年年好年實无間隔但辦即須
殯葬殯葬之日讀此經七遍甚大吉利獲福
无量門榮人貴延年益壽命終之日並得成
聖善男子殯葬之地不問東西南北安穩之
處人之愛樂鬼神愛樂即讀此經三遍便以修
營安置墓田永无灾鄣家富人興甚大吉
利尒時世尊欲重宣此義而說偈言
營生善善日　休殯好好時　生死讀誦經　甚得大利益
月月善明月　年年大好年　讀經即殯葬　榮華万代昌
尒時衆中七万七千人聞佛所說心開意解捨
邪歸正得佛法分永斷疑惑皆得阿耨多羅
三藐三菩提
无㝵菩薩復白佛言世尊一切凡夫皆以
婚為親先問相宜後取吉日然始成親已後
富貴偕老者少貧寒生離死別者多一種信
邪如何而有差別唯願世尊為決衆疑
佛言善男子汝等諦聽當為汝說天陰地陽
月陰日陽水陰火陽男陰女陽天地氣合一
切草木生焉日月交運四時八節明焉水火相
承一切万物熟焉男女允諧子孫興焉皆是

BD02684 號　天地八陽神咒經　（4–3）

姊為親先問相宜復取吉日然始成親已後
富貴偕老者少貧寒生離死別者多一種信
邪如何而有差別唯願世尊為决衆疑
佛言善男子汝等諦聽當為汝說天陰地陽
月陰日陽水陰火陽男陰女陽天地氣合一
切草木生焉日月交運四時八節明焉水火相
承一切万物熟焉男女允諧子孫興焉皆是
天之常道自然之理世諦之法善男子愚
人无智信其邪師卜問望吉而不脩善造種
種惡業命終之後復得人身者如指甲上土
墮於地獄作餓鬼畜生者如大地土善男子
復得人身正信脩善者如指甲上土信邪造
惡業者如大地土善男子若結婚親莫問水
火相尅胎胞相壓唯看相命即知福德多
少以為眷屬呼迎之日讀此經三遍即以成
礼此乃善善相因明明相屬門高人貴子孫
興盛聰明利智多才多藝孝敬相承甚大吉
利而无中夭福德具足皆成佛道
時有八菩薩承佛威神得大總持
和光同塵破邪立正度四生處
跋陀和菩薩漏盡

BD02684號　天地八陽神咒經　（4–4）

[illegible]諦是實文殊師利所言苦者
為无常相是可斷相是為真諦如来之性非
苦非无常非可斷相是故為實虛空佛性亦
復如是復次善男子所言集者能令五陰和
合而生亦名為苦亦名无常是可斷相是為
實諦善男子如来非是集性非是陰因非可
斷相是故為實虛空佛性亦復如是善男子
所言滅者名煩惱滅亦常无常二乘所得名
曰无常諸佛所得是則名常亦名證法是為
實諦善男子如来之性不名為滅能滅煩惱
非常无常不名證法常住无變是故為實虛
空佛性亦復如是善男子道者能斷煩惱亦
常无常是可脩法是為實諦如来非道能斷
煩惱非常无常非可脩法常住不變是故為
實虛空佛性亦復如是復次善男子言真實
者即是如来如来者即是真實真實者即是
虛空虛空者即是真實真實者即是佛性佛

BD02685號　大般涅槃經（北本）卷一三　（8–1）

煩惱非常无常非可脩法常住不變是故爲
實虛空佛性亾復如是復次善男子言真實
者即是如来如来者即是真實真實者即是
虛空虛空者即是真實真實者即是佛性佛
性者即是真實文殊師利有苦有苦因有苦
盡有苦對如来非苦乃至非對是故爲實不
名爲諦虛空佛性亾復如是苦者有爲有漏
无樂如来非有爲非有漏湛然安樂是實非
諦文殊師利白佛言世尊如佛所說不顛倒
者名爲實諦若尒者四諦之中有四倒不如
其有者云何說言无有顛倒名爲實諦一切
顛倒不名爲實佛告文殊師利一切顛倒皆
入苦諦如諸衆生有顛倒心名爲顛倒善男
子辟如有人不受父母尊長教勅雖受不能
隨順脩行如是人等名爲顛倒如是顛倒非
不是苦即是苦也文殊師利言如佛所說不
虛妄者即是實諦若尒者當知虛妄則非實
諦佛言善男子一切虛妄皆入苦諦如有衆
生欺誑於他以是因緣墮於地獄畜生餓鬼
如是等法名爲虛妄如是虛妄非不是苦即
是苦也聲聞緣覺諸佛世尊遠離不行故名
虛妄如是虛妄諸佛二乘所斷除故故名實
諦文殊師利言如佛所說大乘是實諦者當
知聲聞辟支佛乘則爲不實佛言文殊師利
彼二乘者亾實不實聲聞緣覺斷諸煩惱則
名爲實无常不住是變易法名爲不實文殊

虛妄如是虛妄諸佛二乘所斷除故故名實
諦文殊師利言如佛所說大乘是實諦者當
知聲聞辟支佛乘則爲不實佛言文殊師利
彼二乘者亾實不實聲聞緣覺斷諸煩惱則
名爲實无常不住是變易法名爲不實文殊
師利言如佛所說若佛所說名爲實者當知
魔說則爲不實世尊如魔所說聖諦攝不佛
言文殊師利魔所說者二諦所攝所謂苦集
凡是一切非法非律不能令人而得利益終
日宣說亾无有人見苦斷集證滅脩道是名
虛妄如是虛妄名爲魔說文殊師利言如佛
所說一道清淨无有二者諸外道等亾復說
言我有一道清淨无二若言一道是實諦者
与彼外道有何差別若无差別不應說言一
道清淨佛言善男子諸外道等有苦集諦无
滅道諦於非滅中而生滅想於非道中而生
道想於非果中生於果想於非因中生於因
想以是義故彼无一道清淨无二文殊師利
言如佛所說有常有我有樂有淨是實義者
諸外道等應有實諦佛法中无何以故諸外
道輩亾復說言諸行是常云何是常可意不
可意諸業報等受不失故可意者名十善報
不可意者十不善報若言諸行悉无常者而
作業者於此已滅誰復於彼受果報乎以是
義故諸行是常煞生因緣故名爲常世尊若
言諸行悉无常者能煞可煞二俱无常若无

不可意者十不善報若言諸行悉无常者亦
作業者於此已滅誰復於彼受果報乎以是
義故諸行是常煞生因緣故名為常世尊若
言諸行悉无常者能煞可煞二俱无常若无
常者誰於地獄亦受罪報若言定有地獄受
報當知諸行實非無常世尊繫心專念〻名
為常所謂十年所念乃至百年〻不忘失是
故為常若无常者本所見事誰憶誰念以是
因緣一切諸行非无常也世尊一切憶想〻
名為常有人先見他人手腳頭項等相後時
若見便還識之若无常者本相應滅世尊諸
所作業以久脩習若從初學或經三年或經
五年然後善知故名為常世尊筭數之法從
一至二從二至三乃至百千若无常者初一
應滅初一若滅誰復至二如是常一終无有
二以一不滅故得至二乃至百千是故為常
世尊如誦讀法讀一阿含至二阿含乃至三
四阿含如其无常所可讀誦終不至四以是
讀誦增長因緣故名為常世尊瓶衣車乘如
人負債大地形相山河樹林藥木草葉眾生
治病皆悉是常〻復如是世尊一切外道皆
作是說諸行是常若是常者即是實諦世尊
有諸外道復言有樂云何知也受者定得可
意報故世尊凡受樂者必定得之所謂大梵
天王大自在天釋提桓因毗紐天及諸人天
以是義故名定有樂世尊有諸外道復言有

天王大自在天釋提桓因毗紐天及諸人天
以是義故名定有樂世尊有諸外道復言有
樂能令眾生生求望故飢者求食渴者求飲
寒者求煴熱者求涼極者求息病者求差欲
者求色若无樂者彼何緣求以有求者故知
有樂世尊有諸外道復作是言施能得樂世
間之人好施沙門婆羅門貧窮困苦衣服飲
食臥具醫藥象馬車乘末香塗香眾華屋宅
衣止燈明作如是等種種惠施為我後世受
可意報是故當知決定有樂世尊有諸外道
復作是言以因緣故當知有樂所謂受樂者
有因緣名為樂觸若无樂者何得因緣如无
兔角則无因緣有樂因緣則知有樂世尊有
諸外道復作是言上中下故當知有樂謂下
受樂者釋提桓因中受樂者大梵天王上受
樂者大自在天以有如是上中下故當知有
樂世尊有諸外道復言有淨何以故若无淨
者不應起欲若起欲者當知有淨又復說言
金銀珎寶瑠璃頗梨車渠馬瑙珊瑚真珠璧
玉珂貝流泉河池飲食衣服華香末香塗香
燈燭之明如是等物悉是淨法復次有淨謂
五陰者即是淨器盛諸淨物所謂人天諸仙
阿羅漢辟支佛菩薩諸佛以是義故名之為
淨世尊有諸外道復言有我有所覩見能造
作故辟如有人入陶師家雖復不見陶師之

作故譬如有人入陶師家雖復不見陶師之
身以見輪繩定知其家必是陶師我亦如是
眼見色已必知有我若无我者誰能見色聞
聲乃至觸法亦復如是復次有我云何得知
因相故知何等為相喘息視眴壽命役心受
諸苦樂貪求瞋恚如是等法悉是我相是故
當知必定有我復次有我能別味故有人食
菓見已知味是故當知必定有我復次有我
云何知也執作業故執鐮能刈執斧能斫執
瓶盛水執車能御如是等事我執能作當知
必定而有我也復次有我云何知也即於生
時欲得乳餔乘宿習故是故當知必定有我
復次有我云何知也和合利益他眾生故譬
如瓶衣車乘田宅山林樹木象馬牛羊如是
等物若和合者則有利益此內五陰亦復如
是眼等諸根有和合故則利益我是故當知
必定有我復次有我云何知也有遮法故如
有物故則有遮㝵物若无者則无有遮若有
遮者則知有我是故當知必定有我復次有
我云何知也伴非伴故親与非親非是伴侶
正法邪法亦非伴侶智与非智亦非伴侶沙
門非沙門婆羅門非婆羅門子非子晝非晝
夜非夜我非我如是等法為伴非伴是故當
知必定有我世尊諸外道等種種說有常樂
我淨當知定有常樂我淨世尊以是義故諸
外道等亦得說言我有真諦佛言善男子若

BD02685號　大般涅槃經（北本）卷一三　（8–6）

夜非夜我非我如是等法為伴非伴是故當
知必定有我世尊諸外道等種種說有常樂
我淨當知定有常樂我淨世尊以是義故諸
外道等亦得說言我有真諦佛言善男子若
有沙門婆羅門有常有樂有淨有我者是非
沙門非婆羅門何以故迷於生死離一切智
大導師故如是沙門婆羅門等沉沒諸欲善
法羸損故是諸外道繫在貪欲瞋恚癡獄堪
忍愛樂故是諸外道雖知業果自作自受而
猶不能遠離惡法是諸外道非是正法正命
自活何以故无智慧火不能消故是諸外道
雖欲貪著上妙五欲貧於善法不懃脩故是
諸外道雖欲往至正解脫中而持戒乏不成
就故是諸外道雖欲求樂而不能求樂因緣
故是諸外道雖復憎惡一切諸苦然其所行
未能遠離諸苦因緣是諸外道雖為四大毒
虵所纏猶行放逸不能謹慎是諸外道无明
所覆遠離善友樂在三界无常熾然大火之
中而不能出是諸外道遇諸煩惱難愈之病
而復不求大智良醫是諸外道方於未來當
涉无邊嶮遠之路而不知以善法資粮而自
莊嚴是諸外道常為婬欲蚖毒所害而反抱
持五欲霜毒是諸外道瞋恚熾盛而復反更
親近惡友是諸外道常為无明之所覆蔽而
反推求邪惡之法是諸外道常為邪見之所
誑惑而反於中生親善想是諸外道悕食甘

BD02685號　大般涅槃經（北本）卷一三　（8–7）

煑古是諸外道貪求樂而不能求樂因緣
故是諸外道雖復增悪一切諸苦然其所行
亦能遠離諸苦因緣是諸外道雖為四大毒
蚖所纏猶行放逸不能謹慎是諸外道无明
所覆遠離善友樂在三界无常熾燃大火之
中而不能出是諸外道遇諸煩惱難愈之病
而復不求大智良醫是諸外道方於未來當
涉无邊嶮遠之路而不知以善法資粮而自
莊嚴是諸外道常為婬欲灾毒所害而反抱
持五欲霜毒是諸外道瞋恚熾盛而復反更
親近悪友是諸外道常為无明之所覆蔽而
反推求耶悪之法是諸外道常為耶見之所
誑惑而反於中生親善想是諸外道悕食甘
菓而種苦子是諸外道已處煩惱闇室之中
而反遠離大智炬明是諸外道患煩惱渴而
復更飲諸欲醎水是諸外道漂沒生死无邊
大河而復遠離无上船師是諸外道迷於諸
倒言諸行常諸行若常无有是處

大般涅槃經卷第十三

BD02685號　大般涅槃經（北本）卷一三　（8–8）

所入者何
一[illegible]足四足多足无足之佛
以一音而為說法彼彼異類各自得解各各
嘆言如来今日為我說法以是義故名為父
毋復次善男子如人生子始十六月雖復語
言未可解了而彼父母[illegible]其語先同其音
漸漸教之是父[illegible]可不正耶不也世尊善
男子諸佛如来亦復如是隨諸衆生種種音
聲而為說法為令安住於正法故隨所應見
而為示現種種形像如来如是同彼語言可
不正耶不也世尊何以故如来所說如師子
吼隨順世間種種音聲而為衆生嘆說妙法

大般涅槃經一切大衆所問品第五

尒時世尊從其面門放種種色青黃赤白紅
紫光明照純陁身純陁遇已與諸眷屬持諸
餚饍疾往佛所欲奉如来及比丘僧帝覆扶

BD02686號　大般涅槃經（北本）卷一〇　（17–1）

大般涅槃經一切大眾所問品第五
尒時世尊從其面門放種種色青黃赤白紅
紫光明照純陀身純陀遇已與諸眷屬持諸
餚饍疾往佛所欲奉如來及比丘僧寂後供
養種種器物充滿具足持至佛前尒時有大
威德天人而遮其前周迊圍遶謂純陀言且
住純陀勿便奉施當尒之時如來復放无量
无邊種種光明諸天大眾遇斯光已尋聽純
陀前至佛所奉其所施尒時天人及諸眾生
各各自取所持供養持至佛前長跪白佛唯
願如來聽諸比丘受此飲食時諸比丘知是
時故執持衣鉢一心安詳尒時純陀為佛及
僧布置種種師子寶坐懸繒幡蓋香華瓔
珞尒時三千大千世界莊嚴微妙猶如西方
安樂國土尒時純陀住於佛前憂悲悵怏重
白佛言唯願如來猶見哀愍住壽一劫若減
一劫佛告純陀汝欲令我久住世者宜當速
奉寂後具足檀波羅蜜尒時一切菩薩摩訶
薩天人雜類異口同音唱如是言奇哉純陀
成大福德能令如來受取寂後无上供養而
我等輩无福所設供具則為唐捐尒時
世尊欲令一切眾望滿足於自身上一一毛
孔化无量佛一一諸佛各有无量諸比丘僧
是諸世尊及无量眾悉皆示現受其供養釋
迦如來自受純陀所奉設者尒時純陀所持
粳粮成熟之食摩伽陀國滿足八斛以佛神

BD02686號　大般涅槃經（北本）卷一〇　（17–2）

孔化无量佛一一諸佛各有无量諸比丘僧
是諸世尊及无量眾悉皆示現受其供養釋
迦如來自受純陀所奉設者尒時純陀所持
粳粮成熟之食摩伽陀國滿足八斛以佛神
力皆悉充足一切大會尒時純陀見是事已
心生歡喜踊躍无量一切大眾亦復如是尒
時大眾承佛聖旨各作是念如來今已受我
等施不久便當入於涅槃作是念已心生悲
喜尒時樹林其地狹小以佛神力如針鋒處
皆有无量諸佛世尊及其眷屬等坐而食所
食之物無有差別是時天人阿脩羅等涕泣
悲嘆而作是言如來今日已受我等寂後供
養受供養已當般涅槃我等當復更供養誰
我今永離无上調御盲无慧目尒時世尊為
欲慰喻一切大眾而說偈言

汝等莫悲嘆　諸佛法皆尒　我入於涅槃　已逕无量劫
常受寂勝樂　永處安隱處　汝今至心聽　我當說涅槃
我已離食想　終无飢渴患　我今當為汝　說其隨順願
令諸一切眾　咸得安隱樂　汝聞應循行　諸佛法常住
假使烏角鵄　同共一樹棲　猶如親兄弟　尒乃永涅槃
如來視一切　猶如羅睺羅　常為眾生尊　云何永涅槃
假使蛇鼠狼　同處一穴遊　相愛如兄弟　尒乃永涅槃
如來視一切　猶如羅睺羅　常為眾生尊　云何永涅槃
假使七葉華　轉為婆師香　迦樓迦葉樹　轉為鎮頭菓
如來視一切　猶如羅睺羅　云何捨慈悲　永入於涅槃

BD02686號　大般涅槃經（北本）卷一〇　（17–3）

如來視一切　猶如羅睺羅　[illegible]
假使七葉華　轉為婆師香　迦樓迦菓樹　轉為鎮頭菓
如來視一切　猶如羅睺羅　云何捨慈悲　永入於涅槃
假使一闡提　現身成佛道　永處第一樂　尒乃入涅槃
如來視一切　皆如羅睺羅　云何捨慈悲　永入於涅槃
假使一切眾　一時成佛道　遠離諸過惡　尒乃入涅槃
如來視一切　皆如羅睺羅　云何捨慈悲　永入於涅槃
假使蚊子尿　浸壞於大地　諸山及百川　大海悉盈滿
若有如是事　尒乃入涅槃　悲心視一切　皆如羅睺羅
常為眾生尊　云何永涅槃　以是故汝等　應深樂正法
不應生憂惱　呼泣而涕泣　若欲自正行　應脩如來常
當觀如是法　長存不變易　復應生是念　三寶皆常住
是則獲大護　如呪枯生菓　是名為三寶　四眾應善聽
聞已應歡喜　即發菩提心　若能計三寶　常住同真諦
此則是諸佛　最上之誓願
若有比丘比丘尼優婆塞優婆夷能以如來
最上誓願而發願者當知是人无有愛癡堪
受供養以此願力功德果報於世最勝如阿
羅漢若有不能如是觀了三寶常者是旃陀
羅若有能知三法常住寶法因緣離苦安樂
无有嬈害能留難者尒時人天大眾阿脩羅
等聞是法已心生歡喜踊躍无量其心調柔
善滅諸蓋心无高下威德清淨顏貌怡悅知
佛常住是故施設諸天供養散種種華末香
塗香鼓天伎樂以供養佛尒時佛告迦葉菩
薩言善男子汝見是眾希有事不迦葉答言
已見世尊見諸如來无量无邊不可稱計受

佛常住是故施設諸天供養散種種華末香
塗香鼓天伎樂以供養佛尒時佛告迦葉菩
薩言善男子汝見是眾希有事不迦葉答言
已見世尊見諸如來无量无邊不可稱計受
諸大眾人天所奉飲食供養又見諸佛其身
姝大所坐之處如一針鋒多眾圍遶不相鄣
导復見大眾悉發誓願說十三偈亦知大眾
各心念言如來今者獨受我供假使純陀所
奉飲食碎如微塵一塵一佛猶不周遍以佛
神力悉皆充足一切大眾唯諸菩薩摩訶薩
及文殊師利法王子等能知如是希有事可
悉是如來方便示現聲聞大眾及阿脩羅等
皆知如來是常住法尒時世尊告純陀言汝
今所見為是希有奇特事不實尒時世尊我
先所見无量諸佛卅二相八十種好莊嚴其
身今悉見為菩薩摩訶薩體根瓌異姝大殊
妙唯見佛身喻如藥樹為諸菩薩摩訶薩等
之所圍遶佛告純陀汝先所見无量佛者是
我所化為欲利益一切眾生令得歡喜如是菩
薩摩訶薩等所可脩行不可思議能作无量
諸佛之事純陀汝今皆已成就菩薩摩訶薩
行得住十地菩薩所行具足成辦迦葉菩薩
白佛言世尊如是如是如佛所說純陀所脩
成菩薩行我亦隨喜今者如來欲為未來无
量眾生作大明故說是大乘大涅槃經世尊
一切契經說有餘義无餘義耶善男子我所

我菩薩行我亦隨喜今者如來欲為未來无
量眾生作大明故說是大乘大涅槃經世尊
一切契經說有餘義无餘義耶善男子我所
說者亦有餘義亦无餘義迦葉白佛言世尊
如佛所說
所有之物　布施一切　唯可讚歎　无可毀呰
世尊是義云何持戒毀戒有何差別佛言唯
除一人餘一切施皆可讚歎迦葉問言云何
名為唯除一人佛言如此經中所說破戒迦
葉復言我今未解唯願說之佛告迦葉言破
戒者謂一闡提其餘在所一切布施皆可讚
歎獲大果報迦葉復問一闡提者其義云何
佛言迦葉若有比丘及比丘尼優婆塞優婆
夷發麁惡言誹謗正法造是重業永不改悔
心无慚愧如是等人名為趣向一闡提道若
犯四重作五逆罪自知定犯如是重事心而
初无怖畏慚愧不肯發露於彼正法永无護
惜建立之心毀呰輕賤言多過咎如是等人
亦名趣向一闡提道若復說言无佛法眾如
是等人亦名趣向一闡提道唯除如此一闡
提輩施其餘者一切讚歎尒時迦葉復白佛
言世尊所言破戒其義云何答言迦葉若犯
四重及五逆罪誹謗正法如是等人名為破
戒迦葉復問如是破戒可拔濟不答言迦葉
有因緣故則可拔濟若被法服猶未捨遠其

有因緣故則可拔濟若被法服猶未捨遠其
心常懷慚愧恐怖而自考責咄哉何為犯斯
重罪何其怪哉造斯苦業其心改悔生護法
心欲建正法有護法者我當供養若有讀誦
大乘經者我當諮問受持讀誦既通利已復
當為他分別廣說我說是人不為破戒何以
故善男子譬如日出能除一切塵翳闇冥是
大涅槃微妙經典出興於世亦復如是能除
眾生无量劫中所作眾罪是故此經說護正
法得大果報拔濟破戒若有毀謗是正法者
能自改悔還歸於法自念所作一切不善如
人自害心生恐怖驚懼慚愧除此正法更无
救護是故應當還歸正法若能如是如說歸
依布施是人得福无量亦名世間應受供養
若犯如上惡業之罪若經一月或十五日不
生歸依發露之心若施是人果報甚少犯五
逆者亦復如是能生悔心內懷慚愧今我所
作不善之業甚為大苦我當建立護持正法
是則不名五逆罪也若施是人得福无量犯
五逆已不生護法歸依之心有施是者福不
足言又善男子犯重罪者汝今諦聽我當為
汝分別廣說應生是心謂正法者即是如來
微密之藏是故我當護持建立施是人者得
勝果報善男子譬如女人懷任垂產值國荒
亂逃至他土在一天廟即便產生聞其舊邦

微密之藏是故我當護持建立施是人者得
勝果報善男子譬如女人懷任垂產値國荒
亂逃至他土在一天廟即便產生聞其舊邦
安隱豊熟携將其子欲還本土中路値河水
長暴急荷負是兒不能得度即自念言我
今寧與一處并命終不捨棄而獨度也念已
母子俱共沒命命終之後尋生天中以慈念
子欲令得度而是女人本性弊惡以愛子故
得生天中犯四重禁五无閒罪生護法心亦
復如是雖復无為不善之業以護法故得為
世閒无上福田是護法者有如是等无量果
報純陁復言世尊若一闡提能自改悔恭敬
供養讚嘆三寶施如是人得大果不佛言善
男子汝今不應作如是說善男子譬如有人
食菴羅菓吐核置地而復念言是菓核中應
有甘味即復還取破而甞之其味極苦心生
悔恨恐失菓種即還收拾種之於地懃加脩
治以蘇油乳隨時溉灌於汝意云何寧可生
不不也世尊假使天降无上甘雨猶亦不生
善男子彼一闡提亦復如是燒滅善根當於
何處而得除罪善男子若生善心是則不名
一闡提也善男子以是義故一切所施所得果
報非无差別何以故施諸聲聞所得報異
施辟支佛得報亦異唯施如來獲无上果是
故說言一切所施非无差別何故如
來而說此偈佛言純陁有因緣故我說此偈

BD02686號　大般涅槃經（北本）卷一〇　（17-8）

一闡提也善男子以是義故一切所施所得果
報非无差別何以故施諸聲聞所得報異
施辟支佛得報亦異唯施如來獲无上果是
故說言一切所施非无差別何故如
來而說此偈佛言純陁有因緣故我說此偈
王舍城中有優婆塞心无淨信奉事尼乾而
來問我布施之義以是因緣故說斯偈亦為
菩薩摩訶薩等說秘密藏義如斯偈者其義
云何一切者少分一切當知菩薩摩訶薩人
中之雄攝取持戒施其所須捨棄破戒如除
稊稗復次善男子如我昔日所說偈言
一切江河　必有迴曲　一切叢林　必名樹木
一切女人　必多諂曲　一切自在　必受安樂
尒時文殊師利菩薩摩訶薩即從坐起偏袒
右肩右膝著地前礼佛足而說偈言
非一切河　必有迴曲　非一切林　悉名樹木
非一切女　必懷諂曲　一切自在　不必受樂
佛所說偈其義有餘唯垂哀愍說其因緣何
以故世尊於此三千大千世界有諸名杓耶
尼具諸有河諦直不曲名娑婆耶即喻如縄
墨直入西海如是河相於餘經中佛未曾說
唯願如來因此方等阿含經中說有餘義令
諸菩薩深解是義世尊譬如有人先識金丱
後不識金如來亦尒盡知法已而所演說有
餘不盡如來雖作如是餘說應當方便解其
意趣一切叢林必是樹木是亦有餘何以故

BD02686號　大般涅槃經（北本）卷一〇　（17-9）

後不識金如来亦尒盡知法已而所演說有
餘不盡如来雖作如是餘說應當方便解其
意趣一切叢林並是樹木是亦有餘何以故
種種金銀琉璃寶樹是亦名林一切女人並
懷諂曲是亦有餘何以故亦有女人善持禁
戒功德成就有大慈悲一切自在並受安樂
者是亦有餘何以故自在者轉輪聖帝如
来法王不屬死魔不可殺盡梵釋諸天雖
得自在悉是无常若得常住无變易者乃
名自在所謂大乘大般涅槃佛言善男子汝
今善得樂說之辯且心諦聽文殊師利譬如
長者身嬰病苦良醫診之為合膏藥是時病
者貪欲多服醫語之言若能消者則可多食
汝今體羸不應多服當知是膏亦名甘露亦
名毒藥若多服不消則名為毒善男子汝今
勿謂是醫所說違失義理喪膏勢力善男
子如来亦尒為諸國王后妃太子王子大臣因
波斯匿王子后妃憍慢心故為欲調伏示現
恐怖如彼良醫故說是偈
一切江河　必有迴曲　一切叢林　必名樹木
一切女人　必懷諂曲　一切自在　必受安樂
文殊師利汝今當知如来所說无有漏失如
此大地可令反覆如来之言終无漏失以是
義故如来所說一切有餘尒時佛讚文殊師
利善哉善哉善男子汝已久知如是之義哀

BD02686號　大般涅槃經（北本）卷一〇　（17–10）

此大地可令反覆如来之言終无漏失以是
義故如来所說一切有餘尒時佛讚文殊師
利善哉善哉善男子汝已久知如是之義哀
愍一切欲令衆生得智慧故廣問如来如是
偈義尒時文殊師利法王之子復於佛前而
說偈言
於他言語　隨順不逆　亦不觀他　作以不作
但自觀身　善不善行
世尊如是說此法藥非為正說於他語言隨
順不逆者唯願如来垂哀正說何以故世尊
常說一切外學九十五種皆趣惡道聲聞弟
子皆向正路若謗禁戒攝持威儀守護諸根
如是等人深樂大法趣向善道如来何故於
九部中見有毀他則便呵責如是偈義為何
所趣佛告文殊師利善男子我說此偈亦不
為盡一切衆生尒時唯為阿闍世王諸佛世
尊若无因緣終不逆說有因緣故乃說之耳
善男子阿闍世王害其父已来至我所欲折
伏我作如是問云何世尊有一切智非一切
智耶若一切智提婆達往昔无量世中常懷惡
心隨逐如来欲為數害云何如来聽其出家
善男子以是因緣我為是王而說此偈
於他語言　隨順不逆　亦不觀他　作以不作
但自觀身　善不善行
佛告大王汝今害父已作逆罪最重无間應
當發露以求清淨何緣乃更見他過咎善男

BD02686號　大般涅槃經（北本）卷一〇　（17–11）

[illegible]
佛告大王汝今害父已作逆罪審重无間應
當發露以求清淨何緣乃更見他過咎善男
子以是義故我為彼王而說是偈復次善男
子亦有護持不毀禁戒成就威儀見他過者
而說是偈若復有人受他教誨遠離衆惡復
教他人令遠衆惡如是之人則我弟子尒時
世尊為文殊師利而說偈言
一切畏刀杖　无不愛壽命　恕己可為喻　勿殺勿行杖
尒時文殊師利復於佛前而說偈言
非一切畏杖　非一切愛命　恕己可為喻　懃作善方便
如來說是法句之義亦是未盡何以故如阿
羅漢轉輪聖王玉女象馬主藏大臣若諸天
人及阿脩羅執持利刀能害之者无有是處
勇士烈女馬王獸王持戒比丘雖復對垂而
不怒怖以是義故如來說偈亦是有餘若言
恕己可為喻者是亦有餘何以故若使羅漢
以己喻彼則有我想及以命想若有我想及
以命想則應擁護凡夫亦尒應見阿羅漢悉
是行人若如是者即是耶見若有耶見命終
之時即應生於阿鼻地獄又復羅漢設於衆
生生害心者无有是處无量衆生亦復无能
害羅漢者佛言善男子言我想者謂於衆生
生大悲心无殺害想謂阿羅漢平等之心勿
謂世尊无有因緣而逆說也昔日於此王舍
城中有大獵師多殺群鹿請我食宍我於是

BD02686號　大般涅槃經（北本）卷一〇　（17–12）

生大悲心无殺害想謂阿羅漢平等之心勿
謂世尊无有因緣而逆說也昔日於此王舍
城中有大獵師多殺群鹿請我食宍我於是
時雖受彼請於諸衆生生慈悲心如羅睺羅
而說偈言
當令汝長壽　久久住於世　受持不害法　猶如諸佛壽
是故我說偈　一切畏刀杖　无不愛壽命　恕己可為喻
勿殺勿行杖
佛言善哉善哉文殊師利為諸菩薩摩訶薩
故諮問如來如是密教尒時文殊師利復說
偈言
云何敬父母　隨順而尊重　云何脩此法　墮於无間獄
於是如來復以偈答文殊師利
若以貪愛母　无明以為父　隨順尊重者　則墮无間獄
尒時如來復為文殊師利菩薩重說偈言
一切屬他　則名為苦　一切由己　自在安樂
一切憍慢　勢極暴惡　賢善之人　一切愛念
尒時文殊師利菩薩摩訶薩白佛言世尊如
來所說是亦不盡唯願如來復垂哀愍說其
因緣何以故如長者子從師學時為屬師不
若屬師者義不成就若不屬師亦不成就若
得自在亦不成就是故如來所說有餘復次
世尊譬如王子无所綜習觸事不成是亦自
在愚闇常苦如是王子若言自在義亦不成
若言屬他義亦不成以是義故佛所說義若
自有餘是故一切屬他不必受苦一切自在

BD02686號　大般涅槃經（北本）卷一〇　（17–13）

世尊譬如王子无所綜習羸劣不成是亦自
在愚闇常苦如是王子若言自在義亦不成
若言屬他義亦不成以是義故佛所說義若
曰有餘是故一切屬他不必受苦一切自在
不必受樂一切慚愧擁護眾惡是亦有餘世
尊如諸外女慚愧心故出家學道護持禁戒
威儀成就守攝諸根不令馳散是故一切慚
愧之結不必眾惡賢善之人一切愛念是亦
有餘如人內犯四重禁已不捨法服堅持威
儀護持法者見已不愛是人命終必墮地
獄若有賢人犯重禁已護法見之即驅令出
罷道還俗以是義故一切賢善何必悉愛念
時佛告文殊師利有因緣故如來於此說有
餘義又有因緣諸佛如來而說是法時王舍
城有一女人名曰善賢還父母家因至我所
歸依於我及法眾僧而作是言一切女人勢
不自由一切男子自在无导我於尒時知是
女心即為宣說如是偈頌文殊師利善哉
善哉汝今能為一切眾生問於如來如是密
語文殊師利復說偈言
一切諸眾生　皆依飲食存　一切有大力　其心无嫉妒
一切因飲食　而多得病苦　一切脩淨行　而得受安樂
如是世尊今受純陀飲食供養將无如來有
恐怖耶尒時世尊復為文殊而說偈言
非一切眾生　盡依飲食存　非一切大力　心皆无嫉妒

BD02686號　大般涅槃經（北本）卷一〇　（17-14）

一切因飲食　而多得病苦　一切脩淨行　而得受安樂
如是世尊今受純陀飲食供養將无如來有
恐怖耶尒時世尊復為文殊而說偈言
非一切眾生　盡依飲食存　非一切大力　心皆无嫉妒
非一切因食　而致病苦患　非一切淨行　悉得受安樂
文殊師利汝若得病我亦如是應得病苦何
以故諸阿羅漢及辟支佛菩薩如來實无所
食但欲化彼示現受用无量眾生所施之物
令其具足檀波羅蜜拔濟地獄畜生餓鬼若
言如來六年苦行身羸瘦者无有是處諸
佛世尊獨拔諸有不同凡夫云何而得身羸
劣耶諸佛世尊精懃脩集獲金剛身不同
世人危脆之身我諸弟子亦復如是不可思
議不依於食一切大力无嫉妬者亦有餘義如
世間人終身永无嫉妒之心而亦无力一切病
苦因食得者亦有餘義亦見有人得客病
者所謂判判刀劒牟稍一切淨行受安樂者
是亦有餘世間亦有外道之人脩於梵行多
受苦惱以是義故如來所說一切有餘是名
如來非无因緣而說此偈有因緣故說昔曰
於此優禪尼國有婆羅門名羖羝德來至
我所欲受第四八戒齋法我於尒時為說是
偈尒時迦葉菩薩白佛言世尊何等名為无
餘義耶云何復名一切義耶善男子一切者
唯除助道常樂善法是名一切亦名无餘其餘
諸法亦名有餘亦名无餘欲令樂法諸善

BD02686號　大般涅槃經（北本）卷一〇　（17-15）

復尒時迦[illegible]
餘義耶云何復名一切義耶善男子一切者
唯除助道常樂善法是名一切亦名无餘其餘
諸法亦名有餘亦名无餘欲令樂法諸善
男子知此有餘及无餘義迦葉菩薩心大
歡喜踊躍无量前白佛言甚奇世尊等視
衆生如羅睺羅尒時佛讚迦葉菩薩善哉
善哉汝今所見微妙甚深迦葉菩薩白佛言
世尊唯願如来說是大乘大般涅槃所得
功德佛告迦葉善男子若有得聞是經名字
所得功德非諸聲聞辟支佛等所能宣說
唯佛能知何以故不可思議是佛境界何況
受持讀誦通利書寫經卷尒時諸天世人及
阿脩羅即於佛前異口同音而說偈言
諸佛難思議　法僧亦復然　是故今勸請　唯願小停住
尊者大迦葉　及以阿難等　二衆之眷屬　且待須臾至
并及摩伽王　阿闍世大王　至心欲信佛　猶故未来此
唯願於如来　小垂哀愍住　於此大衆中　斷我諸疑网
尒時如来為諸大衆而說偈言
我法最長子　是名大迦葉　阿難勤精進　能斷一切疑
汝等當諦聽　阿難多聞士　自然當解了　是常及无常
以是故不應　心懷大憂惱
尒時大衆以種種物供養如来供養佛已即
發阿耨多羅三藐三菩提心无量无邊恒河
沙等諸菩薩摩訶薩得住初地尒時世尊與文殊
師利迦葉菩薩及以純陀而受記莂受記莂

BD02686號　大般涅槃經（北本）卷一〇　（17–16）

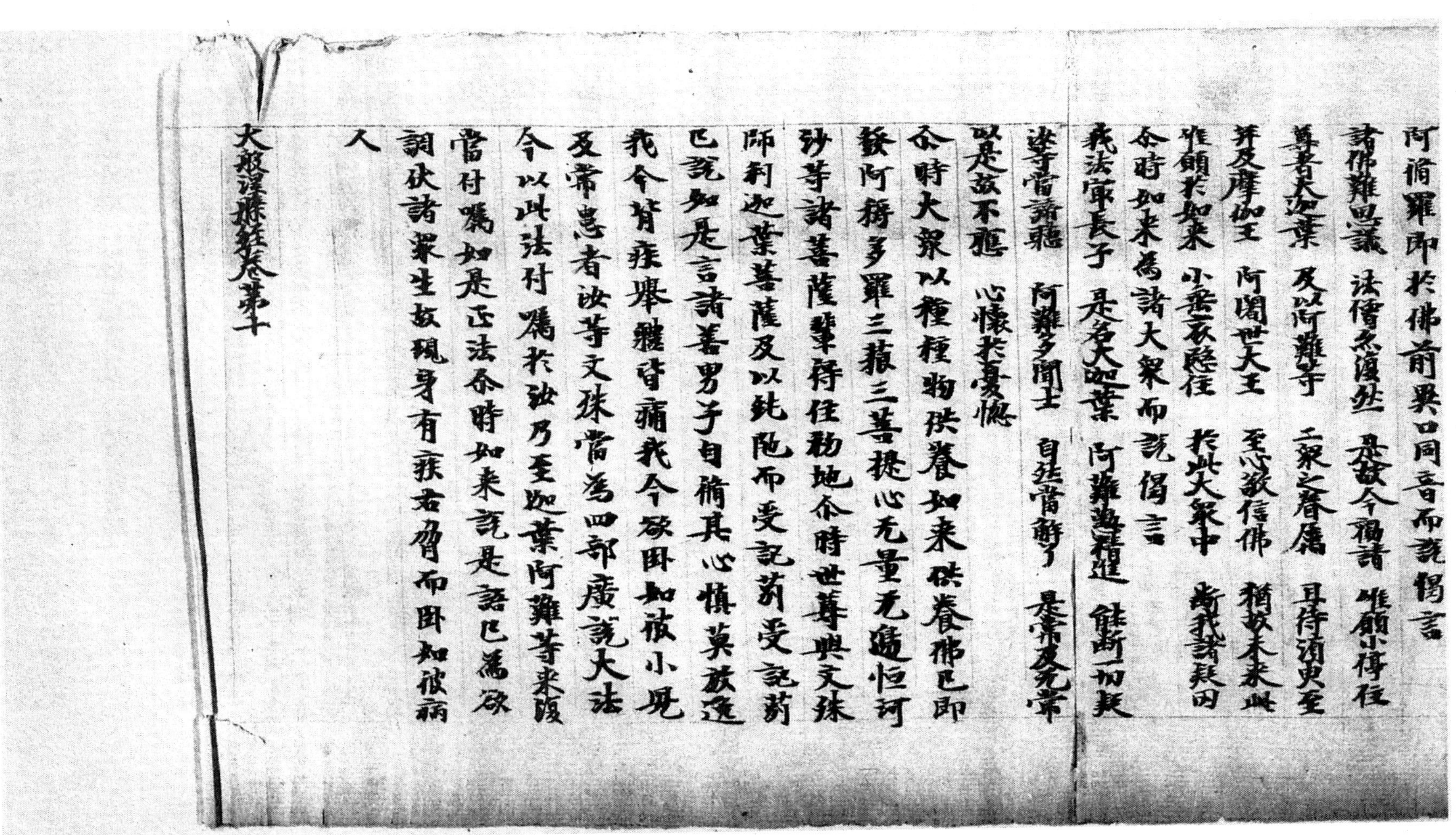

阿脩羅即於佛前異口同音而說偈言
諸佛難思議　法僧亦復然　是故今勸請　唯願小停住
尊者大迦葉　及以阿難等　二衆之眷屬　且待須臾至
并及摩伽王　阿闍世大王　至心欲信佛　猶故未来此
唯願於如来　小垂哀愍住　於此大衆中　斷我諸疑网
尒時如来為諸大衆而說偈言
我法最長子　是名大迦葉　阿難勤精進　能斷一切疑
汝等當諦聽　阿難多聞士　自然當解了　是常及无常
以是故不應　心懷大憂惱
尒時大衆以種種物供養如来供養佛已即
發阿耨多羅三藐三菩提心无量无邊恒河
沙等諸菩薩摩訶薩得住初地尒時世尊與文殊
師利迦葉菩薩及以純陀而受記莂受記莂
已說如是言諸善男子自脩其心慎莫放逸
我今背疾舉體皆痛我今欲臥如彼小兒
及常患者汝等文殊當為四部廣說大法
今以此法付囑於汝乃至迦葉阿難等來復
當付囑如是正法尒時如来說是語已為欲
調伏諸衆生故現身有疾右脅而臥如彼病
人
大般涅槃經卷第十

BD02686號　大般涅槃經（北本）卷一〇　（17–17）

復次善見王　有能末法中　[illegible]　一念作稱名
勝法三千衆　滿中一切人　謗禪壞亂衆　如斯三千衆
滿中一切人　及諸衆生類　謗禪壞亂衆　其罪亦如是
善人見脩善　誹謗不信樂　斷壞三寶衆　不名報佛恩
尒時善見王子三千人衆佛教已歡喜頂受重說
偈言
我等今者　稽首過去　未來現在　三世諸佛
亦復歸命　釋迦文佛　稽首八万　四千法藏
亦復歸命　諸餘經法　稽首過去　維摩文殊
亦復歸命　多聞大智　阿難舍利　稽首无學
五分法身　亦復歸命　始學初回　稽首已訖
重說偈言
諸佛說何實　何者是不實　實之以不實　二事不可得
如是真實相　不藏於諸法　憐愍衆生故　方便轉法輪
諸聖所從來　如亦如是來　實相及所去　佛之亦无異
諸聖如實語　佛之如是說　以是故名佛　多陁阿伽度
忍難心堅固　精進弓力強　智慧箭勦利　破憍慢諸賊

BD02687 號　大通方廣懺悔滅罪莊嚴成佛經卷下　（13–1）

諸聖所從來　如亦如是來　實相及所去　佛之亦无異
諸聖如實語　佛之如是說　以是故名佛　多陁阿伽度
忍難心堅固　精進弓力強　智慧箭勦利　破憍慢諸賊
應受天世人　一切諸供養　以是故名佛　以爲阿羅訶
正知苦實相　亦實知苦因　知苦盡實相　亦知苦盡道
真正解四諦　定實不可變　是故十方中　号三藐三佛
得微妙三明　清淨行亦具　是故号世尊　鞞闍遮羅那
解知一切法　自得妙道去　威時方便說　慈念一切故
滅除老病死　令到安樂處　以是故名佛　以爲脩伽陁
如世所從來　亦如世盡道　以是故名佛　爲路伽鞞地
禪戒智慧眼　无及況出上　以是故名佛　爲阿耨多羅
大悲度衆生　深善教調御　以是故名佛　富樓沙曇藐
智慧无煩惱　說衆生解脫　提婆摩㝹舍　三世動不動
盡及不盡法　道樹下悉知　是故名爲佛
尒時十方諸佛入神通三昧而自舉身處於
空中異口同音唱如是言善見大王及以三
千人汝等罪性不在外不在內不在中間心實
故善力實心解故罪性解空慧故罪性空信
力故福力多若能如是懺悔者則爲已見我
亦見多寶佛及諸分身者懺悔滅罪已當
見我今日教化諸菩薩如是懺悔者令我及
分身滅度多寶佛一切皆歡喜十方現在佛
并過去未來亦見亦供養亦令得歡喜恒

BD02687 號　大通方廣懺悔滅罪莊嚴成佛經卷下　（13–2）

亦見多寶佛及諸分身者懺悔滅罪已常
見我今日教化諸菩薩如是懺悔者令我及
分身滅度多寶佛一切皆歡喜十方現在佛
并過去未來亦見亦供養亦令得歡喜恒
此大乘經得入菩提門
佛告諸弟子有罪欲懺悔當如善見王礼
是三世諸佛十二部尊經諸大菩薩僧二
心礼亦如遭我想值我想見我想見一佛想
二佛想七佛想百佛想千佛想万佛想亦
如見无量佛想如是一一心礼是人福德无量
滅除生死重罪阿僧祇劫中不墮三惡道安
住於佛道決定无有疑是故懺悔諸罪至心
諦信之定得滅重罪
尒時善見王子三千人等俱發聲言以偈讚佛
世尊大慈悲　攝衆大法王　處衆師子吼　普攝諸衆生
視衆如一子　无彼亦无此　以見无上尊　是故今敬礼
尒時佛告善見王子及以三千人等若能如是發
露懺悔不覆藏罪是真菩薩法於未來必
得作佛復次善男子於我滅後有能直心礼
是十方諸佛十二部經諸菩薩僧者是名報
三寶恩即滅十惡五逆及謗方等滅是罪
已應以須陁洹果得度者授與須陁洹果應
以斯陁含得度者授與斯陁含果應以阿那

BD02687號　大通方廣懺悔滅罪莊嚴成佛經卷下

（13–3）

得作佛復次善男子於我滅後有能直心礼
是十方諸佛十二部經諸菩薩僧者是名報
三寶恩即滅十惡五逆及謗方等滅是罪
已應以須陁洹果得度者授與須陁洹果應
以斯陁含得度者授與斯陁含果應以阿那
含得度者授與阿那含果應以阿羅漢得度
者授與阿羅漢果應以辟支佛得度者授
與辟支佛果應以菩薩得度者授與菩薩果
令是經中諸大菩薩摩訶薩得一生實相皆
由礼是十方三世諸佛或有菩薩得二生法
界皆由礼是十方三世諸佛或有菩薩得畢
竟智皆由礼是三世諸佛或有菩薩得悟弟
一義諦皆由礼是三世諸佛或有菩薩得首
楞嚴三昧皆由礼是三世諸佛或有菩薩得
虛空三昧智印三昧皆由礼是三世諸佛或有
菩薩得不退忍如法忍如法界皆由礼是三世
諸佛或有菩薩得陁羅尼大念心无畏智皆由
礼是三世諸佛或有菩薩得師子吼三昧金剛三
昧五智印三昧皆由礼是三世諸佛或有菩
薩得平等三昧大慈大悲阿耨多羅三藐三菩
提佛行皆由礼是十方无量三世諸佛
尒時文殊師利法王子菩薩摩訶薩而白佛言
世尊一切衆生狂亂心惑造作惡逆云何自知而
得滅罪

BD02687號　大通方廣懺悔滅罪莊嚴成佛經卷下

（13–4）

尒時文殊師利法王子菩薩摩訶薩而白佛言
世尊一切衆生狂亂心惑造作惡逆云何自知而
得滅罪
佛告文殊師利如上所說若人聞是方廣經
典及聞十方三世佛名十二部經諸大菩薩心生
歡憙无量信敬書寫受持讀誦通利空靜之
處淨治一室香泥塗地以雜幡蓋莊嚴其內
先燒好香然後請佛不問多少香水洗浴著
淨衣服一上廁一洗浴安置寶坐久脩是經了
知法相无我見人請命令上分別種楊燒好妙
香一心除乱正意正念一心念佛是諸行人和合
為上若不和合瞋恚諍訟不名懺悔瞋恚俱壞
與道相違念大乘恩第一義七日七夜不得眠
卧一日三時讀誦是經日夜六時燒香供養礼
拜懺悔稱是經中諸佛菩薩十二部經心心
不錯心心不異心心時進心心日進心心生信心
心歡憙心心相次心心相續心心深重心心不
離心心悪罪心心念佛心心念法心心念僧心心念
戒心心念捨心心念天是人如是讀誦如是礼
拜如是至心如是懺悔從初一日至第六日復
以香泥塗地復以香水浴身燒種種妙香深心
供養以此至心是人懺悔震動十方我於尒時
與无量无邊恒沙諸佛无量无邊恒沙菩薩

BD02687 號　大通方廣懺悔滅罪莊嚴成佛經卷下　（13–5）

拜如是至心如是懺悔從初一日至第六日復
以香泥塗地復以香水浴身燒種種妙香深心
供養以此至心是人懺悔震動十方我於尒時
與无量无邊恒沙諸佛无量无邊恒沙菩薩
隨其音聲入其室內與作證明如是七日定得
滅罪所以知者凡夫之人未合真諦當取夢
相若見一夢即滅一逆見此五夢即滅五逆是
人其夜夢見自身欲度大河上大橋行當知是
人定得度脫其人或時夢見自身人與洗浴天
雨其身當知是人定得清淨其人或時夢見
自身入沙門大會之中入次而坐當知是人真
佛弟子其人或時夢見自身入塔寺中見好大
像及見菩薩當知是人得正門已其人或時
夢見自身自得果食而食當知是人還得
果報
佛告文殊師利若有比丘比丘尼菩薩清信
士女沙弥沙弥尼失心錯乱身犯如是一一禁戒
如是懺悔若不滅罪无有是處除不至心文殊
師利問佛言世尊行此法時得多人不佛言
一人以上卅人以下行此法時乞勿曾念諸餘經
典從此悔已後莫更造是名悔法應作是念
我等今者如死還生我當持戒我當精進我
當讀誦大乘方等是人尒時應作是念從今
[illegible]

BD02687 號　大通方廣懺悔滅罪莊嚴成佛經卷下　（13–6）

一人以上廿人以下行此法時乞勿曾念諸餘經
典從此悔已後莫更造是名悔法應作是念
我等今者如死還生我當持戒我當精進我
當讀誦大乘方等是人尒時應作是念從今
日始堅持禁戒願如金剛是人作是念時維摩
大士復與无量菩薩立其人前為作時證大德
普賢為作羯磨大德迦葉與作依止佛告
文殊師利是名滅罪是名解脫是名具戒是
名得住
尒時世尊復告文殊師利菩薩摩訶薩言
若有犯四重八禁六法十戒三歸五戒八禁十善
二十戒律乃至五逆及謗方等除一闡提若不
懺悔發露諸罪其人命終決定墮阿鼻地
獄文殊師利白佛言世尊云何名為阿鼻地
獄唯願如來為一切衆生說其因緣形狀大小苦
衆受報劫數多少
佛告文殊快哉快哉快問是義諦聽諦聽
及諸大衆善思念之吾當為汝開廣分別云何
名為阿鼻地獄阿者言无鼻者言閒閒无暫
衆故言无間阿者言无鼻者言遮阿者言
无鼻者言救阿者言无鼻者言不動阿者言
極熱鼻者言極惱阿者言不閑鼻者言不住
不住不閑故名阿鼻地獄阿者言大火鼻者言

BD02687 號　大通方廣懺悔滅罪莊嚴成佛經卷下　（13–7）

衆故言无間阿者言无鼻者言遮阿者言
无鼻者言救阿者言无鼻者言不動阿者言
極熱鼻者言極惱阿者言不閑鼻者言不住
不住不閑故名阿鼻地獄阿者言大火鼻者言
極熱猛火入心故名阿鼻地獄
佛復告文殊師利菩薩摩訶薩言善男子阿
鼻地獄縱廣正等八万由旬七重鐵城上有七
重鐵網下有十八鬲周迊七重皆是刀林其
七重城內復有劍林下有十八鬲其一鬲八万
四千重於其四角復有四大銅狗其身長大四
十由旬眼如電光牙如劍樹齒如刀山舌如
鐵拘抓如鐵叉尾如鐵蟒一切毛孔皆出猛火
其烟臰惡世間臰物无以可比其獄四門一一門
邊復有十八獄卒頭如羅剎頭口如羅剎口頭
上十八角手捉鐵叉七重城內有无數鐵幢幢
頭火踊如沸涌泉其鐵流迸滿阿鼻城阿鼻
四門其一一門上復有十八銅釜沸鐵踊出四門
漫流滿阿鼻城一一鬲間復有八万四千鐵
蟒大蛇吐毒吐火身滿城中其蛇哮吼如天大
雷雨大鐵丸滿阿鼻城此城苦事八万億千苦
中苦者總中總者皆集此城阿鼻地獄四方
有門一一門外各有猛火東西南北交通遍徹
八万由旬周迊鐵墻鐵網弥覆其地亦鐵上火
徹下下火徹上四維上下周迊一時皆事具足

BD02687 號　大通方廣懺悔滅罪莊嚴成佛經卷下　（13–8）

雷雨大鐵丸滿阿鼻城此城苦事八万億千苦
中苦者惣中惣者皆集此城阿鼻地獄四方
有門一一門外各有猛火東西南北交通過徹
八万由旬周迊鐵墻鐵網弥覆其地上鐵上火
徹下下火徹上四維上下周迊一時苦事俱起
如上所說四重八禁犯戒五逆及謗方等若
不依此經中懺悔而无慙愧其人命終如大莊
士屈申臂頃洛入阿鼻地獄身滿其中熱惱
急故口噤不語雖復張眼合口合口張眼此人罪
故万億刀輪從空如下頭入足出一切苦事過
上所說百千万倍若有具犯四重受大苦惣具
足五大劫八禁復倍五逆復倍謗方等經復倍謗
三寶偷僧祇物汙淨行比丘汙比丘尼者謗師
害師若人千母如此人等復倍加上除一闡提永
斷善根不出阿鼻是等罪人受苦之時猛火入
心悶絶而死獄卒羅剎以鐵叉打地喚言活活應
聲即活一日一夜万死万生受大苦惱如上所
說其人從阿鼻獄出以破戒回緣虛食信施
復入諸小十八地獄所謂寒氷地獄黑闇地獄
堆熱地獄刀輪地獄劒輪地獄火車地獄沸屎
地獄濩湯地獄灰河地獄劒林地獄鐵林地獄
銅柱地獄鐵機地獄鐵輪地獄鐵窟地獄鐵
丸地獄尖石地獄飲銅地獄各八百万歲然後

BD02687 號　大通方廣懺悔滅罪莊嚴成佛經卷下　（13–9）

地獄濩湯地獄灰河地獄劒林地獄鐵林地獄
銅柱地獄鐵機地獄鐵輪地獄鐵窟地獄鐵
丸地獄尖石地獄飲銅地獄各八百万歲然後
得出常生下賤五百世中不識三寶值善知識
得發菩提不值知識還墮地獄犯突吉羅罪
若不懺悔地獄受苦如四天王日月八百万歲波
夜提罪復加二倍僧殘罪復加二倍是諸罪人
受苦之時更无餘言唯得唱言阿波波阿吒
吒阿羅羅阿婆婆是故有罪當急懺悔還歸
三寶復次文殊師利菩薩摩訶薩若欲速疾
除滅罪者如是經中懺悔發露行道七日一
日一食思惟正觀憶念如來成佛時大人相覺
人相不動人相解脫人相光明人相滿智慧人
相如是諸波羅蜜相首楞嚴等諸三昧海相
菩薩摩訶薩從勝意慈三昧起入滅意定從
滅意定起還入首楞嚴定從首楞嚴定起入慧
炬三昧從慧炬三昧起入諸法相三昧從諸法
相三昧起入光明相三昧從光明相三昧起入師
子音聲三昧從師子音聲三昧起入師子奮迅
三昧從師子奮迅三昧起入海意三昧從海意
三昧起入普智三昧從普智三昧起入陀羅尼印
三昧從陀羅尼印三昧起入普現色身三昧從普
現色身三昧起入法界性三昧從法界性三昧起
入師子王三昧從師子王三昧起入滅[illegible]

BD02687 號　大通方廣懺悔滅罪莊嚴成佛經卷下　（13–10）

三昧從陁羅尼印三昧起入普現色身三昧從普
現色身三昧起入法界性三昧從法界性三昧起
入師子王三昧從師子王三昧起入滅諸魔相三昧
從滅諸魔相三昧起入空慧三昧從空慧三昧
起入解空相三昧從解空相三昧起入大空智三
昧從大空智三昧起入遍一切處色身三昧從
遍一切處色身三昧起入觀空心相三昧從觀
空心相三昧起入菩薩摩訶薩金剛相三昧從菩
薩摩訶薩金剛相三昧起入金剛頂三昧從金剛頂
三昧起入一切海三昧從一切海三昧起入一切陁羅
尼海從一切陁羅尼海三昧起入一切佛境界海
三昧從一切佛境界海三昧起入一切諸佛解脫解
脫知見海三昧從一切諸佛解脫解脫知見海三昧起
然後方入无量无邊諸三昧海門從三諸昧海門
起入寂意滅意三昧從寂意滅意三昧起入金
剛辟定大解脫三昧門
佛告文殊於我滅後若有善男子善女人生
一念信心若能書寫讀誦一念念是相憶是
相觀是相信心成就一念之頃除却九十億那
由他恒河沙等微塵數劫生死重罪永離
閻浮明知如來常住不滅尒時世尊為諸
大衆重說偈言
力士諸鬼神　畜生惡鳥王　婬女及惡龍　无量諸惡人

BD02687號　大通方廣懺悔滅罪莊嚴成佛經卷下　（13–11）

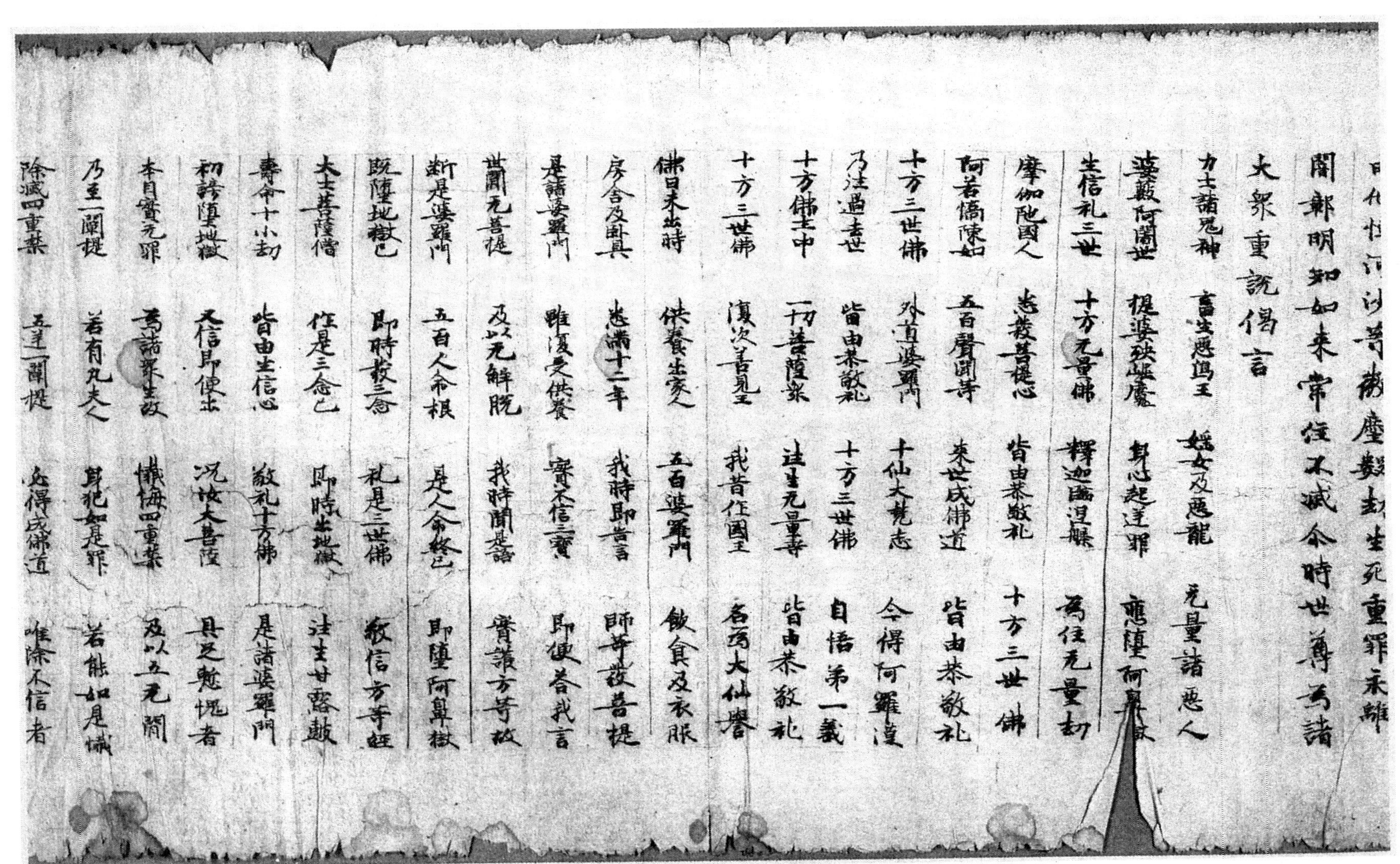
由他恒河沙等微塵數劫生死重罪永離
閻浮明知如來常住不滅尒時世尊為諸
大衆重說偈言
力士諸鬼神　畜生惡鳥王　婬女及惡龍　无量諸惡人
婆藪阿闍世　提婆殃崛魔　身心起逆罪　應墮阿鼻獄
生信礼三世　十方无量佛　釋迦臨涅槃　為住无量劫
摩伽陁國人　悉發菩提心　皆由恭敬礼　十方三世佛
阿若憍陳如　五百聲聞等　來世成佛道　皆由恭敬礼
十方三世佛　外道婆羅門　十仙大梵志　今得阿羅漢
乃往過去世　皆由恭敬礼　十方三世佛　自悟第一義
十方佛土中　一切菩薩衆　往生无量壽　皆由恭敬礼
十方三世佛　復次善見王　我昔作國王　名為大仙譽
佛日未出時　供養出家人　五百婆羅門　飲食及衣服
房舍及卧具　悉滿十二年　我時即告言　師等發菩提
是諸婆羅門　雖復受供養　實不信三寶　即便答我言
世間无菩提　及以无解脫　我時聞是語　實誹方等故
斷是婆羅門　五百人命根　是人命終已　即墮阿鼻獄
既墮地獄已　即時發三念　礼是三世佛　敬信方等經
大士菩薩僧　作是三念已　即時出地獄　往生甘露鼓
壽命十小劫　皆由生信心　敬礼十方佛　是諸婆羅門
初誹墮地獄　又信即便出　況汝大菩薩　具足慙愧者
本自實无罪　為諸衆生故　懺悔四重禁　及以五无間
乃至一闡提　若有凡夫人　身犯如是罪　若能如是懺
除滅四重禁　五逆一闡提　必得成佛道　唯除不信者

BD02687號　大通方廣懺悔滅罪莊嚴成佛經卷下　（13–12）

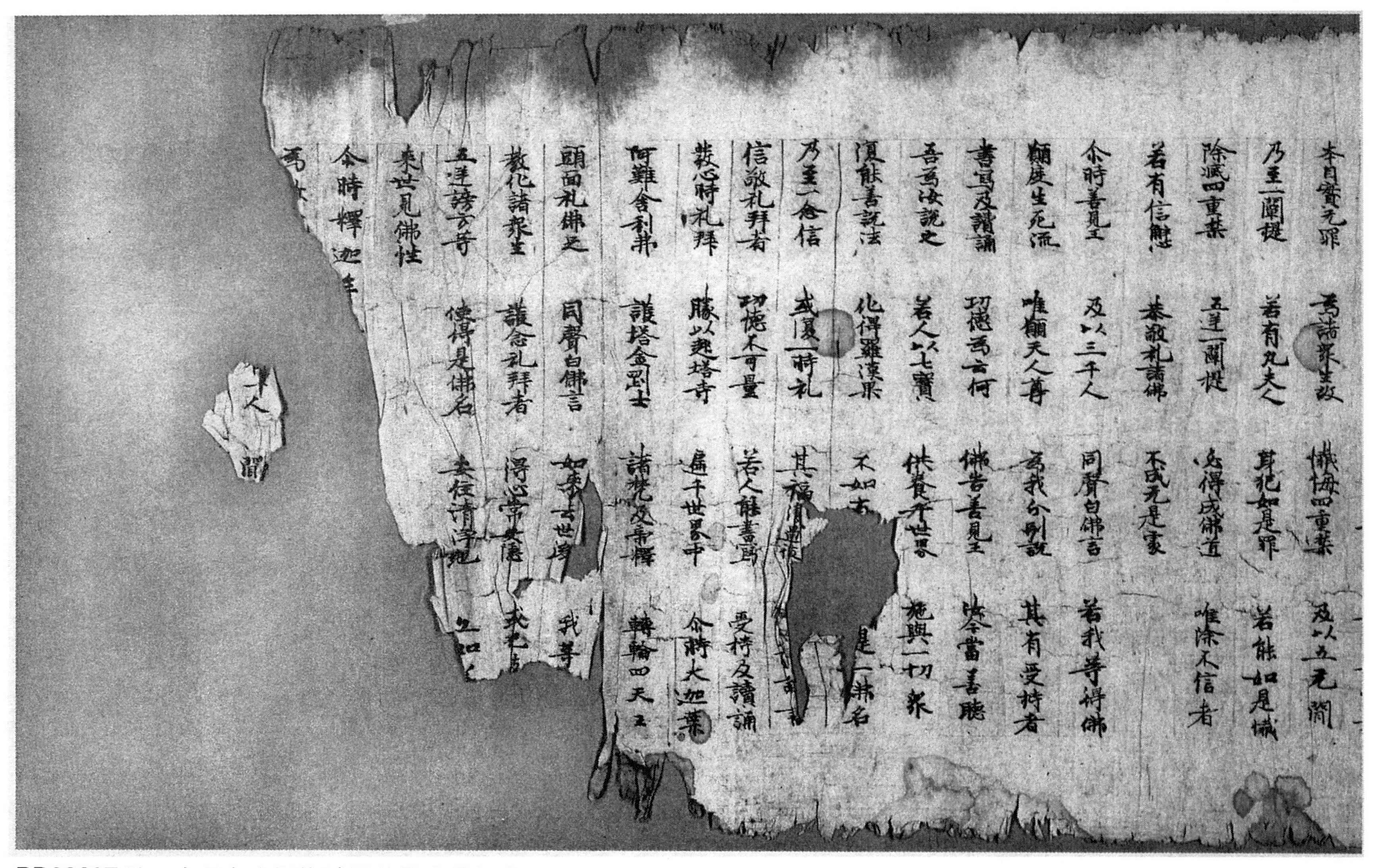

本自實无罪　為諸衆生故　懺悔四重業　及以五无間
乃至一闡提　若有凡夫之　其犯如是罪　若能如是懺
除滅四重業　五逆一闡提　必得成佛道　唯除不信者
若有信慚愧　恭敬礼諸佛　不成无是處
尒時善見王　及以三千人　同聲白佛言　若我等得佛
願度生死流　唯願天人尊　為我分別說　其有受持者
書寫及讀誦　功德為云何　佛告善見王　汝今當善聽
吾為汝說之　若人以七寶　供養百世界　施與一切衆
須能善說法　化得羅漢果　不如右……是一佛名
乃至一念信　或復一時礼　其福……
信敬礼拜者　功德不可量　若人能書寫　受持及讀誦
發心時礼拜　勝以起塔寺　遍千世界中　尒時大迦葉
阿難舍利弗　護塔金剛士　諸梵及帝釋　轉輪四天王
頭面礼佛足　同聲白佛言　如來去世後　我等……
教化諸衆生　護念礼拜者　得心常安隱……
五逆謗方等　使得是佛名　去往清淨地……
來世見佛性
尒時釋迦牟……
為……
……人……聞

BD02687號　大通方廣懺悔滅罪莊嚴成佛經卷下　（13–13）

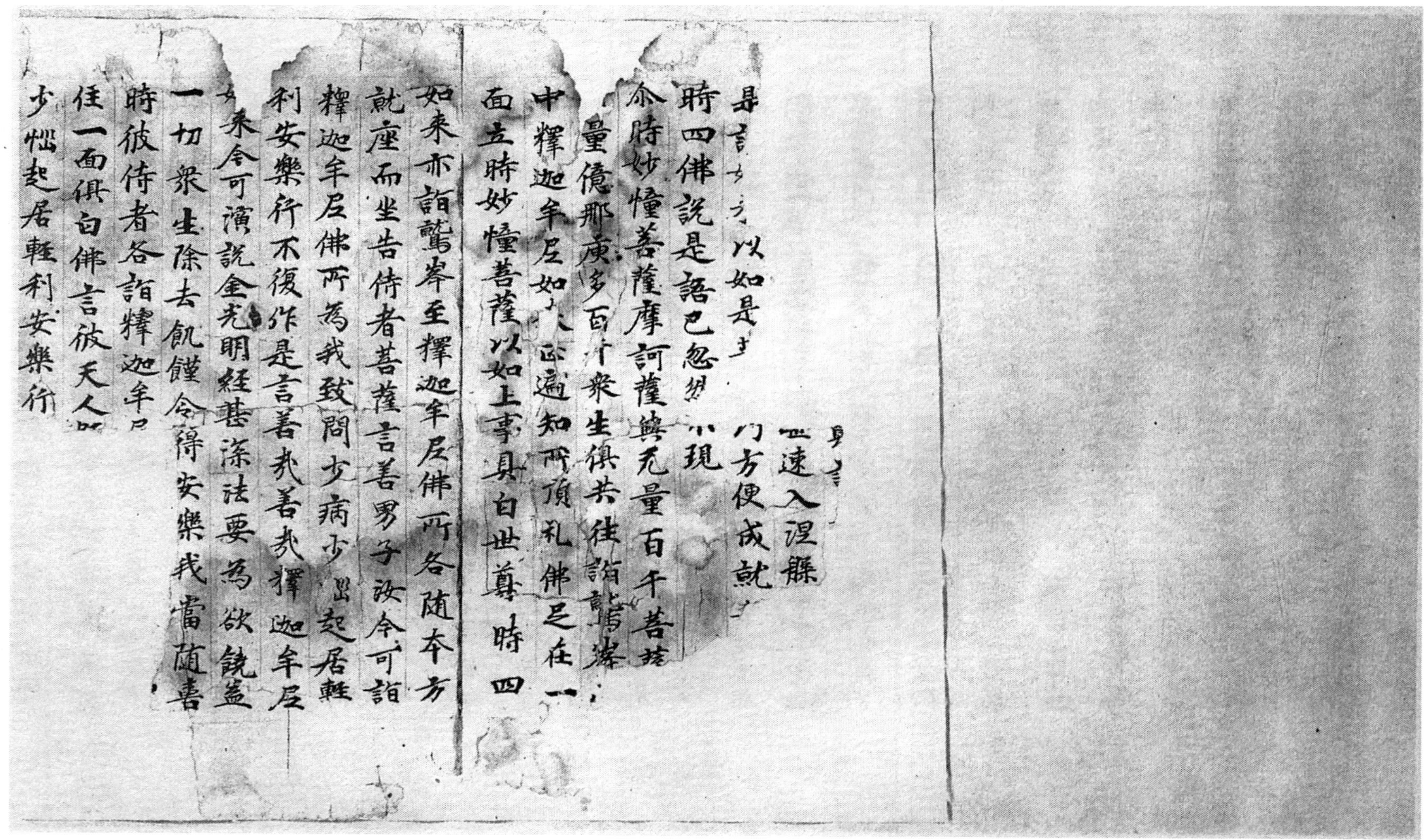

身言
世速入涅槃
曇言……以如是……門方便成就
時四佛說是語已忽然不現
尒時妙幢菩薩摩訶薩與无量百千菩薩
量億那庾多百千衆生俱共往詣鷲峯
中釋迦牟尼如來應正遍知所頂礼佛足在一
面立時妙幢菩薩以如上事具白世尊時四
如來亦詣鷲峯至釋迦牟尼佛所各隨本方
就座而坐告侍者菩薩言善男子汝今可詣
釋迦牟尼佛所為我致問少病少惱起居輕
利安樂行不復作是言善哉善哉釋迦牟尼
如來今可演說金光明經甚深法要為欲饒益
一切衆生除去飢饉令得安樂我當隨喜
時彼侍者各詣釋迦牟尼……
住一面俱白佛言彼天人……
少惱起居輕利安樂行

BD02688號　金光明最勝王經卷一　（8–1）

少惱起居輕利安樂行
哉釋迦牟尼如來今可濟
法要為欲利益一切衆生
樂尒時釋迦牟尼如來
諸菩薩言善哉善哉彼
生饒益安樂勸請於我亡
而說頌曰
我常在鷲山　宣說此經寶　成就衆生故　示現般涅槃
凡夫起邪見　不信我所說　為成就彼故　示現般涅槃
時大會中有婆羅門姓憍陳如名曰法師授
記與无量百千婆羅門衆供養佛已聞世尊
說入般涅槃涕淚交流前礼佛足白言世尊
若實如來於諸衆生有大慈悲憐愍利益令
得安樂猶如父母餘无等者能與世間作歸
依處如淨滿月以大智慧能為照明如日初
出普觀衆生愛无偏黨如羅怙羅唯願世尊
施我一願尒時世尊黙然而止佛威力故於
此衆中有梨車毗童子名一切衆生喜見語
婆羅門憍陳如言大婆羅門汝今從佛欲乞
何願我能與汝婆羅門言童子我欲供養无
上世尊今從如來求請舍利如芥子許何以
故我曾聞說若善男子善女人得佛舍利如
芥子許恭敬供養是人當生三十三天而為
帝釋是時童子語婆羅門曰若欲願生三十
三天受勝報者應當至心聽是金光明最勝
王經於諸經中最為殊勝難解難入聲聞獨
覺所不能知此經能生无量无邊福德果報
乃至成辦无上菩提我今為汝略說其事婆

BD02688號　金光明最勝王經卷一

（8–2）

覺所不能知此經能生无量无邊福德果報
乃至成辦无上菩提我今為汝略說其事婆
羅門言善哉童子此金光明甚深最上難
解難入聲聞獨覺尚不能知何況我等邊鄙之
人智慧微淺而能解了是故我今求佛舍利
如芥子許持還本處置寶函中恭敬供養命
終之後得為帝釋常受安樂云何汝今不能
為我從明行足求斯一願作是語已尒時童
子即為婆羅門而說頌曰
恒河駛流水　可生白蓮花　黃鳥作白形　黑烏變為赤
假使贍部樹　可生多羅果　朅樹羅枝中　能出菴羅菓
斯等希有物　或容可轉變　世尊之舍利　畢竟不可得
假使用龜毛　織成上妙服　寒時可披著　方求佛舍利
假使蚊蚋足　可使成樓觀　堅固不搖動　方求佛舍利
假使水蛭蟲　口中生白齒　長大利如鋒　方求佛舍利
假使持兔角　用成於梯蹬　可昇上天宮　方求佛舍利
鼠緣此梯上　除去阿蘇羅　能障空中月　方求佛舍利
若蠅飲酒醉　周行村邑中　廣造於舍宅　方求佛舍利
若使驢脣色　赤如頻婆果　善作於歌舞　方求佛舍利
烏與鵂鶹鳥　同共一處遊　彼此相順從　方求佛舍利
假使波羅葉　可成於傘蓋　能遮於大雨　方求佛舍利
假使大船舶　盛滿諸財寶　能令陸地行　方求佛舍利
假使鷦鷯鳥　以業銜香山　隨處任遊行　方求佛舍利
尒時法師授記婆羅門聞此頌已亦以伽他
荅一切衆生喜見童子曰
善哉大童子　此衆中吉祥　善巧方便心　得佛无上記
如來大威德　能救護世間　仁可至心聽　我今次第說
諸佛境難思　世間无與等　法身性常住　修行无差別

BD02688號　金光明最勝王經卷一

（8–3）

善哉大童子 此衆中吉祥 善巧方便心 得佛无上記
如來大威德 能救護世間 仁可至心聽 我今次第說
諸佛境難思 世間无與等 法身性常住 修行无差別
諸佛體皆同 所說法亦尒 諸佛无作者 亦復本无生
世尊金剛體 權現於化身 是故佛舍利 无如芥子許
佛非血肉身 云何有舍利 方便留身骨 為益諸衆生
法身是正覺 法界即如來 此是佛真身 亦說如是法
尒時會中三万二千天子聞說如來壽命長
遠皆發阿耨多羅三藐三菩提心歡喜踊躍
得未曾有異口同音而說頌曰
佛不般涅槃 正法亦不滅 為利衆生故 示現有滅盡
世尊不思議 妙體无異相 為利衆生故 現種種莊嚴
尒時妙幢菩薩親於佛前及四如來并二大
士諸天子所聞說釋迦牟尼如來壽量事已
復從座起合掌恭敬白佛言世尊若實如是
諸佛如來不般涅槃无舍利者云何經中說
有涅槃及佛舍利令諸人天恭敬供養過去
諸佛現有身骨流布於世人天供養得福无
邊今復言无致生疑惑唯願世尊哀愍我等
廣為分別
尒時佛告妙幢菩薩及諸大衆汝等當知云
般涅槃有舍利者是密意說如是之義當一
心聽善男子菩薩摩訶薩如是應知有其十
法能解如來應正等覺真實理趣說有究竟
大般涅槃云何為十一者諸佛如來究竟斷
盡諸煩惱障所知障故名為涅槃二者諸佛
如來善能解了有情无性及法无性故名為
涅槃三者能轉身依及法依故名為涅槃四

BD02688號　金光明最勝王經卷一　（8–4）

大般涅槃云何為十一者諸佛如來究竟斷
盡諸煩惱障所知障故名為涅槃二者諸佛
如來善能解了有情无性及法无性故名為
涅槃三者能轉身依及法依故名為涅槃四
者於諸有情任運休息化因緣故名為涅槃
五者證得真實无差別相平等法身故名為
涅槃六者了知生死及以涅槃无二性故名
為涅槃七者於一切法了其根本證清淨故
名為涅槃八者於一切法无生无滅善修行
故名為涅槃九者真如法界實際平等得正智
故名為涅槃十者於諸法性及涅槃性得
无差別故名為涅槃是謂十法說有涅槃
復次善男子菩薩摩訶薩如是應知復有十
法能解如來應正等覺真實理趣說有究竟
大般涅槃云何為十一者一切煩惱以樂欲為
本從樂欲生諸佛世尊斷樂欲故名為涅
槃二者以諸如來斷諸樂欲不取一法以不
取故无去无來无所取故名為涅槃三者以
无去來及无所取是則法身不生不滅无生
滅故名為涅槃四者此无生滅非言所宣言
語斷故名為涅槃五者有我人唯法生滅得
轉依故名為涅槃六者煩惱隨惑皆是客塵
法性是主无來无去佛了知故名為涅槃七
者真如是實餘皆虛妄實性體者即是真
如真如性者即是如來名為涅槃八者實際
之性无有戲論唯獨如來證實際法戲論永
斷名為涅槃九者无生是實生是虛妄愚癡
之人漂溺生死如來體實无有虛妄名為涅
槃十者不實之法是從緣生真實之法不從

BD02688號　金光明最勝王經卷一　（8–5）

斷名爲涅槃九者无生是實生是虛妄愚癡
之人漂溺生死如來體實无有虛妄名爲涅
槃十者不實之法是從緣生真實之法不從
緣起如來法身體是真實名爲涅槃善男
子是謂十法說有涅槃
復次善男子菩薩摩訶薩如是應知復有十
法能解如來應正等覺真實理趣說有究
竟大般涅槃云何爲十一者如來善知施及施
果无我我所此施及果不正分別永除滅故
名爲涅槃二者如來善知戒及戒果无我我
所此戒及果不正分別永除滅故名爲涅槃
三者如來善知忍及忍果无我我所此忍及
果不正分別永除滅故名爲涅槃四者如來
善知勤及勤果无我我所此勤及果不正分
別永除滅故名爲涅槃五者如來善知定及
定果无我我所此定及果不正分別永除滅
故名爲涅槃六者如來善知慧及慧果无我
我所此慧及果不正分別永除滅故名爲涅
槃七者諸佛如來善能了知一切有情非有
情一切諸法皆无性不正分別永除滅故名
爲涅槃八者若自愛著便起追求由追求故
受衆苦惱諸佛如來除自愛故永絕追求无
追求故名爲涅槃九者有爲之法皆有數量
无爲法者數量皆除佛離有爲證无爲法无
數量故名爲涅槃十者如來了知有情及法
體性皆空離空非有空性即是真法身故名
爲涅槃善男子是謂十法說有涅槃
復次善男子豈唯如來不般涅槃是爲希有
復有十種希有之法是如來行云何爲十一

爲涅槃善男子是謂十法說有涅槃
復次善男子豈唯如來不般涅槃是爲希有
復有十種希有之法是如來行云何爲十一
者生死過失涅槃寂靜由於生死及以涅槃
證平等故不處流轉不住涅槃於諸有情
不生厭背是如來行二者佛於衆生不作是念
此諸愚夫行顛倒見爲諸煩惱之所纏迫我
今開悟令得解脫然由往昔慈善根力於彼
有情隨其根性意樂勝解不起分別任運濟
度示教利喜盡未來際无有窮盡是如來行
三者佛无是念我今演說十二分教利益有
情然由往昔慈善根力於彼有情廣說乃至
盡未來際无有窮盡是如來行四者佛无是
念我今往彼城邑聚落王及大臣婆羅門刹
帝利薜舍戍達羅等舍從其乞食然由往昔
身語意行串習力故任運詣彼爲利益事而
行乞食是如來行五者如來之身无有飢渴
亦便无利羸憊之相雖行乞食而无所食亦
无分別然爲任運利益有情是有食相是如
來行六者佛无是念此諸衆生有上中下隨
彼機性而爲說法然佛世尊无有分別隨其
器量善應機緣爲彼說法如來行七者佛
无是念此類有情不恭敬我常於我所出呵
罵言不能與彼共爲言論彼類有情恭敬於
我常於我所共相讚歎我當與彼共爲言說
然而如來起慈悲心平等无二是如來行八
者諸佛如來无有愛憎憍慢貪惜及諸煩惱
然而如來常樂寂靜讚歎少欲離諸諠閙是

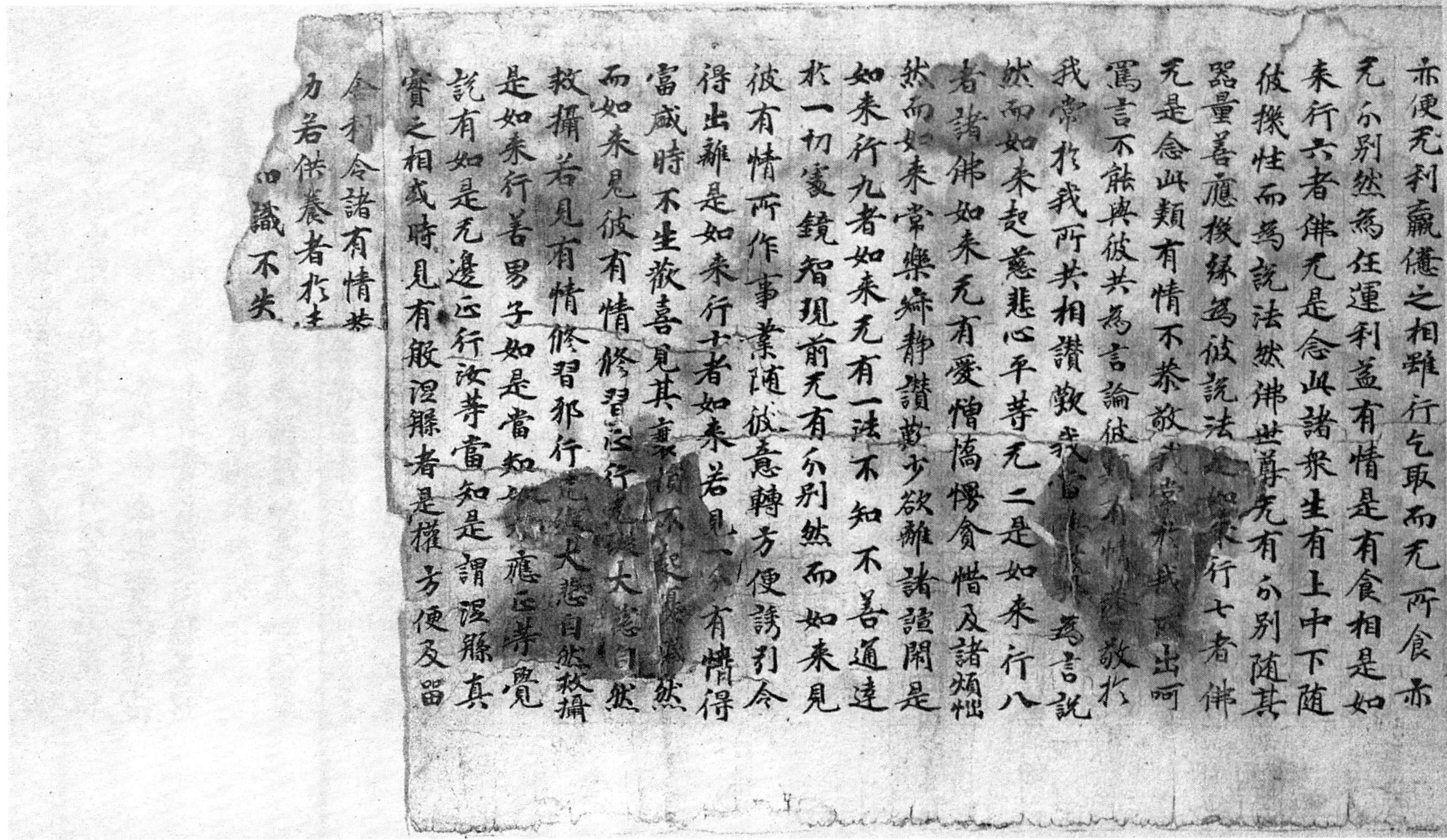
亦便无利贏儩之相雖行乞取而无所食亦
无分別然為任運利益有情是有食相是如
來行六者佛无是念此諸衆生有上中下隨
彼機性而為說法然佛世尊无有分別隨其
器量善應機緣為彼說法[illegible]如來行七者佛
无是念此類有情不恭敬[illegible]常於我[illegible]出呵
罵言不能與彼共為言論彼[illegible]有情[illegible]敬於
我常於我所共相讚歎我皆[illegible]為言說
然而如來起慈悲心平等无二是如來行八
者諸佛如來无有愛憎憍慢貪惜及諸煩惱
然而如來常樂寂靜讚歎少欲離諸諠閙是
如來行九者如來无有一法不知不善通達
於一切處鏡智現前无有分別然而如來見
彼有情所作事業隨彼意轉方便誘引令
得出離是如來行十者如來若見一[illegible]有情得
富盛時不生歡喜見其衰損不起[illegible]然
而如來見彼有情修習正行[illegible]大慈自然
救攝若見有情修習邪行[illegible]大悲自然救攝
是如來行善男子如是當知[illegible]應正等覺
說有如是无邊正行汝等當知是謂涅槃真
實之相或時見有般涅槃者是權方便及留
舍利令諸有情恭
力若供養者於[illegible]
[illegible]識不失

BD02688號　金光明最勝王經卷一　（8–8）

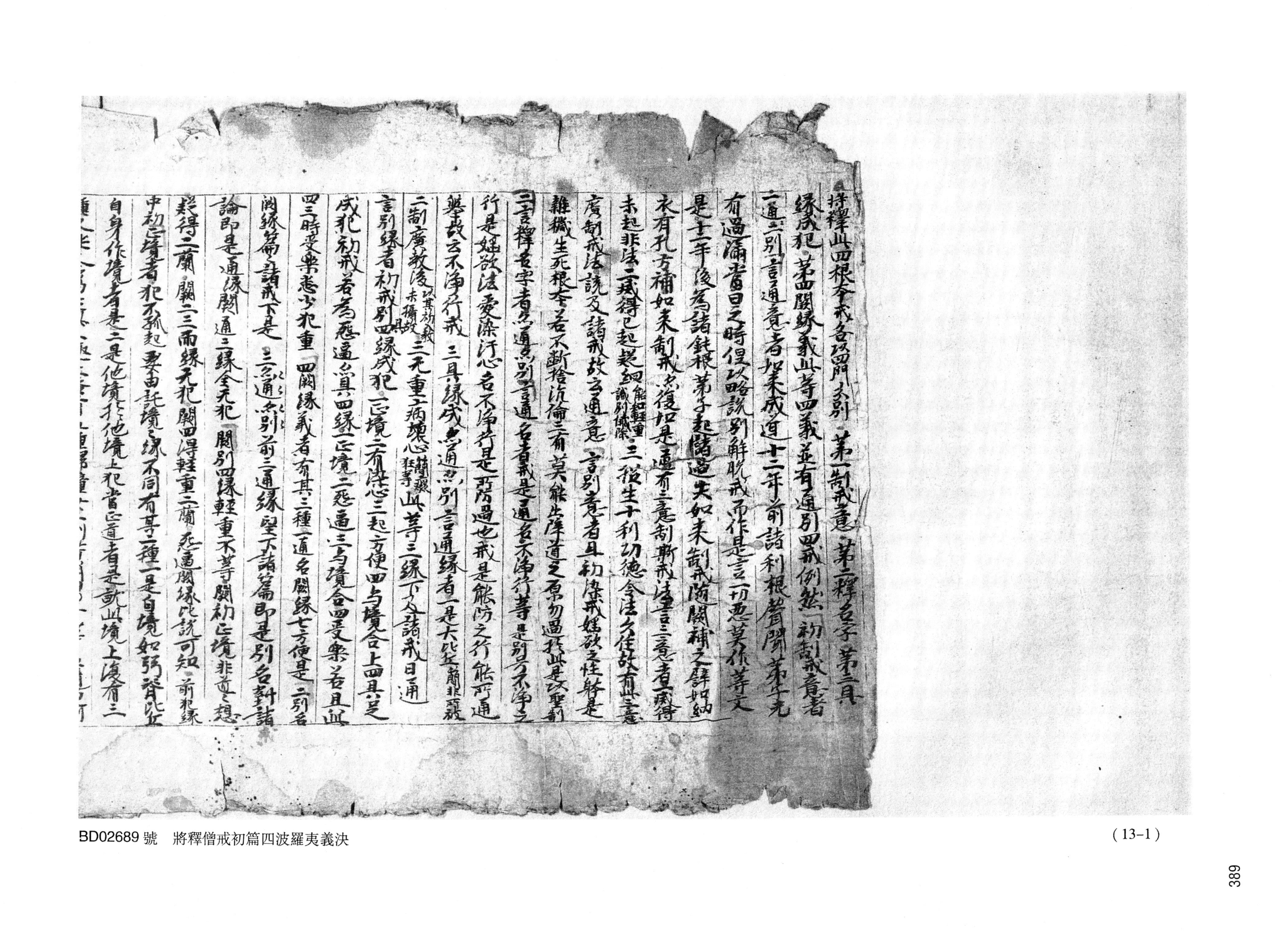

BD02689號　將釋僧戒初篇四波羅夷義決

（13–1）

起得二蘭。闕二三而緣无犯。闕四得輕重二蘭。死遮闕緣比說可知。前犯緣
中初已境者，犯不孤起，要由託境。境緣不同，有其二種：一是自境，如弱脊比丘
自身作境，上有是二。二是他境，於他境上犯，皆正道者是。就此境上復有三
種：人、非人、畜生。此三趣上各有五種：婦、僮女、二形、黃門、男子等五境。更別
三不同：婦、童女、二形各有三處，黃門、男子各具二處。此等五處就一趣
得具有五境，通三趣說，計有一十五種所犯之境。此等境上各有障等四
句不同。一一境中復有四種犯境：一睡境，二死境，三[illegible]境，四壞境。若於廣說具六
有三千七百四十句。是究竟起婬之境。於此等境中但有婬心，縱有障
障但入如毛頭，有犯重罪。若以死道名同此例。二有染心者，於前境上起欲
染心，行其非法，名有染心。三起方便者，大言方便有其四種：一遠方便，遠資
前境，如歡語同行等，與婬戒作緣，不濫餘戒，名遠方便。二近方便，得
攬體、親觸，如抱手相及相磨觸等是。三進趣方便，能緣縱等量少之進
動進趣前境，名曰進趣。四闕緣方便，如文可知。四與境合者，若與自境、他境
境有受樂心，牙相合時，少犯重罪，名與境合。死遍道之相亦同此說可知。
就前所犯之中輕重三別：一自往作，二教人，三无犯。自作之內復有其二：道、非
道差別。故道者但是正道，非道者若穿地、搏泥，若軍持口中者是。若
是正道作非道想，亦重；若是非道作道想，偷蘭；非道非道想，偷蘭；若道疑偷
蘭；若非道疑亦蘭；若骨間及脇中行亦重。二教人者有二，道俗有異。僧教
尼依教作，能教僧得蘭；尼不作，能教僧得吉。尼教僧亦然。下三眾相教
作與不作，並吉。教式叉尼、沙彌、沙彌尼犯，後二眾得悔，度重，更受戒。犯前稟
及凡清淨僧尼許受戒，初一度得重。若犯无戒，僧尼亦許受戒。
若式叉尼、沙彌、沙彌尼犯根本者，得吉羅罪。是式殯者，文之雖是正境作
且无犯，畜中无毛母豬、石女道、師子大虫等為希他故行婬，不犯。式他故過
之行婬亦无犯。又言不犯者有二：一自睡眠无所覺知，二死過所惱，三時无樂，不
犯。又最初未制戒前，癡狂心亂，痛惱所纏，无犯。
第二盜戒四義者：一制意，二釋名字，三具緣，義四闕緣義。初制戒
中通意如前。別意者，凡盜資財，形命之本，非此不濟，傷人情實重，慈善
處深。出家所為，應儉己清，物今乃非理侵奪，積惱不輕，過中之重，是故
聖制。二釋名者，通名如前。別名者，劫財名之為盜，不與而取名之曰
盜。盜是所防之過，戒是能治之行，能所通舉，故曰盜戒。三具緣者通

BD02689 號　將釋僧戒初篇四波羅夷義決　（13–2）

中通意如前 別意者凡盜資財形命之本非此不濟人情實重愛著
處深出家所為應儉已濟物今乃非理侵奪損惱不輕過中之重是故
聖制 二釋名者通名如前 別名者損財名之為盜 不與而取名之曰
盜 盜是所防之過 戒是能治之行 能所通舉故曰盜戒 三具緣者通
緣如上 別緣具六 一是有主物 二有主想 三明重物 四明盜心 五興方便 六離
本處 此六具足 之結成重罪 四闕緣義者通闕如前 別闕者若闕初
緣得三蘭 闕二緣容有九蘭 闕第三緣重物作輕物亦蘭 闕第四緣無盜心
全無罪 闕第五緣得輕重二蘭 前具緣成犯中略標違之相 義略有三種 一
三寶物 二人物 三非畜物 初三寶物中復有二種 一約自護 二約他護 次人物
者亦約護主結罪 後非畜物中亦有二種 一者非人 二者畜生 況於盜境隨須
是有主 六塵六大三寶三趣等物 有主守護 非理致損 斯成犯法 若無
主物及己物 或緣差轉想疑等 雖有盜心 前非盜境 並不結犯 唯有本
心方便 今依犯緣次第解釋 就初緣中盜佛物者 若盜佛像塔中幡蓋舍
利珠瓔花鬘供養之具 約護主計直成重 如無護主 望斷施主福邊結罪
正望佛邊無盜罪 佛於物無我所心故 但得蘭罪 同非人物攝故 薩婆多
佛塔中鳥死及得餘物 但供塔用 餘用犯盜 塔上掃土淨地棄之不惡
用得罪 盜天神像衣神廟中物得蘭 若盜佛像諸舍利諸供養具等
但作淨心供養 自作念言 彼亦是師 我亦是師 作如是意無犯 盜法
物者 若盜經卷 計紙墨書功滿五犯重 盜經物計直犯重 不得口吹經
像上土 若燒破經 如燒父母得重 十誦 借經抵而不與 令主生疑者蘭
由主心未絕故 問 前盜像舍利供養無犯 今盜經一句結重者何 答
佛得道心禮敬 法須執文讀誦 所以結重 如人造佛專心為己 不通餘人 可
不結重 造經為他隨能受用 豈可結罪 皆約護主結重 如無護主 望施
主結罪 若無其主 為本法境無我所心 但結蘭罪 盜僧物約護主結重
若主掌自盜亦犯重 然僧有四種 一常住常住 眾僧廚庫寺舍眾具花
果樹林田園僕畜等 以體通十方不可分用 望眾僧斷重 祇云僧物
者從一切僧集亦不得分 准上一句入重 二者十方常住 如僧家供僧常食
體通十方 唯局本處 若有護主 望主犯重 同共盜損 應得輕罪 祇將
僧長食還房得蘭 善見云 不打鐘食者犯盜 又云寺中客僧見食盜
啖者隨直多少得蘭 三者現前現前 是現前僧物 若盜此物望主犯重

BD02689號　將釋僧戒初篇四波羅夷義決

（13–3）

體遍十方唯居本處。若有護主望主犯重，同共盜損應得輕罪。祇將
僧長食還房得蘭。善見云：不打鐘食者犯盜。又空寺中客僧見食盜
取者，隨直多少得蘭。三者現前。是現前僧物，若盜此物，望主犯重。
若多人共物，一人守護，望所護人結。四十方現前。如亡五眾輕物也，比丘已亡未
羯磨前，若盜此物，從十方得罪輕。謂物少人多，計不滿五，但得偷蘭。若羯磨已，盜此物者，
望現前羯磨僧得罪重。謂人數別多少，其物則多，若盜隨其數得罪。此中有義輕轉成重，重轉成
輕。何則？雖未羯磨前，盜者得輕，為十方僧難集，不可識故，雖輕成重。羯
磨已後，盜僧物者，於現前可得識故，雖重轉輕。五百問云：盜三寶物
從償還入阿鼻獄，中而得出，何况不還，永無出期。經云：五逆四重我亦能
救，盜僧物者我所不救。明了論義：寺主知用三寶物，謂言無犯，亦言犯
義。若知事僧取僧現食器具牛馬為三寶營事，役使並得亡重。
若欲用僧物修佛塔者，取僧和合得用，不和合者，勸借修補。招提常
住物者，所難受別房施，僧此房中有物，招集四方名招提物。善經業餘
三寶園田天有分別，無可問白，若僧和合，令隨意處分。若不作釋迦
作弥陀，本作佛迴作菩薩，本作經迴為論，得罪用罪。欲供養此像迴為彼像
得吉羅罪。人主物者，由空有主分二：一已主，二護主。盜人物者，約二主得罪。
若取人天主物，雖盜犯。善見云：子作惡事，父母逐去，後時父母死者，是
物無主。又若國破王走後，王未統此中有物，是物無主，盜者無犯。又云
二國中間兩邊封相，其間空地有物，是物無主，盜者無犯。非人物者，若
取靈壇傍，蓋神廟中衣，外道塔物，神祀舍物，天神像衣，花鬘及人繫
樹物，有護主者，五錢已上重蘭，四錢已下輕蘭。非人無主物者，此等
之物或離本處，風吹鳥啣在異處者，是無主義，盜取無犯。或恐鬼神護
者，宜可擲卜而知，捨棄取之。畜生物者，律云：鼠偷胡桃積成大聚，
比丘盜之，佛言得蘭，非望鼠結，還望人主，以鼠盜疑猶未決，奪作得想，
人未知失，趣就人結重。十誦：取虎殘者，猶不斷望，故師子殘不犯。食
已斷望，一切鳥獸食殘，取者吉羅。畜生無主物者，鼠偷胡桃積
在藏中，復鼠移去，捨故就新，故義觀桃乃是無主，盜者無犯。盜
六欲六界者，若人食毒，或為蛇螫，犯如此罪，解云：有諸仙人是舍衛
毒藥師作仙人書字，人見學無難，見者須與價，直比丘被官偷者之
計直犯重。若誦咒治病，欲學須與，直比丘要聽計直得重，偷韓者

BD02689號　將釋僧戒初篇四波羅夷義決　（13–4）

六處六界者若人食毒或蛇螫犯大山罪有誦仙人是令彼
毒藥師作仙人書字人見皆愈欲見者須与價直比丘教索偷蘭之
計直犯重 若誦呪治病欲學須与直比丘盜聽計直得重偷蘭 若
體亦然 若秘方要術病者心緣即差得直方亦方寫比丘盜文法就學
治病得差不与直結重 六界者前三可知有咒燈在前上比丘偷照不
与直是盜風 若起闍臨他空界妨他起造即名盜空 人有伎量即
識智比丘方便就學不与價直即是盜識 轉盜異色義如鈔明
二明有主想作無主想 始終不轉無罪前後來轉乎得輕重 三明有盜
心是賊兼賊心取也有十種盜心如疏廣明 四重物謂五錢若直五錢成
重 問盜五錢者是何等錢 答有三解 一依彼王舍國法用何等錢
准彼為限 二隨有佛法處用何等錢即以為限 三云佛依王法盜五
錢得死罪非依所結戒 今隨有佛法處依國盜幾物斷死即以為限 十誦
云盜五錢者古大白銅錢非是餘錢 又云若斷其錢六義不同 一錢有貴
賤錢貴盜一入重遇值賤時百千犯輕 二貴處盜物賤處賣還依本盜
處估價 三貴時盜得賤時賣還依本時上結 四盜五千不犯重數數取四
錢數數作斷心或不得物而入重燒埋壞色教他等 五不滿五犯重如衆多
人遣一盜五錢多人共分或多人共盜遣作一分但使滿五一切同犯或盜過
五輕盜衆多人未分物者是如三僧輕物是也 六盜多人各五一錢犯重五
人各以一錢遣一人守護盜者望護主結重 薩婆多云盜衆人物不犯重
為漸漸取如是日日增多不滿五錢無犯 若定斷五錢者西方錢有多
種 廿銅遮對一赤銅錢 廿赤銅錢對一白銅錢 廿白銅錢對一金錢 西方盜二等銅
遮成犯 盜一百赤銅錢成犯 盜五白銅錢成犯 盜一金錢四分之一成犯 若舉
隨國法制戒即今蜀朝之時王法以一斤麦是人一頓食若盜此一斤物者
斷然比丘盜滿一斤犯盜 離本處者義有四 一離處明不離處如
盜他牛馬雖舉四足未作得想不成重 二不離處明離處如空寂處
盜使得不疑如林空中必無不下動即成重 三無離處明離處如盜
他田宅破擊破村燒埋壞色皆犯重 四離明離處如空中吹物盜鳥
曲截斷流水注等 關緣義可知 不犯者作与想取己有想糞掃想暫
取想親厚想取者無犯 又不犯者若失其物主未作失想賊未作得想
雖物離處二想未成亦不成犯

盜使得不疑如林空中必无不下動即成重三无離處明離處如盜
他田宅故擊破村埃埋壞色皆犯重 四離明離處如空中吹物盜鳥
曲我斷流水注等 關緣義可知 不犯者作与想取已有想棄捐想暫
取想親厚想取者无犯 又不犯者若失其物主未作失想賊未作得想
雖物離處二想未成亦不成犯
第三煞戒四義者 一制戒意 二識名字 三具緣成犯 四闕緣義
初制戒意者通意如前別意者趣報勝善因所招形心俱是道
器出家之人應懷四等今反順其惡心斷壞陰境違慈惱他損害道
器過中之甚爲此聖制 二釋名者通名如前 別名者五陰法中假立
衆生斷於五陰名爲煞生此是防之過戒是能防之行能所通舉名
煞生戒 三具緣犯通緣如上別緣有五 一是人 二人想 三煞心 四起方便
五斷命根 五緣具足當犯重罪 四闕緣義通闕如上闕別者闕初二
蘭闕二緣容有六蘭闕三緣全无犯容有提吉 闕四无罪 闕五輕重二蘭前
犯緣中次第能之初緣人者蘭餘取輕故五陰和合法上去无人相衆生不
陪揆計人想假之賭淨此名之人若斷壞五陰之法无勝功用名煞人結
成重罪煞餘非畜趣報者故但得蘭提 雀人則輕 二人想者當境煞
人須有煞人之想不是不若轉疑者不成人想便結輕愆 三有煞心者夫煞
之時須有煞心心无不犯 煞有二種 一自煞 二教他煞 言自煞者謂自現身
相足搖陷傷撲安煞具与藥等是 言教他者名教敎教遣使往徠
重重使展轉使求男子教求男子遣書教遣書等是但使命終 三性之
中隨犯重 十五不得自傷殺形斷指者犯罪有取病人不欲起令起不臥令臥
强与食藥臃未熟强破人命終蘭比丘知陰陽設方便治破果因煞害得
眠犯盜煞二戒 又爲人作坑人墮死蘭 爲畜作坑畜墮死提人死吉 若
本懷惡心隨境輕重 又被官刑殺 從人索手綿巾作繩自絞繩有无知犯
並与者是煞具 命終結重 又比丘父母被王法比丘語典刑者与其一刀
易得用語者犯重煞者得蘭 又言煞父羅漢得一重義二逆不得受戒煞
轉法輪僧得一重一逆 闘破有煞父母得受戒不有煞畜生父母 得受其
戒又煞父母不結罪耶 若有煞无明父貪愛母不結罪 四方便者三種方便義
如前說 五斷命根者言命根者律云從初識至後識連持日命初識者
初父母合一念識文託父母二色已爲所依此色如稻是人報之始名初識

BD02689 號 將釋僧戒初篇四波羅夷義決 （13–6）

[illegible]
轉法倫僧得一蘭二逆 聞彼有熱父母得受戒不有熱害生父母 得受其
戒文熱父母不結罪耶 答有熱无明父會受母不結罪 四方便者三種方便義
如前說 五斷命根者言命根者律文從初識至後識連持日命初識者
初父母合和一念識文託父母二色已為所依此色如稀是人報之始名初識
乃至命終最後一念未捨報更名後識中間連持不令散壞者是命根若壞
此識連令散壞名斷命根結重 十云命者是煖壽識三事命根 或文沙弥尼吉罪
戒備闕緣義如文可知不犯者若擲刀杖瓦石若房舍倒誤殺木石之類人狀起扶
母除時藥時從涼至熱從熱至涼入房出房而前往反一切无害心而死无犯
未制戒前亦无犯 第四大妄語戒四義者一制戒意二釋名字三具
緣成犯四闕緣義 初制戒意者通意如前 別意者无漏真智聖所證
法非是凡夫所證之理今言曾假虛誑自己證言欺誑於世為招名利過中
之重故以聖制 二釋名者通名如上別名者言不稱實曰妄之說聖
德事招凡境名過人法此是所防過戒是能治之行能所通舉故名妄
語得過人法戒 三具緣者通緣如上別緣者具八一前境是人二人想三
境虛四知境虛五說過人法六自言己得七言缘了了八前人知解具此
上緣結成重罪 四闕緣義者通闕如前別闕者若闕初緣前
三蘭或六蘭 闕二緣六闕疑相各三蘭三緣作境實或是吉或全无犯
闕四緣增上慢人全无犯闕五緣作非過人法无罪若得蘭 闕六緣作不
自己證无犯或得蘭罪 闕七緣輕蘭 闕八緣重蘭前具緣中或第
釋之夫妄語時前境須是人能令解故結重餘非畜類誑亂不能
領解結輕蘭吉 二人想者謂前人時始終須作人想而誑得重若轉相
想疑心便成輕罪 三境虛者妄語之時實未得聖妄說聖法四知境虛
者自知未證上人之法未悟聖道但為利故誑前言得 五說過人法者謂或
前人我得禪得解脫十智四諦智等實未證得妄談皆得 六自言己證
者聖所證理及有諸法我悉證悟又不淨觀已上至四果已來我已得之 七
言缘了了者三妄稱聖法誑惑前人明白而說此彼俱聞 八前人知解者謂說種
種諸賢聖法前人領解心決不疑皆結重罪疑則得蘭 若現身相前人不疑
則重疑則蘭 又云天龍鬼神來供養我犯重 又欲擬誑彼篇向此說皆重
又自稱是仏天人師及是菩薩等皆蘭時有比丘与聖賢同坐時有白衣云諸賢

BD02689號 將釋僧戒初篇四波羅夷義決 (13–7)

[illegible]……前人知解者諸謗稽

々諸賢聖法前人領解心使不疑皆結重罪疑則得蘭　若現身相前人不疑

則重疑則蘭　又云天龍鬼神來供養我犯重　又欲擬誑彼諂曲心說皆重

又自稱是仏天人師及是菩薩等蘭時有比丘與聖賢同坐時有白衣云諸賢

聖諦聽比丘自知不是聖同聖嘿然犯蘭比丘不得禪言之於其床上閉眼而

坐有人禮敬比丘妄似坐禪知而不言蘭時有比丘於无人處忽逢於人其人報

言此處无僧今忽逢者必是聖人比丘不言是聖亦不言不是聖者蘭

若言是聖義　有比丘言某處衆多比丘皆是賢聖前人問云汝在彼數

不比丘而不言不是者蘭　言是者義　若於天龍夜叉餓鬼畜生能變形者

邊說上人法蘭　說而不知者　若不能變形者前說吉　若作手印遣使若書彼

知者蘭不知吉　若實得道向不同竟人說吉　若向同意人說名得罪　不犯者自知

得不淨觀已上諸法若戲笑說疾疾說屏處獨說欲說此錯說彼等皆不犯重

而犯吉夢中說亦吉以非言說之儀軌也　諸大德我已說四波羅義法已下至

得彼羅義衆不應共住已上是結文故令聽衆生其折樂无疲疲心故為

知其若干戒說竟若干未說為辯次第令无顛倒也　如前後亦如是者十誦

云如前在俗非是比丘後若犯戒亦同前俗　四分云如犯戒得義後度犯時亦

義名如前後亦如是以戒形俱故　今定勒三問者若過三問大煩令衆疲

極若減三問恐愚者不曾已過多諸散亂是故三問合其中道　如五篇中何

何名遮戒若論委細戒戒各有遮性就五篇中初篇一遮者深戒遮僧

不遮俗餘三性　十三中二房媒嫁三戒遮餘十性　卅中一性四僧物入已是性餘

廿九遮　九十中卅性壞生惡罵等餘六十遮　下諸篇並是遮戒　又就五篇

辯開遮者初篇開增上慢不犯　无漏聖法出過增有名曰增上然此比丘未得

為得名為慢此人久在山藪不見色境伏煩惱將言永斷故生此慢後遂成市

見諸色相會前境生始知是凡更復修道得成羅漢前稱得聖將為

不犯畏前慢過以疑白仏仏便開云此人雖前起慢安談聖德後為慢過覆

得羅漢開令不犯　第二篇開漏失開夢中　第三篇開別會說法七五緣

等乃至吉羅開樹過人頭戒等是諸戒各隨開文自顯上　此等由根本戒

始犯之人名目姓望國邑聚落制開等義謹錄如後　初明四戒制開不同如初

條戒文有其三略制二隨制三廣制言略制者尒時仏在毗舍離將迦蘭

陀村須提那子於彼村中饒財巨富持信堅固出家為道其人云我為求无上

道故出家今須居山間樹下勤修道業杖錫持盂四方勸化後因凶飢饉

始犯之人名因姓堅固邑聚落制開等我謹錄如後　初明四戒制開不同如初
除戒文有其三一略制二隨制三廣制言略制者尒時佛在毗舍離時迦蘭
陁村須提那子於彼村中饒財巨富持信堅固出家為道其人云我為求無上
道故出家今須居山間樹下勤修道業杖錫持盂四方勸化後因國土飢饉
乞求難得思付我家中巨富多財今將諸比丘往彼村勸化諸比丘因我
故得大利養得修梵行乃令宗親廣行布施作諸福德遂至彼村巡行乞食
其母聞子將諸比丘還來本村即便迎逆母見其子便語子言汝何時捨道還
家作其白衣何以故我之家中庫藏盈滿汝父早亡唯汝一子汝今出家
已先無子息我常憂此朝我身無常無人祭祀作福庫藏無主王法收將
汝須還家結續子息備我本嗣其子不從母語母見子不從再三諫之
子云佛有戒法我不敢違捨道還家母見其子不從言教遂乃莊嚴須
提那之故二共母往子所勸之須提那子既見故二便言我能為之承事
故二至園中屏處便犯於戒時園中有鬼命終即處其胎後生一男號曰
無雙又名曰種子漸漸長大信心殷重投佛出家佛命善來頭髮自落袈裟
披身成羅漢果　毗舍離者此云廣嚴城是國名此地平廣富號
曰廣嚴是中印度名云毗耶離是女舍釐國周五千里也　迦蘭陁村者
是村名村者所住處也須提那者梵音　此云善施　其須提那行不淨已違於
佛教常懷愁憂日日羸瘦顏容憂黑諸比丘見已問云何以愁憂須提那
云我於屏處與故二行於非法犯其淨戒故有愁耳諸比丘聞此語已
往白世尊世尊具一切智知而故問須提那汝實與故二行不淨耶云如是世尊
我犯不淨之行因茲世尊以無數方便呵責言汝所為非威儀非沙門
非淨行非隨順行所不應為云何於正法中行不淨行耶如上呵責也與諸
比丘集十句義初制斯戒故名略制　言隨制者有跋闍子比丘愁憂不樂
淨行即便還家共故二行不淨行已遂乃愁憂語諸同學比丘云長老世尊為
諸比丘結戒若比丘犯不淨行是欲婬法得波羅夷罪非跋闍子云我將不犯
波羅夷耶我今當云何善哉長老為我白佛隨佛所教我當奉行尒時
諸比丘以此因緣具白世尊世尊以此因緣集比丘僧以無數方便呵責跋闍子比
丘從今已後若餘比丘愁憂心不樂修梵行戒羸想聽捨戒還家後欲出
家度令出家受於大戒即是無犯不者結重因茲制戒故曰隨結　言廣
制者尒時有一乞食比丘依林中止有一雌獼猴在彼林中住此比丘每食有餘食

BD02689號　將釋僧戒初篇四波羅夷義決　（13–10）

之食之後有採薪人毀斫此屋作持去復經數度此比丘見此草屋
毀彼斫已乃自思惟自有伎能造一瓦屋色如赤銅後時世尊出行
比丘房舍卧具因見此瓦屋作而問之諸比丘白言檀尼迦屋世尊
勅諸比丘令破此屋檀尼迦見破此屋作是言我有何過而破我屋
諸比丘言汝无有過亦不憎汝我受佛勅破汝屋時檀尼迦言若佛教
勅者正是其宜其有摩竭國洴沙王有守林人與檀尼迦比丘少小親
友知識比丘語此人言王先與我材木我今須材便可與我彼人言若
與者隨意多少而取比丘得已斫截持去有一大臣統知王事至王材所
見王材木斫截狼藉問守林人言王之要林誰人斫截守林人云是檀
尼比丘斫截持去臣聞此語遂奏王知何以要材乃與比丘王有餘
林何不與之王言我都不自憶以林與人若有憶者語特大臣即捉守
林人對王問之其人一一具說此守林人遇見比丘語言大德以汝取林故
令捉我大德為我受了此事比丘報之汝先去我後來時比丘後至王所
王即問大臣大德何故不與而取益我要林比丘言王先與我王言我不憶
與汝林木比丘言王自憶不初始位登王之日口自發言若我境內有少
欲知足之比丘一切草木及水皆惠之隨意任用王言我之所施是无主物
不誑有主比丘言若是无主物我自取之何要王施王言大德不與而
取大德應死王復思之我剎利王種不可以少材而斷出家人命以種種
可責放脫此過諸比丘聞已具白世尊以此因緣知而故問檀尼迦比
丘汝實不與而取王之要材不比丘答言是實取也尒時世尊以无
數方便可責檀尼迦時有比丘名曰迦樓本是王之大臣善知世法
世尊問此比丘言王法不與而取幾許物應死比丘白言若取五錢若
直五錢物應死世尊可責此比丘已自今已去不與而取滿五錢直犯波
羅夷

第三殺戒緣　尒時世尊遊毗舍離獼猴江邊講堂中与
諸比丘說不淨行歎不淨行諸比丘作是念今世尊為我等說不淨
行歎不淨行諸比丘即依佛說便習不淨之觀從定覺已厭患身命愁憂
不樂便求刀欲自殺歎死勸死有諸比丘在婆求河邊園中住聞佛說
不淨行諸比丘便習不淨觀厭患身命此身不淨猶如死屍死獨從頭
至足但以卅六種不淨所成甚可臭穢便求刀欲自斷命時有勿力迦難提
比丘是沙門種出家（沙門種者是姓[illegible]）此人宿世是膾師宿習未亡手執利刀

不樂便求刀欲自煞歎死讚死有諸比丘

不淨行諸比丘便習不淨觀厭患身命此身不淨猶如死屍死獨從頭

至足又但以卅六種不淨所成甚可臭穢便求刀欲自斷命時有勿力伽難提

比丘是沙門種出家（沙門種者是姓唐言勿力伽林名也）此人宿世是獵師宿習未亡手執利刀

入婆求園中有比丘遙見勿力伽比丘來告言大德為我斷命我以衣鉢与

汝彼即受雇便斷其人命持血刀向婆求河邊而洗心生悔恨我今无利非善彼无

罪過我斷他命時有一天魔知彼比丘忌念以神通力而來在勿力伽前水面

上立讚言善哉善哉善男子汝今獲大功德度未度者時難提比丘聞

魔讚已悔恨即滅復持刀入園中問言誰未度者我今度之於一日中或

煞一二三四五乃至六十人彼園中死屍狼藉狀如冢間尒時世尊見眾減

少知而故問阿難言衆僧何故減少在何處所尒時阿難以上因緣具

白世尊以无數方便呵責彼比丘初制此戒自今已去不得自手斷命

教人斷命歎死勸死皆犯重

第四忘語緣　尒時世尊游於毗舍

離獼猴江邊高閣講堂告諸比丘汝等當知今時穀貴人民飢餓乞求

難得汝等諸有同師友隨安居我亦當於此處安居時有眾多比丘

受世尊教勅於婆求河邊僧伽藍中安居作是念言如今此國飲食

難得我等作何方便不以飲食為苦耶便至諸居士處語言我得

上人法得禪得解脫得須陀洹等并歎餘比丘亦得解脫諸居士聞已

信受其言即以所有飲食供養諸比丘比丘受供養已顏色光澤氣

力充足諸比丘安居竟攝衣鉢往世尊所世尊見諸比丘顏色悅澤

餘者比丘面色憔悴問比丘言汝等住止安樂不不以飲食為苦耶

諸比丘白佛言我等住止甚善不以飲食為苦佛言汝等作何方

便不以飲食為苦耶諸比丘即已上因緣具白世尊世尊聞已諸比丘言汝

等有實道果不比丘答言或有實者或无實者佛告諸比丘言汝等

愚人實有道果者上不應向人說之况復實无而向人說佛言世有二賊

一者實非淨行自稱淨行二者為口腹故不實得道於大眾中故作妄

語自稱言我得上人法此最大賊何以故以盜受人飲食故是大賊也　世

尊以无數方便呵責婆求河邊安居比丘已自今已去不得妄說聖法

誑惑前人求其利養皆犯波羅夷

BD02689號　將釋僧戒初篇四波羅夷義決

（13–13）

……光有与樂　妙色映徹等金山
流光悉至百千土　衆生遇者皆出離
佛身成就无量福　一切功德共莊嚴
超過三界獨稱尊　世間殊勝无与等
所有過去一切佛　數同大地諸微塵
未來現在十方尊　亦如大地微塵衆
我以至誠身語意　稽首歸依三世佛
讚歎无邊功德海　種種香花皆供養
設我口中有千舌　經无量劫讚如來
世尊功德不思議　最勝甚深難可說
假令我舌有百千　讚歎一佛一功德
於中少分尚難知　況諸佛德无邊際
假使大地及諸天　乃至有頂為海水
可以毛端滴知數　佛一功德甚難量
我以至誠身語意　禮讚諸佛德无邊
所有勝福果難思　迴施衆生速成佛
彼王讚歎如來已　倍復深心發弘願
願我當於未來世　生在无量无數劫
夢中常見大金鼓　聞得顯說懺悔音
讚佛功德喻蓮花　願證无生成正覺
諸佛出世時一現　於百千劫甚難逢
夜夢常聞妙鼓音　晝則隨應而懺悔

BD02690 號　金光明最勝王經卷五　（16–1）

……我當於未來世　……
夢中常見大金鼓　聞得顯說懺悔音
讚佛功德喻蓮花　願證无生成正覺
諸佛出世時一現　於百千劫甚難逢
夜夢常聞妙鼓音　晝則隨應而懺悔
我當圓滿修六度　拔濟衆生出苦海
然後得成无上覺　佛土清淨不思議
以妙金鼓奉如來　并讚諸佛實功德
因斯當見釋迦佛　記我當紹人中尊
金龍金光是我子　過去曾為善知識
世世願生於我家　共受无上菩提記
若有衆生无救護　長夜輪迴受衆苦
我於來世作歸依　令彼常得安隱樂
三有衆苦願除滅　悉得隨心安樂處
於未來世修菩提　皆如過去成佛者
願此金光懺悔福　永竭苦海罪消除
業障煩惱悉皆亡　令我速招清淨果
福智大海量无邊　清淨離垢深无底
願我獲斯功德海　速成无上大菩提
以此金光懺悔力　當獲福德淨光明
既得清淨妙光明　常以智光照一切
願我身光等諸佛　福德智慧亦復然
一切世界獨稱尊　威力自在无倫匹
有漏苦海願超越　无為樂海願常遊
現在福海願恒盈　當來智海願圓滿
願我剎土超三界　殊勝功德量无邊
諸有緣者悉同生　皆得速成清淨智
妙幢汝當知　國王金龍主　曾發如是願　彼即是汝身
往時有二子　金龍及金光　即銀相銀光　當受我所記

BD02690 號　金光明最勝王經卷五　（16–2）

現在福海願恒盈　當来智海願圓滿
願我剎土超三界　殊勝功德量无邊
諸有緣者悉同生　皆得速成清淨智
妙幢汝當知　國王金龍主　曾發如是願　彼即是汝身
往時有二子　金龍及金光　即銀相銀光　當受我所記
大衆聞是說　皆發菩提心　願現在未来　常依此懺悔

金光明最勝王經金勝陀羅尼品第八

尒時世尊復於衆中告善住菩薩摩訶薩善
男子有陀羅尼名曰金勝若有善男子善女
人欲求親見過去未来現在諸佛恭敬供養
者應當受持此陀羅尼何以故此陀羅
是過現未来諸佛之母是故當知持此陀羅
尼者具大福德已於過去无量佛所殖諸善
本今得受持於戒清淨不毀不缺无有障礙
決定能入甚深法門世尊即爲說持呪法先
稱諸佛及菩薩名至心礼敬然後誦呪
南謨十方一切諸佛　南謨諸大菩薩摩訶薩
南謨聲聞緣覺一切賢聖
南謨釋迦牟尼佛　南謨東方不動佛
南謨南方寶幢佛　南謨西方阿弥陀佛
南謨北方天鼓音王佛　南謨上方廣衆德佛
南謨下方明德佛　南謨寶藏佛
南謨普光佛　南謨普明佛
南謨香積王佛　南謨蓮光勝佛
南謨平等見佛　南謨寶語佛
南謨寶上佛　南謨寶光佛
南謨无垢光明佛　南謨辯才莊嚴思惟佛
南謨淨月光稱相王佛　南謨光嚴佛

BD02690號　金光明最勝王經卷五　（16–3）

南謨香積王佛　南謨蓮光勝佛
南謨平等見佛　南謨寶語佛
南謨寶上佛　南謨寶光佛
南謨无垢光明佛　南謨辯才莊嚴思惟佛
南謨淨月光稱相王佛　南謨光嚴佛
南謨光明王佛　南謨善光无垢稱王佛
南謨觀察无畏自在佛　南謨无畏名稱佛
南謨最勝王佛
南謨觀自在菩薩摩訶薩　南謨地藏菩薩摩訶薩
南謨虛空藏菩薩摩訶薩　南謨妙吉祥菩薩摩訶薩
南謨金剛手菩薩摩訶薩　南謨普賢菩薩摩訶薩
南謨无盡意菩薩摩訶薩　南謨大勢至菩薩摩訶薩
南謨慈氏菩薩摩訶薩　南謨善惠菩薩摩訶薩
陀羅尼曰
南謨曷喇怛娜怛喇夜也　怛姪他
君睇　君睇　矩祈攞　矩祈攞
壹窒哩　蜜窒哩　莎訶
佛告善住菩薩此陀羅尼是三世佛母若有
善男子善女人持此呪者能生无量无邊福
德之聚即是供養恭敬尊重讚歎无數諸佛
如是諸佛皆与此人證阿耨多羅三藐三菩提
記善住若有人能持此呪者隨其所欲衣食
財寶多聞聰慧无病長壽獲福甚多隨所願
求无不遂意善住持是呪者乃至未證无上菩
提常與金城山菩薩慈氏菩薩大海菩薩觀
自在菩薩妙吉祥菩薩大氷伽羅菩薩等而
共居止爲諸菩薩之所攝護善住當知持此
呪時作如是法先應誦持滿一万八遍爲前

BD02690號　金光明最勝王經卷五　（16–4）

自在菩薩妙吉祥菩薩大米伽羅菩薩等而
共居止爲諸菩薩之所擁護善住當知持此
呪時作如是法先應誦持滿一万八遍爲前
方便次於闇室莊嚴道場黑月一日清淨洗
浴著鮮潔衣燒香散花種種供養并諸飲
食入道場中先當稱礼如前所說諸佛菩薩
至心慇重懺悔先罪已右膝著地可誦前呪滿一
千八遍端坐思惟念其所願日未出時於道場
中食淨黑食日唯一食至十五日方出道
場能令此人福德威力不可思議隨所願求无
不圓滿若不遂意重入道場既稱心已常持
莫忘

金光明最勝王經顯性空品第九

爾時世尊說此呪已爲欲利益菩薩摩訶薩
人天大衆令得悟解甚深真實第一義故重
明空性而說頌曰

我已於餘甚深經　廣說真空微妙法
今復於此經王內　略說空法不思議
於諸廣大甚深法　有情无智不能解
故我於斯重敷演　令於空法得開悟
大悲哀愍有情故　以善方便勝因緣
我今於此大衆中　演說令彼明空義
當知此身如空聚　六賊依止不相知
六塵諸賊別依根　各不相知亦如是
眼根常觀於色處　耳根聽聲不斷絕
鼻根恒嗅於香境　舌根鎮嘗於美味
身根受於輕軟觸　意根了法不知厭

六塵諸賊別依根　各不相知亦如是
眼根常觀於色處　耳根聽聲不斷絕
鼻根恒嗅於香境　舌根鎮嘗於美味
身根受於輕軟觸　意根了法不知厭
此等六根隨事起　各於自境生分別
識如幻化非真實　依止根處妄貪求
如人奔走空聚中　六識依根亦如是
心遍馳求隨處轉　託根緣境了諸事
常愛色聲香味觸　於法尋思无暫停
隨緣遍行於六根　如鳥飛空无障礙
藉此諸根作依處　方能了別於外境
此身无知无作者　體不堅固託緣成
皆從虛妄分別生　譬如機關由業轉
地水火風共成身　隨彼因緣招異果
同在一處相違害　如四毒蛇居一篋
此四大蛇性各異　雖居一處有昇沉
或上或下遍於身　斯等終歸於滅法
於此四種毒蛇中　地水二蛇多沉下
風火二蛇性輕舉　由此乖違衆病生
心識依止於此身　造作種種善惡業
當往人天三惡趣　隨其業力受身形
遭諸疾病身死後　大小便利悉盈流
膿爛蟲蛆不可樂　棄在屍林如朽木
汝等當觀法如是　云何執有我衆生
一切諸法盡无常　悉從无明緣力起
彼諸大種咸虛妄　本非實有體無生
故說大種性皆空　知此浮虛非實有
无明自性本是无　藉衆緣力和合有

汝等當觀法如是　云何執有我衆生
一切諸法盡无常　悲從无明緣力起
彼諸大種咸虛妄　本非實有體無生
故說大種性皆空　知此淨虛非實有
无明自性本是无　猶衆緣力和合有
於一切時失正慧　故我說彼為无明
行識為緣有名色　六處及觸受隨生
愛取有緣生老死　憂悲苦惱恒隨逐
衆苦惡業常纏迫　生死輪迴无息時
本來非有體是空　由不如理生分別
我斷一切諸煩惱　常以正智現前行
了五蘊宅悉皆空　求證菩提真實處
我開甘露大城門　示現甘露微妙器
既得甘露真實味　常以甘露施群生
我擊最勝大法鼓　我吹最勝大法螺
我然最勝大明燈　我降最勝大法雨
降伏煩惱諸怨結　建立无上大法幢
於生死海濟群迷　我當關閉三惡趣
煩惱熾火燒衆生　无有救護无依止
清涼甘露充足彼　身心熱惱並皆除
由是我於无量劫　恭敬供養諸如來
堅持禁戒趣菩提　求證法身安樂處
施他眼耳及手足　妻子僮僕心无恡
財寶七珍莊嚴具　隨來求者咸供給
忍等諸度皆遍修　十地圓滿成正覺
故我得稱一切智　無有衆生度量者
假使三千大千界　盡此土地生長物
所有叢林諸樹木　稻麻竹葦及枝條

BD02690號　金光明最勝王經卷五　（16–7）

故我得稱一切智　無有衆生度量者
假使三千大千界　盡此土地生長物
所有叢林諸樹木　稻麻竹葦及枝條
此等諸物皆伐取　並悉細末作微塵
隨處積集量難知　乃至充滿虛空界
一切十方諸刹土　所有三千大千界
地土皆悉末為塵　此微塵量不可數
假使一切衆生智　以此智慧與一人
如是智者量无邊　容可知彼微塵數
牟尼世尊一念智　令彼智人共度量
於多俱胝劫數中　不能算知其少分

時諸大衆聞佛說此甚深空性，有无量衆生
悉能了達四大五蘊體性俱空，六根六境妄
生繫縛，願捨輪迴正修出離，深心慶喜如說
奉持。

金光明最勝王經依空滿願品第十

爾時如意寶光耀天女於大衆中聞說深法，
歡喜踊躍從座而起，偏袒右肩右膝著地，合
掌恭敬白佛言：世尊，唯願為說於甚深理修
行之法。而說頌言：

我問照世界　兩足最勝尊　菩薩正行法　願唯慈聽許

佛言：善女天，若有疑惑者，隨汝意所問，吾當分別說。
是時天女請世尊曰：

云何諸菩薩　行菩提正行　離生死涅槃　饒益自他故

佛告善女天：依於法界行菩提法，修平等行。
云何依於法界行菩提法，修平等行？謂於五
蘊能現法界，法界即是五蘊，五蘊不可說，非
五蘊亦不可說。何以故？若法界是五蘊，即是

BD02690號　金光明最勝王經卷五　（16–8）

佛告善女天依於法界行菩提法修平等行
云何依於法界行菩提法修平等行謂於五
蘊能現法界法界即是五蘊五蘊不可說非
五蘊亦不可說何以故若法界是五蘊即是
斷見若離五蘊即是常見離於二相不著二
邊不可見過所見無名無相是則名為說於
法界善女天云何五蘊能現法界如是五蘊
不從因緣生何以故若從因緣生者為已生
故生為未生故生若已生生者何用因緣若
未生生者不可得生何以故未生諸法即是
非有無名無相非校量譬喻之所能及非是
因緣之所生故善女天譬如鼓聲依木依皮
及桴手等故得出聲如是鼓聲過去亦空未
來亦空現在亦空何以故是鼓音聲不從木
生不從皮生及桴手生不於三世生是則不
生若不可生則不可滅若不可滅無所從來
若無所從來亦無所去若無所去則非常非
斷若非常非斷則不一不異何以故此若是
一則不異法界若如是者凡夫之人應見真
諦得於無上安樂涅槃既不如是故知不一
若言異者一切諸佛菩薩行相即是執著未
得解脫煩惱繫縛即不證阿耨多羅三藐三
菩提何以故一切聖人於行非行同真實性
是故不異故知五蘊非有非無不從因緣生
非無因緣生是聖所知非餘境故亦非言說
之所能及無名無相無因無緣亦無譬喻始
終寂靜本來自空是故五蘊能現法界善女
天若善男子善女人欲求阿耨多羅三藐三
菩提異真異俗難可思量於凡聖境體非一

BD02690號　金光明最勝王經卷五　（16–9）

非無因緣生是聖所知非餘境故亦非言說
之所能及無名無相無因無緣亦無譬喻始
終寂靜本來自空是故五蘊能現法界善女
天若善男子善女人欲求阿耨多羅三藐三
菩提異真異俗難可思量於凡聖境體非一
異不捨於俗不離於真依於法界行菩提行
爾時世尊作是語已時善女天踊躍歡喜即
從座起偏袒右肩右膝著地合掌恭敬一心
頂禮而白佛言世尊如上所說菩提正行我
今當學是時索訶世界主大梵天王於大眾
中問如意寶光耀善女天曰此菩提行難可
修行汝今云何於菩提行而得自在爾時善女
天答梵王曰大梵王如佛所說實是甚深一
切異生不解其義是聖境界微妙難知若使
我今依於此法得安樂住是實語者願令一
切五濁惡世無量無數無邊眾生皆得金色
卅二相非男非女坐寶蓮花受無量樂雨天
妙花諸天音樂不鼓自鳴一切供養皆悉具
足時善女天說是語已一切五濁惡世所有
眾生皆悉金色具大人相非男非女坐寶蓮
花受無量樂猶如他化自在天宮無諸惡道
寶樹行列七寶蓮花遍滿世界又雨七寶
上妙天花作天伎樂如意寶光耀善女天即
轉女身作梵天身時大梵王問如意寶光耀
菩薩言仁者如何行菩提行菩薩言梵王若水
中月行菩提行我亦行菩提行若夢中行菩
提行我亦行菩提行若陽焰行菩提行我亦
行菩提行若谷響行菩提行我亦行菩提行
時大梵王聞此說已白菩薩言

BD02690號　金光明最勝王經卷五　（16–10）

菩薩言仁者如何行菩提行答言梵王若水
中月行菩提行我亦行菩提行若夢中行菩
提行我亦行菩提行若鹹露行菩提行我亦
行菩提行若谷響行菩提行我亦行菩提行
時大梵王聞此說已白菩薩言仁依何義而
說此語答言梵王无有一法是實相者但由
因緣而得成故梵王言若如是者諸凡夫人
皆悉應得阿耨多羅三藐三菩提答言仁以
何意而作是說愚癡人異智慧人異菩提異
非菩提異解脫異非解脫異梵王如是諸法
平等无異於此法界真如不異无有中間而
可執著無增無減梵王譬如幻師及幻弟子
善解幻術於四衢道取諸沙土草木葉等聚
在一處作諸幻術使人覩見象眾馬眾車兵
等眾七寶之聚種種倉庫若有眾生愚癡無
智不能思惟不知幻本若見若聞作是思惟
我所見聞象馬等眾此是實有餘皆虛妄於
後更不審察思惟有智之人則不如是了於
幻本若見若聞作如是念如我所見象馬等
眾非是真實唯有幻事惑人眼目妄謂象等
及諸倉庫有名無實如我見聞不執為實後
時思惟知其虛妄是故智者了一切法皆無
實體但隨世俗如見如聞表宣其事思惟諦
理則不如是復由假說顯實義故梵王愚癡
異生未得出世聖慧之眼未知一切諸法真
如不可說故是諸凡愚若見若聞行非行法
如是思惟便生執著謂以為實於第一義不
能了知諸法真如是不可說是諸聖人若見
若聞行非行法隨其力能不生執著以為實

BD02690號　金光明最勝王經卷五　（16–11）

如是思惟便生執著謂以為實於第一義不
能了知諸法真如是不可說是諸聖人若見
若聞行非行法隨其力能不生執著以為實
有了知一切無實行法無實非行法但妄思
量行非行相唯有名字无有實體是諸聖人
隨世俗說為欲令他知真實義如是梵王是
諸聖人以聖智見了法真如不可說故行非
行法亦復如是令他證知故說種種世俗名
言時大梵王問如意寶光耀菩薩言有幾眾
生能解如是甚深正法菩薩言梵王有眾幻人
心心數法能解如是甚深正法梵王曰此幻
化人體是非有此之心數從何而生菩薩曰
如法界不有不無如是眾生能解深義
尒時梵王白佛言世尊是如意寶光耀菩薩
不可思議通達如是甚深之義佛言如是如
是梵王如汝所言此如意寶光耀已教汝等
發心修學無生忍法是時大梵天王與諸梵
眾從座而起偏袒右肩合掌恭敬頂禮如意
寶光耀菩薩足作如是言希有希有我等今
日幸遇大士得聞正法
尒時世尊告梵王言是如意寶光耀於未來
世當得作佛号寶𦦨吉祥藏如來應正遍知
明行圓滿善逝世間解無上士調御丈夫天
人師佛世尊說是品時有三千億菩薩於阿
耨多羅三藐三菩提得不退轉八千億天子
无量无數國王神民遠塵離垢得法眼淨
尒時會中有五十億苾芻行菩薩行欲退菩
提心聞如意寶光耀菩薩說是法時皆得堅

BD02690號　金光明最勝王經卷五　（16–12）

耨多羅三藐三菩提行不退轉八千
无量无數國王神民遠塵離垢得法眼淨
尒時會中有五十億苾芻行菩薩行欲退菩
提心聞如意寶光耀菩薩說是法時皆得堅
固不可思議滿足上願更復發起菩提之心
各自脫衣供養菩薩重發无上勝進之心作
如是願願令我等功德善根悉皆不退迴向
阿耨多羅三藐三菩提梵王是諸苾芻依此
功德如說修行過九十大劫當得解悟出離
生死尒時世尊即為授記汝諸苾芻過卅阿
僧祇劫當得作佛劫名難勝光王國名无垢
光同時皆得阿耨多羅三藐三菩提皆同一号
名願莊嚴聞飾王十号具足梵王是金光明
微妙經典若正聞持有大威力假使有人於
百千大劫行六波羅蜜无有方便若有善男
子善女人書寫如是金光明經半月半月專
心讀誦是功德聚於前功德百分不及一乃
至算數譬喻所不能及梵王是故我今令汝
修學憶念受持為他廣說何以故我於往昔
行菩薩道時猶如勇士入於戰陣不惜身命
流通如是微妙經王受持讀誦為他解說梵
王譬如轉輪聖王若王在世七寶不滅王若
命終所有七寶自然滅盡梵王是金光明微
妙經王若現在世無上法寶悉皆不滅若
無是經隨處隱没是故應當於此經王專心
聽聞受持讀誦為他解說勸令書寫行精進
波羅蜜不惜身命不憚疲勞功德中勝我諸
弟子應當如是精勤修學
尒時大梵天王与无量梵衆帝釋四王及諸

BD02690號　金光明最勝王經卷五

(16–13)

尒時大梵天王与无量梵衆帝釋四王及諸
藥叉俱從座起偏袒右肩右膝著地合掌恭
敬而白佛言世尊我等皆願守護流通是金
光明微妙經典及說法師若有諸難我當除
遣令具衆善色力充足辯才无礙身意泰然
時會聽者皆受安樂所在國土若有飢饉怨
賊非人為惱害者我等天衆皆為擁護使其
人民安隱豐樂无諸枉横皆是我等天衆之
力若有供養是經典者我等亦當恭敬供養
如佛不異
尒時佛告大梵天王及諸梵衆乃至四王諸
藥叉等善哉善哉汝等得聞甚深妙法復能
於此微妙經王發心擁護及持經者當獲无
邊殊勝之福速成无上正等菩提時梵王等
聞佛語已歡喜頂受
金光明最勝王經四天王觀察人天品第十一
尒時多聞天王持國天王增長天王廣目天王
俱從座起偏袒右肩右膝著地合掌向佛礼
足已白言世尊是金光明最勝王經一切諸
佛常念觀察一切菩薩之所恭敬一切天龍
常所供養及諸天衆常生歡喜一切護世稱
揚讚歎聲聞獨覺皆共受持悉能明照諸
天宮殿能与一切衆生殊勝安樂止息地獄餓
鬼傍生諸趣苦惱一切怖畏悉能除殄所有
怨敵尋即退散飢饉惡時能令豐稔疾疫病
苦皆令蠲愈一切災變百千苦惱咸悉消滅
世尊如是金光明最勝王經能為如是安隱利
樂饒益我等唯願世尊於大衆中廣為宣說

BD02690號　金光明最勝王經卷五

(16–14)

怨敵尋即退散飢饉惡時能令豐稔疾疫病
苦皆令蠲愈一切灾變百千苦惱咸悉消滅
世尊是金光明最勝王經能為如是安隱利
樂饒益我等唯願世尊於大眾中廣為宣說
我等四王并諸眷屬聞此甘露无上法味氣
力充實增益威光精進勇猛神通倍勝世尊
我等四王修行正法常說正法以法化世我
等令彼天眾龍藥叉健闥婆阿蘇羅揭路荼
俱槃荼緊那羅莫呼洛伽及諸人王常以
正法而化於世遮去諸惡所有鬼神吸人精
氣无慈悲者悉令遠去世尊我等四王与二
十八部藥叉大將并与无量百千藥叉以淨
天眼過於世人觀察擁護此贍部洲世尊以
此因緣我等諸王名護世者又復於此洲中
若有國王被他怨賊常來侵擾及多飢饉
疾疫流行无量百千灾厄之事世尊我等四
於此金光明最勝王經恭敬供養若有苾芻
法師受持讀誦我等四王共往覺悟勸請
其人時彼法師由我神通覺悟力故往彼國界
廣宣流布是金光明微妙經典由經力故令
彼无量百千衰惱灾厄之事悉皆除遣世尊
若諸人王於其國內有持是經苾芻法師至
彼國時當知此經亦至其國世尊時彼國王
應往法師處聽其所說聞已歡喜於彼法師
恭敬供養深心擁護令无憂惱演說此經利
益一切世尊以是緣故我等四王皆共一心護
是人王及國人民令離灾患常得安隱世尊
若有苾芻苾芻尼鄔波索迦鄔波斯迦持是

BD02690 號　金光明最勝王經卷五　（16–15）

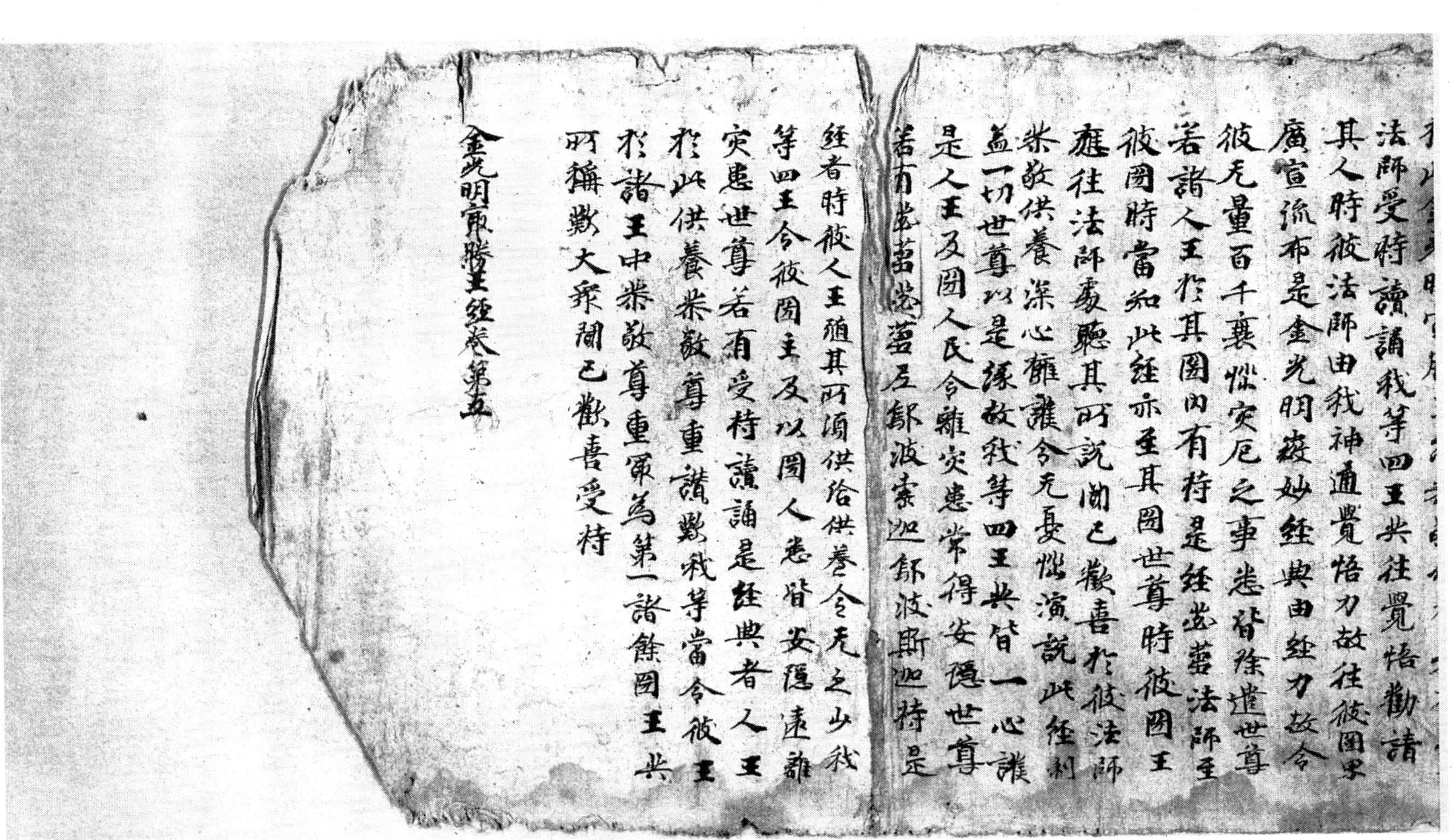
於此金光明[illegible]
法師受持讀誦我等四王共往覺悟勸請
其人時彼法師由我神通覺悟力故往彼國界
廣宣流布是金光明微妙經典由經力故令
彼无量百千衰惱灾厄之事悉皆除遣世尊
若諸人王於其國內有持是經苾芻法師至
彼國時當知此經亦至其國世尊時彼國王
應往法師處聽其所說聞已歡喜於彼法師
恭敬供養深心擁護令无憂惱演說此經利
益一切世尊以是緣故我等四王皆共一心護
是人王及國人民令離灾患常得安隱世尊
若有苾芻苾芻尼鄔波索迦鄔波斯迦持是
經者時彼人王隨其所須供給供養令无乏少我
等四王令彼國主及以國人悉皆安隱遠離
灾患世尊若有受持讀誦是經典者人王
於此供養恭敬尊重讚歎我等當令彼王
於諸王中恭敬尊重最為第一諸餘國王共
所稱歎大眾聞已歡喜受持

金光明最勝王經卷第五

BD02690 號　金光明最勝王經卷五　（16–16）

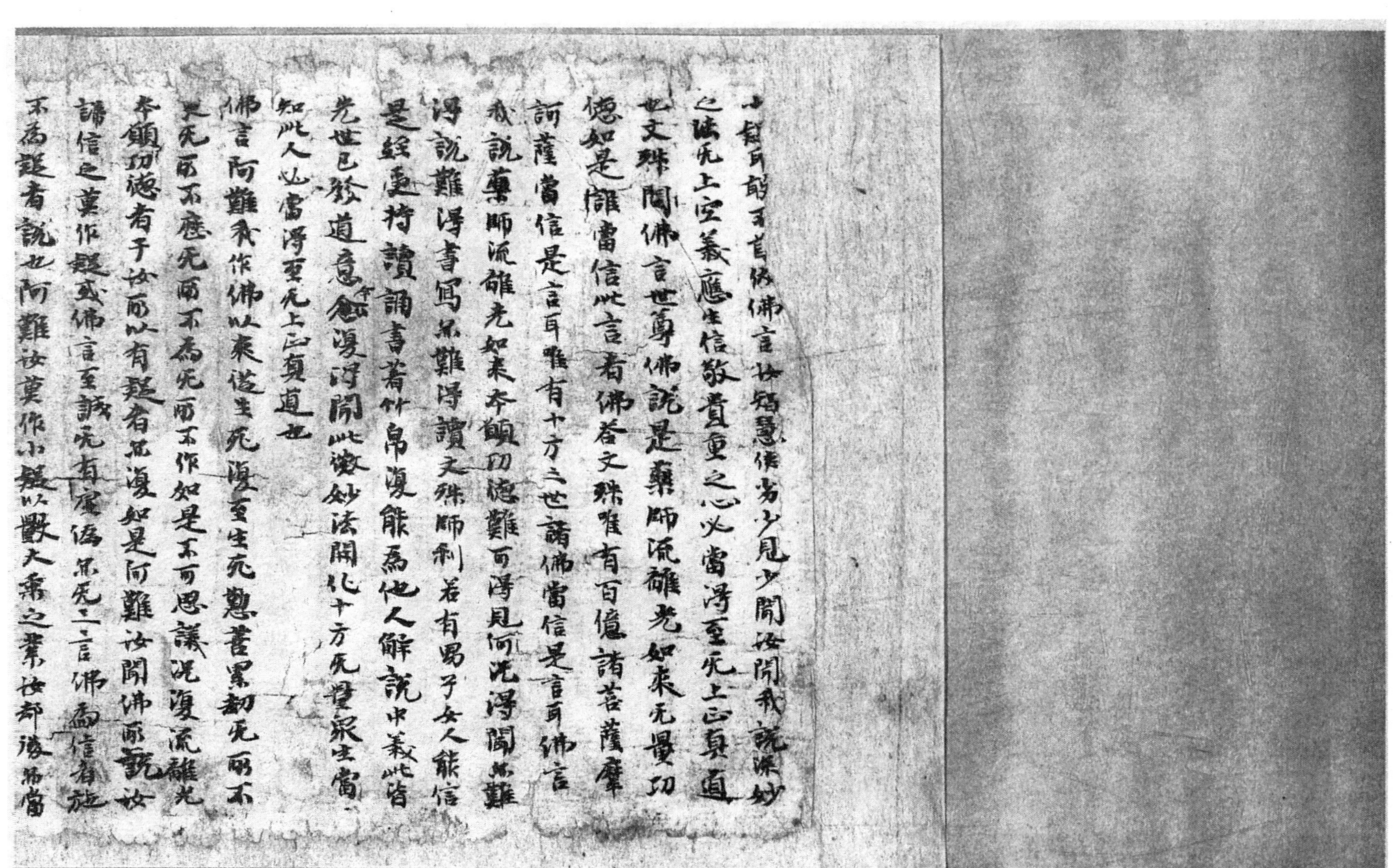

小錯耳解子首依佛言汝猶憙作劣少見少聞汝聞我說深妙
之法无上空義應生信敬貴重之心必當得至无上正真道
也文殊聞佛言世尊佛說是藥師流離光如來无量功
德如是難當信此言者佛答文殊唯有百億諸菩薩摩
訶薩當信是言耳唯有十方三世諸佛當信是言耳佛言
我說藥師流離光如來本願功德難可得見何況得聞亦難
得說難得書寫亦難得讀文殊師利若有男子女人能信
是經受持讀誦書著竹帛復能為他人解說中義此皆
先世已發道意今復得聞此微妙法開化十方无量衆生當
知此人必當得至无上正真道也
佛言阿難我作佛以來從生死復至生死恩甚罣劫无所不
更无所不歷无所不為无所不作如是不可思議況復流離光
本願功德者乎汝所以有疑者亦復如是阿難汝聞佛所說汝
諦信之莫作疑惑佛言至誠无有虛偽亦无二言佛為信者施
不為疑者說也阿難汝莫作小疑以斷大乘之業汝却後亦當

BD02691 號　灌頂章句拔除過罪生死得度經　（3–1）

佛言阿難我作佛以來從生死復至生死恩甚罣劫无所不
更无所不歷无所不為无所不作如是不可思議況復流離光
本願功德者乎汝所以有疑者亦復如是阿難汝聞佛所說汝
諦信之莫作疑惑佛言至誠无有虛偽亦无二言佛為信者施
不為疑者說也阿難汝莫作小疑以斷大乘之業汝却後亦當
縱摩訶衍莫以小道從今日已後无復余心唯佛自當知我心耳佛語阿難此經能照諸
大官宅善三宅起時中有天人發心念此流離光佛本願功德經
者皆得離於厄之難是經能除水旱不調是經能除他方
逆賊悉令消滅四方夷狄各還正治不相嬈惱國土交通人民歡
樂是經能除飢饉貴飢凍是經能滅惡星變怪是經能除
疾毒之病是經能救三惡苦地獄餓鬼畜生等苦若之得
聞此經典者无不解脫厄難者也
爾時衆中有一菩薩名日救脫從坐而起整衣服叉手合掌而
白佛言我等今日聞佛世尊演說過東方十恒河沙世界有
爾時衆中有一菩薩名日救脫從坐而起整衣服叉手合
掌而白佛言我等今日聞佛世尊演說過東方十恒河
沙世界有佛号流離光一切衆會靡不歡喜救脫菩薩
叉手白言族姓男女其有羸著牀痛惱无救護者
我今當勸諸衆僧七日七夜齋戒一心受持八禁六時行道
禮是經典勸然七層之燈亦勸懸五色續命
問救脫菩薩言續命幡燈法則云何救脫
菩薩語阿難言神幡五色卌九尺燈亦復然七層之
燈一層七燈如車輪若遭厄難閉在牢獄枷鎖著身

BD02691 號　灌頂章句拔除過罪生死得度經　（3–2）

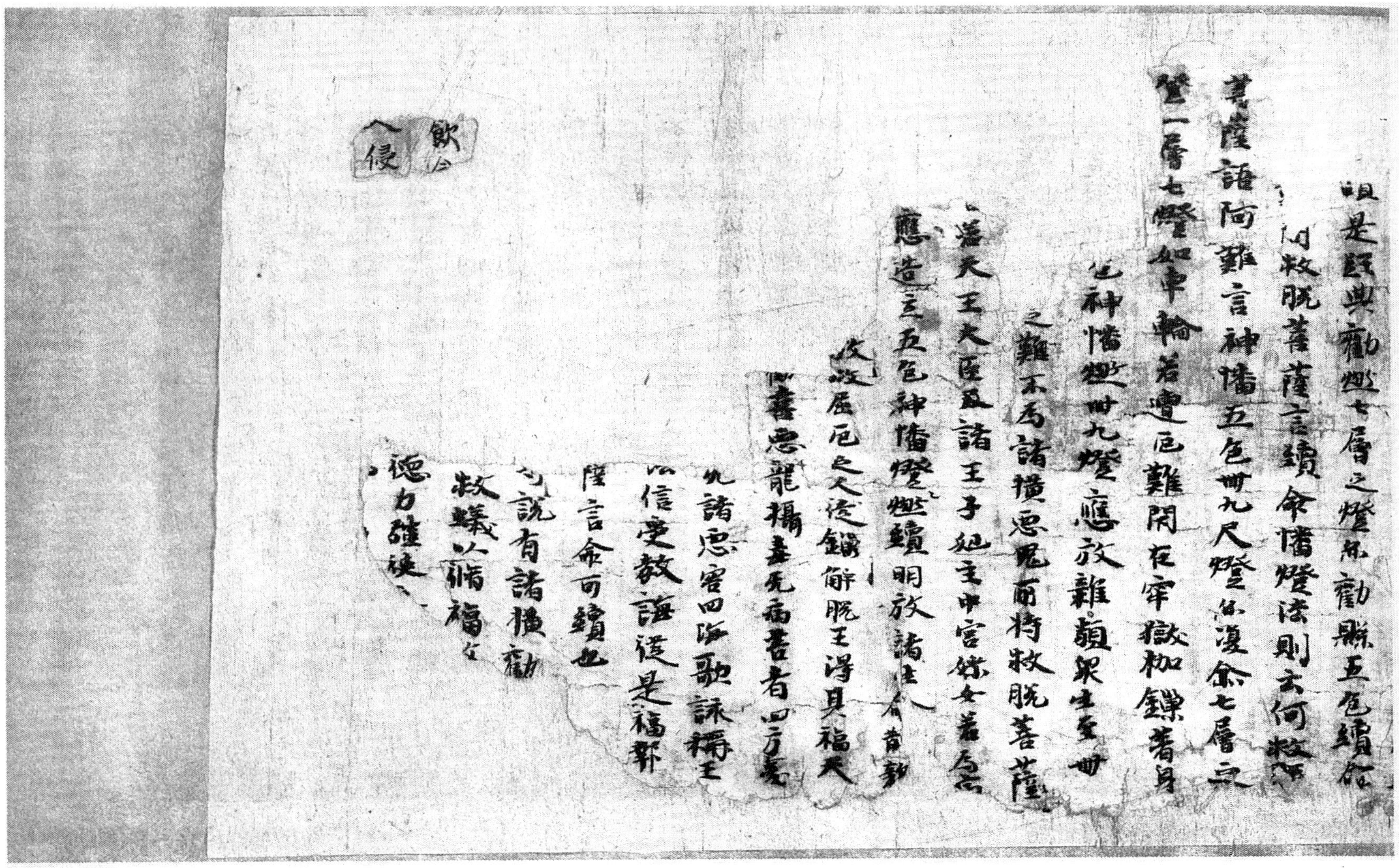

明是經典勸燃七層之燈亦勸懸五色續命
…救脫菩薩言續命幡燈法則云何救…
菩薩語阿難言神幡五色卌九尺燈亦復念七層之
燈一層七燈如車輪若遭厄難閉在牢獄枷鎖著身
…神幡燃卌九燈應放雜類衆生至卌
之難不為諸横惡鬼所持救脫菩薩
…天王大臣及諸王子妃主中宮婇女若為
應造立五色神幡燈燃續明放諸生…
…次救厄之人從鎖解脫王得其福天
…諸善惡龍神無死善者四方
…諸惡害四海歌詠稱王
…信受教誨從是福
…薩言命可續也
…說有諸横勸
救蠕以脩福
德力護使

飲…
入侵

BD02691 號　灌頂章句拔除過罪生死得度經　（3–3）

…以故如
非法所以者何
…差別
…千大千世界七
福德寧為多不須菩
是福德即非福德性
若…人於此經中受
四句偈等為他人說其福勝彼何以
故須菩提一切諸佛及諸佛阿耨多羅三藐
三菩提法皆從此經出須菩提〻謂佛法者
即非佛法
須菩提於意云何須陀洹能作是念我得須
陀洹果不須菩提言不也世尊何以故須陀
洹名為入流而无所入不入色聲香味觸法
是名須陀洹須菩提於意云何斯陀含能作
是念我得斯陀含果不須菩提言不也世尊
何以故斯陀含名一往來而實无往來是名
斯陀含須菩提於意云何阿那含能作是念
我得阿那含果不須菩提言不也世尊何以
故阿那含名為不來而實无來是故名阿那
含須菩提於意云何阿羅漢能作是念我得
阿羅漢道不須菩提言不也世尊何以故實
无有法名阿羅漢世尊若阿羅漢作是念我
得阿羅漢道即為著我人衆生壽者世尊佛

BD02692 號　金剛般若波羅蜜經　（10–1）

斯陁含須菩提於意云何阿那含能作是念
我得阿那含果不須菩提言不也世尊何以
故阿那含名為不來而實无來是故名阿那
含須菩提於意云何阿羅漢能作是念我得
阿羅漢道不須菩提言不也世尊何以故實
无有法名阿羅漢世尊若阿羅漢作是念我
得阿羅漢道即為著我人衆生壽者世尊佛
說我得无諍三昧人中最為第一是第一離
欲阿羅漢我不作是念我是離欲阿羅漢世
尊我若作是念我得阿羅漢道世尊則不說
須菩提是樂阿蘭那行者以須菩提實无所
行而名須菩提是樂阿蘭那行佛告須菩提
於意云何如來昔在然燈佛所於法有所得
不世尊如來在然燈佛所於法實无所得
須菩提於意云何菩薩莊嚴佛土不不也世
尊何以故莊嚴佛土者則非莊嚴是名莊嚴
是故須菩提諸菩薩摩訶薩應如是生清淨
心不應住色生心不應住聲香味觸法生心
應无所住而生其心須菩提譬如有人身如
須弥山王於意云何是身為大不須菩提言
甚大世尊何以故佛說非身是名大身
須菩提如恒河中所有沙數如是沙等恒河
於意云何是諸恒河沙寧為多不須菩提言
甚多世尊但諸恒河尚多无數何況其沙須
菩提我今實言告汝若有善男子善女人以
七寶滿尒所恒河沙數三千大千世界以用
布施得福多不須菩提言甚多世尊佛告須

BD02692號　金剛般若波羅蜜經　(10–2)

菩提我今實言告汝若有善男子善女人以
七寶滿尒所恒河沙數三千大千世界以用
布施得福多不須菩提言甚多世尊佛告須
菩提若善男子善女人於此經中乃至受持
四句偈等為他人說而此福德勝前福德
復次須菩提隨說是經乃至四句偈等當知
此處一切世間天人阿脩羅皆應供養如佛
塔廟何況有人盡能受持讀誦須菩提當知
是人成就最上第一希有之法若是經典所
在之處則為有佛若尊重弟子尒時須菩提
白佛言世尊當何名此經我等云何奉持佛
告須菩提是經名為金剛般若波羅蜜以是
名字汝當奉持所以者何須菩提佛說般若
波羅蜜則非般若波羅蜜須菩提於意云何
如來有所說法不須菩提白佛言世尊如來
无所說須菩提於意云何三千大千世界所
有微塵是為多不須菩提言甚多世尊須菩
提諸微塵如來說非微塵是名微塵如來說
世界非世界是名世界須菩提於意云何可
以三十二相見如來不不也世尊何以故如
來說三十二相即是非相是名三十二相須
菩提若有善男子善女人以恒河沙等身命
布施若復有人於此經中乃至受持四句偈
等為他人說其福甚多尒時須菩提聞說是
經深解義趣涕淚悲泣而白佛言希有世尊
佛說如是甚深經典我從昔來所得慧眼未
曾得聞如是之經世尊若復有人得聞是經

BD02692號　金剛般若波羅蜜經　(10–3)

布施若復有人於此經中乃至受持四句偈
等為他人說其福甚多尒時須菩提聞說是
經深解義趣涕淚悲泣而白佛言希有世尊
佛說如是甚深經典我從昔来所得慧眼未
曾得聞如是之經世尊若復有人得聞是經
信心清淨則生實相當知是人成就第一希
有功德世尊是實相者則是非相是故如来
說名實相世尊我今得聞如是經典信解受
持不足為難若當来世後五百歲其有衆生
得聞是經信解受持是人則為第一希有何
以故此人无我相人相衆生相壽者相所以者
何我相即是非相人相衆生相壽者相即是
非相何以故離一切諸相則名諸佛佛告須
菩提如是如是若復有人得聞是經不驚不
怖不畏當知是人甚為希有何以故須菩
提如来說第一波羅蜜非第一波羅蜜是名
第一波羅蜜
須菩提忍辱波羅蜜如来說非忍辱波羅蜜
何以故須菩提如我昔為歌利王割截身體
我於尒時无我相无人相无衆生相无壽者
相何以故我於往昔節節支解時若有我相
人相衆生相壽者相應生瞋恨須菩提又念
過去於五百世作忍辱仙人於尒所世无我
相无人相无衆生相无壽者相是故須菩提
菩薩應離一切相發阿耨多羅三藐三菩提
心不應住色生心不應住聲香味觸法生心
應生无所住心若心有住則為非住是故佛
說菩薩心不應住色布施須菩提菩薩為利

BD02692 號　金剛般若波羅蜜經　（10–4）

相无人相无衆生相无壽者相是故須菩提
菩薩應離一切相發阿耨多羅三藐三菩提
心不應住色生心不應住聲香味觸法生心
應生无所住心若心有住則為非住是故佛
說菩薩心不應住色布施須菩提菩薩為利
益一切衆生應如是布施如来說一切諸相
即是非相又說一切衆生則非衆生須菩提
如来是真語者實語者如語者不誑語者不
異語者須菩提如来所得法此法无實无虛
須菩提若菩薩心住於法而行布施如人入
闇則无所見若菩薩心不住法而行布施如
人有目日光明照見種種色
須菩提當来之世若有善男子善女人能於
此經受持讀誦則為如来以佛智慧悉知是
人悉見是人皆得成就无量无邊功德須菩
提若有善男子善女人初日分以恒河沙等
身布施中日分復以恒河沙等身布施後日
分亦以恒河沙等身布施如是无量百千万
億劫以身布施若復有人聞此經典信心不
逆其福勝彼何況書寫受持讀誦為人解說
須菩提以要言之是經有不可思議不可稱
量无邊功德如来為發大乘者說為發最上
乘者說若有人能受持讀誦廣為人說如来
悉知是人悉見是人皆成就不可量不可稱
无有邊不可思議功德如是人等則為荷擔
如来阿耨多羅三藐三菩提何以故須菩提
若樂小法者著我見人見衆生見壽者見則

BD02692 號　金剛般若波羅蜜經　（10–5）

悉知是人悉見是人皆成就不可量不可稱
无有邊不可思議功德如是人等則為荷擔
如来阿耨多羅三藐三菩提何以故須菩提
若樂小法者著我見人見衆生見壽者見則
於此經不能聽受讀誦為人解說須菩提在
在處處若有此經一切世間天人阿脩羅所
應供養當知此處則為是塔皆應恭敬作礼
圍遶以諸華香而散其處復次須菩提善男
子善女人受持讀誦此經若為人輕賤是人
先世罪業應墮惡道以今世人輕賤故先世
罪業則為消滅當得阿耨多羅三藐三菩提
須菩提我念過去无量阿僧祇劫於然燈佛
前得值八百四千万億那由他諸佛悉皆供
養承事无空過者若復有人於後末世能受
持讀誦此經所得功德於我所供養諸佛功
德百分不及一千万億分乃至筭數譬喻所不
能及須菩提若善男子善女人於後末世有
有受持讀誦此經所得功德我若具說者或
有人聞心則狂亂狐疑不信須菩提當知是
經義不可思議果報亦不可思議
尒時須菩提白佛言世尊善男子善女人發
阿耨多羅三藐三菩提心云何應住云何降
伏其心佛告須菩提善男子善女人發阿耨
多羅三藐三菩提者當生如是心我應滅度
一切衆生滅度一切衆生已而无有一衆生
實滅度者何以故若菩薩有我相人相衆生
相壽者相則非菩薩所以者何須菩提實无

BD02692號　金剛般若波羅蜜經　（10–6）

伏其心佛告須菩提善男子善女人發阿耨
多羅三藐三菩提者當生如是心我應滅度
一切衆生滅度一切衆生已而无有一衆生
實滅度者何以故若菩薩有我相人相衆生
相壽者相則非菩薩所以者何須菩提實无
有法發阿耨多羅三藐三菩提
須菩提於意云何如来於然燈佛所有法得
阿耨多羅三藐三菩提不不也世尊如我解佛
所說義佛於然燈佛所无有法得阿耨多羅
三藐三菩提佛言如是如是須菩提實无有
法如来得阿耨多羅三藐三菩提須菩提若
有法如来得阿耨多羅三藐三菩提然燈佛
則不與我受記汝於来世當得作佛号釋迦
牟尼以實无有法得阿耨多羅三藐三菩提
是故然燈佛與我受記作是言汝於来世當
得作佛号釋迦牟尼何以故如来者即諸法
如義若有人言如来得阿耨多羅三藐三菩
提須菩提實无有法佛得阿耨多羅三藐三
菩提須菩提如来所得阿耨多羅三藐三菩
提於是中无實无虛是故如来說一切法皆
是佛法須菩提所言一切法者即非一切法
是故名一切法
須菩提譬如人身長大須菩提言世尊如来
說人身長大則非大身是名大身
須菩提菩薩亦如是若作是言我當滅度无
量衆生則不名菩薩何以故須菩提實无有

BD02692號　金剛般若波羅蜜經　（10–7）

說人身長大則非大身是名大身
須菩提菩薩亦如是若作是言我當滅度无
量衆生則不名菩薩何以故須菩提實无有
法名為菩薩是故佛說一切法无我无人无
衆生无壽者須菩提若菩薩作是言我當
莊嚴佛土是不名菩薩何以故如來說莊嚴
佛土者即非莊嚴是名莊嚴須菩提若菩
薩通達无我法者如來說名真是菩薩須
菩提於意云何如來有肉眼不如是世尊如
來有肉眼須菩提於意云何如來有天眼不
如是世尊如來有天眼須菩提於意云何如
來有慧眼不如是世尊如來有慧眼須菩提
於意云何如來有法眼不如是世尊如來有
法眼須菩提於意云何如來有佛眼不如是
世尊如來有佛眼須菩提於意云何恒河中
所有沙佛說是沙不如是世尊如來說是沙
須菩提於意云何如一恒河中所有沙有如
是等恒河是諸恒河所有沙數佛世界如是
寧為多不甚多世尊佛告須菩提尒所國土
中所有衆生若干種心如來悉知何以故如
來說諸心皆為非心是名為心所以者何須
菩提過去心不可得現在心不可得未來心
不可得須菩提於意云何若有人滿三千大
千世界七寶以用布施是人以是因緣得
福多不如是世尊此人以是因緣得福甚多

BD02692號　金剛般若波羅蜜經　（10–8）

千世界七寶以用布施是人以是因緣得
福多不如是世尊此人以是因緣得福甚多
須菩提若福德有實如來不說得福德多以
福德无故如來說得福德多
須菩提於意云何可以具足色身見不不也
世尊如來不應以色身見何以故如來說具
足色身即非具足色身是名具足色身須菩
提於意云何如來可以具足諸相見不不也
世尊如來不應以具足諸相見何以故如來
說諸相具足即非具足是名諸相具足
須菩提汝勿謂如來作是念我當有所說法
莫作是念何以故若人言如來有所說法即
為謗佛不能解我所說故須菩提說法者无
法可說是名說法
須菩提白佛言世尊佛得阿耨多羅三藐三
菩提為无所得耶如是如是須菩提我於阿
耨多羅三藐三菩提乃至无有少法可得是
名阿耨多羅三藐三菩提復次須菩提是法
平等无有高下是名阿耨多羅三藐三菩提
以无我无人无衆生无壽者脩一切善法則
得阿耨多羅三藐三菩提須菩提所言善法
者如來說非善法是名善法
[illegible]三千大千世界中所有諸須弥山
[illegible]人持用布施若人以此
[illegible]句偈等受持為他人

BD02692號　金剛般若波羅蜜經　（10–9）

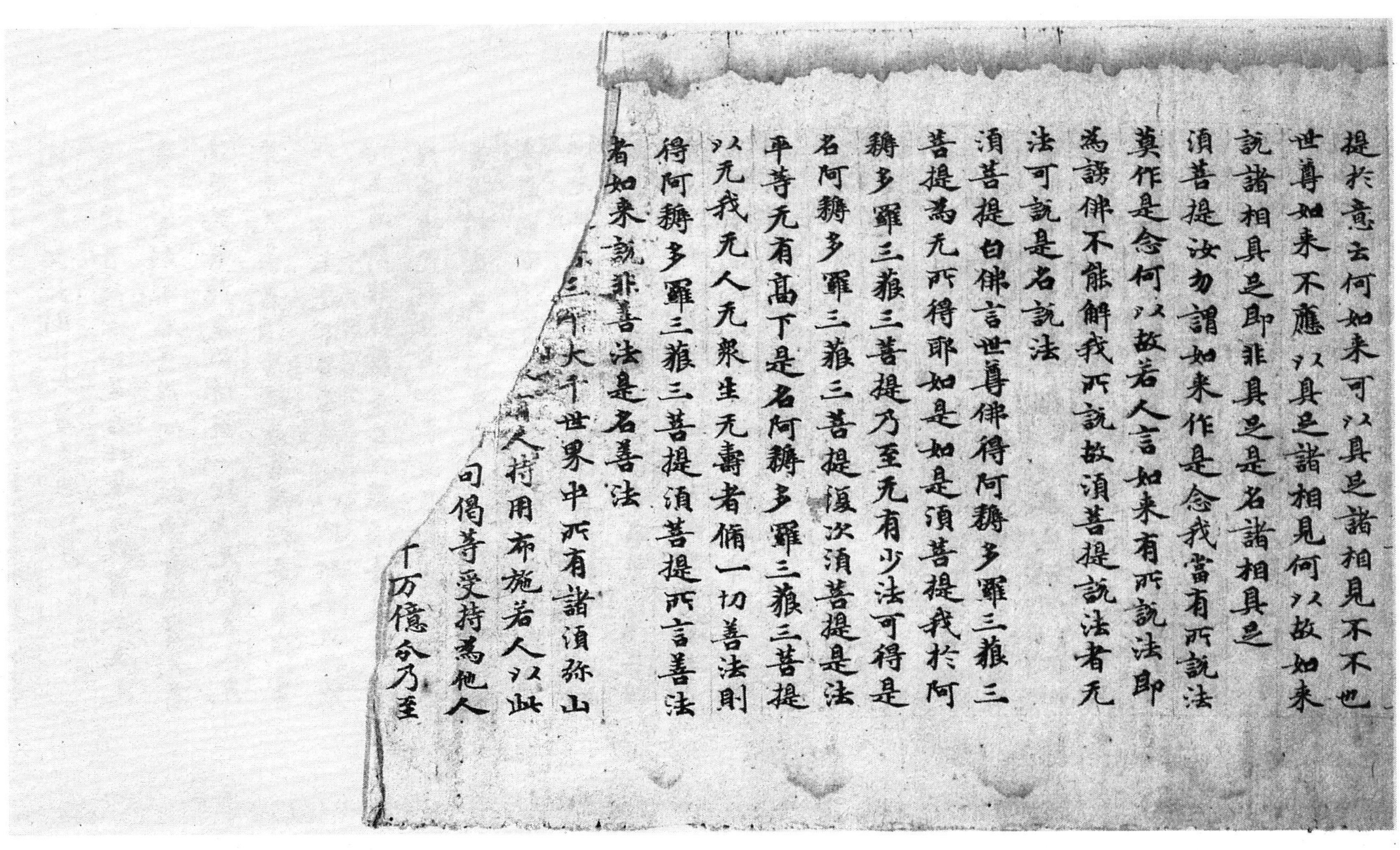

BD02692 號　金剛般若波羅蜜經　（10–10）

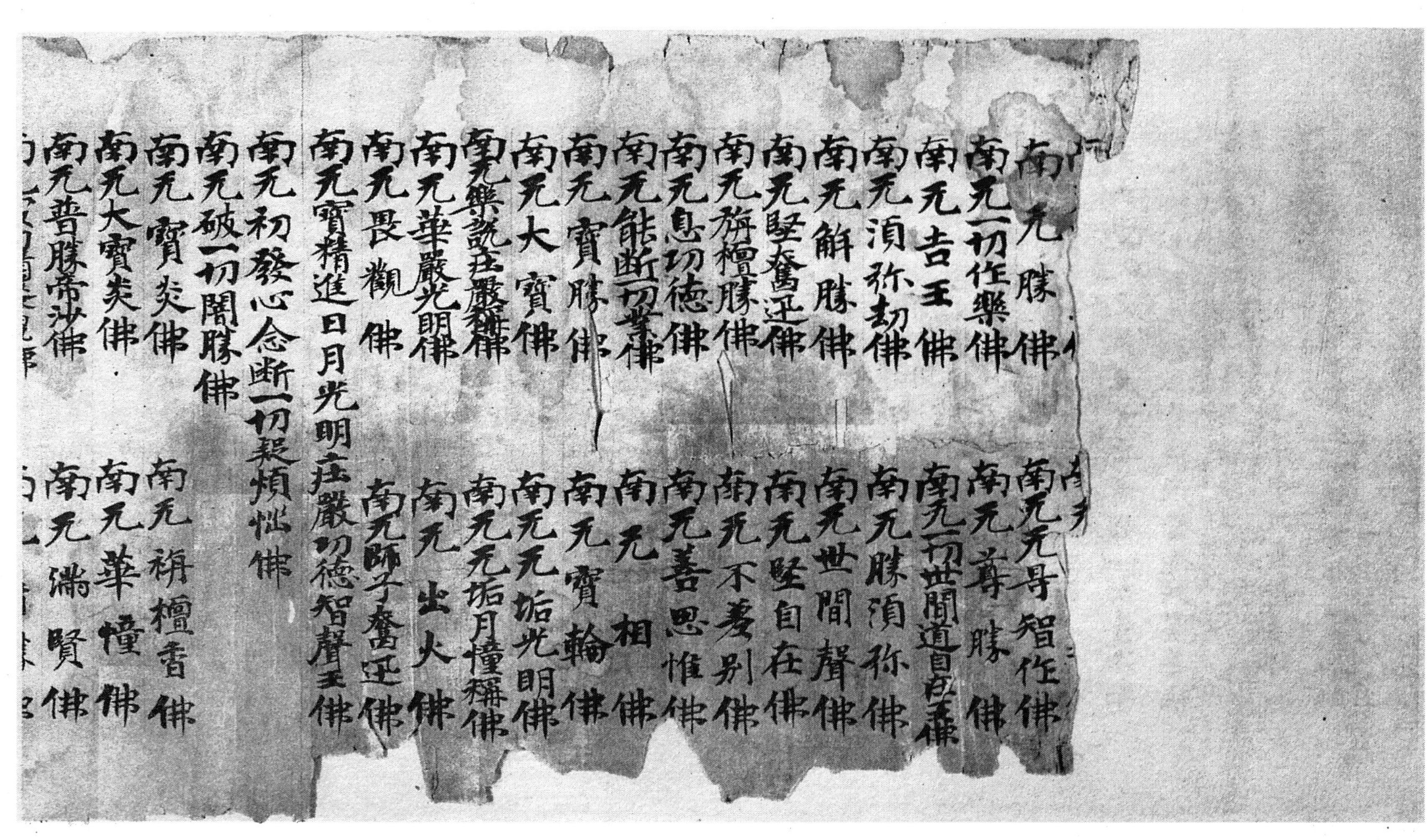

BD02693 號　佛名經（十六卷本）卷一二　（29–1）

南无初發心念断一切疑煩惱佛
南无破一切闇勝佛
南无寶炎佛　南无栴檀香佛
南无大寶炎佛　南无華幢佛
南无普勝帝沙佛　南无滿賢佛
南无最力精進善思佛　南无香勝佛
南无勝稱佛　南无淨鏡佛
南无華勝佛　南无離塵佛
南无得功德佛　南无不動佛
南无栴檀佛　南无因陁羅則佛
南无樂山佛　南无能化佛
南无因陁羅幢佛　南无无畏住佛
南无富樓那佛　南无弗沙佛
南无法水清淨虛空界王佛
南无普智光明勝王佛
南无香光明功德莊嚴王佛
南无普智聲王佛　南无一切无畏然燈佛
南无普善速勝佛　南无善光火光佛
南无普門智照聲佛
南无无量功德海藏光明佛
南无法界電光无障㝵功德佛
南无清淨眼无垢然燈佛
南无師子光明勝光佛
南无廣光明智勝幢佛
南无金光明无邊力精進成佛
南无香光明歡喜力海佛
南无成就王佛　南无自在高佛
[illegible]

BD02693號　佛名經（十六卷本）卷一二　（29-2）

[illegible]
南无師子光明勝光佛
南无廣光明智勝幢佛
南无金光明无邊力精進成佛
南无香光明歡喜力海佛
南无成就王佛　南无自在高佛
南无歡喜大海速行佛
南无稱自在光佛　南无廣稱智佛
南无智成就海王幢佛　南无相顯文殊月佛
南无一切法海勝王佛　南无智功德法住佛
南无梵自在勝佛　南无過法界勝聲佛
南无不可燒力普照光明幢佛
南无无垢功德日眼佛
南无无㝵智普光明佛
南无无量勝雞兜幢佛
南无法界虛空普邊光明佛
南无福德相雲勝威德佛
南无照勝頂光明佛　南无清風大海意佛
南无相法化普光明佛
從此以上九千佛十二部經一切賢聖
南无善成就眷屬普照佛
南无法盡疾速歡喜悲佛
南无无垢清淨普光明佛
南无清淨眼華勝佛　南无善智力威德佛
南无虛空清淨月佛　南无然金色須彌燈佛
南无智勝寶法光明佛　南无然寶燈佛
南无普光明高山佛　南无大勝佛
南无波頭摩聲[illegible]佛　南无善天佛

BD02693號　佛名經（十六卷本）卷一二　（29-3）

南无清淨眼華勝佛　南无善智力威德佛
南无盧空清淨月佛　南无然金色須弥燈佛
南无智勝寶法光佛　南无然寶燈佛
南无普光明高山佛　南无大勝佛
南无波頭摩聲王佛　南无善天佛
南无无盡功德佛　南无華威德佛
南无甘露力佛　南无聲邊佛
南无妙法勝威德成就佛
南无普門見勝佛　南无无邊功德照佛
南无普光功德然燈鏡像佛
南无善樂現華大佛　南无寶須弥然燈王佛
南无善化法界金光明電聲佛
南无可降伏力願佛　南无盧空城妙吼聲佛
南无十方廣遍稱智然燈佛
南无師子光明滿足功德海佛
南无智敷華光明佛
南无普眼滿足法界難兜幢佛
南无勝慧善導師佛
南无光明作佛　南无月幢佛
南无東方善誰四天下名金剛良如來為上首
南无南方難勝四天下因陁羅如來為上首
南无西方親意四天下婆樓那如來為上首
南无北方師子意四天下摩訶牟尼如來為
上首
南无東北方善擇四天下降伏諸摩如來為上首
南无東南方樂四天下毗沙門如來為上首
南无西南方堅固四天下不動如來為上首
南西北方善地四天下普門如來為上首

上首
南无東北方善擇四天下降伏諸摩如來為上首
南无東南方樂四天下毗沙門如來為上首
南无西南方堅固四天下不動如來為上首
南西北方善地四天下普門如來為上首
南无上方妙四天下得智者意如來為上首
歸命如是等无量无邊諸佛
南无盧舍那勝威德王佛
南无普光明勝藏王佛　南无智燈佛
南无界佛
南无法界盧空智幢照佛
南无阿弥藍破眼　南无龍自在王佛
南无法月普智光王佛
南无普照勝弥留王佛
南无无障盧空智難兜幢王佛
南无普輪到聲佛　南无无量眼自在王佛
南无普香佛　南无弥留然燈王佛
南无阿那羅難勝覺佛　南无香毗頭羅佛
南无旃檀難兜佛　南无一切佛寶勝王佛
南无无邊世間智輪難兜佛
南无阿僧伽智難兜佛
南无不可思量命佛　南无不可用佛
南无師子佛　南无月智佛
南无照佛　南无燈佛
南无无垢佛　南无山勝佛
南无波頭勝藏佛　南无盧舍那佛
南无普眼佛　南无梵命佛

南无師子佛　南无月智佛
南无照佛　南无燈、佛
南无无垢佛　南无山勝佛
南无波頭勝藏佛　南无盧舍那佛
南无普眼佛　南无梵命佛
南无波藪天佛
南无无邊光明平等法界莊嚴王佛
南无力光明佛　南无高行佛
南无旃檀潭佛　南无金色意佛
南无妙飲佛　南无高聲佛
南无最勝佛　南无高見佛
南无吉沙佛　南无弗沙佛
南无高稱佛　南无妙波頭摩佛
南无普功德佛　南无作燈佛
南无善目佛　南无一切法佛吼王佛
南无山幢身眼勝佛
南无寶勝然燈功德幢佛
南无普智寶炎勝功德佛
南无功德幢佛
南无因陁羅幢勝難兜佛
從此以上九千五百佛十二部經一切歸聠
南无勝佛　南无大悲雲幢佛
南无金剛那羅延難兜佛
南无障㝵勝安隱滿足佛
南无火炎山勝莊嚴佛
南无一切法海勝王佛
南无深法海光佛　南无寶髻炎滿足燈佛

南无障㝵勝安隱滿足佛
南无火炎山勝莊嚴佛
南无一切法海勝王佛
南无深法海光佛　南无寶髻炎滿足燈佛
南无一切十億國土微塵數同名金剛藏佛
南无十億國土微塵數同名金剛難兜佛
南无十億國土微塵數同名金剛幢佛
南无十百千國土微塵數同名善法佛
南无十百千國土微塵數同名稱心佛
南无一國土微塵同名普功德佛
南无不可說佛國土微塵數同名不可勝佛
南无不可說佛國土微塵數同名毗婁尸佛
南无十佛國土微塵數同名普幢佛
南无八十億佛國土微塵數不可數百千万
億那由他同名普賢佛
南无一佛國土微塵數同名佛勝佛
南无十佛國土微塵數百千万億那由他不可
說同名普稱自在佛
南无賢勝佛
南无功德海光明勝照藏佛
南无法界盡空滿足不退佛　南无不退轉法界聲佛
南无法界吼佛
南无法樹山威德佛
南无一切法堅固吼王佛
南无寶光然燈幢王佛
南无功德山光明威德王佛
南无法雲吼王佛　南无智炬王佛

南无法樹山威德佛
南无一切法堅固吼王佛
南无寶光然燈幢王佛
南无功德山光明威德王佛
南无法雲吼王佛　南无智炬王佛
南无法電幢藏王佛
南无法燈智師力山威德王佛
南无垢法山威德燈佛
南无一切法印吼威德王佛
南无法輪光明頂佛　南无法光明勝雲佛
南无法海說聲王佛　南无法日智輪然燈佛
南无法華高幢雲佛　南无法炎山難勝王佛
南无法行深勝月佛　南无法智普光明藏佛
南无常智作佛　南无山王勝藏王佛
南无普門賢彌留法疾精進幢佛
南无一切法寶俱蘇摩勝雲佛
南无寂靜光明身髻佛
南无法光明慈鏡像身佛
南无炎勝海佛　南无智日普照佛
南无普輪佛　南无智照頂王佛
南无智山法界十方光明威德王佛
次礼十二部經大法輪
南无國王薩經　南无阿毗曇經
南无金剛密經　南无持世經
南无阿耶律八念經　南无等集經
南无迦羅越經　南无阿難問因緣持戒經
南无薩和達王經　南无阿難邠祁四時施經

BD02693號　佛名經（十六卷本）卷一二　（29–8）

南无金剛密經　南无持世經
南无阿耶律八念經　南无等集經
南无迦羅越經　南无阿難問因緣持戒經
南无薩和達王經　南无阿難邠祁四時施經
南无阿闍世王經　南无阿閦佛經
南无德光太子經　南无小阿闍經
南无阿陛三昧經　南无胞藏經
南无阿鳩留經　南无漸備一切智經
南无菩薩悔過經　南无阿闍世女經
南无曉所諍不解者經
南无菩薩十漚和經　南无阿拔經
南无惡人經
南无菩薩等行分然國經
南无阿毗曇九十八結經
南无趣度世道經　南无惟越經
次礼十方諸大菩薩
南无文殊師利菩薩摩訶薩
南无觀世音菩薩　南无大勢至菩薩
南无普賢菩薩　南无龍勝菩薩
南无龍德菩薩　南无勝成就菩薩
南无勝藏菩薩　南无波頭勝菩薩
南无成就有菩薩　南无地持菩薩
南无寶掌菩薩　南无寶印手菩薩
南无子意菩薩　南无虛空藏菩薩
南无師子奮迅吼聲菩薩
南无發心即轉法輪菩薩
從此以上九千二百佛十二部經一切賢聖
南无一切[illegible]菩薩

BD02693號　佛名經（十六卷本）卷一二　（29–9）

南无師子奮迅吼聲菩薩
南无發心即轉法輪菩薩
從此以上九千二百佛十二部經一切賢聖
南无一切聲差別樂說菩薩
南无山樂說菩薩　南无大海音菩薩
南无大山菩薩　南无愛見菩薩
南无歡喜王菩薩　南无无邊觀菩薩
次礼聲聞緣覺一切賢聖
南无善快辟支佛　南无遠世辟支佛
南无吉沙辟支佛　南无憂波吉沙辟支佛
南无斷有辟支佛　南无憂波支羅辟支佛
南无斷愛辟支佛　南无施婆羅辟支佛
南无轉覺辟支佛　南无吉垢辟支佛
南无高去辟支佛　南无阿悉多辟支佛
歸命如是等无量无邊辟支佛
礼三寶已次復懺悔
已懺地獄報竟今當須次懺悔三惡道報
經中佛說多欲之人多求利故苦惱亦多
知足之人雖卧地上猶以為樂不知足者雖
處天堂猶不稱意但世間人忽有急難便
能捨財不計多少而不知此身臨於三塗深
坑之上一息不還便應墮落忽有知識營功
福德令脩未來善法資粮執此慳心无肯
作理夫如此者極為愚惑何以故尒經中佛
說生時不賚一文而來死亦不持一文而去
苦身積聚為之憂惱於己无益徒為他有无
善可恃无德可怙致使命終墮諸惡道是故

作理夫如此者極為愚惑何以故尒經中佛
說生時不賚一文而來死亦不持一文而去
苦身積聚為之憂惱於己无益徒為他有无
善可恃无德可怙致使命終墮諸惡道是故
弟子等今日稽顙懇到歸依於佛
南无東方大光曜佛　南无南方虛空住佛
南无西方金剛步佛　南无北方无邊力佛
南无東南方无邊王佛　南无西南方壞諸怨賊佛
南无西北方離垢光佛　南无東北方金色光音佛
南无下方師子遊戲佛　南无上方月幢王佛
如是十方盡虛空界一切三寶
弟子今日次復懺悔畜生道中无所識知罪
報懺悔畜生道中負重牽犂償他宿債
罪報懺悔畜生道中不得自在為他所刺
屠割罪報懺悔畜生无足二足四足多足
罪報懺悔畜生道中身諸毛羽鱗甲之
內為諸小虫之所唼食罪報如是畜生
道中有无量罪報今日至誠皆悉懺悔
次復懺悔餓鬼道中長飢罪報懺悔餓鬼
百千万歲初不曾聞漿水之名罪報懺悔
餓鬼食噉膿血糞穢罪報懺悔餓鬼動身
之時一切枝節火然罪報懺悔餓鬼腹大
咽小罪報如是餓鬼道中无量苦報今日
稽顙皆悉懺悔
次復一切鬼神脩羅道中諂諂詐稱罪報
懺悔鬼神道中擔沙負石填河塞海罪報
懺悔羅剎鳩槃荼諸惡鬼神生噉血
肉受此醜陋罪報如是鬼神道中无量无

稽顙皆悉懺悔
次復一切鬼神脩羅道中諂詐稱罪報
懺悔鬼神道中擔沙負石塡河塞海罪報
懺悔鬼羅剎鳩槃荼諸惡鬼神生噉血
肉受此醜陋罪報如是鬼神道中无量无
邊一切罪報今日稽顙向十方佛大地菩
薩求哀懺悔悉令消滅
願弟子等承是懺悔畜生等報所生功
德生生世世滅愚癡垢自識業緣智慧明
照斷惡道身願以懺悔餓鬼等報所生
功德生生世世永離慳貪飢餓之苦常
食甘露解脫之味願以懺悔鬼神脩羅
等報所生功德生生世世質直无諂離
耶命因除醜陋果福利人天願弟子等
從今以去乃至道場決定不受四惡道報
唯除大悲為衆生故以誓願力處之无厭 礼一拜
此經有六十品略此一品流行
佛言云何菩提樹華悉皆墮落其華光
色不如於常一切大衆皆生疑惑唯願天
尊為我解說令此衆中諸坐大士疑惑
悉除尒時世尊從三昧起光顏巍巍舉身
毛孔皆悉出光語寶達菩薩言汝等善
聽今為汝說所以菩提樹華墮落失光
者何如上所說沙門行惡墮皆處受
罪无殃是故菩提樹華失光墮落寶達
前白佛言唯願為我說此惡行沙門果
報之處佛告寶達菩薩東方乃有鐵圍

者何如上所說沙門行惡墮皆處受
罪无殃是故菩提樹華失光墮落寶達
前白佛言唯願為我說此惡行沙門果
報之處佛告寶達菩薩東方乃有鐵圍
大山其山中間幽冥之處日月光明及
以火光所不能照名曰地獄其獄之中有
惡沙門受如是罪汝可往詣問諸罪人云何
因緣來生此處脩何等行受如是罪寶達
白佛言世尊我无威神何能往詣願佛
大悲垂神願念乃使我等得見東方阿鼻
地獄佛言善哉善哉汝今但往令汝得
見寶達菩薩礼佛而去龍飛虛空俳佪
自在當尒之時大地震動於虛空中雨寶蓮
華飛流而下尒時寶達一念之頃往詣東方
鐵圍山間其山崦㟴幽冥高峻其山四方
了无草木日月威光都不能照寶達須
前俠道兩邊有卌六王典主地獄其王
名曰恒伽嗏王波吉頭王廣目都王安頭
羅王需目見王陽聲吉王大諍訟王吸血
鬼王安得羅王陁達王達多羅王吉梨
善王安僕羅王寶首王金樹吉王大惡聲王
鳥頭王等需眼王等烏牙王等震聲王等
歸首王依首王見首王廣安王廣定王
王頭王立正王立見王摩尼羅王都曹王部
見王惡目王善王龍口王鬼王南安王等
卌六王遥見寶達菩薩悉皆叉手合掌前
行作礼白言大智尊王云何因入此苦處

見王惡目王善王龍口王鬼王南安王等
卅六王遥見寶達菩薩悉皆叉手合掌前
行作礼白言大智尊王云何因入此苦處
之如旃檀在伊蘭而生寶達荅言我聞
如來三界人尊說言東方有鐵圍山其幽
冥日月之光所不能照我故聞之故来詣
汝諸王前入地獄行諸罪人汝等諸王誰
能共我往詣大王前見罪人受苦之者尒
時恒伽嵝王即便與寶達菩薩往詣大王
尒時大鬼王遥見寶達菩薩從門而來光
顔璀璨即便下坐往前礼敬白言大王今
此惡處云何佐我伊蘭林中忽生栴檀
尒時寶達便前就以問鬼王曰今此東方
地獄可有幾獄鬼王荅言此山之中有无
量地獄今此一方有卅二沙門地獄寶達
問曰卅二地獄其名云何鬼王荅曰鐵車
鐵馬鐵牛鐵驢地獄鐵衣地獄銇洋銅灌
口地獄流火地獄鐵林地獄鏁田地獄斫
首地獄燒脚地獄鐵鏘地獄飲鐵銇地獄
飛刀地獄火箭地獄爮肉地獄身然地獄
火丸仰口地獄諍論地獄雨火地獄流火
地獄糞屎地獄鉤鵰地獄火烏地獄咩聲
咬叫地獄諸鏃鏁地獄崩埋地獄然手脚
地獄銅狗鋸牙地獄剥皮飲血地獄解身
地獄鐵屋地獄鐵山地獄飛火交叫分頭
地獄
尒時鬼王荅寶達曰地獄受罪其名如是

BD02693號　佛名經(十六卷本)卷一二　(29–14)

地獄銅狗鋸牙地獄剥皮飲血地獄解身
地獄鐵屋地獄鐵山地獄飛火交叫分頭
地獄
尒時鬼王荅寶達曰地獄受罪其名如是
寶達即便入地獄中上高樓頭四顧望視
見罪人等各從四門咬叫而入寶達前入
鐵車鐵馬鐵牛鐵驢四小獄并為一地
獄云何名曰鐵車鐵馬鐵牛鐵驢地獄此
地獄方圓縱廣十五由旬其中鐵城高一
由旬猛火煇赫烟然其車鐵作焱赫熾
然中有鐵牛其身亦然頭角毛尾皆如鋒
鉅火然烟炎俱出其鐵馬者身毛蒙尾
烈釜如釛鋒毛尾火然烟炎俱出其鐵驢者
亦復如是其地獄中有鐵鏃鏁烈釜如鋒鉅鐵
鏘遼亂遍布其地其鏘火然猛盛於前
尒時北門之中有五百沙門咩聲咬叫口眼
火出唱如是言云何我今受如是苦獄卒
夜叉馬頭羅剎手捉三鈷鐵叉三〻比胃而鑽胷?
而出復有鐵索來繫其髀其鏘火然罪人
髀復有鐵枷枷罪人咽其枷八方鋸而鋒鉅
烟火猛熾來燒罪人頸尒時罪人宛轉僻
地而不肯前馬頭羅剎手捉鐵錛〻頭而打罪
人身體碎而微塵復有餓鬼來食其肉復
有餓鬼來飲其血馬頭羅剎蹹地言活活
罪人即活尒時鐵牛吼喚跪地其牛吼喚
来向罪人罪人迫迮宛轉於地馬頭羅剎手
捉鐵叉叉著車上罪人跳踉復墮牛上牛

BD02693號　佛名經(十六卷本)卷一二　(29–15)

罪人即活尒時鐵牛吼喚跪地其牛吼喚
来向罪人罪人迫近宛轉於地馬頭羅刹手
捉鐵叉叉著車上罪人跳踉須墮牛上牛
毛仰刺從腹而入背上而出牛復跳踉復墮
馬上馬毛仰刺亦如鋒鉦馬尾鎖之身即碎
爛須臾還活尒時鐵馬舉脚連蹹身碎如
塵須臾還活復騎鐵驢驢即跳踉罪人墮
地驢便大瞋舉脚連蹴須臾還活一日一夜
受罪无量寶達問馬頭羅剎曰此諸沙門
云何如是羅剎荅曰此諸沙門受佛禁戒
不惜將来但取現在違犯淨戒故作惡業
畜不淨物乘車騎馬走驢治生心无慈善不護
威儀受人信施惡回緣故墮此地獄百千万
劫若得為人身不具足聾盲闇塞不見三寶
不聞正法寶達之悲泣歎曰云何沙門應
為出三界去何惡業受如是罪寶達即去
南无一切德光俱蘇摩燈佛
南无智炬商雞兜幢王佛
南无日照光明王佛　南无相山佛
南无莊嚴山佛　南无日步普照佛
南无法王網勝功德佛
南无四无畏金剛那羅延師子佛
南无普智幢勇猛佛　南无法波頭摩敷身佛
南无功德俱摩身重檐佛
南无道場覺勝月佛
南无然法炬勝月佛　南无普賢光明頂佛
南无法幢燈金剛堅幢佛
南[illegible]

南[illegible]
南无道場覺勝月佛
南无然法炬勝月佛　南无普賢光明頂佛
南无法幢燈金剛堅幢佛
南无稱山勝雲佛　南无栴檀勝月佛
南无普勝俱蘇摩威德菩提佛
南无照一切王佛　南无波頭摩勝藏佛
南无香炎照王佛　南无回波頭摩佛
南无相山照佛　南无普稱功德王佛
南无普門光明須弥山佛
南无法城光明勝功德山威德王佛
南无勝相佛　南无法力勇猛幢佛
南无轉法輪光明吼聲佛
南无光明功德山智慧王佛
南无轉法輪月勝波頭摩照佛
南无佛幢自在功德不可勝幢佛
南无寶波頭摩光明藏佛
南无光明峯雲燈佛
南无普覺俱蘇摩佛
南无種種光明勝山藏佛
南无金山威德賢佛　南无賢勝山威德佛
南无明輪峯王佛　南无功德雲盡佛
南无法峯雲幢佛　南无法日雲燈王佛
南无功德山威德佛　南无法雲十方稱王佛
南无法輪蓋雲佛　南无覺智智幢佛
南无智威德佛　南无法輪清淨勝月佛
南无普慧雲聲佛　南无法力勝山佛
南无香炎勝王佛

南无普慧雲聲佛　南无法力勝山佛
南无香炎勝王佛
南无伽耶迦摩尼山威德佛
南无頂藏一切法光輪佛
南无然法輪威德佛
南无山峯勝威德佛　南无普精進炬佛
南无三昧海廣頂冠光佛
南无寶妙勝王佛
南无日勝妙佛　南无法炬寶帳聲佛
南无法虛空无邊光師子佛
南无相莊嚴幢月佛　南无光明山雷電雲佛
南无法虛空无㝵光佛　南无妙智敷身佛
南无世間因陁羅妙光明雲佛
南无法三昧光佛　南无法善莊嚴藏佛
南无法然炎堅固聲佛
南无三世相鏡像威德佛
南无法輪峯光明佛　南无法界師子光明佛
從此以上九千三百佛十二部經一切賢聖
南无盧舍那勝須弥山三昧堅固師子佛
南无普光明城燈佛　南无寶俱蘇摩藏佛
南无轉妙法聲佛　南无虛空劫燈佛
南无法幢佛　南无安隱世間月佛
南无摩訶伽羅那師子佛
南无可樂聲佛　南无安隱佛
南无增上信威德佛　南无醫王佛
南无法虛空无勝王佛　南无天藏佛
南无地峯王佛　南无轉法輪光明吼王佛

南无可樂聲佛　南无安隱佛
南无增上信威德佛　南无醫王佛
南无法虛空无勝王佛　南无天藏佛
南无地峯王佛　南无轉法輪光明吼王佛
南无智虛空无礙王佛　南无一切吼王佛
南无不可降伏佛　南无力難兜佛
南无轉法輪化普光明聲佛
南无相勝山佛
南无具足堅聚佛　南无垢婆差佛
南无住持疾佛　南无遍相佛
南无无垢婆侯佛　南无師子步脩佛
南无天自在頂佛　南无法起稱佛
南无火无憂咲佛　南无虛空燈佛
南无无垢幢佛
南无恒河沙同名賢行佛
南无恒河沙同名无邊命佛
南无恒河沙同名不動佛
南无恒河沙同名月智佛
南无恒河沙同名金剛幢佛
南无恒河沙同名日藏佛
南无恒河沙同名善光佛
南无恒河沙同名金剛佛
南无五百同名大慈悲佛
南无普智炎功德幢王佛
南无善逝法幢勝佛
南无須弥佛　南无功德髻佛
南无自在佛　南无財王佛

南无善逝法幢勝佛
南无須弥佛　南无一切德髻佛
南无自在佛　南无尸棄王佛
南无量愛佛　南无本稱功德佛
南无須弥山佛　南无日月面佛
南无如是等无量佛
南无虚空行佛　南无普照佛
南无方城佛　南无勝光佛
南无雲勝佛　南无法炎山佛
南无波頭摩王佛　南无法界華佛
南无海燈佛　南无尸棄佛
南无如是等无量无邊佛
南无寶難兜王佛　南无智意佛
南无思議佛　南无尼俱羅勝佛
南无天智佛　南无雲王畏佛
南无智勝佛　南无光明王難兜佛
南无勝奮迅威德去佛
南无法界波頭摩佛　南无行廣見佛
南无如是等无量无邊佛
南无寶炎山佛　南无勝光佛
南无寶功德佛　南无海勝佛
南无法光明佛　南无波頭摩佛
南无藏勝佛　南无世間眼佛
南无如是等无量无邊佛
南无香光佛　南无須弥勝佛
南无嶽王佛　南无深佛
南无勝摩尼佛　南无藏王佛

南无如是等无量无邊佛
南无香光佛　南无須弥勝佛
南无嶽王佛　南无深佛
南无勝摩尼佛　南无藏王佛
南无勝威德畏佛　南无尸棄色去佛
南无如是等无量无邊佛
南无廣知佛　南无寶光明佛
南无虚空雲勝佛　南无妙相佛
從此以上九千四百佛十二部經一切賢聖
南无勝相佛　南无莊嚴佛
南无行輪佛　南无光勝佛
南无光明勝佛
南无如是等无量无邊佛
南无那羅延行佛　南无須弥勝佛
南无功德輪佛　南无勝王佛
南无不可降伏佛　南无山王樹佛
南无如是无量无邊佛
南无娑羅自在王佛　南无勝藏佛
南无世間自在身佛　南无鏡像光明佛
南无世出佛　南无光明功德佛
南无金剛色佛　南无住持威德勝佛
南无如是等无量无邊佛
南无深法光明身佛　南无法海吼聲佛
南无弥留幢勝光明意佛
南无寶光明勝佛　南无梵光佛
南无虚空聲佛　南无清淨鏡像勝佛
南无輪光明佛
南无智光高難兜意佛

南无稱留伏勝光明意佛
南无寶光明勝佛　南无梵光佛
南无虛空聲佛　南无法東鏡像勝佛
南无輪光明佛
南无智光高雞兜意佛
南无伽伽那燈佛　南无功德光明勝佛
南无樂勝照佛　南无大悲速疾佛
南无稱勝佛　南无一切備面色佛
南无地力光明意佛　南无法勝宿佛
南无勝身光明佛　南无清淨幢蓋勝佛
南无阿尼羅速行佛　南无願海樂說勝佛
南无三世鏡像佛　南无念雞兜王勝佛
南无慚愧須彌山勝佛　南无慧燈佛
南无法意佛　南无廣智佛
南无光雞兜勝佛　南无法海意智勝佛
南无法界行智意佛　南无功德輪佛
南无法寶勝佛　南无忍辱燈佛
南无勝雲佛
南无勝威德意佛
南无速光明賖摩他聲佛
南无稱幢佛　南无世間燈佛
南无大願勝佛
南无不可降伏幢佛　南无智炎勝功德佛
南无法自在佛　南无无哥意佛
南无世間言語堅固吼光佛
南无一切聲分吼勝精進自在佛
南无具足意佛　南无諸方天佛
南无現面世間佛

南无世間言語堅固吼光佛
南无一切聲分吼勝精進自在佛　南无諸方天佛
南无具足意佛
南无現面世間佛
南无知衆生心平等身佛
南无最勝佛　南无行佛行佛
南无清淨身佛　南无勝賢佛
南无如是等上首不可說无量无邊佛
南无彼諸佛所說妙法南无彼佛妙法身
南无彼佛三十二相八十種好无量无邊功德
南无彼佛種種種道場菩提樹種種形像種
種妙塔去來坐卧妙處歸命彼諸佛不退
法輪菩薩大衆不退聲聞僧比丘比丘尼
優婆塞優婆夷天龍夜叉乾闥婆阿脩
羅迦樓羅緊那羅摩睺羅伽種種狀
貌信如來法輪轉如來法輪不可思議菩
薩摩訶薩悉皆歸命歸命如來法身十
力四无畏戒定慧解脫解脫知見如是
等无量无邊功德如是功德迴施一切衆
生願得阿耨多羅三藐三菩提舍利弗
有善眼劫中有七十那由他佛出世
舍利弗善見劫中有七十二億佛出世
舍利弗梵讚歎劫中有一万八千佛出世
舍利弗名過去劫中有三十二千佛出世
舍利弗莊嚴劫中有八万四千佛出世
舍利弗應當歸命如是等无量无邊佛
舍利弗善男子善女人欲滅一切罪當應
淨洗浴著新淨衣稱如是等佛名禮拜應住

舍利弗莊嚴世中有八万四千佛出世
舍利弗應當歸命如是等无量无邊佛
舍利弗善男子善女人欲滅一切罪當應
淨洗浴著新淨衣稱如是等佛名礼拜懺悔
是言我无始世界來身口意業作不善行
乃至謗等經五逆罪等願皆消滅
舍利弗善男子善女人欲滿足波羅蜜行
欲迴向无上菩提欲滿足一切菩薩諸波
羅蜜應作是言我學過去未來現在菩
薩摩訶薩備行大捨破闇出心施於
衆生如智勝菩薩及迦尸王等
捨妻子等布施貧乏如不退菩薩及阿翅那
羅王須達拏及莊嚴王等入於地獄救苦衆
生如大悲菩薩及善眼天子等
救惡行衆生如善行菩薩及勝行王等
捨頂上寶天冠并剝頭皮而與如勝上身
菩薩及寶髻天子等
捨眼如愛作菩薩及月光王等
捨耳鼻如无怨菩薩及勝去天子等
捨齒如華齒菩薩及六牙烏王等
捨不退菩薩及善面王等
捨手如常精進菩薩及堅意王等
捨血如法作菩薩及月愍天子等
捨肉髓如安隱菩薩及一切施王等
捨大腸小腸肝肺脾腎如善德菩薩及
自遠離諸惡王等
捨身一切大小支節如法自在菩薩及光勝天等
捨皮如清淨藏菩薩及金色天子金色鹿王

BD02693號　佛名經（十六卷本）卷一二　（29–24）

自遠離諸惡王等
捨身一切大小支節如法自在菩薩及光勝天等
捨皮如清淨藏菩薩及金色天子金色鹿王
等
捨手足指如堅精進菩薩及金色王等
捨肉指甲如不可盡菩薩及求善法天子等為
求法故入大火坑如精進菩薩及妙法王精進
等受一切苦惱如妙法菩薩及速行大王等
捨四天下大地及一切莊嚴如得大勢至菩薩
及勝劫月天子等
捨身如摩訶薩埵菩薩及摩訶薩婆羅王等
自身與一切貧窮苦惱衆生作給使侍者如
尸毗王等舉要言之過去未來現在諸菩薩
一切波羅蜜行願我亦如是成就十方世界諸
妙香華瓔諸妙伎樂我隨喜供養佛法
僧復迴此福德施一切衆生願因此福德諸
衆生等莫隨惡道因此福德滿足八万四千
諸波羅蜜行速得授阿耨多羅三藐三菩提
記速得不退轉大速成无上菩提
次礼十二部尊經大藏法輪
南无五十法式經　南无受欲聲經
南无惟明經　南无五蓋離疑經
南无一切義要經　南无慧行經
南无五陰喻經　南无思道經
南无王舍城靈鷲山經　南无賢劫五百佛經
南无五百弟子本起經
南无權變經
南无五恐怖經　南无父母因緣經

BD02693號　佛名經（十六卷本）卷一二　（29–25）

南无五舍[illegible]經　南无賢劫五百佛經
南无五百弟子本起經
南无權變經　南无父母因缘經
南无五恐怖經　南无五失蓋經
南无内外无為經
南无浮木經
南无内外六波羅蜜經
南无佛立莊嚴淨經　南无鬼子母經
從此以上九千五百佛十二部經一切賢聖
南无難龍王經　南无佛説菩意經
南无觀行移[illegible]事經　南无難提和羅經
南无佛有百比丘經　南无旃陁越經
南无光世音大勢至力受決經
南无梅有八事經
次礼十方諸大菩薩
南无導師菩薩　南无那羅達菩薩
南无星得菩薩　南无水天菩薩
南无主天菩薩　南无大意菩薩
南无益意菩薩　南无增意菩薩
南无不虚見菩薩　南无善進菩薩
南无勢勝菩薩　南无常勤菩薩
南无不捨精進菩薩　南无日藏菩薩
南无不缺意菩薩　南无觀世音菩薩
南无滿濡尸利菩薩　南无執寶印菩薩
南无常舉手菩薩　南无弥勒菩薩
次礼聲聞緣覺一切賢聖
南无无漏辟支佛　南无憍慢辟支佛
[illegible]辟支佛　[illegible]

南无常舉手菩薩　南无弥勒菩薩
次礼聲聞緣覺一切賢聖
南无无漏辟支佛　南无憍慢辟支佛
南无盡憍慢辟支佛　南无親辟支佛
南无得脱辟支佛　南无无垢辟支佛
南无獨辟支佛　南无雞畫辟支佛
南无能作憍慢辟支佛
南无退辟支佛　南无不退去辟支佛
南无尋辟支佛
歸命如是等无量无邊辟支佛
礼三寶已次復懺悔
已懺三塗等報今當次復懴悔人天
餘報相與禀此閻浮壽命雖日百年滿者
无幾於其中間盛年夭枉其數无量但有
衆苦煎迫形心愁憂恐怯未曾暫離如此皆
是善根微弱惡業滋多致使現在心有所為
皆不稱意當知悉是過去已来惡業餘報
是故弟子今日至誠歸依
南无東方蓮華上佛　南无南方調伏王佛
南无西方无量明佛　南无北方勝諸根佛
南无東南方蓮華上佛　南无西南方无量花佛
南无西北方在智佛　南无東北方赤蓮華花德佛
南无下方分别佛　南无上方伏怨智佛
如是十方盡虚空界一切三寶
弟子等无始以来至於今日所有現在及以
未来人天之中无量餘報流殃宿對癃殘百
疾六根不具罪報懺悔人間邊地耶見三塗
[illegible]

南无西北方[illegible]智佛　南无東北方[illegible]佛
南无下方分別佛　南无上方伏怨智佛
如是十方盡虛空界一切三寶
弟子等无始以來至於今日所有現在及以
未來人天之中无量餘報流殃宿對癃殘百
疾六根不具罪報懺悔人間邊地邪見三塗
八難罪報懺悔人間多病消瘦促命夭枉罪
報懺悔人間六親眷屬不能得常相保守罪
報懺悔人間親友彫喪愛別離苦罪報懺悔
人間怨家聚會愁憂怖畏罪報懺悔人間
水火盜賊刀兵危嶮驚惶怖弱罪報懺悔人間
孤獨困苦流離波迸亡失國土罪報懺悔人
間牢獄繫閉幽執側立鞭撻拷楚罪報懺悔
人間公私口舌迭相羅染更相誣謗罪報懺
悔人間惡病連年累月不差枕卧床席不能
起居罪報懺悔人間冬溫夏疫毒厲傷寒罪
報懺悔人間賊風腫滿否塞罪報懺悔人間
為諸惡神伺求其便欲作禍祟罪報懺悔人
間有鳥鳴百怪飛屍邪鬼為作妖異罪報懺
悔人間為虎豺狼水陸一切諸惡禽獸所
傷罪報懺悔人間自經自刺自殺罪報懺悔
人間投坑赴水自沉自墜罪報懺悔人間无
有威德名聞罪報懺悔人間衣服資生不稱
心罪報懺悔人間行來出入有所至為值惡知
識為作留難罪報如是現在未來人天之
中无量禍橫災疫厄難衰惱罪報弟子今
日向十方佛尊法聖僧求哀懺悔　丹礼一

BD02693號　佛名經（十六卷本）卷一二　（29–28）

起居罪報懺悔人間冬溫夏疫毒厲傷寒罪
報懺悔人間賊風腫滿否塞罪報懺悔人間
為諸惡神伺求其便欲作禍祟罪報懺悔人
間有鳥鳴百怪飛屍邪鬼為作妖異罪報懺
悔人間為虎豺狼水陸一切諸惡禽獸所
傷罪報懺悔人間自經自刺自殺罪報懺悔
人間投坑赴水自沉自墜罪報懺悔人間无
有威德名聞罪報懺悔人間衣服資生不稱
心罪報懺悔人間行來出入有所至為值惡知
識為作留難罪報如是現在未來人天之
中无量禍橫災疫厄難衰惱罪報弟子今
日向十方佛尊法聖僧求哀懺悔　丹礼一

佛名經卷第十二

BD02693號　佛名經（十六卷本）卷一二　（29–29）

BD02693號背　勘記　（1–1）

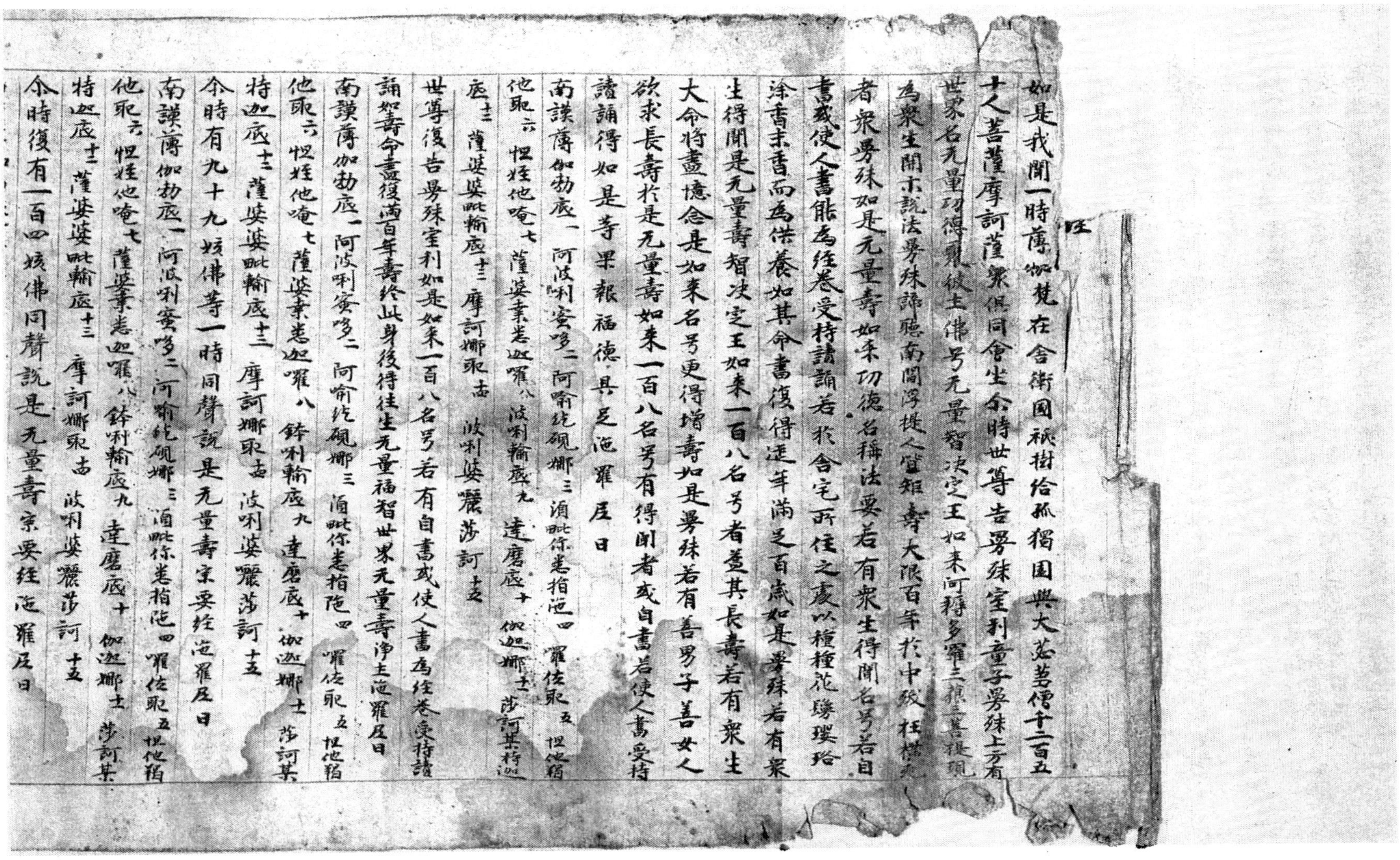

如是我聞一時薄伽梵在舍衛國祇樹給孤獨園與大苾芻僧千二百五
十人菩薩摩訶薩衆俱同會坐尒時世尊告曼殊室利童子曼殊上方有
世界名无量功德聚彼土佛号无量智決定王如來阿稱多羅三藐三菩提現
為衆生開示說法曼殊師聽南閻浮提人皆短壽大限百年於中殀枉横死
者衆曼殊如是无量壽如來功德名稱法要若有衆生得聞名号若自
書或使人書能為經卷受持讀誦若於舍宅所住之處以種種花鬘瓔珞
塗香末香而為供養如其命盡復得延年滿足百歲如是曼殊若有衆
生得聞是无量壽智決定王如來一百八名号者益其長壽若有衆生
大命將盡憶念是如來名号更得增壽如是曼殊若有善男子善女人
欲求長壽於是无量壽如來一百八名号有得聞者或自書若使人書受持
讀誦得如是等果報福德具足陁羅尼曰
南謨薄伽勃底一　阿波唎蜜哆二　阿喻紇硯娜三　須毗你差指陁四　羅佐耶五　怛他揭
他耶六　怛姪他唵七　薩婆桒悉迦囉八　波唎輸底九　達磨底十　伽迦娜十一　莎訶其持迦
底十二　薩婆婆毗輸底十三　摩訶娜耶十四　波唎婆曬莎訶十五
世尊復告曼殊室利如是如來一百八名号若有自書或使人書為經卷受持讀
誦如壽命盡復滿百年壽終此身後得往生无量福智世界无量壽淨土陁羅尼曰
南謨薄伽勃底一　阿波唎蜜哆二　阿喻紇硯娜三　須毗你差指陁四　羅佐耶五　怛他揭
他耶六　怛姪他唵七　薩婆桒悉迦囉八　鉢唎輸底九　達磨底十　伽迦娜十一　莎訶其
特迦底十二　薩婆婆毗輸底十三　摩訶娜耶十四　波唎婆曬莎訶十五
尒時有九十九姟佛等一時同聲說是无量壽宗要經陁羅尼曰
南謨薄伽勃底一　阿波唎蜜哆二　阿喻紇硯娜三　須毗你差指陁四　羅佐耶五　怛他揭
他耶六　怛姪他唵七　薩婆桒悉迦囉八　鉢唎輸底九　達磨底十　伽迦娜十一　莎訶其
特迦底十二　薩婆婆毗輸底十三　摩訶娜耶十四　波唎婆曬莎訶十五
尒時復有一百四姟佛同聲說是无量壽宗要經陁羅尼曰

BD02694號　無量壽宗要經　（6–1）

南謨薄伽勃底一阿波唎蜜哆二阿喻紇硯娜三須毗你悉指陀四囉佐耶五怛他羯
他耶六怛姪他唵七薩婆桑悉迦囉八鉢唎輸底九達磨底十伽迦娜十一莎訶某
特迦底十二薩婆婆毗輸底十三摩訶娜耶十四波唎婆曬莎訶十五
尒時復有九十九姟佛等一時同聲說是无量壽宗要經
南謨薄伽勃底一阿波唎蜜哆二阿喻紇硯娜三須毗你悉指陀四囉佐耶五怛他羯
他耶六怛姪他唵七薩婆桑悉迦囉八鉢唎輸底九達磨底十伽迦娜十一莎訶某
特迦底十二薩婆婆毗輸底十三摩訶娜耶十四波唎婆曬莎訶十五
尒時復有一百四姟佛同聲說是无量壽宗要經
南謨薄伽勃底一阿波唎蜜多二阿喻紇硯娜三須毗你悉指陀四囉佐耶五怛他羯
他耶六怛姪他唵七薩婆桑悉迦囉八鉢唎輸底九達磨底十伽迦娜十一莎訶某特
迦底十二薩婆婆毗輸底十三摩訶娜耶十四波唎婆曬莎訶十五
尒時復有七姟佛一時同聲說是无量壽宗要經
南謨薄伽勃底一阿波唎蜜哆二阿喻紇硯娜三須毗你悉指陀四囉佐耶五怛
他羯他耶六怛姪他唵七薩婆桑悉迦囉八鉢唎輸底九達磨底十伽迦娜十一莎
訶某特迦底十二薩婆婆毗輸底十三摩訶娜耶十四波唎婆曬莎訶十五
尒時復有六十姟佛一時同聲說是无量壽宗要經
南謨薄伽勃底一阿波唎蜜多二阿喻紇硯娜三須毗你悉指陀四囉佐耶五怛他
羯他耶六怛姪他唵七薩婆桑悉迦囉八鉢唎輸底九達磨底十伽迦娜十一莎
訶某特迦底十二薩婆婆毗輸底十三摩訶娜耶十四波唎婆曬莎訶十五
尒時復有五十姟佛一時同聲說是无量壽宗要經
南謨薄伽勃底一阿波唎蜜哆二阿喻紇硯娜三須毗你悉指陀四囉佐耶五
怛他羯他耶六怛姪他唵七薩婆桑悉迦囉八波唎輸底九達磨底十伽迦娜十一
莎訶某特迦底十二薩婆婆毗輸底十三摩訶娜耶十四波唎婆曬莎訶十五
尒時復有四十五姟佛一時同聲說是无量壽宗要經
南謨薄伽勃底一阿波唎蜜哆二阿喻紇硯娜三須毗你悉指陀四囉佐耶五怛他
羯他耶六怛姪他唵七薩婆桑悉迦囉八波唎輸底九達磨底十伽迦娜十一莎訶
某特迦底十二薩婆婆毗輸底十三摩訶娜耶十四波唎婆曬莎訶十五
尒時復有三十六姟佛一時同聲說是无量壽宗要經
南謨薄伽勃底一阿波唎蜜哆二阿喻紇硯娜三須毗你悉指陀四囉佐耶五怛
他羯他耶六怛姪他唵七薩婆桑悉迦囉八波唎輸底九達磨底十伽迦娜十一
莎訶某特迦底十二薩婆婆毗輸底十三摩訶娜耶十四波唎婆曬莎訶十五

BD02694號　無量壽宗要經　（6–2）

某特迦底十二薩婆婆毗輸底十三摩訶娜耶十四波唎婆曬莎訶十五
尒時復有三十六姟佛一時同聲說是无量壽宗要經
南謨薄伽勃底一阿波唎蜜哆二阿喻紇硯娜三須毗你悉指陀四囉佐耶五怛
他羯他耶六怛姪他唵七薩婆桑悉迦囉八波唎輸底九達磨底十伽迦娜十一
莎訶某特迦底十二薩婆婆毗輸底十三摩訶娜耶十四波唎婆曬莎訶十五
尒時復有二十五姟佛一時同聲說是无量壽宗要經
南謨薄伽勃底一阿波唎蜜哆二阿喻紇硯娜三須毗你悉指陀四囉佐耶五
怛他羯他耶六怛姪他唵七薩婆桑悉迦囉八鉢唎輸底九達磨底十伽迦娜
十一莎訶某特迦底十二薩婆婆毗輸底十三摩訶娜耶十四波唎婆曬莎訶十五
尒時復有恒河沙姟佛一時同聲說是无量壽宗要經
南謨薄伽勃底一阿波唎蜜哆二阿喻紇硯娜三須毗你悉指陀四囉佐耶五怛
他羯他耶六怛姪他唵七薩婆桑悉迦囉八鉢唎輸底九達磨底十伽迦娜十一
莎訶某特迦底十二薩婆婆毗輸底十三摩訶娜耶十四波唎婆曬莎訶十五
善男子若有自書寫教人書寫是无量壽宗要經如其命盡復得長壽而滿百年陀羅尼曰
南謨薄伽勃底一阿波唎蜜哆二阿喻紇硯娜三須毗你悉指陀四囉佐耶五怛他羯
他耶六怛姪他唵七薩婆桑悉迦囉八波唎輸底九達磨底十伽迦娜十一莎訶某
特迦底十二薩婆婆毗輸底十三摩訶娜耶十四波唎婆曬莎訶十五
若有自書寫教人書寫是无量壽宗要經讀誦誦受持畢竟不墮地獄在所生得宿命智
陀羅尼曰南謨薄伽勃底一阿波唎蜜哆二阿喻紇硯娜三須毗你悉指陀四囉佐耶五
怛他羯他耶六怛姪他唵七薩婆桑悉迦囉八鉢唎輸底九達磨底十伽迦娜十一
莎訶某特迦底十二薩婆婆毗輸底十三摩訶娜耶十四波唎婆曬莎訶十五
若有自書寫教人書寫是无量宗要經受持讀誦如同書寫八万四千一切經典陀羅尼曰
南謨薄伽勃底一阿波唎蜜哆二阿喻紇硯娜三須毗你悉指陀四囉佐耶五怛
他羯他耶六怛姪他唵七薩婆桑悉迦囉八鉢唎輸底九達磨底十伽
迦娜十一莎訶某特迦底十二薩婆婆毗輸底十三摩訶娜耶十四波唎婆曬莎訶十五
若有自書寫教人書寫是无量壽宗要經即是書寫八万四千部建立塔廟陀羅尼曰
南謨薄伽勃底一阿波唎蜜哆二阿喻紇硯娜三須毗你悉指陀四囉佐耶五怛他
羯他耶六怛姪他唵七薩婆桑悉迦囉八波唎輸底九達磨底十伽迦娜十一莎
訶某特迦底十二薩婆婆毗輸底十三摩訶娜耶十四波唎婆曬莎訶十五
若有自書寫教人書寫是无量壽宗要經能消五无間等一切重罪陀羅尼曰
南謨薄伽勃底一阿波唎蜜哆二阿喻紇硯娜三須毗你悉指陀四囉佐耶五怛他

BD02694號　無量壽宗要經　（6–3）

若有自書寫教人書寫是无量壽宗要經即是書寫八万四千部建立塔廟陁羅居曰
南謨薄伽勃底一 阿波唎蜜哆二 阿喻紇硯娜三 須毗你志指陀四 囉佐耶五 怛他
羯他耶六 怛姪他唵七 薩婆桑悉迦囉八 波唎輸底九 達磨底十 伽迦娜十一 莎
訶某持迦底十二 薩婆婆毗輸底十三 摩訶娜耶十四 波唎婆囉莎訶十五
若有自書寫教人書寫是无量壽宗要經能滿五无間等一切重罪陁羅居曰
南謨薄伽勃底一 阿波唎蜜哆二 阿喻紇硯娜三 須毗你志指陀四 囉佐耶五 怛他羯
他耶六 怛姪他唵七 薩婆桑悉迦囉八 波唎輸底九 達磨底十 伽迦娜十一 莎訶
某持迦底十二 薩婆婆毗輸底十三 摩訶娜耶十四 波唎婆囉莎訶十五
若有自書寫教人書寫是无量壽宗要經受持讀誦設有重罪猶如須弥盡能除滅陁
羅居曰 南謨薄伽勃底一 阿波唎蜜哆二 阿喻紇硯娜三 須毗你志指陀四 囉佐耶五
怛他羯他耶六 怛姪他唵七 薩婆桑悉迦囉八 波唎輸底九 達磨底十 伽迦娜十一 莎
訶某持迦底十二 薩婆婆毗輸底十三 摩訶娜耶十四 波唎婆囉莎訶十五
若有自書寫教人書寫是无量壽宗要經受持讀誦若魔魔之眷屬夜叉羅刹不得其便終
无枉死陁羅居曰 南謨薄伽勃底一 阿波唎蜜哆二 阿喻紇硯娜三 須毗你志指陀四 囉佐耶五
怛他羯他耶六 怛姪他唵七 薩婆桑悉迦囉八 鉢唎輸底九 達磨底十 伽迦娜十一 莎訶
某持迦底十二 薩婆婆毗輸底十三 摩訶娜耶十四 波唎婆囉莎訶十五
若有自書寫教人書寫是无量壽宗要經受持讀誦當命終時有九十九殑佛
現其人前爹手佛授手能遊一切佛刹莫於此經生於疑惑陁羅居曰
南謨薄伽勃底一 阿波唎蜜哆二 阿喻紇硯娜三 須毗你志指陀四 囉佐耶五 怛他羯
他耶六 怛姪他唵七 薩婆桑悉迦囉八 波唎輸底九 達磨底十 伽迦娜十一 莎訶
某持迦底十二 薩婆婆毗輸底十三 摩訶娜耶十四 波唎婆囉莎訶十五
若有自書寫教人書寫是无量壽宗要經受持讀誦常得四天王隨其衛護陁羅居曰
南謨薄伽勃底一 阿波唎蜜哆二 阿喻紇硯娜三 須毗你志指陀四 囉佐耶五 怛他羯
他耶六 怛姪他唵七 薩婆桑悉迦囉八 鉢唎輸底九 達磨底十 伽迦娜十一 莎訶
某持迦底十二 薩婆婆毗輸底十三 摩訶娜耶十四 波唎婆囉莎訶十五
若有自書寫教人書寫是无量壽宗要經受持讀誦當得往生西方極樂世界阿弥陁淨
土陁羅居曰 南謨薄伽勃底一 阿波唎蜜哆二 阿喻紇硯娜三 須毗你志指陀四 囉佐耶
五 怛他羯他耶六 怛姪他唵七 薩婆桑悉迦囉八 鉢唎輸底九 達磨底十 伽迦娜十一
莎訶某持迦底十二 薩婆婆毗輸底十三 摩訶娜耶十四 波唎婆囉莎訶十五
若有方所自書寫使人書寫是无量壽經典之處則為是塔皆應恭敬作礼若是
畜生或為鳥獸得聞是經如是等類皆當不久得成一切種智陁羅居曰
南謨薄伽勃底一 阿波唎蜜哆二 阿喻紇硯娜三 須毗你志指陀四 囉佐耶五 怛他

BD02694號　無量壽宗要經　（6–4）

五 怛他羯他耶六 怛姪他唵七 薩婆桑悉迦囉八 鉢唎輸底九 達磨底十 伽迦娜十一
莎訶某持迦底十二 薩婆婆毗輸底十三 摩訶娜耶十四 波唎婆囉莎訶十五
若有方所自書寫使人書寫是无量壽經典之處則為是塔皆應恭敬作礼若是
畜生或為鳥獸得聞是經如是等類皆當不久得成一切種智陁羅居曰
南謨薄伽勃底一 阿波唎蜜哆二 阿喻紇硯娜三 須毗你志指陀四 囉佐耶五 怛他
羯他耶六 怛姪他唵七 薩婆桑悉迦囉八 波唎輸底九 達磨底十 伽迦娜十一 莎訶某
持迦底十二 薩婆婆毗輸底十三 摩訶娜耶十四 波唎婆囉莎訶十五
若有於是无量壽經自書寫若使人書畢竟不受女人之身陁羅居曰
南謨薄伽勃底一 阿波唎蜜哆二 阿喻紇硯娜三 須毗你志指陀四 囉佐耶五 怛他羯
他耶六 怛姪他唵七 薩婆桑悉迦囉八 鉢唎輸底九 達磨底十 伽迦娜十一 莎訶
某持迦底十二 薩婆婆毗輸底十三 摩訶娜耶十四 波唎婆囉莎訶十五
若有能於是經少分能惠施者等於三千大千世界滿中七寶布施陁羅居曰
南謨薄伽勃底一 阿波唎蜜哆二 阿喻紇硯娜三 須毗你志指陀四 囉佐耶五 怛他
羯他耶六 怛姪他唵七 薩婆桑悉迦囉八 波唎輸底九 達磨底十 伽迦娜十一 莎訶
某持迦底十二 薩婆婆毗輸底十三 摩訶娜耶十 波唎婆囉莎訶十五
若有能供養是經者則是供養一切諸經等无有異陁羅居曰
南謨薄伽勃底一 阿波唎蜜哆二 阿喻紇硯娜三 須毗你志指陀四 囉佐耶五
怛他羯他耶六 怛姪他唵七 薩婆桑悉迦囉八 鉢唎輸底九 達磨底十 伽迦娜十一 莎
訶某持迦底十二 薩婆婆毗輸底十三 摩訶娜耶十四 波唎婆囉莎訶十五
如是毗婆尸佛 尸棄佛 毗舍浮佛 俱留孫佛 俱那含牟尼佛 迦葉佛 釋迦牟尼佛
若有人以七寶供養如是七佛其福有限書寫香持是无量經典所有功德不可
限量陁羅居曰 南謨薄伽勃底一 阿波唎蜜哆二 阿喻紇硯娜三 須毗你志指
陀四 囉佐耶五 怛他羯他耶六 怛姪他唵七 薩婆桑悉迦囉八 鉢唎輸底九 達磨
底十 伽迦娜十一 莎訶某持迦底十二 薩婆婆毗輸底十三 摩訶娜耶十四 婆唎婆囉莎訶
若有七寶等於須弥以用布施其福上能知其限量是无量壽經典其福不可知數量陁
羅居曰 南謨薄伽勃底一 阿波唎蜜哆二 阿喻紇硯娜三 須毗你志指陀四 囉佐耶五
怛他羯他耶六 怛姪他唵七 薩婆桑悉迦囉八 鉢唎輸底九 達磨底十 伽迦娜十一
莎訶某持迦底十二 薩婆婆毗輸底十三 摩訶娜耶十四 波唎婆囉莎訶十五
如是四大海水可知滴數是无量壽經典所生果報不可數量陁羅居曰
南謨薄伽勃底一 阿波唎蜜哆二 阿喻紇硯娜三 須毗你志指陀四 囉佐耶五 怛他
羯他耶六 怛姪他唵七 薩婆桑悉迦囉八 鉢唎輸底九 達磨底十 伽迦娜十一 莎訶

BD02694號　無量壽宗要經　（6–5）

限量㳂羅屋日　南謨薄伽勃底一　阿波唎蜜哆二　阿喻陀硯娜三　痾咄你恚指
㳂四　囉佐耶五　怛他羯他耶六　怛姪他唵七　薩婆桒恚迦囉八　鉢唎輸底九　達磨
底十　伽迦娜十一　莎訶其特迦底十二　薩婆婆吡輸底十三　摩訶娜耶十四　婆唎婆囉莎訶
若有七寶等於須弥以用布施其福上能知其限量是无量壽經典其福不可知數量㳂
羅屋日　南謨薄伽勃底一　阿波唎蜜哆二　阿喻陀硯娜三　痾咄你恚指㳂四　囉佐耶五
怛他羯他耶六　怛姪他唵七　薩婆桒恚迦囉八　鉢唎輸底九　達磨底十　伽迦娜十一
莎訶其特迦底十二　薩婆婆吡輸底十三　摩訶娜耶十四　波唎婆囉莎訶十五
如是四大海水可知渧數是无量壽經典所生果報不可數量㳂羅屋日
南謨薄伽勃底一　阿波唎蜜哆二　阿喻陀硯娜三　痾咄你恚指㳂四　囉佐耶五　怛他
羯他耶六　怛姪他唵七　薩婆桒恚迦囉八　鉢唎輸底九　達磨底十　伽迦娜十一　莎訶
其特迦底十二　薩婆婆吡輸底十三　摩訶娜耶十四　波唎婆囉莎訶十五
若有自書使人書寫是无量壽經典又能護持供養即如恭敬供養
一切十方佛土　如來无有別異㳂羅屋日
南謨薄伽勃底一　阿波唎蜜哆二　阿喻陀硯娜三　痾咄你恚指㳂四　囉佐耶五
怛他羯他耶六　怛姪他唵七　薩婆桒恚迦囉八　鉢唎輸底九　達磨底十　伽
迦娜十一　莎訶其特迦底十二　薩婆婆吡輸底十三　摩訶娜耶十四　波唎婆囉莎訶十五
布施力能成正覺　悟布施力人師子　布施力能聲普聞　慈悲滔滿最能入
持戒力能成正覺　悟持戒力人師子　持戒力能聲普聞　慈悲滔滿最能入
忍辱力能成正覺　悟忍辱力人師子　忍辱力能聲普聞　慈悲滔滿最能入
精進力能成正覺　悟精進力人師子　精進力能聲普聞　慈悲滔滿最能入
禪定力能成正覺　悟禪定力人師子　禪定力能聲普聞　慈悲滔滿最能入
智慧力能成正覺　悟智慧力人師子　智慧力能聲普聞　慈悲滔滿最能入
尒時如來說是經已一切世間天人阿脩羅揵闥婆等聞佛所說
皆大歡喜信受奉行
佛說无量壽宗要經

BD02694 號　無量壽宗要經　（6–6）

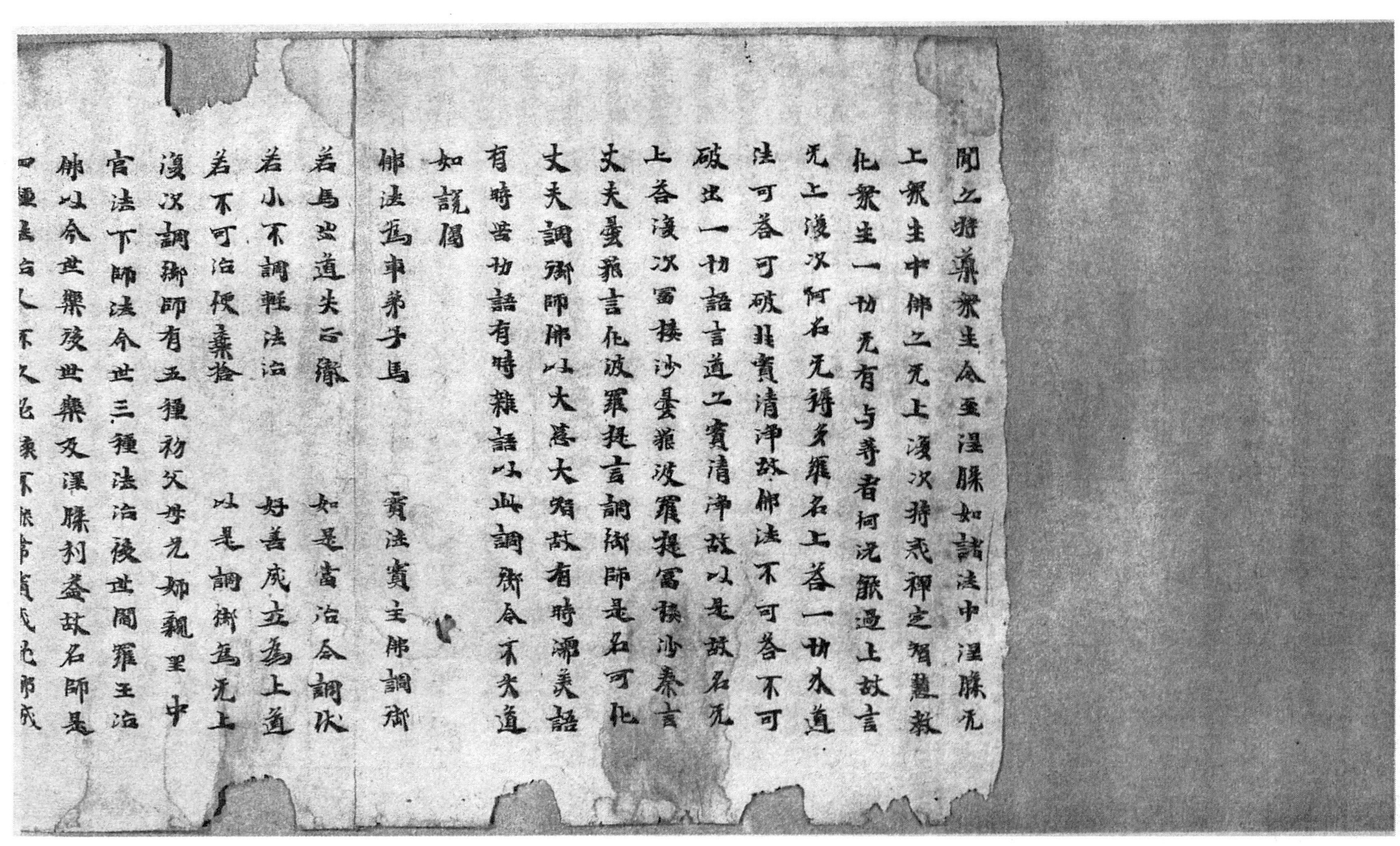
聞乞時薰衆生令至涅槃如諸法中涅槃无
上衆生中佛亦无上復次持戒禪定智慧教
化衆生一切无有与等者何況能過上故言
无上復次阿若无得多羅名上答一切法
法可答可破非實清淨故佛法不可答不可
破出一切語言道亦實清淨故以是故名无
上答復次富樓沙曇藐婆羅提富樓沙秦言
丈夫曇藐言化波羅提言調御師是名可化
丈夫調御師佛以大慈大智故有時濡美語
有時苦切語有時雜語以此調御令不失道
如說偈
佛法為車弟子馬　實法寶主佛調御
若馬出道失正儀　如是當治令調伏
若小不調輕法治　好善成立為上道
若不可治便棄捨　以是調御為无上
復次調御師有五種初父母兄姊親里中
官法下師法今世三種法治後世閻羅王治
佛以今世樂後世樂及涅槃利益故名師是

BD02695 號　大智度論卷二　（10–1）

復次調師有五種初父母兄姊親里中
官法下師法今世三種法治後世閻羅王治
佛以今世樂後世樂及涅槃利益故名師是
四種法治人不久必壞不能常實成就佛成
人以三種道常隨道不失如火自相不捨乃
至滅佛令治人得善法亦如是至死不捨以
是故佛名可化丈夫調御師問曰女人佛亦
化令得道何以獨言丈夫答曰男尊女卑故
女屬男故復次女人有五礙不得作轉輪王
釋天王魔天王梵天王佛以是故不說復次
若佛為女人調御師為不尊重若說丈夫一切
都攝譬如王來必有侍從如是說丈夫二根
无根及女盡攝以是故說丈夫用是因緣故
佛名可化丈夫調御師舍多提婆魔㝹舍喃
舍多秦言教師提婆言天魔㝹舍喃言人是
名天人教師云何名天人教師佛示導是應
作是不應作是善是不善是人隨教行不捨
道法得煩惱解脫報是名天人師問曰佛能
度龍鬼神等墮餘道中生者何以獨言天人
師答曰度餘道中生者少度天人中者多
如白色人雖有黑黶子不名黑人黑少故復
次人中結使薄厭心易得天中智慧利以是
二事故易得道餘道无此故不說復次言天
則攝一切天言人則地上生者无不盡攝何
以故天上則天大地上則人大是故說天則
天上盡攝說人則地上盡攝復次人中得受
戒律儀見諦道思惟道及諸道果或有人言

BD02695號　大智度論卷二　（10–2）

以故天上則天大地上則人大是故說天則
天上盡攝說人則地上盡攝復次人中得受
戒律儀見諦道思惟道及諸道果或有人言
餘道中不得戒或有人言多少得天人中易可
多得以是故佛為天人師復次天人中行業因
多天中眾樂多善法是樂因樂是善法果餘
道中因果少以是故佛為天人師佛陀秦言
知者知何等法知過去未來現在眾生數非
眾生數法有常无常等一切諸法菩提樹下
了了覺知故名為佛陀問曰餘人亦知一切
諸法如摩醯首羅天秦言大自在八臂三眼騎
白牛如韋紐天秦言遍悶四臂捉貝持輪
騎金翅鳥如鳩摩羅天秦言童子是天擲雞
持鈴捉赤幡騎孔雀皆是諸天大將如是等諸
天各各言大皆稱一切知有人作弟子學其
經書亦受其法言是一切知答曰此不應一切
知何以故瞋恚憍慢心著故如說偈言
石跡畫像及近像　聞經中天及讚天
如是四種諸天等　各各手執諸兵杖
若力不如畏怖他　若心不善恐怖他
此天定知若怖他　若少力故畏怖他
是天一切常怖畏　不能除却諸衰苦
有人奉事恭敬者　現世不施波憂海
有人不敬不供養　現世不妨受富樂
當知虛誑无實事　是故智人不屬天
若世間中諸眾生　業因緣故如循環
福德因故生天上　雖業因緣生人中

BD02695號　大智度論卷二　（10–3）

當知盡能无實事　是故智人不屬天
若世間中諸衆生　業因緣故如循環
福德因故生天上　雜業因緣生人中
世間行業屬因緣　是故智者不依天
復次是三天喜之欲令得如願惡之欲令七
世滅佛法則不然菩薩時若怨賊欲殺尚自
以身肉頭目髓腦而供養之何況得佛不惜
身命以是故獨佛應當歸命
佛以佛為師不應事天復次佛有二事一者
大功德神通力二者第一善心諸結使滅諸
天雖有福德神力諸結使不滅无清淨善心
故无大力聲聞辟支佛雖結使滅善心清
淨福德薄故力勢少佛二法滿足故稱勝一切
人餘人雖勝一切人婆伽婆名有德先已說
復次阿婆摩秦言无等阿婆摩婆摩秦言无
等等路迦那他秦言世尊波羅伽秦言度彼
岸稜提陀秦言大德尸梨伽那秦言厚德如
是等无量名号父母名字悉達他秦言成利
得道時知一切諸法故名為佛諸天人中大
得供養如是等得名大德厚德如是種種隨
德立名問曰汝愛刹利種淨飯王子字悉達
故而大稱讚言一切智一切智人无也答
曰不應汝惡邪故妬瞋佛作妄語實有一切
智人何以故佛一切衆生中身色顏狠端政
无比相德明具勝一切人凡人見佛身相之
知是一切智人何況大人如放牛譬喻經中

智人何以故佛一切衆生中身色顏狠端政
无比相德明具勝一切人凡人見佛身相之
知是一切智人何況大人如放牛譬喻經中
說摩伽陀國王頻婆羅請佛三月及五百弟
子王須新乳酪蘇供養佛及比丘僧語放牛
人來近處住日日送新乳酪蘇竟三月日王
憐愍此放牛人語言汝往見佛還出放牛諸
放牛人往詣佛所於道中自共論言我曾聞
人說佛是一切智人我等是下劣小人去何
能別知實有一切智人諸婆羅門善好蘇酪
故常來往諸放牛人所作親厚放牛人聞婆
羅門種種經書名字故言四韋陀大經中治
疾法鬪戰法星宿法祠天法歌舞論議難問
法如是等六十四種世間伎藝淨飯王子廣
學多聞若知此事不足為難其從生已來不
放牛我以放牛秘法問之若能解者實是一
切智人作是論已前入林中見佛光明照竹
林間進前覓佛見樹下坐猶似金山如蘇投
火其炎大明有似鎔金散樹林間上紫金光
觀之无厭心大歡喜自相謂言

此釋師子　一切知有无　見之无不喜　此事之已足
光明第一照　顏貌甚奇異　身相威德備　与佛名相稱
相相皆分明　威神之滿足　福德自纓絡　見者无不愛
圓光身處中　觀者无厭足　若有一切智　必有是功德
一切諸珠畫　寶飾莊嚴像　欲比此妙身　不可以為喻
能滿諸觀者　令得第一樂　見之發淨信　必是一切智

作是思惟已見佛而坐問佛言放牛有幾法

BD02695號　大智度論卷二　（10–6）

BD02695號　大智度論卷二　（10–7）

以故見一切智人者高不可得何況一切智
人答曰不承不見有二種不可以不見便言
无也一者事實有以因緣覆故不見譬如人
種族之初及雪山斤兩恒邊沙數有而不可
知二者或實无无故不見不知譬如第二頭
第三手无因緣覆而不可見如是一切智人
因緣覆故汝不見不知非无一切智人何等
是覆因緣未得四信心著惡邪故以是因
故不見不知一切智人問曰所知處
一切智人諸法无量无邊多人和合
何況一人能知以是故无一切智
智慧亦无量无數无邊
函大蓋亦大函小蓋亦小問曰佛自說佛法
不說餘經若藥方星宿筭經世典如是等法
若一切智人何以不說以是故知非一切智
人答曰雖知一切法用故說不用故不說亦
有人問故說不問故不說復次一切法略說
三種法有為法无為法不可說法此三皆攝
一切法問曰十四難不答故知非一切智人
何等十四難世界常世界无常世界亦有常
亦无常世界亦非有常亦非无常世界有
邊世界无邊世界亦有邊亦无邊世界亦
非有邊亦非无邊死後有神去後世死後无神
有神去亦无神去死後亦非
是身是神身異神

BD02695號　大智度論卷二　（10-8）

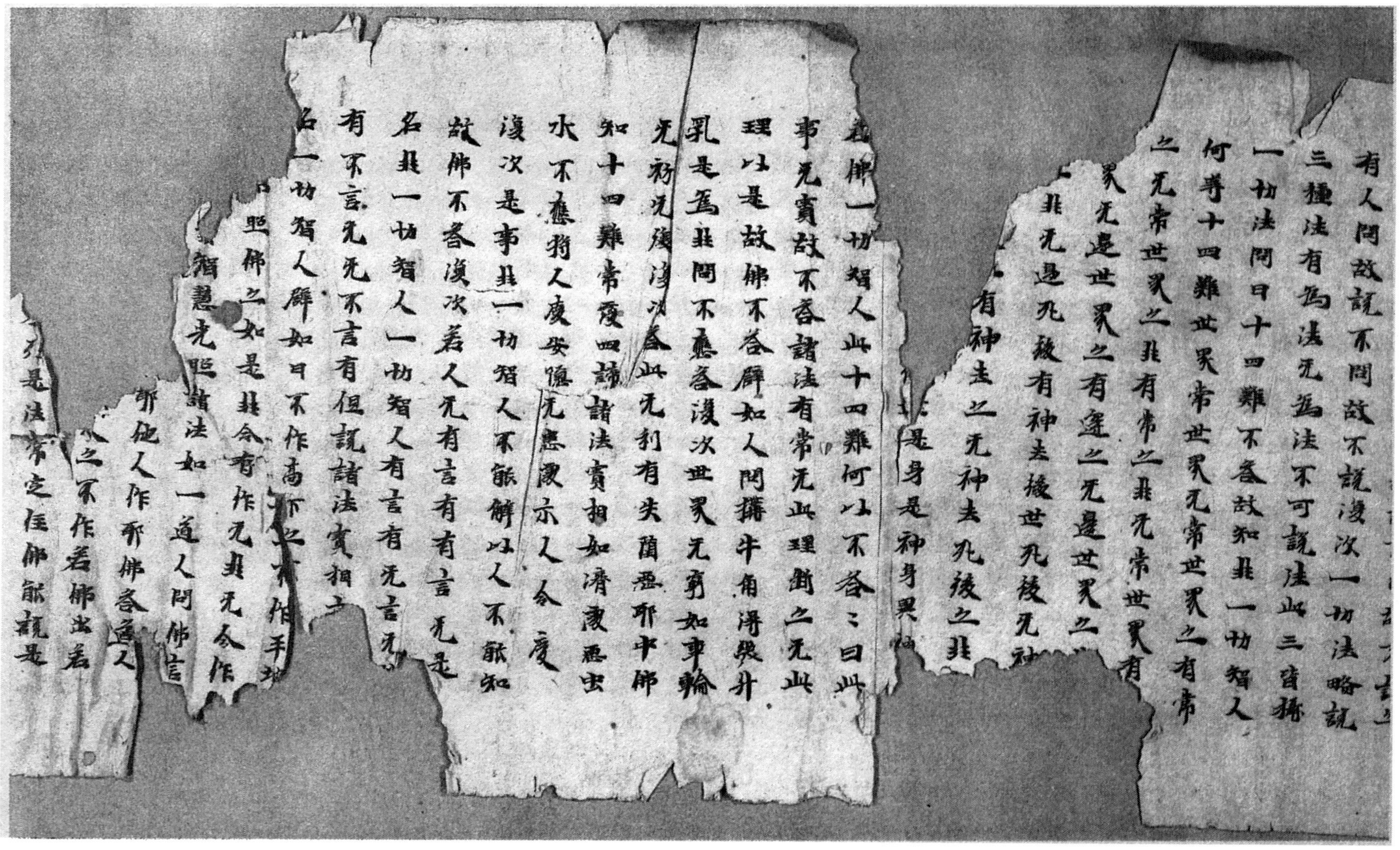

有人問故說不問故不說復次一切法略說
三種法有為法无為法不可說法此三皆攝
一切法問曰十四難不答故知非一切智人
何等十四難世界常世界无常世界亦有常
亦无常世界亦非有常亦非无常世界有
邊世界无邊世界亦有邊亦无邊世界亦
非有邊亦非无邊死後有神去後世死後无神
有神去亦无神去死後亦非
是身是神身異神
若佛一切智人此十四難何以不答答曰此
事无實故不答諸法有常无此理諸法斷亦无此
理以是故佛不答譬如人問搆牛角得幾升
乳是為非問不應答復次世界无窮如車輪
无初无後復次答此无利有失墮惡邪中佛
知十四難常覆四諦諸法實相如渡處惡虫
水不應將人度安隱无患處亦人令度
復次是事非一切智人不能解以人不能知
故佛不答復次若人无有言有言无是
名非一切智人一切智人有言有言无言无
有不言无无不言有但說諸法實相
名一切智人譬如日不作高下亦作平地
照佛亦如是非令有作无非无令作
智慧光照諸法如一道人問佛言
邪他人作邪佛答道人
之不作若佛出若
是法常定住佛能觀是

BD02695號　大智度論卷二　（10-9）

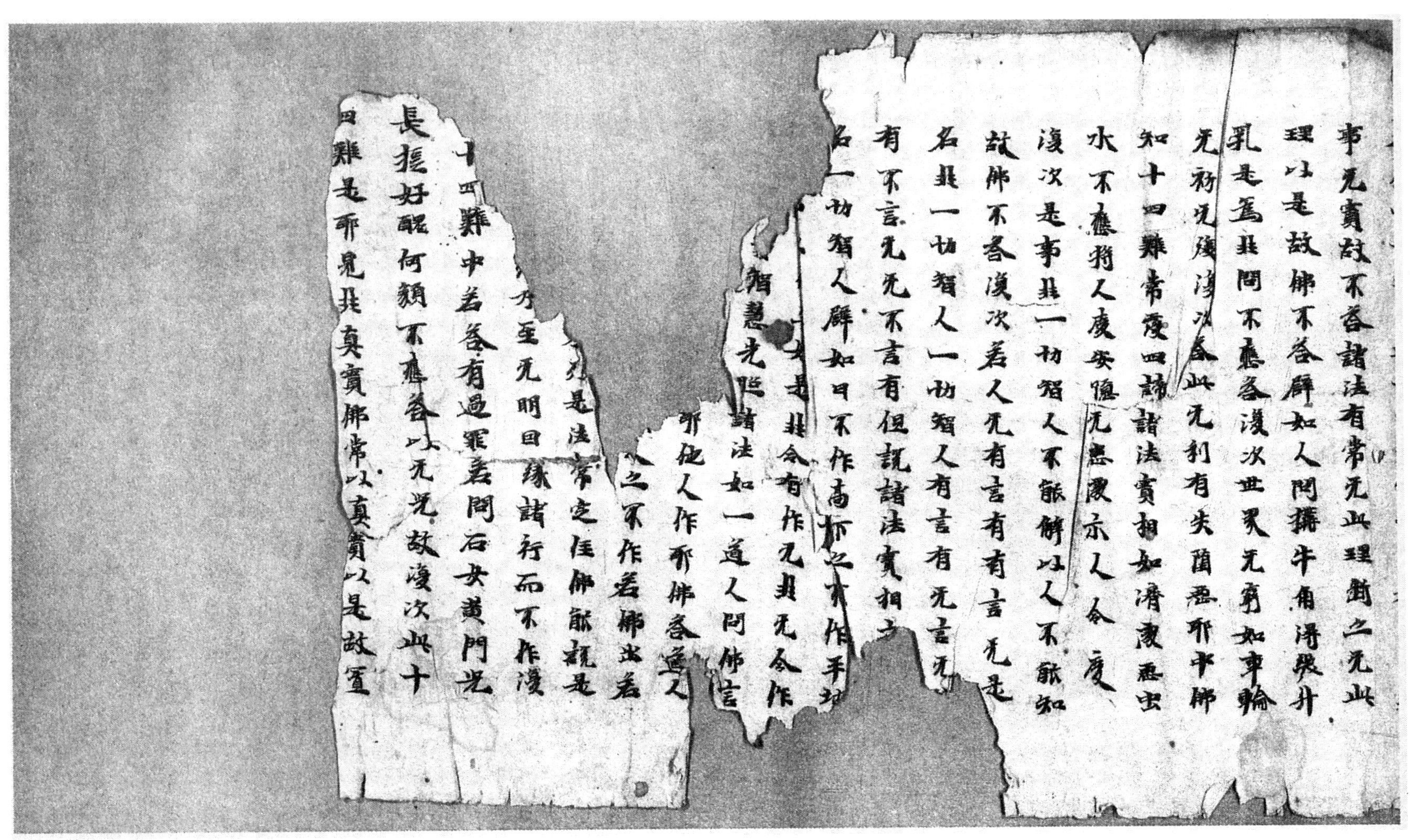

BD02695 號　大智度論卷二　（10–10）

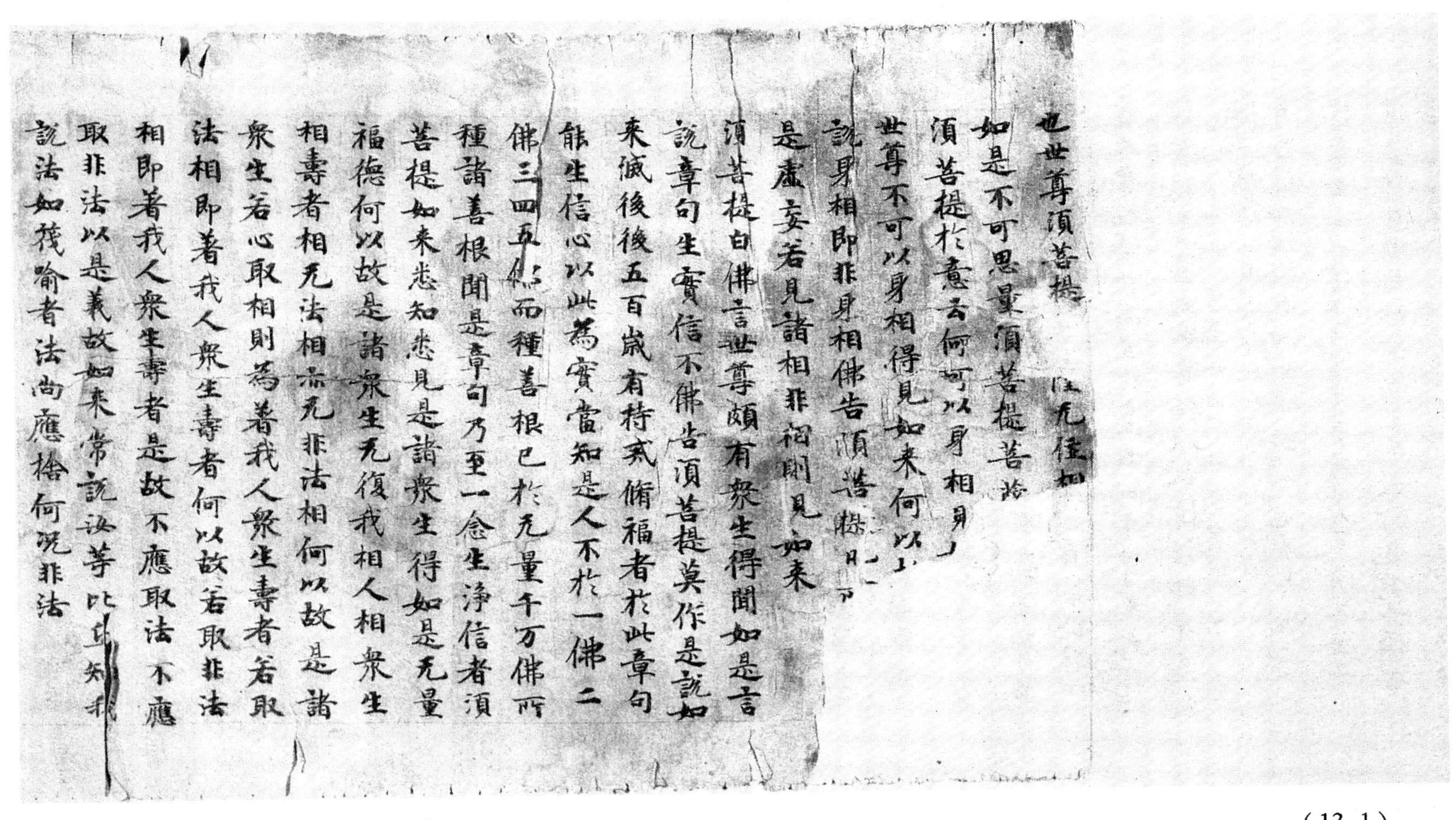

BD02696 號　金剛般若波羅蜜經　（13–1）

法相即著我人衆生壽者何以故若取非法
相即著我人衆生壽者是故不應取法不應
取非法以是義故如來常說汝等比丘知我
說法如筏喻者法尚應捨何況非法
須菩提於意云何如來得阿耨多羅三藐三
菩提耶如來有所說法耶須菩提言如我解
佛所說義无有定法名阿耨多羅三藐三菩
提亦无有定法如來可說何以故如來所說
法皆不可取不可說非法非非法所以者何
一切賢聖皆以无爲法而有差別
須菩提於意云何若人滿三千大千世界七
寶以用布施是人所得福德寧爲多不須菩
提言甚多世尊何以故是福德即非福德性
是故如來說福德多若復有人於此經中受
持乃至四句偈等爲他人說其福勝彼何以
故須菩提一切諸佛及諸佛阿耨多羅三藐
三菩提法皆從此經出須菩提所謂佛法者
即非佛法
須菩提於意云何須陁洹能作是念我得須
陁洹果不須菩提言不不也世尊何以故須陁
洹名爲入流而无所入不入色聲香味觸法是
名須陁洹須菩提於意云何斯陁含能作是
念我得斯陁含果不須菩提言不也世尊何
以故斯陁含名一往來而實无往來是名斯
陁含須菩提於意云何阿那含能作是念我
得阿那含果不須菩提言不也世尊何以故
阿那含名爲不來而實无來是故名阿那含

BD02696號　金剛般若波羅蜜經　（13–2）

以故斯陁含名一往來而實无往來是名斯
陁含須菩提於意云何阿那含能作是念我
得阿那含果不須菩提言不也世尊何以故
阿那含名爲不來而實无來是故名阿那含
須菩提於意云何阿羅漢能作是念我得
阿羅漢道不須菩提言不也世尊何以故實
无有法名阿羅漢世尊若阿羅漢作是念我
得阿羅漢道即爲著我人衆生壽者世尊佛
說我得无諍三昧人中最爲第一是第一離
欲阿羅漢我不作是念我是離欲阿羅漢世
尊我若作是念我得阿羅漢道世尊則不說
須菩提是樂阿蘭那行者以須菩提實无
所行而名須菩提是樂阿蘭行
佛告須菩提於意云何如來昔在然燈佛
所於法有所得不世尊如來在然燈佛所於法
實无所得須菩提於意云何菩薩莊嚴佛土
不不也世尊何以故莊嚴佛土者則非莊嚴
是名莊嚴是故須菩提諸菩薩摩訶薩應
如是生清淨心不應住色生心不應住聲香
味觸法生心應无所住而生其心須菩提譬如
有人身如須弥山王於意云何是身爲大不
須菩提言甚大世尊何以故佛說非身是
名大身
須菩提如恒河中所有沙數如是沙等恒河
於意云何是諸恒河沙寧爲多不須菩提言
甚多世尊但諸恒河尚多无數何況其沙須菩

BD02696號　金剛般若波羅蜜經　（13–3）

名大身
須菩提如恒河中所有沙數如是沙等恒河
於意云何是諸恒河沙寧為多不須菩提言
甚多世尊但諸恒河尚多无數何況其沙須菩
提我今實言告汝若有善男子善女人以七
寶滿尒所恒河沙數三千大千世界以用布施
得福多不須菩提言甚多世尊佛告須菩
提若善男子善女人於此經中乃至受持四
句偈等為他人說而此福德勝前福德復
次須菩提隨說是經乃至四句偈等當知此
處一切世間天人阿脩羅皆應供養如佛塔
廟何況有人盡能受持讀誦須菩提當知是
人成就最上第一希有之法若是經典所在
之處則為有佛若尊重弟子
尒時須菩提白佛言世尊當何名此經我等
云何奉持佛告須菩提是經名為金剛般若
波羅蜜以是名字汝當奉持所以者何須菩
提佛說般若波羅蜜則非般若波羅蜜須菩
提於意云何如來有所說法不須菩提白佛
言世尊如來无所說須菩提於意云何三千
大千世界所有微塵是為多不須菩提言甚
多世尊須菩提諸微塵如來說非微塵是名
微塵如來說世界非世界是名世界須菩提於
意云何可以三十二相見如來不不也世尊不
可以三十二相得見如來何以故如來說三十二
相即是非相是名三十二相須菩提若有善

BD02696號　金剛般若波羅蜜經　（13–4）

微塵如來說世界非世界是名世界須菩提於
意云何可以三十二相見如來不不也世尊不
可以三十二相得見如來何以故如來說三十二
相即是非相是名三十二相須菩提若有善
男子善女人以恒河沙等身命布施若復有
人於此經中乃至受持四句偈等為他人說
其福甚多
尒時須菩提聞說是經深解義趣涕淚悲泣
而白佛言希有世尊佛說如是甚深經典我
從昔來所得慧眼未曾得聞如是之經世尊
若復有人得聞是經信心清淨則生實相當
知是人成就第一希有功德世尊是實相者
則是非相是故如來說名實相世尊我今得
聞如是經典信解受持不足為難若當來世
後五百歲其有眾生得聞是經信解受持是
人則為第一希有何以故此人无我相人相眾
生相壽者相所以者何我相即是非相人相
眾生相壽者相即是非相何以故離一切諸
相則名諸佛
佛告須菩提如是如是若復有人得聞是經
不驚不怖不畏當知是人甚為希有何以故
須菩提如來說第一波羅蜜非第一波羅蜜
是名第一波羅蜜
須菩提忍辱波羅蜜如來說非忍辱波羅蜜
何以故須菩提如我昔為歌利王割截身體
我於尒時无我相无人相无眾生相无壽者

BD02696號　金剛般若波羅蜜經　（13–5）

須菩提忍辱波羅蜜如來說非忍辱波羅蜜
何以故須菩提如我昔爲歌利王割截身體
我於尒時无我相无人相无衆生相无壽者
相何以故我於往昔節節支解時若有我相
人相衆生相壽者相應生瞋恨須菩提又念
過去於五百世作忍辱仙人於尒所世无我
相无人相无衆生相无壽者相是故須菩提
菩薩應離一切相發阿耨多羅三藐三菩提
心不應住色生心不應住聲香味觸法生心
應生无所住心若心有住則爲非住是故佛
說菩薩心不應住色布施須菩提菩薩爲利
益一切衆生應如是布施如來說一切諸相
即是非相又說一切衆生則非衆生須菩提
如來是真語者實語者如語者不誑語者
不異語者須菩提如來所得法此法無實無虛
須菩提若菩薩心住於法而行布施如人入
闇則無所見若菩薩心不住法而行布施如
人有目日光明照見種種色須菩提當來之
世若有善男子善女人能於此經受持讀誦
則爲如來以佛智慧悉知是人悉見是人皆
得成就无量无邊功德
須菩提若有善男子善女人初日分以恒河沙
等身布施中日分復以恒河沙等身布施後
日分亦以恒河沙等身布施如是无量百千
万億劫以身布施若復有人聞此經典信
心不逆其福勝彼何況書寫受持讀誦爲人

BD02696號　金剛般若波羅蜜經　（13–6）

等身布施中日分復以恒河沙等身布施後
日分亦以恒河沙等身布施如是无量百千
万億劫以身布施若復有人聞此經典信
心不逆其福勝彼何況書寫受持讀誦爲人
解說須菩提以要言之是經有不可思議不
可稱量無邊功德如來爲發大乘者說爲發
最上乘者說若有人能受持讀誦廣爲人
說如來悉知是人悉見是人皆得成就不可量
不可稱无有邊不可思議功德如是人等則爲
荷擔如來阿耨多羅三藐三菩提何以故須
菩提若樂小法者著我見人見衆生見壽者
見則於此經不能聽受讀誦爲人解說須菩
提在在處處若有此經一切世間天人阿脩
羅所應供養當知此處則爲是塔皆應恭
敬作禮圍繞以諸華香而散其處
復次須菩提善男子善女人受持讀誦此經
若爲人輕賤是人先世罪業應墮惡道以今
世人輕賤故先世罪業則爲消滅當得阿耨
多羅三藐三菩提須菩提我念過去无量阿
僧祇劫於然燈佛前得值八百四千万億那
由他諸佛悉皆供養承事无空過者若復
有人於後末世能受持讀誦此經所得功德於
我所供養諸佛功德百分不及一千万億分
乃至筭數譬喻所不能及須菩提若善男子
善女人於後末世有受持讀誦此經所得功
德我若具說者或有人聞心則狂亂狐疑不

BD02696號　金剛般若波羅蜜經　（13–7）

乃至筭數譬喻所不能及須菩提若善男子
善女人於後末世有受持讀誦此經所得功
德我若具說者或有人聞心則狂亂狐疑不
信須菩提當知是經義不可思議果報亦不
可思議
尒時須菩提白佛言世尊善男子善女人發
阿耨多羅三藐三菩提心云何應住云何降
伏其心佛告須菩提善男子善女人發阿耨
多羅三藐三菩提者當生如是心我應滅度
一切衆生滅度一切衆生已而无有一衆生實
滅度者何以故若菩薩有我相人相衆生
相壽者相則非菩薩所以者何須菩提實
无有法發阿耨多羅三藐三菩提心者須菩
提於意云何如來於然燈佛所有法得阿耨多
羅三藐三菩提不不也世尊如我解佛所說義
佛於然燈佛所无有法得阿耨多羅三藐三菩
提佛言如是如是須菩提實无有法如來得
阿耨多羅三藐三菩提須菩提若有法如來得
阿耨多羅三藐三菩提然燈佛則不與我受
記汝於來世當得作佛号釋迦牟尼以實无
有法得阿耨多羅三藐三菩提是故然燈佛
與我受記作是言汝於來世當得作佛号釋
迦牟尼何以故如來者即諸法如義若有人
言如來得阿耨多羅三藐三菩提須菩提實
无有法佛得阿耨多羅三藐三菩提須菩提
如來所得阿耨多羅三藐三菩提於是中无

BD02696 號　金剛般若波羅蜜經　（13–8）

无有法佛得阿耨多羅三藐三菩提須菩提
如來所得阿耨多羅三藐三菩提於是中无
實无虛是故如來說一切法皆是佛法須菩
提所言一切法者即非一切法是故名一切法
須菩提譬如人身長大須菩提言世尊如來
說人身長大則為非大身是名大身須菩
提菩薩亦如是若作是言我當滅度无量衆
生則不名菩薩何以故須菩提實无有法名為
菩薩是故佛說一切法无我无人无衆生无
壽者須菩提若菩薩作是言我當莊嚴佛
土是不名菩薩何以故如來說莊嚴佛土者
即非莊嚴是名莊嚴須菩提若菩薩通達无
我法者如來說名真是菩薩
須菩提於意云何如來有肉眼不如是世尊
如來有肉眼須菩提於意云何如來有天眼
不如是世尊如來有天眼須菩提於意云何
如來有慧眼不如是世尊如來有慧眼須菩
提於意云何如來有法眼不如是世尊如來
有法眼須菩提於意云何如來有佛眼不如
是世尊如來有佛眼須菩提於意云何如恒
河中所有沙佛說是沙不如是世尊如來說是
沙須菩提於意云何如一恒河中所有沙有
如是等恒河是諸恒河所有沙數佛世界如
是寧為多不甚多世尊佛告須菩提尒所國
土中所有衆生若干種心如來悉知何以故
如來說諸心皆為非心是名為心所以者何

BD02696 號　金剛般若波羅蜜經　（13–9）

土中所有衆生若干種心如來悉知何以故
如來說諸心皆為非心是名為心所以者何
須菩提過去心不可得現在心不可得未來
心不可得須菩提於意云何若有人滿三千
大千世界七寶以用布施是人以是因緣得
福多不如是世尊此人以是因緣得福甚多
須菩提若福德有實如來不說得福德多以
福德无故如來說得福德多
須菩提於意云何佛可以具足色身見不不
也世尊如來不應以具足色身見何以故如來說
具足色身即非具足色身是名具足色身須
菩提於意云何如來可以具足諸相見不不
也世尊如來不應以具足諸相見何以故如來
說諸相具足即非具足是名諸相具足須菩
提汝勿謂如來作是念我當有所說法莫
作是念何以故若人言如來有所說法即為
謗佛不能解我所說故須菩提說法者无法
可說是名說法須菩提白佛言世尊佛得阿
耨多羅三藐三菩提為无所得耶如是如是
須菩提我於阿耨多羅三藐三菩提乃至无
有少法可得是名阿耨多羅三藐三菩提復
次須菩提是法平等无有高下是名阿耨多
羅三藐三菩提以无我无人无衆生无壽者
脩一切善法則得阿耨多羅三藐三菩提須
菩提所言善法者如來說非善法是名善法
須菩提若三千大千世界中所有諸須弥山

BD02696號　金剛般若波羅蜜經　（13–10）

菩提所言善法者如來說非善法是名善法
須菩提若三千大千世界中所有諸須弥山
王如是等七寶聚有人持用布施若人以此般
若波羅蜜經乃至四句偈等受持讀誦為他
人說於前福德百分不及一百千万億分乃至
筭數譬喻所不能及
須菩提於意云何汝等勿謂如來作是念我
當度衆生須菩提莫作是念何以故實无
有衆生如來度者若有衆生如來度者如來
則有我人衆生壽者須菩提如來說有我者則
非有我而凡夫之人以為有我須菩提凡夫者
如來說則非凡夫須菩提於意云何可以
卅二相觀如來不須菩提言如是如是以卅
二相觀如來佛言須菩提若以卅二相觀如
來者轉輪聖王則是如來須菩提白佛言世
尊如我解佛所說義不應以卅二相觀如來尒
時世尊而說偈言
若以色見我　以音聲求我　是人行耶道　不能見如來
須菩提汝若作是念如來不以具足相故得
阿耨多羅三藐三菩提須菩提莫作是念如
來不以具足相故得阿耨多羅三藐三菩提
須菩提汝若作是念發阿耨多羅三藐三菩
提者說諸法斷滅莫作是念何以故發阿耨
多羅三藐三菩提者於法不說斷滅相須菩
提若菩薩以滿恒河沙等世界七寶布施若
復有人知一切法无我得成於忍此菩薩勝

BD02696號　金剛般若波羅蜜經　（13–11）

須菩提汝若作是念發阿耨多羅三藐三菩
提者說諸法斷滅莫作是念何以故發阿耨
多羅三藐三菩提者於法不說斷滅相須菩
提若菩薩以滿恒河沙等世界七寶布施若
復有人知一切法无我得成於忍此菩薩勝
前菩薩所得功德須菩提以諸菩薩不受福
德故須菩提白佛言世尊云何菩薩不受福
德須菩提菩薩所作福德不應貪著是故說
不受福德須菩提若有人言如來若來若去
若坐若臥是人不解我所說義何以故如來者
無所從來亦無所去故名如來須菩提若
善男子善女人以三千大千世界碎為微塵
於意云何是微塵衆寧為多不甚多世尊
何以故若是微塵衆實有者佛則不說是微
塵衆所以者何佛說微塵衆則非微塵衆是
名微塵衆世尊如來所說三千大千世界則非
世界是名世界何以故若世界實有者則是一
合相如來說一合相則非一合相是名一合
相須菩提一合相者則是不可說但凡夫之
人貪著其事須菩提若人言佛說我見人
見衆生見壽者見須菩提於意云何是人解
我所說義不世尊是人不解如來所說義何
以故世尊說我見人見衆生見壽者見即非我
見人見衆生見壽者見是名我見人見衆生
見壽者見須菩提發阿耨多羅三藐三菩提
心者於一切法應如是知如是見如是信解不

BD02696號　金剛般若波羅蜜經　（13–12）

塵衆所以者何佛說微塵衆則非微塵衆是
名微塵衆世尊如來所說三千大千世界則非
世界是名世界何以故若世界實有者則是一
合相如來說一合相則非一合相是名一合
相須菩提一合相者則是不可說但凡夫之
人貪著其事須菩提若人言佛說我見人
見衆生見壽者見須菩提於意云何是人解
我所說義不世尊是人不解如來所說義何
以故世尊說我見人見衆生見壽者見即非我
見人見衆生見壽者見是名我見人見衆生
見壽者見須菩提發阿耨多羅三藐三菩提
心者於一切法應如是知如是見如是信解不
生法相須菩提所言法相者如來說即非法
相是名法相須菩提若有人以滿无量阿僧
祇世界七寶持用布施若有善男子善女人發
菩薩心者持於此經乃至四句偈等受持讀
誦為人演說其福勝彼云何為人演說不取
於相如如不動何以故
一切有為法　如夢幻泡影　如露亦如電　應作如是觀
佛說是經已長老須菩提及諸比丘比丘尼
優婆塞優婆夷一切世間天人阿脩羅聞佛
所說皆大歡喜信受奉行
金剛般若波羅蜜經

BD02696號　金剛般若波羅蜜經　（13–13）

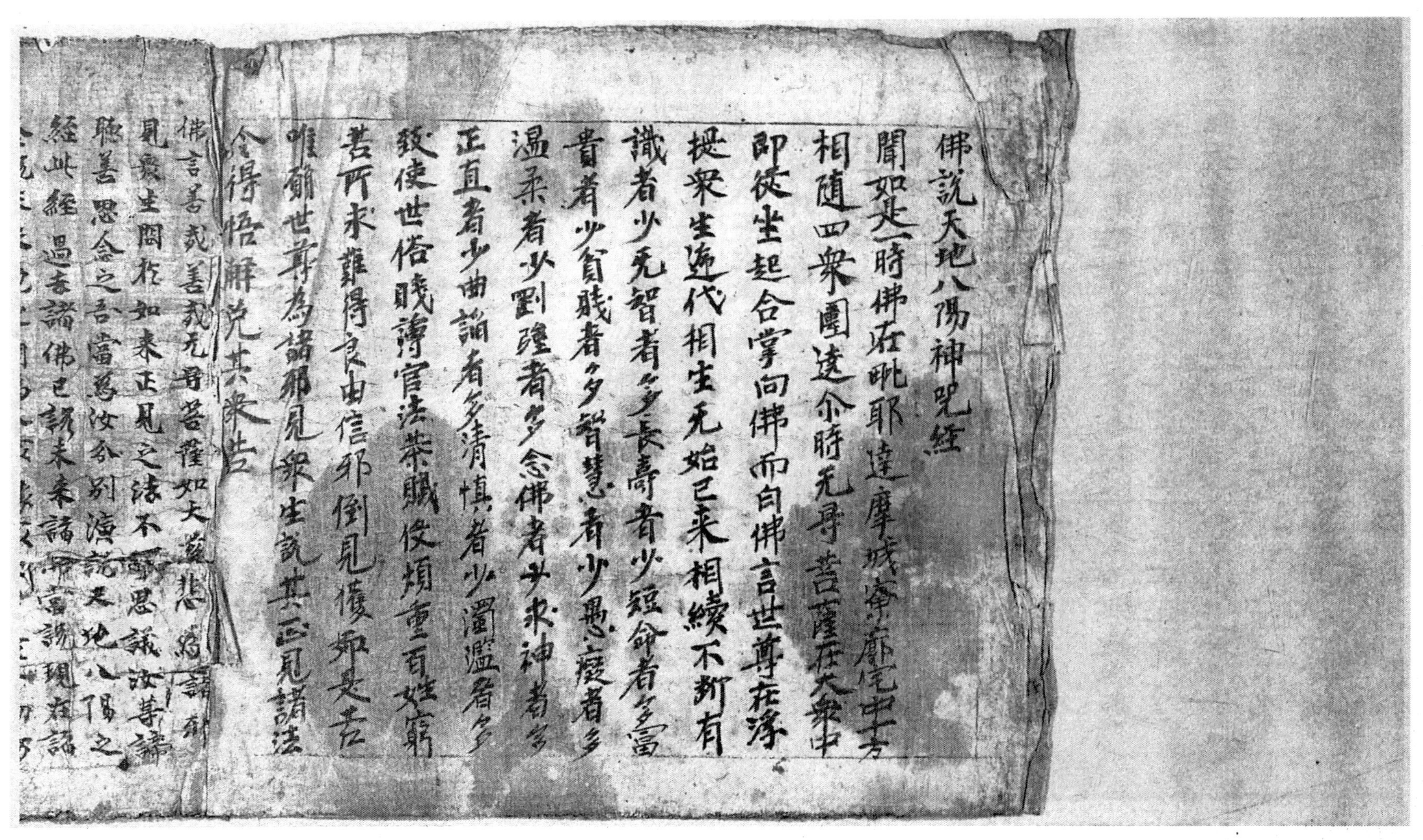

BD02697 號　天地八陽神咒經　（5–1）

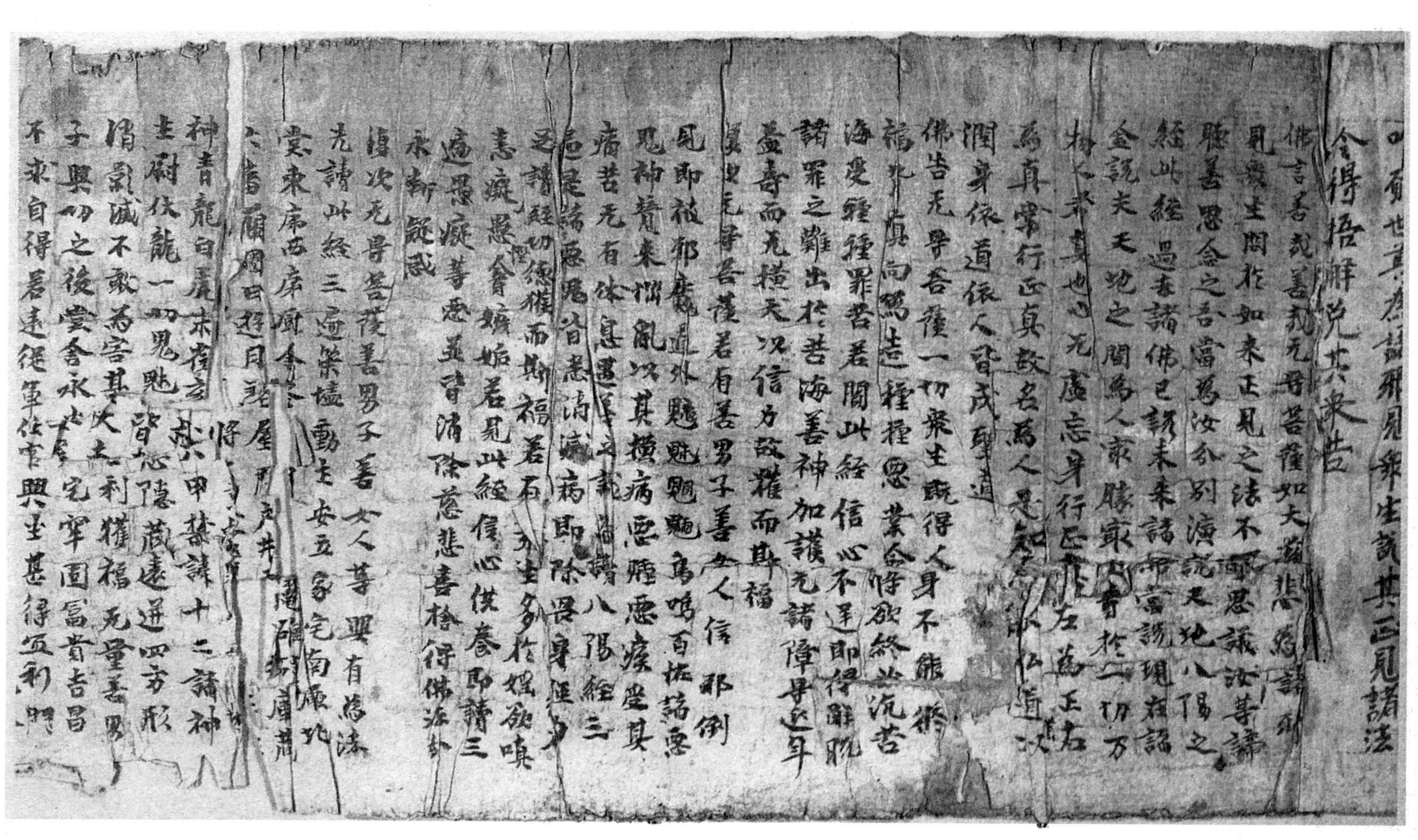

BD02697 號　天地八陽神咒經　（5–2）

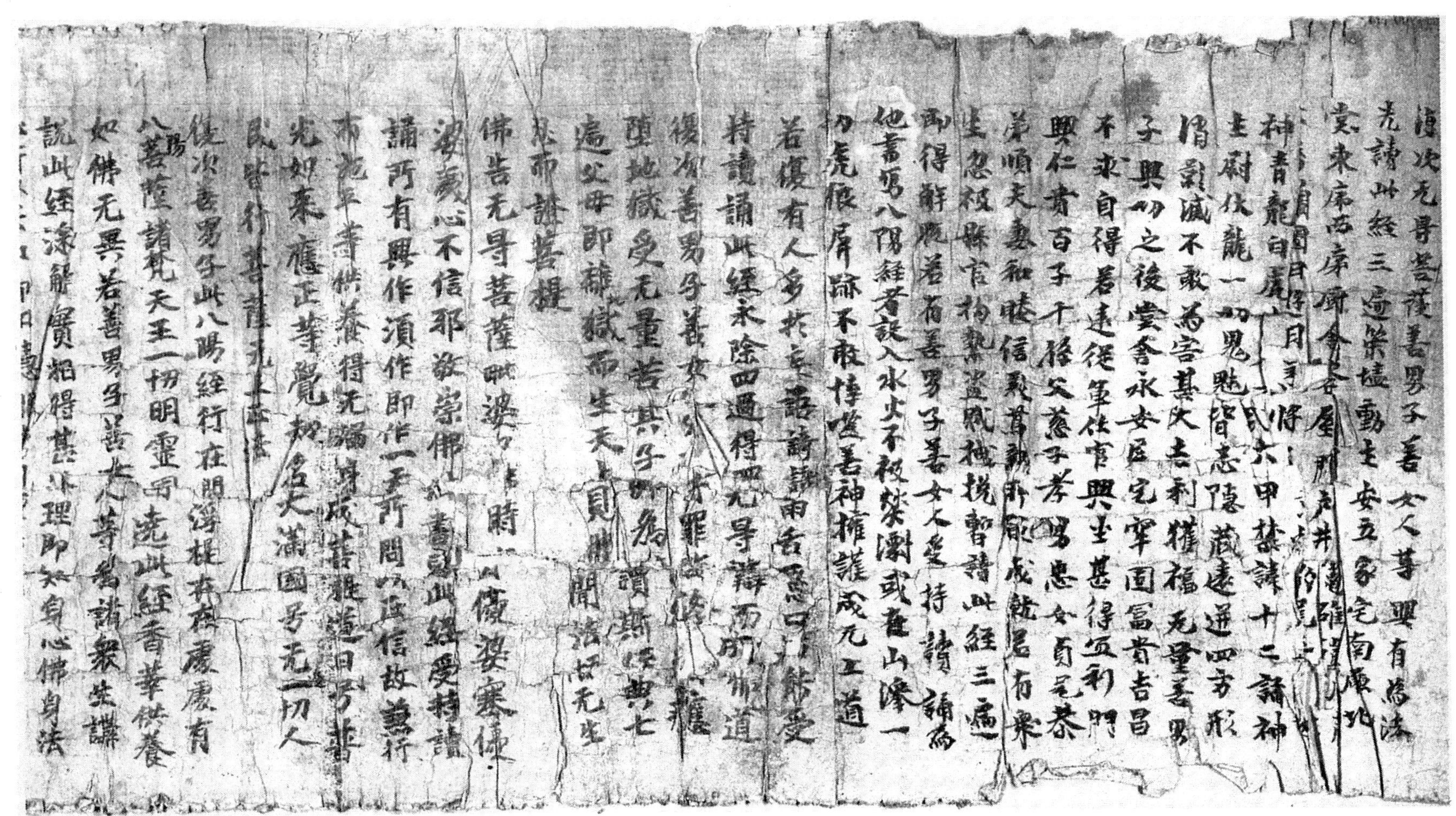

BD02697號　天地八陽神咒經　　（5–3）

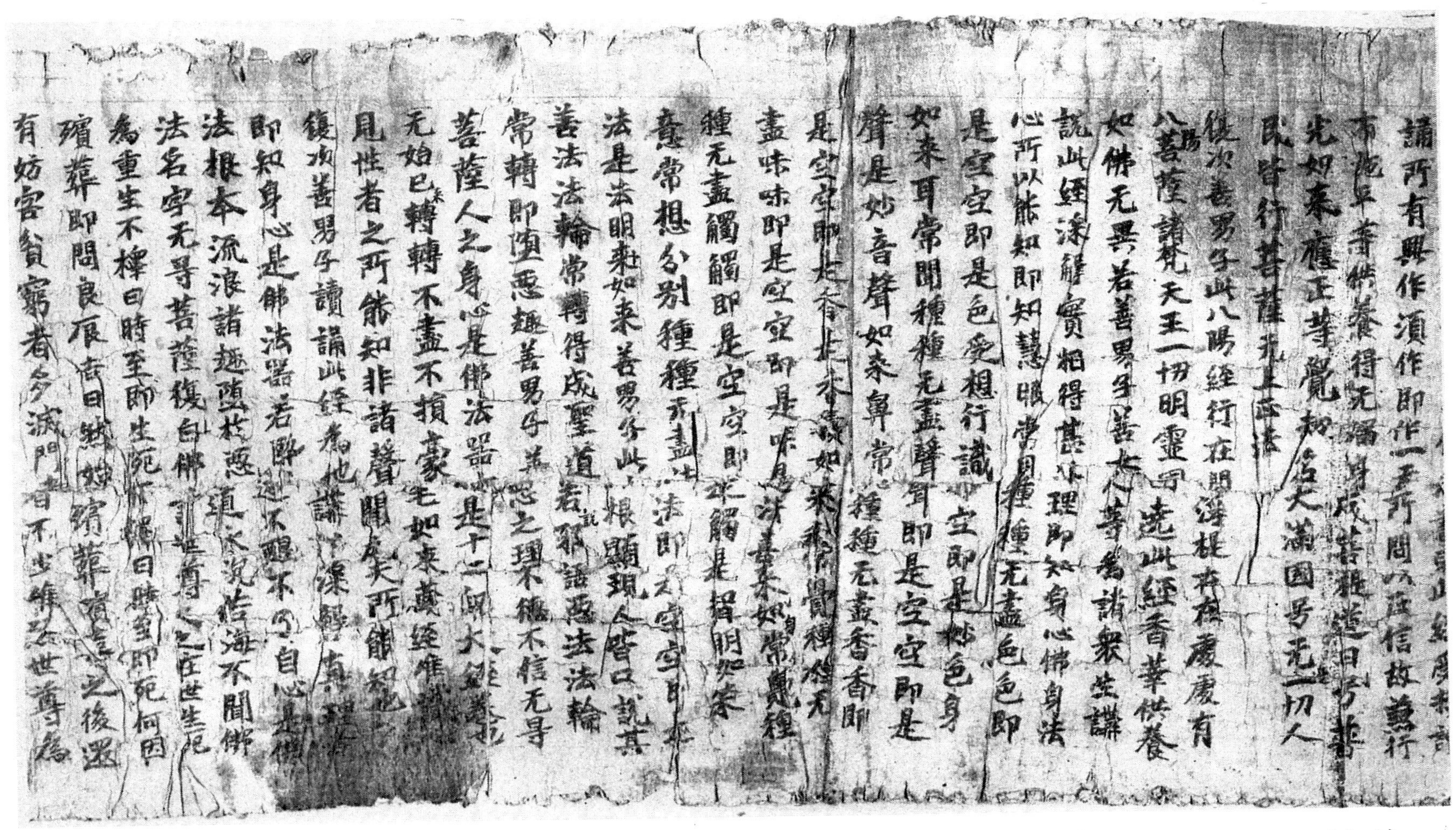

BD02697號　天地八陽神咒經　　（5–4）

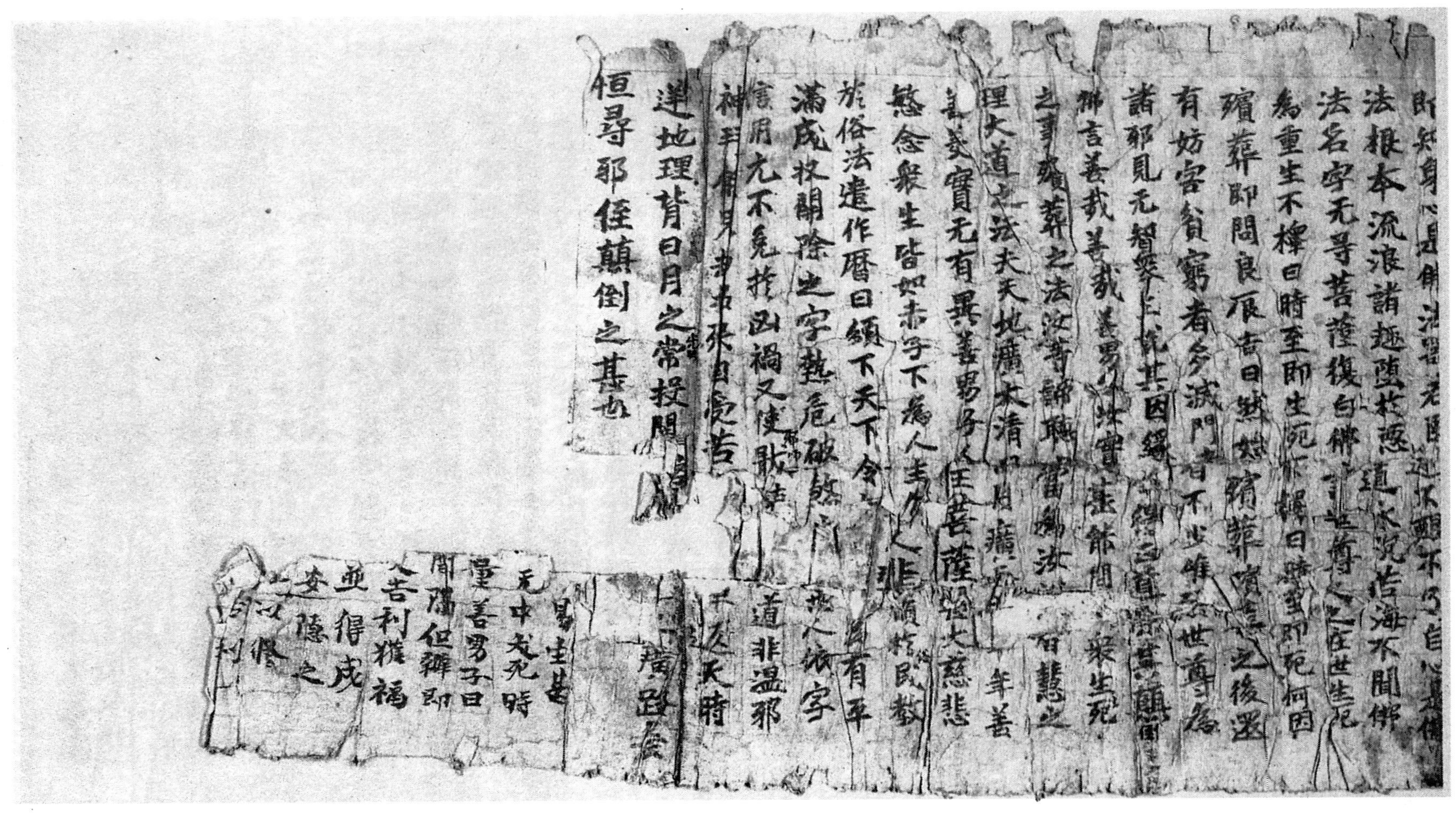

BD02697號　天地八陽神咒經　（5–5）

BD02697號背　雜寫　（1–1）

得阿耨多羅三藐三菩提須菩提所言善法
者如來說非善法是名善法
須菩提若三千大千世界中所有諸須弥山
王如是等七寶聚有人持用布施若人以此
般若波羅蜜經乃至四句偈等受持讀誦為
他人說於前福德百分不及一百千万億分乃
至筭數譬喻所不能及
須菩提於意云何汝等勿謂如來作是念我
當度衆生須菩提莫作是念何以故實无有
衆生如來度者若有衆生如來度者如來則
有我人衆生壽者須菩提如來說有我者則
非有我而凡夫之人以為有我須菩提凡夫
者如來說則非凡夫
須菩提於意云何可以卅二相觀如來不須
菩提言如是如是以卅二相觀如來佛言須
菩提若以卅二相觀如來者轉輪聖王則是
如來須菩提白佛言世尊如我解佛所說義
不應以三十二相觀如來尒時世尊而說偈
言

BD02698號　金剛般若波羅蜜經　（2–1）

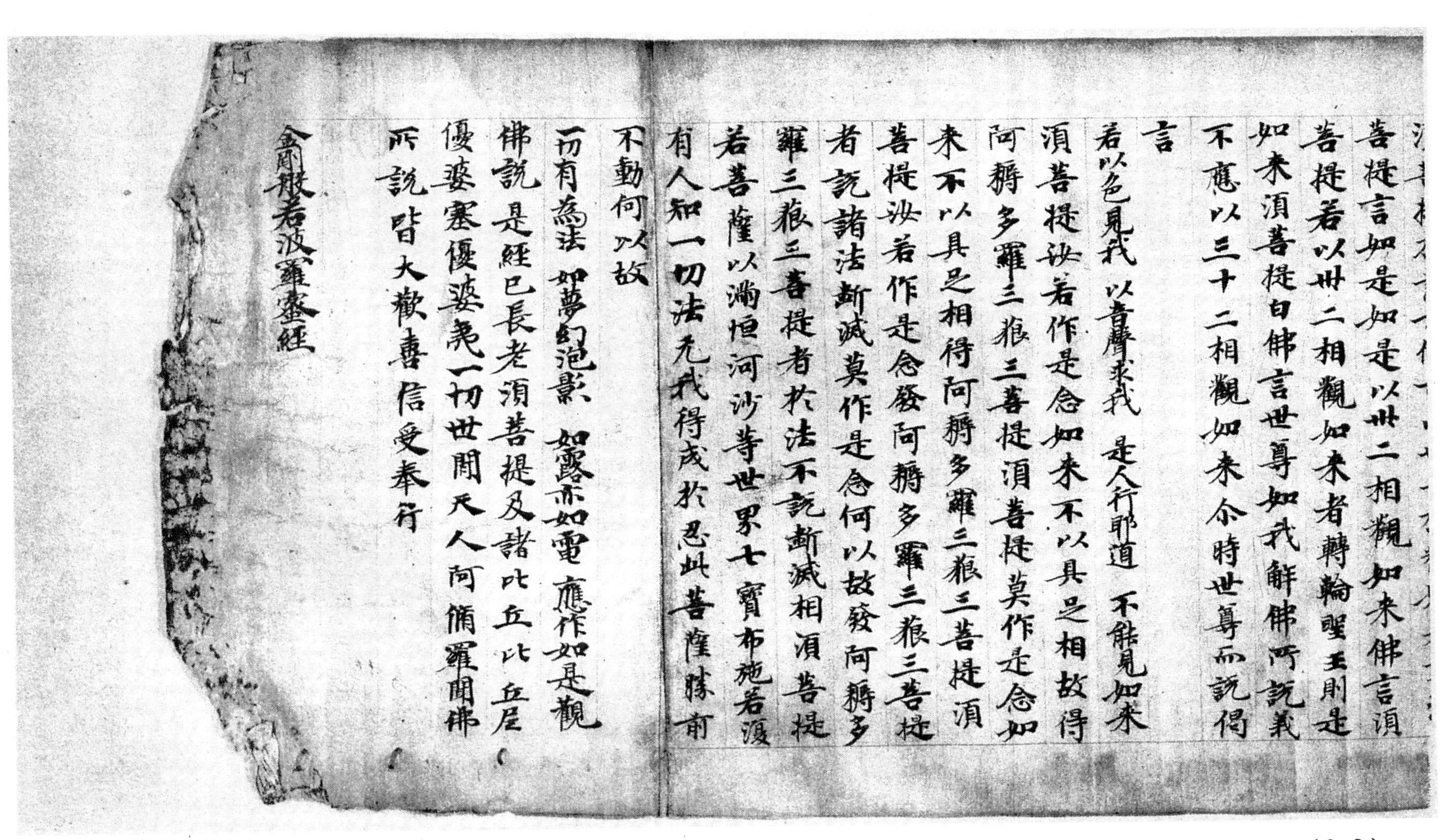

菩提言如是如是以卅二相觀如來佛言須
菩提若以卅二相觀如來者轉輪聖王則是
如來須菩提白佛言世尊如我解佛所說義
不應以三十二相觀如來尒時世尊而說偈
言
若以色見我　以音聲求我　是人行邪道　不能見如來
須菩提汝若作是念如來不以具足相故得
阿耨多羅三藐三菩提須菩提莫作是念如
來不以具足相得阿耨多羅三藐三菩提須
菩提汝若作是念發阿耨多羅三藐三菩提
者說諸法斷滅莫作是念何以故發阿耨多
羅三藐三菩提者於法不說斷滅相須菩提
若菩薩以滿恒河沙等世界七寶布施若復
有人知一切法无我得成於忍此菩薩勝前
不動何以故
一切有為法　如夢幻泡影　如露亦如電　應作如是觀
佛說是經已長老須菩提及諸比丘比丘尼
優婆塞優婆夷一切世間天人阿脩羅聞佛
所說皆大歡喜信受奉行
金剛般若波羅蜜經

BD02698號　金剛般若波羅蜜經　（2–2）

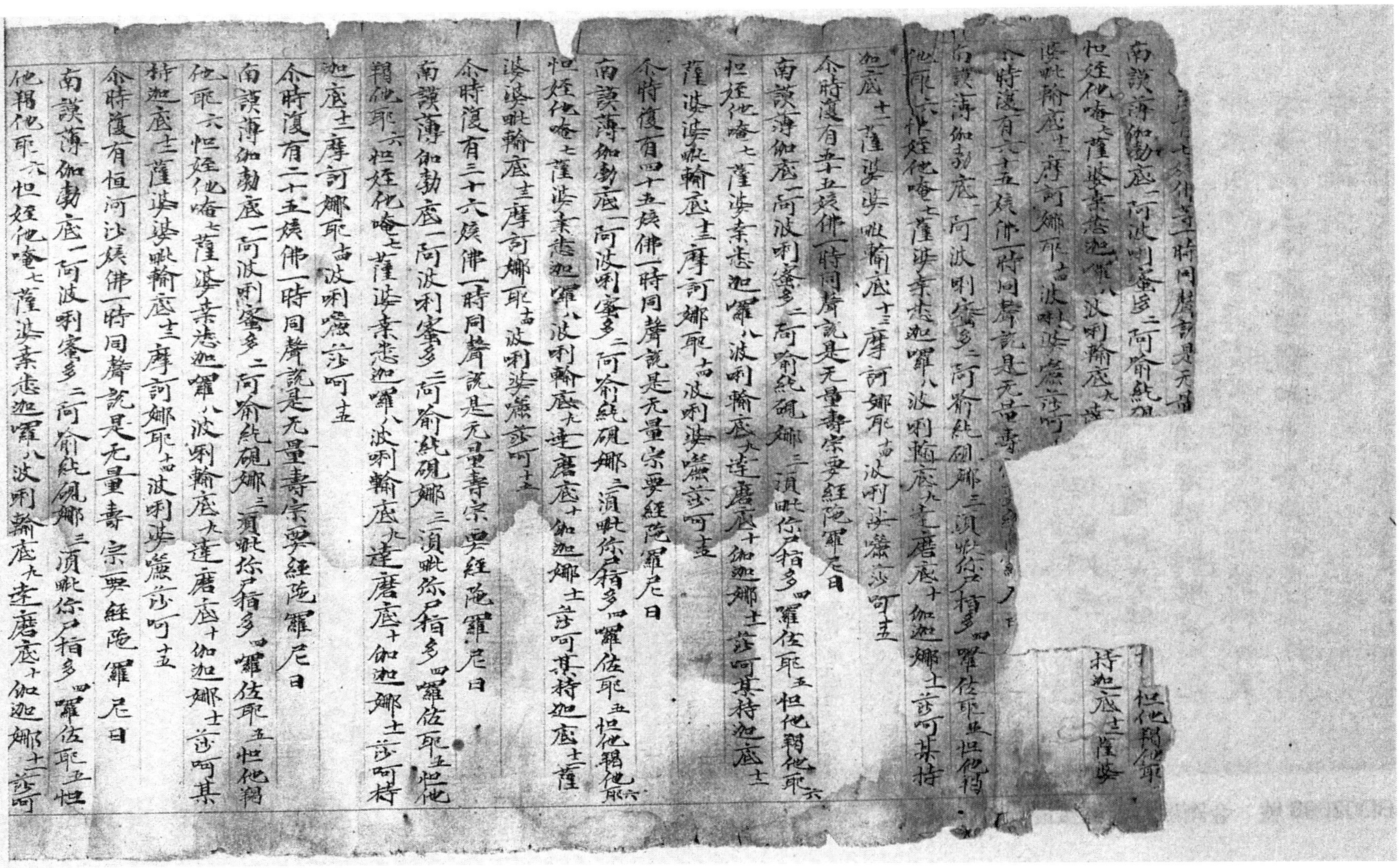

[illegible]佛一時同聲說是无量[illegible]
南謨薄伽勃底一阿波唎蜜多二阿喻紇硯[illegible]　怛他羯他耶
怛姪他唵七薩婆桑悉迦囉八波唎輸底九達[illegible]　持迦底十二薩婆
婆毗輸底十三摩訶娜耶十四波唎娑嚩莎訶[illegible]
尒時復有六十五殑佛一時同聲說是无量壽[illegible]
南謨薄伽勃底一阿波唎蜜多二阿喻紇硯娜三須毗你實指多四囉佐耶五怛他羯[illegible]
他耶六怛姪他唵七薩婆桑悉迦囉八波唎輸底九達磨底十伽迦娜十一莎訶某持
迦底十二薩婆婆毗輸底十三摩訶娜耶十四波唎娑嚩莎訶十五
尒時復有五十五殑佛一時同聲說是无量壽宗要經陁羅尼曰
南謨薄伽底一阿波唎蜜多二阿喻紇硯娜三須毗你實指多四囉佐耶五怛他羯他耶六
怛姪他唵七薩婆桑悉迦囉八波唎輸底九達磨底十伽迦娜十一莎訶某持迦底十二
薩婆婆毗輸底十三摩訶娜耶十四波唎娑嚩莎訶十五
尒時復有四十五殑佛一時同聲說是无量宗要經陁羅尼曰
南謨薄伽勃底一阿波唎蜜多二阿喻紇硯娜三須毗你實指多四囉佐耶五怛他羯他耶六
怛姪他唵七薩婆桑悉迦囉八波唎輸底九達磨底十伽迦娜十一莎訶某持迦底十二薩
婆婆毗輸底十三摩訶娜耶十四波唎娑嚩莎訶十五
尒時復有三十六殑佛一時同聲說是无量壽宗要經陁羅尼曰
南謨薄伽勃底一阿波唎蜜多二阿喻紇硯娜三須毗你實指多四囉佐耶五怛他
羯他耶六怛姪他唵七薩婆桑悉迦囉八波唎輸底九達磨底十伽迦娜十一莎訶持
迦底十二摩訶娜耶十四波唎嚩莎訶十五
尒時復有二十五殑佛一時同聲說是无量壽宗要經陁羅尼曰
南謨薄伽勃底一阿波唎蜜多二阿喻紇硯娜三須毗你實指多四囉佐耶五怛他羯
他耶六怛姪他唵七薩婆桑悉迦囉八波唎輸底九達磨底十伽迦娜十一莎訶某
持迦底十二薩婆婆毗輸底十三摩訶娜耶十四波唎娑嚩莎訶十五
尒時復有恒河沙殑佛一時同聲說是无量壽宗要經陁羅尼曰
南謨薄伽勃底一阿波唎蜜多二阿喻紇硯娜三須毗你實指多四囉佐耶五怛
他羯他耶六怛姪他唵七薩婆桑悉迦囉八波唎輸底九達磨底十伽迦娜十一莎訶

BD02699 號　無量壽宗要經　（5–1）

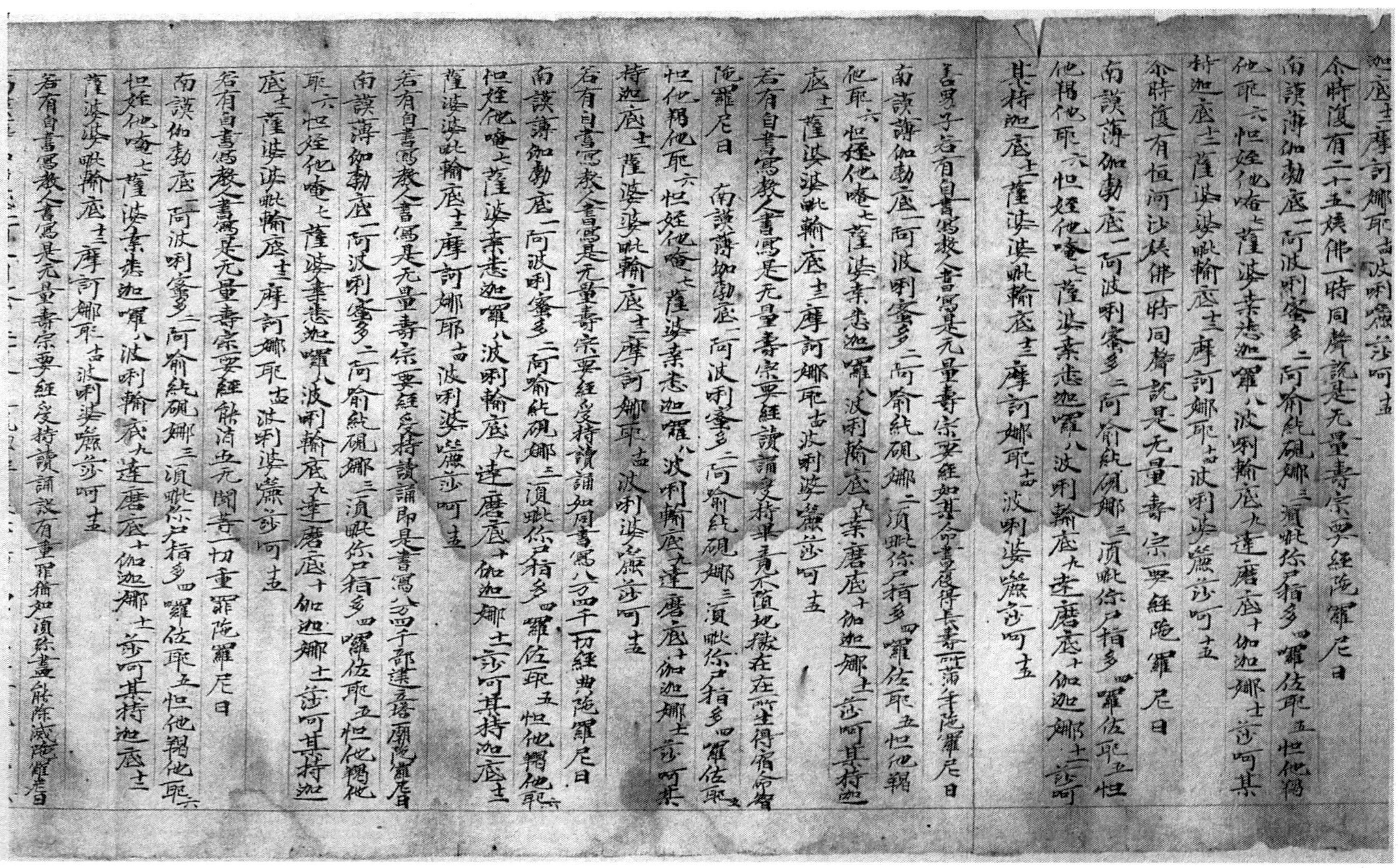

迦底十二摩訶娜耶十四波唎嚩莎訶十五
尒時復有二十五殑佛一時同聲說是无量壽宗要經陁羅尼曰
南謨薄伽勃底一阿波唎蜜多二阿喻紇硯娜三須毗你實指多四囉佐耶五怛他羯
他耶六怛姪他唵七薩婆桑悉迦囉八波唎輸底九達磨底十伽迦娜十一莎訶某
持迦底十二薩婆婆毗輸底十三摩訶娜耶十四波唎娑嚩莎訶十五
尒時復有恒河沙殑佛一時同聲說是无量壽宗要經陁羅尼曰
南謨薄伽勃底一阿波唎蜜多二阿喻紇硯娜三須毗你實指多四囉佐耶五怛
他羯他耶六怛姪他唵七薩婆桑悉迦囉八波唎輸底九達磨底十伽迦娜十一莎訶
某持迦底十二薩婆婆毗輸底十三摩訶娜耶十四波唎娑嚩莎訶十五
善男子若有自書寫教人書寫是无量壽宗要經如其命盡復得長壽[illegible]滿年陁羅尼曰
南謨薄伽勃底一阿波唎蜜多二阿喻紇硯娜三須毗你實指多四囉佐耶五怛他羯
他耶六怛姪他唵七薩婆桑悉迦囉八波唎輸底九達磨底十伽迦娜十一莎訶某持迦
底十二薩婆婆毗輸底十三摩訶娜耶十四波唎娑嚩莎訶十五
若有自書寫教人書寫是无量壽宗要經讀誦受持畢竟不墮地獄在在所生得宿命智
陁羅尼曰　南謨薄伽勃底一阿波唎蜜多二阿喻紇硯娜三須毗你實指多四囉佐耶五
怛他羯他耶六怛姪他唵七薩婆桑悉迦囉八波唎輸底九達磨底十伽迦娜十一莎訶某
持迦底十二薩婆婆毗輸底十三摩訶娜耶十四波唎娑嚩莎訶十五
若有自書寫教人書寫是无量壽宗要經受持讀誦如同書寫八万四千一切經典陁羅尼曰
南謨薄伽勃底一阿波唎蜜多二阿喻紇硯娜三須毗你實指多四囉佐耶五怛他羯他耶六
怛姪他唵七薩婆桑悉迦囉八波唎輸底九達磨底十伽迦娜十一莎訶某持迦底十二
薩婆婆毗輸底十三摩訶娜耶十四波唎娑嚩莎訶十五
若有自書寫教人書寫是无量壽宗要經受持讀誦即是書寫八万四千部建立塔廟陁羅尼曰
南謨薄伽勃底一阿波唎蜜多二阿喻紇硯娜三須毗你實指多四囉佐耶五怛他羯他
耶六怛姪他唵七薩婆桑悉迦囉八波唎輸底九達磨底十伽迦娜十一莎訶某持迦
底十二薩婆婆毗輸底十三摩訶娜耶十四波唎娑嚩莎訶十五
若有自書寫教人書寫是无量壽宗要經能消五无間等一切重罪陁羅尼曰
南謨伽勃底一阿波唎蜜多二阿喻紇硯娜三須毗你實指多四囉佐耶五怛他羯他耶六
怛姪他唵七薩婆桑悉迦囉八波唎輸底九達磨底十伽迦娜十一莎訶某持迦底十二
薩婆婆毗輸底十三摩訶娜耶十四波唎娑嚩莎訶十五
若有自書寫教人書寫是无量壽宗要經受持讀誦設有重罪猶如須彌盡能除滅陁羅尼曰

BD02699 號　無量壽宗要經　（5–2）

底十二薩婆娑毗輸底十三摩訶娜耶十四波唎婆嚩莎訶十五
若有自書寫教人書寫是无量壽宗要經能消五无間罪一切重罪陁羅尼曰
南謨伽勃底一阿波唎蜜多二阿喻紇硯娜三須毗你尸㨖多四囉佐耶五怛他羯他耶六
怛姪他唵七薩婆桑悉迦囉八波唎輸底九達磨底十伽迦娜十一莎訶其持迦底十二
薩婆娑毗輸底十三摩訶娜耶十四波唎婆嚩莎訶十五
若有自書寫教人書寫是无量壽宗要經受持讀誦設有重罪猶如須弥盡能除滅陁羅尼曰
南謨薄伽勃底一阿波唎蜜多二阿喻紇硯娜三須毗你尸㨖多四囉佐耶五怛他羯他耶六
怛姪他唵七薩婆桑悉迦囉八波唎輸底九達磨底十伽迦娜十一莎訶其持迦底十二薩婆
娑毗輸底十三摩訶娜耶十四波唎婆嚩莎訶十五
若有自書寫教人書寫是无量壽宗要經受持讀誦若魔魔之眷屬夜叉羅刹不得其便
終不在死陁羅尼曰　南謨薄伽勃底一阿波唎蜜多二阿喻紇硯娜三須毗你尸㨖多四
囉佐耶五怛他羯他耶六怛姪他唵七薩婆娑悉迦囉八波唎輸底九達磨底十伽迦娜十一
莎訶其持迦底十二薩婆娑毗輸底十三摩訶娜耶十四波唎婆嚩莎訶十五
若有自書寫教人書寫是无量壽宗要經受持讀誦當命終時有九十九俱胝佛現其
人前來千佛授手能遊一切佛剎莫於此生起惑陁羅尼曰
南謨薄伽勃底一阿波唎蜜多二阿喻紇硯娜三須毗你尸多四囉佐耶五怛他羯他
耶六怛姪他唵七薩婆桑悉迦囉八波唎輸底九達磨底十伽迦娜十一莎訶其持迦
底十二薩婆娑毗輸底十三摩訶娜耶十四波唎婆嚩莎訶十五
若有自書寫教人書寫是无量壽宗要經受持讀誦常得四天大王隨其衛護
陁羅尼曰　南謨薄伽勃底一阿波唎蜜多二阿喻紇硯娜三須毗你尸㨖多四囉佐
耶五怛他羯他耶六怛姪他唵七薩婆桑悉迦囉八波唎輸底九達磨底十伽迦娜十一
莎訶其持迦底十二薩婆娑毗輸底十三摩訶娜耶十四波唎婆嚩莎訶十五
若有自書寫教人書寫是无量壽宗要經受持讀誦當得往生西方極樂世界阿弥陁淨
土陁羅尼曰　南謨薄伽勃底一阿波唎蜜多二阿喻紇硯娜三須毗你尸㨖多四囉佐耶五
怛他羯他耶六怛姪他唵七薩婆桑悉迦囉八波唎輸底九達磨底十伽迦娜十一莎訶其
持迦底十二薩婆娑毗輸底十三摩訶娜耶十四波唎婆嚩莎訶十五
若有方所自書寫使人書寫是无量壽經典之處則為是塔皆應恭敬作礼若是畜
生或為鳥獸得聞是經如是等類皆當不久得成一切種智陁羅尼曰
南謨薄伽勃底一阿波唎蜜多二阿喻紇硯娜三須毗你尸㨖多四囉佐耶五怛他羯他
耶六怛姪他唵七薩婆桑悉迦囉八婆唎輸底九達磨底十伽迦娜十一莎訶其持迦底十二
薩婆娑毗輸底十三摩訶娜耶十四波唎婆嚩莎訶十五

BD02699號　無量壽宗要經　（5–3）

持迦底十二薩婆娑毗輸底十三摩訶娜耶十四波唎婆嚩莎訶十五
若有方所自書寫使人書寫是无量壽經典之處則為是塔皆應恭敬作礼若是畜
生或為鳥獸得聞是經如是等類皆當不久得成一切種智陁羅尼曰
南謨薄伽勃底一阿波唎蜜多二阿喻紇硯娜三須毗你尸㨖多四囉佐耶五怛他羯他
耶六怛姪他唵七薩婆桑悉迦囉八婆唎輸底九達磨底十伽迦娜十一莎訶其持迦底十二
薩婆娑毗輸底十三摩訶娜耶十四波唎婆嚩莎訶十五
若有於是无量壽經自書寫使人書畢竟不受女人之身陁羅尼曰
南謨薄伽勃底一阿波唎蜜多二阿喻紇硯娜三須毗你尸㨖多四囉佐耶五怛他羯他
耶六怛姪他唵七薩婆達悉迦囉八波唎輸底九達磨底十伽迦娜十一莎訶其持迦底
薩婆娑毗輸底十三摩訶娜耶十四波唎婆嚩莎訶十五
若有能於是經少分能惠施者普於三千大千世界滿中七寶布施陁羅尼曰
南謨薄伽勃底一阿波唎蜜多二阿喻紇硯娜三須毗你尸㨖多四囉佐耶五怛他羯他
耶六怛姪他唵七薩婆桑悉迦囉八波唎輸底九達磨底十伽迦娜十一莎訶其持迦底十二
薩婆娑毗輸底十三摩訶娜耶十四波唎婆嚩莎訶十五
若有能供養是經者則是供養一切諸經等无有異陁羅尼曰
南謨薄伽勃底一阿波唎蜜多二阿喻紇硯娜三須毗你尸㨖多四囉佐耶五怛他羯
他耶六怛姪他唵七薩婆桑悉迦囉八波唎輸底九達磨底十伽迦娜十一莎訶其持迦底
十二薩婆娑毗輸底十三摩訶娜耶十四波唎婆嚩莎訶十五
如是毗婆尸佛尸弃佛毗舍浮佛俱留孫佛俱那含牟尼佛迦葉佛釋迦牟尼佛
若有人以七寶供養如是七佛其福有限書寫受持是无量壽經典所有功德不可數量
陁羅尼曰　南謨薄伽勃底一阿波唎蜜多二阿喻紇硯娜三須毗你尸㨖多四囉佐耶五
怛他羯他耶六怛姪他唵七薩婆桑悉迦囉八波唎輸底九達磨底十伽迦娜十一莎訶其
持迦底十二薩婆娑毗輸底十三摩訶娜耶十四波唎婆嚩莎訶十五
若有七寶等於須弥以用布施其福上能知其限量是无量壽經典其福不可知數陁羅尼曰
南謨薄伽勃底一阿波唎蜜多二阿喻紇硯娜三須毗你尸㨖多四囉佐耶五怛他羯他
耶六怛姪他唵七薩婆桑悉迦囉八波唎輸底九達磨底十伽迦娜十一莎訶其持迦底十二
薩婆娑毗輸底十三摩訶娜耶十四波唎婆嚩莎訶十五
如是四大海水可知滴數是无量壽經典所生果報不可數量陁羅尼曰
南謨薄伽勃底一阿波唎蜜多二阿喻紇硯娜三須毗你尸㨖多四囉佐耶五怛他羯他

BD02699號　無量壽宗要經　（5–4）

若有人以七寶供養如是七佛其福有限書寫受持是无量壽經典所有功德不可數量
陁羅尼曰　南謨薄伽勃底一阿波唎蜜多二阿喻紇硯娜三須毗你尸稽多四囉佐耶五
怛他羯他耶六怛姪他唵七薩婆桑悉迦囉八波唎輸底九達磨底十伽迦娜十一莎呵其
持迦底十三薩婆婆毗輸底十四摩訶娜耶十五波唎婆嚩莎呵十六
若有七寶善於須彌山用布施其福上能知其限量是无量壽經典其福不可知數陁羅尼曰
南謨薄伽勃底一阿波唎蜜多二阿喻紇硯娜三須毗你尸稽多四囉佐耶五怛他羯他
耶六怛姪他唵七薩婆桑悉迦囉八波唎輸底九達磨底十伽迦娜十一莎呵其持迦底十三
薩婆婆毗輸底十四摩訶娜耶十五波唎婆嚩莎呵十六
如是四大海水可知滴數是无量壽經典所生果報不可數量陁羅尼曰
南謨薄伽勃底一阿波唎蜜多二阿喻紇硯娜三須毗你尸稽多四囉佐耶五怛他羯他
耶六怛姪他唵七薩婆桑悉迦囉八波唎輸底九達磨底十伽迦娜十一莎呵其持迦底十三
薩婆婆毗輸底十四摩訶娜耶十五波唎婆嚩莎呵十六
若有自書使人書寫是无量壽經典又能護持供養即如恭敬供養一切十方佛土
如來无有別異陁羅尼曰　南謨薄伽勃底一阿波唎蜜多二阿喻紇硯娜三須毗你尸稽
多四囉佐耶五怛他羯他耶六怛姪他唵七薩婆桑悉迦囉九達底十伽迦娜十一莎呵
其持迦底十三薩婆婆毗輸底十四摩訶娜耶十五波唎婆嚩莎呵十六
布施力能成正覺　悟布施力人師子　布施力能聲普聞　慈悲階漸最能入
持戒力能成正覺　悟持戒力人師子　持戒力能聲普聞　慈悲階漸最能入
忍辱力能成正覺　悟忍辱力人師子　忍辱力能聲普聞　慈悲階漸最能入
精進力能成正覺　悟精進力人師子　精進力能聲普聞　慈悲階漸最能入
禪定力能成正覺　悟禪定力人師子　禪定力能聲普聞　慈悲階漸最能入
智慧力能成正覺　悟智慧力人師子　智慧力能聲普聞　慈悲階漸最能入
尒時如來說是經已一切世間天人阿脩羅揵闥婆等聞佛所說皆大歡喜信受奉行
佛說无量壽宗要經

BD02699號　無量壽宗要經　（5–5）

大乘无量壽經
如是我聞一時薄伽梵在舍衛國祇樹給孤獨園與大苾蒭僧千二百五十人大菩薩摩訶薩衆
俱尒時世尊告曼殊室利童子曼殊上方有世界名无量功德聚彼土有佛号无量
智決定王如來阿羅訶三藐三菩提現為衆生開示說法曼殊諦聽有閻浮提人皆壽
大限百年於中夭枉橫死者衆曼殊如是无量壽如來功德名稱法要若有衆生得聞名
号若自書或使人書能為經卷受持讀誦若於舍宅所住之處以種種花鬘瓔珞塗香末香
而為供養如其命盡復得延年滿足百歲如是曼殊若有衆生得聞是无量壽智決定王如來百
八名号者益其長壽若有衆生大命將盡憶念是如來名号更得增壽如是曼殊若有善男子善
女人欲求長壽於是无量壽如來一百八名号有得聞者或自書若使人書受持讀誦得如上
等果報福德具足陁羅尼曰
南謨薄伽勃底一阿波唎蜜哆二阿喻紇硯娜三須毗你悉指陁四囉佐耶五怛他羯他耶六怛姪他
唵七薩婆桑悉迦羅八鉢唎輸底九達磨底十伽迦娜十一莎訶其特迦底十三莎婆婆
毗輸底十四摩訶娜耶十五波唎婆唎莎訶十六
此世尊復告曼殊室利如是如來一百八名号若有自書或使人書為經卷受持讀誦如壽命盡
復滿百年壽終此身後得往生无量福智世界无量壽淨土陁羅尼曰
南謨薄伽勃底一阿波唎蜜哆二阿喻紇硯娜三須毗你悉指陁四囉佐耶五怛他羯他耶六怛姪他
唵七薩婆桑悉迦羅八鉢唎輸底九達磨底十伽迦娜十一莎訶其特迦底十三莎婆婆
毗輸底十四摩訶娜耶十五波唎婆唎莎訶十六
尒時有九十九姟佛等一時同聲說是无量壽宗要經陁羅尼曰

BD02700號　無量壽宗要經　（5–1）

復滿百年壽終此身後得往生无量福智世界无量壽淨土陁羅尼日
南謨薄伽勒底一阿波唎蜜哆二阿喻紇硯娜三須毗你悉指陁四羅佐耶五怛他羯他耶六怛姪他
唵七薩婆桑悉迦羅八鉢唎輸底九達磨底十伽迦娜十一莎訶某持迦底十二薩婆婆
毗輸底十三摩訶娜耶十四波唎婆羅莎訶十五
尒時有九十九姟佛一時同聲說是无量壽宗要經陁羅尼日
南謨薄伽勒底一阿波唎蜜哆二阿喻紇硯娜三須毗你悉指陁四羅佐耶五怛他羯他耶六怛姪他
唵七薩婆桑悉迦羅八鉢唎輸底九達磨底十伽迦娜十一莎訶某持迦底十二薩婆婆
毗輸底十三摩訶娜耶十四波唎婆羅莎訶十五
尒時復有一百四姟佛一時同聲說是无量壽宗要經陁羅尼日
南謨薄伽勒底一阿波唎蜜哆二阿喻紇硯娜三須毗你悉指陁四羅佐耶五怛他羯他耶六怛姪他
唵七薩婆桑悉迦羅八波唎輸底九達磨底十伽迦娜十一莎訶某持迦底十二薩婆婆毗
輸底十三摩訶娜耶十四波唎婆羅莎訶十五
尒時復有七姟佛一時同聲說是无量壽宗要經陁羅尼日
南謨薄伽勒底一阿波唎蜜哆二阿喻紇硯娜三須毗你悉指陁四羅佐耶五怛他羯他耶六怛姪他
唵七薩婆桑悉迦羅八波唎輸底九達磨底十伽迦娜十一莎訶某持迦底十二薩婆婆毗
輸底十三摩訶娜耶十四波唎婆羅莎訶十五
尒時復有六十五姟佛一時同聲說是无量壽宗要經陁羅尼日
南謨薄伽勒底一阿波唎蜜哆二阿喻紇硯娜三須毗你悉指陁四羅佐耶五怛他羯他耶六怛姪他
唵七薩婆桑悉迦羅八波唎輸底九達磨底十伽迦娜十一莎訶某持迦底十二薩婆婆
毗輸底十三摩訶娜耶十四波唎婆羅莎訶十五
尒時復有五十五姟佛一時同聲說是无量壽宗要經陁羅尼日
南謨薄伽勒底一阿波唎蜜哆二阿喻紇硯娜三須毗你悉指陁四羅佐耶五怛他羯他耶六怛姪他
唵七薩婆桑悉迦羅八波唎輸底九達磨底十伽迦娜十一莎訶某持迦底十二薩婆婆
毗輸底十三摩訶娜耶十四波唎婆羅莎訶十五
尒時復有四十五姟佛一時同聲說是无量壽宗要經陁羅尼日
南謨薄伽勒底一阿波唎蜜哆二阿喻紇硯娜三須毗你悉指陁四羅佐耶五怛他羯他耶六怛姪他
唵七薩婆桑悉迦羅八波唎輸底九達磨底十伽迦娜十一莎訶某持迦底十二薩婆婆
毗輸底十三摩訶娜耶十四波唎婆羅莎訶十五
尒時復有三十六姟佛一時同聲說是无量壽宗要經陁羅尼日
南謨薄伽勒底一阿波唎蜜哆二阿喻紇硯娜三須毗你悉指陁四羅佐耶五怛他羯他耶六怛姪他
唵七薩婆桑悉迦羅八波唎輸底九達磨底十伽迦娜十一莎訶某持迦底十二薩婆婆

BD02700號　無量壽宗要經　（5–2）

唵七薩婆桑悉迦羅八波唎輸底九達磨底十伽迦娜十一莎訶某持迦底十二薩婆婆
毗輸底十三摩訶娜耶十四波唎婆羅莎訶十五
尒時復有三十六姟佛一時同聲說是无量壽宗要經陁羅尼日
南謨薄伽勒底一阿波唎蜜哆二阿喻紇硯娜三須毗你悉指陁四羅佐耶五怛他羯他耶六怛姪他
唵七薩婆桑悉迦羅八波唎輸底九達磨底十伽迦娜十一莎訶某持迦底十二薩婆婆
毗輸底十三摩訶娜耶十四波唎婆羅莎訶十五
尒時復有二十五姟佛一時同聲說是无量壽宗要經陁羅尼日
南謨薄伽勒底一阿波唎蜜哆二阿喻紇硯娜三須毗你悉指陁四羅佐耶五怛他羯他耶六怛姪他
唵七薩婆桑悉迦羅八波唎輸底九達磨底十伽迦娜十一莎訶某持迦底十二薩婆婆
毗輸底十三摩訶娜耶十四波唎婆羅莎訶十五
尒時復有恒河沙姟佛一時同聲說是无量壽宗要經陁羅尼日
南謨薄伽勒底一阿波唎蜜哆二阿喻紇硯娜三須毗你悉指陁四羅佐耶五怛他羯他耶六怛姪他
唵七薩婆桑悉迦羅八波唎輸底九達磨底十伽迦娜十一莎訶某持迦底十二薩婆婆
毗輸底十三摩訶娜耶十四波唎婆羅莎訶十五
善男子若有自書寫教人書寫是无量壽宗要經如其命盡復得長壽而滿年陁羅尼日
南謨薄伽勒底一阿波唎蜜哆二阿喻紇硯娜三須毗你悉指陁四羅佐耶五怛他羯他耶六怛姪他
唵七薩婆桑悉迦羅八波唎輸底九達磨底十伽迦娜十一莎訶某持迦底十二薩婆婆
毗輸底十三摩訶娜耶十四波唎婆羅莎訶十五
若有自書教人書寫是无量壽宗要經讀誦受持畢竟不墮地獄在在所生得宿命智陁羅尼日
南謨薄伽勒底一阿波唎蜜哆二阿喻紇硯娜三須毗你悉指陁四羅佐耶五怛他羯他耶六怛姪他
唵七薩婆桑悉迦羅八波唎輸底九達磨底十伽迦娜十一莎訶某持迦底十二薩婆婆
毗輸底十三摩訶娜耶十四波唎婆羅莎訶十五
若有自書教人書寫是无量壽宗要經受持讀誦如同書寫八万四千一切經典陁羅尼日
南謨薄伽勒底一阿波唎蜜哆二阿喻紇硯娜三須毗你悉指陁四羅佐耶五怛他羯他耶六怛姪他
唵七薩婆桑悉迦羅八波唎輸底九達磨底十伽迦娜十一莎訶某持迦底十二薩婆婆
毗輸底十三摩訶娜耶十四波唎婆羅莎訶十五
若有自書寫教人書寫是无量壽宗要經即是書寫八万四千部建立塔廟陁羅尼日
南謨薄伽勒底一阿波唎蜜哆二阿喻紇硯娜三須毗你悉指陁四羅佐耶五怛他羯他耶六怛姪他
唵七薩婆桑悉迦羅八波唎輸底九達磨底十伽迦娜十一莎訶某持迦底十二薩婆婆
毗輸底十三摩訶娜耶十四波唎婆羅莎訶十五
若有自書寫教人書寫是无量壽宗要經能消五无間等一切重罪陁羅尼日
南謨薄伽勒底一阿波唎蜜哆二阿喻紇硯娜三須毗你悉指陁四羅佐耶五怛他羯他耶六怛姪他

BD02700號　無量壽宗要經　（5–3）

BD02700號　無量壽宗要經　　（5–4）

BD02700號　無量壽宗要經　　（5–5）

著 錄 凡 例

本目錄採用條目式著錄法。諸條目意義如下：

1.1　著錄編號。用漢語拼音首字“BD”表示，意為“北京圖書館藏敦煌遺書”，簡稱“北敦號”。文獻寫在背面者，標註為“背”。一件遺書上抄有多個文獻者，用數字 1、2、3 等標示小號。一號中包括幾件遺書，且遺書形態各自獨立者，用字母 A、B、C 等區別。

1.2　著錄分類號。本條記目錄暫不分類，該項空缺。

1.3　著錄文獻的名稱、卷本、卷次。

1.4　著錄千字文編號。

1.5　著錄縮微膠卷號。

2.1　著錄遺書的總體數據。包括長度、寬度、紙數、正面抄寫總行數與每行字數、背面抄寫總行數與每行字數。如該遺書首尾有殘破，則對殘破部分單獨度量，用加號加在總長度上。凡屬這種情況，長度用括弧標註。

2.2　著錄每紙數據。包括每紙長度及抄寫行數或界欄數。

2.3　著錄遺書的外觀。包括：(1) 裝幀形式。(2) 首尾存況。(3) 護首、軸、軸頭、天竿、縹帶，經名是書寫還是貼簽，有無經名號，扉頁、扉畫。(4) 卷面殘破情況及其位置。(5) 尾部情況。(6) 有無附加物（蟲繭、油污、線繩及其他）。(7) 有無裱補及其年代。(8) 界欄。(9) 修整。(10) 其他需要交待的問題。

2.4　著錄一件遺書抄寫多個文獻的情況。

3.1　著錄文獻首部文字與對照本核對的結果。

3.2　著錄文獻尾部文字與對照本核對的結果。

3.3　著錄錄文。

3.4　著錄對文獻的説明。

4.1　著錄文獻首題。

4.2　著錄文獻尾題。

5　著錄本文獻與對照本的不同之處。

6.1　著錄本遺書首部可與另一遺書綴接的編號。

6.2　著錄本遺書尾部可與另一遺書綴接的編號。

7.1　著錄題記、題名、勘記等。

7.2　著錄印章。

7.3　著錄雜寫。

7.4　著錄護首及扉頁的內容。

8　著錄年代。

9.1　著錄字體。如有武周新字、合體字、避諱字等，予以説明。

9.2　著錄卷面二次加工的情況。包括句讀、點標、科分、間隔號、行間加行、行間加字、硃筆、墨塗、倒乙、刪除、兑廢等。

10　著錄敦煌遺書發現後，近現代人所加內容，裝裱、題記、印章等。

11　備註。著錄揭裱互見、圖版本出處及其他需要説明的問題。

上述諸條，有則著錄，無則空缺。

為避文繁，上述著錄中出現的各種參考、對照文獻，暫且不列版本説明。全目結束時，將統一編制本條記目錄出現的各種參考書目。

本條記目錄為農曆年份標註其公曆紀年時，未進行歲頭年末之換算，請讀者使用時注意自行換算。

條　記　目　錄

BD02601—BD02700

1.1　BD02601 號
1.3　金剛般若波羅蜜經
1.4　律 001
1.5　094:3679
2.1　504.9×26.5 厘米；10 紙；共 273 行，行 17 字。
2.2　01：50.5，28；　02：50.5，28；　03：50.5，28；
04：50.5，28；　05：50.5，28；　06：50.5，28；
07：50.5，28；　08：50.7，28；　09：50.7，28；
10：50.0，21。
2.3　卷軸裝。首脫尾全。經黄打紙。卷首殘破。第 4、5 紙間接縫開裂。有燕尾。有烏絲欄。
3.1　首殘→大正 235，8/749A18。
3.2　尾全→8/752C2。
4.2　佛說金剛般若經（尾）。
8　7～8 世紀。唐寫本。
9.1　楷書。
9.2　下邊有行間校加字。
11　圖版：《敦煌寶藏》，79/488B～495A。

1.1　BD02602 號
1.3　金剛般若波羅蜜經
1.4　律 002
1.5　094:4387
2.1　73.4×25.3 厘米；2 紙；共 39 行，行 17 字。
2.2　01：49.2，28；　02：24.2，11。
2.3　卷軸裝。首脫尾全。有烏絲欄。
3.1　首殘→大正 235，8/752A24。
3.2　尾全→8/752C3。
4.2　金剛般若波羅蜜經（尾）。
7.1　尾有題記 3 行："景龍二年九月廿日，昭武校尉前/行蘭州金城鎮副陰嗣瑗受持/讀誦。/"
8　708 年。唐寫本。
9.1　楷書。
11　圖版：《敦煌寶藏》，83/91B～92A。

1.1　BD02603 號
1.3　維摩詰所說經卷下
1.4　律 003
1.5　070:1272
2.1　（3+136）×26 厘米；3 紙；共 84 行，行 17 字。
2.2　01：3+44，28；　02：46.0，28；　03：46.0，28。
2.3　卷軸裝。首殘尾脫。首紙殘破嚴重，卷面多黴斑，上下邊有破裂。有烏絲欄。
3.1　首行中殘→大正 475，14/554C9。
3.2　尾殘→14/555C13。
6.2　尾→BD02703 號。
8　9～10 世紀。歸義軍時期寫本。
9.1　楷書。
11　圖版：《敦煌寶藏》，66/384B～386A。

1.1　BD02604 號
1.3　無量壽宗要經
1.4　律 004
1.5　275:7760
2.1　210×31.5 厘米；5 紙；共 138 行，行 30 餘字。
2.2　01：42.0，28；　02：42.0，28；　03：42.0，28；
04：42.0，28；　05：42.0，26。
2.3　卷軸裝。首尾均全。有烏絲欄。
3.1　首全→大正 936，19/82A3。。
3.2　尾全→19/84C29。
4.1　大乘無量壽經（首）。
4.2　佛說無量壽宗要經（尾）。
7.1　尾紙末有題名"康"。
8　8～9 世紀。吐蕃統治時期寫本。
9.1　楷書。
9.2　有刮改。

11　圖版:《敦煌寶藏》,107/531A～533B。

1.1　BD02605 號
1.3　維摩詰所說經卷上
1.4　律 005
1.5　070:0986
2.1　(9.5+146)×25.5 厘米;4 紙;共 91 行,行 16～18 字。
2.2　01:9.5+3.5,07;　02:47.5,28;　03:47.5,28;
04:47.5,28。
2.3　卷軸裝。首殘尾脫。經黄紙。第 1 至 3 紙殘破嚴重,多殘洞。接縫處有開裂。有烏絲欄。
3.1　首 5 行上下殘→大正 475,14/542A4～9。
3.2　尾殘→14/543A12。
8　8～9 世紀。吐蕃統治時期寫本。
9.1　楷書。
11　圖版:《敦煌寶藏》,64/271A～273A。

1.1　BD02606 號
1.3　妙法蓮華經卷一
1.4　律 006
1.5　105:4518
2.1　(1.9+894)×25.7 厘米;19 紙;共 500 行,行 17 字。
2.2　01:01.9,01;　02:49.0,28;　03:48.7,28;
04:49.2,28;　05:49.2,28;　06:49.2,28;
07:49.2,28;　08:49.2,28;　09:49.3,28;
10:49.0,28;　11:49.0,28;　12:50.5,29;
13:50.5,29;　14:50.5,28;　15:50.4,28;
16:50.5,28;　17:50.5,27;　18:50.6,28;
19:49.5,22。
2.3　卷軸裝。首殘尾全。接縫處多有開裂。有烏絲欄。
3.1　首行殘→大正 262,9/2A18。
3.2　尾全→9/10B21。
4.2　妙法蓮華經卷第一(尾)。
8　8～9 世紀。吐蕃統治時期寫本。
9.1　楷書。
9.2　有刮改。
11　圖版:《敦煌寶藏》,83/657B～671B。

1.1　BD02607 號
1.3　妙法蓮華經卷一
1.4　律 007
1.5　105:4535
2.1　(2.5+742.5)×26.5 厘米;18 紙;共 458 行,行 16～18 字。
2.2　01:2.5+39.6,26;　02:41.5,26;　03:41.6,26;
04:41.3,26;　05:41.5,26;　06:41.5,26;
07:41.6,26;　08:41.5,26;　09:41.6,26;
10:41.7,26;　11:41.6,26;　12:41.5,26;
13:41.5,26;　14:41.5,26;　15:41.6,26;
16:41.5,26;　17:41.4,26;　18:38.5,16。
2.3　卷軸裝。首殘尾全。第 1、2 紙有横裂。卷面多水漬印。尾有蟲繭。有燕尾。背有古代裱補。有烏絲欄。
3.1　首行上殘→大正 262,9/2B16。
3.2　尾全→9/10B21。
4.2　妙法蓮華經卷第一(尾)。
8　8 世紀。唐寫本。
9.1　楷書。
9.2　有硃筆校改。有塗抹。
11　圖版:《敦煌寶藏》,84/203B～215A。

1.1　BD02608 號
1.3　金剛般若波羅蜜經
1.4　律 008
1.5　094:3955
2.1　(33+193.1)×23 厘米;6 紙;共 192 行,行 19 字。
2.2　01:08.5,08;　02:24.5+21.6,40;　03:46.0,41;
04:45.9,41;　05:45.8,41;　06:33.8,21。
2.3　卷軸裝。首殘尾全。卷面多有破裂。背有古代裱補,已脫落。有烏絲欄。
3.1　首 30 行下殘→大正 235,8/749B12～C26。
3.2　尾全→8/752C3。
4.2　金剛般若波羅蜜經(尾)。
8　8～9 世紀。吐蕃統治時期寫本。
9.1　楷書。
11　圖版:《敦煌寶藏》,81/313B～316A。

1.1　BD02609 號
1.3　金光明最勝王經卷九
1.4　律 009
1.5　083:1945
2.1　308.9×26 厘米;7 紙;共 168 行,行 17 字。
2.2　01:43.8,25;　02:44.2,25;　03:44.2,25;
04:44.3,25;　05:44.3,25;　06:44.1,25;
07:44.0,18。
2.3　卷軸裝。首殘尾全。經黄紙。有燕尾。有烏絲欄。
3.1　首殘→大正 665,16/448C11。
3.2　尾全→16/450C15。
4.2　金光明經卷第九(尾)。
5　尾附音義。
8　7～8 世紀。唐寫本。
9.1　楷書。
11　圖版:《敦煌寶藏》,71/71A～74B。

1.1　BD02610 號

1.3　文殊師利所說般若波羅蜜經（異本）
1.4　律 010
1.5　093:3499
2.1　134.3×27.4 厘米；3 紙；共 80 行，行 17 字。
2.2　01：44.9，27；　02：44.7，26；　03：44.7，27。
2.3　卷軸裝。首尾均脫。首紙前端有橫裂。有烏絲欄。
3.4　說明：

本文獻又名《文殊說摩訶般若經》、《文殊般若經》，爲我國歷代大藏經收錄。但《高麗藏》本與《資福藏》等本行文差異較大，已經形成異本。可參見《大正藏》及《中華藏》的相關校記。

本文獻將全經列爲四十二分，一一具列標題，使全經綱目清楚，主題突出，並增加偈頌與序言。形態與已經收入大藏經的兩種異本均不相同，是流通過程中，經過中國人加工而產生的新的異本。

本號所抄為第 1 紙第十二分後部分至第十四分前部分；第 2、第 3 紙所抄為第十八分後部分至第二十分。第 1、第 2 兩紙之間不能綴接。現在的形態，應為後人將該紙隨意綴接而成。
8　7～8 世紀。唐寫本。
9.1　楷書。
9.2　有行間加行。
11　圖版：《敦煌寶藏》，78/302B～304A。

1.1　BD02611 號
1.3　大般若波羅蜜多經卷五三五
1.4　律 011
1.5　084:3305
2.1　（21.8+43.8）×24.9 厘米；2 紙；共 26 行，行 17 字。
2.2　01：21.8，護首；　02：43.8，26。
2.3　卷軸裝。首殘尾脫。有護首，殘破不全。第 2 紙有殘洞、橫裂，下邊殘破。背有古代裱補。有烏絲欄。
3.1　首全→大正 220，7/745C15。
3.2　尾殘→7/746A15。
4.1　大般若波羅蜜多經卷第五百卅五，/第三分施等品第廿九之四，三藏法師玄奘奉譯（詔）譯/（首）。
7.1　卷背有卷次勘記“五百卅五”。
8　8～9 世紀。吐蕃統治時期寫本。
9.1　楷書。
11　圖版：《敦煌寶藏》，77/171A～B。

1.1　BD02612 號
1.3　大寶積經卷一一七
1.4　律 012
1.5　006:0100
2.1　47.5×25.7 厘米；1 紙；共 28 行，行 17 字。
2.3　卷軸裝。首尾均脫。卷面有小殘洞若干。有烏絲欄。已修整。
3.1　首殘→大正 310，11/660C27。
3.2　尾殘→11/661A27。
8　8 世紀。唐寫本。
9.1　楷書。
9.2　有行間加行。
11　圖版：《敦煌寶藏》，56/439A～439B。

1.1　BD02613 號
1.3　佛名經（十六卷本）卷七
1.4　律 013
1.5　063:0670
2.1　（7+1178.9）×27.5 厘米；24 紙；正面 645 行，行 19 字。背面 11 行，行約 18 字。
2.2　01：7+36.5，24；　02：49.8，27；　03：49.8，27；
04：49.8，27；　05：49.8，27；　06：50.0，27；
07：49.8，27；　08：50.0，27；　09：49.6，27；
10：49.8，27；　11：49.5，27；　12：49.8，27；
13：49.5，27；　14：49.8，27；　15：49.6，27；
16：49.6，27；　17：49.6，27；　18：49.6，27；
19：49.5，27；　20：49.5，27；　21：49.5，27；
22：49.5，27；　23：49.5，27；　24：49.5，27。
2.3　卷軸裝。首殘尾脫。卷面多黴斑，接縫處多有開裂。有刻劃欄。
2.4　本遺書包括 2 個文獻：（一）《佛名經》（十六卷本）卷七，645 行，抄寫在正面，今編為 BD02613 號。（二）《梵網經盧舍那佛說菩薩心地戒品第十序》（雜寫），11 行，抄寫在背面，今編為 BD02613 號背。
3.1　首 4 行上下殘→《七寺古逸經典研究叢書》，3/322 頁第 2 行～5 行。
3.2　尾殘→《七寺古逸經典研究叢書》，3/378 頁第 734 行。
5　與七寺本對照，本件卷中有缺文，參見七寺本第 3 冊 323 行～329 行，及 693 行～704 行。
7.1　卷尾背端有小字題記一行：“功德一切圓滿，作禮一拜。卷第七了。”
8　9～10 世紀。歸義軍時期寫本。
9.1　楷書。
9.2　有行間校加字。
11　圖版：《敦煌寶藏》，61/90A～105B。

1.1　BD02613 號背
1.3　梵網經盧舍那佛說菩薩心地戒品第十序（雜寫）
1.4　律 013
1.5　063:0670
2.4　本遺書由 2 個文獻組成，本號為第 2 個，11 行，抄寫在背面。餘參見 BD02613 號之第 2 項、第 11 項。
3.1　首全→大正 1484，24/1003A15。
3.2　尾缺→24/1003B01。

5　與《大正藏》本相比，首部文有脫漏。從形態看，本文獻為雜抄。
8　9～10 世紀。歸義軍時期寫本。
9.1　楷書。

1.1　BD02614 號
1.3　金剛般若波羅蜜經
1.4　律 014
1.5　094:3762
2.1　(20.5+449.4)×25 厘米；11 紙；共 274 行，行 17 字。
2.2　01：20.5+11.5，19；　02：44.0，26；　03：44.5，26；
04：44.5，26；　05：44.5，26；　06：44.4，26；
07：44.5，26；　08：44.5，26；　09：44.0，26；
10：42.0，25；　11：41.0，22。
2.3　卷軸裝。首殘尾全。第 1、2 紙殘破。背有古代裱補。有烏絲欄。已修整。
3.1　首 12 行中下殘→大正 235，8/749A23～B7。
3.2　尾全→8/752C3。
4.2　金剛般若波羅蜜經（尾）。
8　7～8 世紀。唐寫本。
9.1　楷書。
11　從卷背揭下古代裱補紙 16 塊，今編為 BD16138 號，BD16139 號，BD16140 號，BD16141 號，BD16142 號，BD16143 號，BD16144 號。
圖版：《敦煌寶藏》，80/221B～228A。

1.1　BD02615 號
1.3　大乘稻竿經
1.4　律 015
1.5　058:0467
2.1　(5.3+252.3)×27 厘米；6 紙；共 164 行，行 25 字。
2.2　01：5.3+20，17；　02：49.5，32；　03：49.3，32；
04：49.5，32；　05：49.5，31；　06：34.5，20。
2.3　卷軸裝。首殘尾全。有烏絲欄。
3.1　首 4 行上中殘→大正 712，16/823C11～14。
3.2　尾全→16/826A27。
4.2　佛說大乘稻芉經（尾）。
5　與《大正藏》本經對照，本件分段。
8　8～9 世紀。吐蕃統治時期寫本。
9.1　楷書。
9.2　有行間校加字。
11　圖版：《敦煌寶藏》，59/277B～281A。

1.1　BD02616 號
1.3　佛名經（十二卷本）卷八
1.4　律 016
1.5　397:8532
2.1　(8.5+92.7+6.5)×25.9 厘米；3 紙；共 62 行，行 17 字。
2.2　01：8.5+38.6，27；　02：49.0，28；
03：5.1+6.5，07。
2.3　卷軸裝。首尾均殘。通卷破損。有烏絲欄。已修整。
3.1　首 5 行上下殘→大正 440，14/158C19～23。
3.2　尾 4 行上下殘→14/159C1～4。
5　與《大正藏》本對照，本件無夾在偈頌中的十方佛名。
8　7～8 世紀。唐寫本。
9.1　楷書。
11　圖版：《敦煌寶藏》，110/524A～525B。

1.1　BD02617 號
1.3　大般若波羅蜜多經卷二二三
1.4　律 017
1.5　084:2574
2.1　(16.9+72.5)×24.8 厘米；2 紙；共 54 行，行 17 字。
2.2　01：16.9+27.5，26；　02：45.0，28。
2.3　卷軸裝。首全尾脫。卷面殘裂，下邊殘缺。有烏絲欄。
3.1　首 9 行下殘→大正 220，6/117A24～B7。
3.2　尾殘→6/117C23。
4.1　大般若波羅蜜多經卷第□…□，/初分難信解品第卅四之卌二，三藏法□…□/（首）。
7.1　首紙背面有卷次勘記"二百廿三"。
8　8～9 世紀。吐蕃統治時期寫本。
9.1　楷書。
11　圖版：《敦煌寶藏》，74/112A～113A。

1.1　BD02618 號
1.3　金剛般若波羅蜜經
1.4　律 018
1.5　094:3522
2.1　(17.9+181+2.2)×25.2 厘米；4 紙；共 111 行，行 17 字。
2.2　01：17.9+32.4，27；　02：50.1，28；　03：50.4，28；
04：48.1+2.2，28。
2.3　卷軸裝。首全尾脫。經黄打紙。卷首右下、卷尾左下有殘缺。背有古代裱補。有烏絲欄。
3.1　首 9 行下殘→大正 235，8/748C17～28。
3.2　尾行下殘→8/750A21。
4.1　金剛般若波羅蜜經（首）。
8　7～8 世紀。唐寫本。
9.1　楷書。
11　圖版：《敦煌寶藏》，78/422A～424B。

1.1　BD02619 號
1.3　維摩詰所說經卷上

1.4　律 019
1.5　070:0951
2.1　628×25 厘米；15 紙；共 364 行，行 17 字。
2.2　01：02.0，01；　02：50.5，30；　03：51.0，30；
04：51.0，30；　05：51.0，30；　06：51.0，30；
07：51.0，30；　08：51.0，30；　09：51.0，30；
10：51.0，30；　11：51.0，30；　12：51.0，30；
13：50.5，29；　14：11.0，04；　15：04.0，拖尾。
2.3　卷軸裝。首殘尾全。經黄紙。卷面上下邊有破裂。背有古代裱補，紙上有字，粘貼向内，難以辨識。尾有蟲繭。有烏絲欄。
3.1　首行上殘→大正 475，14/539C7。
3.2　尾全→14/544A19。
4.2　維摩詰經卷上（尾）。
8　7～8 世紀。唐寫本。
9.1　楷書。
11　圖版：《敦煌寶藏》，64/109A～117B。

1.1　BD02620 號
1.3　金剛般若波羅蜜經
1.4　律 020
1.5　094:3943
2.1　（5.5＋272.3）×25.2 厘米；6 紙；共 168 行，行 17 字。
2.2　01：5.5＋41，28；　02：47.0，28；　03：46.1，28；
04：46.1，28；　05：46.1，28；　06：46.0，28。
2.3　卷軸装。首殘尾脱。經黄紙。卷面多殘破。有烏絲欄。
3.1　首 3 行下殘→大正 235，8/749C18～21。
3.2　尾殘→8/751C23。
5　與《大正藏》本對照，本號無冥司偈，文參大正 8/751C16～19。
8　7～8 世紀。唐寫本。
9.1　楷書。
11　圖版：《敦煌寶藏》，81/279B～283A。

1.1　BD02621 號
1.3　要行捨身經
1.4　律 021
1.5　299:8294
2.1　（5＋104）×27.7 厘米；2 紙；共 64 行，行 21 字。
2.2　01：5＋68.5，43；　02：35.5，21。
2.3　卷軸装。首殘尾全。首紙横向破裂，接縫處脱開，兩紙紙質不同。
3.1　首 2 行中殘→大正 2895，85/1414C22。
3.2　尾全→85/1415C19。
4.1　佛説要行捨身經（首）。
4.2　佛説要行捨身經（尾）。
7.1　卷首背有“佛説要行捨身經”七字，相當於護首經名。但本號實際並無護首，故著錄為勘記。
7.3　卷首有雜寫“百味以賽酬精一心□…□福”諸字。
8　9～10 世紀。歸義軍時期寫本。
9.1　楷書。
9.2　有行間校加字。有倒乙符號。
11　圖版：《敦煌寶藏》，109/563B～564B。

1.1　BD02622 號
1.3　金剛般若波羅蜜經
1.4　律 022
1.5　094:3598
2.1　（8＋139.5＋10.5）×26 厘米；4 紙；共 98 行，行 17 字。
2.2　01：8＋16.6，15；　02：45.0，28；　03：45.2，28；
04：32.7＋10.5，27。
2.3　卷轴装。首殘尾脱。經黄紙。1、2 紙接縫開裂。有烏絲欄。已修整。
3.1　首 5 行上下殘→大正 235，8/749A2～7。
3.2　尾 7 行下殘→8/750A12～18。
7.3　第 4 紙上邊有雜寫“提”字。
8　7～8 世紀。唐寫本。
9.1　楷書。
9.2　有硃筆斷句及間隔符號。
11　圖版：《敦煌寶藏》，79/63B～65B。

1.1　BD02623 號
1.3　金剛般若波羅蜜經
1.4　律 023
1.5　094:4005
2.1　381.9×25.2 厘米；8 紙；共 200 行，行 17 字。
2.2　01：50.5，28；　02：50.5，28；　03：50.5，28；
04：50.5，28；　05：50.5，28；　06：50.7，28；
07：49.7，28；　08：29.0，04。
2.3　卷轴装。首脱尾全。經黄紙。首紙有 1 小殘洞。第 4 紙下邊有等距離殘損。有燕尾。有烏絲欄。
3.1　首殘→大正 235，8/750A17。
3.2　尾全→8/752C3。
4.2　金剛般若波羅蜜經（尾）。
8　8～9 世紀。吐蕃統治時期寫本。
9.1　楷書。
11　圖版：《敦煌寶藏》，81/482A～486B。

1.1　BD02624 號
1.3　大般若波羅蜜多經卷四〇七
1.4　律 024
1.5　084:3075
2.1　（3.2＋825.7）×26.1 厘米；19 紙；共 514 行，行 17 字。
2.2　01：3.2＋34.9，24；　02：44.5，28；　03：44.6，28；

04：44.6，28；　05：44.7，28；　06：44.6，28；
07：44.7，28；　08：44.6，28；　09：44.6，28；
10：44.6，28；　11：44.6，28；　12：44.5，28；
13：44.5，28；　14：44.4，28；　15：44.4，28；
16：44.4，28；　17：44.4，28；　18：44.4，28；
19：33.7，14。
2.3　卷軸裝。首殘尾全。首紙上下有殘缺，卷面有破裂及殘洞。卷尾有原軸，兩端塗紫紅色漆。卷背有烏糞。有烏絲欄。
3.1　首2行上下殘→大正220，7/34B19～20。
3.2　尾全→7/40B9。
4.2　大般若波羅蜜多經卷第四百七（尾）。
7.1　尾紙有題記"勘了"。卷端背有卷次勘記"四百七"。
8　8～9世紀。吐蕃統治時期寫本。
9.1　楷書。
11　圖版：《敦煌寶藏》，76/312A～322B。

1.1　BD02625號
1.3　無量壽宗要經
1.4　律025
1.5　275:7761
2.1　170×30厘米；4紙；共111行，行30餘字。
2.2　01：45.5，31；　02：45.5，31；　03：46.0，31；
04：33.0，18。
2.3　卷軸裝。首尾均全。首紙中間有横向破裂。有烏絲欄。
3.1　首全→大正936，19/82A3。。
3.2　尾全→19/84C29。
4.1　大乘［無］量壽經（首）。
4.2　佛說無量壽宗要經（尾）。
7.3　第4紙末題"李曙"。
8　8～9世紀。吐蕃統治時期寫本。
9.1　楷書。
11　圖版：《敦煌寶藏》，107/534A～536A。

1.1　BD02626號
1.3　大般若波羅蜜多經卷二二八
1.4　律026
1.5　084:2586
2.1　(21+94.5)×25.2厘米；3紙；共54行，行17字。
2.2　01：21.0，護首；　02：46.0，26；　03：48.5，28。
2.3　卷軸裝。首全尾脫。有護首，護首下邊殘缺。卷面多破裂破損，通卷下邊殘缺。有烏絲欄。
3.1　首全→大正220，6/144C6。
3.2　尾殘→6/145B6。
4.1　大般若波羅蜜多經卷第二百廿八，/初分難信解品第卅四之卌七，三藏法師玄奘奉詔譯/（首）。
8　8～9世紀。吐蕃統治時期寫本。
9.1　楷書。

11　圖版：《敦煌寶藏》，74/143A～144B。

1.1　BD02627號
1.3　觀世音經
1.4　律027
1.5　111:6275
2.1　(7+58)×26厘米；3紙；共32行，行17字。
2.2　01：05.0，02；　02：2+39.5，21；　03：18.5，09。
2.3　卷軸裝。首殘尾全。有烏絲欄。
3.1　首3行上殘→大正262，9/57C10～13。
3.2　尾全→9/58B7。
4.2　觀世音菩薩經一卷（尾）。
8　9～10世紀。歸義軍時期寫本。
9.1　楷書。
11　圖版：《敦煌寶藏》，97/514A～B。

1.1　BD02628號
1.3　大般若波羅蜜多經卷二二六
1.4　律028
1.5　084:2581
2.1　48.5×25.7厘米；1紙；共28行，行17字。
2.3　卷軸裝。首尾均脫。有烏絲欄。
3.1　首殘→大正220，6/135A3。
3.2　尾殘→6/135B3。
8　8～9世紀。吐蕃統治時期寫本。
9.1　楷書。
11　圖版：《敦煌寶藏》，74/134。

1.1　BD02629號
1.3　妙法蓮華經卷四
1.4　律029
1.5　105:5327
2.1　(2+677)×26厘米；15紙；共389行，行17字。
2.2　01：2+22.7，14；　02：49.0，28；　03：49.0，28；
04：48.8，28；　05：48.8，28；　06：48.8，28；
07：48.8，28；　08：48.8，28；　09：49.0，28；
10：49.0，28；　11：49.0，28；　12：49.0，28；
13：48.8，28；　14：48.9，28；　15：18.6，11。
2.3　卷軸裝。首殘尾斷。打紙，研光上蠟。第3紙有横向破裂。有烏絲欄。
3.1　首1行中殘→大正262，9/31A3～4。
3.2　尾殘→9/36B4。
8　7～8世紀。唐寫本。
9.1　楷書。
11　圖版：《敦煌寶藏》，91/1A～10A。

1.1　BD02630號

1.3　妙法蓮華經卷三
1.4　律 030
1.5　105:5196
2.1　(37.4 +184.8) ×25.4 厘米；6 紙；共 125 行，行 17 字。
2.2　01：24.0，14；　02：13.4 +33.4，28；　03：46.8，28；
04：46.5，28；　05：46.5，27；　06：11.6，拖尾。
2.3　卷軸裝。首殘尾全。經黃打紙。卷面有殘損殘破，接縫處有開裂。有烏絲欄。已修整。
3.1　首 22 行上殘→大正 262，9/25B6 ~28。
3.2　尾全→9/27B9。
4.2　妙法蓮華經卷第三（尾）。
8　7 ~8 世紀。唐寫本。
9.1　楷書。
11　圖版：《敦煌寶藏》，89/393A ~396A。

1.1　BD02631 號
1.3　大般若波羅蜜多經卷二一一
1.4　律 031
1.5　084:2536
2.1　(3.6 +406.4) ×25.3 厘米；10 紙；共 252 行，行 17 字。
2.2　01：3.6 +39.3，27；　02：44.0，28；　03：43.8，28；
04：44.0，28；　05：44.0，28；　06：44.4，28；
07：44.3，28；　08：44.4，28；　09：44.2，28；
10：14.0，01。
2.3　卷軸裝。首殘尾全。通卷上邊殘缺。卷面糟朽嚴重。第 4 紙脫落 1 塊殘片，可以綴接。有燕尾。有烏絲欄。已修整。
3.1　首 2 行上下殘→大正 220，6/56B29 ~C1。
3.2　尾全→6/59B20。
4.2　大般若波羅蜜多經卷第二百一十一（尾）。
8　8 ~9 世紀。吐蕃統治時期寫本。
9.1　楷書。
11　圖版：《敦煌寶藏》，74/1A ~6A。

1.1　BD02632 號
1.3　合部金光明經卷二
1.4　律 032
1.5　082:1428
2.1　851.6 ×26.2 厘米；18 紙；共 494 行，行 17 字。
2.2　01：47.5，28；　02：47.1，28；　03：47.5，28；
04：47.5，28；　05：47.5，27；　06：47.5，28；
07：47.5，28；　08：47.5，28；　09：47.5，28；
10：47.5，29；　11：47.6，28；　12：47.6，28；
13：47.5，28；　14：47.7，28；　15：47.7，28；
16：47.8，28；　17：47.5，28；　18：43.6，18。
2.3　卷軸裝。首脫尾全。經黃紙。卷面多水漬，有殘洞。背有古代裱補，有烏絲欄。
3.1　首殘→大正 664，16/366A29。
3.2　尾全→16/372B25。
4.2　金光明經卷第二（尾）。
8　7 ~8 世紀。唐寫本。
9.1　楷書。
11　圖版：《敦煌寶藏》，67/476A ~487A。

1.1　BD02633 號
1.3　大般若波羅蜜多經卷一一九
1.4　律 033
1.5　084:2325
2.1　111.2 ×26 厘米；3 紙；共 54 行，行 17 字。
2.2　01：21.5，護首；　02：43.0，26；　03：46.7，28。
2.3　卷軸裝。首全尾脫。有護首，下邊殘缺。卷面殘破。背有古代裱補，有鳥糞污漬。有烏絲欄。
3.1　首全→大正 220，5/650C13。
3.2　尾殘→5/651B11。
4.1　大般若波羅蜜多經卷第一百一十九，/初分校量功德品第卅之十七，三藏法師玄奘奉□□［詔譯］/（首）。
7.1　護首背端有勘記“十二（本號所屬袟次）”。
8　9 ~10 世紀。歸義軍時期寫本。
9.1　楷書。
11　圖版：《敦煌寶藏》，72/650A ~651A。

1.1　BD02634 號
1.3　妙法蓮華經卷一
1.4　律 034
1.5　105:4575
2.1　(1.9 +148.6) ×25.4 厘米；3 紙；共 84 行，行 17 字。
2.2　01：1.9 +48.2，28；　02：50.1，28；　03：50.3，28。
2.3　卷軸裝。首殘尾脫。經黃紙。首紙前上方有 1 處破裂。上下邊多水漬印。有烏絲欄。
3.1　首殘→大正 262，9/4A15。
3.2　尾殘→9/5C2。
8　7 ~8 世紀。唐寫本。
9.1　楷書。
11　圖版：《敦煌寶藏》，84/564A ~566A

1.1　BD02635 號
1.3　金光明最勝王經卷九
1.4　律 035
1.5　083:1899
2.1　(18.5 +752) ×27.2 厘米；18 紙；共 439 行，行 17 字。
2.2　01：15.0，護首；　02：3.5 +41，26；　03：47.0，27；
04：47.3，28；　05：47.5，27；　06：47.2，27；
07：47.3，27；　08：47.2，27；　09：47.2，28；
10：47.2，28；　11：47.3，28；　12：47.2，28；
13：47.1，28；　14：47.0，28；　15：47.2，28；

16：46.3，27；　17：46.0，27；　18：05，拖尾。
2.3　卷轴装。首尾均全。有護首，已殘損。扉頁劃烏絲欄。尾有原軸，兩端鑲蓮蓬形軸頭，軸頭上螺鈿嵌花已壞。背有古代裱補。有烏絲欄。
3.1　首2行中殘→大正665，16/444A12～16。
3.2　尾全→16/450C15。
4.1　金光明最勝王經善生□…□，九，三藏法師義淨奉制譯/（首）。
4.2　金光明最勝王經卷第九（尾）。
8　9～10世紀。歸義軍時期寫本。
9.1　楷書。
11　圖版：《敦煌寶藏》，70/512B～522A。

1.1　BD02636號
1.3　無量壽宗要經
1.4　律036
1.5　275:7921
2.1　（26.5+75.5+11.5）×31厘米；3紙；共73行，行30餘字。
2.2　01：26.5+13.5，26；　02：42.0，27；
03：20+11.5，20。
2.3　卷軸裝。首全尾殘。首紙殘破，右下殘缺一塊。第2紙下邊有破裂和殘洞。尾紙有殘洞。有烏絲欄。已修整。
3.1　首17行下殘→大正936，19/82A3～B6。
3.2　尾7行中下殘→19/83C6～18。
4.1　大乘無量壽經（首）。
8　8～9世紀。吐蕃統治時期寫本。
9.1　行楷。
11　圖版：《敦煌寶藏》，108/308B～309B。

1.1　BD02637號
1.3　妙法蓮華經卷四
1.4　律037
1.5　105:5378
2.1　（3.5+236.4）×26.4厘米；6紙；共134行，行17字。
2.2　01：3.5+21.5，14；　02：50.0，28；　03：50.2，28；
04：50.2，28；　05：50.3，28；　06：14.2，08。
2.3　卷轴装。首尾均殘。經黄紙。卷面有等距離黴洞。有烏絲欄。
3.1　首3行上下殘→大正262，9/32C12～15。
3.2　尾殘→9/34B22。
8　7～8世紀。唐寫本。
9.1　楷書。
9.2　有硃筆校改。
11　圖版：《敦煌寶藏》，91/246B～250A

1.1　BD02638號
1.3　維摩詰所說經卷上
1.4　律038
1.5　070:0987
2.1　（440+20）×25厘米；10紙；共255行，行17字。
2.2　01：50.0，28；　02：50.0，28；　03：50.0，28；
04：50.0，28；　05：50.0，28；　06：50.0，28；
07：50.0，28；　08：50.0，28；　09：40+2，26；
10：18.0，05。
2.3　卷轴装。首脫尾全。經黄紙。第1、8紙下邊有破裂，第4紙上邊有破裂，第4、5紙接縫處脫開。卷尾下部殘缺。背有古代裱補。有烏絲欄。
3.1　首殘→大正475，14/541A8。
3.2　尾6行下殘→14/544A14～19。
4.2　維摩詰經卷上（尾）。
8　7～8世紀。唐寫本。
9.1　楷書。
11　圖版：《敦煌寶藏》，64/273B～280A。

1.1　BD02639號
1.3　大般若波羅蜜多經卷七七
1.4　律039
1.5　084:2224
2.1　376.1×25.9厘米；8紙；共215行，行17字。
2.2　01：47.0，28；　02：47.1，28；　03：47.0，28；
04：47.2，28；　05：47.3，28；　06：47.3，28；
07：47.2，28；　08：46.0，19。
2.3　卷轴装。首脫尾全。首紙有横向破裂。有燕尾。有烏絲欄。
3.1　首殘→大正220，5/434A23。
3.2　尾全→5/436C3。
4.2　大般若波羅蜜多經卷第七十七（尾）。
6.1　首→BD02670號。
8　8～9世紀。吐蕃統治時期寫本。
9.1　楷書。
9.2　有刮改。
11　圖版：《敦煌寶藏》，72/324B～329A。

1.1　BD02640號
1.3　妙法蓮華經卷二
1.4　律040
1.5　105:4969
2.1　（47.9+1.3）×26.3厘米；1紙；共26行，行16字（偈）。
2.3　卷轴装。首尾均殘。有烏絲欄。
3.1　首殘→大正262，9/18A3。
3.2　尾行上殘→9/18B8～9。
8　8世紀。唐寫本。
9.1　楷書。

11　圖版:《敦煌寶藏》, 87/348B～349A。

1.1　BD02641 號
1.3　維摩詰所說經卷中
1.4　律 041
1.5　070:1193
2.1　(10.5+196)×26 厘米; 5 紙; 共 108 行, 行 17 字。
2.2　01: 10.5+30, 23;　02: 41.5, 24;　03: 41.5, 24;
04: 41.5, 24;　05: 41.5, 13。
2.3　卷轴装。首殘尾全。經黄打紙。首紙殘破嚴重。卷面油污, 紙張變色發脆。有燕尾。有烏絲欄。
3.1　首 6 行中下殘→大正 475, 14/550B26～C5。
3.2　尾全→14/551C27。
4.2　維摩經卷中 (尾)。
8　8～9 世紀。吐蕃統治時期寫本。
9.1　楷書。
11　圖版:《敦煌寶藏》, 65/635A～637B。

1.1　BD02642 號
1.3　大般若波羅蜜多經卷二九四
1.4　律 042
1.5　084:2806
2.1　195.3×25 厘米; 4 紙; 共 107 行, 行 17 字。
2.2　01: 48.9, 28;　02: 48.8, 28;　03: 48.9, 28;
04: 48.7, 23。
2.3　卷轴装。首脱尾全。卷面有殘破。有燕尾。背有古代裱補。有烏絲欄。
3.1　首殘→大正 220, 6/497A26。
3.2　尾全→6/498B17。
4.2　大般若波羅蜜多經卷第二百九十四 (尾)。
8　7～8 世紀。唐寫本。
9.1　楷書。
11　圖版:《敦煌寶藏》, 75/159B～162A。

1.1　BD02643 號
1.3　四分律比丘戒本
1.4　律 043
1.5　156:6845
2.1　(19.5+131.5)×25.5 厘米; 4 紙; 共 89 行, 行 17 字。
2.2　01: 07.5, 05;　02: 12+36, 28;　03: 48.0, 28;
04: 47.5, 28。
2.3　卷軸装。首殘尾脱。首紙上部殘缺, 第 2 紙上下斷開, 第 1 至 3 紙有等距離殘洞。有烏絲欄。已修整。
3.1　首 2 行上殘→大正 1429, 22/1016A7～8。
3.2　尾殘→22/1017A18。
7.3　卷首背有雜寫 "諸大德, 是十□" 等字。上邊有雜寫。尾紙背有雜寫。
8　7～8 世紀。唐寫本。
9.1　隸楷。
9.2　有行間加行、行間校加字及塗改。
11　圖版:《敦煌寶藏》, 102/267B～210A。

1.1　BD02644 號
1.3　阿彌陀經
1.4　律 044
1.5　014:0159
2.1　175.2×26.9 厘米; 4 紙; 共 91 行, 行 17 字。
2.2　01: 49.0, 28;　02: 48.8, 28;　03: 48.8, 28;
04: 28.6, 07。
2.3　卷轴装。首脱尾全。尾有蟲繭及等距離蟲蛀。有刻劃欄。已修整。
3.1　首殘→大正 366, 12/347A9。
3.2　尾全→12/348A29。
4.2　佛說阿彌陀經 (尾)。
8　9～10 世紀。歸義軍時期寫本。
9.1　楷書。
11　圖版:《敦煌寶藏》, 57/21B～23B。

1.1　BD02645 號
1.3　金剛般若波羅蜜經
1.4　律 045
1.5　094:3871
2.1　(7.2+400.1)×25.3 厘米; 9 紙; 共 242 行, 行 17 字。
2.2　01: 7.2+27, 20;　02: 46.0, 28;　03: 47.0, 28;
04: 46.5, 28;　05: 47.0, 28;　06: 47.0, 28;
07: 46.6, 28;　08: 47.0, 28;　09: 46.0, 26。
2.3　卷轴装。首殘尾全。經黄紙。第 1 至 6 紙有等距離殘洞。卷尾黴爛。背有古代裱補, 有烏絲欄。
3.1　首 4 行上殘→大正 235, 8/749C1～4。
3.2　尾全→8/752C3。
4.2　□□般若□□□經 (尾)。
8　7～8 世紀。唐寫本。
9.1　楷書。
11　圖版:《敦煌寶藏》, 81/7A～12A。

1.1　BD02646 號
1.3　大般若波羅蜜多經卷五三八
1.4　律 046
1.5　084:3310
2.1　47.3×25 厘米; 1 紙; 共 28 行, 行 17 字。
2.3　卷轴装。首殘尾脱。下邊有殘損。有烏絲欄。
3.1　首行下殘→大正 220, 7/763C2～3。
3.2　尾殘→7/764A1。
7.1　卷背有卷次勘記 "五百卌八"。

8　8～9 世紀。吐蕃統治時期寫本。
9.1　楷書。
9.2　有刮改。
11　圖版：《敦煌寶藏》，77/201A。

1.1　BD02647 號
1.3　藥師琉璃光如來本願功德經
1.4　律 047
1.5　030：0270
2.1　（12＋490.5）×25.5 厘米；11 紙；共 287 行，行 17 字。
2.2　01：12＋3.5，09；　02：49.0，28；　03：48.8，28；
04：48.8，28；　05：48.7，28；　06：48.8，28；
07：48.5，28；　08：48.7，28；　09：48.5，28；
10：48.7，28；　11：48.5，26。
2.3　卷軸裝。首殘尾全。經黄紙。首紙有破裂。有燕尾。有烏絲欄。已修整。
3.1　首 7 行上下殘→大正 450，14/405A3～10。
3.2　尾全→14/408B25。
4.2　藥師經（尾）。
8　7～8 世紀。唐寫本。
9.1　楷書。
9.2　有刮改。
11　圖版：《敦煌寶藏》，57/546A～553A。

1.1　BD02648 號
1.3　藥師琉璃光如來本願功德經
1.4　律 048
1.5　030：0303
2.1　（3.5＋240）×26 厘米；5 紙；共 136 行，行 17 字。
2.2　01：3.5＋44，28；　02：49.0，28；　03：49.0，28；
04：49.0，28；　05：49.0，24。
2.3　卷軸裝。首殘尾全。經黄紙。首紙上下邊有破損，第 2 紙有破裂，卷尾有蟲繭。首紙背有古代雙層裱補，紙上殘留經文，露出"佛名經卷七"等字，其他文字粘貼向内，難以辨認。有烏絲欄。
3.1　首 2 行下殘→大正 450，14/406C14～16。
3.2　尾全→14/408B25。
4.2　佛說藥師瑠璃光如來本願功德經（尾）。
8　7～8 世紀。唐寫本。
9.1　楷書。
11　圖版：《敦煌寶藏》，58/2B～5B。

1.1　BD02649 號
1.3　金剛般若波羅蜜經
1.4　律 049
1.5　094：4000
2.1　（14.5＋346.9）×25 厘米；9 紙；共 214 行，行 17 字。
2.2　01：14.5＋3.7，11；　02：46.0，28；　03：45.5，28；
04：45.8，28；　05：46.0，28；　06：46.0，28；
07：45.7，28；　08：45.7，28；　09：22.5，07。
2.3　卷轴装。首殘尾全。經黄打紙，研光上蠟。前 2 紙有等距離殘洞，下部殘缺。尾有原軸，兩端塗紫紅色漆。第 2 紙背有古代裱補。有烏絲欄。
3.1　首 9 行下殘→大正 235，8/750A8～17。
3.2　尾全→8/752C3。
4.2　金剛般若波羅蜜經（尾）。
8　7～8 世紀。唐寫本。
9.1　楷書。
11　圖版：《敦煌寶藏》，81/459B～464A。

1.1　BD02650 號
1.3　妙法蓮華經卷七
1.4　律 050
1.5　105：6138
2.1　（46.5＋4.5）×26 厘米；1 紙；共 28 行，行 17 字。
2.3　卷軸裝。首尾均脱。經黄紙。卷面有水漬印。有烏絲欄。
3.1　首殘→大正 262，9/60B5。
3.2　尾行下殘→9/60C6。
8　7～8 世紀。唐寫本。
9.1　楷書。
11　圖版：《敦煌寶藏》，97/112A～B。

1.1　BD02651 號
1.3　金光明經卷二
1.4　律 051
1.5　081：1392
2.1　（11.5＋120＋12.6）×25.5 厘米；4 紙；共 83 行，行 17 字。
2.2　01：11.5＋31.4，26；　02：44.3，25；　03：44.3，25；
04：12.6，07。
2.3　卷軸裝。首尾均殘。通卷殘碎嚴重，有等距離殘洞。有烏絲欄。已修整。
3.1　首 7 行上下殘→大正 663，16/342C24～343A1。
3.2　尾 7 行上下殘→16/343C15～21。
8　5～6 世紀。南北朝寫本。
9.1　隸楷。卷中有俗體字。
9.2　有行間校加字。有重文符號。
11　圖版：《敦煌寶藏》，67/323A～324B。

1.1　BD02652 號
1.3　妙法蓮華經卷二
1.4　律 052
1.5　105：4795
2.1　（62.7＋5.3）×26.3 厘米；2 紙；共 36 行，行 17 字。

2.2　01：48.0，26；　02：14.7+5.3，10。
2.3　卷軸裝。首脫尾殘。有烏絲欄。
3.1　首殘→大正262，9/16A29。
3.2　尾2行上殘→9/16C9～11。
8　7～8世紀。唐寫本。
9.1　楷書。
11　圖版：《敦煌寶藏》，86/612A～613A。

1.1　BD02653號
1.3　大般若波羅蜜多經卷一九六
1.4　律053
1.5　084:2493
2.1　(5+719.6)×26厘米；16紙；共424行，行17字。
2.2　01：5+25.4，18；　02：46.7，28；　03：46.8，28；
04：46.7，28；　05：47.0，28；　06：47.0，28；
07：46.8，28；　08：46.8，28；　09：47.1，28；
10：47.0，28；　11：46.8，28；　12：47.0，28；
11：46.8，28；　12：47.0，28；　13：47.2，28；
14：47.2，28；　15：46.5，28；　16：37.6，14。
2.3　卷軸裝。首殘尾全。卷面殘破、有殘洞，上下邊破損，接縫處有開裂。有燕尾。有烏絲欄。
3.1　首3行下殘→大正220，5/1049A20～23。
3.2　尾全→5/1054A8。
4.2　大般若波羅蜜多經卷第一百九十六（尾）。
7.1　卷末有題名“曹興朝”。
8　8～9世紀。吐蕃统治時期寫本。
9.1　楷書。
9.2　有行間校加字。有刮改。
11　圖版：《敦煌寶藏》，73/474B～484A。

1.1　BD02654號1
1.3　大唐中興三藏聖教序
1.4　律054
1.5　083:1439
2.1　757.1×24.5厘米；19紙；共473行，行17字。
2.2　01：41.0，09；　02：24.5，17；　03：40.5，28；
04：40.8，28；　05：40.0，28；　06：40.3，28；
07：41.0，28；　08：40.5，28；　09：40.5，28；
10：41.0，28；　11：41.0，28；　12：41.0，28；
13：40.3，28；　14：40.2，28；　15：48.0，28；
16：48.0，28；　17：48.0，28；　18：48.0，27；
19：12.5，拖尾。
2.3　卷軸裝。首尾均全。有護首，護首上有經名及經名號。卷面有破裂及殘洞。背有古代裱補。有烏絲欄。
2.4　本遺書包括2個文獻：（一）《大唐中興三藏聖教序》，90行，今编為BD02654號1。（二）《金光明最勝王經》卷一，383行，今編為BD02654號2。
3.1　首全→《昭和法寶總目錄》77，3/1421B8
3.2　尾全→《昭和法寶總目錄》77，3/1422B6。
4.1　大唐中興三藏聖教序，御製（首）。
7.4　護首有經名“最聖［勝］王經卷第一”，上有經名號。
8　7～8世紀。唐寫本。
9.1　楷書。
11　圖版：《敦煌寶藏》，67/572B～582A。

1.1　BD02654號2
1.3　金光明最勝王經卷一
1.4　律054
1.5　083:1439
2.4　本遺書由2個文獻組成，本號為第2個，383行。餘參見BD02654號1之第2項、第11項。
3.1　首全→大正665，16/403A3。
3.2　尾全→16/408A28。
4.1　金光明最勝王經序品第一，三藏法師義淨奉制譯/（首）。
4.2　金光明最勝王經卷第一（尾）
5　尾附音義。
8　8～9世紀。吐蕃統治時期寫本。
9.1　楷書。
9.2　有行間校加字。

1.1　BD02655號
1.3　金剛般若波羅蜜經
1.4　律055
1.5　094:4292
2.1　99.4×25.4厘米；2紙；共56行，行17字。
2.2　01：49.7，28；　02：49.7，28。
2.3　卷軸裝。首尾均脫。經黃紙。有烏絲欄。
3.1　首殘→大正235，8/751B16。
3.2　尾殘→8/752A24。
8　7～8世紀。唐寫本。
9.1　楷書。
11　圖版：《敦煌寶藏》，82/597A～598A。

1.1　BD02656號
1.3　灌頂章句拔除過罪生死得度經
1.4　律056
1.5　250:7491
2.1　(9.3+123.1)×26.2厘米；3紙；共74行，行17字。
2.2　01：9.3+40.9，28；　02：50.1，28；　03：32.1，18。
2.3　卷軸裝。首尾均脫。經黃紙。首紙下有破裂殘損。有烏絲欄。
3.1　首5行下殘→大正1331，21/533A5～9。
3.2　尾殘→21/533C23。
8　7～8世紀。唐寫本。

9.1　楷書。
11　圖版:《敦煌寶藏》,106/468A~469B。

1.1　BD02657 號
1.3　妙法蓮華經卷一
1.4　律 057
1.5　105:4569
2.1　(3.2+447.8+21)×27 厘米;10 紙;共 250 行,行 17 字。
2.2　01:3.2+38.2,23;　02:48.7,27;　03:48.5,27;
04:48.6,27;　05:48.7,27;　06:48.9,27;
07:48.8,27;　08:48.9,26;　09:47.5,27;
10:21.0,12。
2.3　卷軸裝。首尾均殘。卷面有破裂殘損,接縫處有開裂。有烏絲欄。
3.1　首 2 行上殘→大正 262,9/3C17~18。
3.2　尾 12 行碎損→9/7C1~15。
8　8~9 世紀。吐蕃統治時期寫本。
9.1　楷書。
11　圖版:《敦煌寶藏》,84/525B~532B。

1.1　BD02658 號
1.3　金剛般若波羅蜜經(菩提留支本)
1.4　律 058
1.5　095:4432
2.1　(15.8+543.3)×26.2 厘米;13 紙;共 329 行,行 17 字。
2.2　01:15.8,09;　02:46.4,28;　03:46.4,28;
04:46.4,28;　05:46.4,28;　06:46.5,28;
07:46.4,28;　08:46.4,28;　09:46.4,28;
10:46.5,28;　11:46.5,28;　12:46.5,28;
13:32.5,12。
2.3　卷軸裝。首殘尾全。經黄打紙,砑光上蠟。首紙殘損嚴重,脫落 4 塊殘片。第 2、3 紙接縫處脫開。卷面有殘損。尾有蟲繭。有燕尾。有烏絲欄。
3.1　首 9 行下殘→大正 236a,8/753A27~B6。
3.2　尾全→8/757A13。
4.2　金剛般若波羅蜜經(尾)。
8　7~8 世紀。唐寫本。
9.1　楷書。
9.2　有行間校加字。有刮改。
11　圖版:《敦煌寶藏》,83/204A~211A。

1.1　BD02659 號
1.3　大般若波羅蜜多經卷四四五
1.4　律 059
1.5　084:3140
2.1　(9.7+107.2)×25.7 厘米;3 紙;共 69 行,行 17 字。
2.2　01:9.7+35.5,26;　02:45.7,28;　03:26.0,15。
2.3　卷軸裝。首殘尾斷。首紙前方上部殘碎脫落,中部有 1 道橫裂。卷面油污變色,尾紙上方焦脆殘裂。尾有餘空。有烏絲欄。已修整。
3.1　首 4 行上殘→大正 220,7/242C10~16。
3.2　尾缺→7/243B24。
4.1　大般若波羅蜜多經卷□[第]四百卌五,/第二分船等喻品第卌九之二,三藏法師玄奘奉詔譯/(首)。
8　7~8 世紀。唐寫本。
9.1　楷書。
11　圖版:《敦煌寶藏》,76/474B~476A。

1.1　BD02660 號
1.3　維摩詰所說經卷上
1.4　律 060
1.5　070:0910
2.1　113.5×25 厘米;3 紙;共 65 行,行 17 字。
2.2　01:49.0,28;　02:48.5,28;　03:16.0,09。
2.3　卷軸裝。首殘尾斷。上下邊有殘破,卷面多水漬印。有烏絲欄。
3.1　首殘→大正 475,14/539A2。
3.2　尾殘→14/539C13。
8　9~10 世紀。歸義軍時期寫本。
9.1　楷書。
11　圖版:《敦煌寶藏》,64/6A~7B。

1.1　BD02661 號
1.3　金光明最勝王經卷一〇
1.4　律 061
1.5　083:1990
2.1　39.2×26.5 厘米;1 紙;共 23 行,行 17 字。
2.3　卷軸裝。首斷尾脫。卷面有殘裂、油污。有烏絲欄。
3.1　首殘→大正 665,16/451A20。
3.2　尾殘→16/451B14。
8　9~10 世紀。歸義軍時期寫本。
9.1　楷書。
11　圖版:《敦煌寶藏》,71/284B。

1.1　BD02662 號
1.3　大般若波羅蜜多經(兑廢稿)卷五八五
1.4　律 062
1.5　084:3390
2.1　42×27 厘米;1 紙;共 25 行,行 17 字。
2.3　卷軸裝。首脫尾斷。卷下有 1 處破損,上邊粘一長條素紙。有烏絲欄。
3.1　首殘→大正 220,7/1028A2。
3.2　尾殘→7/1028A27。

7.1　卷背面有題名“法堅”。
7.3　下邊有“平等方是/◇/”2行5字。背面題名旁有1處藏文字母。
8　8~9世紀。吐蕃統治時期寫本。
9.1　楷書。
9.2　上邊所粘素紙背有一“兊”字。
11　圖版：《敦煌寶藏》，77/464A~B。

1.1　BD02663號
1.3　金剛般若波羅蜜經
1.4　律063
1.5　094:3523
2.1　89.6×25.2厘米；3紙；共50行，行16~18字。
2.2　01：08.4，04；　02：45.9，26；　03：35.3，20。
2.3　卷軸裝。首全尾斷。卷尾有殘洞。有烏絲欄。已修整。
3.1　首全→大正235，8/748C17。
3.2　尾殘→8/749B11。
4.1　金剛般若波羅蜜經（首）。
8　9~10世紀。歸義軍時期寫本。
9.1　楷書。
11　圖版：《敦煌寶藏》，78/425A~426A。

1.1　BD02664號
1.3　金剛般若波羅蜜經
1.4　律064
1.5　094:3782
2.1　(2+203)×29厘米；5紙；共120行，行17字。
2.2　01：2+39.2，24；　02：41.3，24；　03：41.0，24；
04：41.0，24；　05：40.5，24。
2.3　卷軸裝。首殘尾脱。卷面有殘洞，尾紙有破損。有烏絲欄。
3.1　首1行下殘→大正235，8/749B10~11。
3.2　尾殘→8/750C21。
8　9~10世紀。歸義軍時期寫本。
9.1　楷書。
11　圖版：《敦煌寶藏》，80/319B~322A。

1.1　BD02665號
1.3　大般若波羅蜜多經卷三二八
1.4　律065
1.5　084:2892
2.1　47.5×27.8厘米；1紙；共28行，行17字。
2.3　卷軸裝。首尾均脱。卷面有若干火燒小殘洞，露出底層裱補紙。有烏絲欄。
3.1　首殘→大正220，6/681C14。
3.2　尾殘→6/682A13。
8　8~9世紀。吐蕃統治時期寫本。
9.1　楷書。
11　圖版：《敦煌寶藏》，75/380B~381A。

1.1　BD02666號
1.3　妙法蓮華經（八卷本）卷六
1.4　律066
1.5　105:5601
2.1　(8.7+290.6)×26.9厘米；4紙；共150行，行17字。
2.2　01：58.5，33；　02：77.0，40；　03：76.7，40；
04：78.4，37。
2.3　卷軸裝。首殘尾脱。經黄紙。卷首殘破嚴重。有烏絲欄。
3.1　首3行上下殘→大正262，9/42A29~B3。
3.2　尾殘→9/44B21。
4.1　□…□第十六（首）。
5　與《大正藏》本對照，本號分卷不同，為八卷本之卷六。
8　9~10世紀。歸義軍時期寫本。
9.1　楷書。
11　圖版：《敦煌寶藏》，93/319A~323A。

1.1　BD02667號
1.3　金剛般若波羅蜜經
1.4　律067
1.5　094:3707
2.1　(16+481)×26厘米；12紙；共292行，行17字。
2.2　01：09.0，04；　02：7+38，28；　03：47.0，28；
04：45.5，28；　05：47.0，28；　06：47.0，28；
07：46.5，28；　08：47.0，28；　09：47.0，28；
10：46.5，28；　11：41.0，25；　12：28.5，11。
2.3　卷軸裝。首殘尾全。通卷多有殘裂。卷面油污，有蟲繭。有燕尾。背有古代裱補。有烏絲欄。已修整。
3.1　首10行上殘→大正235，8/749A12~22。
3.2　尾全→8/752C3。
4.2　金剛般若波羅蜜經（尾）。
8　7~8世紀。唐寫本。
9.1　楷書。
11　圖版：《敦煌寶藏》，79/617A~623B。

1.1　BD02668號
1.3　佛名經（十六卷本）卷六
1.4　律068
1.5　063:0666
2.1　(136.2+2.5)×25.2厘米；4紙；正面88行，行字不等。背面5行，行14~17字。
2.2　01：44.0，28；　02：44.6，28；　03：44.6，28；
04：3+2.5，04。
2.3　卷軸裝。首脱尾殘。麻紙，未入潢。第2、3紙上下邊破損。有烏絲欄。
2.4　本遺書包括2個文獻：（一）《佛名經》（十六卷本）卷六，

88 行，抄寫在正面，今編為 BD02668 號。（二）《尸毗王讚》（擬），5 行，抄寫在背面，今編為 BD02668 號背。
3.1 首殘→《七寺古逸經典研究叢書》，3/282 頁第 167 行。
3.2 尾 1 行上殘→《七寺古逸經典研究叢書》，3/289 頁第 254 行。
8 7～8 世紀。唐寫本。
9.1 楷書。
11 圖版：《敦煌寶藏》，61/86A～88A。。

1.1 BD02668 號背
1.3 尸毗王讚（擬）
1.4 律 068
1.5 063:0666
2.4 本遺書由 2 個文獻組成，本號為第 2 個，抄寫在背面，5 行。餘參見 BD02668 號之第 2 項、第 11 項。
3.3 錄文：
過去有王名尸毗，具大功德甚希奇。
爲求無/上大菩提，捨其身命無有疑。
是時天帝/識彼故，即告是當末多梨。
我爲如鷹/汝爲鴿，騰空自在如雷飛。
自◇（貿）身肉/與其鴿，流傳後世普聞知。/
8 9～10 世紀。歸義軍時期寫本。
9.1 楷書。
9.2 有行間校加字。

1.1 BD02669 號
1.3 大般若波羅蜜多經卷二六一
1.4 律 069
1.5 084:2697
2.1 48.3×25.7 厘米；1 紙；共 28 行，行 17 字。
2.3 卷軸裝。首尾均脫。有烏絲欄。
3.1 首殘→大正 220，6/323A24。
3.2 尾殘→6/323B23。
8 8～9 世紀。吐蕃統治時期寫本。
9.1 楷書。
9.2 有行間加行。
11 圖版：《敦煌寶藏》，74/441B。

1.1 BD02670 號
1.3 大般若波羅蜜多經卷七七
1.4 律 070
1.5 084:2223
2.1 47.5×25.9 厘米；1 紙；共 28 行，行 17 字。
2.3 卷軸裝。首尾均脫。有烏絲欄。
3.1 首殘→大正 220，5/433C25。
3.2 尾殘→5/434A23。
6.1 首→BD02677 號。
6.2 尾→BD02639 號。
8 8～9 世紀。吐蕃統治時期寫本。
9.1 楷書。
11 圖版：《敦煌寶藏》，72/324A。

1.1 BD02671 號
1.3 大般若波羅蜜多經卷七九
1.4 律 071
1.5 084:2229
2.1 （28＋707.3）×26 厘米；17 紙；共 437 行，行 17 字。
2.2 01：28＋1.8，18； 02：46.2，28； 03：46.1，28；
04：46.3，28； 05：46.5，28； 06：48.4，28；
07：46.4，28； 08：46.4，28； 09：46.4，28；
10：46.3，28； 11：46.4，28； 12：46.3，28；
13：46.3，28； 14：46.3，28； 15：46.2，28；
16：46.0，27； 17：11.0，拖尾。
2.3 卷軸裝。首殘尾全。卷首右下殘缺。尾有原軸，兩端塗棕色漆，上軸頭頂端點土紅色漆。有烏絲欄。
3.1 首 17 行下殘→大正 220，5/442A13～B1。
3.2 尾全→5/447B1。
4.2 大般若波羅蜜多經卷第七十九（尾）。
7.1 首紙背有卷次勘記"第七十九"。
8 8～9 世紀。吐蕃統治時期寫本。
9.1 楷書。
9.2 有刮改。
11 圖版：《敦煌寶藏》，72/355A～364B。

1.1 BD02672 號
1.3 大般若波羅蜜多經卷二七七
1.4 律 072
1.5 084:2751
2.1 441.2×26 厘米；7 紙；共 247 行，行 17 字。
2.2 01：04.0，02； 02：73.5，42； 03：73.0，42；
04：72.8，42； 05：72.8，42； 06：72.8，42；
07：72.3，35。
2.3 卷軸裝。首殘尾全。卷面有殘缺、殘破，接縫處有開裂。有燕尾。有烏絲欄。已修整。
3.1 首 2 行上下殘→大正 220，6/406A9～11。
3.2 尾全→6/408C27。
4.2 大般若波羅蜜多經卷第二百七十七（尾）。
7.1 尾紙經名後有題記"比丘道斌"。
7.3 尾紙背面有勘記"廿八袟（本文獻所屬袟次）、第七卷（袟内卷次）"。
8 8～9 世紀。吐蕃統治時期寫本。
9.1 楷書。
11 圖版：《敦煌寶藏》，74/634B～640A。

1.1 BD02673 號
1.3 大般若波羅蜜多經卷三四二
1.4 律 073
1.5 084:2924
2.1 35.2×25.2 厘米；1 紙；共 22 行，行 17 字。
2.3 卷軸裝。首尾均殘。卷下有横向破裂，上下邊殘破。有烏絲欄。
3.1 首 5 行中下殘→大正 220，6/754C8～12。
3.2 尾殘→6/754C29。
7.1 卷背有勘記“第三十五袟（本文獻所屬袟次），恩（敦煌報恩寺簡稱），第二卷（袟内卷次）”。
8 8～9 世紀。吐蕃統治時期寫本。
9.1 楷書。
11 圖版：《敦煌寶藏》，75/488B～489A。

1.1 BD02674 號
1.3 妙法蓮華經（八卷本）卷四
1.4 律 074
1.5 105:5240
2.1 848.5×27 厘米；18 紙；共 486 行，行 17 字。
2.2 01：48.5，26； 02：48.5，28； 03：48.7，28；
04：48.7，28； 05：48.7，28； 06：48.5，28；
07：48.5，28； 08：48.5，28； 09：48.5，28；
10：48.5，28； 11：48.5，28； 12：48.5，28；
13：48.5，28； 14：48.5，28； 15：48.2，28；
16：48.5，28； 17：48.2，28； 18：24.0，12。
2.3 卷軸裝。首尾均全。首紙有殘洞，第 3 紙上開裂，接縫處有開裂，卷上邊有黴斑。有烏絲欄。
3.1 首全→大正 262，9/27B12。
3.2 尾全→9/34B22。
4.1 妙法蓮華經五百弟子受記品第八（首）。
4.2 妙法蓮華經卷第四（尾）。
5 與《大正藏》本對照，分卷不同，相當於五百弟子受記品第八始至見寶塔品第十一。為八卷本。
8 9～10 世紀。歸義軍時期寫本。
9.1 楷書。
11 圖版：《敦煌寶藏》，90/237A～247B。

1.1 BD02675 號
1.3 妙法蓮華經卷四
1.4 律 075
1.5 105:5376
2.1 （14＋129.3＋2.5）×25.2 厘米；3 紙；共 82 行，行 17 字。
2.2 01：14＋34，27； 02：49.3，28； 03：46＋2.5，27。
2.3 卷軸裝。首尾均殘。經黄打紙。卷面有水漬印。有烏絲欄。
3.1 首 8 行下殘→大正 262，9/32B25～C4。
3.2 尾 2 行下殘→9/33B20。
8 7～8 世紀。唐寫本。
9.1 楷書。
11 圖版：《敦煌寶藏》，91/242B～244B。

1.1 BD02676 號
1.3 大般涅槃經（北本）卷四
1.4 律 076
1.5 115:6311
2.1 （4.5＋197.5）×25.1 厘米；4 紙；共 112 行，行 17 字。
2.2 01：4.5＋46，28； 02：50.5，28； 03：50.5，28；
04：50.5，28。
2.3 卷軸裝。首尾均脱。經黄打紙。接縫處有開裂。有烏絲欄。
3.1 首 2 行下殘→大正 374，12/385C11～13。
3.2 尾殘→12/387A10。
8 7～8 世紀。唐寫本。
9.1 楷書。
11 圖版：《敦煌寶藏》，98/67B～70A。

1.1 BD02677 號
1.3 大般若波羅蜜多經卷七七
1.4 律 077
1.5 084:2222
2.1 34.4×25.8 厘米；1 紙；共 20 行，行 17 字。
2.3 卷軸裝。首殘尾脱。卷面有殘洞，上邊有油污。有烏絲欄。
3.1 首殘→大正 220，5/433C4。
3.2 尾殘→5/433C24。
6.2 尾→BD02670 號。
8 8～9 世紀。吐蕃統治時期寫本。
9.1 楷書。
11 圖版：《敦煌寶藏》，72/323B。

1.1 BD02678 號
1.3 金剛般若波羅蜜經
1.4 律 078
1.5 094:4035
2.1 357×25.2 厘米；7 紙；共 194 行，行 17 字。
2.2 01：51.0，28； 02：51.0，28； 03：51.0，28；
04：51.0，28； 05：51.0，28； 06：51.0，28；
07：51.0，26。
2.3 卷軸裝。首脱尾全。經黄打紙。卷面有黴斑。背有古代裱補。有烏絲欄。
3.1 首殘→大正 235，8/750A22。
3.2 尾全→8/752C3。
4.2 金剛般若波羅蜜經（尾）。
8 8 世紀。唐寫本。
9.1 楷書。

9.2　有刮改。
11　圖版：《敦煌寶藏》，81/567A～571B。

1.1　BD02679 號
1.3　大般涅槃經（北本　宮本）卷三九
1.4　律 079
1.5　115：6522
2.1　（4＋406.5）×26 厘米；12 紙；共 230 行，行 17 字。
2.2　01：04.0，02；　02：37.0，21；　03：37.2，21；
04：37.5，21；　05：37.4，21；　06：37.3，21；
07：37.2，21；　08：37.3，21；　09：37.0，21；
10：37.3，21；　11：37.3，21；　12：34.0，18。
2.3　卷軸裝。首殘尾全。前 3 紙下部殘破，紙張變色。有烏絲欄。
3.1　首 2 行下殘→大正 374，12/595C9～11。
3.2　尾全→12/598B15。
4.2　大般涅槃經卷第卌九（尾）。
5　與《大正藏》本對照，本件分卷不同，相當於卷三十九憍陳如品第十三之一至卷第四十憍陳如品第十三之二。與日本宮内寮本及《思溪藏》、《普寧藏》、《嘉興藏》本分卷相同。
8　5～6 世紀。南北朝寫本。
9.1　楷書。
11　圖版：《敦煌寶藏》，100/106B～112A。

1.1　BD02680 號
1.3　大般若波羅蜜多經卷三二一
1.4　律 080
1.5　084：2872
2.1　98.7×27.2 厘米；2 紙；共 56 行，行 17 字。
2.2　01：49.5，28；　02：49.2，28。
2.3　卷軸裝。首尾均脱。首紙有殘洞。有烏絲欄。
3.1　首殘→大正 220，6/641A22。
3.2　尾殘→6/641C18。
8　8～9 世紀。吐蕃統治時期寫本。
9.1　楷書。
11　圖版：《敦煌寶藏》，75/314A～315A。

1.1　BD02681 號
1.3　金光明經卷三
1.4　律 081
1.5　081：1402
2.1　（9.5＋643.5）×27.8 厘米；16 紙；共 400 行，行 17 字。
2.2　01：09.5，05；　02：42.7，26；　03：42.9，26；
04：42.7，26；　05：43.2，26；　06：42.8，26；
07：43.0，27；　08：43.0，26；　09：43.0，26；
10：43.0，26；　11：42.8，28；　12：43.0，26；
13：43.0，26；　14：42.8，27；　15：42.6，27；
16：43.0，26。
2.3　卷軸裝。首殘尾斷。有烏絲欄。遇偈頌處劃有横欄，部分卷面劃分爲 4 欄。
3.1　首 5 行中下殘→大正 663，16/346C7～12。
3.2　尾斷→16/352B5。
8　7～8 世紀。唐寫本。
9.1　楷書。
9.2　有倒乙符號。
11　圖版：《敦煌寶藏》，67/349A～357A。

1.1　BD02682 號
1.3　金光明最勝王經卷八
1.4　律 082
1.5　083：1856
2.1　（7＋530.7）×27.5 厘米；13 紙；共 349 行，行 17 字。
2.2　01：7＋35.2，28；　02：42.8，29；　03：43.0，28；
04：43.0，29；　05：43.0，28；　06：43.0，29；
07：43.0，28；　08：43.0，28；　09：43.0，28；
10：43.0，28；　11：43.0，28；　12：43.0，28；
13：22.7，10。
2.3　卷軸裝。首全尾斷。卷首殘破，卷面有殘洞。有烏絲欄。偈頌部分另劃界欄。
3.1　首 4 行下殘→大正 665，16/437C16～23。
3.2　尾缺→16/442C1。
4.1　金光明最勝王經大辯才天女品之餘，八，三藏□…□（首）。
8　8～9 世紀。吐蕃統治時期寫本。
9.1　楷書。
11　圖版：《敦煌寶藏》，70/336B～343A。

1.1　BD02683 號
1.3　藥師琉璃光如來本願功德經
1.4　律 083
1.5　030：0308
2.1　90.5×25 厘米；2 紙；共 56 行，行 17 字。
2.2　01：45.5，28；　02：45.0，28。
2.3　卷軸裝。首尾均脱。經黄紙。首紙下邊、尾紙上邊各有 1 處破裂。兩紙接縫脱開。有烏絲欄。
3.1　首殘→大正 450，14/407A23。
3.2　尾殘→14/407C25。
8　8～9 世紀。吐蕃統治時期寫本。
9.1　楷書。
11　圖版：《敦煌寶藏》，58/13B～14B。

1.1　BD02684 號
1.3　天地八陽神咒經
1.4　律 084

1.5　256:7641
2.1　(5.8+110.1+7.4)×25.8 厘米；3 紙；共 74 行，行 16～18 字。
2.2　01：5.8+24.6，18；　02：46.5，28；　03：39+7.4，28。
2.3　卷軸裝。首尾均殘。首紙下邊殘缺、天頭地腳殘破，第 2 紙地腳殘破，前 2 紙有殘洞，首紙脫落 3 塊殘片，可綴接。有烏絲欄。已修整。
3.1　首 3 行下殘→大正 2897，85/1423B4～7。
3.2　尾 3 行下殘→85/1424A27～B1。
5　與《大正藏》本對照，文字略有不同。
8　8 世紀。唐寫本。
9.1　楷書。
11　圖版：《敦煌寶藏》，107/198B～200A。

1.1　BD02685 號
1.3　大般涅槃經（北本）卷一三
1.4　律 085
1.5　115:6372
2.1　(2+274.1)×26.5 厘米；7 紙；共 159 行，行 17 字。
2.2　01：02.0，01；　02：49.0，29；　03：49.5，29；
04：49.5，29；　05：49.6，29；　06：49.5，29；
07：27.0，13。
2.3　卷轴装。首殘尾全。第 2 紙有殘洞。背有古代裱補。有烏絲欄。
3.1　首行上殘→大正 374，12/443C4。
3.2　尾全→12/445B20。
4.2　大般涅槃經卷第十三（尾）。
8　6～7 世紀。隋寫本。
9.1　楷書。
11　圖版：《敦煌寶藏》，98/424B～428A。

1.1　BD02686 號
1.3　大般涅槃經（北本）卷一〇
1.4　律 086
1.5　115:6342
2.1　(2.5+632.1)×25.7 厘米；13 紙；共 359 行，行 17 字。
2.2　01：2.5+41.5，26；　02：51.0，29；　03：51.0，29；
04：51.0，29；　05：51.0，29；　06：51.0，29；
07：51.0，29；　08：51.0，29；　09：51.3，29；
10：51.3，29；　11：51.0，29；　12：51.5，29；
13：28.5，14。
2.3　卷轴装。首殘尾全。首紙有殘洞。背有古代裱補。有烏絲欄。有劃界欄針孔。
3.1　首 2 行上殘→大正 374，12/423C11。
3.2　尾全→12/428B13。
4.2　大般涅槃經卷第十（尾）。
8　5～6 世紀。南北朝寫本。
9.1　楷書。
9.2　有行間校加字。
11　圖版：《敦煌寶藏》，98/292B～301B。

1.1　BD02687 號
1.3　大通方廣懺悔滅罪莊嚴成佛經卷下
1.4　律 087
1.5　461:8691
2.1　(508.1+11)×28.1 厘米；13 紙；共 270 行，行 17 字。
2.2　01：42.0，22；　02：42.2，22；　03：42.2，22；
04：42.3，22；　05：42.5，22；　06：42.5，22；
07：42.5，22；　08：42.5，22；　09：42.5，22；
10：42.3，22；　11：42.3，22；　12：42.3，22；
13：11.0，06。
2.3　卷轴装。首尾均殘。紙未入潢。卷首有破裂及殘洞，卷上下邊有殘破，接縫處有開裂，尾紙殘破嚴重。卷内脫落 1 塊殘片，可綴接到倒數第 11 行殘洞處。有烏絲欄。
3.1　首殘→大正 2871，85/1351C22。
3.2　尾 6 行中下殘→85/1355A6～9。
8　7～8 世紀。唐寫本。
9.1　楷書。
11　圖版：《敦煌寶藏》，111/189B～196A。

1.1　BD02688 號
1.3　金光明最勝王經卷一
1.4　律 088
1.5　083:1483
2.1　(9.5+272+4.8)×26.5 厘米；8 紙；共 183 行，行 17 字。
2.2　01：9.5+1.5，07；　02：45.0，28；　03：45.0，29；
04：45.3，29；　05：45.2，29；　06：45.0，29；
07：45.0，29；　08：04.8，03。
2.3　卷轴装。首尾均殘。卷首尾殘破嚴重，卷上邊有等距離殘缺，卷面有污痕。有烏絲欄。已修整。
3.1　首 6 行殘→大正 665，16/405C3～9。
3.2　尾 3 行下殘→16/408A15～18。
8　8 世紀。唐寫本。
9.1　楷書。
11　圖版：《敦煌寶藏》，68/75B～79A。

1.1　BD02689 號
1.3　將釋僧戒初篇四波羅夷義決
1.4　律 089
1.5　170:7073
2.1　480×41.5 厘米；11 紙；共 307 行，行 25 字。
2.2　01：45.0，30；　02：46.0，31；　03：46.0，31；
04：46.0，31；　05：46.5，31；　06：46.0，31；

07：46.5，31；　08：46.0，31；　09：46.0，31；
10：46.0，29；　11：20.0，拖尾。
2.3　卷轴装。首脱尾全。卷面有蟲繭。尾有餘空。有烏絲欄。
3.4　説明：
本文獻首殘尾缺。未為歷代大藏經所收，敦煌遺書存有多號。
8　8～9 世紀。吐蕃統治時期寫本。
9.1　楷書。
9.2　有硃墨筆行間校加字。有硃筆點標、科分、重文、間隔符號。
11　圖版：《敦煌寶藏》，104/82B～88B。

1.1　BD02690 號
1.3　金光明最勝王經卷五
1.4　律 090
1.5　083：1720
2.1　（1.5＋589.7）×25.5 厘米；15 紙；共 369 行，行 17 字。
2.2　01：1.5＋30，20；　02：42.2，26；　03：34.2，26；
04：42.0，26；　05：42.0，26；　06：42.2，26；
07：42.0，26；　08：42.2，27；　09：42.1，26；
10：42.4，27；　11：42.4，27；　12：42.5，27；
13：42.0，26；　14：41.5，26；　15：20.0，07。
2.3　卷轴装。首殘尾全。卷面有殘洞、黴斑，接縫多處開裂。尾有蟲繭。背有古代裱補。有燕尾。有烏絲欄。
3.1　首殘→大正 665，16/423A2。
3.2　尾全→16/427B13。
4.2　金光明最勝王經卷第五（尾）。
8　9～10 世紀。歸義軍時期寫本。
9.1　楷書。
11　圖版：《敦煌寶藏》，69/432B～440A。

1.1　BD02691 號
1.3　灌頂章句拔除過罪生死得度經
1.4　律 091
1.5　250：7517
2.1　（2.3＋39.3＋44）×26.2 厘米；2 紙；共 46 行，行字不等。
2.2　01：2.3＋39.3＋2.6，25；　02：41.4，21。
2.3　卷軸裝。首尾均殘。通卷殘破。尾紙前方脱落 1 塊殘片，已綴接。有折叠欄。已修整。
3.1　首行上殘→大正 1331，21/534C28～535A1。
3.2　尾 22 行上下殘→21/535B5～C1。
8　9～10 世紀。歸義軍時期寫本。
9.1　楷書。
11　圖版：《敦煌寶藏》，106/554B～555B。

1.1　BD02692 號
1.3　金剛般若波羅蜜經
1.4　律 092
1.5　094：3841
2.1　（16＋322.5＋8.5）×27 厘米；8 紙；共 204 行，行 17 字。
2.2　01：16＋26.2，25；　02：43.5，26；　03：43.3，26；
04：43.6，26；　05：43.4，26；　06：43.5，25；
07：43.5，25；　08：35.5＋8.5，25。
2.3　卷轴装。首尾均殘。卷首殘破嚴重；脱落 1 殘片，文可綴接；第 2 紙有横裂；接縫有開裂；尾有蟲繭。有烏絲欄。
3.1　首 9 行上下殘→大正 235，8/749B14～22。
3.2　尾 4 行上殘→8/751C29～752A4。
8　7～8 世紀。唐寫本。
9.1　楷書。
11　圖版：《敦煌寶藏》，80/535A～539B。

1.1　BD02693 號
1.3　佛名經（十六卷本）卷一二
1.4　律 093
1.5　063：0733
2.1　（1＋1077）×26 厘米；26 紙；共 649 行，行 17 字。
2.2　01：1＋24，16；　02：46.0，28；　03：15.0，9；
04：29.5，18；　05：46.0，28；　06：46.0，28；
07：46.0，28；　08：02.0，01；　09：42.0，26；
10：46.0，28；　11：46.0，28；　12：46.0，28；
13：46.0，28；　14：46.0，28；　15：46.0，28；
16：46.0，28；　17：46.0，28；　18：46.0，28；
19：46.0，28；　20：46.0，28；　21：46.0，28；
22：46.0，28；　23：46.0，28；　24：46.0，28；
25：46.0，28；　26：44.5，19。
2.3　卷轴装。首殘尾全。經黄打紙。卷首殘破嚴重，上下邊殘破；接縫處有開裂。尾有蟲繭。有燕尾。有烏絲欄。
3.1　首 1 行上下殘→《七寺古逸經典研究叢書》，3/588 頁第 38 行。
3.2　尾全→《七寺古逸經典研究叢書》，3/635 頁第 648 行。
4.2　佛名經卷第十二（尾）。
7.1　首紙背有卷次勘記“十二”。
8　7～8 世紀。唐寫本。
9.1　楷書。
9.2　有行間校加字。有刮改。
11　圖版：《敦煌寶藏》，61/625A～639B。

1.1　BD02694 號
1.3　無量壽宗要經
1.4　律 094
1.5　275：7762
2.1　（3＋205）×30.5 厘米；5 紙；共 141 行，行 30 餘字。
2.2　01：3＋39.5，28；　02：42.0，29；　03：42.0，29；

04：42.0，29；　　05：39.5，26。
2.3　卷軸裝。首尾均全。卷首右上殘缺，下邊殘損。有烏絲欄。
3.1　首行上殘→大正936，19/82A3。
3.2　尾全→19/84C29。
4.1　□…□經（首）。
4.2　佛說無量壽宗要經（尾）。
8　8~9世紀。吐蕃統治時期寫本。
9.1　楷書。
11　圖版：《敦煌寶藏》，107/536B~539A。

1.1　BD02695號
1.3　大智度論卷二
1.4　律095
1.5　434:8626
2.1　339×26厘米；10紙；共201行，行17字。
2.2　01：21.0，12；　02：35.5，21；　03：35.5，21；
04：35.5，21；　05：35.5，21；　06：35.5，21；
07：35.5，22；　08：34.0，20；　09：36.0，21；
10：35.0，21。
2.3　卷軸裝。首尾均殘。通卷上下邊有等距離殘缺，接縫處有開裂，卷尾殘破嚴重。背有鳥糞。
3.1　首殘→大正1509，25/72B2。
3.2　尾殘→25/75A17。
8　5~6世紀。南北朝寫本。
9.1　楷書。
11　圖版：《敦煌寶藏》，111/48B~52B。

1.1　BD02696號
1.3　金剛般若波羅蜜經
1.4　律096
1.5　094:3708
2.1　（8.5+471.5）×26厘米；11紙；共281行，行17字。
2.2　01：8.5+39，28；　02：48.1，28；　03：47.8，28；
04：48.0，28；　05：47.5，28；　06：48.0，28；
07：48.0，28；　08：48.0，28；　09：27.4，16；
10：22.0，13；　11：47.7，28。
2.3　卷軸裝。首殘尾全。經黃打紙。卷面上下邊殘破，接縫處有脫開。背有古代裱補。有烏絲欄。
3.1　首5行下殘→大正235，8/749A18~24。
3.2　尾全→8/752C3。
4.2　金剛般若波羅蜜經（尾）。
8　7~8世紀。唐寫本。
9.1　楷書。
9.2　有硃筆點標。
11　圖版：《敦煌寶藏》，79/624A~630A。

1.1　BD02697號
1.3　天地八陽神咒經
1.4　律097
1.5　256:7613
2.1　（141.7×22.5）×25.6厘米；5紙；共108行，16~18字。
2.2　01：27.4，13；　02：50.0，37；　03：31.3，20；
04：33+7.5，27；　05：15.0，11。
2.3　卷軸裝。首全尾殘。卷面殘破嚴重，接縫處有開裂。通卷背有古代裱補。第4紙脫落1塊殘片，可以綴接。首紙有上下邊欄。
3.1　首全→大正2897，85/1422B14。
3.2　尾16行上中殘→85/1423C10~26。
4.1　佛說天地八陽神咒經（首）。
7.3　第2紙背雜寫"佛"字2個。
8　7~8世紀。唐寫本。
9.1　楷書。
11　圖版：《敦煌寶藏》，107/100A~102A。

1.1　BD02698號
1.3　金剛般若波羅蜜經
1.4　律098
1.5　094:4364
2.1　63×25.2厘米；2紙；共34行，行17~20字。
2.2　01：48.0，28；　02：15.0，06。
2.3　卷軸裝。首脫尾全。經黃打紙。尾有蟲繭及等距離蟲蛀洞。有燕尾。有烏絲欄。
3.1　首殘→大正235，8/751C26。
3.2　尾全→8/752C3。
4.2　金剛般若波羅蜜經（尾）。
5　與《大正藏》本對照，本號漏失一段經文，可參見大正235，8/752A27~B27。所缺經文相當於一紙長短，應是末紙前漏粘一紙。
8　7~8世紀。唐寫本。
9.1　楷書。
11　圖版：《敦煌寶藏》，83/62A~B。

1.1　BD02699號
1.3　無量壽宗要經
1.4　律099
1.5　275:7763
2.1　（7+160.5）×30.5厘米；4紙；共111行，行30餘字。
2.2　01：7+34.5，28；　02：42.0，28；　03：42.0，28；
04：42.0，27。
2.3　卷軸裝。首殘尾全。卷首殘破，第3、4紙接縫處上部開裂，尾紙有橫向破裂。有烏絲欄。
3.1　首5行中下殘→大正936，19/82B24~C3。
3.2　尾全→19/84C29。
4.2　佛說無量壽宗要經（尾）。

7.1　尾紙末有題名“索慎言”。
8　8～9世紀。吐蕃統治時期寫本。
9.1　楷書。
11　圖版：《敦煌寶藏》，107/539B～541B。

1.1　BD02700號
1.3　無量壽宗要經
1.4　律100
1.5　275:7922
2.1　165×31厘米；4紙；共112行，行30餘字。
2.2　01：42.0，27；　02：41.5，29；　03：41.5，28；
04：40.0，28。
2.3　卷軸裝。首全尾脱。第3紙上邊有破裂，尾紙上下邊有破裂。有烏絲欄。
3.1　首全→大正936，19/82A3。。
3.2　尾殘→19/84B9。
4.1　大乘無量壽經（首）。
8　8～9世紀。吐蕃統治時期寫本。
9.1　行楷。
11　圖版：《敦煌寶藏》，108/310A～312A。

新舊編號對照表

一、千字文號與北敦號、縮微膠卷號對照表

千字文號	北敦號	縮微膠卷號
律 001	BD02601 號	094：3679
律 002	BD02602 號	094：4387
律 003	BD02603 號	070：1272
律 004	BD02604 號	275：7760
律 005	BD02605 號	070：0986
律 006	BD02606 號	105：4518
律 007	BD02607 號	105：4535
律 008	BD02608 號	094：3955
律 009	BD02609 號	083：1945
律 010	BD02610 號	093：3499
律 011	BD02611 號	084：3305
律 012	BD02612 號	006：0100
律 013	BD02613 號	063：0670
律 013	BD02613 號背	063：0670
律 014	BD02614 號	094：3762
律 015	BD02615 號	058：0467
律 016	BD02616 號	397：8532
律 017	BD02617 號	084：2574
律 018	BD02618 號	094：3522
律 019	BD02619 號	070：0951
律 020	BD02620 號	094：3943
律 021	BD02621 號	299：8294
律 022	BD02622 號	094：3598
律 023	BD02623 號	094：4005
律 024	BD02624 號	084：3075
律 025	BD02625 號	275：7761
律 026	BD02626 號	084：2586
律 027	BD02627 號	111：6275
律 028	BD02628 號	084：2581
律 029	BD02629 號	105：5327
律 030	BD02630 號	105：5196
律 031	BD02631 號	084：2536
律 032	BD02632 號	082：1428
律 033	BD02633 號	084：2325
律 034	BD02634 號	105：4575
律 035	BD02635 號	083：1899
律 036	BD02636 號	275：7921
律 037	BD02637 號	105：5378
律 038	BD02638 號	070：0987
律 039	BD02639 號	084：2224
律 040	BD02640 號	105：4969
律 041	BD02641 號	070：1193
律 042	BD02642 號	084：2806
律 043	BD02643 號	156：6845
律 044	BD02644 號	014：0159
律 045	BD02645 號	094：3871
律 046	BD02646 號	084：3310
律 047	BD02647 號	030：0270
律 048	BD02648 號	030：0303
律 049	BD02649 號	094：4000
律 050	BD02650 號	105：6138
律 051	BD02651 號	081：1392
律 052	BD02652 號	105：4795
律 053	BD02653 號	084：2493
律 054	BD02654 號 1	083：1439
律 054	BD02654 號 2	083：1439
律 055	BD02655 號	094：4292
律 056	BD02656 號	250：7491
律 057	BD02657 號	105：4569
律 058	BD02658 號	095：4432
律 059	BD02659 號	084：3140
律 060	BD02660 號	070：0910
律 061	BD02661 號	083：1990
律 062	BD02662 號	084：3390
律 063	BD02663 號	094：3523
律 064	BD02664 號	094：3782
律 065	BD02665 號	084：2892
律 066	BD02666 號	105：5601

律 067	BD02667 號	094：3707
律 068	BD02668 號	063：0666
律 068	BD02668 號背	063：0666
律 069	BD02669 號	084：2697
律 070	BD02670 號	084：2223
律 071	BD02671 號	084：2229
律 072	BD02672 號	084：2751
律 073	BD02673 號	084：2924
律 074	BD02674 號	105：5240
律 075	BD02675 號	105：5376
律 076	BD02676 號	115：6311
律 077	BD02677 號	084：2222
律 078	BD02678 號	094：4035
律 079	BD02679 號	115：6522
律 080	BD02680 號	084：2872
律 081	BD02681 號	081：1402
律 082	BD02682 號	083：1856
律 083	BD02683 號	030：0308
律 084	BD02684 號	256：7641
律 085	BD02685 號	115：6372
律 086	BD02686 號	115：6342
律 087	BD02687 號	461：8691
律 088	BD02688 號	083：1483
律 089	BD02689 號	170：7073
律 090	BD02690 號	083：1720
律 091	BD02691 號	250：7517
律 092	BD02692 號	094：3841
律 093	BD02693 號	063：0733
律 094	BD02694 號	275：7762
律 095	BD02695 號	434：8626
律 096	BD02696 號	094：3708
律 097	BD02697 號	256：7613
律 098	BD02698 號	094：4364
律 099	BD02699 號	275：7763
律 100	BD02700 號	275：7922

二、縮微膠卷號與北敦號、千字文號對照表

縮微膠卷號	北敦號	千字文號
006：0100	BD02612 號	律 012
014：0159	BD02644 號	律 044
030：0270	BD02647 號	律 047
030：0303	BD02648 號	律 048
030：0308	BD02683 號	律 083
058：0467	BD02615 號	律 015
063：0666	BD02668 號	律 068
063：0666	BD02668 號背	律 068
063：0670	BD02613 號	律 013
063：0670	BD02613 號背	律 013
063：0733	BD02693 號	律 093
070：0910	BD02660 號	律 060
070：0951	BD02619 號	律 019
070：0986	BD02605 號	律 005
070：0987	BD02638 號	律 038
070：1193	BD02641 號	律 041
070：1272	BD02603 號	律 003
081：1392	BD02651 號	律 051
081：1402	BD02681 號	律 081
082：1428	BD02632 號	律 032
083：1439	BD02654 號 1	律 054
083：1439	BD02654 號 2	律 054
083：1483	BD02688 號	律 088
083：1720	BD02690 號	律 090
083：1856	BD02682 號	律 082
083：1899	BD02635 號	律 035
083：1945	BD02609 號	律 009
083：1990	BD02661 號	律 061
084：2222	BD02677 號	律 077
084：2223	BD02670 號	律 070
084：2224	BD02639 號	律 039
084：2229	BD02671 號	律 071
084：2325	BD02633 號	律 033
084：2493	BD02653 號	律 053
084：2536	BD02631 號	律 031
084：2574	BD02617 號	律 017
084：2581	BD02628 號	律 028
084：2586	BD02626 號	律 026
084：2697	BD02669 號	律 069
084：2751	BD02672 號	律 072
084：2806	BD02642 號	律 042
084：2872	BD02680 號	律 080
084：2892	BD02665 號	律 065
084：2924	BD02673 號	律 073
084：3075	BD02624 號	律 024
084：3140	BD02659 號	律 059

084：3305	BD02611 號	律 011
084：3310	BD02646 號	律 046
084：3390	BD02662 號	律 062
093：3499	BD02610 號	律 010
094：3522	BD02618 號	律 018
094：3523	BD02663 號	律 063
094：3598	BD02622 號	律 022
094：3679	BD02601 號	律 001
094：3707	BD02667 號	律 067
094：3708	BD02696 號	律 096
094：3762	BD02614 號	律 014
094：3782	BD02664 號	律 064
094：3841	BD02692 號	律 092
094：3871	BD02645 號	律 045
094：3943	BD02620 號	律 020
094：3955	BD02608 號	律 008
094：4000	BD02649 號	律 049
094：4005	BD02623 號	律 023
094：4035	BD02678 號	律 078
094：4292	BD02655 號	律 055
094：4364	BD02698 號	律 098
094：4387	BD02602 號	律 002
095：4432	BD02658 號	律 058
105：4518	BD02606 號	律 006
105：4535	BD02607 號	律 007
105：4569	BD02657 號	律 057
105：4575	BD02634 號	律 034
105：4795	BD02652 號	律 052
105：4969	BD02640 號	律 040
105：5196	BD02630 號	律 030
105：5240	BD02674 號	律 074
105：5327	BD02629 號	律 029
105：5376	BD02675 號	律 075
105：5378	BD02637 號	律 037
105：5601	BD02666 號	律 066
105：6138	BD02650 號	律 050
111：6275	BD02627 號	律 027
115：6311	BD02676 號	律 076
115：6342	BD02686 號	律 086
115：6372	BD02685 號	律 085
115：6522	BD02679 號	律 079
156：6845	BD02643 號	律 043
170：7073	BD02689 號	律 089
250：7491	BD02656 號	律 056
250：7517	BD02691 號	律 091
256：7613	BD02697 號	律 097
256：7641	BD02684 號	律 084
275：7760	BD02604 號	律 004
275：7761	BD02625 號	律 025
275：7762	BD02694 號	律 094
275：7763	BD02699 號	律 099
275：7921	BD02636 號	律 036
275：7922	BD02700 號	律 100
299：8294	BD02621 號	律 021
397：8532	BD02616 號	律 016
434：8626	BD02695 號	律 095
461：8691	BD02687 號	律 087